马克思主义发展史

第 五 卷

十月革命前列宁主义的
形成与发展

（19 世纪末—1917）

总主编 庄福龄 杨瑞森 梁树发 郝立新 张 新

本卷主编 梁树发　　副主编 张 旭

人民出版社

中国人民大学科学研究基金项目成果

（批准号：15XNLG03 ）

总　序

19 世纪 40 年代，马克思和恩格斯创立了他们的伟大科学学说——马克思主义。马克思主义的产生是人类思想史上的伟大变革。它对自然界、人类社会和人的思维的本质与规律作了科学回答，使社会主义由空想发展为科学，无产阶级革命实践从此有了科学理论的指导。

马克思主义自形成以来，在世界历史、人类生活、科学和思想文化的发展中，在指导无产阶级实现自身解放的伟大斗争中，留下了深刻的印记，形成了一部内容极其丰富、壮观，既充满曲折又创新不止的历史画卷。正如习近平总书记所说："一部马克思主义发展史就是马克思、恩格斯以及他们的后继者们不断根据时代、实践、认识发展而发展的历史，是不断吸收人类历史上一切优秀思想文化成果丰富自己的历史。"①

马克思主义发展史是马克思主义理论研究的基础。马克思主义发展的经验和规律、关于什么是马克思主义和怎样对待马克思主义的确切答案，就在马克思主义发展的历史中，需要通过对马克思主义发展史的研究获得。

一旦我们进入马克思主义发展史研究，就会发现以下事实：

第一，无论是两位马克思主义伟大创始人，还是他们的战友、学生和后继者中的严格的马克思主义理论家，无不重视对马克思主义发展史的研究，无不是马克思主义理论和马克思主义发展史修养兼备的理论家。

第二，马克思主义发展史作为历史进程中发展着的马克思主义，是马克思主义理论发展史和实践发展史的有机统一。也就是说，完整意义上的马克思主义发展史，既不是单纯的马克思主义理论史，也不是单纯的马克思主义实践

---

① 习近平：《在纪念马克思诞辰 200 周年大会上的讲话》，人民出版社 2018 年版，第 9 页。

史。这决定了马克思主义发展史研究和书写的基本方法论原则是理论与实践的统一。

第三，马克思主义发展史的存在形式是具体的和多样的，有实践的也有理论的，有文本性的也有非文本性的。马克思主义创始人和马克思主义理论家们始终在利用一切可能的形式进行他们的马克思主义理论研究、创造、阐释和传播。一部在内容上充分而且准确地反映马克思主义实际发展过程的马克思主义史，必定是对它的尽可能多的存在形式研究的结果。

第四，以马克思和恩格斯的战友、学生为主体的早期的马克思主义研究，其主要形式和成就正是马克思主义发展史研究。具体表现为：

（1）多种版本的马克思主义创始人传记问世。马克思主义创始人、其他马克思主义经典作家和无产阶级革命领袖的传记，是马克思主义发展史的存在形式之一，因而也是它的研究形式之一。它是在关于马克思主义创始人、其他马克思主义经典作家和无产阶级革命领袖的生平、事业、思想、著作的生成、演变与发展的历史记忆和追述中展示马克思主义形成与发展的过程。恩格斯是马克思传记的第一位作者。他的《卡尔·马克思》和其他未出版的马克思传记作品，在详尽介绍马克思作为伟大无产阶级革命家和理论家如何为无产阶级和全人类的解放而斗争一生的同时，阐述了以唯物史观、剩余价值学说为标志的他的理论、思想形成与发展过程。《弗里德里希·恩格斯》是列宁在 1895 年恩格斯逝世一个月后写的一篇悼文，它向读者介绍了恩格斯的生平、活动，特别是他实现哲学和政治转变的过程。《卡尔·马克思》是 1914 年列宁应邀为《格拉纳特百科词典》撰写的一个词条，在这里他提出马克思主义"是马克思的观点和学说的体系"[①]命题，强调了马克思主义的整体性；把阶级斗争和无产阶级使命的理论纳入"新的世界观"范畴，凸显马克思主义哲学的实践性；阐明无产阶级斗争策略是马克思主义理论体系中不可忽视的内容，凸显马克思主义的现实性。

（2）初步提出马克思主义发展规律问题。当考茨基还是一位马克思主义者的时候，他发表了一篇题为《马克思主义的三次危机》的文章，以纪念马克思逝世 20 周年。在这篇文章中，他用 19 世纪中叶以来欧洲发生的"三个事件"的命运——1848 年欧洲革命的失败、1871 年巴黎公社的失败和 19 世纪末修正

---

① 《列宁选集》第 2 卷，人民出版社 2012 年版，第 418 页。

主义的出现——说明所谓马克思主义"危机"的发生。在他看来,"危机"虽然不是马克思主义发展中的积极现象,但是也不必把它看作威胁到马克思主义命运的现象。它只是表现了马克思主义发展的曲折性。他认为,在上述每一事件发生的前后,马克思主义其实都经历过一个由高潮到危机、再由危机到高潮的过程,并且在危机被克服之后,马克思主义"总是赢得了新的基地"①。这种关于马克思主义"高潮—危机—高潮"的周期性变化、发展的认识,表明考茨基已经有了关于马克思主义发展规律的意识。同时期德国另一位著名马克思主义理论家罗莎·卢森堡善于在马克思主义发展的历史经验中理解马克思主义发展规律。在《马克思主义的停滞和进步》一文中,她通过对造成马克思主义发展中"停滞"现象的原因的分析而阐明了实质说来是马克思主义理论与实践的关系的独特见解。她认为,一定时期和一定地区的马克思主义发展中的"停滞",原因往往不在于马克思的理论落后于工人阶级的"现阶段斗争",而在于"现阶段斗争"以及"作为实际斗争政党的我们"的行为落后于马克思的理论。她说:"如果我们现在因此而觉察出运动中存在理论停滞状况,这并不是由于我们赖以生存的马克思理论无力向前发展或是它本身已经'过时',相反,是由于我们已经把现阶段斗争必须的思想武器从马克思的武库取来却又不充分运用;这并不是由于我们在实际斗争中'超越'了马克思,相反,是由于马克思在科学创造中事先已经超越了作为实际斗争政党的我们;这并不是由于马克思不再能满足我们的需要,而是由于我们的需要还没有达到运用马克思思想的程度。"②这就是说,在理论与实践的关系上,虽然一般说来实践是主要的决定的方面,理论来源于实践,接受实践的检验。但就19世纪末20世纪初这一时期的马克思主义发展来说,在卢森堡看来,则是实践落后于理论,落后于马克思的"科学创造"。卢森堡的这个观点在马克思主义理论家中引起了争议。曾是德国共产党理论家的卡尔·柯尔施在题为《关于"马克思主义和哲学"问题的现状(1930年)》中谈到"马克思的马克思主义理论同后来工人阶级运动的表现形式的关系"问题时,对卢森堡的这个观点提出了批评,认为它"头足倒置地改变了理论对实践的关系"③,并把它"变为一种体系",然后再用这个体

---

① [德]卡·考茨基:《马克思主义的三次危机》,载《国际共运史研究资料》第3辑,人民出版社1981年版,第238页。

② 《卢森堡文选》上卷,人民出版社1984年版,第476页。

③ [德]卡尔·柯尔施:《马克思主义和哲学》,重庆出版社1989年版,第67页注⑪。

系解释马克思主义"停滞"的原因。他说，马克思主义"不是一种能够神话般
地预见将来一个长时期里工人运动的未来发展的理论。因而不能说随后的无产
阶级的实际进步，实际上落在了它自己的理论后面，或者它只能逐渐充实由理
论给它规定的构架"①。列宁是把马克思主义发展史研究推向新的高度的马克
思主义理论家。《马克思主义和修正主义》、《论马克思主义历史发展中的几个特
点》、《马克思学说的历史命运》等是关于马克思主义发展史问题的著名篇章，
它们从不同方面阐述了马克思主义发展规律。在《马克思主义和修正主义》
中，列宁根据马克思主义发展的经验，得出马克思主义"在其生命的途程中
每走一步都得经过战斗"②的结论。在《论马克思主义历史发展中的几个特点》
中，列宁提出在"具体的社会政治形势改变了，迫切的直接行动的任务也有了
极大的改变"的情况下，"马克思主义这一活的学说的各个不同方面也就不能
不分别提到首要地位"。③

（3）阐述了马克思主义发展阶段思想。在《马克思主义的三次危机》中，
考茨基关于马克思主义在危机与高潮交替中运行与发展的认识实际包含了马克
思主义发展阶段思想。他是把马克思主义发展的高潮时期的起点理解为马克思
主义发展新阶段的起点。他认为，马克思主义发展的第一个时期是 1848 年革
命失败以前；第二个时期的开端是新高潮在 60 年代初到来的时候，止于 1871
年巴黎公社的失败；第三个时期是"1874 年德国社会民主党在选举中赢得了辉
煌的胜利"和 1875 年在抵抗普鲁士政府对它的迫害中"敌对的弟兄们"联合
起来的时候，止于 19 世纪末由于修正主义的产生导致的马克思主义的"第三
次危机"。考茨基指出，在马克思逝世 20 周年的时候，马克思主义正处于这
次危机的结尾，意味着马克思主义的一个新的发展时期的到来。列宁总是"从
世界各国的革命经验和革命思想的总和中"④理解马克思主义的形成和发展，
理解马克思主义发展的阶段性。在《马克思学说的历史命运》中，他按照世
界历史的"三个主要时期"的划分，即从 1848 年革命到巴黎公社（1871 年），
从巴黎公社到俄国革命（1905 年），从这次俄国革命至 1913 年撰写该文时，
阐述马克思主义在每一时期的发展状况，并从中得出总的结论："自马克思主

---

① [德] 卡尔·柯尔施：《马克思主义和哲学》，重庆出版社 1989 年版，第 67 页。
② 《列宁选集》第 2 卷，人民出版社 2012 年版，第 1 页。
③ 《列宁选集》第 2 卷，人民出版社 2012 年版，第 279 页。
④ 《列宁全集》第 27 卷，人民出版社 2017 年版，第 15 页。

义出现以后，世界历史的这三大时期中的每一个时期，都使它获得了新的证明和新的胜利。"①

（4）提出正确对待马克思主义的问题。马克思主义发展的经验表明，正确认识马克思主义和正确对待马克思主义是实现马克思主义对于实践的正确指导和在实践中获得发展的两个密切联系的基本原则。就其对于实践的指导和马克思主义的自身发展来说，它们具有同等重要的意义。在马克思主义经典著作研读和马克思主义理论学习中，我们会发现马克思主义经典作家对于正确对待马克思主义问题的强调，较之如何认识马克思主义问题来得更多更为迫切。马克思主义发展史的这一现象其实是有来自现实生活的根据的。首先，它是问题本身与具体的无产阶级实践的关联。这个关联就是如何正确对待马克思主义的问题往往是在具体的实践中提出的，是实践中的问题。在这个意义上，我们说，怎样对待马克思主义的问题，直接地是一个理论与实践的关系问题。其次，它是马克思主义在发展中发生曲折的主要原因。这个原因往往不在于关于马克思主义的认识，而在于对待马克思主义的方式、态度。前面曾经提到的卢森堡关于马克思主义发展中"停滞"问题的分析，"停滞"的原因在卢森堡看来，就是德国共产党人对待马克思主义的方式与态度不正确。列宁关于正确对待马克思主义的思想则更为充分、鲜明。他认为马克思主义者从马克思的理论中"只是借用了宝贵的方法"②；强调"在分析任何一个社会问题时，马克思主义理论的绝对要求，就是要把问题提到一定的历史范围之内"③；主张要保卫马克思主义，使之"不被歪曲，并使之继续发展"④。

俄国十月社会主义革命胜利以后，世界范围的马克思主义发展史研究形势发生了根本性变化，特别表现在研究领域、主题的广泛拓展，研究的科学性和系统性的极大提升，研究中心有了强大的社会主义制度的支撑。这里首先应该提到的是俄国马克思主义科学研究中心的建立。这个中心的基础是于1918年成立的俄国社会主义学院，特别是它所属的成立于1919年的马克思主义理论、历史和实践研究室，在该室基础上1921年1月成立了马克思恩格斯研究院。该院在列宁的支持和协助下开始了马克思和恩格斯的遗著、遗稿和专用藏

① 《列宁选集》第2卷，人民出版社2012年版，第308页。
② 《列宁全集》第1卷，人民出版社2013年版，第166页。
③ 《列宁全集》第25卷，人民出版社2017年版，第232页。
④ 《列宁全集》第6卷，人民出版社2013年版，第251页。

书的搜集、出版，并开展了主题明确的马克思主义发展史研究。此后苏联红色教授学院、斯维尔德洛夫共产主义大学、莫斯科大学和苏维埃共和国其他城市的大学和研究机构也都开展了马克思主义发展史的研究和教学。至第二次世界大战前，苏联在马克思主义发展史研究方面值得提到的主要成就有：马克思和恩格斯的大量著作、文献的发现和系统发表，特别是《马克思恩格斯全集》、《列宁全集》、马克思诞辰和逝世周年纪念文集的出版，以及俄共（布）中央主办的理论刊物《在马克思主义旗帜下》的创刊、马克思恩格斯研究院机关刊物《马克思恩格斯文库》和《马克思主义年鉴》这两个"马克思学"文献的发表。马克思主义经典著作和纪念性书刊和文献的出版，标志着俄国马克思主义从普及到科学研究的过渡；马克思主义发展的列宁主义阶段的提出与共识；马克思主义与其之前优秀思想成果的关系问题的提出和科学阐释，包括马克思的哲学先驱者黑格尔、费尔巴哈和空想社会主义代表人物的著作的出版和研究；关于《西欧哲学史》的讨论使马克思主义哲学的起源和马克思哲学变革的实质问题成为苏联哲学界和理论界注意的中心；"三大重要手稿"（《黑格尔法哲学批判》、《1844 年经济学哲学手稿》、《德意志意识形态》）得到集中而深入的研究；马克思主义政治经济学思想的形成与发展、《资本论》创作史研究，以及恩格斯经济学思想研究得到重视；继卢那察尔斯基、梁赞诺夫、阿多拉茨基、波格罗夫斯基、德波林之后，亚历山大罗夫、伊利切夫、康斯坦丁诺夫、米丁、尤金等一批新的马克思主义理论家成长起来，马克思主义史的学者队伍不断形成；《马克思主义形成与发展史略》、《马克思主义哲学的形成（19 世纪 30 年代中期至 1848 年）》等著作出版。

法国著名马克思主义研究者奥古斯特·科尔纽从 20 世纪 50 年代初开始撰写的多卷本的《马克思恩格斯传》，其实是一部马克思和恩格斯思想史著作，特别是马克思主义形成史著作。50 年代以后，一批综合性的马克思主义发展史研究著作陆续出版，如 A.G. 迈耶的《共产党宣言以来的马克思主义》（1954）、R.N.C. 亨特的《马克思主义的过去和现在》（1963）、B.D. 沃尔夫的《马克思主义学说百年历程》（1971）、S. 阿维内里的《马克思主义的不同流派》（1978）。

这里，我们特别要提到国外马克思主义发展史研究的几部著作。第一部是南斯拉夫著名马克思主义哲学家普雷德腊格·弗兰尼茨基的《马克思主义史》，该书先后出了四版。第一版于 1961 年问世，第二版于 1970 年出版，1975 年发行的第三版是第二版的重印，1977年出了第四版。1963年我国三联书店曾分上下卷出版了该书中文版。1986年和1988年根据该书1977年版人民出版社先后出版了中文版第一、二卷，1992年出版了中文版第三卷。弗兰尼茨基的《马克思主义史》（三卷本）是国外较早出版的论述马克思主义发展史的多卷本著作，曾被译成多国文字，在我国和世界其他国家的理论界产生过较大影响。

第二部是英国肯特大学政治学教授、国际著名马克思主义研究者戴维·麦克莱伦的《马克思以后的马克思主义》。该书于1979年由伦敦和巴辛斯托克麦克米兰出版公司出版。1980年和1998年先后出了第二、三版。1984年该书根据1979年版译成中文，1986年由中国社会科学出版社出版。著名马克思主义哲学家、马克思主义哲学史家黄枬森教授写了《〈马克思以后的马克思主义〉一书评介》，载于该书。黄枬森教授指出该书有三个特点：它所涉及的范围十分广泛，几乎包括了马克思主义哲学、政治经济学和科学社会主义在马克思逝世后近百年来在世界各国的传播和发展；它用比较客观的态度提供了丰富的思想材料，对作者显然不同意的观点也能如实地进行介绍；它不仅提供了马克思主义发展史的丰富材料，而且提供了进一步研究的线索。2008年中国人民大学出版社出版了该书第三版。

第三部是英国著名马克思主义史学家埃里克·霍布斯鲍姆的《如何改变世界——马克思和马克思主义的传奇》。该书收录了霍布斯鲍姆1956—2009年间在马克思主义发展史领域所写的部分作品，它们"实质上是对马克思（和不可分开的恩格斯）思想发展及其后世影响的研究"[①]。全书分两个部分，共16章。第一部分是"马克思和恩格斯"，从"今日的马克思"谈起，涉及"马克思、恩格斯与马克思之前的社会主义"、"马克思、恩格斯与政治"等专题，然后是"论"马克思和恩格斯的几部代表性著作文章，但这个论述已经不限于对著作内容、结构和知识点的介绍，而涉及更广泛的内容，特别是它们在国际共产主义运动史和马克思主义发展史上的影响、它们的文献学意义等。第二部分是"马克思主义"。从每一章的标题可以看出，其主题是马克思主义发展史各个时期的重要问题。所以，严格来说，它不是一部我们印象中的系统的马克

[①]　[英] 埃里克·霍布斯鲍姆：《如何改变世界——马克思和马克思主义的传奇》，中央编译出版社2014年版，"前言"第1页。

思主义发展史著作，而是关于马克思主义发展史重要问题的研究性著作。但是，这并不影响它的实际的系统性，因为作者讨论的问题所在时期是连贯的。霍布斯鲍姆还乐观地谈到21世纪马克思主义前景，指出："经济自由主义和政治自由主义，无论是单独还是结合起来，都不可能为21世纪的种种问题提供解决的方案。现在又是应该认真地对待马克思的时候了。"①从占有材料的规范性、问题分析的透彻与精到、见解的鲜明与深刻来看，这是一部难得的马克思主义发展史著作。

第四部是莱泽克·科拉科夫斯基的三卷本的《马克思主义的主要流派》。这是一部大部头的马克思主义发展史著作，也是一部颇有争议的著作。该书第一卷写于1968年，第二卷和第三卷分别写于1976年和1978年。全书在英国出版于1978年。莱泽克·科拉科夫斯基1927年10月23日出生于波兰，曾担任华沙大学哲学系教授、系主任，系"东欧新马克思主义"代表人物。1968年被解除华沙大学教职后，先后去了德国、加拿大、美国，最后定居英国，在牛津大学任教。《马克思主义的主要流派》的结构特征是，除个别章节是理论专题外，其他均按人物排列。这些人物都是重要的马克思主义发展史人物，在科拉科夫斯基看来，他们还是某一马克思主义流派的代表。这些人在政治上和理论上当然有其个性，并具有较大影响力，但其中有的硬被说成某一马克思主义流派的代表，或者为其硬要搞出一个所谓马克思主义流派，实属牵强，表明他关于马克思主义流派的划分具有很大的随意性。作为"东欧新马克思主义"代表人物，他的观点与"西方马克思主义"的人本主义流派和西方"马克思学"的观点基本一致，但对于同样坚持人道主义立场的某些"西方马克思主义"人物，如马尔库塞、萨特等，他还是进行了严厉批评，原因很大程度不在于其理论观点，而在于他们与苏联的关系。科拉科夫斯基对社会主义国家的马克思主义和经济、政治体制的认识有很大片面性，许多观点是错误的。但该书在马克思主义发展史研究方面还是提供了丰富的资料，也使我们能够更广泛地了解国外马克思主义发展史研究的动态。

1978—1982年，意大利埃伊纳乌迪（Einaudi）出版社出版了一部多卷本的《马克思主义史》，霍布斯鲍姆称其是一项"最雄心勃勃的马克思主义史计

---

① ［英］埃里克·霍布斯鲍姆：《如何改变世界——马克思和马克思主义的传奇》，中央编译出版社2014年版，第385页。

划"。他是该书的联合策划者和联合主编，并参加了第一卷的写作。该书没有中文版。

总的来说，我国的马克思主义发展史研究起步较晚。1964 年 6 月，原高等教育部根据中共中央决定批准中国人民大学成立马列主义发展史研究所，标志着我国系统的马克思主义发展史研究的开始。建所之初，马列主义发展史研究所的干部和教师以饱满的热情积极投入到马克思主义发展史资料的搜集、翻译和整理工作中。由于"十年动乱"和中国人民大学解散，还没有进入实际过程的马克思主义发展史研究不得不停步。实际的系统的马克思主义发展史研究是在 1978 年中国人民大学复校后马列主义发展史研究所由外校迁回后开始的。70 年代末至整个 80 年代，马列主义发展史研究所在不太长的时间内发表了一批在学术界有较大影响的研究成果。先后有马列主义发展史研究所组编的《马克思恩格斯思想史》和《列宁思想史》出版；有在国内最早开启的马克思早期思想研究著作《马克思早期思想研究》和《〈资本论〉创作史》的出版，特别是在《马克思主义哲学史纲要》和《科学社会主义史纲》编写基础上，完成并出版了国内第一部综合性的马克思主义发展史著作《马克思主义发展史》，有《马克思主义与当代辞典》的编写和出版。20 世纪 90 年代是研究所的高产期，仅在前半期就有《被肢解的马克思》、《新视野：〈资本论〉哲学新探》、《毛泽东哲学思想史》（三卷本）、《马克思主义经济思想史》、《〈资本论〉方法论研究》、《马克思"不惑之年"的思考》、《恩格斯与现时代》、《第二国际若干人物的思想研究》、《20 世纪马克思主义史——从十月革命到中共十四大》、《马克思主义哲学史辞典》和几部马克思主义经典作家传记的出版。这些著作的出版为 90 年代初启动的四卷本《马克思主义史》的编写做了理论上的准备。四卷本的《马克思主义史》由中国人民大学马列主义发展史研究所组织编写，庄福龄教授主编，人民出版社 1995 年、1996 年出版。这是由国内学者编写的第一部较大部头的马克思主义发展史著作，出版后获中宣部"五个一工程"奖和国家图书奖提名奖。

《马克思主义史》（四卷本）的出版距今已近 30 年，其间经历了世纪交替，马克思主义逐渐从苏联东欧社会主义制度解体造成的冲击和困境中走出并重新活跃起来，马克思主义研究在更广范围内和更深层次上展开并取得重要成果。一方面对马克思主义理论和马克思主义发展史有了新的认识；另一方面积累了马克思主义创新发展的丰富经验，尤其是马克思主义中国化时代化的经验，从而凸显编写一部反映马克思主义发展最新理论成果、内容更加充实、更高质量的马克思主义发展史著作的必要性。参加十卷本《马克思主义发展史》编写者们对完成这一任务的意义有自觉的意识：

第一，它是适应21世纪变化了的世界历史形势和这一形势下无产阶级认识世界和改变世界的伟大实践，特别是当代中国特色社会主义实践需要的。马克思主义的创新发展是在对客观历史形势的正确反映和根据这种反映对世界的积极改造中实现的，是在马克思主义基本原理同各国实际的结合中实现的。马克思主义发展史著作对这个过程的研究、书写，特别是对它的经验和规律的揭示，将为我们正确认识和面对新世纪客观形势的变化，并根据这种变化确定我们的实践主题、发展道路、发展战略提供启示。

第二，它是发展当代中国马克思主义、二十一世纪马克思主义的需要。一般地说，马克思主义发展史的研究对象是历史上的和世界性的马克思主义发展过程，是马克思主义发展的基本经验和规律。但是，从马克思主义的实践的和理论的发展目的出发，这种研究方法又必须是面对现实和面向未来的，因此是"大历史"的，是历史主义与现实主义的统一。而从这一原则和视野出发，我们的马克思主义发展史的研究和书写，一是要特别关注"我们自己正在做的事情"，从理论方面讲，就是要特别关注中国马克思主义的发展，关注马克思主义中国化时代化的历史进程；二是要关注马克思主义的当下发展状况和未来发展趋势。就研究者身在21世纪的现实来说，就是要研究二十一世纪马克思主义。关于"二十一世纪马克思主义"这个命题，我们还是要从总体上认识，即要看到它所表征的总的精神是面向马克思主义的未来发展。它既表明二十一世纪马克思主义主体对未来马克思主义发展、马克思主义命运信心满满，又表征对未来马克思主义发展提出更高要求，即它是能够回答新的时代之问的马克思主义发展新境界。

第三，它是对中国人民大学优良传统的继承和发扬。中国人民大学是中国共产党创办的第一所新型正规大学，有着用马克思主义指导办学的传统和经验。这个传统和经验，首先是坚持政治性与学理性的统一。坚持这个统一，既表现在办学方针，教育和教学的指导思想和根本方法上，也表现在科学研究所应坚持的根本方向、目标和方法上。对于马克思主义研究来说，就是为无产阶级革命、社会主义建设和改革的实践服务。这是我们从事马克思主义教育与研究的宗旨。这个宗旨在马列主义发展史研究所成立时就明确了。

1964 年前后，中央强调系统的马克思主义发展史研究，其直接原因在于当时国际政治形势的变化、国际的和社会主义阵营内部的意识形态斗争。中央批准成立中国人民大学马列主义发展史研究所的直接意图就是为了适应这一需要。对此，马列主义发展史研究所的干部和教师的认识是十分明确的。其次是始终坚持用马克思主义指导学校全面工作，把马克思主义贯彻教书育人的全过程，积极打造和夯实马克思主义教学与研究高地，为推进马克思主义中国化时代化进程贡献力量。这个传统是用中国人民大学师生的具体行动铸成的。中国人民大学为国家输送的马克思主义理论人才、为其他高校和教育单位输送的马克思主义理论教育人才、为高校马克思主义理论教学编写的教材、出版的各类马克思主义理论著作，特别是不同版本的马克思主义发展史著作，发挥了极其重要的作用。继四卷本的《马克思主义史》之后，我们今天编写十卷本的《马克思主义发展史》，既是对中国人民大学传统的继承和发扬，也是作为"人大人"的我们这一代马克思主义理论教育者和研究者的责任。

第四，它是适应马克思主义理论学科发展的需要。马克思主义理论学科有七个二级学科，马克思主义发展史是其中之一。相较于其他六个学科的发展现状，马克思主义发展史学科相对薄弱，这与马克思主义中国化研究和国外马克思主义研究从马克思主义发展史的结构中独立出来有关。原来的学科内容变窄了，但研究难度增加了（特别是马克思、恩格斯和列宁著作的研究难度）；马克思主义中国化研究和国外马克思主义研究这两门离我们时间和空间较近的学科从传统的马克思主义发展史体系中划分出来，使之具有的现实性受到一定程度的影响，降低了学科对学生的吸引力。但是，主要原因在于在马克思主义理论学科建立前国内学界缺乏对马克思主义发展史的研究，以致于在马克思主义理论学科建立后，出现许多学校开不出马克思主义发展史课程，甚至在其学校的马克思主义理论学科中排除马克思主义发展史学科的局面。马克思主义理论学科的专家们没有不说马克思主义发展史学科重要的，但真正从事这一学科研究的学者则相对较少。我们希望《马克思主义发展史》（十卷本）的编写能够对这一学科的发展起到推动作用。

根据 20 余年来我们的作者们关于马克思主义发展史研究成果与研究经验的积累，根据中国人民大学现有研究力量，我们认为完成这一编写任务的条件已经成熟。首先是四卷本《马克思主义史》的主编庄福龄教授提议，然后是学校和学院两级领导的支持和学院广大教师的积极响应，2014年元月正式启动了十卷本《马克思主义发展史》的编写。

经讨论，我们对《马克思主义发展史》（十卷本）的编写主旨取得共识：在客观准确地反映和阐述马克思主义形成与发展的全过程的基础上，特别着眼于对马克思主义发展的新主题的发掘、新材料的吸收、新观点新思想的阐发和新经验的总结，反映和吸收国内和国际马克思主义发展的最新成果，为时代、为人民、为我们的伟大事业贡献一部高质量的马克思主义发展史著作。

为此，我们对《马克思主义发展史》（十卷本）编写提出以下具体要求：

第一，强化马克思主义形成史研究。在对马克思主义形成过程的研究中，实现对尽可能丰富的马克思主义来源的深刻认识，在将马克思主义的产生放到整个欧洲文化乃至人类文化传统中认识时，注意区分马克思主义的来源与对马克思主义的产生发生影响的文化因素，强化对马克思主义形成中马克思和恩格斯与同时代思想家的关系的研究，着力揭示特定历史条件下新思潮产生和思想变革的规律。为实现这一要求，第一卷的编写在深化对马克思主义的"三个来源"的研究的同时，增加了马克思和恩格斯同时代人鲍威尔、赫斯、卢格、施蒂纳、契希考夫斯基和科本等对他们早期思想发生影响的内容。

第二，坚持以无产阶级革命和社会主义建设与改革的重大实践为主导线索。坚持以问题为中心，贯彻理论与实践、历史与现实相统一的原则。要注意认识和总结中国特色社会主义建设和改革开放过程中取得的马克思主义理论创新成果，特别是新时代中国特色社会主义建设实践中取得的马克思主义理论创新最新成果，还要善于从各个历史时期取得的马克思主义理论创新成果中认识和总结马克思主义发展的经验和规律。习近平总书记在党的二十大报告中指出："坚持和发展马克思主义，必须同中国具体实际相结合。我们坚持以马克思主义为指导，是要运用其科学的世界观和方法论解决中国的问题，而不是要背诵和重复其具体结论和词句，更不能把马克思主义当成一成不变的教条。我们必须坚持解放思想、实事求是、与时俱进、求真务实，一切从实际出发，着眼解决新时代改革开放和社会主义现代化建设的实际问题，不断回答中国之问、世界之问、人民之问、时代之问，作出符合中国实际和时代要求的正确回答，得出符合客观规律的科学认识，形成与时俱进的理论成果，更好指导中国实践。"① 习近平总书记在这里提出的坚持和发展马克思主义的根本的方法论原则，也是指导我们从事马克思主义发展史研究的根本的方法论原则，只有坚持这个原则，我们才能写出一部反映马克思主义发展真实过程，适应无产阶级革命和社会主义建设与改革实践要求，适应不断开辟当代中国马克思主义、二十一世纪马克思主义新境界要求的马克思主义发展史。

第三，根据俄国十月社会主义革命胜利后马克思主义发展主题的转换，着重研究社会主义建设和改革的理论及其发展历程，高度重视和阐发中国特色社会主义理论体系的形成与发展对于马克思主义发展的意义，特别是习近平新时代中国特色社会主义思想对马克思主义发展的重大意义。习近平新时代中国特色社会主义思想是马克思主义中国化时代化的最新理论成果。为此，第十卷用主要篇幅充分阐释了习近平新时代中国特色社会主义思想形成、发展过程及其对马克思主义发展的重大贡献。

第四，着眼于国内外马克思主义研究最新成果的发现与研究，尤其是关于马克思主义基础理论、马克思主义文本文献、当代资本主义、当代社会主义、新科技革命、世界发展趋势、当代社会思潮等问题上的研究成果。本来的和完整意义的马克思主义发展史研究是关于马克思主义的过去、现在和未来发展的研究。21 世纪以来的马克思主义实践和理论发展自然应该进入我们的研究视野，并成为理解总体的马克思主义发展史的坐标。

第五，立足于马克思主义整体发展的研究，但不忽略对马克思主义的各个组成部分、各个学科发展的研究。马克思主义主要由它的哲学、政治经济学和科学社会主义三大部分构成，马克思主义发展史研究和书写给予其较多关注是应该的，但是不能由此而忽略马克思主义多学科发展事实。例如，第二卷注意揭示"马克思主义的全面拓展过程"，在关注马克思和恩格斯的自然观和科学观形成与发展的同时，也考察了他们在伦理观、宗教观、美学和文艺观、军事理论等方面的发展。第六卷在系统考察马克思主义在哲学、政治经济学方面的发展的同时，还考察了马克思主义在文艺学、史学方面的发展。

第六，在着重认识与阐释马克思主义在革命、建设和改革的实践中发展的

① 习近平：《高举中国特色社会主义伟大旗帜 为全面建设社会主义现代化国家而团结奋斗——在中国共产党第二十次全国代表大会上的报告》，人民出版社 2022 年版，第 17—18 页。

同时，也对专业性的马克思主义理论研究成果给予必要关注。注意总结不同类型的主体的马克思主义创新经验，注意从不同形式的马克思主义文本中认识马克思主义的新发展。例如，根据包括本卷作者在内的学界最新研究成果，第三卷增加了马克思和恩格斯关于科学技术的社会性质和社会功能、从自然运动向社会运动过渡的理论内容。

第七，关注当代世界马克思主义思潮，在总体的马克思主义发展历史进程中认识国外马克思主义。为此，第七、八、九卷对各国共产党和进步组织、国外各马克思主义研究流派、世界社会主义运动的马克思主义研究等进行了深入考察。要求对它们要有分析、有鉴别，既不能采取一概排斥的态度，也不能搞全盘照搬。

第八，不回避马克思主义研究中的理论难题，敢于以鲜明的态度在重大理论问题上发声。检视在重大问题上的传统认识，善于结合新的实际作出新的判断。既注意总结正确认识马克思主义的经验，也注意总结正确对待马克思主义的经验。着力分清哪些是必须长期坚持的马克思主义基本原理，哪些是需要结合新的实际加以丰富发展的理论判断，哪些是必须破除的对马克思主义的教条式的理解，哪些是必须澄清的附加在马克思主义名下的错误观点。为此，第五卷特别设置了"马克思主义基本原理、本质特征和历史命运的科学阐述"一章，系统阐释列宁的马克思主义观，展示列宁科学认识和对待马克思主义的经验。

本书的卷次划分遵循实践逻辑、历史逻辑和理论逻辑的统一。这个统一特别表现为马克思主义在无产阶级革命和社会主义运动实践中实现发展的若干重要阶段之间的关系。因此，每一卷次标示的时间阶段实质说来不是自然时间，而是历史时间，表征马克思主义发展的一定的阶段性。

阶段的划分是相对的，并且是分层次的。有大阶段，也有大阶段包含的小阶段、次级阶段。马克思主义发展史的大阶段是马克思和恩格斯对马克思主义的创立与发展、列宁主义的形成与发展、以中国马克思主义为标志的当代马克思主义发展。它们分别包含若干小阶段。比如，第一个大阶段包括马克思主义的创立、马克思主义的丰富与系统化、马克思和恩格斯晚年对马克思主义的深化三个小阶段。这三个阶段构成本书的第一至三卷。第二国际马克思主义（1889—1914年）是马克思和恩格斯创立的原初马克思主义与列宁主义之间的过渡。虽然这一时期马克思主义缺乏突出发展，但是由于这个时期的人物、思潮和流派之间的复杂关系以及马克思主义多向演变与发展的可能而凸显其对于马克思主义发展史的特殊意义。基于此，马克思主义在这一时期的发展与演变被设置为独立的一卷（第四卷）。马克思主义发展的列宁主义阶段以俄国十月社会主义革命胜利为界划分为两个阶段，时间段分别为：19世纪末—1917 年、1917—1945 年。前一阶段是列宁主义的形成及其在十月革命前的发展，后一阶段是列宁主义在十月革命胜利后的发展。这个阶段的内容包括列宁晚年关于社会主义发展道路的探索、苏联社会主义模式的形成。这两个阶段还分别包括马克思主义在中国的初期、早期传播和马克思主义中国化的第一个伟大理论成果——毛泽东思想的形成。这就是本书第五、六卷的内容。第七、九、十卷的内容是马克思主义在第二次世界大战后的发展。它们的时间段分别是：1945—1978 年、1978—21 世纪初、1989 年以来。每一卷所包含的内容都是在相应时间段内马克思主义的发展状况，其中主要是苏联和东欧各国对社会主义的探索、中国共产党人和马克思主义者对中国社会主义发展道路的探索，特别是改革开放以来邓小平理论、"三个代表"重要思想、科学发展观和习近平新时代中国特色社会主义思想的形成与发展。为了体现马克思主义发展的连续性，第九卷在着重阐述邓小平理论形成发展过程外，用适当篇幅阐述了苏东剧变过程中及之后非资本主义国家马克思主义的曲折发展和理论反思，时间延续到 21 世纪初。为了完整地和集中地阐释马克思主义中国化时代化最新理论成果，第十卷聚焦中国特色社会主义理论体系的跨世纪发展，对当代中国马克思主义、二十一世纪马克思主义做了重点阐释。马克思主义在非社会主义国家的研究情况比较复杂，时间跨度比较长，为方便读者阅读和了解社会主义国家之外的非社会主义国家的马克思主义研究和发展状况，安排第八卷为 1923 年以来"马克思主义在非社会主义国家的传播与发展"专卷。

"实践没有止境，理论创新也没有止境。"[1] 理论创新没有止境，马克思主义发展史研究就不能停滞不前。十卷本《马克思主义发展史》的出版，不是我们的马克思主义发展史研究的结束，而是新的研究的起点。我们需要根据马克思主义在新的时期新的实践中的发展把马克思主义发展史研究继续下去。

---

[1]　习近平：《高举中国特色社会主义伟大旗帜　为全面建设社会主义现代化国家而团结奋斗——在中国共产党第二十次全国代表大会上的报告》，人民出版社 2022 年版，第 18 页。

《马克思主义发展史》（十卷本）的作者们对编写工作提出了很高要求，力求为推动二十一世纪马克思主义发展、开辟马克思主义中国化时代化新境界，奉献一部能够经得起时间考验的马克思主义发展史著作。但是，由于我们的水平有限，马克思主义发展史的有些方面和问题还未完全掌握和深入研究，呈现在广大读者面前的这份研究成果是否能够承担起它应承担的这样一个使命，是否能够为广大读者满意，我们心怀忐忑。我们愿意听到读者的批评意见。

本书总主编

2023 年 9 月 15 日

（梁树发执笔）

目　录

Contents

Chapter Three: The Theory and Practice of Establishing Proletarian New-type Party················125

Chapter Four: Making The Theory and Strategies of Russian Democratic Revolution················ 181

卷　首　语

　　列宁主义是帝国主义和无产阶级革命时代的马克思主义，是马克思主义结合俄国实际的伟大发展。《马克思主义发展史》第五卷的内容是列宁主义的形成至俄国十月社会主义革命前这一时期的马克思主义发展。在展开对这一时期马克思主义发展过程和主要理论成就阐述之前，首先考察列宁主义形成的历史条件，揭示列宁主义形成与时代条件的内在逻辑。列宁主义是马克思主义的俄国化，这个过程经历了同民粹主义、"合法马克思主义"和"经济派"为主的错误思潮的斗争，本卷将对这个斗争进行考察，揭示其对列宁主义形成与发展的影响；列宁主义在这一时期的发展成就尤其表现在新型无产阶级政党建设理论方面，针对资产阶级思想家和西方发达国家的马克思主义研究者对列宁的先锋队党的理论的片面理解和攻击，本卷结合对《怎么办？》一书的解读，科学阐释列宁主义的建党思想；列宁是一位杰出的无产阶级政治家和战略家，他在指导俄国革命运动方面的杰出表现以其丰富的和科学的无产阶级革命战略和策略思想为基础，本卷结合对列宁一系列关于革命战略和策略问题的著作的解读，揭示作为列宁主义重要组成部分的无产阶级革命战略和策略思想；这一时期列宁的哲学思想非常丰富，本卷针对西方学者诟病并结合最新研究成果对《唯物主义和经验批判主义》一书对于马克思主义哲学发展的贡献和在马克思主义哲学史上的地位作出新的评价，对象征列宁主要哲学成就的《哲学笔记》和《国家与革命》等著作同样结合学界最新研究成果作了分析、评价；本书的一大亮点是增加了列宁关于马克思主义基本原理、本质特征和历史命运的科学阐述，特别是探索了列宁关于马克思主义发展规律的思想；帝国主义理论的创立是列宁对马克思主义发展的突出贡献。本卷系统阐述了列宁创立帝国主义理论的过程，着重揭示了列宁的《帝国主义是资本主义的最高阶段》一书中的帝国主义理论；无产阶级革命理论是列宁主义的重要内容，本卷系统地揭示了这一理论的内容，科学评价其在马克思主义史上的地位。本卷还将马克思主义发展的观察视野投射到亚洲，重点考察了俄国十月社会主义革命发生前马克思主义在日本和中国的初步传播，从而为马克思主义发展史研究增添了新的内容。

第一章　时代变迁与列宁主义的形成

　　19世纪末至20世纪初，是自由资本主义发展到垄断资本主义即帝国主义的时代。帝国主义是腐朽的资本主义，造成了革命的形势，因而它又是无产阶级社会主义革命的时代。西欧先进资本主义国家社会主义革命的条件虽然已经成熟，具有了革命的形势，但是由于这些国家的无产阶级和工人阶级政党受到改良主义的影响，从而不是积极地去推动和组织革命，把主要精力放在发动群众方面，而是迷恋"合法斗争"，特别是在帝国主义发动的第一次世界大战中，这些国家的社会民主党陷入社会沙文主义，支持本国参战，不是致力于战胜本国资产阶级，使本国政府在战争中失败，实现变帝国主义战争为国内战争的战略，而是同本国资产阶级站在了一起，从而失去革命的机会。作为参战国的俄国的无产阶级却争得了这个机会。历史的发展和战争在不同于先进的西欧国家的意义上造成了革命的形势，即由于俄国的落后以及在战争中的失败，既造成统治阶级再也不能照旧统治下去，又造成人民再也不能照旧生活下去的形势，使革命的群众运动广泛地发动起来。在列宁（1870—1924）的领导下，俄国布尔什维克党和无产阶级在革命条件成熟的情况下毅然发动了十月社会主义革命，并获得成功。十月社会主义革命的胜利开辟了人类历史的新纪元，实现了科学社会主义由理论到实践的伟大转变。马克思主义理论在革命过程中获得了发展，它首先是社会主义革命理论的发展，其中包括无产阶级政党建设和发展的理论、无产阶级斗争发展为无产阶级革命的理论、资产阶级民主主义革命发展为社会主义革命的理论和策略、无产阶级革命的战略和策略理论、无产阶级国家学说，等等。马克思主义在俄国的发展是通过列宁主义在俄国的形成和发展实现的。上述方面实际也是列宁主义的理论内容。当然，列宁主义的内容不限于此，它的一个重要部分就是十月社会主义革命胜利后无产阶级政权和革命胜利成果巩固和建设的理论、社会主义建设和发展道路的探索。列宁关于怎样认识和对待马克思主义的思想是列宁主义体系中既十分丰富又极有特色的部分。马克思主义产生以来的第一个世纪转折中的重大历史事件就是理论上的列宁主义的形成和实践上的十月社会主义革命的胜利。从历史进步的宽广视野看，在一百年后的今天，这两大事件仍然是现实的，具有巨大的指导和启示性意义。

第一节　时代变迁与马克思主义发展的历史机遇

列宁主义同历史上任何伟大思想的产生一样具有客观必然性。列宁主义产生的必然性既在于时代变迁、科学技术革命、国际工人运动的发展等国际因素，又在于时代背景下社会矛盾激化和阶级斗争发展等俄国国内因素。这些因素总合起来形成列宁主义产生的客观形势，决定了马克思主义发展的时代主题。

一、资本主义由自由到垄断的发展

纵览历史风云变幻，我们发现，世纪更替之际，往往也是推动社会变革的力量集聚勃发的时期，是经济和政治的大变革、大转折时期，是影响人类前途命运的关键时期。19 世纪末至 20 世纪初即是这样的重要历史节点。这是马克思主义产生之后的第一个世纪之交，也是以欧美主要资本主义国家为代表的资本主义世界发生大转折的历史时期。这一时期，资本主义在经历了近 30 年的相对和平发展后，经济、政治、社会、文化等发生了剧烈变化，生产力和生产关系发生了深刻变革。变化集中表现为资本主义由自由竞争向垄断的过渡，表现为帝国主义体系的形成。

资本主义历史发展的这一转折时期，是由生产力和生产关系的矛盾运动引起的。19 世纪最后 30 年，以电力技术的广泛运用为特征的第二次工业革命在欧美主要资本主义国家如火如荼，形成燎原之势。新的炼钢法、发电机、内燃机和电动机等新技术新工艺新发明广泛应用，推动汽车制造、钢铁、冶炼、化工等许多新兴工业部门如雨后春笋般涌现，交通和通讯事业也得到迅速发展。尤其是电力在各行业各领域的广泛应用，构成这一时期技术进步的一道亮丽风景线，是这一时期资本主义生产力飞速发展的直接动因和鲜亮标志。这次产业革命使重工业在资本主义工业体系中开始占据主导地位，在国民经济中所占比重超过了轻工业，资本主义开始了以重工业为主的工业化新时期，其生产由所谓的"棉纺织时代"迈入"钢铁时代"。

科学技术革命和社会生产力的飞速发展，对资本主义生产关系的变化产生深刻影响。最突出的是，推动资本的迅速集中，造成以自由竞争为特征的资本主义即自由竞争资本主义向以垄断为特征的资本主义即垄断资本主义的过渡。第二次工业革命推动生产力迅猛提高和资本主义经济的迅速发展，特别表现为重工业的快速发展。重工业企业需要投入大量的资金购置设备、改进技术和工艺，它的发展促使企业扩大生产规模，从而加剧了资本和生产的集中。这一时期经济的迅猛发展，造成了资本主义生产关系对于现实生产力的不适应，生产力与生产关系之间矛盾的不断激化造成了资本主义国家经济危机的不断发生。1873 年爆发了一次规模空前的经济危机，危机后的大萧条持续了 6 年。19 世纪 70 年代末至 80 年代初资本主义经济在经历了短暂的繁荣后，又陷入持续 4 年的新的经济危机。1890 年，资本主义世界又陷入危机的泥淖。屡次爆发的经济危机使资本主义的竞争进一步加剧，竞争导致大量中小企业破产，促进了生产和资本的迅速积聚。这种积聚产生了垄断，并且促使各种各样的垄断形式随之产生，如生产联合的托拉斯，销售联合的卡特尔、辛迪加等。借助这些形式，大资本家联合起来实现了对某种或某几种商品的绝大部分生产和销售的控制，通过限定生产规模、分割市场、控制原材料及价格等手段，攫取高额利润，掌控社会经济生活。19 世纪末至 20 世纪初，垄断组织已经成为主要资本主义国家全部经济生活的基础，一些主要资本主义国家进入了帝国主义阶段。列宁深刻指出："帝国主义是作为一般资本主义基本特性的发展和直接继续而生长起来的。但是，只有在资本主义发展到一定的、很高的阶段，资本主义的某些基本特性开始转化成自己的对立面，从资本主义到更高级的社会经济结构的过渡时代的特点已经全面形成和暴露出来的时候，资本主义才变成了资本帝国主义。在这一过程中，经济上的基本事实，就是资本主义的自由竞争为资本主义的垄断所代替。"① 在生产集中和资本集中的基础上形成的垄断金融寡头，不仅控制着整个国家的经济命脉，而且把大量"过剩"资本输出到殖民地、半殖民地国家，在国外疯狂地争夺投资场所、销售市场和势力范围，最终促进形成了资本主义世界市场。

在科学技术和生产力发展基础上发生的资本主义生产关系的变化推动资本主义社会的经济政治生活发生深刻变化，也给马克思主义造成一些在理论上亟待解决的问题。比如，这一时期危机过后资本主义经济出现暂时繁荣，辛迪加、托拉斯等垄断组织的出现和相对的生产"有组织的"状态，使资本主义生产的无政府状态甚至使资本主义生产社会化和生产资料私人占有制之间的矛盾得到一定程度的缓和。那么，怎样认识这种现象？它是暂时的还是必然的长久的？是可以通过资本主义的发展而得到克服的，还是不可克服的？在资本主义社会矛盾得到暂时缓和的情况下，工人阶级应该制定怎样的斗争策略？特别是如何认识和对待所谓"合法斗争"？资产阶级思想家怎样回答这些问题是可以想到的，问题在于一些所谓"正统的"马克思主义者、一些社会主义的领袖居然作出背叛马克思主义原则的回答。他们从上述变化和变化造成的形势出发，对马克思主义关于资本主义必然灭亡的理论提出质疑，甚至认为马克思主义关于资本主义经济危机的理论、关于资本主义前途的理论已经"完全过时"。他们甚至迷信无产阶级对资产阶级的特殊条件下的"合法斗争"形式，对无产阶级运用革命手段夺取政权的道路理论产生怀疑，认为马克思主义关于阶级斗争、无产阶级政党和无产阶级专政学说已经成为"过时"的"教条"。那种认为通过阶级合作、"议会道路"，运用"渐进"手段向社会主义"进化"的观点则被当作时髦学说，奉为唯一正确的"新思潮"、"新策略"。他们实际堕落为资本主义制度的维护者、背离马克思主义的机会主义者和修正主义者。面对新时代资本主义的客观变化及其提出的问题，面对马克思主义者队伍内部在这种变化和形势面前表现出的思想混乱，如何认识资本主义的新变化？如何认识在这种变化中的资本主义的命运？如何根据这种变化制定无产阶级反对资产阶级的斗争策略？如何认识在这种发展中的马克思主义的命运，特别是如何根据这种变化认识和对待马克思主义关于资本主义、关于资产

---

① 《列宁选集》第 2 卷，人民出版社 2012 年版，第 650 页。

阶级、关于无产阶级革命的一系列基本原理和具体观点？资本主义发展到了垄断时期后，马克思主义理论是否依然具有科学性和现实解释力？是否依然是无产阶级和广大劳动人民实现自身解放和发展的理论武器？这些问题尖锐地摆在马克思主义者、马克思主义理论家面前，成为绕不开的问题，成为亟待解决的问题。

二、世纪之交以物理学新发现为标志的自然科学革命

（一）世纪之交的物理学革命

1. 19 世纪末物理学领域的"三大发现"

在 19 世纪和 20 世纪交替之际，X 射线、放射性和电子的发现，导致一向被视为亘古不变的物质的不灭性、能量的守恒性、原子的不可分割性和不变性、空间和时间的绝对性、运动的连续性等认识受到怀疑和被重新审查，以经典力学、热力学和统计力学、电磁学为三大理论支柱的经典物理学面临重重危机，物理学革命的大幕悄然开启。

首先是 X 射线的发现。1895 年，德国物理学家威廉·康拉德·伦琴（1845—1923）在研究阴极射线时，意外发现了一种尚未为人所知的新射线——因其性质不确定取名为 X 射线（也称伦琴射线），还发现这种射线具有很强的穿透力，可以隔着皮肉透射动物骨骼。是年年底，伦琴将他的这一发现公诸于世。很快，这一伟大发现传遍全世界。此后一系列具有里程碑意义的重大发现接踵而至。由于发现 X 射线，伦琴成为 1901 年第一个诺贝尔物理学奖① 的获得者。

其次是放射性的发现。1896 年，法国物理学家安东尼·亨利·贝克勒尔（1852—1908）在研究哪些荧光物质能发射 X 射线时，发现铀盐能发出一种神秘射线——当时被称为贝克勒尔射线。继续研究后，他还发现这种射线能使底片感光，还能使气体电离，而且这种放射性质是由铀原子自身作用决定的。1897 年，波兰物理学家玛丽·居里（1867—1934）以"放射性物质的研究"

---

① 1896 年，瑞典化学家阿尔弗雷德·贝恩哈德·诺贝尔（Alfred Bernhard Nobel，1833 年生）逝世。1901 年起设立诺贝尔奖。

作为自己的博士论文题目。她首先证实了贝克勒尔所发现的铀的辐射强度同铀的数量成正比，随后发现钍也能发出类似的射线。她建议把这种性质称为"放射性"。她还检测到沥青铀矿渣有很强的放射性，放射强度远超铀和钍。于是，她断定这种放射性来自一种未知的新元素并决心寻找到它。她同丈夫法国物理学家皮埃尔·居里（1859—1906）在极简陋的条件下经过艰苦工作，于1898年7月18日从成吨的铀矿渣中分离出含量仅为万分之一的新元素。为纪念祖国波兰，居里夫人把这种新元素命名为钋。11月，他们又宣布发现了新的放射性元素镭。这个新发现再次引起轰动。当时，也有些科学家对此表示怀疑。居里夫妇又经过4年异常艰苦的工作，分离出纯氯化镭，并测出镭的原子量为225，镭发出的射线比铀强200万倍。1903年，贝克勒尔和居里夫妇因研究放射性的杰出贡献获得诺贝尔物理学奖。科学家们又进一步发现镭的许多新特性。比如，它自发地释放热能，使空气电离，使许多物质发出荧光，可以杀死细菌和某些纤细植物。物理学领域的这些新发现提出了一系列亟待解答的新的哲学问题。比如，元素是不是可变的？能量还守恒吗？电子是否还可以再分？等等。

最后是电子的发现。1861年，英国科学家斯托内使用了"电子"一词，1874年正式提出"电的原子说"即电子说，但这在当时还只是一种推想。1897年，英国物理学家约瑟夫·约翰·汤姆逊（1856—1940）证实了阴极射线是由带负电荷的粒子组成的；次年，他又测定了阴极射线粒子的电荷，并证明阴极射线粒子的质量是氢粒子的千分之一。当时他把组成一切原子的粒子叫做"微粒"，后改称"电子"。后来科学家们又进一步证明任何原子都包含着电子。电子的发现，开启了人类认识物质结构的新阶段，打开了现代物理学研究的大门。

以牛顿力学为核心的古典物理学在19世纪末之前一直居于统治地位。古典物理学认为，整个宇宙是由"最小的"物质粒子即原子按照牛顿力学规律构成及运行的，物理学就是分子的静力学和动力学，化学则是原子的静力学和动力学。19世纪末20世纪初，电子的发现导致19世纪古典物理学自然观上的许多原理"失灵"：原子不再是最新的粒子，元素不再是固定不变的了，一种元素可以蜕变为另一种元素，质量和能量似乎不再守恒，等等。物质结构学说上的突破，大大拓展了人们对微观世界的理解，揭开了物理学革命的大幕，打破了人们对自然界图景的形而上学认识。特别是放射性元素和电子的发现，继

19世纪中叶三大发现在宏观领域里冲破形而上学机械观的统治后，在微观领域里敲响了形而上学机械观的丧钟。但在当时，对于原子可分且有其内部结构这一重大发现，一些科学家却受形而上学机械观的影响，认为"原子非物质化了"；唯心主义也乘机而入，叫嚷"物质消失了"，妄图以此驳倒唯物主义。这提出了亟待辩证唯物主义哲学回答的新问题：什么是物质？哲学范畴的物质概念和物理学中的物质概念是何关系？这些问题在马克思和恩格斯的著作中是找不到现成答案的。

2. 狭义相对论的创立

在对微观世界的理解方面，古典物理学遇到了危机；在对宏观世界的理解方面，古典物理学同样遇到了危机。古典物理学的时空观是牛顿的绝对时空观。这种观点认为，存在着绝对的时间和绝对的空间，物质就在这种时空中运动；时空可以同物质分开，时间与空间也可以分开。古典物理学还认为，除了由原子构成的物质以外，空间中还充满了传播光和力的介质：以太。尽管所谓的以太一直未被证实，这种观点在理论和实验上也遇到许多困难，但除个别人外，人们对这种观点却深信不疑。但是，20世纪初，物理学革命的先锋和主将，伟大的现代物理学家阿尔伯特·爱因斯坦（1879—1955），于1905年3月至6月写了四篇论文，提出了物理学三个不同领域的具有历史意义的重要理论观点。其中，《论动体的电动力学》阐述了根本不同于传统观念的新的时空观，创立了"狭义相对论"。这一理论有两条基本原理：一是相对性原理，即在任何惯性参考系中，自然规律都相同；二是光速不变原理，即在任何惯性系中，真空光速c都相等。由此，可以推导出以下结论："同时性"是相对的，运动的尺子会缩短，运动的时钟比静止的时钟变慢，物体质量m随速度v的增加而增大，光速不可逾越，物体的质量m和能量E满足质能关系式$E=mc^2$。狭义相对论认为，电磁场是种独立的物质实在。用狭义相对论的时空观代替绝对时空观是自然科学时空观上的一次革命。狭义相对论用数学语言，以自然科学定律的形式，揭示了时空同物质的运动、时间与空间的统一性，大大丰富了辩证唯物主义时空观的内容。需要指出的是，狭义相对论不是简单地否定了牛顿时空观，而是把牛顿的时空理论作为一种特殊情况包括在自身之中，即当物体运动速度远小于光速时，也就是说当v<<c时，就从狭义相对论过渡到牛顿理论。爱因斯坦的相对论抛弃了多余的以太、绝对空间和绝对时间，论证了空间和时间的可变性、空间与时间不可分、时空与物质不可分。相对论的建立可以

说是物理学发展的又一重大革命性成果，也有力地揭示了物质和运动的统一性、时间和空间的统一性。

3. 量子力学的建立

量子力学的建立则是物理学变革的又一重大方面。量子力学是在量子论的基础上建立的。光的波动说在 19 世纪取得了胜利，电磁波的理论得到了证实，能量的连续性成为古典物理学的基本观念。但是，随着科学的发展出现了一些波动说无法解释的现象。1900 年，德国物理学家马克斯·卡尔·恩斯特·路德维希·普朗克（1858—1947）提出能量假说加以解释，他根据黑体辐射公式创立了量子论，为物理学和自然观的决定性转变奠定了基础。1905 年，爱因斯坦在其论文《关于光的产生和转化的一个启发性的观点》中进一步提出，不仅能量的辐射和吸收是不连续的，电磁波（包括光波）也是量子流。爱因斯坦运用微粒光量子，发展了普朗克的作用量子理论，并用量子理论解释了光电效益。1906 年，爱因斯坦发现质量和能量等值定律，为原子核研究提供了一把钥匙。1913 年卢瑟福的学生、丹麦物理学家尼尔斯·亨利克·戴维·玻尔（1885—1962）提出把卢瑟福的原子行星模型量子化的理论。量子力学的创立改变了人们只承认连续性和机械力学决定论的旧观念，论证了自然界中连续性和间断性的统一，揭示了物质世界统计规律的意义。原子物理学，特别是量子力学的发展，使科学家们有可能把宏观研究和微观研究结合起来，从而形成从基本粒子到原子、分子、凝聚态物质、地球、星系乃至整个宇宙的物理学图景。相对论和量子力学相结合，为物理学和自然观的决定性转变奠定了基础，构成现代物理学的理论基石，为整个 20 世纪自然科学发展开辟了通衢大道。

（二）化学、生物学、天文学等领域的革命性成就

19 世纪末 20 世纪初，化学、生物学等自然科学领域也取得突飞猛进的发展，极大地深化和拓展了对自然界和生命有机体运动、发展、变化规律的科学认识。

在化学方面，物理学与化学相互渗透，形成了原子核化学、结构化学、高分子合成化学等新领域。1869 年，俄国化学家季米特里耶·伊万诺维奇·门捷列夫（1834—1907）发现了化学元素周期律（Periodic law），即元素性质随元素的原子序数（即原子核外电子数或核电荷数）的递增呈周期性变化的规律——这是自然界的一个极其重要的规律。1909 年同位素概念的提出进一步

丰富了元素周期律。元素周期律从本质上揭示了各种化学元素之间的区别和联系，描述了元素世界是一个因种种联系和相互作用交织起来的无比生动活泼的辩证图景，实现了对无机化学从感性认识到理性认识的飞跃。元素周期律把原来认为是彼此孤立、各不相干的各种元素看作是有内在联系的统一体，表明元素性质发展变化的过程是一个从量变到质变的过程。元素周期律的发现是继原子—分子论之后，近代化学系统化过程中的一个重要里程碑，它所蕴藏的丰富和深刻的内涵，对以后整个化学乃至自然科学的发展都有普遍的指导意义。对此，恩格斯（1820—1895）高度评价说："门捷列夫通过——不自觉地——应用黑格尔的量转化为质的规律，完成了科学上的一个勋业"①。1887 年，瑞典物理化学家斯万特·奥古斯特·阿列纽斯（1859—1927）提出了电介质的电离学说，大大推动了电化学理论和溶液理论的发展。当 19 世纪的自然科学家们还在深受形而上学束缚的时候，阿列纽斯却能打破学科局限，从物理与化学的联系上去研究电解质溶液的导电性，独创电离学说。1903 年，因在研究电解质电离子理论方面的突出成就他获得了诺贝尔化学奖。这些成就大大深化了人们对微观物质世界运动变化规律的理解和认识，具有十分重大的科学及哲学意义。

在生物学方面，1859 年，英国生物学家查尔斯·罗伯特·达尔文（1809—1882）的《物种起源》正式出版；1871 年，他又出版了《人类的由来及性选择》。这是两部具有里程碑意义的生物学巨著，达尔文在书中以自然选择为基础的生物进化学说说明物种变化规律，指出人是由类人猿进化而来的，阐述了人类起源于动物界的基本观点，说明了物种是可变的，解释了生物的适应性。这些具有划时代意义的伟大学说的发表引起教会势力的激烈反对，英国博物学家托马斯·亨利·赫胥黎（1825—1895）等竭力支持、大力宣传并坚决捍卫生物进化论学说。经过面对面的激烈论争，生物进化论推翻了各种唯心的神创论、目的论和物种不变论的荒谬观点，给宗教神学以沉重打击；学术界公认，人是由某种古猿变来的，人和现代类人猿有着共同的祖先。1876 年德国动物学家奥托·比奇利发表《细胞分裂之研究》，这是一部研究细胞分裂机理的基础理论著作。1894 年，德国生理学家马克斯·鲁布纳（1854—1932）发现生物能量守恒定律。1900 年，德国植物学家、遗传学家卡尔·埃里希·科伦斯

---

① 《马克思恩格斯选集》第 3 卷，人民出版社 2012 年版，第 907 页。

（1864—1933）、奥地利生物学家埃里希·冯·切尔马克（1871—1962）和荷兰生物学家许戈·德弗里斯（1848—1935）确认奥地利生物学家格雷戈尔·约翰·孟德尔（1822—1884）1865 年提出的遗传规律的意义。1903 年，德国动物学家特奥多尔·博韦里（1862—1915）将细胞研究与遗传学说融为一体，德国神经科医生、脑系科专家奥斯卡·福格特（1870—1959）、科比尼安·布罗德曼（1868—1918）和坎贝尔首先绘制出第一批大脑图，用此可确定大脑功能。1904 年，俄国生理学家伊万·彼德罗维奇·巴甫洛夫（1849—1936）以其在神经和大脑活动研究方面的贡献获得了诺贝尔医学奖。1906 年，意大利医学家卡米洛·戈尔吉（1843—1926）和西班牙医学家圣地亚哥·罗曼·卡哈尔（1852—1934）以对神经系统结构的研究获得诺贝尔医学奖。1908 年，德国生物化学家保罗·埃里希（1854—1915）和法籍俄国生物学家埃利·梅契尼科夫（1845—1916）在免疫学研究上取得卓越成就获得诺贝尔医学奖。同年，德国植物学家卡尔·埃伯哈特·格贝尔（1855—1932）发表《植物实验形态学引论》，揭示了植物生长机理。1909 年，英国生物学家康韦·劳埃德·摩尔根（1852—1936）发表论述动物心理的专著《本能与习性》；同年，德国生物学家雅各布·冯·于克斯屈尔（1864—1944）发表《动物的客观世界和内心世界》，提出任何生物都有其自己特有的"客观世界"。1910 年，德国生物学家阿尔布雷希特·科塞尔（1857—1923）以对蛋白质和核酸的化学研究成果获得诺贝尔医学奖。1910 年，美国生物学家、遗传学家和胚胎学家托马斯·亨特·摩尔根（1866—1945）的学生斯特蒂文特（1891—1970）发现了染色体基因决定性别的规律。这一系列突破性成就，使人类对生物机体及其运行代谢规律的认识大大深化了，关于生命现象的各种唯心主义及形而上学论调越来越没有了生存空间。

在天文学方面，1901 年，挪威科学家克里斯蒂安·伯克兰（1867—1917）提出北极光论：太阳辐射出来的带电粒子受地球磁场的影响。北极光是出现于星球北极的高磁纬地区上空的一种绚丽多彩的发光现象，带有神秘和奇幻色彩，长期以来世人对其成因众说纷纭。北极光论揭示了北极光的形成原因，即由来自地球磁层或太阳的高能带电粒子流（太阳风）使高层大气分子或原子激发（或电离）而产生。这一理论以其科学性打破了许多古老传说的神秘性，是唯物主义自然观的胜利。同年，美国天文学家爱德华·查尔斯·皮克林（1846—1919）、安妮·坎农（1863—1941）夫人根据"哈佛星体光谱分类"对恒星进一步分类("哈佛"分类是意大利天文学家彼得罗·安杰洛·塞基(1818—1878)1864年前后和德国天文物理学家赫尔曼·卡尔·福格尔（1841—1907）1874年提出的）。20世纪初，丹麦天文学家赫茨普龙（1873—1967）和美国天文学家罗素（1877—1957）各自独立地提出了恒星在光度和光谱型图上的分布规律，1913年他们公布了这一研究成果，强调应当把恒星演化建立在恒星光谱、质量和光度随时间的变化上。世纪之交，在星系世界的研究上取得了重大突破。1912年美国女天文学家莱维特（1868—1921）发现小麦哲伦云内有许多造父变星，并发现了造父变星的周光关系。1917年，爱因斯坦发表了开创现代宇宙学的论文《对广义相对论的宇宙考察》，提出宇宙空间体积有限但没有边界的宇宙模型；同年，荷兰天文学家德西特（1872—1934）根据广义相对论提出了另一个宇宙模型，认为宇宙在不断地膨胀着，但其物质平均密度为零。这些成果拓展了人们对大尺度空间中时空性质和物理运动规律的认识。

自然科学与哲学有着密切的联系，自然科学的变革是推动哲学发展的革命性力量。正如恩格斯指出："随着自然科学领域中每一个划时代的发现，唯物主义也必然要改变自己的形式"[①]。关于自然科学的新发现，在当时的英国、法国和德国等国家的一些著作中已经提到了关于新物理学认识论结论的一些看法并展开了讨论，特别是对19世纪末20世纪初，物理学取得的一系列新的成就。X射线和柏克勒尔射线的发现，有力推翻了旧物理学把不可入性当作无知属性的形而上学观点；镭的发现表明各种化学元素是可以相互转化的；电子论的研究表明它的质量是可变的。这些观点都彻底地颠覆了传统物理学的旧观念。但在哲学等领域，片面的、罔顾科学最新发现和成果的唯心主义和形而上学的观点依然强劲。比如马赫（1838—1916）等把物理学说成是"揭示感觉之间的联系的规律"的科学，后来更是阐明了"感觉不是'物的符号'，而物倒是具有相对稳定性的感觉复合的思想符号。世界的真正要素不是物（物体），而是颜色、声音、压力、空间、时间（即我们通常称为感觉的东西）"[②]。马赫这种把认为感觉是物的反映的这种理论同哲学唯物主义对立起来，也就和唯心主义一样，只承认感觉，否认客观规律性和客观真理的存在，以及认为检

---

① 《马克思恩格斯选集》第4卷，人民出版社2012年版，第234页。
② 转引自《列宁选集》第2卷，人民出版社2012年版，第35—36页。

验真理的标准是感觉和经验等。对于这一点，列宁在《唯物主义和经验批判主义》一书中提道："丝毫用不着怀疑，我们面前有一种国际性的思潮，它不是以某一哲学体系为转移，而是由哲学之外的某些一般原因所产生的。"[1] 这不仅表明马赫主义是和新物理学"有联系"的，也同时说明马赫主义者们之间有着一个共同点，即哲学唯心主义。当人们开始思考这些物理学家、自然科学家在自然科学新发现面前如何在哲学上失足而走上唯心主义这条道路的时候，不得不使人们想到这些新物理学派的科学家们在一个基本客观事实，亦即在哲学基本问题上产生的动摇："是否认我们通过感觉感知的并为我们的理论所反映的客观实在，或者是怀疑这种实在的存在"[2]。在新的科学发现面前，新物理学派的科学家们不是向前走提升他们本已具有的（有的尽管是不自觉的）唯物主义水平，得出抑或接受辩证唯物主义，而是向后倒退，离开了唯物主义。

自然科学的一系列新成果，进一步揭示了物质的内部结构和物质的新形态、物质和运动的关系、物质与时空的关系、自然界的统一性和规律性等世界观和自然观方面的基本规律，进一步证明了唯心主义歪曲自然科学成就的荒谬性，也为辩证唯物主义总结概括自然、物质、运动及外部世界和人的精神世界的关系问题，提供了丰富的科学素材。诚如列宁在 20 世纪初指出："现代物理学是在临产中。它正在生产辩证唯物主义。"[3] 革命导师历来注重研究自然科学，注重从哲学世界观高度概括和总结自然科学发展成果。恩格斯强调："要确立辩证的同时又是唯物主义的自然观，需要具备数学和自然科学的知识"[4]。列宁正是在认真研究总结了当时科学的最新成就，并根据新的科学材料作出新的概括和总结，创造性地推进辩证唯物主义向前发展的。比如，他研究吸收了当时物理学最新成果，从哲学上对物质概念作了界定，即"物质是标志客观实在的哲学范畴，这种客观实在是人通过感觉感知的，它不依赖于我们的感觉而存在，为我们的感觉所复写、摄影、反映。"[5] 列宁还深刻指出，唯心主义所说的"物质消失了"，只是表明"至今我们认识物质所达到的那个界限正在消失，

---

① 《列宁选集》第 2 卷，人民出版社 2012 年版，第 205 页。
② 《列宁选集》第 2 卷，人民出版社 2012 年版，第 206 页。
③ 《列宁选集》第 2 卷，人民出版社 2012 年版，第 216 页。
④ 《马克思恩格斯选集》第 3 卷，人民出版社 2012 年版，第 385 页。
⑤ 《列宁选集》第 2 卷，人民出版社 2012 年版，第 89 页。

我们的知识正在深化；那些从前看来是绝对的、不变的、原本的物质特性（不可入性、惯性、质量等等）正在消失"①。列宁关于物质的定义深刻揭示了形形色色的物质形态的共同本质，捍卫和发展了辩证唯物主义关于世界统一于物质的基本原理，丰富和完善了辩证唯物主义的物质观，为人们科学认识物质结构及其特性提供了锐利的思想武器。

三、时代变迁中的国际工人运动

从 19 世纪 70 年代巴黎公社革命失败后直到 90 年代，资本主义社会进入了一个相对和平的发展时期。这一时期，西方资产阶级革命已经结束，而无产阶级革命的时机还不成熟，工人运动在和平条件中并利用和平条件发展自己，积蓄力量。随着马克思主义学说在世界范围内得到广泛传播，工人运动平稳发展，社会主义政党纷纷建立。1869 年，德国社会民主党成立；1876 年，美国工人党成立，次年改为社会主义工党；1879 年，法国工人党和西班牙社会主义工党成立；1882 年，意大利工人党成立；1885 年，比利时工人党成立；1889 年，奥地利社会民主党成立。社会主义政党的纷纷成立，既是工人运动不断发展的客观需要和必然产物，又为在思想上、政治上、组织上动员和组织各国无产阶级加强团结，扩大力量，以便开展新的革命斗争，发挥了重要作用。这一时期，罢工斗争是无产阶级反对资产阶级斗争的主要形式。欧美各国无产阶级掀起了多次罢工浪潮。罢工有时也发展成流血斗争，其中规模较大、影响深远的是 19 世纪 80 年代的美国工人运动。1886 年 5 月 1 日，美国发生了 35 万人的全国罢工游行，要求实行 8 小时工作制。芝加哥市罢工人数达 4 万人，遭到当局的血腥镇压。3 日和 4 日，数名工人被警察枪杀，200 多人受伤。事后 8 名工人领袖被判处死刑，其中 4 人被处死。多数工人赢得了 8 小时工作日的胜利。1886 年，法国爆发了德卡斯维尔矿工大罢工；1889 年，英国伦敦先后爆发了煤气工人和码头工人的罢工；德国和欧洲其他国家也掀起了多起罢工运动。这些罢工运动唤醒了工人阶级的阶级意识，锻炼了工人阶级的斗争意志，增强了工人阶级的团结和力量。马克思主义的传播，各国工人政党的建立和工

---

① 《列宁选集》第 2 卷，人民出版社 2012 年版，第 191 页。

人运动的发展，呼唤着工人阶级的大联合大团结。在此背景下，在恩格斯的建议推动和德国社会民主党领导人倍倍尔（1840—1913）、李卜克内西（1826—1900）的积极筹备下，1889 年 7 月 14 日，国际社会主义工人代表大会在巴黎召开。会场上悬挂着马克思（1818—1883）和恩格斯的画像及"全世界无产者联合起来"的标语。大会决定把 5 月 1 日定为"五一国际劳动节"，号召全世界工人阶级每年庆祝自己的节日，以游行示威的方式来检阅和加强自己的力量，为自身解放做好准备。这次大会即第二国际成立大会。1890 年 5 月 1 日，欧美各国工人响应第二国际的号召，走上街头，举行世界性的游行示威。恩格斯也以 70 岁高龄亲自参加伦敦的游行示威，极大地鼓舞了工人阶级的斗争意志。

第二国际的成立及其活动，是马克思主义在工人中广泛传播并被接受以及无产阶级日益强大的结果，进一步推动了马克思主义的传播和无产阶级革命运动的开展。应该说，第二国际在成立初期对世界工人运动的发展起了积极的推动作用。遗憾的是，它未能顺应时代潮流，承担起历史赋予的光荣使命，引领和推动工人阶级革命运动深入发展，并把马克思主义推进到新的发展阶段。1895 年 8 月 5 日作为第二国际实际的领袖人物恩格斯逝世后，第二国际就由于内部出现修正主义思潮而陷于分裂。修正主义思潮的代表人物是被称为德国社会民主党的理论家的爱德华·伯恩施坦（1850—1932）。第二国际期间，修正主义思潮的酿成、泛滥是和伯恩施坦的理论密切联系在一起的。1899年，他的《社会主义的前提和社会民主党的任务》一书出版。伯恩施坦在该书中荒谬地提出马克思的科学社会主义是空想主义、教条主义，全面否定马克思主义哲学和政治经济学的基本观点，主张通过议会斗争和游行示威实现社会变革，使资本主义"和平长入"社会主义。修正主义一度迅速传播，形成国际性的修正主义思潮，各国马克思主义者对之进行了斗争。但是，一方面由于对伯恩施坦主义的本质及其危害性认识不足，一方面由于欧洲一些国家的无产阶级革命家和工人运动领袖理论素养不高，不能在同伯恩施坦修正主义进行坚决斗争的同时，对资本主义和世界历史进程中出现的新情况、新问题作出合理解释，更没有结合发展了的新的实际而创造性地推进工人运动和发展马克思主义，因而也就未能彻底战胜伯恩施坦修正主义。这个任务历史地落到以列宁、罗莎·卢森堡（1871—1919）为代表的革命马克思主义者的肩上。第一次世界大战中西欧各国的社会民主党陷入社会沙文主义，支持本国政府参战，导致第二国际的破产。

19 世纪末 20 世纪初，资本主义发展到垄断阶段后，经济政治上的变化不但没有消除其固有矛盾，相反还在更深层次上激化了这些矛盾，充分暴露出它的固有的腐朽性和寄生性。首先，资本主义生产在某些部门或某些时期虽然还有较快发展，但是垄断资本家所关心的与其说是生产技术的改进，不如说是获得稳定的高额利润。为了防止新的危机影响垄断收入，垄断组织往往人为地阻碍生产技术的进步，使资本主义生产出现停滞趋势。其次，由于资本输出成了帝国主义攫取巨量财富的重要手段，因而国内食利者阶层人数大大增加，并且少数最富有的帝国主义国家变成了食利国。垄断资产阶级依靠剪息票就能致富，甚至用不着再苦心经营什么实际业务了。他们完全过着寄生生活，由昔日新兴的、上升的先进阶级，变成了腐朽的、没落的阶级。最后，垄断资产阶级为了维持其对内垄断、对外称霸的局面，往往在国际国内形势变得紧张的时候，公开抛弃民主、自由和博爱的外衣，对内加紧镇压，对外发动侵略，在政治上走向全面反动。随着无产阶级生活状况的恶化，资本主义社会两大对立阶级即无产阶级和资产阶级矛盾日益突出，相互间的斗争日益扩大和尖锐，无产阶级觉悟及组织性大大提高，工人运动广泛开展。在资本主义国家之间，发展的不平衡导致经济、政治实力对比的改变，激化了相互间的矛盾，战争爆发的可能性大大增加。此外，垄断组织国际化程度不断提高，垄断资本加重了对殖民地、半殖民地和附属国人民的各方面的剥削和掠夺。哪里有剥削和压迫，哪里就有反抗。随着被剥夺国家人民的觉醒，民族解放运动迅速发展，资本主义与被剥夺国家人民的矛盾也日益白热化。帝国主义国家之间、帝国主义和殖民地半殖民地之间、帝国主义国家内部无产阶级和资产阶级之间的矛盾日益尖锐，帝国主义面临重重危机。此时，无产阶级同本国劳动群众结成同盟，并联合世界上一切被压迫国家和被压迫民族开展世界性的反对帝国主义斗争的客观条件日趋成熟起来。这一时期各国工人运动有了更加广泛的发展，参加罢工的人数一年比一年增多，罢工斗争持续的时间更长，带有更鲜明的政治性质，由向厂主、向资本家作斗争发展到同政府及军警的直接冲突，有的甚至发展成大规模的巷战。经过斗争锻炼，无产阶级的思想觉悟和组织纪律性有了较大提高。但在 19 世纪 70 至 90 年代的资本主义相对和平的条件下成长起来的各国社会民主党，却在理论和行动上不能适应新时代工人斗争的需要。一些社会民主党的领导人有的借口时代的新变化，公然否定马克思主义的基本原理，散布机会主义的言论；有的忘记了马克思主义的创新精神，固守某些过了时的活动方式，束缚革命群众的手脚。正确地阐明新的时代特征，制定适应时代需要的革命理论和革命策略，批判各种背离马克思主义的思潮，成为马克思主义者的迫切任务。当时，对于那些否定和背离马克思主义基本原理的各种错误观点，各国马克思主义者纷纷进行了抵制和批判。但是，除俄国的布尔什维克派之外，其他一些国家的马克思主义者并没有把马克思主义基本原理和本国具体实际结合起来，找到具有本国特色的实现社会主义的正确道路。第一次世界大战爆发后，第二国际的一些领袖们或惊慌失措、无所作为，或倒向本国政府。这样，为了有力地反对和批判以伯恩施坦修正主义为代表的反马克思主义的错误理论及其实践，彻底战胜形形色色的机会主义，在马克思主义基本观点、立场和方法指导下，紧密结合本国实际和革命实践，开辟一条新的取得社会主义革命胜利道路的重任，就历史地落在了以列宁为代表的俄国马克思主义者的肩上。

四、俄国社会矛盾的激化和阶级斗争形势

俄国从 1547 年起建立沙皇君主专制制度，历经留里克和罗曼诺夫两个王朝，先后由 22 个沙皇统治 370 年之久，造成封建色彩浓厚，经济文化落后的现状，从而引起 1861 年从上而下废除农奴制的改革，此后俄国资本主义迅速发展起来。19 世纪末 20 世纪初，俄国资本主义也进入到帝国主义阶段。作为一个后起的帝国主义国家，俄国既具有一般帝国主义国家的特点，又在经济上保存着广泛的农奴制残余，沙皇政府则是垄断资产阶级和大地主阶级的政治代表。第一，它在经济上保留了许多农奴制的残余，在进入帝国主义阶段的同时，半农奴制的土地占有制、农民小商品生产、宗法式和封建主义等经济形式仍然占据统治地位，封建君主掌握政权的同时与金融寡头有千丝万缕的联系，呈现垄断资本主义与封建农奴制并存的特点。这种"俄国式"的在政治上直接以沙皇专制制度为支柱的帝国主义，被列宁称为"军事封建帝国主义"。此外，第一次世界大战前夕，俄国约有 60% 的石油开采量、90% 的发电和电机企业资本，以及南部 70% 的生铁及其成品，都被外国垄断组织控制。对外国资本的极强依赖性使俄国经济十分脆弱，世界经济的任何风吹草动，都会使其陷入困境。第二，沙皇政府欺压国内各少数民族，对它们实行大俄罗斯民族主义政策和民族屠杀政策。沙皇独揽大权，可以随便颁布法律，任命大臣和官吏，恣

意搜刮民脂民膏，挥霍民财。为了维护专制统治，沙皇豢养的一大群官吏、警察、巡官、宪兵和乡丁，像蜘蛛网一样笼罩着整个社会，骑在人民头上作威作福，俄国成了一座名副其实的各族人民的"大监狱"。第三，沙俄帝国主义甘心充当西方帝国主义的代理人，与它们狼狈为奸，侵略和压迫东方各落后国家，是东方各被压迫国家和被压迫民族的凶恶敌人。在这种社会"怪胎"下，俄国成为帝国主义各种矛盾的集合点。在经济上，有迅速发展的生产力与资本主义生产关系的矛盾，又有发展资本主义的要求和农奴制残余的矛盾。在政治上，有无产阶级同资产阶级、农民同地主的矛盾，又有各族人民同沙皇专制制度的矛盾；有国内各被压迫民族同大俄罗斯主义的矛盾，俄国人民同西方各帝国主义之间的矛盾，还有世界上其他被压迫民族和人民同沙俄帝国主义的矛盾。这些矛盾极为复杂尖锐，其发展逐渐使俄国成为帝国主义体系中的一个薄弱环节。

在社会各方面盘根错节的复杂矛盾下，俄国工农群众遭受着深重的剥削和压迫。19世纪最后30年，在俄国沙皇政府、大资产阶级和大地主的多重压迫剥削下，工人、农民、知识分子的不满情绪和革命热情日益高涨，特别是随着垄断资本主义的形成，俄国产业工人队伍逐渐壮大。俄国工人阶级经济上遭受无情的剥削压榨，政治上受到残酷的镇压迫害。19世纪八九十年代，俄国工人的日平均工作时间是12—13小时，在纺织业中甚至长达14—15小时。工厂里还大量使用童工、女工，他们的劳动时间同一般成年男工一样，但工资却少得多。由于完全没有劳动保护措施，伤残和死亡事故经常发生。工人的工资极低，却常被工头克扣。恶劣的劳动和生活条件使俄国的工人阶级还在极年轻的时候就已经开始觉醒，工人阶级的强烈革命精神被激发，群众性罢工斗争不时发生。据统计，自1870年5月，彼得堡涅瓦沙场爆发第一次俄国工人罢工起，70年代，全国共发生了350次罢工斗争。1885年发生了震动全国的奥烈霍沃祖耶沃城莫洛佐夫工厂大罢工。1881—1886年间，俄国至少发生过48次罢工，参加人数达8万多人。1898年3月，俄国各地的解放斗争协会在明斯克召开代表大会，宣告了俄国社会民主工党的成立。与此同时，农民革命运动也在工人运动推动下，不断开展起来。1902年仅在俄国的欧洲部分就发生340次农民暴动。农民群众逐渐与工人阶级联合起来，成为工人运动的同盟军。而知识分子，特别是大学生，在反对沙皇专制制度、要求自由民主的斗争中也发挥了巨大作用。1901年年末至1902年年初发生了全国性总罢课，3万人以上大学生参加。在群众斗争的基础上，各种各样的革命组织也开始在俄国建立。19

世纪六七十年代，俄国出现最早的民粹主义组织，在敖德萨和彼得堡出现了南俄工人协会和俄国北方工人协会，明确提出了推翻现存经济政治制度的任务。除农民和城市工人外，俄国的中产阶级也对沙皇政权愈益不满。他们建立了立宪民主党，企图在俄国建立君主立宪制度。但由于俄国商业和工业的发展受到阻碍，中产阶级人数较少，国民经济的很大一部分为外国势力所控制，加之没有得到农民和工人的支持，立宪民主党不太愿意用暴力反抗暴力，相反却特别容易屈服于沙皇独裁政府的压力。

为了推翻沙皇政府的黑暗统治，俄国的先进分子如饥似渴地探求革命的真理和救国救民的科学道路，悉心学习研究欧美国家工人革命斗争的宝贵经验，他们终于找到了马克思主义这个无产阶级和劳动人民实现自身解放的唯一正确的革命理论。从 19 世纪 70 年代起，马克思主义开始在俄国传播，俄国的无产阶级也由于资本主义大工业的发展而成长壮大起来。1890 年仅大工厂、采矿工业和铁路部门的工人就有 143 万人，比 1865 年增加了 1 倍。从 80 年代起，工人运动的推动加之民粹主义的不断失败，马克思主义在俄国迅速传播，马克思主义小组在各地纷纷出现。1883 年，普列汉诺夫（1856—1918）领导的"劳动解放社"出现；1895 年，列宁领导的"彼得堡工人阶级解放斗争协会"成立。这些以及分散在俄国各地的马克思主义性质的团体逐渐联合起来，于 1898 年建立了俄国社会民主工党。

随着无产阶级政党的建立和工人运动的蓬勃发展，到 20 世纪初，俄国的革命进程很快赶上了西欧发达国家，世界革命的重心由西方转移到东方。1900—1903 年世界经济危机的来袭和 1904 年的日俄战争，使俄国国内局势变得空前紧张，从而进一步加快了革命到来的步伐。由于俄国当时集中了帝国主义的各种矛盾，再加上沙皇的残暴统治和剥削，这里的革命斗争发展成熟得特别迅速。工人罢工、农民骚动和学生运动风起云涌，此起彼伏，连成一气，全国到处酝酿着民主革命的暴风骤雨。行将爆发的革命，不仅威胁着沙皇专制制度，而且还会动摇世界帝国主义的整个基础。俄国社会民主工党的成立，社会内部阶级矛盾日益尖锐，马克思主义在传播中同工农革命运动的结合等，使俄国革命形势迅速发展。农民、城市工人和中产阶级长期的不满由于日俄战争中俄国的失败而更趋严重。1905 年 1 月 22 日，适逢星期日，以教士乔治·加邦神父为首的数千人组成的示威队伍平静地向圣彼得堡进发，带着圣像、唱着俄国赞美诗、手无寸铁的男人、妇女和儿童跟随在队伍后面。他们原想请求实行代议制议会、免费教育、8 小时工作日、增加工资、改善工作条件等方面的改革。但沙皇的叔父却命令皇家禁卫军向游行群众开枪，酿成所谓的"流血星期日"事件。政府的屠杀行为打碎了许多俄国人历来珍爱的沙皇仁慈"小父亲"形象，在全国激起猛烈的反应；整个帝国的公民转而反对沙皇政权，使革命陡然发生。这是俄国爆发的第一次民主革命，掀起了欧洲 30 年和平发展之后的革命高潮。是年 1 月至 10 月之间，所有阶级和势力都起来反对独裁政府，各从属民族要求自治，农民夺取庄园主的财产，城市工人组织地方议会即苏维埃进行革命活动，各地大学生走出教室，黑海舰队水兵发动兵变。全民的反抗，迫使沙皇作出让步，10 月 30 日，颁布了《十月宣言》，允诺给予言论、出版、集会自由，准许俄国有一部宪法和一个民选的国民议会即国家杜马。此后直到 1906 年 1 月，革命继续发展。但是，以中产阶级为代表的温和派接受了《十月宣言》，而社会民主党人和社会革命党人在内的激进派则要求制宪议会而不是沙皇的大臣来制定新宪法。为迫使政府接受这一要求，激进派努力组织更多的罢工和骚动来延长革命。10 月，发生了席卷全俄的政治总罢工。此后，革命党积极参与领导，各地工人纷纷行动起来，或进行政治罢工，或开展武装暴动。然而，因 1905 年 9 月 5 日俄国与日本签订了《朴茨茅斯和约》，政府有了把许多军队派回国内恢复秩序的条件，而从巴黎和伦敦获得的 4 亿美元贷款也使苟延残喘中的政府暂时恢复了元气，因此沙皇政府最终扼杀了 1905 年 12 月 22 日至 1906 年 1 月 1 日的莫斯科工人起义。此时，温和派和激进派分道扬镳，转而向沙皇政府靠拢。沙皇政权得到暂时的巩固。政府军队乘势抓捕激进派成员和反抗的农民，有时甚至烧毁村庄。5 月 6 日，政府颁布了基本法，沙皇被宣布为专制君主，保持了对军政及外交的完全控制。民选的杜马与上议院共同享有立法权，但其预算权受到严格限制。5 月 10 日，杜马开会，拒绝接受《基本法》并严厉批评政府。7 月 21 日，沙皇解散杜马。杜马部分成员号召国民拒绝纳税，但应者寥寥。1907 年 2 月，经选举产生的第二届杜马，比首届更加敢于挑战政府的权威。沙皇政府愤而大幅减少选举权，1907 年、1912 年选举出来的第三届、第四届杜马较为保守和顺从。但随着《十月宣言》的颁布和实施，沙皇的专制主义独裁政治一手遮天的时代一去不复返了。第一次世界大战开始后，杜马越来越受到应有的重视，直到布尔什维克革命将其扫除为止。1905—1907 年革命终因沙俄当局的残酷镇压而宣告失败。此后，俄国经过了一个短暂的革命低潮时期。1914 年第一次世界大战爆发，俄国国内的阶级矛盾和民族矛盾再次激化，大战造成的灾难使俄国国内革命形势更加高涨；加之布尔什维克党的正确领导和艰苦的工作，俄国人民反战斗争的浪潮日益高涨，一场新的暴风骤雨式的革命运动一触即发。

1917年1月初（俄历），俄国许多城市爆发了罢工和示威游行。2月18日，彼得格勒普梯洛夫工厂3万多工人发动罢工。23日又有50个企业的9万多工人举行了政治罢工。24日，罢工人数猛增到20万人。25日，彼得格勒全市工人举行政治总罢工，罢工工人达25万以上。26日，布尔什维克党的中央局号召武装起义，27日清晨，武装起义开始。工人群众解除宪警武装，夺取武器库，深入兵营与士兵联欢。彼得格勒驻军也加入起义队伍之中。工人和士兵联合行动，迅速摧毁了反动军警的镇压，逮捕了沙皇的大臣和将军。至此，统治俄国人民近400年的沙皇专制政府罗曼诺夫王朝被推翻了。二月革命后，俄国出现了工兵代表苏维埃和资产阶级临时政府这两个政权并列的局面。俄国革命处在一个过渡的、不稳定的阶段，面临着向何处去的重大问题。在此期间，俄国革命经历了合法的和非法的、和平的和激烈的、地下的和公开的、小组织的和群众的、议会方式的和恐怖主义的多种多样的斗争手段和斗争方式。这种斗争状况，使俄国马克思主义者有机会、有条件受到更多的革命斗争实践的考验与洗礼，易于积累起丰富的斗争经验，为创造性地发展和运用马克思主义打下坚实的基础。1917年11月，在以列宁为代表的布尔什维克党的领导下，俄国工人和士兵武装推翻了资产阶级政权，建立了世界上第一个社会主义国家，开辟了人类历史的新纪元。

在俄国革命过程中，以列宁为杰出代表的俄国布尔什维克党人结合俄国实际，创造性地坚持、运用和发展了马克思主义基本原理，把马克思主义推进到一个新的发展阶段，形成列宁主义这一帝国主义和无产阶级革命时代的马克思主义。在列宁主义指引下，无产阶级和劳动群众的历史主动性和创造精神被大大激发，无产阶级革命运动和人民解放斗争以历史空前的波澜壮阔态势轰轰烈烈开展，世界社会主义运动迈入了新的历史时期。

五、马克思主义发展的主题

世纪之交，资本主义在经济和政治上的一系列变化，并未消除其自身固有的矛盾，相反还在更大范围内和更深程度上激化了这些矛盾。资本主义国家内部，随着无产阶级生活状况不断恶化，工人运动广泛展开，无产阶级的组织性和觉悟性得到极大提高，无产阶级和资产阶级矛盾的对抗性质充分暴露出来，两大阶级之间的斗争日益加剧和尖锐；各主要资本主义国家之间，随着各国间经济、政治实力对比的不断变化，矛盾不断激化，战争一触即发；各资本主义国家与殖民地、半殖民地、附属国之间，随着垄断由国内走向国际，垄断资本对殖民地、半殖民地、附属国人民进行极其野蛮而残酷的剥削和掠夺，以及由之引起的殖民地、半殖民地、附属国人民的觉醒，民族解放运动迅速发展，资本主义国家与殖民地、半殖民地、附属国人民之间的矛盾发展到炽热化程度。资本主义由自由竞争到垄断的发展所产生的新变化提出了一系列亟待马克思主义回答的问题。

（一）时代问题

自由资本主义发展为垄断资本主义即帝国主义阶段以后，世界历史呈现出与马克思和恩格斯所处时代不同的生活图景。马克思主义者、资产阶级思想家、工人运动中小资产阶级思想家，对这一阶段出现的现象、对时代及其特征表达了不同的认识。资产阶级思想家和工人运动内部的一些小资产阶级思想家在对这一重大历史现实的认识上表现出的一个共同特征，是都离开资本主义的经济基础、离开资本家所有制这个根本问题。他们把帝国主义看成是统治阶级个别阶层或个别人物所采取的对外侵略或扩张的一种"政策"，是对别国进行兼并或征服的企图。比如，第二国际著名理论家考茨基（1854—1938）认为，帝国主义不是资本主义发展的一个特殊阶段，而是某些资本家集团"心甘情愿"采取的一种政策，是工业国力图吞并农业国的一种趋向。因此，同帝国主义作斗争，用不着去触动垄断资本家集团的经济基础，只要迫使他们执行比较理智的政策就行了。如果垄断资本家愿意采取"超帝国主义"的政策，用"和平民主"的方式实现资本的扩张，那就"可能在资本主义领域中造成新希望和新期待的纪元"。考茨基的这些观点受到马克思主义者的严厉批评。还在第一次世界大战爆发前，列宁就已经多次指出世界历史进入了新的时代，并对新时代的特征和实质作出科学分析。与考茨基等人关于帝国主义的认识相反，列宁坚持从资本主义经济基础的变化说明帝国主义的产生，把帝国主义看作资本主义生产关系演变的一个时期，一个由上升而走向腐朽和衰亡的时期。列宁指出，帝国主义作为资本主义发展的一个特殊阶段，根本特征是垄断，它是垄断组织和金融资本的统治已经确立、资本输出具有特别重大意义、国际托拉斯开始分割世界、最大的资本主义国家已把世界全部领土分割完毕这一条件下的资本主义。它得以形成与存在的这一条件，亦即由这一条件规定的它的现实存在状态和性质，一定是腐朽的和垂死的。所以，列宁的结论是：帝国主义是垄断的资本主义；帝国主义是寄生的或腐朽的资本主义；帝国主义是垂死的资本主义。这个关于帝国主义的三个定义是一种递进关系：垄断性决定了帝国主义的寄生性和腐朽性，帝国主义的寄生性和腐朽性又决定了它的垂死命运。这是列宁关于帝国主义的本质的科学认识。

帝国主义是资本主义发展的特殊阶段，是资本主义的"新时代"，它构成完整意义的历史时代的一个特征，但这个特征不是这个时代的完整意义，并且不是这个意义的主要方面。主要方面是它将可能给人类生活及人类前景带来的影响，站在历史进步的高度，是无产阶级在使人类走出腐朽与垂死的资本主义而迎来一个新兴社会形态方面应该有什么样的担当和行动。资本主义固然是腐朽的和垂死的，因而它也构成新的替代性社会形态出现的客观条件，但是没有改变这样一个现实的即推翻这样一个落后的腐朽的社会形态的实际行动，旧的社会形态不会自动离去，而新的社会形态不会到来。马克思早就教给了无产阶级在这种形势面前应有的态度和应该采取的行动，这个行动就是革命。帝国主义作为腐朽的垂死的资本主义，意味着无产阶级革命时代的到来。这是历史的逻辑。根据这个逻辑，马克思主义者得出革命行动必然性的结论①。列宁指出了资本主义发展的帝国主义的时代意义，但又不停留于这种认识，而是从无产阶级解放和人类进步的价值立场出发，作出了改变这种现实的革命的结论，即帝国主义背景下无产阶级革命时代的结论。列宁在一系列的文章和著作中谈到时代问题，特别是由帝国主义、战争和革命等重大事件构成的 19 世纪末至 20 世纪初这一历史时期的时代性质，形成具有特定内涵的列宁时代观。列宁时代观中的重要内容有以下方面：

第一，什么是历史时代。时代，作为一个时间符号，具有多种意义。列宁就是在多种意义上使用时代概念，谈论时代问题的。首先，时代是指一定社会形态的一定发展阶段，如所谓资本主义社会发展、演变的不同阶段："从前

---

① 参见《列宁选集》第 2 卷，人民出版社 2012 年版，第 472 页。

的'和平的'资本主义时代被当今帝国主义时代所代替"①，资本主义产生时代、资本主义灭亡时代。与这个时代相对应的是"从西欧完成资产阶级的和民族的革命开始向社会主义革命过渡的时代"②。这一世界历史形势的变化同时引起无产阶级和群众的斗争形式的变化，又使列宁也在这个意义上使用时代概念，例如，所谓"比较和平地发展的时代"与"群众的革命斗争"的时代的转变③；其次，时代是指更高层次的和整体意义的时代。所谓真正的"历史大时代"，就是与资本主义发展到帝国主义时代相联系的社会主义革命的时代。列宁是这样谈这个时代的：这个世界资本主义的发展达到了非常高的程度；垄断资本主义代替了自由竞争；银行以及资本家的同盟准备了对产品的生产和分配过程实行社会调节的机构；资本主义垄断组织的发展引起了物价的高涨和辛迪加对工人阶级压迫的加重，工人阶级的经济斗争和政治斗争遭到巨大困难；帝国主义战争造成惨祸、灾难、破产和粗野——"这一切就使目前所达到的资本主义发展阶段成为无产阶级社会主义革命的时代。""这个时代已经开始"。④ 所谓"欧洲大战意味着最严重的历史性的危机，意味着新时代的开始"⑤。这句话中的"新时代"，指的就是社会主义革命的时代。最后，时代是指没有具体规定性的所谓"种种世界性大转折"⑥。所以，时代虽然是个表示历史时间的大字眼，但又是一个相对概念。这种相对性取决于观察者的观察向度，它构成认识和划分时代的不同坐标。但无论如何不能从中得出时代是主观的结论。

第二，怎样划分时代。在列宁看来，历史分期的界线虽然是相对的，但是只要抓住能够把不同时代区分开来的和决定其基本特征的"客观历史条件"，时代的划分就是确定的。时代划分坚持历史主义，但并不由此陷入相对主义。例如，列宁指出，通常把历史时代划分为：（1）1789—1871 年；（2）1871—1914 年；（3）1914—？。这种分期，在马克思主义的文献里被多次引用过。"当然，这里的分界线也同自然界和社会中所有的分界线一样，是有条件的、可变的、相对的，而不是绝对的。我们只是大致地以那些特别突出和引人注目的历史事件

① 《列宁全集》第 26 卷，人民出版社 2017 年版，第 242 页。
② 《列宁全集》第 26 卷，人民出版社 2017 年版，第 274 页。
③ 《列宁全集》第 26 卷，人民出版社 2017 年版，第 241 页。
④ 《列宁全集》第 29 卷，人民出版社 2017 年版，第 484 页。
⑤ 《列宁全集》第 26 卷，人民出版社 2017 年版，第 105 页。
⑥ 《列宁全集》第 26 卷，人民出版社 2017 年版，第 104 页。

作为重大的历史运动的里程碑。"① 尽管如此，关于历史时代的以上划分还是确定的。列宁对这三个时代的性质分别作了说明：第一个时代是从法国大革命到普法战争。这是资产阶级崛起的时代，是它获得完全胜利的时代。这是资产阶级的上升时期，是一般资产阶级民主运动特别是资产阶级民族运动的时代，是已经过时的封建专制制度迅速崩溃的时代；第二个时代是资产阶级取得完全统治而走向衰落的时代，是从进步的资产阶级转变为反动的甚至最反动的金融资本的时代。这是新的阶级即现代民主派准备和慢慢积聚力量的时代；第三个时代刚刚开始。这个时代是资产阶级处于相当于封建主在第一个时代所处的同样的"地位"。这是帝国主义时代，是帝国主义发生动荡和由帝国主义引起动荡的时代。列宁指出："第三个时代的国际冲突，在形式上仍同第一个时代的国际冲突一样，但其社会内容和阶级内容已经根本改变了。客观的历史环境已经完全不同了。""上升的、争取民族解放的资本反对封建制度的斗争，已经被最反动的、衰朽的、过时的、走下坡路的、趋向没落的金融资本反对新生力量的斗争所取代。在第一个时代作为摆脱封建制度的人类发展生产力的支柱的资产阶级民族国家这个框子，现在到了第三个时代，已成为生产力进一步发展的障碍了。资产阶级从上升的、先进的阶级变成了下降的、没落的、内在死亡的、反动的阶级。现在，上升的阶级——在广阔的历史范围内——已经是全然不同的另一个阶级了。"② 列宁关于时代的以上划分、关于第三个时代的认识今天仍然有它的现实性，仍然没有过时。因为决定这个时代的性质的"基本特征"没有改变。在这里，列宁同时说明了什么是时代划分的科学方法。

第三，把正确的时代观当作认识事物的科学方法。列宁指出："无可争辩，我们是生活在两个时代的交界点；因此，只有首先分析从一个时代转变到另一个时代的客观条件，才能理解我们面前发生的各种重大历史事件。"他还特别指出："这里谈的是大的历史时代。每个时代都有而且总会有个别的、局部的、有时前进、有时后退的运动，都有而且总会有各种偏离运动的一般形式和一般速度的情形。我们无法知道，一个时代的各个历史运动的发展会有多快，有多少成就。但是我们能够知道，而且确实知道，哪一个阶级是这个或那个时代的中心，决定着时代的主要内容、时代发展的主要方向、时代的历史背景的主要

---

① 《列宁全集》第 26 卷，人民出版社 2017 年版，第 144 页。
② 《列宁全集》第 26 卷，人民出版社 2017 年版，第 146 页。

特点等等。只有在这个基础上，即首先考虑到各个'时代'的不同的基本特征（而不是个别国家的个别历史事件），我们才能够正确地制定自己的策略；只有了解了某一时代的基本特征，才能在这一基础上去考虑这个国家或那个国家的更具体的特点。"① 列宁的以上论述的第一层意思是：通过分析促使发生时代转变的客观条件，理解现实中的各种重大历史事件。"客观条件"是理解时代的基础，现实的时代总是这个"客观条件"的内化与凝聚，所以，对于理解现实中的各种重大历史事件来说，现实时代与决定它得以形成的客观条件具有同等的意义。它们其实就是一个东西。所以，归根到底，列宁的阐释所告诉我们的，就是必须站在时代的高度理解现实中的重大历史事件。列宁的以上论述的第二层意思是："正确地制定自己的策略"、认识一定国家的具体的特点，应该坚持的正确的方法是，"首先考虑到各个'时代'的不同的基本特征"，这个基本特征特别是"哪一个阶级是这个或那个时代的中心"。列宁的以上论述既告诉了我们怎样通过对于时代的正确认识达到对具体重大历史事件、具体国家的特点的认识，也为无产阶级制定正确的行动策略提供指导。

（二）马克思主义的现实性

面对世纪之交资本主义的新变化，以及由此产生的无产阶级革命策略如何随之进行必要调整与变化，在马克思主义内部产生了极大分歧，具有不同倾向的社会民主党的领袖和工人运动理论家对此作出了不同回答。影响最大的当属德国社会民主党和第二国际重要理论家伯恩施坦。1895 年 8 月恩格斯逝世后，伯恩施坦开始公然抛出其思想深处一直潜藏着的右倾机会主义观点和改良主义的政治主张。1896 年至 1898 年，他在考茨基主编的《新时代》杂志上以《社会主义问题》为题发表一系列文章，公然抛弃马克思主义关于资本主义必然灭亡、无产阶级只有通过社会革命才能夺取社会主义胜利的基本原理，"批判"马克思主义所谓"传统解释"。1899 年 1 月他完成了《社会主义的前提和社会民主党的任务》（以下简称《前提和任务》）一书。在该书的前言中，他坦承书中的许多观点违背了马克思和恩格斯的理论主张，说他之所以同那些像他一样出身于马克思和恩格斯学派的社会主义者进行论战，是因为他要捍卫他的见解，他必须向他们指出"马克思和恩格斯的学说在哪些点上大体是错误的或者

---

① 《列宁全集》第 26 卷，人民出版社 2017 年版，第 142—143 页。

自相矛盾的"①。这是伯恩施坦向马克思主义的公开宣战。他的一系列理论观点以资本主义的新变化为借口而全面否定马克思主义基本原理及其对社会主义运动的现实指导意义。伯恩施坦修正主义思潮的出现是马克思主义在历史发展中遇到的第一次危机。

第一次世界大战的爆发，在国际工人运动内部再次引发关于如何认识资本主义最新发展的争论。以考茨基、王德威尔得（1866—1938）为代表的第二国际（1889—1914）领袖和欧洲许多国家的社会民主党内的机会主义分子堕落为社会沙文主义者，他们打着"保卫祖国"的旗号支持本国垄断资产阶级进行帝国主义战争，从而导致第二国际的破产，也使世界工人运动面临深刻危机。列宁和各国社会民主党内的革命马克思主义者同伯恩施坦的修正主义和第二国际内部的机会主义、社会沙文主义进行了坚决的斗争。列宁针对伯恩施坦对马克思主义基本原理的科学性、现实性的否定和攻击，针对考茨基等在阶级斗争、无产阶级革命的形式和道路、民主与社会主义的关系、无产阶级专政等一系列问题上对马克思主义的歪曲和篡改，结合资本主义变化实际、结合战争与革命的实际着重阐释马克思主义基本原理的科学性和现实性的同时，还对什么是马克思主义和怎样对待马克思主义的问题做了系统阐述。列宁深刻揭示了修正主义的内容、特点和实质。他指出，修正主义是"一个相当严整的观点体系"②，曾经是正统派马克思主义者的伯恩斯坦以最嚣张的态度和最完整的形式表达了对马克思学说的修正，"对马克思学说的修正，即修正主义"③。他们以研究新情况、新问题为幌子，实质是全面修正和否定马克思主义，否定社会主义。修正主义的传播给马克思主义运动造成严重的危机，给马克思主义的发展带来严重的挑战。列宁同时指出，马克思主义是一个十分完备、严整和彻底的世界观，是世界各文明国家工人运动的理论和纲领，"在其生命的途程中每走一步都得经过战斗"④。列宁还对以意大利、法国的"革命工团主义者"为代表的"来自左面的修正主义"的观点进行了批判，指出马克思主义也要根据条件、时代的变化丰富和发展自己。他说，"马克思主义不是死的教条，不是什么一成不

---

① ［德］伯恩施坦：《社会主义的前提和社会民主党的任务》，殷叙彝译，生活·读书·新知三联书店 1965 年版，第 7—8 页。

② 《列宁选集》第 2 卷，人民出版社 2012 年版，第 6 页。

③ 《列宁选集》第 2 卷，人民出版社 2012 年版，第 2 页。

④ 《列宁选集》第 2 卷，人民出版社 2012 年版，第 1 页。

变的学说，而是活的行动指南"。①"只有不可救药的书呆子，才会单靠引证马克思关于另一历史时代的某一论述，来解决当前发生的独特而复杂的问题"②。这些论述鲜明地表达了列宁既要坚持马克思主义基本原理，又要与时俱进地丰富发展马克思主义的基本主张。但是，伯恩施坦在一系列著作中对马克思主义基本原理的"修正"和攻击，他提出的问题本身，甚至伯恩施坦修正主义现象产生本身，也给马克思主义者提出了一些值得深思和认真回答的问题，特别是关于什么是马克思主义和怎样正确对待马克思主义的问题，因而也就形成了马克思主义发展的这一时期特有的主题。

（三）革命问题

早在 19 世纪 70 年代以前，马克思在其《〈政治经济学批判〉序言》和《资本论》等著作中，就揭示了人类社会历史发展的一般规律。马克思把生产力看作历史发展的最后的决定力量，根据生产力与生产关系的矛盾运动，马克思把经济社会形态的演进看作一种自然历史过程，指出资本主义的灭亡和社会主义的胜利同样是不可避免的。马克思和恩格斯从分析自由资本主义发展的现状出发，认为社会主义革命应该首先在西欧几个先进资本主义国家发生，并且是同时发生。那么，在帝国主义时代革命将有什么新的特点呢？革命在经济文化相对落后国家发生与在先进国家发生有什么不同呢？革命在战争条件下发生与在非战争条件下发生有什么不同呢？这是世界马克思主义者面临的新问题，也是迫切问题。列宁正是通过帝国主义时代世界经济政治发展不平衡规律作出革命可能首先在一国或多国胜利的结论，否定了革命"同时胜利论"，也否定了革命一定要在先进资本主义国家首先胜利的固有认识。列宁也同时预测革命可能首先在俄国发生。另外，在发生帝国主义战争的条件下，革命将有什么新的不同特点呢？无产阶级应该如何利用这个条件推动革命发生呢？这一切，正是世界马克思主义者，特别是发生了战争的国家的马克思主义者面临的新课题。

俄国十月社会主义革命的胜利，证明了列宁的判断。

列宁首先指出，这场帝国主义战争正在开创一个社会革命的纪元。现时代的一切客观条件正在把无产阶级的群众革命斗争提到日程上来。社会党人的责

---

① 《列宁选集》第 2 卷，人民出版社 2012 年版，第 281 页。
② 《列宁选集》第 2 卷，人民出版社 2012 年版，第 162 页。

任就是，在不放弃工人阶级的任何一种合法的斗争手段的同时，使它们服从于这项最迫切最重要的任务，提高工人的革命觉悟，使他们在国际的革命斗争中团结起来，支持和推进一切革命行动，"力求把各国之间的这场帝国主义战争变为被压迫阶级反对他们的压迫者的国内战争，变为剥夺资本家阶级的战争，变为无产阶级夺取政权、实现社会主义的战争"①。列宁批评国际社会民主党内的机会主义对于战争中的革命的消极态度。这种机会主义的主要特点是："对革命的具体问题以及当前战争同革命的联系的一般问题闭口不谈，加以掩盖或者在不触犯警察禁令的条件下'加以回答'"②。

列宁坚决拥护在战争爆发前第二国际（1889—1914）作出的《斯图加特决议》和《巴塞尔宣言》。这个决议和宣言主张，战争一旦爆发，社会党人就应当利用战争造成的"经济和政治危机"来"加速资本主义的崩溃"，也就是利用战争给各国政府造成的困难和群众的愤慨来进行社会主义革命。根据这个主张和宣言，列宁指出，变当前的帝国主义战争为国内战争，是唯一正确的无产阶级口号，这个口号是公社的经验所启示的，是巴塞尔决议（1912）所规定的，也是在分析高度发达的资产阶级国家之间的帝国主义战争的各种条件后得出的。"既然战争已经成为事实，那么，不管这种转变在某一时刻会遇到多大困难，社会党人也决不放弃在这方面进行经常不断的、坚定不移的、始终不渝的准备工作。""只有沿着这条道路，无产阶级才能摆脱依附沙文主义资产阶级的地位，才能以不同的形式比较迅速地迈出坚定的步伐，走向各民族的真正自由，走向社会主义。"③

列宁反对通过个别国家之间的单独媾和而结束战争的主张，认为结束战争并不是交战双方的士兵把刺刀往地上一戳就能够做到的，而必须通过一场革命。革命是摆脱这场战争的唯一出路，革命是"反对战争的最好的战争"④。这个战争就是国内战争。列宁阐述了革命形势对于革命发生和发展的决定性意义，阐述了社会革命是一个总体过程的观点，形成了具有独特特征的列宁主义的马克思主义革命观。列宁指出，在马克思主义者看来，毫无疑问，没有革命形势，就不可能发生革命。那么，什么是革命形势呢？革命形势就是"客观变

---

① 《列宁全集》第 26 卷，人民出版社 2017 年版，第 296 页。
② 《列宁全集》第 28 卷，人民出版社 2017 年版，第 94 页。
③ 《列宁全集》第 26 卷，人民出版社 2017 年版，第 19 页。
④ 《列宁全集》第 25 卷，人民出版社 2017 年版，第 450 页。

化的总和"。一般说来，它的主要特征有以下三个方面：（1）统治阶级已经不可能照旧不变地维持自己的统治；"上层"的这种或那种危机，统治阶级在政治上的危机，给被压迫阶级不满和愤慨的迸发造成突破口。要使革命到来，单是"下层不愿"照旧生活下去通常是不够的，还需要"上层不能"照旧生活下去。（2）被压迫阶级的贫困和苦难超乎寻常地加剧。（3）由于上述原因，群众积极性大大提高，这些群众在"和平"时期忍气吞声地受人掠夺，而在风暴时期，无论整个危机的环境，还是"上层"本身，都促使他们投身于独立的历史性行动。列宁坚持在革命发生问题上的唯物主义，也坚持在这个问题上的辩证法。他指出："……不是任何革命形势都会产生革命，只有在上述客观变化再加上主观变化的形势下才会产生革命，即必须再加上革命阶级能够发动足以摧毁（或打垮）旧政府的强大的革命群众运动，因为这种旧政府，如果不去'推'它，即使在危机时代也决不会'倒'的。"列宁说："这就是马克思主义对革命的观点"①。

列宁关于革命问题的马克思主义观点还表现为革命是一个总体过程的思想。在写于1915年10月的《革命的无产阶级和民族自决权》一文中，列宁阐发了"社会革命不是一次会战，而是在经济改革和民主改革的所有一切问题上进行一系列会战的整整一个时代"的思想，并且指出"这些改革只有通过剥夺资产阶级才能完成。"②这一思想列宁后来又把它引入1916年1月写的《社会主义革命和民族自决权》一文的提纲中，而且关于这个革命特指社会主义革命和关于"会战"就是"激烈的阶级冲突"的思想更明确了。列宁指出："社会主义革命不是一次行动，不是一条战线上的一次会战，而是充满着激烈的阶级冲突的整整一个时代，是在一切战线上，也就是说，在经济和政治的一切问题上进行的一系列的会战，这些会战只有通过剥夺资产阶级才能完成。如果认为争取民主的斗争会使无产阶级脱离社会主义革命，或者会掩盖、遮挡住社会主义革命等等，那是根本错误的。相反，正像不实现充分的民主，社会主义就不能胜利一样，无产阶级不为民主而进行全面的彻底的革命的斗争，就不能作好战胜资产阶级的准备。"③

① 《列宁全集》第26卷，人民出版社2017年版，第230页。
② 《列宁全集》第27卷，人民出版社2017年版，第78页。
③ 《列宁全集》第27卷，人民出版社2017年版，第255页。

1917年11月7日（俄历10月25日），俄国无产阶级在列宁和布尔什维克党的领导下举行十月社会主义革命，通过武装起义推翻了资产阶级临时政府，建立了世界上第一个社会主义国家，开辟了人类历史的新纪元。但是，在革命前后，对于能不能在俄国举行无产阶级革命，在俄国各个政党之间，在俄国社会民主工党内部，甚至在布尔什维克内部却有着十分激烈的争论。这是因为，俄国当时是一个小农占多数的、经济文化发展还十分落后的国家，俄国虽然已经进入资本主义时代，但是资产阶级还十分软弱，资本主义虽处于上升时期，但相对落后。根据马克思和恩格斯关于资本主义条件下社会主义革命发生的理论，俄国似乎不具有革命的"资格"，也就是俄国还不具有革命发生的条件。普列汉诺夫在十月革命前就持这种观点，布尔什维克党内的季诺维也夫（1883—1936）和加米涅夫（1883—1936）也反对十月的革命暴动，并采取了抵制革命发生的行动。第二国际的伯恩施坦、考茨基等等更是借口俄国资本主义发展不充分而反对革命。十月革命胜利后，他们把俄国社会主义政权视为"先天不足的早产儿"，甚至断言，在落后国家搞社会主义，如同孕妇的"早产"，只能生下一个"没有生命力的孩子"[1]。俄国孟什维克的代表普列汉诺夫把俄国无产阶级夺取政权看作"最大的历史灾难"，认为列宁在1917年提出的《四月提纲》是完全不顾时间和地点的"痴人说梦"。苏汉诺夫（1882—1940）在其《革命札记》中也表达了同样的观点。在这个提纲中列宁阐述了俄国无产阶级在这次革命中的任务，这个任务就是使革命由第一阶段发展到第二阶段，这个阶段无产阶级的任务就是使政权转到无产阶级和贫苦农民手中，实际等于宣布了俄国资产阶级革命的结束，社会主义革命的开始。

列宁在批判俄国民粹派的主观社会学观点时，就以大量的材料和分析，说明了资本主义大工业和无产阶级在俄国一定程度的发展。俄国的现实并非如考茨基、布哈林（1888—1938）所说的那样生产力水平极为低下，一点不具备社会主义革命的物质前提。事实上，当时俄国资本主义已经有了中等程度的发展，而且随着第一次世界大战的爆发，还出现了国家垄断主义的特征。列宁认为，国家垄断资本主义是社会主义的"入口"和最完备的"物质准备"，是"历史阶梯上的一级，从这一级和叫做社会主义的那一级之间，没有任何中间级"。列宁指出，由于劳动与资本、各财团之间、帝国主义列强之间以及

---

[1]　[德] 卡尔·考茨基：《无产阶级专政》，生活·读书·新知三联书店1958年版，第55页。

殖民国与殖民地之间等多种矛盾的激化，形成恩格斯所说的"社会合力"，大大强化了资本主义发展不平衡规律的决定性作用，一方面使帝国主义战争成为不可避免，另一方面造成资本主义链条上的薄弱环节，造成工业落后国家无产阶级革命发生和胜利的历史机遇。列宁就是这样根据帝国主义时代的特征，世界经济政治发展不平衡规律，世界历史发展的一般规律和个别国家历史发展的特殊表现之间的关系，提出社会主义革命可能在单独一个国家或者多个国家首先胜利的理论，否定了革命只能在西欧先进资本主义国家发生，甚至同时发生的传统认识，从而创造性地发展了马克思主义的社会革命理论。1923 年 1 月 16 日和 17 日，病中的列宁以口述的形式对著名的孟什维克尼·苏汉诺夫的《革命札记》做了评论，这个评论实际也是对一切怀疑俄国革命的合理性的论调的回答。所以，列宁的批评一开始就指向俄国所有小资产阶级民主派和第二国际"全体英雄们"，指出他们是一样的迂腐，"他们都自称马克思主义者，但是对马克思主义的理解却迂腐到无以复加的程度。马克思主义中有决定意义的东西，即马克思主义的革命辩证法，他们一点也不理解。马克思说在革命时刻要有极大的灵活性，就连马克思的这个直接指示他们也完全不理解"①。谈到十月革命，列宁说，这是和第一次帝国主义世界大战相联系的革命。"这样的革命势必表现出一些新的特征，或者说正是由于战争而有所改变的一些特征，因为世界上还从来没有过在这种情况下发生的这样的战争。"②列宁接着指出，这些自称的马克思主义者根本不相信任何这样的看法，即"世界历史发展的一般规律，不仅丝毫不排斥个别发展阶段在发展的形式或顺序上表现出的特殊性，反而是以此为前提的。他们甚至没有想到，例如，俄国是个介于文明国家和初次被这场战争最终卷入文明之列的整个东方各国即欧洲以外各国之间的国家，所以俄国能够表现出而且势必表现出某些特殊性，这些特殊性当然符合世界发展的总的路线，但却使俄国革命有别于以前西欧各国的革命，而且这些特殊性到了东方国家又会产生某些局部的新东西。"③针对被他们背得烂熟的一条论据，已成为他们的万古不变的金科玉律的那种说法："我们还没有成长到实行社会主义的地步"，或者像他们中

---

① 《列宁选集》第 4 卷，人民出版社 2012 年版，第 775 页。
② 《列宁选集》第 4 卷，人民出版社 2012 年版，第 776 页。
③ 《列宁选集》第 4 卷，人民出版社 2012 年版，第 776 页。

间各种"博学的"先生们所说的那样，"我们还没有实行社会主义的客观经济前提"①，列宁从三个方面批驳了这些自称的马克思主义者反对俄国社会主义革命的这一所谓论据，这也可以被理解为列宁从三个角度对俄国革命的合理性所做的辩护：第一条是第一次帝国主义世界大战造成的形势，使俄国有条件实现革命。比如说战争造成了人民"毫无出路的处境"，从而使人民不得不奋起斗争，"以求至少获得某种机会去为自己争得进一步发展文明的并不十分寻常的条件"②；第二条是工农力量的"十倍地增强"。如果说第一条是说战争造成的处境促使人民具有了革命的意识和意志，第二条说的就是革命主体即革命力量的实际增长，从而"使我们能够用与西欧其他一切国家不同的方法来创造发展文明的根本前提"③；第三条是通过革命首先获得社会主义所需要的"一定的文化水平"的前提，然后再利用这个前提赶上别国人民的文明发展。因为不仅革命能够做到这一点，而且历史的发展提供了革命发生的机遇。列宁根据帝国主义条件下世界经济政治发展不平衡规律、战争条件下俄国社会发展的实际，阐述了俄国革命发生的合理性。列宁的《论我国革命》一文可以说是关于俄国社会主义革命必然性、合理性的最充分和最深刻的论证，它发展了列宁在十月革命前提出的俄国革命可以首先胜利的思想，使列宁关于马克思主义革命的理论不仅更加系统和完善起来，而且决定了列宁的马克思主义社会革命理论的特色，代表了这一理论的最高水平。

（四）国家问题

国家问题，亦即政权问题，是无产阶级革命的根本问题。马克思和恩格斯在总结无产阶级革命经验的基础上创立了马克思主义国家学说。20世纪世界政治形势的发展，特别是战争的发生，把新的无产阶级革命的任务提上日程，同革命具有同等迫切性的是国家问题。正如列宁在《国家与革命》第一版序言中谈到的："国家问题，现在无论在理论方面或在政治实践方面，都具有特别重大的意义。"④在理论方面，国家理论，即无产阶级专政理论，它是马克思主义理论体系的核心内容，是马克思主义与机会主义的"试金石"，是马

---

① 《列宁选集》第4卷，人民出版社2012年版，第776—777页。
② 《列宁选集》第4卷，人民出版社2012年版，第777页。
③ 《列宁选集》第4卷，人民出版社2012年版，第777页。
④ 《列宁选集》第3卷，人民出版社2012年版，第109页。

克思主义社会革命理论成熟的标志。因而，它是受到资产阶级思想家最严重攻击的马克思主义理论，是被一切机会主义者特别是它的首领伯恩施坦、考茨基弄得最混乱的理论。当革命日益迫近，无产阶级再一次面临夺得政权的机会的情况下，正确地阐述马克思主义的国家学说，阐明革命对于无产阶级国家的态度，就显得尤为必要。政治实践方面的意义，首先在于，它是无产阶级革命行动的直接目标，即把政权从资产阶级手中夺取过来，使之真正掌握在无产阶级、工农大众手里。国家理论的政治实践意义，特别在于政权建设。夺取了政权，是革命胜利的第一步，而就无产阶级革命的整个事业来说，意义更为重大的是保持政权。保持住了政权就是保持住了革命的胜利。这个问题必须在夺取政权的行动发生前就应该有所认识，并具体化为行动的策略。列宁在《国家与革命》第一版序言中，从三个方面阐述了国家问题的理论的和实践的意义：第一，帝国主义战争大大加速和加剧了垄断资本主义变为国家垄断资本主义的过程。国家同势力极大的资本家同盟日益密切地融合在一起。它对劳动群众的骇人听闻的压迫愈来愈骇人听闻了。各先进国家变成了工人的军事苦役监狱；第二，旷日持久的战争造成的空前惨祸和灾难，使群众生活痛苦不堪，使他们更加愤慨。国际无产阶级革命正在显著地发展，这个革命对国家的态度问题，已经具有实践的意义了；第三，在几十年较为和平的发展中积聚起来的机会主义成分，造成了在世界各个正式的社会党内占统治地位的社会沙文主义流派。"如果不同'国家'问题上的机会主义偏见作斗争，使劳动群众摆脱资产阶级影响、特别是摆脱帝国主义资产阶级影响的斗争就无法进行。"[1] 此外，促使列宁在 1916—1917 年专心致志地研究马克思和恩格斯关于国家的理论的部分原因是他对布哈林在马克思主义者如何对待国家的问题上的观点不满，列宁指责他极其危险地混淆了马克思主义与无政府主义。据此，列宁给自己规定的在《国家与革命》中所要解决的任务是：首先，考察马克思和恩格斯的国家学说，特别是要详细指出这个学说被人忘记或遭到机会主义歪曲的那些方面。其次，专门分析歪曲这个学说的主要代表人物，即在这次战争中如此可悲地遭到破产的第二国际（1889—1914）的最著名领袖卡尔·考茨基。最后，给 1905 年革命，特别是 1917 年革命的经验，做一个基本的总结。这个最后的任务列宁实际并未完成。在该书第一版跋中，列宁

---

[1] 《列宁选集》第 3 卷，人民出版社 2012 年版，第 110 页。

说明了没有完成这个总结的原因，即 1917 年十月革命前夜的政治危机使他不得不把精力投入到实际的革命行动中去。他说："做出'革命的经验'是会比论述'革命的经验'更愉快、更有益的。"①

（五）民族和殖民地问题

世纪之交，资本主义由自由竞争阶段向垄断阶段的过渡以及垄断资本主义的不断发展，使垄断组织控制了资本主义国家的各个工业部门和银行系统，成为全部社会生活的基础。垄断组织和金融资本的统治已经确立、资本输出具有突出意义、国际托拉斯开始瓜分世界、一些最大的资本主义国家已经把世界全部领土瓜分完毕。由于帝国主义经济政治发展不平衡，后起的帝国主义国家为了扩大势力范围争取更多的殖民地，只有诉诸武力。第一次世界大战就是帝国主义国家之间为了重新瓜分世界、争夺殖民地、争夺世界霸权的矛盾的总爆发，是赤裸裸的侵略战争。战争使被国际垄断资本剥削和压迫的民族和殖民地的解放与独立问题更加凸显。在帝国主义阶段，这些国家的无产阶级和劳动人民究竟应该怎样看待自己与帝国主义、国际垄断集团与自身解放的关系问题？这个问题从马克思和恩格斯那里是找不到现成答案的。对此问题，考茨基曾认为国际卡特尔的出现会带来各民族间可以实现和平的希望。列宁则针锋相对地指出，国际垄断同盟的出现，虽然有可能使斗争形式发生变化，但是斗争的实质，斗争的阶级内容是始终不会改变的。资本主义向垄断资本主义阶段的过渡，即向金融资本的过渡，是同瓜分世界的斗争的尖锐化联系着的。资本主义愈发达，原料愈感缺乏，竞争和追逐全世界原料产地的斗争愈尖锐，抢占殖民地的斗争也就愈激烈。殖民地是垄断帝国主义最有利的商品市场和投资场所。帝国主义列强为瓜分世界而斗争的国际政策造成了许多过渡的国家的依附形式，即各种形式的附属国和半附属国。在帝国主义时代，争夺附属国和半附属国的斗争特别尖锐起来。

"理论是灰色的，而生活之树是常青的。"列宁正是以尊重实践而不拘泥于已有理论的鲜明品格，立足俄国革命斗争实际，创造性地运用马克思主义基本原理科学分析了帝国主义时期事关无产阶级革命和解放事业、事关马克思主义发展的一系列重大理论和实践问题，把马克思主义推向了一个崭新的发展阶

---

① 《列宁选集》第 3 卷，人民出版社 2012 年版，第 221 页。

段——列宁主义阶段。列宁主义不仅深刻揭示了帝国主义发展的规律和趋势，而且指明了帝国主义时代无产阶级和劳动人民争取自身解放斗争的方向和道路，因而它是帝国主义时代的马克思主义，是帝国主义时代无产阶级和劳动人民解放运动的理论学说。列宁也因其理论创造和实践贡献而成为马克思主义发展史和科学社会主义运动史上一位承上启下的伟大人物。

第二节　马克思主义在俄国的传播

俄国的马克思主义，即列宁主义，是在马克思主义在俄国传播的基础上形成的。除俄国国内矛盾和斗争造成了马克思主义在俄国传播的特殊的客观环境外，在傅立叶（1772—1837）、圣西门（1760—1825）的空想社会主义影响下形成的以别林斯基（1811—1848）、赫尔岑（1812—1870）和车尔尼雪夫斯基（1828—1889）为代表的俄国早期社会主义思想成为马克思主义在俄国传播的政治思想基础。别林斯基、赫尔岑、车尔尼雪夫斯基和拉普罗夫（1823—1900）、丹尼尔逊（1844—1918）、查苏利奇（1849—1919）等俄国早期民粹主义者，特别是普列汉诺夫领导的"劳动解放社"，对马克思主义在俄国的传播作出重要贡献。列宁1888年在家乡喀山最早参加马克思主义小组的活动，1889年在萨马拉成为马克思主义者。他在学习、接受马克思主义的同时注意用马克思主义影响群众，自觉运用马克思主义指导同沙皇专制主义的斗争。列宁作为马克思主义者出场的过程，同时是列宁主义的形成和发展的过程。

一、马克思主义早期传入俄国的政治思想基础

以19世纪初期的"十二月党人起义"为标志，俄国有了反对沙皇专制统治的资产阶级民主运动。它被看作俄国革命运动的漫长历史的开端。1824年，由两个在抵抗拿破仑入侵的战争前线受到欧洲思想和政治影响的俄国青年军官

各自组成了一个激进的秘密活动团体，一个是北方协会，另一个是南方协会。两个协会都主张废除农奴制，但在把俄国建成一个什么样的国家的问题上二者存在着分歧。前者主张把俄国建成一个英国式的君主立宪国家和实行高度地方自治的联邦式的行政体制；后者主张把俄国建成一个高度集权的雅各宾式的共和国。在实现他们的各自理想的道路上，南方协会提出一个土地改革纲领，主张把全部土地收归国有，其中一部分平均分配给获得解放的农民和一切愿意从事农业劳动的人，另一部分则由国家直接掌握，用于财政目的。"十二月党人起义"这个俄国革命史上的重要事件是同北方协会相联系的。借助亚历山大一世（1777—1825）去世和尼古拉一世（1796—1855）即位引起的混乱局面，北方协会发动了一次起义。根据发动日期（1825 年 12 月 26 日），这次行动被称为"十二月党人起义"。起义遭到了政府的残酷镇压，领导起义的五位领袖遭到逮捕并被处以死刑，其余参加起义的人被流放到西伯利亚。"十二月党人起义"虽然遭到失败，但它使越来越多的人从沙皇政府的残暴中看到了对俄国社会实行改革的必要。

"十二月党人起义"失败后，一批集聚在大学中的青年知识分子由于受到"十二月党人"运动的感染，而开始思考俄国改革的道路问题。在关于什么是俄国社会发展的最好道路问题上，发生了"西欧派"和"斯拉夫派"之间的争论。前者认为俄国在政治和社会制度方面均落后于西欧，俄国要摆脱落后，只有走西欧的道路，采取西欧的社会制度，建立一个立宪政府。后者从民族主义立场出发，认为西欧是一个正在走向衰落的机体，不值得俄国效仿。他们尤其厌恶西欧的工业化制度，认为农村公社才是俄国社会发展的特征，也是它的优势，俄国应该借助这种优势实现自己的未来发展。与"西欧派"相反，他们主张在俄国建立一个由人民咨询团体协助的家长制君主政体。"西欧派"主要从法国空想社会主义者傅立叶、圣西门和蒲鲁东（1809—1865）那里获得思想资源。其代表人物是维萨里昂·别林斯基和米·瓦·彼得拉舍夫斯基（1821—1866）。别林斯基在 19 世纪 40 年代初的作品中承认自己思想的发展已经达到了一个极端，即达到了社会主义思想。彼得拉舍夫斯基是"西欧派"中的活跃分子，他组织了一个讨论法国空想社会主义者特别是傅立叶的小组。彼得拉舍夫斯基对傅立叶的劳动组织计划尤其感兴趣，以至于在属于他的一个农庄里建立起"法朗吉"，希望以傅立叶主义的法朗吉作为基础进行经济改革。尽管彼得拉舍夫斯基小组仅仅主张对沙皇统治下的俄国进行经济的和社会的改革，而不诉诸革命和暴力，但沙皇政府还是把他们的行为视为一种危险，19 世纪末对这个小组的成员开始实施逮捕，半数被判处死刑。"彼得拉舍夫斯基小组成员的被捕，标志着俄国社会主义思想发展第一时期的结束。"①"西欧派"的式微从外部因素看是沙皇政府的镇压，从内在因素看则是它脱离俄国实际。而这正是"斯拉夫派"所特别关注和强调的。如何能够把二者各自的正确主张结合起来，走一条符合俄国实际的和能够把俄国推向前进的道路，是这一时期的革命者面临的新任务。赫尔岑被看作是适应这一任务而生的人物。

赫尔岑自小受过良好教育，"十二月党人起义"的被镇压使他从中受到极大的震动，萌发了继承革命者们事业的志向。他在莫斯科大学学习期间，就阅读来自西欧的进步书籍，特别是法国空想社会主义者圣西门的著作。赫尔岑还参加在大学举行的关于俄国命运和俄国发展道路问题的论战，并很快在"西欧派"知识分子中崭露头角。他也因此而成为沙皇政府眼中的危险人物。不久，他被莫斯科大学开除学籍，并遭流放。1847 年，赫尔岑在继承了父亲留下的一笔丰厚遗产后，与全家一起离开俄国前往法国巴黎。巴黎是赫尔岑久已向往的城市。他说他是怀着敬意走进这个城市的，就像当年人们以同样的心情进入耶路撒冷和罗马一样。在巴黎，赫尔岑目睹了欧洲 1848 年革命的爆发，也目睹了布朗基（1805—1881）和巴尔贝斯（1809—1870）领导的运动如何在五月遭到失败，看到法国军队在"血腥的六月"如何对工人实行残酷镇压。1848 年革命的失败使他陷入对革命失望的情绪之中。"1848 年革命的结果，使这个俄国西欧派分子的幻想彻底破灭了。"②列宁曾经分析过赫尔岑在 1848 年革命失败后精神上陷入崩溃的原因，除了指出他"已经走到辩证唯物主义跟前，可是在历史唯物主义前面停住了"的哲学上的原因外，还指出就其思想达到的高度来说，他根本就不能够真正理解这场革命。当时他虽然以一个民主主义者、革命家、社会主义者的身份出场，但是他的社会主义"根本不是社会主义"，而是"盛行于 1848 年时代而被六月事件彻底粉碎了的无数资产阶级和小资产阶级社会主义形式和变种的一种"，是"一种温情的词句"和"资产阶级

① ［美］卡尔·兰道尔：《欧洲社会主义思想与运动史》上卷　第一册，群立译，商务印书馆 1994 年版，第 525 页。
② ［美］卡尔·兰道尔：《欧洲社会主义思想与运动史》上卷　第一册，群立译，商务印书馆 1994 年版，第 526 页。

民主派以及尚未脱离其影响的无产阶级用来表示他们当时的革命性的一种善良的愿望"①。当然，赫尔岑在 1848 年革命失败后对于革命陷入怀疑主义和悲观情绪之中的时候，并没有放弃关于俄国发展道路问题的思考，从他在这一时期的著作《法意书简》（1847—1850）、《来自彼岸》（1847—1850）和他在与同学于 1857 年在伦敦共同创办的报纸《钟声》上发表的文章中，可以看到这一点。只是他给俄国指出的不是一条革命的道路，而是把希望寄予沙皇政府的改良主义的道路。他对俄国国内主张革命的一些人抱不信任态度，不相信大规模的暴力行动会带来什么好处。正是由于他在俄国革命道路问题上由激进主义向改良主义的后退，使原先追随他的许多国内激进分子离他而去，他的由沙皇领导改革的政治主张受到俄国激进分子的抵制。但是，赫尔岑终究是在俄国社会主义运动史上发生了重要影响的人物，人们从不同立场出发对赫尔岑作出了不同评价。列宁在《纪念赫尔岑》一文中对这种现象作了如下描述，赫尔岑诞生一百周年了。全俄国的自由派都在纪念他，可是又小心翼翼地回避重大的社会主义问题，费尽心机地掩盖革命家赫尔岑与自由主义者的不同之处。右派报纸也在悼念赫尔岑，但是撒谎骗人，硬说赫尔岑晚年放弃了革命。至于侨居国外的自由派和民粹派纪念赫尔岑的言论，则满篇都是漂亮的空话。那么工人阶级政党应该怎样评价赫尔岑呢？列宁说："工人的政党应当纪念赫尔岑，当然不是为了讲些庸俗的颂词，而是为了阐明自己的任务，为了阐明这位在为俄国革命作准备方面起了伟大作用的作家的真正历史地位。"②列宁对赫尔岑的这个评价是代表了工人阶级政党的马克思主义的评价。列宁指出，赫尔岑"是属于 19 世纪上半叶贵族地主革命家那一代的人物"，是"'俄国'社会主义即'民粹主义'的创始人"③。"赫尔岑不能在 40 年代的俄国内部看见革命的人民，这并不是他的过错，而是他的不幸。""当他在 60 年代看见了革命的人民时，他就无畏地站到革命民主派方面来反对自由派了。他进行斗争是为了使人民战胜沙皇制度，而不是为了使自由派资产阶级去勾结地主沙皇。他举起了革命的旗帜。"④在这里，列宁提出了先后在俄国革命中活动的"三代人物"和"三个阶级"的划分："起初是贵族和地主，十二月党人和赫尔岑。"这些革命者的圈子是狭小

<hr>

① 《列宁选集》第 2 卷，人民出版社 2012 年版，第 284 页。
② 《列宁选集》第 2 卷，人民出版社 2012 年版，第 283 页。
③ 《列宁选集》第 2 卷，人民出版社 2012 年版，第 283、285 页。
④ 《列宁选集》第 2 卷，人民出版社 2012 年版，第 288—289 页。

的。他们同人民的距离非常远。但是，他们的事业没有落空。十二月党人唤醒了赫尔岑，赫尔岑开展了革命鼓动；从车尔尼雪夫斯基到"民意党"的英雄们可以被看作第二代人物或第二个阶级，他们响应、扩大、巩固和加强了这种革命的鼓动。他们的圈子扩大了，同人民的联系密切起来了；无产阶级是第三代人物和第三个阶级。"无产阶级这个唯一彻底革命的阶级，起来领导群众了，并且第一次唤起了千百万农民进行公开的革命斗争。第一次风暴是在 1905 年。第二次风暴正在我们眼前开始扩展。"① 这"三代人物"和"三个阶级"正是俄国社会主义史上的三个不同历史时期的革命行动的三个主要角色。

车尔尼雪夫斯基是 19 世纪 60 年代的杰出领袖，俄国社会主义运动的主要人物之一。"车尔尼雪夫斯基同赫尔岑不同，他在俄国社会思想史上是作为一个提出了方法而不仅限于抱有信念的社会主义者而超群出众的。"② 由于没有经历过 1848 年革命，没有受到革命失败后的失望情绪的影响，他比赫尔岑更能够客观地看待西欧社会的发展，看待资本主义和农村公社的意义。但是在关于俄国社会发展基本道路问题上，他的主张与赫尔岑还是一致的，那就是，他们都认为，农村公社制度的存在使俄国更易于过渡到社会主义，俄国工业的落后是建立新制度的有利条件。车尔尼雪夫斯基与赫尔岑也有所不同。他并不认为农村公社是俄国仅有的一种社会组织，而认为只是由于俄国社会与经济的停滞，这种组织在其他欧洲发达地区绝迹以后，还在俄国保存一部分。受约翰·斯图亚特·穆勒（1828—1889）关于法国社会主义思想的探讨的启发，车尔尼雪夫斯基提出了一种社会合作理论。这个理论主张，合作的意义高于竞争，是合作而不是竞争，能够产生一种新的经济道德。正是为了维护这种道德，产生了对生产者协会的需要。他甚至认为，未来理想社会就是以民主的生产者的这种合作组织为基础的，它接受经过改革的民主国家的支援，并且依靠公社——作为解放了的俄国人民的基本集体组织的公社——的复兴力量来防止西方式的"无产阶级化"的发展。③ 车尔尼雪夫斯基对俄国农奴解放后的革命运动从经济上作了分析，他强调以科学的态度对待社会问题，按

① 《列宁选集》第 2 卷，人民出版社 2012 年版，第 289 页。

② ［美］卡尔·兰道尔：《欧洲社会主义思想与运动史》上卷（第一册），群立译，商务印书馆 1994 年版，第 532 页。

③ ［英］G.D.H. 柯尔：《社会主义思想史》第二卷，何瑞丰译，商务印书馆 1978 年版，第 52 页。

照法则处理社会事务。而支配人类历史的法则说到底是思想法则，物质环境不过是次要的东西，只有社会进化的早期是例外；他认为，社会发展中最主要的是人类生活于其中的社会制度，而社会制度又是人为的，深受那些左右群众行动的强者的影响；最后，他认定人类历史是必然的法则的表述，一种纯粹的自然进化过程。历史运动的加速和延缓主要归因于有无伟大人物的出现，而不是归因于生产的物质条件的改变。这一切表明，"他对事物的起因的看法仍同马克思的相去很远"[1]，也就是说，他的理论同马克思主义还没有什么联系。但是，他的革命民主主义思想的影响，又为马克思主义在俄国的传播做了思想上的准备。

二、马克思主义在俄国传播的开端

俄国被压迫阶级反抗以沙皇政府为代表的腐朽落后势力的斗争推动了马克思主义在俄国的传播。在俄国知识文化界，对俄国资本主义要不要发展及怎样发展的争论加速了这一过程。据考查，1843 年，在革命民主主义者别林斯基主编的《祖国纪事》杂志上就有对恩格斯《谢林和天启》（1842）的评介文章，文中还摘译并转述了恩格斯这篇文章的一些片段。1861 年在俄国进步杂志《同时代人》上发表过介绍恩格斯的著作《英国工人阶级状况》要点的文章——《英法工业无产阶级》。[2]

在马克思主义早期传播中，俄国的一批早期民粹派人物起了重要作用。他们有的是与马克思和恩格斯有直接联系的俄国革命家，一批最早向俄国介绍马克思和恩格斯的著作、传播马克思主义的先进人物。他们向俄国传播马克思主义，主要有三种形式：一是在境外创办俄文版刊物，这些刊有马克思和恩格斯的著作和有关马克思主义问题的文章的刊物通过不同渠道被运回俄国，在革命者中和知识分子中阅读、流传。二是直接把马克思和恩格斯的著作翻译成俄文，或在俄国国内出版，或在国外出版，然后运销俄国。三是俄国国内革命者

---

① ［英］G.D.H.柯尔：《社会主义思想史》第二卷，何瑞丰译，商务印书馆 1978 年版，第 56 页。

② 参见高放、高敬增：《普列汉诺夫评传》，中国人民大学出版社 1985 年版，第 84 页。

和居住国外的革命流亡者同马克思和恩格斯关于革命和社会发展，特别是俄国发展道路问题的讨论，多通过书信进行。马克思和恩格斯在书信中关于这些问题的思想既通过对对话者的影响而以不同形式影响俄国国内的革命群众，影响俄国革命形势的发展，也通过这些书信在俄文刊物上刊载而影响俄国群众，影响俄国革命形势的发展。

（一）利用报刊传播社会主义理论和马克思主义

在利用报刊传播社会主义理论和马克思主义方面，首先应该提到的是，1857年由赫尔岑和他的朋友在伦敦创办的《钟声》。它被称为"第一份自由的俄文报纸"，在1857—1867年用俄文出版。1869年，《钟声》杂志印刷所出版了巴枯宁（1814—1876）译的《共产党宣言》俄文版，并运销俄国国内。《钟声》还发表赫尔岑自己和其他俄国流亡者关于俄国社会发展问题的文章，发表西欧工人运动的消息。这些文章就其水平来说，虽然还不能说是马克思主义的，但是"为俄国本国社会主义打下了基础"[1]。

彼得·拉甫罗维奇·拉甫罗夫是俄国早期社会主义者，是继赫尔岑、车尔尼雪夫斯基后，对俄国革命民主主义运动和早期社会主义运动发生过重要影响的革命家，被称为和马克思恩格斯有亲密关系的人。恩格斯称他为俄国革命流亡者的公认代表和马克思的老友[2]。1844年至1867年他在圣彼得堡军事学院教授数学，并向具有自由主义倾向的刊物投稿，在因"民意党人"对亚历山大二世的暗杀群众遭政府迫害期间，拉甫罗夫遭到逮捕和流放。在被流放的三年中，他匿名写了著名的《论史信札》。这部书在青年知识分子中广泛流传，赢得大批的追随者。1870年，拉甫罗夫逃往法国，在巴黎居住期间参加了巴黎公社，被派到布鲁塞尔和伦敦组织对公社行动的支援工作。由于在巴黎工人起义期间他在国外活动，所以能够在公社失败后政府对公社战士的搜捕中躲过一劫。拉普罗夫在巴黎期间同马克思和恩格斯保持着密切的思想的和理论的联系。例如，1875年2月11日，马克思致信拉普罗夫，告知他马克思给他寄去了《资本论》的"德文版的一卷本"和"法文版的前六册"[3]。

---

① ［美］卡尔·兰道尔：《欧洲社会主义思想与运动史》上卷，第一册，群立译，商务印书馆1994年版，第527页。
② 《马克思恩格斯全集》第36卷，人民出版社1975年版，第96页。
③ 参见《马克思恩格斯全集》第34卷，人民出版社1974年版，第117页。

1873 年，拉甫罗夫在巴黎创办了《前进！》杂志。该杂志为流亡的俄国革命家提供了一个讨论俄国问题的平台。恩格斯非常关注这个刊物。当他得知拉甫罗夫在 1875 年 9 月 15 日在《前进！》第 17 号上发表了未署名的文章《社会主义和生存斗争》后，在 9 月 24 日给拉甫罗夫的信中，向他表达了他要尽快阅读到这篇文章的要求，并说要就社会主义对达尔文的生存斗争学说的态度方面，他与拉甫罗夫之间观点的一致与分歧交换意见①。在同年 11 月 12—17 日给拉甫罗夫的信中，恩格斯在说明了他"刚刚怀着极大的兴趣读完了"拉甫罗夫的这篇文章后，用较大篇幅阐述了他的关于社会主义与达尔文生存斗争学说的关系的思想。恩格斯首先表明，他是同意达尔文的进化论的，但是不同意他把自然界中物体的既包含和谐，也包含冲突，既包含斗争，也包含合作的相互作用、把"历史发展的全部多种多样的内容"，都总括在片面而贫乏的"生存斗争"公式中，同时反对他把人类社会的规律搬到动物社会，把动物社会的规律又搬到人类社会的做法。恩格斯指出，人类社会和动物社会是有本质区别的，"动物最多是搜集，而人则能从事生产"。"仅仅由于这个唯一的然而是基本的区别，就不可能把动物社会的规律直接搬到人类社会中来。"②恩格斯对拉甫罗夫在文章中所表达的"人不仅为生存而斗争，而且为享受，为增加自己的享受而斗争"的观点表示赞同，并就拉甫罗夫提出的人的生存与享受的关系问题，从他"自己的前提出发"，表达了他自己的看法，并通过对资本主义方式下生存资料生产和发展资料生产的关系导致的矛盾和危机的分析，得出社会主义革命是其必然结果和前途的结论。恩格斯指出，人类的生产在一定的阶段上会达到这样的高度：不仅能够生产生活必需品，而且生产奢侈品，即使最初只是为少数人生产。这样，生存斗争——假定我们暂时认为这个范畴在这里仍然有效——就变成为享受而斗争，不再是单纯为生存资料，而是为发展资料，为社会生产发展资料而斗争，到了这个阶段，从动物界来的范畴就不再适应了。但是，像目前这样，资本主义方式的生产所生产出来的生存资料和发展资料远比资本主义社会所能消费的多得多，那是因为资本主义方式的生产人为地使广大真正的生产者同生存资料和发展资料隔绝起来；如果这个社会由于它自身的生活规律而不得不继续扩大对它来说已经过大的生产，并从而周期性地每隔十

---

① 《马克思恩格斯全集》第 34 卷，人民出版社 1972 年版，第 144 页。
② 《马克思恩格斯全集》第 34 卷，人民出版社 1972 年版，第 163 页。

年必须不仅毁灭大批产品，而且毁灭生产力本身，那么，"生存斗争"的空谈在这里还有什么意义呢？"生存斗争的含义在这里只能是，生产者阶级把生产和分配的领导权从迄今为止掌握这种领导权但现在已经不能领导的那个阶级手中夺过来，而这就是社会主义革命。"① 应该指出的是，这封信的基本内容同恩格斯在《自然辩证法》的札记《生存斗争》中所表达的内容几乎完全一致，表明恩格斯与拉甫罗夫等俄国革命流亡者的通信、同他的朋友和战友之间的通信，其内容绝不仅限于日常事务，它同时是一个理论探索和思想交流的过程。从恩格斯在信的结尾处向拉甫罗夫做的说明看，恩格斯是把这封信中的基本内容作为他关于"生存斗争"问题上的成熟见解而吸收到《自然辩证法》的札记中去的。

（二）马克思和恩格斯著作的翻译出版

把马克思和恩格斯的著作尽快地用俄文翻译出来并提供给俄国的广大读者，是俄国革命者和革命流亡者向俄国传播马克思主义的最主要的形式，在彼得堡的丹尼尔逊和流亡国外的查苏利奇、普列汉诺夫等都把很大精力用在对马克思和恩格斯的著作的翻译上。1869 年在日内瓦《共产党宣言》俄文第一版由普列汉诺夫翻译出版，1882 年《共产党宣言》俄文第二版同样由普列汉诺夫翻译，作为"俄国社会革命丛书"在日内瓦出版。1882 年 1 月 21 日，应拉甫罗夫的请求，马克思和恩格斯还为《共产党宣言》的这一版写了序言，同《共产党宣言》单行本一起发表。恩格斯对普列汉诺夫的《共产党宣言》的译文质量非常满意，他说："翻译《宣言》是异常困难的，俄译本是目前我看到的所有译本中最好的译本。"②《资本论》第一卷于 1872 年 3 月出版，署名的译者是丹尼尔逊，但重要的几章则由青年革命家洛帕廷（1845—1918）翻译 ③（1870年格·亚·洛帕廷着手用俄文翻译，恩格斯在 1883 年 11 月 13 日致查苏利奇的信中曾有《资本论》"第一卷的译者格·洛帕廷会要求取得译第二卷的权利"④ 的说法），马克思称赞该书"译得很出色"⑤。《资本论》第一卷在俄国知识分

① 《马克思恩格斯全集》第 34 卷，人民出版社 1972 年版，第 163—164 页。
② 《马克思恩格斯全集》第 36 卷，人民出版社 1975 年版，第 46 页。
③ ［德］弗·梅林：《马克思传》，樊集译，人民出版社 1965 年版，第 484 页。
④ 《马克思恩格斯全集》第 36 卷，人民出版社 1975 年版，第 71 页。
⑤ ［德］弗·梅林：《马克思传》，樊集译，人民出版社 1965 年版，第 484 页。

子读者中引起强烈反响,1877—1879 年在俄国报刊上围绕马克思的《资本论》第一卷甚至发生了论战。参加论战的有当时俄国最著名的学者和政论家。论战由尤·茹柯夫斯基(1833—1907)的《卡尔·马克思和他的〈资本论〉一书》的文章挑起。针对这篇文章,出现了一系列文章,其中包括尼·米海洛夫斯基(1842—1904)的《卡尔·马克思在尤·茹柯夫斯基先生的法庭上》一文,由于这篇文章,马克思还写了给《祖国纪事》编辑部的著名信件。19 世纪 80 年代的头五年,是马克思和恩格斯著作俄译本出版比较集中的年份:1882 年出版了《共产党宣言》第二版和马克思起草的《国际工人协会章程》;1883 年出版了由查苏利奇翻译的马克思的《雇佣劳动与资本》;1884 年出版了也是由查苏利奇翻译的恩格斯的《社会主义从空想到科学的发展》;1885 年在彼得堡出版了由丹尼尔逊翻译的《资本论》第二卷;1886 年出版了马克思的著作《哲学的贫困》。对于《哲学的贫困》俄译本的出版,恩格斯在 1884 年 3 月 6 日致译者查苏利奇的信中表达了非常喜悦的心情。他甚至把它的出版看作不论是对他还是对马克思的女儿们来说,"都将是一个节日"①。

(三)利用与马克思和恩格斯的通信传播

从马克思和恩格斯与俄国革命者和政治流亡者之间频繁的通信和与之相联系的其他文献可以看出,他们之间关于理论问题的讨论,构成了通信的主要内容,并成为影响俄国马克思主义的重要形式。这种理论性的通信,以马克思和恩格斯与查苏利奇和丹尼尔逊之间的通信最为典型。1881 年 2 月 16 日,查苏利奇写信请求马克思谈谈他对俄国历史发展的前景,特别是对俄国农村公社命运的看法。查苏利奇在信中谈到了马克思的《资本论》在俄国极受欢迎以及这部著作在俄国革命者关于土地问题及农村公社问题的争论中所起的作用。马克思给查苏利奇写了回信,时间是 1881 年 3 月 8 日。从马克思当时与其他人的通信看,他一接到查苏利奇的信就立即着手准备给她回信,回答她所提出的问题。从马克思在准备给查苏利奇回信过程中先后拟了四个草稿看,马克思对于这个回信是十分重视的。当然,这取决于信中所涉及的问题本身的重要。马克思对于复信的初稿写得很长,初稿字数是复信字数的 10 倍以上,马克思对于三稿的起草并没有完成,而是突然中断了。但现有字数也超过复信字

---

① 《马克思恩格斯全集》第 36 卷,人民出版社 1975 年版,第 121 页。

数的 5 倍。从中可以看出，一方面马克思对于在信中要谈的问题有了一个越来越明确的认识，另一方面马克思对于查苏利奇对于他的理论的误解之处也越来越明确了。所以，马克思调整了复信的思路，决定对于问题不想再长篇大论地去谈了，正如他在复信的一开始就谈到的："我希望寥寥几行就足以消除您因误解所谓我的理论而产生的一切疑问"①。马克思在复信中针对查苏利奇的问题或疑问，首先引证了他在《资本论》法文版"在分析资本主义生产的起源时"的一段阐述："因此，在资本主义制度的基础上，生产者和生产资料彻底分离了……全部过程的基础是对农民的剥夺。这种剥夺只是在英国才彻底完成了……但是，西欧的其他一切国家都正在经历着同样的运动"②。马克思接着指出："可见，这一运动的'历史必然性'明确地限制在西欧各国的范围内。造成这种限制的原因在第三十二章的下面这一段里已经指出：'以自己的劳动为基础的私有制……被以剥削他人劳动即以雇佣劳动为基础的资本主义私有制所排挤。'"③马克思在引证了他在《资本论》第一卷中的这两段论述后，首先得出结论说："因此，在这种西方的运动中，问题是把一种私有制形式变为另一种私有制形式。相反，在俄国农民中，则是要把他们的公有制变为私有制。"马克思最后得出结论："由此可见，在《资本论》中所作的分析，既没有提供肯定俄国农村公社有生命力的论据，也没有提供否定农村公社有生命力的论据，但是，我根据自己找到的原始材料对此进行的专门研究使我深信：这种农村公社是俄国社会新生的支点；可是要使它能发挥这种作用，首先必须排除从各方面向它袭来的破坏性影响，然后保证它具备自然发展的正常条件。"④

尼古拉·弗兰策维奇·丹尼尔逊是俄国早期民粹派理论家，与马克思和恩格斯有密切的联系，他是《资本论》等马克思重要著作的俄文版的翻译者，被恩格斯称为仅有的几个对《资本论》第一卷"了解得最扎实的人"⑤。他与马克思和恩格斯之间的通信不仅是经常的，而且通信内容大都是理论性的，较少是事务性的。就是所谓事务性的内容，也与工人运动状况、作为革命者的朋友的处境和关于马克思和恩格斯的著作的翻译出版事宜有关。他们之间通信的理论

---

① 《马克思恩格斯选集》第 3 卷，人民出版社 2012 年版，第 839 页。
② 《马克思恩格斯选集》第 3 卷，人民出版社 2012 年版，第 839 页。
③ 《马克思恩格斯选集》第 3 卷，人民出版社 2012 年版，第 839—840 页。
④ 《马克思恩格斯选集》第 3 卷，人民出版社 2012 年版，第 840 页。
⑤ 《马克思恩格斯全集》第 36 卷，人民出版社 1975 年版，第 430 页。

内容主要是俄国社会发展方面的，即关于俄国社会发展的道路、现状与前景。在通信中恩格斯曾对丹尼尔逊经常告诉他有关俄国"经济状况的很有意思的消息"表示感激，并指出："在政治安定的平静表面现象下，这个国家也和所有其他欧洲国家一样正在完成重大的经济转变，而观察这些转变的进程是非常有意义的。这种经济转变的后果，迟早也会在生活的其他各方面表现出来。"① 恩格斯在 1892 年 3 月 15 日给丹尼尔逊的信中，谈到俄国农民和公社的命运，认为在大规模使用机器耕种土地已成了一种常规，而且日益成了唯一可行的农业生产方式的今天，农民是注定要灭亡的，由此公社也将成为对过去的一种梦幻，将来不得不考虑到会出现一个资本主义的俄国。② 在 1892 年 9 月 22 日给丹尼尔逊的信中，恩格斯首先指出，目前在"1892 年的俄国不可能作为一个纯粹农业国存在，它的农业生产必然要为工业生产所补充"这一点上，他与丹尼尔逊是一致的，并明确表示"完全同意"丹尼尔逊关于俄国新的工业时代大致应该从 1861 年算起的看法，指出："既然俄国在克里木战争之后需要有本国的大工业，那它只能拥有一种形式即资本主义形式的大工业。而有了这种形式的大工业，它也就要承受资本主义大工业在其他所有国家所带来的一切后果。"③ 正是由于忙于马克思的《资本论》第三卷的整理工作，在 1893 年 2 月 24 日给丹尼尔逊的信中，恩格斯说才使他不得不中断与丹尼尔逊"对那个十分有意思而且重要的问题的讨论"，表示现在可以回到原来的题目上来了。这个题目就是在他于 1891 年 10 月 29—31 日，1892 年 3 月 15 日、6 月 18 日和 9 月 22 日致丹尼尔逊的信中曾经被讨论过的，并且也是丹尼尔逊在 1892 年 10 月 3 日和 1893 年 1 月 27 日的两封信中试图解决的问题。这个问题丹尼尔逊在上述两封信是用不同的提问方式表达出来的：农村公社不能作为新的经济发展的基础吗？大概对于俄国来说已经成为必然，但是它的资本主义式的发展是不可避免的吗？本质说来，这其实是一个问题，即在资本主义大工业的发展已经成为一种现实的情况下，以农村公社为标志的俄国原始共产主义制度还能够存在下去吗？对此，恩格斯在信中表达了自己的明确观点。恩格斯指出，在 1854 年或 1854 年前后，对俄国来说它的起点是：一方面存在着公社，另一方

---

① 《马克思恩格斯全集》第 37 卷，人民出版社 1971 年版，第 413—414 页。
② 《马克思恩格斯全集》第 38 卷，人民出版社 1972 年版，第 306 页。
③ 《马克思恩格斯全集》第 38 卷，人民出版社 1972 年版，第 464、465—466 页。

面必须建立大工业。如果您考察一下你们国家当时的整个情况，难道你看到有任何可能以这样一种方式把大工业嫁接在农民的公社上面：一方面使大工业的发展成为可能，另一方面又把这种原始的公社提高到世界上空前优越的一种社会制度的水平？而且是当整个西方都继续生活在资本主义制度下的时候？"我认为，这样一种史无前例的发展，它所要求的经济、政治和精神条件，同当时俄国所具有的条件是不同的。"① 恩格斯接着指出，毫无疑问，公社，在某种程度上还有劳动组合，都包含了某些萌芽，它们在一定条件下可以发展起来，拯救俄国不必经受资本主义制度的苦难。他说："我完全同意我们的作者有关茹柯夫斯基的那封信（指马克思给《祖国纪事》杂志编辑部的信——引者注）。但无论他还是我都认为，实现这一点的第一个条件，是外部的推动，即西欧经济制度的变革，资本主义在最先产生的那些国家中被消灭。"② 实际情况是，俄国不具有这个"外部的推动"。恩格斯说："如果在西方，我们在自己的经济发展中走得更快些，如果我们在10年或20年以前能够推翻资本主义制度，那么，俄国也许还来得及避开它自己向资本主义发展的趋势。遗憾的是，我们的进展太慢，那些必然使资本主义制度达到临界点的经济后果，目前在我们周围的各个国家只是刚刚开始发展"③。恩格斯在具体说明了在法国、德国以及后来的美国通过自由贸易政策而向英的垄断地位发起挑战，而美国实行的自由贸易政策不仅将彻底摧毁英国的工业垄断地位，而且破坏德国和法国的工业品输出之后，作出危机就会到来的预测，并把这种危机看作"世纪末还剩下的一切"。"而在这期间你们那里的公社却在衰败，我们只能希望我们这里向更好的制度的过渡尽快发生，以挽救——至少是在你们国家一些较边远的地区——那些在这种情况下负有使命实现伟大未来的制度。但事实终究是事实，我们不应当忘记，这种机会正在逐年减少。"④ 我们上面提到的马克思和恩格斯致丹尼尔逊的信都是寄往彼得堡的，说明丹尼尔逊一直是在俄国国内活动。马克思和恩格斯在信中所表达的思想可以说更直接地影响到俄国革命的发展和马克思主义在俄国的传播。恩格斯甚至明确地向丹尼尔逊表达了这种愿望："我认为，您如果向贵国广大读者指明如何将我们作者（指马克思——引者注）的理论应用于你

---

① 《马克思恩格斯选集》第4卷，人民出版社2012年版，第639页。
② 《马克思恩格斯选集》第4卷，人民出版社2012年版，第639页。
③ 《马克思恩格斯选集》第4卷，人民出版社2012年版，第640页。
④ 《马克思恩格斯选集》第4卷，人民出版社2012年版，第640页。

们本国的条件，那是很好的。"①

三、"劳动解放社"在马克思主义传播中的重要贡献

至1883年9月"劳动解放社"建立前，用俄文出版的马克思和恩格斯的著作有1869年由巴枯宁翻译的《共产党宣言》和1882年在日内瓦出版的普列汉诺夫翻译的《共产党宣言》，其中包含有《法兰西内战》的片断和《国际工人协会章程》的附录；1871年在日内瓦出版了同年发表的马克思的《法兰西内战》；1872年在彼得堡出版了译者为丹尼尔逊的《资本论》第一卷。但是，到70年代为止，翻译、出版马克思和恩格斯著作仍是自发、分散进行的，而且有的译文质量很差，对于俄国社会生活的影响十分有限。转变发生在"劳动解放社"成立后。

1883年9月25日在日内瓦第一个俄国马克思主义团体——"劳动解放社"诞生了。它的创立者是由民粹主义者转变而来的马克思主义者，如普列汉诺夫、阿克雪里罗德（1850—1928）、查苏利奇和捷依奇（1855—1941）。它的创立的倡议者和成立后的领导者是普列汉诺夫。它在俄国传播马克思主义思想方面有过突出贡献，马克思和恩格斯的很多著作都是通过"劳动解放社"组织翻译成俄文出版并在俄国传播的。"劳动解放社"的出版活动表明"马克思主义奠基人的著作第一次开始由站在马克思主义立场上的人译成俄文。老实说，从'劳动解放社'的出版活动起，才开始有了俄国马克思主义书籍的真正历史。以前的一切只能认为是前史。"②。几位创始人都亲自动手翻译马克思和恩格斯的著作，保证了马克思和恩格斯著作的译文质量，因而使"劳动解放社"的译本成为"革命以前时期的最优秀的译本"。

1882年翻译出版的《共产党宣言》，应被看作"劳动解放社"的第一个版本。"虽然这个版本是在'劳动解放社'成立以前在民粹派的《社会革命丛书》中出版的，这个版本却与该社社员的活动有不可分割的联系，因为这个版本是

---

① 《马克思恩格斯全集》第36卷，人民出版社1975年版，第604页。

② [苏]列·阿·列文：《马克思恩格斯著作的发表和出版》，周维译，生活·读书·新知三联书店1976年版，第128页。

由当时在《宣言》的影响下转到马克思主义立场上的普列汉诺夫个人倡议才产生的。"① 早在 1881 年底，普列汉诺夫就由于受到《共产党宣言》的深刻教育，而决定着手翻译这本马克思主义名著。拉普罗夫给普列汉诺夫寄来了《共产党宣言》的 1872 年德文版本，这是经过马克思和恩格斯重新校阅并写了序言的新版本。拉普罗夫虽然总的说是支持普列汉诺夫翻译《共产党宣言》的，但是有时又扯他的后腿，劝普列汉诺夫暂时放下翻译工作，而先写文章。但是，普列汉诺夫不为所动，继续他的翻译工作。他不仅对《共产党宣言》的翻译全身心地投入，而且字斟句酌，仔细琢磨每一个词的译法。"普列汉诺夫在翻译过程中，创造了一些马克思主义专有名词的俄文译法，例如'无产阶级'、'无产者'、'专政'。"② 普列汉诺夫还写了译者序言，指出《共产党宣言》具有"开创了一个新时代"的伟大意义，同时阐明了它对俄国革命运动的巨大指导作用。

《雇佣劳动与资本》，1883 年马克思逝世后不久出版，与《共产党宣言》一起刊载于《社会革命丛书》，译者是同年成立的"劳动解放社"成员列·格·捷依奇。除原书的本文外，在这个版本中还有两篇附录：恩格斯所写的马克思传记（1878）的片断（说明马克思的两个伟大发现——剩余价值和唯物史观）和《资本论》第一卷第 24 章第 7 段《资本主义积累的历史趋势》。捷依奇在简短的译者序言中，对马克思的逝世表示了深切的悲痛，并简略说明了《雇佣劳动与资本》对马克思主义的通俗化的意义。在小册子的最后，提供了一个马克思著作书目，这些著作有马克思的《路易·波拿巴的雾月十八日》和《政治经济学批判》，有恩格斯的《英国工人阶级状况》、《德国农民战争》、《社会主义从空想到科学的发展》。这个书目为俄国马克思主义者对马克思和恩格斯著作的翻译和根据这些著作学习马克思主义提供了方便。③

《社会主义从空想到科学的发展》1884 年由查苏利奇翻译，"劳动解放社"出版。《共产党宣言》和《雇佣劳动与资本》是在民意社出版物的名称下出版的。1883 年 9 月 25 日，在日内瓦出现了关于组织"劳动解放社"和它要出版《现代社会主义丛书》的通告。从这个时候起，马克思和恩格斯的著作的俄文译本

---

① ［苏］列·阿·列文：《马克思恩格斯著作的发表和出版》，周维译，生活·读书·新知三联书店 1976 年版，第 129 页。

② 高放、高敬增：《普列汉诺夫评传》，人民出版社 1985 年版，第 86 页。

③ 参见［苏］列·阿·列文：《马克思恩格斯著作的发表和出版》，周维译，生活·读书·新知三联书店 1976 年版，第 132—133 页。

就在这套丛书内作为该社的正式出版物出版发行。"劳动解放社"给这套丛书规定的两项任务中的第一项,就是把马克思和恩格斯学派最重要的著作以及适合不同修养程度的读者接触的著作译成俄文,用这种办法来传播科学社会主义思想。

在《现代社会主义丛书》中,由"劳动解放社"出版的第一部著作是由查苏利奇翻译的恩格斯的《社会主义从空想到科学的发展》。1883年11月13日,恩格斯在致查苏利奇的信中向她表示,他得到正是查苏利奇在着手翻译他的《社会主义从空想到科学的发展》一书的这个消息,非常高兴。他说:"我急切地等待着您的译著问世,并且非常珍视您给予的光荣。"① 恩格斯在看到查苏利奇翻译出版的这本书后,他在1884年3月6日致查苏利奇的信写完后的补充内容中,对查苏利奇对于这本书的翻译质量和俄国语言表示了赞赏,指出:"我的那本小册子,我认为您译得好极了。俄语是多么美的语言啊!它具有德语的一切优点,但没有德语那种可怕的粗俗气。"② 在这封信中,恩格斯还对查苏利奇告诉他的"在俄国研究社会主义理论著作的兴趣日益浓厚"的消息表示高兴,并认为,"这种几乎完全从我们德国各学派中消失的理论精神和批判精神,看来,实际上在俄国找到了容身之地。"③《社会主义从空想到科学的发展》一书还有一个附录,刊登了恩格斯的《反杜林论》中的《暴力论》这一章。

《哲学的贫困》1886年出版,译者也是查苏利奇。在以上提到的恩格斯在1884年3月6日致查苏利奇的信的一开头,就对查苏利奇翻译《哲学的贫困》的计划表达了极为肯定的意见。他答应对准备这一版本给予一切帮助。他除准备将他为德文和法文两个译本写的一些注释的全文寄给查苏利奇外,还建议把马克思在柏林《社会民主党人报》(1865)上发表的一篇《论蒲鲁东》的文章,作为《哲学的贫困》俄译本的序言。他认为"这篇文章差不多完全包括了我们所需要的东西"④。俄文版本的《哲学的贫困》也有一个附录,刊载了马克思在科伦陪审法庭上的辩护词的片断和《政治经济学批判》的片断等。

在《现代社会主义丛书》中,"劳动解放社"还出版了由普列汉诺夫翻译

① 《马克思恩格斯全集》第36卷,人民出版社1975年版,第71页。
② 《马克思恩格斯全集》第36卷,人民出版社1975年版,第123页。
③ 《马克思恩格斯全集》第36卷,人民出版社1975年版,第122页。
④ 《马克思恩格斯全集》第36卷,人民出版社1975年版,第121页。

的马克思的《关于自由贸易的演说》（1885），恩格斯的《路德维希·费尔巴哈和德国古典哲学的终结》（1892）和查苏利奇翻译的恩格斯的《论俄国的社会问题》。1889—1892 年"劳动解放社"在伦敦和日内瓦编辑出版的《社会民主党人》文集，也发表了马克思和恩格斯的一些文章和书信。例如，恩格斯的《论沙皇俄国的对外政策》就是专门为这个文集撰写的①。

　　"劳动解放社"成员的著作也发挥了向俄国传播马克思主义的作用。比较突出的是普列汉诺夫的著作，如《社会主义和政治斗争》、《我们的意见分歧》、《论一元论历史观之发展》。这些著作对马克思和恩格斯的思想做了通俗的阐释，读者从这些著作中了解了马克思和恩格斯的著作，学习马克思主义。

　　"劳动解放社"在翻译马克思和恩格斯的著作和向俄国国内介绍、传播马克思主义的工作，实际影响和促进了国内马克思主义组织和工人组织的发展。例如，季米特尔·尼古拉耶维奇·布拉戈耶夫（1855—1924）于 1883 年 12 月在彼得堡建立了名叫"俄国社会民主党"的小组。它的成员学习到"劳动解放社"出版的马克思和恩格斯的著作以及普列汉诺夫的《社会主义和政治斗争》、《我们的意见分歧》之后，立即主动与远在国外的"劳动解放社"建立联系。普列汉诺夫为他们出版的《工人报》写了题为《给彼得堡工人小组的信》，发表在该报第二期上。1885 年至 1886 年组织的"彼得堡产业工人联合会"，在彼得堡工人中间宣传马克思主义。在马克思和恩格斯以及普列汉诺夫的著作的影响下，反对民粹派的个人恐怖活动。从 19 世纪 80 年代中到 90 年代初，在喀山建立了第一个马克思主义小组，列宁和高尔基都参加这个小组的活动。这个小组经常研究马克思和恩格斯的著作，也学习普列汉诺夫的著作。以上说明"劳动解放社"在俄国传播马克思主义方面，发挥了重要作用。"可以说，它培养了俄国一整代马克思主义者。"②

四、列宁早期革命活动和作为马克思主义者的出场

　　列宁的本名叫弗拉基米尔·伊里奇·乌里扬诺夫，列宁是他的笔名。列宁

---

① 　参见高放、高敬增：《普列汉诺夫评传》，中国人民大学出版社 1985 年版，第 91 页。
② 　高放、高敬增：《普列汉诺夫评传》，中国人民大学出版社 1985 年版，第 95 页。

在写作时通常使用"尼·列宁"这个笔名。他还使用另外一些名字：弗·列宁、威·弗雷、克·士林、卡尔波夫等。"作为苏维埃的领袖，他在署名时总是用自己的真名：弗拉基米尔·伊里奇·乌里扬诺夫，同时常常在后面加一个'列宁'，并用括弧括起来。"①

1870 年 4 月 10 日，列宁生于伏尔加河沿岸的辛比尔斯克市，父亲伊利亚·尼古拉耶维奇·乌里扬诺夫是一位国民教育总监。1887 年，这是列宁的哥哥萨沙·尼古拉耶维奇·乌里扬诺夫因刺杀沙皇被处绞刑的一年，这年春天列宁从辛比尔斯克的中学毕业并获金质奖章。秋天，他到他父亲的母校——喀山大学法律系就读。数月后，即 1887 年 12 月 4 日，他因积极参加反对沙皇政府的学生运动（实际是反对学校的教育总监）而遭逮捕。12 月 5 日，他被开除学籍，7 日被流放到喀山省的科库什基诺。约一年的流放生活结束后，即 1888 年 9 月，他及全家人被当局批准回喀山居住。在这里列宁参加了马克思主义小组的活动。但这时还不能说列宁已经是一位马克思主义者了，他当时还处在民意党人的某些影响之下。

1889 年 5 月，列宁及其一家迁居到萨马拉。在这里列宁研究法学，并用一年半的时间修完了大学四年的全部课程。在作为校外生参加的律师资格考试中，他以优异成绩获得彼得堡大学法律系的毕业文凭。经申请，他获得从事法律实践的权利，但只被允许做助理律师。在萨马拉的四年左右的时间里，列宁的思想获得重要发展。在这里他阅读了《资本论》，成长为一位马克思主义者。在他 1893 年 8 月 31 日到达彼得堡之前，即 8 月 20 日，他中途在下诺夫哥罗德停留的几天里，参加了当地的马克思主义者的一些集会，在会上他已经作为一个马克思主义者发言。列宁移居到彼得堡后，同一些青年马克思主义者汇集在一起，讨论马克思主义理论问题，在有的问题上他们之间还发生激烈的争论。这些青年马克思主义者有亚·尼·波特列索夫（1869—1934）、瓦·瓦·斯塔尔科夫（1869—1925）和彼得·司徒卢威（1870—1944）。列宁正是在彼得堡马克思主义小组同他的终身伴侣娜·康·克鲁普斯卡娅（1869—1939）认识的。所以，克鲁普斯卡娅写的《列宁回忆录》就从列宁的彼得堡时期（1893—1898）开始。她回忆道，弗拉基米尔·伊里奇是 1893 年秋天到的彼得堡。她听同志们说，从伏尔加河来了一个很有学问的马克思主义者。后来，同志们给

---

① ［美］路易斯·费希尔：《列宁》上册，彭卓吾译，国际文化出版公司 2010 年版，第 6 页。

她带来了一本被许多人读过的讨论"市场问题"的笔记。"市场问题当时是使我们青年马克思主义者很感兴趣的问题。"① 她回忆道，这个时候，在彼得堡马克思主义小组中已开始形成一个特殊的派别，即经济主义派别。这个派别的代表们觉得社会发展的过程是机械的、公式化的。它完全否定了群众的作用和无产阶级的作用。马克思主义的革命辩证法已被抛到九霄云外，剩下的只是僵死的"发展阶段"。对于这个派别的观点，克鲁普斯卡娅说，我们还很难作出有力的反驳，因为那时我们的理论修养还很差，例如我们当中的许多人除了《资本论》第一卷以外，不知道马克思的任何其他著作，甚至连《共产党宣言》也没有见过，仅仅是凭本能感觉到这种"机械论"是与生气勃勃的马克思主义直接对立的。她说："市场问题是跟理解马克思主义这一根本问题紧密相关的。""机械论"的拥护者通常总是抽象地对待这个问题。"这位新来的马克思主义者把市场问题提得特别具体，把它和群众的利益联系起来；在整个问题的看法中都令人感觉到这是活的马克思主义，是从具体环境和发展中考察一切现象的。"② 在"谢肉节"那天，彼得堡马克思主义小组在一位小组成员的家里举行了一次会议，目的也是使彼得堡的几位马克思主义者与列宁见面。大家在会上谈起俄国应当走什么道路的问题，但出现了分歧意见。一位小组成员说识字委员会的工作非常重要。列宁对这种意见则不以为然，并不无讽刺意味地说："呶，好吧，谁乐意在识字委员会里拯救祖国，我们决不阻拦。"克鲁普斯卡娅说："弗拉基米尔·伊里奇的辛辣的批评是可以理解的。他是来商量怎样一起去进行斗争，而听到的答复却是建议去散发识字委员会的小册子。"在那次会上，大家什么也没有谈妥。列宁很少讲话，一直在观察大家。"那些自命为马克思主义者的人在弗拉基米尔·伊里奇的凝视下变得很窘。"③

在当时，革命者队伍中的主要思想危险是自由民粹主义。列宁最初的理论文章批判的就是这种民粹主义。1893 年春，列宁写了一篇足有 3 万字的文章，题目叫做《农民生活中新的经济变动》。是年秋，列宁又写了一篇更长的谈论市场问题的文章。这篇文章在彼得堡的马克思主义者中间广泛传阅，当时没有

① ［俄］娜·康·克鲁普斯卡娅：《列宁回忆录》，哲夫译，人民出版社 1971 年版，第 3 页。
② ［俄］娜·康·克鲁普斯卡娅：《列宁回忆录》，哲夫译，人民出版社 1971 年版，第 4 页。
③ ［俄］娜·康·克鲁普斯卡娅：《列宁回忆录》，哲夫译，人民出版社 1971 年版，第 5 页。

出版。①1894 年秋，列宁在小组里宣读了他的《什么是"人民之友"以及他们如何攻击社会民主党人?》。"毫无疑问，这本书对当时信仰马克思主义的青年是有强烈的影响的。"②在这部论战性著作中，列宁严厉地批判了以尼·康·米海洛夫斯基和尼·弗·丹尼尔逊为代表的自由主义民粹派的理论观点和政治纲领。民粹派认为，俄国能够"跳过"资本主义的发展而直接进入社会主义，列宁不赞成这种观点。他预言，在工业化的压力下公社必然瓦解，工业化必定是农民或者成为小私有者，或者成为城市无产者。列宁的这部著作给了自由主义民粹派当头一棒，鼓舞了正与民粹派论战的马克思主义者的士气，并且使那些进步的然而又富于空想的青年知识分子们清楚地认识到，在社会改造道路的选择中，要想使自己的工作获得有益的成就，就必须抛弃幻想，"在俄国现实的而不是合乎心愿的发展中，在现实的而不是臆想的社会经济关系中去寻找立脚点"。③

　　1895 年 12 月 18 日，列宁遭到彼得堡警察的逮捕。这是因为列宁参加了秘密政治活动。在狱中，列宁开始写作《俄国资本主义的发展》。一年半以后，他被流放到西伯利亚，流放期为 3 年。列宁在流放期间继续写《俄国资本主义的发展》一书。这部著作于 1899 年公开出版。"这是他反对民粹主义的杰作，文中充满了统计资料和对工农业趋势的详细分析。"④英国著名的列宁主义研究者尼尔·哈丁对以《俄国资本主义的发展》为代表的关于俄国资本主义发展研究的著作给予很高评价。他批评大多数评论家太过关注于组织问题，几乎忽视了列宁详尽透彻地论述当代资本主义发展的著作，这些著作花费了列宁毕生的精力，"可以说是列宁个人对马克思主义理论所作的最为重要的贡献"，"在俄国马克思主义者与民粹派的争论中，正是这些关切使刚到 24 岁的列宁成为了圣彼得堡最著名的俄国马克思主义小组的主要发言人。"⑤列宁在被流放期间还同俄国的和欧洲的马克思主义领袖互相通信，并从国外收到许多信件和书刊。

---

① 参见 [美] 路易斯·费希尔：《列宁》上册，彭卓吾译，国际文化出版公司 2010 年版，第 27 页。

② [俄] 娜·康·克鲁普斯卡娅：《列宁回忆录》，人民出版社 1971 年版，第 7 页。

③ 《列宁选集》第 1 卷，人民出版社 2012 年版，第 77 页。

④ [波兰] 莱泽克·科拉科夫斯基：《马克思主义的主要流派》第二卷，马翎、袁晶、赵艳萍译，黑龙江大学出版社 2015 年版，第 358 页。

⑤ [英] 尼尔·哈丁：《列宁主义》，张传平译，南京大学出版社 2014 年版，第 19 页。

1900 年 2 月列宁被解除流放。不久，他就来到欧洲，并很快进入俄国革命侨民的圈子。他在德国和瑞士同包括格奥尔吉·普列汉诺夫在内的俄国马克思主义者的领袖们谋划出版一份俄文定期刊物。这个刊物就是 1900 年 12 月 11 日创刊的《火星报》。它的投稿者，也是编辑，是俄国马克思主义知识分子的精英——列宁、普列汉诺夫、马尔托夫（1873—1923）、阿克雪里罗德、波特列索夫和维拉·查苏利奇。列宁在《火星报》创刊号上发表了《对华战争》一文，揭露这场战争的侵略本质。1902 年 2 月 15 日，他在《火星报》上发表的《破产的征兆》一文，断言沙俄"专制制度的破产是毫无疑问的"。他在《告贫苦农民》小册子中向农民介绍俄国社会民主党的活动和争取政治自由的目标，指出农奴制度的废除并没有使农民得到充分的自由，号召千百万贫苦农民要支持和响应城市工人的战斗号召。"1901—1903 年标志着俄国马克思主义发展和俄国社会民主主义发展的新阶段。"[1] 正是在这一阶段，建立新型无产阶级政党的问题被提上日程。它的直接起因是，1895 年 11 月城市工人罢工开始的一个月内，包括列宁在内的彼得堡工人阶级解放斗争协会的整个领导成员都被逮捕，随后被流放到西伯利亚。1898 年俄国社会民主工党在一个没有经过认真选择的错误时机在明斯克召开第一次代表大会。大会结束后不久，几乎所有代表都被逮捕，领导层又一次被削弱并被驱散到西伯利亚流放。此时党与工业界工人阶级的联系只是零星的并且也不协调。正是在这一刻马克思主义的作用降到了最低点。但是，关于这一点，列宁在 1897 年就有所预见。列宁主张，如果社会民主党还有一点领导反对独裁政权的民主斗争愿望，那他们就迫切需要加强其组织结构，创建一个有凝聚力的全国性政党，这个党不仅能够领导工人而且能够领导俄国社会所有为民主而战的反对派组织。它需要有训练的职业革命家。否则，运动就不能适应形势，党也不能起到领导群众的作用。列宁的这一思想不仅在 1897 年就有明确的表达，而且 1902 年在《怎么办？》一书中又有集中的和明确的阐述[2]。1900—1903 年的俄国社会民主主义的危机，使组织问题迫切地摆在了俄国马克思主义者和工人政党面前。

　　正是在上述情况下，俄国社会民主工党第二次全国代表大会于 1903 年 7

---

[1]　［波兰］莱泽克·科拉科夫斯基：《马克思主义的主要流派》第二卷，马翎、袁晶、赵艳萍译，黑龙江大学出版社 2015 年版，第 361 页。

[2]　参见［英］尼尔·哈丁：《列宁主义》，张传平译，南京大学出版社 2014 年版，第 31 页。

月 30 日至 8 月 23 日在布鲁塞尔秘密召开。会议主题是确定关于俄国社会民主党的一系列原则和组织问题。正是在这次代表大会上，俄国社会民主工党发生了分裂，出现布尔什维克（多数派）和孟什维克（少数派）。按照克鲁普斯卡娅的说法，即"就事情的实质来说，第二次代表大会是个成立大会。这次大会提出了基本理论问题，奠定了党的思想基础。"①第一次代表大会只通过了党的名称和党的成立宣言。一直到第二次代表大会召开之前，党是没有纲领的。《火星报》编辑部为大会起草了党的纲领，并经反复讨论和修改。所以，在代表大会上，这个纲领几乎没有争议地获得通过。"崩得问题"在绝大多数代表的拥护下根据《火星报》的精神也得到了解决。崩得是俄国境内的犹太民族的政治组织。第一次代表大会曾经决定崩得是俄国社会民主工党的一部分，虽然是自治的一部分。在第一次党代表大会开过以后的五年里，由于党没有成为一个统一的整体，所以崩得实际上是独立存在的。现在崩得想巩固这种独立性，只想和俄国社会民主工党建立联邦关系。"这一问题的实质就在于：崩得反映着犹太村镇的小手工业者的情绪，对经济斗争比对政治斗争更加感到兴趣，因而对经济主义者比对《火星报》更加同情。问题就在于：俄国要有一个能将俄国境内一切民族的工人团结在自己周围的、统一强大的工人政党呢，还是要有几个民族的、各自为政的工人政党？这是关于国内的国际主义团结的问题。"②代表大会驳斥了崩得的独立要求，并就民族的特点不应当妨碍党的工作的统一，不应当妨碍社会民主主义运动的团结一致的原则达成一致。

会议在讨论议程第一项（关于代表大会的资格审查）的时候，在关于是否邀请"斗争社"的代表梁赞诺夫（1870—1938）等的问题上，"出人意料地发生了冲突"。但更为激烈的冲突是在党章的第一条上，正是在这一条的表决上，列宁与马尔托夫从政治上和组织上分裂了③。列宁和普列汉诺夫两人都坚持认为，一个在非法条件下进行斗争的革命的政党，必须是一个忠诚的积极分子的党，这些分子"既要在物质上支持党，又要参加党的一个组织"。马尔托夫则提出，党的成员应当扩展到任何"在一个党组织的指导下，经常和党进行合作的个人"。就是在这个关于党员个人同党的关系，即实质说来是建立一个什么

---

① ［俄］娜·康·克鲁普斯卡娅：《列宁回忆录》，哲夫译，人民出版社 1971 年版，第 75 页。
② ［俄］娜·康·克鲁普斯卡娅：《列宁回忆录》，哲夫译，人民出版社 1971 年版，第 76 页。
③ ［俄］娜·康·克鲁普斯卡娅：《列宁回忆录》，哲夫译，人民出版社 1971 年版，第 80 页。

样的党的问题上的争论，使俄国社会民主党发生分裂。

可以认为，列宁从 1889 年在萨马拉成长为一个马克思主义者时起，他就在一边学习、接受马克思主义，一边用马克思主义影响周围的工人、群众，自觉地运用马克思主义指导同沙皇专制主义的斗争，指导发展革命组织，批判党内的错误倾向和错误思潮。列宁的这个作为马克思主义者的出场过程，同时是作为发展了马克思主义的特殊理论形态——列宁主义的形成和兴起过程。这个过程当然不会止于 1903 年。1903 年后直到列宁 1924 年逝世，则是列宁在新的实践中不断地丰富和发展自己的思想的过程。

第二章　在对错误思潮的批判中捍卫和阐释马克思主义

列宁主义是帝国主义和无产阶级革命时代的马克思主义，列宁主义的产生是以列宁为代表的俄国先进革命知识分子在帝国主义时代将马克思主义基本理论与俄国的具体革命实践相结合的产物。正如尼尔·哈丁所言："列宁主义是一种具有战斗精神的分离主义的思想体系"，"列宁主义从它诞生的那一刻起，就必须通过哲学的、社会学的、经济的和历史的分析，揭示所有竞争性的意识形态的错误。"[①] 列宁主义的这种战斗性最初表现为他对诸种竞争性错误思潮的批判，正是在对俄国民粹主义、"合法马克思主义"和经济派等资产阶级和小资产阶级错误思潮的尖锐批判中，列宁不仅彻底粉碎了伯恩施坦主义的理论基础及其在俄国的影响，而且以俄国的革命斗争经验进一步丰富和发展了马克思主义。

第一节　批判民粹主义

19世纪80年代，马克思主义已经通过以普列汉诺夫为代表的劳动解放社传入俄国，在理论上为俄国社会民主党成立奠定了理论基础，向着工人运动跨出了第一步。但是，当时的马克思主义宣传还局限于同工人运动缺乏紧密联系

---

① ［英］尼尔·哈丁：《列宁主义》，张传平译，南京大学出版社2014年版，第2—3页。

的秘密小组，马克思主义并没有同工人运动真正结合起来。在俄国先进工人和倾向革命的知识分子中广为流行的民粹主义思想，受到普列汉诺夫等人的有力批判，但其影响远未肃清。19世纪80年代至90年代，俄国民粹主义经历了从高潮到低潮、从统一到分化、从革命到改良的转变，这时的自由主义民粹派抛弃了旧民粹主义的革命纲领，走上了与沙皇政府妥协的道路，利用手中的合法刊物，攻击马克思主义，挑起同俄国社会民主党人的论战。自由主义与民粹主义成了妨碍马克思主义和俄国工人运动相结合的主要思想障碍。19世纪90年代初，列宁已经成为一位坚定的马克思主义者。他在俄国大力传播马克思主义，努力把马克思主义同工人运动结合起来，并同各种反动的和错误的思潮进行坚决斗争。列宁首先运用马克思主义的立场、观点和方法对民粹主义展开了深刻的批判。

一、俄国民粹主义的形成

民粹主义是19世纪中叶在俄国出现的一个带有浓厚空想社会主义色彩的小资产阶级思想流派，是伯恩施坦主义在俄国的独特变种，是俄国长期经济落后、农民小生产者占优势这样一个历史时代的特殊产物。

当时的俄国已经是一个资本主义国家，城乡经济生活都已被纳入资本主义的轨道，但经济发展水平还落后于欧洲其他许多国家。1861年，宣布废除农奴制，对俄国资本主义的发展起了促进作用，但沙皇专制制度原封未动，农奴制经济关系的残余还大量存在，严重地阻碍着经济的发展和社会的进步。随着大工业的发展，工人阶级人数激增，而且比较集中，工人与资本家的阶级对抗日益加剧，工人阶级维护自身经济利益的运动蓬勃兴起，罢工斗争接连不断。但工人运动在当时还缺乏组织，缺乏科学社会主义思想的指导，基本上是自发性的。在农村，资本主义商品经济的发展导致村社的解体，引起深刻的阶级分化，出现了农村资产阶级和无产阶级，即富农和雇农，广大贫苦农民身受资本主义和农奴制残余的双重压迫。正是在这个时候，一批代表农民小资产阶级利益的青年知识分子冲上俄国的政治斗争舞台，掀起了声势浩大的"到民间去"运动，力图通过发动农民来推翻沙皇政府的反动统治，从而建立一个社会主义社会。民粹派的名称正是由此而来。

俄国民粹主义这一思潮代表了农民和广大劳动群众在农奴制残余和资本主义的双重压榨下，对剥削制度的残酷性和非正义的反抗情绪，特别是反映了农奴制改革的不彻底性所造成的掠夺性后果，以及由此给农民和被压迫人民所带来的沉重苦难；同时也反映了农民群众抗议农奴制及其掠夺性改革，抵制资本主义奴役的要求，以及面对资本主义发展所产生的恐惧情绪。它最初萌生于进步的"忏悔贵族"中，后来则主要在平民知识分子当中传播，实质是一种小资产阶级的农民社会主义。根据列宁的分析，民粹主义可以分成两个历史发展阶段，第一阶段表现为革命的民粹主义，即旧民粹主义，它在 19 世纪 60—70 年代的俄国思想史上居于统治地位；到了 19 世纪 80—90 年代，民粹主义进入了它的第二个发展阶段，这个阶段的特点是自由民粹主义占了上风，并与自由派合流。80—90 年代的自由主义民粹派抛弃了旧民粹主义的革命纲领，走上与沙皇政府相妥协的道路，利用手中的合法刊物攻击马克思主义，挑起同俄国社会民主党人的论战。自由主义民粹主义成了妨碍马克思主义与俄国工人运动相结合的主要思想障碍。

民粹主义的基本观点，用列宁的话来说就是，"相信俄国生活的特殊方式，相信俄国生活的村社制度，由此相信农民社会主义革命的可能性，——这就是鼓舞他们、唤起成十成百的人去同政府作英勇斗争的东西。"[1] 具体而言，其一，不承认社会发展是一个自然历史过程，把资本主义在俄国的出现和发展看成是纯粹偶然的或人为的现象；其二，不承认工人阶级是俄国社会最先进、最有前途的阶级，是实现社会主义的领导力量，而把农民、小生产者看作是实现社会主义的主要依靠力量；其三，把旧的农民村社和生产形式看成是比资本主义制度和生产形式更高更好的经济制度和形式，看成是社会主义的胚胎和基础，认为可以在这个基础上避开资本主义的发展而直接完成向社会主义的过渡；其四，否认人民群众是历史的主体，认为只有少数英雄、杰出人物才能推动历史发展，而人民群众如果离开了这些英雄和杰出人物，就会一事无成。

民粹主义的思想特征可以概括为如下四个方面：第一，崇尚和敬仰人民，并把人民理想化。这一点是各种不同的民粹派分支所共同享有的。他们认为，"人民的生活本身总是合理的"，"在俄国人民的生活中和本性中有着丰富的、

---

① 《列宁全集》第 1 卷，人民出版社 2013 年版，第 229 页。

良好的富有生命力的、真正的基础和种子"①，"在人民中潜藏着社会真理"，"人民是真理的支柱"②。巴枯宁甚至说，俄罗斯的农民，就其天性而言是个社会主义者；特卡乔夫则断言，就其本能和传统看，人民是共产主义者。第二，把农村公社理想化，企图通过保存农村公社，发展农民固有的社会主义精神。在俄国民粹派看来，"米尔（mir，即村社）精神接近人民的本性，渗透到了人民的整个日常生活中，成为全体人民自我发展的切身的、创造性的原则和创造性的力量"③；农村公社"作为人民喜爱的、古老的天然根源……乃是自然历史遗留的人民的本原"，它"是俄国人民梦寐以求的民族原则的内部天然合法的民权保护者"，因此俄国需要农村公社，"需要米尔社会主义的清新的而又生气勃勃的和解的精神"④。第三，企图通过俄国独特的公社道路，绕过资本主义阶段，直接过渡到社会主义。这一点是民粹主义社会政治纲领的核心。一方面是由于俄国存在农村公社，并被视为社会主义的天然土壤，另一方面是出于对资产阶级的厌恶和对资本主义的恐惧。第四，对一般文化保持鄙薄态度，反对文化崇拜，倾向于以虚无主义的态度评价文化，以道德主义和极端功利主义的观点对待科学和文化。民粹主义认为，人民为知识分子获得文化而付出了血汗和苦难，因此，掌握文化的少数人就被压上了沉重的罪孽感，于是，民粹派反对文化崇拜，鄙视大学教育。别尔嘉耶夫还指认俄国知识分子的"心灵是道德化的，对世间的一切都采取特殊的道德评价"⑤。

列宁在论及民粹主义的起源时指出，"民粹主义由来已久。人们公认赫尔岑和车尔尼雪夫斯基是民粹主义的创始人。"⑥ 其中，车尔尼雪夫斯基"继赫尔岑之后发展了民粹主义的观点"，"比赫尔岑更前进了一大步"⑦。列宁之所以把赫尔岑视作"民粹主义创始人"，是因为他提出的"俄国社会主义"学说直接构成了俄国民粹主义的思想核心，而车尔尼雪夫斯基则在此基础上将民粹主义

① 《俄国民粹派文选》，人民出版社 1983 年版，第 31—32 页。
② ［俄］别尔嘉耶夫：《俄罗斯思想》，雷永生、邱守娟译，生活·读书·新知三联书店 1995 年版，第 102 页。
③ 《俄国民粹派文选》，人民出版社 1983 年版，第 33 页。
④ 《俄国民粹派文选》，人民出版社 1983 年版，第 38—39 页。
⑤ ［俄］别尔嘉耶夫：《俄罗斯的命运》，汪剑钊译，云南人民出版社 1999 年版，第 73 页。
⑥ 《列宁全集》第 22 卷，人民出版社 2017 年版，第 326 页。
⑦ 《列宁全集》第 25 卷，人民出版社 2017 年版，第 99 页。

推向前进，形成了比较完整的俄国民粹主义思想体系。

俄国思想史学者、莫斯科大学教授德米特里耶夫依据赫尔岑的思想将其"俄国社会主义"学说概述为："农民对土地的权利；村社对土地的占有；农村干活人的劳动组合；村社民选自治，其前景是区域自由联合体选举产生的土地自治会"①。不难看出，赫尔岑所提出的"俄国社会主义"的本质特征在于这是一种来自土地和农民生活方式的社会主义。除此之外，赫尔岑的"俄国社会主义"学说还包括如下几个原则。

其一，西欧的发展道路已经走进死胡同而不可能实现社会主义。在赫尔岑看来，西方不可能实现社会主义，因为它正处于衰败和死亡过程之中。西欧的发展道路并非所有国家和民族的理想途径，对它们而言也并非不可避免的必经之路。其二，俄罗斯及其人民，包括整个斯拉夫世界在内，将会比西欧更快地实现社会主义。赫尔岑认为，由于社会主义是建立在人民的生活方式之上，因此，俄国比西欧更快更容易实现社会主义，俄罗斯人民将代表斯拉夫世界，在人民生活方式的现实土壤上首先实现社会主义。其三，在俄罗斯向社会主义过渡中起主导作用的是俄罗斯贵族及其有教养的青年。正是这个阶层不仅了解俄国人民生活方式的社会主义本性，将其介绍宣传给走向衰败的西欧，而且将担负起不断探索俄罗斯命运，并实现农奴和土地解放的任务。其四，在俄国农村保存着村社，这是实现俄国社会主义的外在保障和依托，与此同时，在俄国人民中还有社会主义和共产主义的内在习性和要求。在赫尔岑看来，村社思想是俄国人民天性所具有的，农民的品质及其对共产主义道德的要求，是同他们生活在其中的村社联系在一起的。总而言之，赫尔岑的"俄国社会主义"就其实质而言乃是"村社社会主义"，即通过村社道路走向社会主义。

继赫尔岑之后发展了民粹主义的是车尔尼雪夫斯基，他的民粹主义理论主要包括如下几个方面：其一，主张用暴力推翻俄国专制农奴制度。车尔尼雪夫斯基在《经济活动与立法》一文中写道："人民贫苦的基本原因"，"阻滞我国农业发展的一切缺陷的总的根本原因"是"恶劣的管理制度"，即农奴制。②这一专横的制度不仅导致俄国经济生活的贫弱，而且造成人民精神力量的衰

---

① 转引自马龙闪、刘建国：《俄国民粹主义及其跨世纪影响》，广西师范大学出版社 2013 年版，第 45 页。

② 《车尔尼雪夫斯基选集》下卷，季谦等译，生活·读书·新知三联书店 1959 年版，第208 页。

退，因此，他"号召俄罗斯举起斧子"，以革命的方式改变现状，废除农奴制。其二，对资本主义持尖锐批判态度。车尔尼雪夫斯基不仅揭示了资本主义无序竞争导致的经济危机：商品过剩、工人失业、贫富分化，而且揭露了资本主义制度下自由平等的虚伪性和选举制度的不公平。所以说，车尔尼雪夫斯基对资本主义的批判，是站在农民和小资产阶级的立场上对资本主义发展所抱持的一种恐惧和反感。其三，未来的理想社会是生产和分配的社会主义。车尔尼雪夫斯基将自己的政治经济学理论称之为"劳动人民的理论"，主张劳动产品应当归其生产者所有，"生产的最有利情况在于劳动产物属于劳动人民；价值分配的最有利情况在于社会每一成员的份额尽可能地接近平均数，即由价值量与社会成员数的比例而得出的平均数。"① 这种最有利的经济组织形式就是"协社"。其四，主张保存公社，捍卫公社土地所有制，跳过资本主义，直接走向社会主义。在车尔尼雪夫斯基看来，公社所有制具有如下的优越性：公社所有制可以防止资本主义的发展，把人们从无产阶级化的疾病中解救出来；公社能够维护公平正义原则，"维持占有人之间对占有的不动产尽可能平均的分配"②；公社能够保护农民的利益，预防行政机关对私人生活的干涉；公社所有制能够发扬公民的优良品质，培养他们参与公共事务的能力。由此可见，车尔尼雪夫斯基捍卫公社所有制，是企图通过当时俄国存在的农民公社，绕过资本主义私有制这个中间环节，直接过渡到社会主义，从而为民粹主义思想奠定了理论基础。

俄国民粹主义发展到 19 世纪 70 年代，大致形成了三个主要派别，这就是以彼·拉·拉甫罗夫（1844—1886）为代表的"宣传派"，以米·亚·巴枯宁为代表的"暴动派"，以彼·尼·特卡乔夫为代表的"夺权派"。虽然他们在基本理论上是一致的，但在革命的策略问题上则存在很大的分歧。

第一，以拉甫罗夫为代表的"宣传派"。拉甫罗夫认为，俄国人民起义的时机还不成熟，至于革命的时刻何时到来，还无法预言，革命者的当务之急就是到农村去宣传，教育农民以提高其觉悟，使农民做好起义的准备。所以人们通常把这一派称为"宣传派"或"准备派"。

拉甫罗夫的《论史信札》一书被当时的青年们奉为"生活之书"和"革命

---

① 《车尔尼雪夫斯基选集》下卷，季谦等译，生活·读书·新知三联书店 1959 年版，第342 页。

② 《车尔尼雪夫斯基选集》下卷，季谦等译，生活·读书·新知三联书店 1959 年版，第171 页。

圣经"，因为书中阐述的为人民服务的思想深深地鼓舞着青年一代。在拉甫罗夫看来，人类社会分为"文明的少数"和"苦难的多数"，前者拥有灵巧的思想、全面发展的体魄以及文化和知识，"他们靠别人而有闲暇，得到更好的饮食和受教育的条件"，后者"则以越来越繁重的劳动，甚至以自己的生命或巨大的苦难为代价，给前者提供闲暇、饮食和受教育的机会"①，因此，"文明的少数"要承担道义上的责任，要为"苦难的多数"做一切可能之事以此来偿还所欠下的债，这就是那些"文明的少数"所主张的为人民服务思想的缘由。这种思想扩展到广大青年知识分子当中，就成为 70 年代民粹主义者"到民间去"，为农民服务的深层思想动机。

拉甫罗夫强调，对于当时的俄国来说，基本任务是宣传村社土地所有制原则，宣传村社大会是俄国社会制度的基本政治因素，他把改造俄国社会制度的途径归结为一句话："实现对俄国社会的改造，不仅必须以人民的福祉为目标，不仅是为了人民，而且必须经过人民。"② 因此，革命知识分子必须成为人民的队伍，向人民解释其目标和任务，在人民中唤起对社会改造的自觉。革命的成功不仅需要革命者掌握知识和理论，还取决于知识分子是否善于在民众当中进行实际活动，于是，拉甫罗夫还主张建立由知识分子代表和民众参加的全国性政党，为人民起义做准备。在斗争策略问题上，拉甫罗夫及其创办的《前进》杂志强调如下两点：一是提倡科学，拒绝宗教，反对采用欺骗、暴力和散布幻想等不正当的手段；二是通过革命运动，建立公正的社会制度，这一新社会制度应该是劳动者统治的政权，应当通过消灭国家、建立自由人权来实现。

第二，以巴枯宁为代表的"暴动派"。巴枯宁和特卡乔夫一样，主张立即实行暴动，他认为俄国农民的革命情绪已经到了一触即发的程度，所以他号召青年到农村去立即组织起义。但在如何暴动和暴动的归宿问题上，二人存在原则上的分歧。巴枯宁着眼于农民，而且反对建立包括社会主义国家在内的任何国家，他认为农民始终是反对国家这个最大的祸害的，因此，立刻消灭国家是社会革命的基本的和首要的任务。与巴枯宁不同，特卡乔夫是个布朗基主义者，在他看来，革命只能是少数人的事情，只有靠少数知识分子采取密谋的办

---

① 《俄国民粹派文选》，人民出版社 1983 年版，第 62 页。

② 转引自 [俄] B.C.伊藤贝格：《俄国民粹主义运动》，1965 年俄文版，第 207 页。

法才能夺取政权，从而过渡到社会主义社会。

巴枯宁在《国家制度和无政府状态》一书中认为，即便最深奥的科学和理论也无法预测未来社会生活的形式，只有实践经验才能够提高人民。"所有单位或组成公社的各部分都可以独立自由地组织起来，并使它们相互之间自下而上，不是什么长官命令，也不遵循什么学术理论，而是完全出于生活本身需要的自然发展，相互结合成一个自由联邦体"①。在巴枯宁看来，俄国农民就其天性而言是社会主义者，全部土地应归辛苦劳动的人民所有，由公社定期给个人分配土地，同时应实行一种自治制度，即公社实行自我管理，因为公社是敌视国家的。这样巴枯宁就将无政府主义与民粹主义结合成了一个整体。

在革命策略问题上，巴枯宁反对"宣传派"提出的教育人民，反对"比较和平的""缓慢地却是彻底改变人民经济生活的办法"，相反，他主张"纯粹革命的""直接组织全民的暴动"。巴枯宁认为，在俄国人民当中广泛存在着构成全民暴动的两大因素，这是社会革命的必要条件，一方面，由于极端贫困和无法忍受的被奴役的境况，俄国人民蓄积着强大的暴动能量，用巴枯宁的话说，"破坏的热情就是创造的热情"；另一方面，俄国人民本身就有实现人民革命的理想，人民群众的解放只能靠他们自己的努力来实现。人民无需任何人的教育和宣传，不必发动即可揭竿而起，问题的关键在于，只要能把各地分散的力量联合起来，就可以组成一场总暴动。

第三，以特卡乔夫为代表的"夺权派"。特卡乔夫与拉甫罗夫截然不同，他对国内资本主义的发展充满了极度恐惧和不安，认为资本主义的发展只会推迟革命以致永远不能实现，因此，现在应当立即实行暴动。现在必须立即"敲起警钟"，毫不拖延地实行变革，"任何犹豫不决、任何拖延耽搁都是犯罪！"他认为，"准备革命——这根本不是革命家的事"，"革命家不是准备革命，而是干革命"。

面对"到民间去"运动的失败，革命遭遇重大挫折，特卡乔夫强调在总的指导思想上采取直接革命行动的方针，号召人民直接起义，向沙皇专制国家发动冲击。特卡乔夫认识到，凡革命队伍缺乏组织性，凡人民缺乏有效的宣传，都不可能有成功的希望，革命者的个人安全也得不到保障，因此，他主张建立

---

① 转引自 [俄] 鲁德尼茨卡娅编：《19世纪俄国革命急进主义（文件汇编）》，1997年俄文版，第306页。

革命的战斗组织——"人民解放协会",以便最大限度地积聚革命力量并保证个人安全。关于这一战斗组织的原则,特卡乔夫在其创办的《警钟》杂志上提出:其一,权力要高度集中,但革命活动的职能需要分散;其二,组织成员要下级服从上级,全体服从中央,要有严格的无条件的纪律;其三,必须对每个组织成员的革命活动保守绝对秘密,不仅对敌人保密,而且对组织内的所有其他成员保密。

特卡乔夫在总结以往革命的历史经验时写道:"总的来讲,迄今没有一次急进的社会改革是不经过暴力和流血内讧完成的。当然,这很不幸——不幸就在于,每前进一步都必须以付出人类的鲜血为代价,每一次合理的改革都必须以手持武器来开辟道路。然而这是事实,凡熟悉历史的人,都是否定不了的。"① 因此,他主张通过暴力手段和密谋的方式夺取国家政权,"夺取政权是革命的必要条件,但还不是革命本身。这仅仅是革命的序曲。革命本身是由革命国家来实现的。"② 正是因为这个缘故,特卡乔夫在《革命与国家》一文中阐述了革命国家的职能和原则。他认为要使国家政权得以完善,必须遵循如下原则,把政府的每一种职能都统一起来,并将其集中化,再最大限度地将这些职能加以区分。关于革命国家的活动职能,其一,革命的破坏性职能,这主要通过暴力来实现;其二,革命的建设性职能,这主要通过道德信念来达到。特卡乔夫在《革命者基本信条》中将革命道德的总原则规定为:"凡能促使革命胜利的一切,都是道德的;凡妨碍革命取得胜利的一切,都是不道德的和罪恶的。"③ 特卡乔夫特别强调,只有这种纯粹的革命者才能真正完成社会革命,"我们要说的仅仅是一些实际的革命者,是那些把自己完全献给解放人民群众的伟大事业,为了纯粹人民的(即符合人民真正需求的)理想而斗争的人,是把革命视为生活的唯一目的的人,是绝不与现存制度妥协并且根本否定这一制度的人"。④

---

① 转引自 [俄] 鲁德尼茨卡娅编:《19 世纪俄国革命急进主义(文件汇编)》,1997 年俄文版,第 368—369 页。

② 转引自 [俄] 鲁德尼茨卡娅编:《19 世纪俄国革命急进主义(文件汇编)》,1997 年俄文版,第 350 页。

③ 转引自 [俄] 鲁德尼茨卡娅编:《19 世纪俄国革命急进主义(文件汇编)》,1997 年俄文版,第 244—245 页。

④ 《俄国民粹派文选》,人民出版社 1983 年版,第 399 页。

二、革命民粹派向自由主义民粹派的演变

19世纪80年代是俄国民粹主义运动的转折点，随着俄国经济关系的发展和社会矛盾的激化，民粹派内部在革命纲领与斗争策略问题上的分歧日益加剧，最终导致了组织上的分裂，这标志着俄国民粹主义由高潮到低谷、由统一到分化、由革命到改良的转变。从80年代中期到90年代，革命民粹派的主流地位逐渐被自由主义民粹派所取代，主要代表人物有尼·康·米海洛夫斯基、谢·尼·尤沙柯夫（1849—1910）、瓦·巴·沃龙佐夫（1847—1918）、尼·弗·丹尼尔逊等人。

"到民间去"运动的失败，宣告了革命民粹派方案的破产，同时也为自由主义民粹派的出场提供了契机。当然，自由主义民粹派的形成有其特定的社会经济前提，这就是，尽管广大农民对农奴制改革后的社会秩序怀有不满情绪，但他们中的大多数人并不倾向于以激进方式来解决社会和经济问题。换言之，对农民而言，相比剧烈的革命震荡，他们更热衷于选择平缓的改革之路，一部分民主主义知识分子也属意这一选择。这些阶层的经济利益和思想情绪构成了自由主义民粹派形成的社会语境。"80年代民粹主义面临的理想与现实、主观愿望与人民利益的冲突，实际上是整个民粹主义阵营危机的表现，是80年代人与60—70年代人不相协调甚至相互对立的一种反映。"[①] 如果说革命民粹派是一批粗暴地拒绝西欧资本主义发展道路的苦行僧、密谋者和革命家，那么，自由主义民粹派就是一群用细腻文法批判资本主义的温文尔雅的经济学秀才，他们试图从文化上继续探索俄国的发展道路，形成俄国的民主氛围，寄希望于从政府那里获取合法的机会，认为这是争取个人自由的根本所在。

从19世纪80年代开始，革命民粹主义者逐渐发生蜕化，开始同他们曾经斥责为"空谈家、吹牛家和傻瓜"的俄国自由派同流合污，成为自由主义民粹派。与革命民粹派不同，自由主义民粹派在资本主义经济已经成为俄国现实经济生活中不可否认的事实面前，抛弃了过去信奉的关于俄国农民经济结构的独特性和农民村社是社会主义的胚胎和基础的传统看法，相信资本主义在俄国的

---

① 马龙闪、刘建国：《俄国民粹主义及其跨世纪影响》，广西师范大学出版社2013年版，第177页。

存在已是既成的事实。但是，他们认为俄国现实中资本主义的出现是纯粹偶然的现象，是政府执行错误政策导致的结果，因而是"人为地"培植起来的，并没有现实的根基。由此出发，自由主义民粹派把"人民生产"即小农经济和手工业同资本主义经济对立起来，认为资本主义在俄国是一种社会没落和倒退，是一场社会灾难，并攻击那些承认俄国资本主义发展必然性的马克思主义者是把资本主义在西方发展的公式硬套在俄国头上，使俄国劳动人民也陷进资本主义的铁箍。在政治方面，他们完全放弃了革命民粹派那种坚决反对沙皇专制制度的革命传统和斗争精神，在自己的政治纲领中仅仅限于提出一些诸如乞求沙皇政府增加贷款、兴办各种合作社、改良土壤、扩大耕地等资产阶级的改良主义要求，以此来发展人民生产，"保护经济上的弱者"，使这些人避开资本主义自由竞争的痛苦，而直接获得社会主义的富裕的幸福生活。

进入 19 世纪 90 年代，自由主义民粹派又从伯恩施坦修正主义那里获取了新的营养，得到了新的精神支柱，他们几乎完全按照伯恩施坦的原话公开宣扬自由主义和社会主义的一致性，明确提出："决不能把自由主义和社会主义截然分开，甚至把两者对立起来，因为按其基本理想来说，两者是相同的，是不可分割的。社会主义并不像许多人担心的那样会对自由主义形成危险，它不是要毁弃而是要实现自由主义的遗训。"① 所以说，自由主义民粹派是修正主义的独特变种，是伯恩施坦主义在俄国的追随者和信徒。正是在这一意义上，列宁写道："伯恩施坦在本国没有交上好运，可是法国、意大利、俄国的一些社会主义者却'认真接受了'他的思想，而且实际加以运用，他们本身也就很快地变成了资产阶级改良主义的代言人。这种思想培育出来的我国自由主义民粹派，在过去的马克思主义者中间得到了新的拥护者，同时抛弃了某些原始的幻想和反动的附属物，而更加成熟了。"②

自由主义民粹派力图以小资产阶级的小市民的社会主义偷换马克思主义，以小资产阶级的改良运动代替无产阶级的革命解放运动。加之，由于俄国的落后现实以及大量小资产阶级分子的存在，特别是由于民粹派的个别鼓吹者曾经拥有革命的荣誉，从而加重了这一思潮的危害性。米海洛夫斯基曾以"智慧的主宰者"著称，丹尼尔逊作为《资本论》俄文版的译者也享有很高的声望。

<hr>

① 《列宁全集》第 8 卷，人民出版社 2017 年版，第 73 页。
② 《列宁全集》第 8 卷，人民出版社 2017 年版，第 73 页。

自由主义民粹派的理论家往往大量援引马克思，并且似乎是"根据马克思"的言论来证明马克思主义对于俄国是不适用的。自由主义民粹派的经济学家沃龙佐夫甚至声称，把马克思主义传播到沿着独特道路发展的俄国是对马克思的侮辱。因此，到 19 世纪末，自由主义民粹派已经成为马克思主义在俄国传播的主要障碍。只有彻底揭露自由主义民粹派的思想体系及其理论实质，才能在先进工人队伍中广泛传播马克思主义，使马克思主义与俄国的工人运动结合起来，为俄国无产阶级革命扫清障碍。

以上考察了自由主义民粹派产生、发展、演变的历史逻辑，让我们再将目光聚焦于其理论逻辑，即俄国资本主义的发展问题。当时，马克思主义者和自由主义民粹派争论的中心问题是俄国资本主义的命运问题，这个问题同俄国革命的前途问题和领导权问题有着密切的联系。对此，罗莎·卢森堡曾概括道："争论的问题首先是俄国资本主义及其前途，但由此发生的讨论必然导向有关资本主义发展的全部问题。"[①] 自由主义民粹派断定，归资本家所有的剩余价值是无法实现的，因为体现剩余价值的产品既不可能为资本家全部消费掉，也不可能在市场上销售掉。俄国国内市场由于小生产者的破产和购买力的降低而日益缩小，唯一的出路是寻求国外市场，但是，对俄国这样一个资本主义发展较晚的国家来说，这是可望而不可即的。他们由此得出结论：资本主义不可能在俄国得到发展。具体而言，自由主义民粹派的主要代表人物及其思想主张如下：

其一，米海洛夫斯基的"主观社会学"。米海洛夫斯基一方面继承了前一阶段民粹主义的基本观点，对资本主义持尖锐的批判态度，推崇村社传统，并认同通过村社道路走向社会主义的理论纲领；另一方面，相比前一阶段他又有所发展，主要是转向对科学、教育在人类文明进步中所起作用的阐述上，并在对斯宾塞（1820—1903）社会达尔文主义的批判中提出了他的主观社会学方法。

米海洛夫斯基从科学史上论证，即使远离政治斗争的自然科学研究，在各个不同的历史时期也有一定的社会意义，达尔文主义便是与资本主义自由竞争相适应并为之开辟道路的。在米海洛夫斯基看来，斯宾塞用自然科学的方法来构建社会科学是行不通的，他过分夸大了自然科学的客观方法，也过分夸大了

---

① ［德］罗莎·卢森堡：《资本积累论》，彭尘舜、吴纪先译，生活·读书·新知三联书店1959 年版，第 211 页。

在社会学中运用这种方法的可能性。米海洛夫斯基指出，社会科学中"掺杂着人们的思想和感情，在这里运用主观方法是不可避免的"，因此，观察者应当"从思想上把自己置于被观察者的地位"，但不要忘记自己的同情和好恶，那时"主观方法和客观方法就只是在特征上的对立，而对于它们的和谐并存，甚至被应用于事物的同一范围，不会造成任何妨碍"[①]。在他看来，研究者的主观方法应当包括符合其信念和道德原则的社会制度的理想。这样一来，主观方法就成了米海洛夫斯基有关社会总体观念的决定性因素。

正是从这样一种主观社会学的方法出发，米海洛夫斯基尤其重视人的个性以及个人特别是伟大人物在历史上的作用。在他看来，人类文明类型及其发展程度，同人的个性发展息息相关，个性越发展，人类文明类型及其发展程度就越高，反之，人类文明类型及其发展程度就会受到影响。米海洛夫斯基认为，人是文明进步的主要创造者，但并不是所有人都能对历史进程产生影响，只有"理想型的人"方能堪当此任。因为理想型的人"是充分发展的人，是极具多方面才能的人，也是难以适从某种狭隘环境的人"，他们"从不会损毁贬低自己的个性……他们让自己肩负着沉重的使命，他们的社会理想是在个人理想和要求基础上形成的"[②]。伟大人物作为理想型人物发展的最高形式，他们具有非凡的品性，在其社会实际活动中秉持的是先进的理想和目标。正是这种社会理想，使他们得以行进在时代的前面，也有助于同陈旧腐朽势力展开斗争，从而为新的历史时期奠定基础。

其二，沃龙佐夫的"俄国资本主义行不通论"。沃龙佐夫在《俄国资本主义的命运》一书中首先归纳了在资本主义的意义问题上的两种对立倾向："一些人顽固地认为，我国今后的发展应该按照西欧的模式进行，并把这种见解用一些多少有点分量的、但多半是理论的考虑装饰起来；另一些人则竭力抵制这种结论，但他们用来与之对抗的主要是说明我国没有必要步西方后尘的否定性理由，或者关于东西方势不两立的斯拉夫主义倾向等等"[③]。接着，沃龙佐夫通过仔细鉴别"可以使粗心的观察者上当"的诸多工农业发展迹象指出，"尽管

[①]　[俄] 米海洛夫斯基：《尼·康·米海洛夫斯基全集》(第 3 卷)，圣彼得堡 1909—1911 年版，第 401—403 页。

[②]　[俄] 米海洛夫斯基：《尼·康·米海洛夫斯基全集》(第 4 卷)，圣彼得堡 1909—1911 年版，第 458—459 页。

[③]　《俄国民粹派文选》，人民出版社 1983 年版，第 652 页。

存在这些可观的表面现象，然而我们仍认为这一切大都是资本主义的儿戏，并非真正资本主义关系的表现"①。

沃龙佐夫认为，俄国资本主义之所以行不通，主要是基于如下理由：其一，缺乏市场。"由于我国大工业必须指靠国内销售，因此它的繁荣程度与人民群众的富足程度有直接关系；每一无地农民离乡外逃都会减少对它的产品的需求"②。其二，气候恶劣。"俄国的气候条件本身不利于资本主义的工业体制在我国生根。……由于气候严寒，我们必须建造较厚实的，因而造价较高的厂房，而由于漫长的冬季又必须为取暖和照明增加开支；由于同样的原因，养活工人的费用也比较昂贵"③。其三，交通不便。"俄国不存在发展资本主义生产的最起码的条件，因为资本主义生产必不可少的要求是能够经常地将大量的产品和工人从国内的这一端运往另一端，既快速又廉价。而我们甚至沿传统路线顺利地运输我国财政的主要支柱——粮食——都做不到"④。其四，缺少竞争杠杆。"我国的资本主义缺少曾使西方资本主义根本改造欧洲经济组织并将工业提高到目前程度的那种杠杆。而没有这种竞争杠杆，资本主义就会丧失一切进步意义：资本主义在我国已由推动工业进步的历史必然方式（正如西方资本主义所表现的那样），变成了为一小撮不但不起任何进步的历史作用，相反却阻碍工业正常发展的人的私利而剥削人民劳动的方式"⑤。此外，沃龙佐夫还通过大量事实来检验西欧工业发展规律是否是具有普遍意义的假设。他的结论是："西方工业进步所体现的最新具体形式——资本主义生产在俄国土地上缺乏牢固的基础；这一点可以举出下面的事实来证明：整整三四十年来，大型加工工业中雇佣工人数目没有变化，农业方面，以前的大生产者——地主正在逐渐放弃管理农业的权柄，而没有另外一个阶级承担起在这一领域组织大规模生产的任务。"⑥最后，沃龙佐夫得出了与丹尼尔逊完全一致的结论："所谓一切民族的工业都不可避免地要经过资本主义发展阶段的理论是错误的"⑦。

① 《俄国民粹派文选》，人民出版社 1983 年版，第 653 页。
② 《俄国民粹派文选》，人民出版社 1983 年版，第 656 页。
③ 《俄国民粹派文选》，人民出版社 1983 年版，第 658—659 页。
④ 《俄国民粹派文选》，人民出版社 1983 年版，第 659 页。
⑤ 《俄国民粹派文选》，人民出版社 1983 年版，第 660 页。
⑥ 《俄国民粹派文选》，人民出版社 1983 年版，第 715 页。
⑦ 《俄国民粹派文选》，人民出版社 1983 年版，第 716 页。

其三，丹尼尔逊的"俄国资本主义不必要论"。作为《资本论》的俄文译者，丹尼尔逊明确表示拥护马克思的经济学说，并受其启发专门搜集相关资料撰写了《我国改革后的社会经济概论》一书，通过详实论述改革后俄国"农业收入资本化的结构"（第一篇）与"工业生活旧形式的灭亡和新形式即手工业资本化的取代对人民经济的影响"（第二篇），得出结论："俄国社会面临的任务变得日益复杂起来。资本主义的占领正在日益广泛地进行"①。可以看出，与沃龙佐夫试图证明俄国有可能规避资本主义发展阶段不同，丹尼尔逊明确承认俄国是资本主义国家，并强调俄国的"资本主义在向前发展，而且发展得非常迅速"②。

但是，丹尼尔逊笔锋一转，将论述的重点直指"资本主义生产和流通形式本身的限制"。他写道："因此，我们得出的结论是，资本主义的生产和流通形式已不再适应最迫切的人民经济的要求了。"③ 在丹尼尔逊看来，俄国资本主义的发展一方面破坏了建立在直接满足生产者需要基础上的宗法式生产，使之变为满足全社会产品需要的社会生产，与此同时，它剥夺了以前生产者的生产资料，将生产工具集中在少数人手里，并利用科学技术提高了劳动生产率，以致一小部分工人就可以满足全国的产品需要。这是其积极面向。另一方面，丹尼尔逊特别指认了资本主义发展所带来的消极后果：生产的社会化，并没有带来产品的社会享用，"对社会生产力的利用不是转到了全社会的手里，而是转到了个别人的手里。因此，随着劳动生产力的提高，找不到工作的和完全无法满足最迫切需要的人数无比迅速地增加了。"④ 更为严重的是，"资本主义的生产和流通形式同我们全国居民现有的生产力不相适应的这种情况，随着资本主义的发展反而变得日益严重了，因为在这种形式下居民的生产力受到越来越少的人的限制。这种不相适应表现为居民的经济地位的降低，表现为一些地方的纳税能力和支付能力的降低，那些地方由于手工业的资本化，在一个劳动年里有半年以上得不到使用的劳动被闲置起来，在资本主义比国内其他任何地方得到更大发展的地方也是这样，而且在这些地方极明显地表现出居民体力退化的迹象。"⑤ 正是基于上述资本主义生产形式同大多数人需要的不相适应，及其对于

---

① 《俄国民粹派文选》，人民出版社 1983 年版，第 810 页。

② 《俄国民粹派文选》，人民出版社 1983 年版，第 791 页。

③ 《俄国民粹派文选》，人民出版社 1983 年版，第 811 页。

④ 《俄国民粹派文选》，人民出版社 1983 年版，第 812 页。

⑤ 《俄国民粹派文选》，人民出版社 1983 年版，第 812 页。

居民和整个国家有可能造成的有害后果，丹尼尔逊得出了"俄国资本主义不必要"的结论。

其四，尤沙柯夫的"俄国资本主义微不足道论"。尤沙柯夫在《俄国农业生产的形式》一书中，通过对整个俄国各地农业统计资料的搜集、整理、综合和对比指出，在俄国欧洲部分全部耕地面积中只有十分之一是资本主义经营的，而十分之九是人民经营的。这就意味着，"人民生产是俄国主要的占统治地位的经济制度，而资本主义生产则处于边远地区，在任何地方也没有占居主要地位，只不过占全部生产的十二分之一到十分之一"①。这种数字统计上的极大反差，使得尤沙柯夫得出结论："俄国农业（这是我国富强、文明、能起历史作用的主要的甚至唯一的源泉）现在完全掌握在人民经济手中；资本主义经济目前很可怜和微不足道，今后（至少根据大致的推测）看来也不过如此"。②这就是尤沙柯夫所谓的"资本主义微不足道论"。

在具体的论证过程中，尤沙柯夫按照马克思的生产方式理论指出，资本主义生产的发展需要具备三个条件：脱离劳动的资本，没有自己产业的工人，有经验和有知识的领导者——业主。那么，这些条件在俄国是否具备呢？尤沙柯夫分别对业主、资本与工人进行分析道：其一，在俄国并不存在一批有知识和有经验的专家、农业主；其二，如前所述，资本主义农业生产在俄国的作用既然微不足道，因而它所筹集的资本也是比较微不足道的。"在半个俄国根本没有资本主义经济，在另一半俄国，大部分地产中也没有，而在资本主义经济已经不少的一部分地产中，其数量和力量非常有限"。③尤沙柯夫接下来强调："资本主义生产的两个基本条件——业主和资本——并不具备，看来在最近的将来也不会具备。至于资本主义生产形式的第三个基本条件，即没有自己产业的工人、正常的资本主义经济非有不可的雇农阶层这个问题，我应当提供的回答亦如上述。……农业无产阶级在我国是存在的，但暂时数目不多，甚至还满足不了目前为数不多的资本主义经济对雇农的需求"。④如此一来，既然资本主义生产方式发展的上述三个基本条件无一具备，那么，尤沙柯夫便合乎逻辑地得出了如下结论："在目前和最近的将来，资本主义生产都没有任何发展的

---

① 《俄国民粹派文选》，人民出版社 1983 年版，第 633 页。
② 《俄国民粹派文选》，人民出版社 1983 年版，第 648 页。
③ 《俄国民粹派文选》，人民出版社 1983 年版，第 642 页。
④ 《俄国民粹派文选》，人民出版社 1983 年版，第 644 页。

可能，倒是应该料到它会进一步衰落。"①换言之，俄国不具备资本主义发展的客观条件，若是强行走资本主义之路，那么只能导致全面的危机。

面对上述诸种民粹主义论调的日益盛行和广泛传播，在俄国，最早对其展开批判的是普列汉诺夫及其领导的"劳动解放社"，他的《社会主义与政治斗争》、《我们的意见分歧》、《论一元论历史观之发展》以及《论个人在历史上的作用》等书都是反对民粹主义的力作。但是，真正完成批判民粹派任务的则是列宁。

首先，列宁在《什么是"人民之友"以及他们如何攻击社会民主党人?》一书中严厉地批判了自由主义民粹派的理论观点和政治纲领，科学地阐述了马克思主义的哲学、政治经济学和科学社会主义的基本理论，实际地论证了俄国工人阶级作为最先进、最进步阶级的伟大作用，明确地提出了马克思主义的工农联盟思想和建立工人阶级政党的任务。这部著作的发表，不仅给了自由主义民粹派当头一棒，鼓舞了那些正在与民粹派进行论战的马克思主义者的士气，而且使那些进步的然而又富于空想的青年知识分子们清楚地认识到，在社会改造道路的选择中，要想使自己的工作获得有益的成就，就必须抛弃幻想，"在俄国现实的而不是合乎心愿的发展中，在现实的而不是臆想的社会经济关系中去寻找立脚点。"②

随后，列宁的《俄国资本主义的发展》一书真正完成了从思想上粉碎民粹主义的任务。在这部著作中，列宁全面地分析和研究了俄国农奴制改革后的社会经济制度和阶级结构，用大量的事实材料无可辩驳地证明了资本主义在俄国存在和发展的现实，深刻地揭示了俄国资本主义发展的特点、矛盾和规律，科学地论证了俄国社会革命的不可避免性和工人阶级在这一革命中的领导作用，再一次强调了工农联盟的重要性，从而在思想理论上彻底地完成了批判民粹主义的任务。

三、论俄国社会的资本主义性质

俄国资本主义的命运问题是 19 世纪 90 年代马克思主义者与自由主义民粹

① 《俄国民粹派文选》，人民出版社 1983 年版，第 644 页。
② 《列宁选集》第 1 卷，人民出版社 2012 年版，第 77 页。

派争论的焦点。这场争论涉及的不仅是理论问题，更是如何认识和判断俄国国情的问题，因而同俄国革命的前途问题有着密切联系。民粹派认为，俄国并不存在资本主义发展的根基，可以避开资本主义，通过自己独特的道路走向社会主义；俄国的资本主义发展是偶然现象，是人为措施的结果；村社是俄国社会主义的基础，村社农民是社会进步的主要力量。对此，列宁在《俄国资本主义的发展》一书中强调，对民粹派上述主张的"批判不能只限于分析对方观点中的错误和不正确的地方……我们觉得，对俄国资本主义全部发展过程整个地加以考察并试作一番描述，是必要的"①。于是，列宁在开头第一章集中叙述了有关资本主义国内市场问题的几个基本理论原理之后，分别用了三章的篇幅来考察改革后的俄国农业资本主义的产生、演变和发展过程，以及俄国工业中资本主义发展的三个主要阶段（即小商品生产、资本主义工场手工业和大机器工业），最后，列宁从商品流通、工商业人口、雇佣劳动的使用和劳动力国内市场的形成等方面，说明了俄国当时国内市场的实际形成过程，指出了民粹派的错误。接下来，我们就按照列宁的逻辑，看一下他是如何在描述俄国农业和工业资本主义发展过程中对民粹派展开批判的。

列宁首先论述了俄国农业资本主义的产生、演变和发展过程，并系统批判了民粹派关于农业发展问题的一系列错误观点。第一，针对民粹派无视当时俄国农村资本主义发展的客观现实而依然用偶然性、人为性来解释农村资本主义出现的错误论调，列宁强调，商品生产才是俄国农业经济转化为资本主义经济的原因，也是俄国村社解体的真正的内在动因。自由主义民粹派的上述论调恰恰表明，他们完全不了解资本主义经济的出现和发展是俄国商品经济多年来不断发展所达到的一个顶点，是这个过程的自然的不可避免的结果。在列宁看来，资本主义经济产生过程中存在两个关键节点：其一，自给自足的自然经济转化为商品经济；其二，商品经济转化为资本主义经济。第一个转化是由于出现了社会分工，这时单独的个别的生产者专门从事某一种生产。第二个转化是由于个别生产者在各自单独为市场生产商品时，发生一种竞争关系，每个人都力图高价出卖，低价买进，结果必然是强者更强，弱者垮台，少数人发财而大众破产，这是竞争规律的必然结果，破产的生产者丧失了经济的独立性，只有到他那幸运的对手扩大了的作坊或工厂中去当雇佣工人，许多小企业变为少数

---

① 《列宁全集》第 3 卷，人民出版社 2013 年版，第 5 页。

大企业。列宁认为，俄国农业经济也正是伴随着社会分工的发展和农民的分化从自然经济转化为资本主义经济的。

列宁并没有局限于仅仅从理论上指出由于农民的分化必然导致在俄国农村生长出资本主义生产方式，而是进一步利用了俄国地方自治局的大量调查材料，在对这些材料进行独立的整理和计算的基础上，具体而详尽地说明了俄国农村资本主义的发展情况。在列宁看来，雇佣劳动的使用是农业资本主义形成的证明。他在《俄国资本主义的发展》中指出，19世纪末俄国农村的雇佣工人主要"包括无产的农民，其中有完全无地的农民，然而，最典型的俄国农村无产阶级是有份地的雇农、日工、小工、建筑工人和其他工人。……应当列入农村无产阶级的，不下于农户总数的一半（大约等于人口的4/10）"[①]。在这里要指出的是，这时的农业雇佣工人并不一定都是一无所有，有些往往还有着自己的一小块土地。但这并不妨碍在俄国农村中成长起来的经济关系的资本主义性质。

第二，针对民粹派把俄国村社特殊化、理想化，将村社夸大为"一种比资本主义更高更好的东西"，甚至将俄国与欧洲之间差距形成的原因也归结为俄国的人民土地占有制的观点，列宁指出，民粹派把俄国村社同农民的分化和资本主义的发展完全对立起来是根本错误的。首先，村社中的农民本身绝不是毫无差别的整体，实际上不论是按权利还是按财产，他们都是可以划分成各种不同等级的。在这种划分的基础上，即便是在最村社化的农村也在蓬勃地发展着高利贷资本和其他各种不同形式的原始资本主义的剥削形式。列宁写道："'村社'农村中的经济关系结构决不是特殊的结构（'人民生产'等等），而是普通的小资产阶级的结构。与我国近半世纪来流行的理论相反，俄国村社农民不是资本主义的对抗者，而是资本主义最深厚和最牢固的基地。其所以是最深厚的，是因为正是在这里，在这远离任何'人为的'影响的地方，尽管存在各种排挤资本主义发展的制度，我们却看到'村社'内部资本主义因素在不断形成。"[②]这就表明民粹派所宣称的村社与资本主义不相容的论调无疑与事实相悖。民粹派对村社的肤浅认识还表现在他们认为造成俄国与欧洲差距的主要原因是俄国的人民土地占有制使居民固守在农村中，而欧洲的农

---

① 《列宁全集》第3卷，人民出版社2013年版，第150页。
② 《列宁全集》第3卷，人民出版社2013年版，第146页。

民则由于被剥夺了土地只能到城市谋生。对此，列宁指出，村社占有只是一种农民土地占有形式，是一种"不起根本作用的法律制度"。但民粹派却将其视为农民阵地上的"主要的据点"，因为在这种"不是与西欧手工业者和农民的经济完全相同的"特殊的经济中没有对劳动者的剥削。然而，事实并非如此，用列宁的话说，它"抹杀了在我国农民经济中也像在'村社'之外一样存在着占有额外价值、为他人劳动这种确切无疑的事实，从而为温情的和甜蜜的欺人之谈大开方便之门"①。

列宁还进一步阐释了土地占有形式与农业资本主义之间的关系，指出，认为农业资本主义一产生就要有一种特殊土地占有形式的观点是完全错误的。资本主义生产方式产生时遇到的土地所有权形式是同它不相适应的，而同它相适应的形式是它自己使农业从属于资本之后才创造出来的。因此，从本质上来看，土地占有的任何特点都不能构成资本主义的不可克服的障碍。列宁认为，不论采取何种土地占有形式，农民资产阶级同农村无产阶级的关系，绝不会因此在本质上有丝毫改变。因此，像民粹派那样把问题说成"是村社还是资本主义"是十分荒谬的，换言之，农民村社和资本主义决不是不相容的。

第三，针对民粹派否认农民分化的存在，将农民的分化只看作是财产不平均现象的产生，只看作是一种"分解"，列宁批判道："毫无疑问，财产不平均现象的产生是全部过程的起点，但这个过程决不是'分解'一词所能概括的。旧的农民不仅在'分解'，并且在彻底瓦解和消亡，被完全新型的农村居民所排挤。这种新型的农村居民是商品经济和资本主义生产占统治地位的社会的基础。这些新的类型就是农村资产阶级（主要是小资产阶级）和农村无产阶级，即农业中的商品生产者阶级和农业雇佣工人阶级。"②在列宁看来，民粹派之所以否认农民的分化，除了无法正确认识雇佣短工、村社租地等问题外，其统计方法也是不科学的。民粹派的统计资料把没有土地和有许多土地、有很少牲畜和有很多牲畜、土地经营的最坏和经营不断改善的农民的数目加在一起，从中得出村社农民的平均数。这无异于是把农村无产阶级和农村资产阶级的代表加在一起求平均数，其结果必然是歪曲了农村现状，抹杀了俄国资本主义的矛盾和农民的分化过程。

① 《列宁全集》第 1 卷，人民出版社 2013 年版，第 327 页。
② 《列宁全集》第 3 卷，人民出版社 2013 年版，第 146 页。

在对农民分化问题的讨论中，列宁批判了民粹派将工役制度理想化的错误，进一步阐释了俄国农业经济的资本主义发展趋势。1861 年农奴制改革后，俄国的地主经济由徭役制度转变为工役制度和资本主义制度的结合。但民粹派却只承认工役制度是徭役经济的直接残余，而对"现代地主经济结构是工役制度和资本主义制度的结合"这个简单事实视而不见，他们不惜把工役制度理想化，甚至声称工役制度可以消除地主经济和农民经济利益的对立，并"促进农民经济和私有经济共臻繁荣"。对于上述论调，列宁指出，"这种奇怪的理想化，就是民粹派的地主经济演进论的基本特征"①，其目的无非在于回避地主经济被资本主义经济代替的命运。然而，如果去分析这两种制度，就会发现，"工役制必然以最低的劳动生产率为前提；因此，没有可能通过增加剩余产品的数量来增加收入，要增加收入只有一种办法，那就是采用一切盘剥性的雇佣形式。相反，在纯粹资本主义经济下，盘剥性的雇佣形式一定会消亡，因为不受土地束缚的无产者是一个不适于盘剥的对象；这时，提高劳动生产率不仅是可能的，而且也是必要的，因为这是提高收入和在剧烈竞争中保存自己的唯一手段。"②因此，当把对这两种制度的探讨放在确认实际发生的"代替"的基础上时，自然也意味着资本主义排挤工役制的必然性和这种排挤的进步性，意味着俄国地主经济向资本主义经济的转变。列宁还批评了民粹派看到俄国农业中资本主义微弱的情形而欣喜若狂的表现，指出"这是再轻率不过的了。正是资本主义微弱，事情才更糟糕，因为这只能说明使生产者遭到更加无比痛苦的前资本主义的剥削形式的强大"③。

此外，列宁还批判了民粹派关于农业资本主义的"冬闲"理论。在当时的民粹派经济学家中流行这样一种"冬闲"论：在资本主义制度下，农业变成了一个同其他产业部门没有联系的特殊的产业部门，而且农业占用不了全年时间，只占用五六个月，因此，农业的资本主义化就产生了"冬闲"，使农民阶级的工作时间只限于工作年中的一部分，这恰好就是农民阶级经济状况恶化、国内市场缩小和社会生产力浪费的根本原因。针对上述喧嚣一时的理论，列宁批判道："这个理论把最广泛的历史哲学结论仅仅建立在农活全年分配极不平

---

① 《列宁全集》第 3 卷，人民出版社 2013 年版，第 182 页。
② 《列宁全集》第 3 卷，人民出版社 2013 年版，第 185 页。
③ 《列宁全集》第 3 卷，人民出版社 2013 年版，第 186—187 页。

均这样一个伟大的真理上面！仅仅抓住这一个特点，借助于抽象的假设把它夸大到荒谬的地步，抛开使宗法式农业转变为资本主义农业这一复杂过程的其他一切特点，——这就是最近企图恢复关于前资本主义的'人民生产'的浪漫主义学说的拙劣手法。"①在列宁看来，尽管由于农业的特点使得农业工人的状况一定比工业工人更为糟糕，但这个结论与"冬闲是农民阶级状况恶化的根本原因"的提法还是相距甚远。民粹派对农业专业化的过度抽象、对农业企业与工业企业关系的错误认识等，导致了他们把冬闲看成是社会生产力浪费的根本原因。列宁强调，"我国农民冬季失业现象的产生，与其说是由于资本主义，倒不如说是由于资本主义发展得不够"②。因此，只有以资本主义制度代替工役制，才能促进劳动生产率的提高，推动工农业的发展，从而增加对劳动力的需求。

在分析了俄国农业资本主义的演进之后，列宁接着阐述了俄国工业中资本主义的发展阶段，并进一步批判了民粹派关于俄国工业发展理论的错误观点。第一，针对民粹派将手工业与资本主义大工业截然对立的观点，列宁根据各地方自治局的调查材料指认，起初手工业是与农业结合在一起的，随着商品生产的发展，二者日渐分离，这一分离过程就表现为资本主义关系由萌芽到确立的过程。民粹派认为，俄国的资本主义大工业由于缺少竞争杠杆"已由推动工业进步的历史必然方式（正如西方资本主义所表现的那样），变成了为一小撮不但不起任何进步的历史作用，相反却阻碍工业正常发展的人的私利而剥削人民劳动的方式"③，因此，俄国工业结构的中心应该放在人民的小生产上。在列宁看来，上述论调不过是民粹派人为割断工厂工业与手工工业之间关系的结果，关键在于民粹派不懂得小商品生产、资本主义工场手工业和大机器工业之间的内在联系。

列宁指出，民粹派之所以将手工业同资本主义大工业对立起来，还在于他们对"手工工业"这一概念的错误理解。对于"什么是手工工业"这个问题，列宁强调，这是一个绝对不适用于科学研究的概念，因为它通常包括了从家庭手工业和手艺开始到很大的手工工场的雇佣劳动为止的所有一切工业形式。而

---

① 《列宁全集》第 3 卷，人民出版社 2013 年版，第 285 页。
② 《列宁全集》第 3 卷，人民出版社 2013 年版，第 288 页。
③ 《俄国民粹派文选》，人民出版社 1983 年版，第 660 页。

民粹派经济学家却毫无批判、毫无意义地搬用这种做法，由此将"手工工业"看作是某种在经济上单一的、自身相同的东西，并且把它同"资本主义"对立起来，而对"资本主义"他们又直截了当地理解为"工厂"工业。然而，"根据如此深刻的'分析'，就把大批列为'手工业者'的按资本主义方式雇用的工人从资本主义中除去了。根据这种'分析'，关于俄国各种工业形式的问题就完全避而不谈了。根据这种'分析'，形成了一种最荒谬和最有害的偏见：我国'手工业'和我国'工厂'工业是对立的，后者同前者是分离的，'工厂'工业是'人为的'等等。"[1]

第二，列宁指出，正是由于民粹派对小商品生产、资本主义工场手工业和大机器工业之间相互关系的错误认识，致使他们无法正确理解俄国工业中的资本主义之产生和发展问题。首先，针对民粹派关于农民小手工业与大工业之间存在尖锐对立的观点，列宁通过对统计资料的马克思主义分析，证明了农民分化与小手工业发展之间的关系，指出这些手工业不是导致资本主义简单协作和商业资本的形成，就是成为资本主义工场手工业的组成部分。列宁指出，在农奴制改革前的自然经济发展中，就已经出现了手艺这种脱离了宗法式农业的第一种工业形式。虽然手艺人在最初的时候并不带着他的产品在市场上出现，然而一旦和市场接触，手艺人就成为商品生产者。为了维护自己的利益，他们千方百计地阻止日益加剧的竞争。因此，"如果说大产业家不惜采用任何手段来保证自己的垄断地位，那么农民'手工业者'在这方面就是大产业家的亲兄弟；小资产者用他们的小手段所竭力维护的，实质上正是大工厂主渴望用保护关税政策、奖金、特权等等来维护的那种阶级利益。"[2]农奴制改革后，农民的分化一方面使需要"外水"、寻找副业工作的破产农民增多，另一方面也为少数富裕农户雇用一两个工人或者把工作分配给贫苦农民在家里做提供了可能，小手工业更加迅速地发展起来。显然，农民变成雇佣工人并不是有利可图，"而是贫困和破产迫使人们抛弃土地，而且不仅抛弃土地，还要抛弃独立的手工业劳动；工业同农业分离的过程，在这里就是剥夺小生产者的过程"[3]。

列宁提出，在规模较小的、本户工人占优势的作坊中，家庭协作起主导作

① 《列宁全集》第 3 卷，人民出版社 2013 年版，第 411 页。

② 《列宁全集》第 3 卷，人民出版社 2013 年版，第 302 页。

③ 《列宁全集》第 3 卷，人民出版社 2013 年版，第 340 页。

用，但随着生产规模的扩大，雇佣工人的增加，家庭协作的意义必然下降，进而成为资本主义协作发展的最可靠保证，"在这里十分明显地表明了商品生产的辩证法，即'靠自己双手劳动为生'变成靠剥削他人劳动为生"①。对于那些较大规模的作坊而言，尽管数量较少，但却集中了工人总数中的很大部分和生产总数中的更大部分。因而，农民小手工业进一步发展的结果，只能是一方面分出少数小资本家；另一方面分出多数雇佣工人或生活得比雇佣工人更苦更坏的"独立手工业者"。由此可见，在最小的农民手工业中都可以看到最明显的资本主义萌芽，任何"人民生产"都不存在了。同时，更为重要的意义在于，较大作坊的不断建立，为资本主义简单协作的成长奠定了基础，俄国开始进入资本主义发展的最初阶段，因为"资本主义生产实际上是在同一个资本同时雇用人数较多的工人，因而劳动过程扩大了自己的规模并提供了较大量的产品的时候才开始的。人数较多的工人在同一时间、同一空间（或者说同一劳动场所），为了生产同种商品，在同一资本家的指挥下工作，这在历史上和概念上都是资本主义生产的起点"②。

其次，在对农民小手工业向资本主义简单协作过渡的考察中，列宁还阐述了对包买主和商业资本的认识。民粹派认为，包买主不过是一个站在生产之外的、与工业本身无关的而仅仅是依赖于交换的人物，但列宁却认为包买主是最大的工业者，是商业资本的代表。列宁指出，包买主产生的条件有两个：一个是小生产者的分散性、孤立性以及他们之间存在着经济摩擦和斗争；另一个则与商业资本执行的那些职能的性质有关，即同制品的销售和原料的收购有关。包买主产生后，由于只有他才能组织大规模的销售，而手工业者处于完全孤立无援和依附的地位，因此，民粹派提出的通过"组织销售"帮助"手工业者"的观点显然也只能是小市民的空想。通过分析商业资本在小手工业中所采取的基本形式，列宁批判了民粹派把包买主、装配作坊以及高利贷者都算作盘剥者，认为盘剥者实质上与生产本身无关等观点，揭示了包买主的真正作用。列宁提出，第一种形式是商人（或大作坊业主）向小商品生产者收购制品，并利用自己的垄断地位无限制地降低付给生产者的价格；第二种形式是商业资本同高利贷相结合，不仅商品的销售总是按照人为地降低了的价格进行，而且债权

---

① 《列宁全集》第 3 卷，人民出版社 2013 年版，第 314 页。
② 《马克思恩格斯选集》第 2 卷，人民出版社 2012 年版，第 206 页。

人同债务人的关系也使小生产者处于人身依附地位，遭受更多的盘剥；第三种形式是以商品偿付制品，它不仅是小手工业所固有的，而且是商品经济和资本主义所有各不发达阶段所固有的；第四种形式是商人以"手工业者"生产上所必需的各种商品（原料或辅助材料等）来做支付，这不仅切断了小手工业者同成品市场的联系，而且切断了他同原料市场的联系，从而使手工业者完全从属于自己。列宁指出，把商业资本的第四种形式再往前推进一步，就发展到了资本主义的家庭劳动阶段，在那里包买主把材料直接分发给"手工业者"进行生产，手工业者变成了在自己家中为资本家工作的雇佣工人，包买主的商业资本转变为产业资本。可见，包买主在资本主义发展中发挥着重要作用，他们在许多工业部门，特别是在纺织工业部门，是进行机器大生产的大工厂主的直接先驱者，他们通过"续继集中资本，'聚集'生产资料和生产者，扩大原料采购的规模，使生产更细致地分为许多单个工序（整经、纺织、染色和整理等等），并把分散的、技术落后的、以手工劳动和盘剥为基础的资本主义工场手工业逐渐改变为资本主义机器工业"[①]。

再次，伴随着农民手工业大作坊和商业资本的发展，俄国经济中出现了工场手工业和作为其附属物的家庭劳动。然而，在民粹派那里，这个阶段依然与资本主义没有联系，他们依然强调工厂生产的人为性和手工业生产的人民性。对此，列宁通过考察加工工业一切最重要部门的资料，阐述了从农民小手工业阶段产生出来以后直到被大机器工业改造以前这些部门经济组织的变化，指出了工场手工业在俄国资本主义工业形式的发展中的重大意义，即工场手工业是手艺和带有资本原始形式的小商品生产同大机器工业（工厂）之间的中间环节。列宁认为，对于工场手工业而言，在技术层面上是手工生产，在工作组织层面上则是以分工为基础的协作。手工生产使大作坊不能根本排挤小作坊，不能使手工业者完全脱离农业。而从协作来看，由于掌握协作的是大资本，因此协作是资本主义性质的协作，它建立了大手工工场并使大批小作坊通过复杂的经济关系网从属于自己，它把绝大多数生产者变成了在极不卫生的条件下为企业主工作的局部工人。

第三，列宁还从分工与机器大工业的关系以及地区的分工两个方面进一步驳斥了民粹派将工厂工业与手工业对立起来的观点。列宁指出，尽管除了

---

① 《列宁全集》第2卷，人民出版社2013年版，第301—302页。

分工的形式以外，在手工生产的基础上不可能有其他技术的进步，但分工的发展依然为机器大工业的出现奠定了基础。一方面，因为机器最初应用于最简单的工序，只是逐渐地才包括了比较复杂的工序，所以当分工的发展把生产过程分解为一系列最简单的纯粹机械的工序时，也就为机器的使用提供了可能。在这里，作为民粹派理论支点的所谓手工业者具有独立性的观点显然是错误的。另一方面，工场手工业培养了大量手艺高超的工人，为大机器工业的迅速发展提供了必不可少的要素。在地区的分工方面，列宁指出，地区的分工不是俄国工业的特点，而是工场手工业的特点。工厂破坏了原有地区的闭塞状态，促使作坊和大批工人迁移到别的地方，形成非农业的中心，进而把附近农村的居民吸引到自己身边，支配着这些农村。非农业中心的出现，"清楚地证明资本主义而且是纯粹'人民'资本主义的进步历史作用，即使最狂热的民粹派分子也未敢说这种资本主义是'人为的'，因为绝大多数上述中心通常都属于'手工'工业！工场手工业的过渡性质在这里也表现出来了，因为工场手工业仅仅开始改造居民的精神面貌，而完成这种改造的只是大机器工业"①。

在批驳民粹派将手工业与资本主义工厂工业对立起来的同时，列宁还分析了民粹派把一般资本主义与"工厂"工业等同的观点，进一步阐释了俄国工业资本主义的发展问题。列宁指出，大机器工业（工厂工业）阶段主要的和最重要的标志，是在生产中使用机器体系。但这并不等于说任何有相当数量雇佣工人的相当大的工业企业就是工厂，就是资本主义。因为从手工工场向工厂过渡，不仅标志着技术的根本变革，而且意味着社会生产关系的最剧烈的破坏，各个生产参加者集团之间的彻底分裂，与传统的完全决裂，资本主义一切阴暗面的加剧和扩大，以及资本主义使劳动大量社会化。因此，大机器工业是资本主义的最高峰，是它的消极因素和积极因素的最高峰。列宁强调，民粹派之所以将手工工场与工厂混为一谈，原因在于他们只是以纯粹外部的标志作为分类的基础，忽视了区分资本主义工场手工业时期与机器工业时期的那些技术的、经济的与生活环境的重要特征。由此必然导致他们无法了解资本主义所起的改革和进步作用，只是把大机器工业的发展问题仅仅归结为工厂统计问题，把资本主义的全部使命归结为"工厂"工人人数的增加。

①　《列宁全集》第 3 卷，人民出版社 2013 年版，第 394—395 页。

通过对不同时期俄国工业形式的分析，列宁提出了俄国工业资本主义发展的三阶段理论，即俄国工业资本主义的发展要经过小商品生产（小的、主要是农民的手工业）、资本主义工场手工业和工厂（大机器工业）三个主要阶段。这三种工业形式有着最直接、最密切的联系和继承性，"小商品生产的基本趋势是发展资本主义，特别是形成工场手工业，而工场手工业在我们面前极其迅速地成长为大机器工业。许多大厂主与最大的厂主本人曾经是小而又小的手工业者，他们经历了从'人民生产'到'资本主义'的一切阶段。也许这一事实，就是各种依次相连的工业形式之间有密切和直接联系的最突出表现之一"[1]。与此同时，列宁又从俄国的实际出发，强调俄国资本主义发展的三个阶段是同时并存、相互交错的。在一些地方发生从小手工业向资本主义简单协作转化的同时，在另一些地方发生着从简单协作向工场手工业的转化，在其他一些地方则发生着从工场手工业向资本主义大机器生产的转化。

总之，列宁对民粹派关于俄国农业和工业资本主义发展理论的批判，不仅捍卫了马克思的经济学说，而且从俄国实际出发，更为具体地说明了资本主义工农业产生的具体途径和形式，揭示了小生产者分化和资本主义形成和发展的规律，丰富和发展了马克思主义经济学说。可以说，《俄国资本主义的发展》是列宁创造性地运用马克思经济学说研究和解决俄国社会和经济问题的光辉典范，是列宁在 19 世纪 90 年代最主要的代表作。这部著作对俄国经济发展和各阶级相互关系的分析，后来成了布尔什维克党制定纲领和策略的根据，对俄国革命实践具有伟大的指导意义。

关于《俄国资本主义的发展》一书，弗兰尼茨基也作了极为中肯的评价："列宁这部杰出的著作，从学术角度来看是他最缜密的和最重要的著作之一。这部著作在大量经验材料的基础上，详细地分析和阐明了俄国资本主义的发展过程，证明了西欧的命运就是俄国的命运。而对这样一个过程的实质所做的深入探讨，为第一次无产阶级革命的未来的领袖提供了认识当时俄国的结构和社会变动的一切必要的基础，即提供了使得列宁有可能对俄国社会的力量对比的每一个情况、移动和改变做出准确而天才的判断的基础和认识"[2]。

---

[1] 《列宁全集》第 3 卷，人民出版社 2013 年版，第 498 页。

[2] [南斯拉夫] 普雷德拉格·弗兰尼茨基：《马克思主义史》第 2 卷，胡文建等译，黑龙江大学出版社 2015 年版，第 9 页。

四、批判民粹派的市场理论

正如科拉科夫斯基明确指认的，"在 19 世纪 90 年代中，市场问题是马克思主义集团里讨论最多的问题之一"，特别是在列宁与民粹派的论战过程中，"他们在很大程度上关心市场这个关键问题，以及俄国资本主义是否能够为其自身的发展创造一个足够大的国内市场"①。关于市场这个"关键问题"，民粹派的经济学家们认为，随着农民和小生产者的分化，绝大多数人将会丧失其赖以生存的生产资料，人民大众的日益贫穷不可避免地导致社会购买力下降，使得国内市场日益缩小。同时，国外市场也已经基本上被列强瓜分完毕，因此，资本家无法实现其全部剩余价值，俄国的资本主义最终只能是自行灭亡。为了批判这一错误的市场理论，列宁根据马克思主义政治经济学基本原理，并结合俄国资本主义的实际发展过程，生动具体地勾画了市场经济在俄国孕育发展的历程，详细阐明了资本主义商品生产及其实现剩余价值的条件、资本主义国内市场的建立过程和条件等与俄国资本主义发展密切相关的重大理论问题，捍卫和发展了马克思主义关于社会资本再生产的理论。

列宁最初在《论所谓市场问题》一文中通过详尽描述社会分工使自然经济转化为商品经济、进而转化为资本主义经济的过程，说明了这一经济演进过程同市场的关系，他得出如下结论：其一，市场和社会分工是完全分不开的，"市场不过是商品经济中社会分工的表现，因而它也和分工一样能够无止境地发展"；其二，"'人民大众的贫穷化'不仅不阻碍资本主义的发展，相反，它本身就反映了资本主义的发展，是资本主义的条件并且在加强资本主义"②。针对当时俄国理论界出现的"对市场的焦虑"，列宁专门批判了《市场问题》一文的作者格·波·克拉辛（1870—1926）的错误。克拉辛引述了《资本论》关于社会总资本再生产过程中两大部类之间交换的公式，却得出第一部类的积累不依赖消费品生产的错误结论。列宁在纠正这一错误时指出，作者忽略了技术进步的要素，如果把这一因素纳入马克思的公式，那就可以得出一个唯一正确的

---

① ［波兰］莱泽克·科拉科夫斯基：《马克思主义的主要流派》第 2 卷，马翎等译，唐少杰等校，黑龙江大学出版社 2016 年版，第 310、351 页。

② 《列宁全集》第 1 卷，人民出版社 2013 年版，第 81 页。

结论："在资本主义社会中，生产资料的生产比消费资料的生产增长得快。"①
此外，列宁还批判了克拉辛提出的在资本主义生产方式囊括全国各个经济领域
之后，资本主义的发展完全依赖国外市场的论点，说明这种论点与民粹派的观
点完全一致。

随后，列宁在《评经济浪漫主义（西斯蒙第和我国的西斯蒙第主义者)》
一文中通过深入比较瑞士经济学家西斯蒙第(1773—1842)与其俄国追随者(即
民粹派)的理论主张，揭露了二者之间的思想渊源关系。列宁指认，西斯蒙
第关于资本主义制度下国内市场因小生产者的破产而缩小的理论，就被民粹
派所利用。俄国民粹派根据西斯蒙第的这一错误理论认为，资本主义在俄国
不可能得到发展，俄国经济走的是独特的发展道路。他们美化宗法式的小农
经济和行会手工业，正如西斯蒙第一样，他们是十足的小资产阶级的思想代
表。因此，列宁得出结论说："民粹派的经济学说不过是全欧洲浪漫主义的俄
国变种。"②

在《俄国资本主义的发展》特别是其第一章中，列宁非常系统地批判了自
由主义民粹派在市场问题上的错误论调，并集中叙述了有关资本主义国内市场
问题的几个基本理论原理。具体而言，在国内市场的形成问题上，列宁开篇就
指出，市场是商品经济的范畴，而商品经济在它自身的发展中转化为资本主义
经济，并且只有在资本主义经济下才获得完全的统治和普遍的发展。因此，要
弄清楚国内市场的基本理论原理，"我们应当从简单商品经济出发来探索它如
何逐渐转化为资本主义经济"③。在列宁看来，商品经济与社会分工密不可分，
社会分工是商品经济的基础。由于社会分工，这些商品的市场日益扩大；生产
劳动的分工，使它们各自的产品互相成为商品，互相成为等价物，使它们互相
成为市场。随着社会分工的发展，商品的市场也逐步扩大。当劳动力也成为商
品时，商品生产转变为资本主义生产。在商品市场进一步发展中，加工工业与
采掘工业的分离，制造业与农业的分离，它们各自再分成许多小的和更小的部
门，这些部门以商品形式生产专门的产品并用以同其他生产部门交换。列宁认
为，这种出现在所有资本主义国家中的现象，也必定会出现在改革后的俄国。

---

① 《列宁全集》第1卷，人民出版社2013年版，第67页。
② 《列宁全集》第2卷，人民出版社2013年版，第218页。
③ 《列宁选集》第1卷，人民出版社2012年版，第164页。

由此可见，社会分工是商品经济和资本主义全部发展过程的基础，而"民粹派除了否认一切商品经济的基础——社会分工或宣布其为'人为的'以外，就再也没有其他办法来建立俄国资本主义'人为性'的理论了"[①]。

　　针对民粹派提出的自给自足的生产者一旦变成商品生产者，社会劳动专业化所引起的资本主义社会市场的发展就要停止的观点，列宁认为是非常不正确的。在详细研究了自然经济向资本主义经济转化的六个阶段以后，列宁指出，社会分工和商品生产发展到什么程度，市场就发展到什么程度。在资本主义社会里，市场发展的限度决定于社会劳动专业化的限度，而这种专业化按其实质来说又是没有止境的。要把制造整个产品某一部分的人的劳动生产率提高，要求使这部分的生产专业化，资本主义社会的技术进步所带来的劳动社会化也要求生产过程中的各种职能的专业化。这就是马克思所说的："一种特殊的劳动操作，昨天还是同一个商品生产者许多职能中的一种职能，今天就可能脱离这种联系，独立起来，从而把它的局部产品当做独立商品送到市场上去。"[②]由此可见，社会分工不断地扩大着资本主义市场的范围和容量，而非停滞不前。

　　针对民粹派提出的生产者的分化会导致社会购买力下降，进而使国内市场日益缩小的观点，列宁指出这不过是西斯蒙第思想的翻版，导致其错误的根源在于他们不了解小生产者破产和分化的实质。在列宁看来，人民大众的贫穷化本身就反映了资本主义的发展，是资本主义的条件并且在加强资本主义。当一部分生产者从生产资料中游离出来时，必然是以这些生产资料转入他人手中，变成资本为前提的。这些生产资料的新占有者以商品形式生产那些原先归生产者本人消费的产品，同时又向市场提出对新工具、原料、运输工具等的需求，以及对消费品新的需求。毫无疑问，所有这些都扩大了国内市场的容量。而那些失去了生产资料的小生产者，也为工业资本游离出工人及其生活资料和劳动材料，其结果也必然是市场的扩大。因此，在商品经济和资本主义正在发展的社会中，小生产者的分化带来的不仅不是国内市场的日益缩小，反而是国内市场的不断扩大。因为对市场容量的大小来说，重要的绝不是居民的生活水平，而是他们所拥有的货币。

　　在批判了民粹派关于国内市场错误认识的基础上，列宁进一步论述了其

---

① 《列宁选集》第 1 卷，人民出版社 2012 年版，第 166 页。
② 《马克思恩格斯选集》第 2 卷，人民出版社 2012 年版，第 137 页。

国外市场的观点。民粹派之所以强调国外市场，是因为他们认为只有通过国外市场才能使产品得到最终实现。在民粹派看来，年产品的价值是由个人消费的收入构成，用于补偿可变资本的部分和资本家消费的部分并不难实现，但对于剩余价值部分而言，由于既不可能为资本家全部消费掉，也不可能在市场上销售掉，唯一的出路只能是寻求国外市场。但对于很晚才走上资本主义发展道路的俄国来说，国外市场又是可望而不可即的。因此，资本主义在俄国是没有根基和生命力的。对此，列宁指出，民粹派的上述认识是极其幼稚和错误的，他们根本不了解资本主义社会中产品的实现规律和国外市场的作用，也根本不懂得资本主义生产的目的从来都不是而且永远也不会是为满足社会消费的需要。

列宁明确指出："实现问题就是：如何为每一部分资本主义产品按价值（不变资本、可变资本和额外价值）和按物质形态（生产资料，消费品，其中包括必需品和奢侈品）在市场上找到替换它的另一部分产品"①，而不只是像民粹派那样仅仅归结为剩余价值的实现。而且由于民粹派不善于将产品按价值分为三部分、按物质形态分为两种，也不懂得额外价值中只有一部分是消费品，另一部分则是生产资料。至于国外市场，列宁认为："很明显，在这种情况下，应当把对外贸易撇开，因为把对外贸易扯在一起丝毫也不能促进问题的解决，而只会拖延问题的解决，把问题从一国转移到数国"。② 针对民粹派提出的实现难题，列宁指出，如果讲到实现的困难，就应当承认，这些困难绝不是单单对额外价值，而且对资本主义产品的各个部分都不仅是可能的，并且是必然的，因为它是由各生产部门分配的不合比例引起的。如果没有这种困难，资本主义生产也根本不可能存在。列宁认为，在论述实现问题时，全部困难在于说明不变资本的实现。

在评述亚当·斯密关于资本主义社会中社会总产品的生产和流通观点的基础上，列宁阐述了社会总产品的实现理论。在把社会总产品分成不变资本、可变资本和额外价值三个部分，整个社会生产分为生产资料的生产（第Ⅰ部类）和消费品的生产（第Ⅱ部类）两大部类的前提下，通过第Ⅰ部类内部的交换、第Ⅱ部类内部的交换以及两大部类之间的交换，全部社会总产品就都能够得到

---

① 《列宁选集》第 1 卷，人民出版社 2012 年版，第 172 页。
② 《列宁选集》第 1 卷，人民出版社 2012 年版，第 172 页。

实现。很显然，这里并没有国外市场的影子。同时，正是在对上述问题的讨论中，列宁将资本有机构成提高的因素纳入对资本主义扩大再生产的分析中，得出了资本主义生产的扩大，因而也就是国内市场的扩大，与其说是靠消费品，不如说是靠生产资料的结论，要言之，生产本身确实为自己造成市场。列宁明确写道："为了扩大生产（绝对意义上的'积累'），必须首先生产生产资料，而要做到这一点，就必须扩大制造生产资料的社会生产部门，就必须把工人吸收到那一部门中去，这些工人也就对消费品提出需求。可见，'消费'是跟着'积累'或者跟着'生产'而发展的，——不管这看起来多么奇怪，但在资本主义社会中也不能不是这样。"① 这样，列宁便从社会资本再生产的角度论证了是资本主义发展本身创造出了自身发展所需要的国内市场，驳斥了民粹派仅仅把国内市场看作消费品市场的错误认识。

通过对社会资本再生产的分析，列宁得出了"没有国外市场，资本主义同样也可以发展"的结论。但是，这并不等于说他认为国外市场对资本主义是可有可无的，恰恰相反，在列宁看来，资本主义国家必须有国外市场，这"不是由于产品不能在国内市场实现，而是由于资本主义不能够在不变的条件下以原有的规模重复同样的生产过程（如像在前资本主义制度下所发生的那样），它必然会引起生产的无限制的增长，而超过原有经济单位的旧的狭隘的界限。在资本主义所固有的发展不平衡的情况下，一个生产部门超过其他生产部门，力求越出旧的经济关系区域的界限"② 。更确切地说，资本主义国家寻求海外市场，将统治范围扩展到新的领土，这是为了追求超额利润，是资本逻辑的必然结果。这里彰显了资本主义进步的历史作用，因为它打破了传统经济体系的孤立和封闭的状态，将世界上所有国家联结成统一的经济体。另一方面，列宁也敏锐地洞察到并且明确揭露了自由主义民粹派关于市场问题观点背后的阶级实质："关于我国工业将因市场不够而毁灭的哀号，不过是我国资本家欲盖弥彰的骗人伎俩，他们借此对政治施加压力，把自己钱袋的利益和'国家'的利益等同起来（谦虚地认为自己'无力'），使自己能够推动政府走上实行侵略的殖民政策的道路，甚至为了保护这种'国家'利益而使政府卷入战争。"③

---

① 《列宁全集》第 2 卷，人民出版社 2013 年版，第 125 页。
② 《列宁选集》第 1 卷，人民出版社 2012 年版，第 229—230 页。
③ 《列宁全集》第 1 卷，人民出版社 2013 年版，第 81 页。

五、批判自由主义民粹派的主观社会学

辩证唯物主义和历史唯物主义是马克思主义整个大厦的理论基础。马克思主义的敌人攻击和反对马克思主义，总是首先从试图摧毁它的这一理论基础开始的。俄国自由主义民粹派也不例外，他们在攻击马克思主义时完全继承了伯恩施坦主义者的理论，污蔑马克思的唯物史观是历史宿命论，否认社会发展具有自身的客观规律性，主张具有批判头脑的杰出人物可以不受任何客观规律和条件的约束而随心所欲地创造历史和改变历史发展的方向。

自由主义民粹派的这套理论集中体现在《俄国财富》杂志的头目米海洛夫斯基的文章中。1894 年，《俄国财富》第 1 期和第 2 期发表了米海洛夫斯基的《文学与生活》一文，在这篇文章中，米海洛夫斯基从批判《资本论》入手，向马克思主义哲学特别是它的唯物主义历史观发起了全面的攻击。米海洛夫斯基认为，马克思的社会学（即历史唯物主义）把社会发展规律当作自己的研究对象和任务是完全错误的，事实上，"社会学的根本任务是阐明那些使人的本性的这种或那种需要得到满足的社会条件"①。因为历史是一大堆纯粹偶然事件的堆积，在这一大堆偶然事件中，必然有一些是"合乎心愿的"，而另一些是"不合乎心愿的"，社会学家的责任，就是在这些事物中"找到实现合乎心愿的事物，消除不合乎心愿的事物的条件"②。一个社会的好与不好，关键的标准就是看它是否能够满足人的本性，是否符合公平正义的原则。一句话，"人的本性"、"理想"是社会学研究的出发点，是人类社会存在和发展的基础，是比经济因素更加根本的决定力量。列宁在《什么是"人民之友"以及他们如何攻击社会民主党人?》一书的第一编中，集中批判了自由主义民粹派的思想领袖米海洛夫斯基的主观社会学，后来在《民粹主义的经济内容及其在司徒卢威先生的书中受到的批评》、《我们拒绝什么遗产?》等著作中同样驳斥了民粹派的歪曲和攻击，阐明了历史唯物主义的一系列基本原理。

第一，列宁明确指认了米海洛夫斯基宣扬的主观社会学之历史唯心主义实质，科学论证了马克思的"社会形态发展的自然历史过程理论"的哲学意义，

---

① 《列宁选集》第 1 卷，人民出版社 2012 年版，第 5 页。
② 《列宁选集》第 1 卷，人民出版社 2012 年版，第 6 页。

坚决捍卫了马克思主义的哲学基础。

众所周知，第二国际机会主义者在修正马克思主义时的一贯伎俩就是宣称马克思主义仅仅是一种社会历史理论，没有自己的哲学基础，伯恩施坦甚至公然声称："给社会主义提供纯粹唯物主义论证，既是不可能的，也是不必要的。"① 米海洛夫斯基不仅故伎重演，复制了伯恩施坦对马克思主义的歪曲，认为马克思没有自己的哲学，而且扬言历史必然性思想是早已探明的真理，并非马克思发现的新东西。他问道："马克思在哪一部著作中叙述了自己的唯物主义历史观呢？……这样的著作是没有的。不仅马克思没有这样的著作，而且在全部马克思主义文献中也没有这样的著作，虽然这种文献数量很大，传播很广。"② 对此，列宁回应道："凡熟悉马克思的人，都会反问他：马克思在哪一部著作中没有叙述过自己的唯物主义历史观呢？"③ 列宁首先援引马克思的原话"我的观点是把经济的社会形态的发展理解为一种自然历史过程"来概括《资本论》乃至整个历史唯物主义的基本思想，并进一步反讽说，这位主观主义者读了《共产党宣言》，竟看不出那里对现代法律制度、家庭制度、宗教制度和哲学体系的解释是唯物主义的，看不出那里甚至对种种社会主义和共产主义理论的批判也是在某种生产关系中寻找并找到这些理论的根源的；他读了《哲学的贫困》，竟看不出那里对普鲁东社会学的剖析和对普鲁东所提出的解决各种历史问题的办法的批判，是从唯物主义的观点和原则出发的，看不出作者本人在谈到应该在那里寻找材料来解决这些问题时，总是举出生产关系；他读了《资本论》，竟看不出这是运用唯物主义方法科学地分析一个最复杂的社会形态的范例，是大家公认的无与伦比的范例。米海洛夫斯基完全忽视了马克思学说的基本内容，其狭隘和无知可见一斑。

针对米海洛夫斯基否认历史唯物主义是马克思的新发现，列宁坚决地反驳道：凡是稍微知道马克思的人，都能马上看出这种手法的全部虚伪和浮夸，尽可不同意马克思的理论，但是决不能否认，"是马克思万分明确地表述了自己的观点，这些观点对从前的社会主义者来说完全是新东西。新就新在从前的社会主义者为了论证自己的观点，认为只要指明群众在现代制度下受压迫的事

① ［德］伯恩施坦：《社会主义的前提和社会民主党的任务》，生活·读书·新知三联书店1965 年版，第 255 页。
② 转引自《列宁选集》第 1 卷，人民出版社 2012 年版，第 2 页。
③ 《列宁选集》第 1 卷，人民出版社 2012 年版，第 11 页。

实，只要指明使每个人都可获得自己生产成果的那种制度的优越性，只要指明这个理想制度适合'人的本性'、适合理性道德生活概念等等就足够了。马克思认为不能以这种社会主义为满足。他并不限于评论现代制度，评价和斥责这个制度，他还对这个制度作了科学的解释，把这个在欧洲和非欧洲各个国家表现得不同的现代制度归结为一个共同基础，即资本主义社会形态，并对这个社会形态的活动规律和发展规律作了客观分析（他指明这个制度下的剥削的必然性）。"① 同样，他认为不能满足于伟大的空想社会主义者及其渺小的模仿者主观社会学家所说的只有社会主义制度才适合人的本性的断语。他以对资本主义制度的这种客观分析，证明了资本主义制度变为社会主义制度的必然性。这就是马克思主义者经常援引必然性的由来。可见，米海洛夫斯基对问题的曲解是极为明显的。

面对自由主义民粹派的主观社会学，列宁进一步指出，米海洛夫斯基的这种观点是唯心主义哲学家早已说烂了的陈腐垃圾，"马克思关于社会经济形态发展的自然历史过程这一基本思想，从根本上摧毁了这种以社会学自命的幼稚说教。马克思究竟是怎样得出这个基本思想的呢？他做到这一点所用的方法，就是从社会生活的各种领域中划分出经济领域，从一切社会关系中划分出生产关系，即决定其余一切关系的基本的原始的关系"②。这就是马克思在社会历史领域中发现的唯物主义的基本观点。正是由于这一发现，马克思摒弃了以往所有关于人类天性、理想社会的抽象唯心的理论，揭示了人类社会发展的一般规律，从而结束了唯心主义在社会学研究中的统治地位，实现了社会学研究的革命性变革。

列宁特别重视马克思这一发现的哲学意义，并用它来具体地批驳米海洛夫斯基等自由主义民粹派的奇谈怪论。列宁指出："社会学中这种唯物主义思想本身已经是天才的思想"③。这一思想的天才之处，更确切地说，马克思社会形态理论的深刻哲学意义体现在如下三点：其一，它"第一次使人们有可能以严格的科学态度对待历史问题和社会问题"④。因为在马克思以前，社会学家不善于探究像生产关系这样简单和这样原始的关系，而直接着手探讨和研究政治法

① 《列宁选集》第 1 卷，人民出版社 2012 年版，第 24—25 页。
② 《列宁选集》第 1 卷，人民出版社 2012 年版，第 6 页。
③ 《列宁选集》第 1 卷，人民出版社 2012 年版，第 7 页。
④ 《列宁选集》第 1 卷，人民出版社 2012 年版，第 7 页。

律形式，一碰到这些形式是由当时人类某种思想产生的事实，就停了下来，这样一来，似乎社会关系是由人们自觉建立起来的。马克思的唯物史观没有满足于这些形式是由思想产生的事实，而是继续深入分析，发现了人的这些社会思想本身的起源，从而消除了以往社会学家那里存在的矛盾。因此，唯物主义历史观关于思想进程取决于事物进程的结论，是唯一可与科学的心理相容的。

其二，它"第一次把社会学提高到科学的水平"①。因为在马克思以前，社会学家面对错综复杂的社会关系和社会现象，总是不知道从何下手，分不清哪些是本质的必然的联系，哪些是非本质的偶然的联系，哪些是重要现象，哪些是不重要现象，也找不到划分这些不同联系和不同现象的客观标准，总是喜欢用主观的东西来代替现实，把社会历史看成是一堆杂乱无章的事件的堆积，没有任何规律性可循。比如，新康德主义者文德尔班（1848—1915）等就把历史看作是一次性、不可重复的东西。自由主义民粹派否认历史发展的规律性、重复性，其思想就是从新康德主义那里抄来的。然而，唯物史观的创立就为社会学的研究提供了一个完全客观的标准，因为他把生产关系划为社会结构，并使人有可能把主观主义者认为不可能应用到社会学上来的重复性这个一般科学标准，应用到这些关系上来。当人们还局限于思想的社会关系时，人们不可能发现错综复杂的社会现象的重复性和规律性，人们这时的研究至多不过是记载这些现象、收集素材而已，可是，一旦人们从思想的社会关系进入并抓住物质的社会关系时，立刻就有可能看出重复性和规律性，并把不同的国家制度概括为社会形态这个基本概念，然后再依据这种概括从记载社会现象进入以严格的科学态度去分析社会现象。

其三，它"之所以第一次使科学的社会学的出现成为可能，还由于只有把社会关系归结于生产关系，把生产关系归结于生产力的水平，才能有可靠的根据把社会形态的发展看作自然历史过程"②。在马克思以前，虽然有一些主观主义者也承认历史现象的规律性，但由于他们只限于指出人的社会思想动机和目的，不善于发现这些思想动机和目的背后的物质的社会关系的原因，因而不能把历史现象的演进看作是一个自然历史过程。唯物史观的创立从根本上克服了主观主义的这种缺陷，它首先把社会关系归结于生产关系，然后又把生产关系

---

① 《列宁选集》第 1 卷，人民出版社 2012 年版，第 8 页。
② 《列宁选集》第 1 卷，人民出版社 2012 年版，第 8—9 页。

归结于生产力水平，从而以可靠的根据把社会形态的发展看作是自然历史过程。列宁甚至把唯物史观同自然科学相提并论，指出："达尔文推翻了那种把动植物物种看做彼此毫无联系的、偶然的、'神造的'、不变的东西的观点，探明了物种的变异性和承续性，第一次把生物学放在完全科学的基础之上。同样，马克思也推翻了那种把社会看做可按长官意志（或者说按社会意志和政府意志，反正都一样）随便改变的、偶然产生和变化的、机械的个人结合体的观点，探明了作为一定生产关系总和的社会经济形态这个概念，探明了这种形态的发展是自然历史过程，从而第一次把社会学放在科学的基础之上。"① 不言而喻，没有这种观点，也就不会有社会科学。

第二，面对自由主义民粹派对历史唯物主义的诸多蓄意歪曲和攻击，列宁以马克思主义的立场、观点和方法给予了有力的反驳和回击，从而进一步阐明了历史唯物主义的一系列基本原理。

其一，米海洛夫斯基紧步第二国际修正主义者之后尘，将马克思主义哲学歪曲为"经济唯物主义"，说这个理论过分突出了社会生活的经济方面，而忽视了社会生活的其他方面，似乎它是一种将经济因素视为人类社会历史发展进程中唯一起作用之因素的机械的庸俗的经济决定论。对此，列宁反驳道，马克思和恩格斯"在说明自己的世界观时，只是把它叫做唯物主义而已。他们的基本思想是把社会关系分成物质的社会关系和思想的社会关系。思想的社会关系不过是物质的社会关系的上层建筑，而物质的社会关系是不以人的意志和意识为转移而形成的，是人维持生存的活动的（结果）形式"② 。显然，从马克思和恩格斯的文本表述中根本看不出他们片面强调经济因素而忽略其他方面，"其实完全相反，唯物主义者——马克思主义者——是最先提出不仅必须分析社会生活的经济方面而且必须分析社会生活的各个方面这一问题的社会主义者"③ 。

列宁还以《资本论》为例，指出经济关系是它的骨骼，"可是全部问题在于马克思并不以这个骨骼为满足，并不仅以通常意义的'经济理论'为限；虽然他完全用生产关系来说明该社会形态的构成和发展，但又随时随地探究与这种生产关系相适应的上层建筑，使骨骼有血有肉"④ 。在列宁看来，《资本论》

① 《列宁选集》第 1 卷，人民出版社 2012 年版，第 10 页。
② 《列宁选集》第 1 卷，人民出版社 2012 年版，第 18—19 页。
③ 《列宁选集》第 1 卷，人民出版社 2012 年版，第 29 页。
④ 《列宁选集》第 1 卷，人民出版社 2012 年版，第 9 页。

的成就之所以如此之大，恰恰在于马克思这位"德国经济学家"的这部书使读者看到整个资本主义社会形态是个活生生的形态：有它的日常生活的各个方面，有它的生产关系所固有的阶级对抗的实际社会表现，有维护资本家阶级统治的资产阶级上层建筑，有资产阶级的自由平等之类的思想，有资产阶级的家庭关系，等等。事实上，不论是恩格斯晚年关于历史唯物主义的书信，还是普列汉诺夫的《论一元论历史观之发展》，都曾对这种庸俗的机械的经济唯物主义进行过批判。而列宁在后来的《怎么办？》一书中还详细地论述了政治斗争、革命理论、政党组织等上层建筑的能动的反作用。

其二，米海洛夫斯基歪曲唯物主义历史观是宿命论，说它将历史的必然性与个人自由截然对立，完全否认个人在历史上的作用，他还以讥讽的口吻说，社会活动家如果以活动家自居，那就大错特错了，其实他们是被动者，是"被历史必然性的内在规律从神秘的暗窖里牵出来的傀儡"。对此，列宁首先指出了上述歪曲的实质，所谓决定论和道德观念之间的冲突、历史必然性和个人作用之间的冲突的思想是主观哲学家的惯用伎俩，他们无非是"想把这个冲突解决得使道德观念和个人作用占上风"①。然而事实上，这里并没有什么冲突，所谓的冲突完全是米海洛夫斯基因担心决定论会推翻他所如此酷爱的小市民道德而捏造出来。在马克思看来，"决定论思想确认人的行为的必然性，摒弃所谓意志自由的荒唐的神话，但丝毫不消灭人的理性、人的良心以及对人的行动的评价。恰巧相反，只有根据决定论的观点，才能作出严格正确的评价，而不致把什么都推到自由意志上去。同样，历史必然性的思想也丝毫不损害个人在历史上的作用：全部历史正是由那些无疑是活动家的个人的行动构成的"②。

列宁还进一步论述了个人与社会、个人活动与人民群众在历史上的作用之间的辩证关系。主观社会学家总是强调历史是由"进行斗争的单独的个人"创造的，米海洛夫斯基更是声称"具有自己的一切思想和感情的活的个人，冒着风险成为历史活动家"。对此，列宁指出："历史是由个人创造的这一原理在理论上毫无意义。全部历史本来由个人活动构成，而社会科学的任务在于解释这些活动"③，换言之，这种创造活动是在什么条件下进行的，有什么保

① 《列宁选集》第 1 卷，人民出版社 2012 年版，第 26 页。

② 《列宁选集》第 1 卷，人民出版社 2012 年版，第 26—27 页。

③ 《列宁全集》第 1 卷，人民出版社 2013 年版，第 359—360 页。

证才能使这种活动不致成为孤立的行动而沉没在相反行动的汪洋大海里？米海洛夫斯基等不打算回答这个问题，甚至不敢明确地提出这个问题，他们只会做这种无聊的不断重复的议论：活的个人突破另一些活的个人所造成的重重障碍而推动历史前进。列宁一针见血地指出了这种思想的主观主义色彩。唯物主义的社会学者虽然也承认历史是由真实的个人构成的，但并不把真实的个人同他们所处的社会环境、历史条件割裂开来进行孤立的研究，而是把他放到一定的社会关系中，依据特定的历史条件和社会环境来进行科学的考察。因此，在论及个人的活动问题时，唯物主义的社会学者从不孤立地讲个人的历史作用，从不把"活的个人"同具体社会环境隔离开来，而是去分析这些个人的活动是由什么社会环境决定的，是怎样决定的，以及这些现实的个人怎样创造了和继续创造着自己的历史，用列宁的话说，这种"把个人因素归结为社会根源的方法"就是将个人的活动"归结为各个在生产关系体系中所起的作用上、在生产条件上、因而在生活环境的条件上以及在这种环境所决定的利益上彼此不同的个人集团的活动，一句话，归结为各个阶级的活动，而这些阶级的斗争决定着社会的发展"[①]。列宁特别强调人民群众的阶级斗争对于推动历史发展的巨大作用。任何离开了无产阶级阶级斗争和人民群众创造历史活动的孤立的个人活动，即使是十分英勇的个人活动，都不可能取得任何好的结果。由此可见，历史唯物主义在承认个人创造活动的同时，又强调这一创造活动是受历史必然性制约的，或者说是在承认历史必然性的基础上承认个人在历史上的作用。

其三，米海洛夫斯基还攻击马克思主义者"信仰并信奉抽象历史公式的不可变异性"，对此，列宁驳斥道，这完全是撒谎和捏造，这是对马克思主义者的最陈腐最庸俗的责难，这种责难是所有那些丝毫不能从实质上反驳马克思主义者观点的人早已用过了的。在列宁看来，理论符合现实是马克思的历史唯物主义理论的唯一标准，从现实的社会经济关系出发研究社会历史是其根本的出发点。"从来没有一个马克思主义者认为马克思的理论是一种必须普遍遵守的历史哲学公式，是一种超出了对某种社会经济形态的说明的东西。……从来没有一个马克思主义者不是根据理论符合一定的即俄国的社会经济关系的现实和历史这一点，而是根据别的什么来论证自己的社会民主主义观点的，因为'马

---

① 《列宁全集》第 1 卷，人民出版社 2013 年版，第 373 页。

克思主义'的创始人马克思自己就十分明确地说过对理论的这种要求,并且以此作为全部学说的基础。"①

列宁以普列汉诺夫对俄国资本主义发展的论证为例指出,他不是靠马克思的任何威望,也不是靠什么抽象的公式,而是始终以现实的社会经济关系,以这些复杂社会关系的现实演进为考量依据。列宁明确写道:"马克思主义者从马克思的理论中,无疑地只是借用了宝贵的方法,没有这种方法,就不能阐明社会关系,所以他们在评判自己对社会关系的估计时,完全不是以抽象公式之类的胡说为标准,而是以这种估计是否正确和是否同现实相符合为标准的。"②需要特别指出的是,列宁自登上革命历史舞台开始,便尤为强调马克思主义理论与俄国具体实际相结合,坚决反对教条主义和本本主义,他在《我们的纲领》一文中曾写下如下名言:"我们决不把马克思的理论看做某种一成不变的和神圣不可侵犯的东西;恰恰相反,我们深信:它只是给一种科学奠定了基础,社会党人如果不愿落后于实际生活,就应当在各方面把这门科学推向前进。我们认为,对于俄国社会党人来说,尤其需要独立地探讨马克思的理论,因为它所提供的只是总的指导原理,而这些原理的应用具体地说,在英国不同于法国,在法国不同于德国,在德国又不同于俄国"。③

其四,自由主义民粹派还污蔑俄国马克思主义"根本不愿意与过去有任何继承性的联系,并且坚决拒绝遗产"④,说什么他们同俄国社会中先进部分的优秀传统脱离了关系,说什么他们割断了民主主义的线索等。为此,列宁在《我们拒绝什么遗产?》一文中予以回击,分析对比了"启蒙者"、民粹派分子和"学生们(这是19世纪90年代俄国马克思主义者的代称)"三者之间的相互关系,说明了马克思主义对待优秀文化遗产的态度,阐明了历史唯物主义关于社会意识的历史继承性的原理。

根据列宁的分析,"启蒙者"相信当前的社会发展,竭力支持、加速和促进循着这条道路往前发展,扫除一切妨碍和阻止这个发展的障碍。但是他们看不见社会发展所固有的矛盾,"根本没有提出改革后发展的性质问题,仅仅限于向改革前制度的残余作斗争,仅仅限于给俄国的西欧式发展扫清道路这一

① 《列宁选集》第1卷,人民出版社2012年版,第58页。
② 《列宁选集》第1卷,人民出版社2012年版,第60页。
③ 《列宁选集》第1卷,人民出版社2012年版,第274—275页。
④ 《列宁选集》第1卷,人民出版社2012年版,第98页。

消极任务"①。与之相反，"民粹派分子"提出了俄国资本主义发展的矛盾问题，但他们害怕当前的社会发展，竭力遏止和阻止这个发展，尽管民粹派分子希望代表劳动者的利益，"事实上他们总是站在小生产者的观点上"②，代表小资产阶级的利益，因此，他们对待遗产必然持矛盾的态度。与二者不同，俄国的马克思主义者即"学生们"则是从资本主义具有进步性的观点出发来解决俄国资本主义问题的，因此他们不仅能够而且应当全部接受启蒙者的遗产，并且从无家产的生产者的观点出发分析了资本主义的矛盾，从而对这个遗产作了补充。于是，列宁得出结论：马克思主义者"是比民粹派分子彻底得多、忠实得多的遗产保存者。他们不仅不拒绝遗产，相反，他们认为自己最主要的任务之一是驳斥那些浪漫主义的和小资产阶级的顾虑，这些顾虑使民粹派分子在很多十分重要的问题上拒绝接受启蒙者的欧洲理想"③。当然，马克思主义者保存遗产，既不同于档案保管员保存旧的文件，也不等于局限于遗产，而是要在新的历史条件下对其进行扬弃。马克思主义绝不是在世界文明大道之外产生的，而是人类各种先进思想发展的继续，是历史上一切优秀文化成果之集大成。

列宁的论述表明，社会意识具有历史继承性，而且社会意识遗产的继承归根到底是受社会存在及其发展所制约的。任何社会思想意识对文化遗产的继承都不会无条件地像档案保管员保存旧文件那样，原封不动地保存下来，而是必须经过加工改造予以批判性吸收。至于如何加工改造，吸收哪些抛弃哪些，这在根本上也是为现实的社会存在状况特别是思想家们的阶级地位和利益所决定的。

第三，列宁在驳斥米海洛夫斯基对马克思理论的歪曲和攻击时，还特别批判了主观社会学的形而上学方法，并对马克思的唯物辩证法作了初步的阐述："马克思和恩格斯称之为辩证方法（它与形而上学方法相反）的，不是别的，正是社会学中的科学方法，这个方法把社会看做处在不断发展中的活的机体（而不是机械地结合起来因而可以把各种社会要素随便配搭起来的一种什么东西），要研究这个机体，就必须客观地分析组成该社会形态的生产关系，研究该社会形态的活动规律和发展规律。"④

---

① 《列宁选集》第 1 卷，人民出版社 2012 年版，第 129 页。
② 《列宁选集》第 1 卷，人民出版社 2012 年版，第 129 页。
③ 《列宁选集》第 1 卷，人民出版社 2012 年版，第 130 页。
④ 《列宁选集》第 1 卷，人民出版社 2012 年版，第 32 页。

　　米海洛夫斯基曲解马克思主义的一种老套的办法就是把马克思的哲学和黑格尔的哲学混淆起来，借马克思辩证法与黑格尔辩证法的联系来否定马克思主义哲学。米海洛夫斯基污蔑唯物主义者所依靠的是辩证过程的"无可争辩性"；认为马克思的关于未来社会的内在规律的学说纯粹是"被辩证地提出来的"；马克思关于资本主义的发展规律必然使剥夺者被剥夺的论断，带有"纯粹辩证的性质"；马克思关于土地和资本公有的理想，"就其必然和毫无疑义来说，纯粹是维系在黑格尔三项式链条的最末一环上的"。总之，米海洛夫斯基把马克思在社会学中的辩证方法看成按黑格尔三段式的规律来解决一切社会学问题。对于这种"老一套的责难"，列宁说道："这种责难看来已被批评马克思的资产阶级批评家用得够滥的了。这帮先生不能从实质上对这个学说提出任何反驳，就拼命抓住马克思的表达方式，攻击这个理论的起源，想以此动摇这个理论的根基。"①列宁从如下几个方面进行了驳斥，着重阐明了马克思主义辩证法的唯物主义性质。

　　列宁首先援引马克思在《资本论》第二版"跋"中的经典表述，直截了当地指出了他的方法和黑格尔的方法"截然相反"。"在黑格尔看来，观念的发展，按照三段式的辩证规律，决定现实的发展。当然，只有在这种场合，才说得上三段式的作用，才说得上辩证过程的无可争辩性"②；与之相反，在马克思那里，观念的东西不过是物质的东西的反映。很显然，列宁在这里特别突出的是马克思主义哲学的唯物主义性质，以此区别于黑格尔的唯心主义哲学。在另外一处文本中他更为明确地写道："黑格尔的哲学谈论精神和观念的发展，它是唯心主义的哲学。它从精神的发展中推演出自然界、人以及人与人的关系即社会关系的发展。马克思和恩格斯保留了黑格尔关于永恒的发展过程的思想，而抛弃了那种偏执的唯心主义观点；他们面向实际生活之后看到，不能用精神的发展来解释自然界的发展，恰恰相反，要从自然界，从物质中找到对精神的解释……与黑格尔和其他黑格尔主义者相反，马克思和恩格斯是唯物主义者。"③

　　列宁强调，说马克思借黑格尔三段式来进行论证，是米海洛夫斯基硬加到马克思头上的，事实上，"马克思一开始从事写作活动和革命活动，就十分明

---

① 《列宁选集》第 1 卷，人民出版社 2012 年版，第 30 页。
② 《列宁选集》第 1 卷，人民出版社 2012 年版，第 34 页。
③ 《列宁选集》第 1 卷，人民出版社 2012 年版，第 90—91 页。

确地表示过他对社会学理论的要求：社会学理论应当确切地描写现实过程"①。马克思在《资本论》中便严格遵守了上述要求，他给自己提出的任务是科学地分析资本主义社会形态，而当他证明了这个组织在我们眼前的实际发展具有什么样的趋势，这个组织必然会灭亡而转变为另一更高的组织时，他就结束了自己的分析。由此可见，米海洛夫斯基上述"批判"手法靠的完全是颠倒黑白、歪曲捏造。而且列宁还明确指出，米海洛夫斯基的诸种"论据完全是从杜林那里拿来的，是杜林在他的《国民经济学和社会主义批判史》一书里运用过的"②。因此，恩格斯对杜林的反驳，完全适用于米海洛夫斯基。于是，列宁便引用了恩格斯在《反杜林论》中的相关论述予以反驳，他写道："恩格斯在反驳攻击马克思辩证法的杜林时说：马克思从未打算用黑格尔的三段式来'证明'任何事物，马克思只是研究和探讨现实过程，马克思认为理论符合现实是理论的唯一标准。……恩格斯立论的重心在于：唯物主义者的任务是正确地和准确地描绘现实的历史过程；而坚持辩证法，选择例子证明三段式的正确，不过是科学社会主义由以长成的那个黑格尔主义的遗迹，是黑格尔主义表达方式的遗迹罢了。"③

此外，列宁在批判民粹派的主观社会学之形而上学方法的同时，还科学地说明了对立面的同一和斗争是事物发展的源泉的思想。自由主义民粹派认为，事物变化和发展的根源不在事物的内部，而在人的意识中，特别是在那些"具有批判头脑的"人的意识中。列宁驳斥说，这是典型的主观主义分析问题的方法，它对事物和发展完全是从抽象的道德观念和个人信条上去评价，其标准没有丝毫的客观性、稳固性。事实上，俄国资本主义的出现和发展根本不是"人为的"或政府"执行错误政策"的结果，而是俄国社会经济发展的必然现象，其根源就在于社会内部各个方面的既同一又斗争，在于事物内部的矛盾性。

自由主义民粹派一听到矛盾就感到害怕，认为包含着矛盾的事物是不可能存在和发展的。因此，在他们的理论活动和实际活动中，他们总是极力掩饰矛盾，调和矛盾。比如，自由主义民粹派多多少少地意识到，劳动群众、农民的

---

① 《列宁选集》第 1 卷，人民出版社 2012 年版，第 44 页。
② 《列宁选集》第 1 卷，人民出版社 2012 年版，第 35 页。
③ 《列宁选集》第 1 卷，人民出版社 2012 年版，第 30—31 页。

分化、贫困化和大量过剩人口的存在，既是资本主义发展的必然结果，同时又是资本主义存在和发展的必要条件。可他们却由此得出结论说，这种矛盾的存在说明，资本主义在俄国是不能存在和发展的。

自由主义民粹派害怕矛盾，不敢承认矛盾，因此在对待事物的变化和发展问题上，必然陷入形而上学的泥坑。比如，许多自由主义民粹派作家虽然也承认发展，但由于他们竭力掩饰矛盾，认为矛盾就是不可能，因而他们所理解的发展并不是马克思主义者所说的发展，而是庸俗进化论者所说的发展，即只有量变而没有质变的运动。这些人固守着这样一个信条：发展就是均衡的、按比例进行的运动，非比例、非均衡和飞跃式的发展都不是发展。列宁批判地指出，发展的实质就是飞跃，资本主义社会只有通过飞跃才能发展起来，而飞跃则是对立的经济力量和社会力量斗争的结果。自由主义民粹派坚持认为"不合比例的、跳跃式的、寒热病似的发展不是发展"[1]，这表明他们是庸俗进化论的信奉者，是主张社会革命的进步阶级的对立面。

应该指出的是，此时的列宁对自由主义民粹派之主观社会学的批判是有力的，对马克思主义辩证法之唯物主义性质的强调也是正确的，但这时的列宁由于还没有深入系统地研究哲学史特别是黑格尔的哲学，因此，在列宁眼里，"三段式只能起着使庸人们发生兴趣的盖子和外壳的作用"[2]，这也就意味着他还没有将否定之否定的辩证规律看成是马克思辩证法内容的有机组成部分。这一点到后来的《哲学笔记》中则发生了明显的改观。

第二节　对"合法马克思主义"和"经济派"的批判

在批判自由主义民粹派，从而论证俄国资本主义发展的同时，列宁还对当时俄国的"合法马克思主义"者和经济派展开了尖锐批判，并进一步阐述了俄

---

① 《列宁选集》第 1 卷，人民出版社 2012 年版，第 235 页。
② 《列宁选集》第 1 卷，人民出版社 2012 年版，第 34 页。

国革命的策略路线。在政治立场上，如果说俄国民粹派是小生产方式、小资产阶级的代表，他们从小生产者的主观愿望出发，提出了避免俄国资本主义发展的空想社会主义道路，否定俄国无产阶级革命的道路；那么，"合法马克思主义"者就是俄国自由资产阶级的代表，他们美化俄国资本主义，维护资产阶级制度，反对无产阶级革命；而经济派则是"合法马克思主义"的继续，是资产阶级影响在俄国社会民主党内的反映，用列宁的话说，"'合法马克思主义'、'经济主义'和'孟什维主义'是同一个历史趋势的不同的表现形式。司徒卢威先生之流的'合法马克思主义'（1894）是马克思主义在资产阶级著作中的反映。'经济主义'作为 1897 年和随后几年的社会民主主义运动中的一个特殊派别，实际上实现了资产阶级自由派的'信条'：工人进行经济斗争，自由派进行政治斗争"①。在哲学理论上，民粹派鼓吹主观社会学，因此，列宁对民粹派的批判强调经济关系、物质关系在社会关系中的决定作用，强调理论要符合现实，也就是强调马克思主义哲学的唯物主义方面；而"合法马克思主义"者和经济派则鼓吹客观主义，把马克思主义的历史唯物主义歪曲为庸俗的经济决定论，因此，列宁对他们的批判强调了马克思主义的革命性，强调阐明了政治上层建筑、革命理论、政党组织在社会发展中的重大作用，也就是强调了马克思主义哲学的辩证方面。

一、对"合法马克思主义"的批判

19 世纪 90 年代，俄国工人运动蓬勃发展，马克思主义得到了广泛传播，某些资产阶级思想家利用马克思主义为自己反对封建专制的斗争服务，为资产阶级的阶级利益服务，他们最满意的是对资本主义比封建主义更为进步的有理有据的论证。于是他们采用马克思主义的某些词句，在当时合法的即经过沙皇政府批准的报刊上发表有利于资产阶级的文章，因此被称为"合法马克思主义"者。列宁写道："经他们叙述的马克思主义大概就成了这样一种学说，它说明在资本主义制度下，以私有者的劳动为基础的个人所有制，怎样经历着辩证的发展，怎样变为自己的否定，然后又怎样社会化。他们郑重其事地把马克思主

---

① 《列宁选集》第 1 卷，人民出版社 2012 年版，第 777 页。

义的全部内容纳入这一'公式'，不谈它的社会学方法的一切特点，不谈阶级斗争学说，不谈研究的直接目的——揭露一切对抗和剥削形式，以帮助无产阶级来推翻这些形式。"①这是一种披着马克思主义外衣的资产阶级思潮，是修正主义思潮在俄国的萌芽。"合法马克思主义"者从马克思主义中采纳了某些能为资产阶级接受的论点，打着客观主义的旗号，极力颂扬资本主义，充当了资本主义的辩护士。

"合法马克思主义"的主要代表人物有司徒卢威、布尔加柯夫（1871—1944）、杜冈—巴拉诺夫斯基（1865—1919）、别尔嘉耶夫（1874—1948）等。在哲学上，他们抛弃了辩证唯物主义和历史唯物主义的革命内容，企图把马克思主义与康德的唯心主义结合起来。在政治上，由于他们毕竟进行过反对民粹主义和专制制度的斗争，因此列宁曾同他们结成短暂的联盟，这一政治联盟对于迅速地战胜民粹主义并且使马克思主义思想得以广泛传播发挥了积极的作用。但是他们批判民粹派，承认俄国资本主义的发展，不是为了批判资本主义制度，从中得出革命的结论，而是为了绝对肯定资本主义制度，用列宁的话说，"这些人都是资产阶级民主主义者，他们同民粹派决裂，就是从小市民社会主义（或者说农民社会主义）转到资产阶级自由主义，而不是像我们那样转到无产阶级社会主义"②，因此，列宁在同他们结成联盟反对民粹派时，时刻也没有忘记批判他们的资产阶级自由主义观点。早在 1894 年秋，列宁就在彼得堡马克思主义小组中同"合法马克思主义"者展开了争论，谴责司徒卢威言词中的"虚伪的腔调"，后来又在《市场理论问题述评》、《再论实现论问题》、《农业中的资本主义》、《答普·涅日丹诺夫先生》、《非批判的批判》等一系列著作中对"合法马克思主义"进行了全面的批判。

第一，列宁批判了"合法马克思主义"者对马克思实现论的诸种歪曲，科学阐明了社会资本的再生产过程理论，捍卫了马克思政治经济学的基本原理。

"合法马克思主义"者在反对民粹派关于市场问题的错误观点时，对马克思的社会资本再生产理论进行了蓄意歪曲。司徒卢威把马克思的实现论同资产阶级经济学家的市场理论混为一谈，把抽象的实现论同资本主义产品实现的具体历史条件混为一谈，毫无根据地把马克思的实现论说成产品按比例分配的理

---

① 《列宁选集》第 1 卷，人民出版社 2012 年版，第 81—82 页。
② 《列宁选集》第 1 卷，人民出版社 2012 年版，第 762 页。

论，怀疑它的现实意义。杜冈—巴拉诺夫斯基则批评马克思的实现论与马克思的基本经济学说相矛盾，"所以无怪乎马克思学派竟然无力继承他们老师的事业，于是市场问题始终没有得到解决"①，在他看来，唯一的结论只能是，资本主义的发展是协调的按比例的，"总而言之，只要社会生产比例适当，无论消费需求怎样减少，也不会使市场上产品供给总量超过需求。"②

针对上述诸种对马克思的歪曲，列宁先是澄清了对马克思实现论的两个必要前提的误解。他写道："司徒卢威毫无根据地把实现论叫做按比例分配的理论。这是不确切的，而且必然会引起误解。实现论是说明社会总资本的再生产和流通如何进行的抽象理论。"③在列宁看来，马克思是为了使这种说明更加简单明确才将对外贸易即国外市场问题抽象去了，但是，"实现论把对外贸易抽象出去，决不是说没有对外贸易的资本主义社会曾经存在过或者能够存在"④；同时也是为了以抽象的形式说明社会总资本的实现过程而假设劳动在资本主义生产的不同部门之间是按比例分配的，但是，"实现论这样假设决不是断言在资本主义社会中产品总是按比例分配或者能够按比例分配"⑤。这跟对价值理论的阐述一样，在价值论中，在阐述价值决定的规律时，总是假设而且应当假设供求是平衡的，但是这并不意味着在资本主义社会中总会出现或者能够出现这种平衡。

随后，列宁敏锐地揭示出，司徒卢威和杜冈—巴拉诺夫斯基将社会资本再生产理论叫做按比例分配理论实际上抹杀了资本主义再生产内部的固有矛盾。杜冈—巴拉诺夫斯基攻击马克思在《资本论》第三卷中所阐述的资本主义有限消费同生产无限扩大的矛盾与第二卷中对社会总资本再生产的分析是矛盾的。列宁指出，这种说法是错误的，因为马克思在第三卷中明确提出，进行直接剥削的条件和实现这种剥削的条件不是一回事，二者不仅在时间和地点上是分开的，而且在概念上也是分开的，前者只受社会生产力的限制，后者受不同生产部门的比例关系和社会消费力的限制。在列宁看来，"马克思在这里只是证实他在《资本论》其他几处也曾经指出过的资本主义的矛盾，

① [俄] 杜冈—巴拉诺夫斯基：《周期性工业危机》，张凡译，商务印书馆1982年版，第218页。
② [俄] 杜冈—巴拉诺夫斯基：《周期性工业危机》，张凡译，商务印书馆1982年版，第226页。
③ 《列宁全集》第4卷，人民出版社2013年版，第62页。
④ 《列宁全集》第4卷，人民出版社2013年版，第63页。
⑤ 《列宁全集》第4卷，人民出版社2013年版，第63页。

即无限扩大生产的意图和必然的有限消费（由于人民群众的无产阶级状况）之间的矛盾。"①资本主义生产就是在这种矛盾运动中实现的。对商品实现过程的分析表明，资本主义国内市场的形成与其说是靠消费品，不如说是靠生产资料。因此，社会产品的第Ⅰ部类（生产资料的生产）能够而且应当比第Ⅱ部类（消费品的生产）发展得快。但是绝不能由此得出结论说，生产资料的生产完全不依靠消费品的生产而发展，也不能说二者毫无关系。根据马克思的分析，不变资本与不变资本之间会发生不断的流通，这种流通就它从来不会加入个人的消费来说，首先不以个人消费为转移，但是它最终要受个人消费的限制，因为不变资本的生产，从来不是为了不变资本本身进行的，而只是因为那些生产个人消费品的生产部门需要更多的不变资本。于是，列宁得出结论："由此可见，生产消费（生产资料的消费）归根到底总是同个人消费联系着，总是以个人消费为转移的。但是，资本主义的本性一方面要求无限地扩大生产消费，无限地扩大积累和生产，而另一方面则使人民群众无产阶级化，把个人消费的扩大限制在极其狭窄的范围内。很明显，我们在这里看到的是资本主义生产中的矛盾"②。在列宁看来，消费不是资本主义生产的目的，这是事实。这个事实同资本主义社会的生产归根到底也是与消费相联系并且以消费为转移这个事实之间的矛盾，并不是学说上的矛盾，而是现实生活中的矛盾。这就意味着，"资本主义的发展不可能不在一系列的矛盾中进行，而指出这些矛盾，就使我们清楚地看到资本主义的历史短暂性，看到它要求过渡到更高级形式的条件和原因。"③

在批判"合法马克思主义"对马克思实现论之蓄意歪曲，从而阐明社会总资本的再生产和流通过程的同时，列宁还总结了马克思理论的科学价值。正如列宁已经指出的，马克思的理论指明了资本主义所固有的矛盾，即人民的消费没有随着生产的巨大增长而相应地增长这一矛盾是怎样发生的。因此，"马克思的理论不仅没有复活为资产阶级辩护的理论（像司徒卢威幻想的那样），相反，它却提供了最有力的武器去反对这种辩护论"④，这是其一；其二，"马克思的实现论所提供的最有力的武器，不仅反对辩护论，而且也反对对资本主义

①　《列宁全集》第4卷，人民出版社2013年版，第43—44页。
②　《列宁全集》第4卷，人民出版社2013年版，第44页。
③　《列宁全集》第4卷，人民出版社2013年版，第45页。
④　《列宁全集》第4卷，人民出版社2013年版，第73页。

进行庸俗的反动批评"①。这就意味着，如果我们像马克思那样去理解实现论，就不仅能彻底批判自由主义民粹派，也能有力批判"合法马克思主义"，就不仅承认了资本主义的历史进步性，也阐明了资本主义的历史短暂性。

第二，列宁批判了"合法马克思主义"者在土地问题上的修正主义，驳斥了所谓的小农经济稳固论，论证了资本主义大农业代替小农业是历史发展的必然趋势。

"合法马克思主义"者布尔加柯夫借批评考茨基《土地问题》一书来修正马克思主义关于土地问题的基本原理，他否认农业大生产对小生产的优越性，企图证明马克思主义经济理论不适用于农业。他们为了把资本主义经济说成是协调的无矛盾无冲突的经济，不惜一味地粉饰小生产，否认其分化，宣传其稳固。针对上述观点，列宁在《农业中的资本主义》等文章中维护了马克思关于资本主义在农业中的历史进步作用的思想，驳斥了布尔加柯夫关于小农经济富有生命力的错误观点，指出资本主义制度下农业小生产日益破产，群众贫困化和农业危机不可避免。

针对所谓的小农经济稳固论，列宁先是指出了布尔加柯夫对考茨基所作的"否定的批评"之错误所在，他写道："就现代各个资本主义国家的情况来看，总的来说历史证明了马克思的规律是适用于农业的，并没有被推翻。布尔加柯夫先生的错误在于没有深入研究农业中个别事实的意义，就急于把这些事实归结为总的经济规律"②。随后，在分析资本主义大生产与小生产的相互关系时，列宁指出，大生产在技术上和经营管理上都比小生产更具优越性，不论工业还是农业都是如此。但是必须注意这种情况在实践中是以多种形式表现出来的，不仅在工业中不像人们所想象的那样绝对、那样简单，"在关系更为复杂和多样的农业中，要使大生产具有优越性的规律完全适用，就要受到更加严格的条件的限制。"③根据列宁的分析，在经济上，农业中大生产相比小生产而言的优越性表现在：其一，大农业可以雇用薪金更高的受过科学教育的管理人员，而小地主本人的管理则是"容克式的"，不科学的；其二，农业大生产只能在一定限度内具有优越性，如在蔬菜业、葡萄种植业、商业性作物种植业等中，小

---

① 《列宁全集》第 4 卷，人民出版社 2013 年版，第 73 页。
② 《列宁全集》第 4 卷，人民出版社 2013 年版，第 89 页。
③ 《列宁全集》第 4 卷，人民出版社 2013 年版，第 97 页。

生产更具有竞争力，而在谷物生产和畜牧业等主要农业部门中则是大生产具有绝对的优越性；其三，小生产抗衡农业大生产之优越性的唯一手段是更加辛勤的操劳和极低的消费水平；其四，农户组织协作社的愿望也反映了大生产的优越性，因为协作社的生产是大生产，用列宁的话说，"小农协作社是经济进步的一个环节，但它是向资本主义前进，而决不是像人们经常想象和断言的那样是向集体主义前进。协作社不是削弱而是加强了农业中大生产对小生产的优越性"①。从技术方面看，资本主义大农业优越于小农业就更为明显。在列宁看来，大农业的优越性不仅在于耕地的浪费比较少，节省耕畜和农具，农具的利用比较充分，机器的利用比较广泛，贷款比较容易，而且还在于大农场具有商业上的优越性，能够雇用受过教育的管理人员。大农业可以在比较大的范围内利用工人的合作与分工。

值得注意的是，列宁还特别赞成考茨基的如下意见，认为农业中大生产代替小生产的过程有自己的特殊性。其一，农场主有时为了提高自己经营的集约化程度，往往把比较远或由于其他条件不利于提高集约化经营的那部分土地出卖或出租给农民，这时土地面积及农场人口虽然会减少，看起来似乎是生产规模缩小了，但是在单位面积上投入的劳动量却增加了，因而生产规模实际上是扩大了；其二，农场面积的扩大，会受到土地私有权的限制；其三，农村居民离开农村迁徙到城市会造成农村劳动力的不足，因而迫使大农户竭力把土地分租给工人，人为地制造小农，以便为地主提供充分的劳动力。由于以上种种原因，农业中大生产排挤小生产不能不表现出与工业中的资本集中有很大的不同。但是，如果借口这些特殊性而否认马克思关于资本集中的理论，否认马克思对资本主义发展的历史趋势的分析，则是完全错误的。

第三，列宁批判了"合法马克思主义"者以新康德主义代替马克思主义的企图，揭示了其"客观主义"背后维护资产阶级利益的实质，论证了马克思主义哲学是阶级性、革命性与科学性的统一。

在哲学上，司徒卢威、布尔加柯夫等"合法马克思主义"者是带有庸俗经济唯物主义历史观的新康德主义的辩护者，他们同伯恩施坦等人一样，否认马克思主义包含"有根据的哲学"，力图证明康德（1724—1804）的"批判的唯心主义"同唯物史观是不矛盾的，而是相互补充的。因此，他们提

---

① 《列宁全集》第4卷，人民出版社2013年版，第98页。

出要把马克思主义的社会经济理论同新康德主义结合起来。对此，列宁指出，这是新康德主义者蓄意对马克思的理论进行批评的先期成果，"马克思的那些号召'回到康德那里去'的学生，至今没有提供任何东西来证明这种转变的必要性，也没有提供任何东西来清楚地表明：用新康德主义丰富马克思主义理论，可以使马克思的理论得到好处。他们甚至没有完成首先落在他们肩上的任务，即详细地分析和驳斥恩格斯给予新康德主义的否定评价。相反，那些不是回到康德那里去，而是回到了马克思以前的哲学唯物主义和辩证唯心主义那里去的学生，却对辩证唯物主义作了极其完美的有价值的阐述，指出了辩证唯物主义是哲学和社会科学的整个最新发展的合理的必然的产物"①。

针对司徒卢威等人这种不对历史过程的必然性作具体的阶级分析、片面理解社会发展的客观规律性的观点，列宁从哲学上将其概括为客观主义或狭隘客观主义，他写道："作者的论断的基本特点是他的狭隘客观主义：只证明过程的不可避免性和必然性，而不尽力揭示这一过程在每个具体阶段上所具有的阶级对抗形式；只是说明一般过程，而不去说明各个对抗阶级，虽然过程就是由这些对抗阶级的斗争形成的"②。接下来，列宁详细对比了客观主义者和马克思主义者（唯物主义者）的不同观点："客观主义者谈论现有历史过程的必然性；唯物主义者则是确切地肯定现有社会经济形态和它所产生的对抗关系。客观主义者证明现有一系列事实的必然性时，总是有站到为这些事实辩护的立场上去的危险；唯物主义者则是揭露阶级矛盾，从而确定自己的立场。客观主义者谈论'不可克服的历史趋势'；唯物主义者则是谈论那个'支配'当前经济制度、促使其他阶级进行种种反抗的阶级。可见一方面，唯物主义者贯彻自己的客观主义，比客观主义者更彻底、更深刻、更全面。他不仅指出过程的必然性，并且阐明究竟是什么样的社会经济形态提供这一过程的内容，究竟是什么样的阶级决定这种必然性。例如，在目前这种场合，唯物主义者不会满足于肯定'不可克服的历史趋势'，而会指出存在着一定的阶级。这些阶级决定着当前制度的内容，而且使生产者除了自己起来斗争就不可能有别的出路。另一方面，唯物主义本身包含有所谓党性，要求在对事变作任何评价时都必须直率而公开地站

---

① 《列宁全集》第 4 卷，人民出版社 2013 年版，第 67 页注释 1。
② 《列宁全集》第 1 卷，人民出版社 2013 年版，第 458 页注释 1。

到一定社会集团的立场上。"①

列宁这段话在揭示客观主义者之辩护论立场的同时，着重从如下几个方面阐明了马克思主义哲学的鲜明特征：其一，马克思主义哲学具有鲜明的阶级性。与司徒卢威只是抽象地谈论历史过程的必然性，泛泛地讨论一般"进步"而不去研究某一特定社会形态的具体进步不同，列宁将阶级斗争的理论贯彻到底，总是具体地分析一定社会形态中的阶级对抗关系，揭露现实存在的阶级矛盾，指明了无产阶级的历史使命，强调无产阶级只有自己起来斗争才有出路。其二，马克思主义哲学具有彻底的革命性。与司徒卢威打着"客观主义"的旗号来维护资本主义制度，反对无产阶级革命不同，列宁明确指出革命性"完全地和无条件地是马克思主义所固有的，因为这个理论公开认为自己的任务就是揭露现代社会的一切对抗和剥削形式，考察它们的演变，证明它们的暂时性和转变为另一种形式的必然性，因而也就帮助无产阶级尽可能迅速地、尽可能容易地消灭任何剥削"②。其三，马克思主义哲学具有高度的科学性，"这一理论对世界各国社会主义者所具有的不可遏止的吸引力就在于它把严格的和高度的科学性（它是社会科学的最新成就）同革命性结合起来，并且不仅仅是因为学说的创始人兼有学者和革命家的品质而偶然地结合起来，而是把二者内在地和不可分割地结合在这个理论本身中。实际上，这里直接地提出理论的任务、科学的目的就是帮助被压迫阶级去进行他们已在实际进行的经济斗争"③。其四，列宁还首次明确提出了马克思主义哲学的唯物主义党性原则。与"合法马克思主义"者摆出一副似乎不偏不倚没有任何政治倾向的超然态度不同，列宁明确强调"唯物主义本身包含有所谓党性"，而所谓的无党性思想则是资产阶级卫道士的必然特征，他在另一处写道："非党性是资产阶级思想。党性是社会主义思想。这个原理总的来说适用于整个资产阶级社会。当然，必须善于把这个普遍真理运用于个别的具体问题和具体场合"④，忘记马克思主义的党性原则，就等于实际上根本拒绝对资产阶级社会进行社会主义的批判。

此外，由于司徒卢威的客观主义还表现在他用宿命论的观点来解释决定论，抽象地机械地理解历史过程的决定性、必然性、规律性等问题，因而就忽

①　《列宁全集》第 1 卷，人民出版社 2013 年版，第 362—363 页。
②　《列宁选集》第 1 卷，人民出版社 2012 年版，第 82—83 页。
③　《列宁选集》第 1 卷，人民出版社 2012 年版，第 83 页。
④　《列宁选集》第 1 卷，人民出版社 2012 年版，第 676 页。

略了事物之间的辩证联系和发展，也忽视了个人、阶级和政党的活动对历史发展的影响，甚至干脆断言唯物主义认为个人是无足轻重的，这样就把人的主观因素在历史发展过程中的作用完全排挤掉了。应该看到，强调资本主义发展的必然性和进步性，却无视现代社会最革命的阶级，即无产阶级及其政党的革命活动对历史发展的影响，无视无产阶级的历史使命，所有这一切都是"合法马克思主义"宣扬客观主义的基本用意。对此，列宁批判司徒卢威抽象地谈论资本主义的进步性时强调，必须对问题进行具体的历史的分析，抽象的谈论往往会导致有利于资产阶级的结论。

总之，"合法马克思主义"是一种资产阶级的思想体系，他们在"客观主义"的掩饰之下，抽象地谈论资本主义的进步性和历史必然性，抹杀资本主义制度的内在矛盾，将资本主义说成是一种自然的永恒的制度，否认其历史暂时性。列宁在反对"合法马克思主义"的斗争中，结合俄国的具体情况，深刻揭示了资本主义制度的内在矛盾，捍卫和发展了马克思主义理论的党性原则。

二、对俄国"经济派"的批判

19世纪末，俄国工人运动继续蓬勃发展，但普遍存在着分散性和自发性倾向。1898年春，彼得堡、莫斯科、基辅和叶卡捷琳诺斯拉夫等地的社会民主主义组织举行第一次代表大会，宣告俄国社会民主工党的成立。这次大会选举了中央委员会，批准了《工人报》为党的正式机关报，发表了《俄国社会民主工党宣言》，但是，没有制定出党纲和党章。这时，列宁和其他许多马克思主义革命家正遭流放，党缺乏一个坚强有力的领导核心。沙皇政府的镇压使党的组织受到很大打击，党的中央委员会建立不久就被破坏，各地的社会民主党人大批被捕。地方党组织中小组习气浓厚，严重涣散。俄国集中统一的无产阶级政党实际上并没有建立起来。

正是在这种历史条件下，19世纪90年代中期出现的俄国经济派在党内一时占了优势。经济派推崇西欧的伯恩施坦主义，迷恋工人运动的自发性，满足于分散状态，醉心于经济斗争，忽视无产阶级运动的政治任务，否认党的领导作用。工人运动中的自发倾向助长了经济主义，经济主义思潮的发展又加剧了社会民主党人的思想混乱和组织涣散，使党进入一个混乱、瓦解、动摇的危机时期。经济派已经成为提高无产阶级的阶级觉悟、建立新型的马克思主义政党的严重障碍。列宁在流放地十分关注俄国革命运动的发展和俄国社会民主工党的命运。他继续同民粹主义者和"合法马克思主义"者进行论战，清除他们的影响，与此同时，特别着重揭露和批判党内的经济主义倾向。

自经济派出现之日起，列宁就同他们进行了坚决的斗争。1899 年秋，列宁在流放地先后收到了系统而明确地阐述经济派新观点的《信条》、伯恩施坦的《社会主义的前提和社会民主党的任务》和露骨宣扬经济主义的俄国社会民主工党基辅委员会《宣言书》，这些修正主义文献激起了列宁的极大愤慨，他旗帜鲜明地同经济主义这一伯恩施坦修正主义的变种展开了无情的斗争。《俄国社会民主党人抗议书》是列宁撰写的以流放地 17 名马克思主义者的名义声讨经济主义的檄文，文章批驳了经济派的《信条》对西欧和俄国工人运动的错误分析以及由此提出的经济主义纲领，号召俄国社会民主党人同《信条》所表述的经济主义思想体系作坚决的斗争，阐述了马克思主义关于统一的阶级斗争必须把政治斗争和经济斗争结合起来的原理。《俄国社会民主党人抗议书》在俄国国内和国外的社会民主党人中广为流传，得到各地真正革命者的热烈拥护与支持，不仅打击了俄国的经济派，也打击了西欧的伯恩施坦主义，为争取俄国社会民主党人在马克思主义原则下团结起来同经济主义进行有组织的斗争奠定了基础。《俄国社会民主党中的倒退倾向》是列宁另一篇批判经济派错误观点的重要文献，在揭露经济派把社会主义的概念庸俗化的同时，列宁指出，经济派排除了革命的方法只是把用和平的方法能够得到的算作工人社会主义，这是背弃社会民主党人的正确观点而倒退了一大步。《论〈宣言书〉》一文剖析了基辅经济派的机会主义倾向，驳斥了他们所谓大多数俄国工人还没有成熟到能够进行政治斗争的错误论断。到了《怎么办？》一书，列宁则全面论证了建立新型工人阶级政党的思想，从思想上彻底粉碎了经济主义，教育和培养了坚强的马克思主义革命家。

第一，列宁揭露了俄国经济派是伯恩施坦修正主义的变种，批判了经济派推崇工人运动的自发性而醉心于经济斗争的庸俗经济决定论的错误倾向，阐明了无产阶级斗争中的经济斗争形式与政治斗争形式之间的辩证统一关系。

由于经济派崇尚工人运动的自发性，搞不清自发因素与自觉因素的相互关系，他们试图只用改善工人福利待遇的局部的经济罢工和经济斗争争取政治自由和社会主义的斗争，反对建立集中统一的无产阶级政党，打着"批评自由"

的幌子，攻击马克思主义，将马克思主义歪曲为庸俗的经济决定论，极力贬低政治上层建筑、政党、革命理论等因素的能动作用。经济派的代表人物克里切夫斯基（1866—1919）在《俄国运动中的经济斗争和政治斗争》一文中声称："根据马克思和恩格斯的学说，各个阶级的经济利益在历史上起决定作用，所以，无产阶级为自己的经济利益而进行的斗争对它的阶级发展和解放斗争也应当有着首要的意义"①，他甚至鼓吹政治斗争的"策略—计划是同马克思主义的基本精神相矛盾的"②。

面对俄国经济派对马克思主义哲学的歪曲，列宁首先明确指认他们不过是重复了德国社会民主党中的伯恩施坦派的议论，所谓的"'批评自由'就是机会主义派在社会民主党内的自由，就是把社会民主党变为主张改良的民主政党的自由，就是把资产阶级思想和资产阶级因素灌输到社会主义运动中来的自由"③，这"无非是机会主义的一个新的变种"④，"这正是消极地迁就自发性的极端机会主义派别"⑤，经济派不仅在理论上把马克思主义庸俗化，而且在实践上把党拉向后退。列宁还写道："总之，我们确信，俄国社会民主党内的'新派别'的基本错误就在于崇拜自发性，就在于不了解群众的自发性要求我们社会民主党人表现巨大的自觉性。群众的自发高潮愈增长，运动愈扩大，对于社会民主党在理论工作、政治工作和组织工作方面表现巨大的自觉性的要求也就愈无比迅速地增长起来。"⑥

在揭露俄国经济派的理论实质和基本错误的同时，列宁还驳斥了克里切夫斯基的歪曲手法，他指出，从"各个阶级的经济利益在历史上起决定作用"的理论前提，不能推论出无产阶级的经济斗争"有着首要的意义"的必然结论。前者是整个社会关系中何者起决定作用的问题，后者是无产阶级的阶级斗争中经济斗争形式和政治斗争形式等相互之间的关系问题。因此，列宁认为，克里切夫斯基在这里从前者推论出后者的"'所以'二字是用得完全不恰当的。根据经济利益起决定作用这一点，决不应当作出经济斗争（等于工会斗争）具有

---

① 《列宁选集》第1卷，人民出版社2012年版，第333页注释1。
② 《列宁选集》第1卷，人民出版社2012年版，第334页。
③ 《列宁选集》第1卷，人民出版社2012年版，第297页。
④ 《列宁选集》第1卷，人民出版社2012年版，第296页。
⑤ 《列宁选集》第1卷，人民出版社2012年版，第334页。
⑥ 《列宁选集》第1卷，人民出版社2012年版，第338—339页。

首要意义的结论，因为总的说来，各阶级最重大的、'决定性的'利益只有通过根本的政治改造来满足。具体说来，无产阶级的基本经济利益只能通过无产阶级专政代替资产阶级专政的政治革命来满足"①。

随后，列宁阐述了马克思主义关于统一的阶级斗争必须把政治斗争和经济斗争结合起来的基本原理，强调"当无产阶级没有政治自由或者政治权利受到限制的时候，始终必须把政治斗争提到首位"②。在列宁看来，当工人没有自由，没有一定的政治权利时，任何经济斗争都不可能使他们在经济上得到稳固可靠的改善，甚至不可能大规模地进行任何经济斗争。事实上，俄国工人每次为争取经济利益而举行的反对资本家的罢工都会引起军警对工人的袭击。这也就意味着，"一切经济斗争都必然要变成政治斗争，所以社会民主党应该把这两种斗争紧紧地结合成无产阶级统一的阶级斗争。这种斗争的首要目的应该是争取政治权利，争取政治自由。"③换言之，无产阶级的根本经济利益，只有通过无产阶级的政治革命和建立无产阶级专政才有可能达到，这就是政治斗争之于无产阶级解放的首要性所在。

接下来，列宁指出，经济派的歪曲行径不仅在理论上把马克思主义庸俗化，而且在实践上把党拉向后退。经济派把工人阶级的经济斗争同政治斗争割裂开来，企图使俄国工人阶级局限于经济斗争，而让自由主义反对派去进行政治斗争，这是一种最拙劣最可悲地背弃马克思主义的行为，俄国社会民主党实行这样的纲领就等于政治上的自杀。"因为经济斗争而忘掉政治斗争，那就是背弃了全世界社会民主党的基本原则，那就是忘掉了全部工人运动史所教导我们的一切。"④资产阶级的忠实拥护者和为资产阶级服务的政府的忠实拥护者经常试图组织纯经济性的工会来诱使工人离开"政治"，离开社会主义。统治阶级总是极力设法假仁假义地施舍人民小恩小惠，目的就是使人们不去考虑自己毫无权利和受压迫的状况。经济派以经济斗争取代政治斗争的机会主义路线，恰恰迎合了资产阶级的需要。

需要指出的是，列宁强调政治斗争的首要性并不意味着就全然否定经济斗争的意义。列宁指出，马克思主义一开始就承认无产阶级经济斗争的重大意义

---

① 《列宁选集》第 1 卷，人民出版社 2012 年版，第 333 页注释 1。
② 《列宁选集》第 1 卷，人民出版社 2012 年版，第 267 页。
③ 《列宁选集》第 1 卷，人民出版社 2012 年版，第 276 页。
④ 《列宁选集》第 1 卷，人民出版社 2012 年版，第 275 页。

和必要性。不仅马克思和恩格斯曾经批判过轻视甚至否认经济斗争之意义的德法社会主义者，特别是拉萨尔派，而且列宁本人也充分肯定了俄国工人阶级进行经济斗争的意义："经济方面的（工厂方面的）揭露，过去和现在都是经济斗争的重要杠杆。只要还存在着必然会使工人起来自卫的资本主义，这方面的揭露将始终保持这种意义。即使在最先进的欧洲各国，现在也还可以看到，揭露某个落后的'行业'或某个被人遗忘的家庭手工业部门的种种丑恶现象，可以成为唤起阶级意识、开展工会斗争和传播社会主义的起点"①。列宁在肯定经济斗争之意义的同时，也指出了经济斗争的局限性。在他看来，由于经济斗争仅仅是工人为争得出卖劳动力的有利条件，为改善工人劳动条件和生活条件而向厂主进行的集体斗争，因此，这种经济斗争"本身实质上还不是社会民主主义的活动，而只是工联主义的活动"②。这样一来，如果仅仅从事经济斗争，将政治斗争留给资产阶级自由派，那么，工人阶级就会失去自己的政治独立性，甚至沦为自由派的尾巴，工人们就无法获得彻底的解放，从而也就背叛了工人阶级的根本利益。于是，列宁得出结论："社会民主党的座右铭，应当是不仅要帮助工人进行经济斗争，而且要帮助工人进行政治斗争；不仅要针对当前的经济要求进行鼓动，而且要针对一切政治压迫进行鼓动；不仅要宣传科学社会主义思想，而且要宣传民主主义思想。"③

此外，列宁还揭露了经济派所谓"政治鼓动应当服从于经济鼓动"、"赋予经济斗争本身以政治性质"等言论的实质是把社会民主主义政治降低为工联主义政治，局限于争取经济改良。列宁指出："社会民主党领导工人阶级进行斗争不仅是要争取出卖劳动力的有利条件，而且是要消灭那种迫使穷人卖身给富人的社会制度。社会民主党代表工人阶级，不是就工人阶级同仅仅某一部分企业主的关系而言，而是就工人阶级同现代社会的各个阶级，同国家这个有组织的政治力量的关系而言。由此可见，社会民主党人不但不能局限于经济斗争，而且不能容许把组织经济方面的揭露当做他们的主要活动。"④在列宁看来，无产阶级的基本经济利益只能通过用无产阶级专政代替资产阶级专政的政治革命来满足，所以，社会民主党应当积极地对工人阶级进行政治教育，发展工人阶

① 《列宁选集》第1卷，人民出版社2012年版，第341页。
② 《列宁选集》第1卷，人民出版社2012年版，第342页。
③ 《列宁选集》第1卷，人民出版社2012年版，第270—271页。
④ 《列宁选集》第1卷，人民出版社2012年版，第342页。

级的政治意识，通过对专制制度全面的政治揭露来提高群众的政治觉悟和革命的积极性，使争取改良的局部斗争服从于争取自由和争取社会主义的整个革命斗争。

第二，列宁批判了经济派迷恋组织工作中的手工业方式、反对建立革命家组织的机会主义观点，阐明了建立一个统一集中的马克思主义政党的必要性，明确指出"给我们一个革命家组织，我们就能把俄国翻转过来"[1]，从而深化了马克思主义哲学关于社会上层建筑反作用的基本原理。

经济派的庸俗决定论的另一表现，就是反对建立独立的工人革命政党，满足于当时党内存在的小组习气和手工业方式，甚至试图将组织工作的狭隘性理解神圣化、合法化。他们明确主张，为了同厂主和政府作经济斗争，"完全不需要有（因而在这种斗争的基础上也不可能产生）一个全俄的集中的组织，即一个能把政治上的反政府态度、抗议和义愤的各种各样的表现都汇合成一个总攻击的组织，一个由职业革命家组成而由全体人民的真正的政治领袖们领导的组织"[2]。他们甚至声称，要在俄国成立独立的工人政党的言论，是人云亦云，是把他人的任务搬到俄国来。

针对经济派对组织工作的狭隘理解，列宁首先拿1894—1901年间社会民主党人小组的活动片段来作例子，指出俄国社会民主党活动中普遍存在的"手工业方式是一种病症"，这种手工业方式不仅败坏了俄国革命家的威信，而且致使他们无法胜任其政治任务，经济派"屈服于盛行的手工业方式，不相信有摆脱它的可能，不了解我们首要的最迫切的实际任务是要建立一个能使政治斗争具有力量、具有稳定性和继承性的革命家组织"[3]。在列宁看来，无产阶级的自发斗争如果没有坚强的革命家组织领导，就不能成为无产阶级的真正的阶级斗争。俄国的当务之急，是建立一个全俄的集中的组织，一个由职业革命家组成而全体人民的真正政治领袖领导的组织。根据俄国的历史条件和现实情况，除了利用全俄报纸以外，再没有别的方法可以培植起强有力的政治组织。按照列宁的计划，党应当是由少数领导人（主要是职业革命家）和广泛的地方组织网两部分组成的。一方面，战斗的革命政党需要有坚强的有威信的领导，如果

---

[1] 《列宁选集》第1卷，人民出版社2012年版，第406页。

[2] 《列宁选集》第1卷，人民出版社2012年版，第381—382页。

[3] 《列宁选集》第1卷，人民出版社2012年版，第386页。

没有一个富有天才、经过考验、受过专门训练和长期教育并且彼此配合得很好的领袖的集体，在现代社会中就无法进行坚持不懈的斗争；另一方面，任何一个真正强有力的政党必须具有广泛的群众基础，脱离了人民群众的政治组织和政治行动都不可能实现其预期的目的。

随后，针对经济派轻视革命政党和革命家组织的错误倾向，列宁系统阐述了作为上层建筑重要因素的政党和革命家组织的极端重要性。其一，列宁在《俄国社会民主党人抗议书》中指出："只有独立的工人政党才能成为反对专制制度斗争的坚固堡垒，其余一切争取政治自由的战士只有同这样一个政党结成同盟并且给它援助才能发挥积极作用"①。这就是说，只有有了坚强的有组织的政党，才能使无产阶级的阶级斗争持久巩固；只有有了坚强的革命政党，才能率领无产阶级和革命群众去同阶级敌人作勇敢顽强的斗争；只有有了坚强的组织严密的党，个别地区的起义才能发展成胜利的革命。其二，列宁在总结俄国社会民主运动的历史教训之后，写道："由此自然产生出俄国社会民主党所应该实现的任务：把社会主义思想和政治自觉性灌输到无产阶级群众中去，组织一个和自发工人运动有紧密联系的革命政党"②。这就意味着，只有在无产阶级先进政党的领导下，广大劳动群众的解放斗争才能从自发走向自觉，才能推翻一切不合理的剥削制度，实现自己解放自己的目的。如果工人运动脱离无产阶级政党的领导，只去从事繁琐的经济斗争，工人阶级就会失去自己的政治独立性，沦为资产阶级和小资产阶级党派的尾巴，无产阶级就无法实现自己的解放。其三，列宁在批判经济派的手工业方式时明确喊出了一句关于革命组织之重要性的经典名言："给我们一个革命家组织，我们就能把俄国翻转过来"③。在对比了革命家组织与工人组织的不同后，列宁认为，只有把少数革命家组织成无产阶级政党的核心，党才能成为无产阶级的先锋队，才能同穷凶极恶的敌人展开不懈的斗争。如果没有一种稳定的和能够保持继承性的领导者组织，任何革命运动都不能持久。而且，自发地卷入斗争、构成运动基础和参加到运动中来的群众愈广泛，这种革命家组织也就愈迫切需要，也就应当愈巩固，同时，工人阶级和其他社会阶级中能够参加这个运动并且在运动中积极工作的人

---

① 《列宁选集》第 1 卷，人民出版社 2012 年版，第 271 页。
② 《列宁选集》第 1 卷，人民出版社 2012 年版，第 285 页。
③ 《列宁选集》第 1 卷，人民出版社 2012 年版，第 406 页。

数也就会愈多。"只有到那个时候，才能实现俄国工人革命家彼得·阿列克谢耶夫的伟大预言：'等到千百万工人群众举起筋肉条条的拳头，士兵刺刀保卫着的专制枷锁就会被粉碎！'"①

此外，针对经济派将社会民主党人建立革命家组织的观点指责为"民意主义"，列宁从两个方面予以驳斥：其一，由于他们不熟悉革命运动史，把凡是主张建立一种向沙皇制度坚决宣战的集中的战斗组织的思想都称之为"民意主义"，把战斗的革命组织视为民意党人特有的东西，列宁指出："这在历史上和逻辑上都是荒谬的，因为任何革命派别，如果真想作严肃的斗争，就非有这样的组织不行。"②民意党人的错误并不在于他们极力想把一切心怀不满的人吸收到自己的组织中来，引导这个组织去同专制制度作坚决的斗争，他们的错误在于他们依靠的理论，实质上并不是革命的理论，又不善于或者不能够把自己的运动同发展着的资本主义社会内部的阶级斗争密切联系起来。至于当前俄国自发工人运动的高涨，不是解除而是加强了革命家组织的责任。其二，他们用"密谋主义"的观点来对待政治斗争，甚至把革命家组织的秘密性与"密谋主义"相等同，列宁强调，我们一向反对并且始终都要反对把政治斗争缩小为密谋，但是，这决不是否认建立坚强的革命组织的必要性。在专制制度的国家里，秘密性对革命组织而言是绝对必需的，但这与密谋组织截然不同，若是据此加以谴责，那就未免太幼稚了。再者，有人可能会反驳说这种组织观点有违民主原则，列宁认为，在当前俄国条件下，实行完全公开选举的民主原则是行不通的空话，这只能给警察提供破坏革命组织的机会，因此，"我们运动中的活动家所应当遵守的唯一严肃的组织原则是：严守秘密，极严格地选择成员，培养职业革命家"③。

需要特别指出的是，经济派虽然有时也呼吁"组织起来"，但是他们所说的仅仅是建立互助会、罢工储金会和工人小组等一般工人群众组织，如此一来就必然从社会主义滑向工联主义。对此，列宁指出："我们当然完全同意这个呼吁，但是一定要补充一句：不但要组织互助会、罢工储金会和工人小组，而且要组织政党，组织起来同专制政府和整个资本主义社会进行坚决的斗争。不

① 《列宁选集》第1卷，人民出版社2012年版，第287页。
② 《列宁选集》第1卷，人民出版社2012年版，第414页。
③ 《列宁选集》第1卷，人民出版社2012年版，第419页。

这样组织起来，工人运动就会软弱无力，只靠一些储金会、工人小组和互助会，工人阶级永远不能完成自己所肩负的伟大历史任务：使自己和全体俄国人民摆脱政治上和经济上的奴隶地位。"[1]列宁关于建立无产阶级政党和革命家组织的重要性的论述不仅大大地提高了俄国无产阶级建立集中统一的坚强革命政党的自觉性，而且阐明了革命政党的重大历史作用，深化了马克思主义哲学关于社会上层建筑能动性的基本原理。

第三，列宁批判了经济派轻视革命理论、贬低社会主义意识的作用的错误论调，分析了自发性与自觉性的相互关系，提出了"没有革命的理论，就不会有革命的运动"，论证并强调了马克思主义革命理论的重要意义。

经济派的机会主义思想的一大突出表现就是扬言马克思主义理论"不完备和过时了"，从而否定马克思主义理论对工人运动的指导作用。对此，列宁一方面重申了马克思主义理论的科学性："我们完全以马克思的理论为依据，因为它第一次把社会主义从空想变成科学，给这个科学奠定了巩固的基础，指出了继续发展和详细研究这个科学所应遵循的道路。"[2]在列宁看来，马克思主义理论不仅揭示了现代资本主义经济的实质，说明了资本对雇佣劳动的剥削、压迫和奴役，而且表明了现代资本主义发展的整个过程怎样使小生产逐渐受到大生产的排挤，怎样创造条件，使社会主义社会制度成为可能和必然，不仅教导我们透过日常生活的表象看出资产阶级与无产阶级之间的阶级斗争，而且还说明了革命的社会党的真正任务：由无产阶级夺取政权并组织社会主义社会。另一方面，列宁还驳斥了伯恩施坦主义的拥护者把坚持马克思主义说成是教条的无理攻击，强调必须创造性地对待马克思主义。在列宁看来，马克思的理论所提供的只是一般的指导原理，而这些原理在各个国家的具体应用是各不相同的，他写道："我们决不把马克思的理论看做某种一成不变的和神圣不可侵犯的东西；恰恰相反，我们深信：它只是给一种科学奠定了基础，社会党人如果不愿落后于实际生活，就应当在各方面把这门科学推向前进。"[3]经济派还假借马克思的名言——"一步实际运动比一打纲领更重要"来竭力贬低理论的意义，对此，列宁不仅指出他们在理论混乱的时代来重复这句话是多么不合时宜，而

---

[1] 《列宁选集》第1卷，人民出版社2012年版，第286页。

[2] 《列宁选集》第1卷，人民出版社2012年版，第273页。

[3] 《列宁选集》第1卷，人民出版社2012年版，第274页。

且还追溯了上述名言的原初语境：这"是从他评论哥达纲领的信里摘引来的，马克思在信里严厉地斥责了人们在说明原则时的折中主义态度"①，而且马克思在同一封信中也强调决不能拿原则来做交易，决不要作理论上的"让步"。

经济派的另一核心主张在于崇拜自发性，认为社会主义意识可以自发地从工人运动本身产生并自发地在工人阶级中传播，反对给工人阶级灌输社会主义意识。列宁彻底批判了经济派的这种机会主义观点，对自发性与自觉性的关系问题详细地加以讨论。列宁指出，工人本来也不可能有社会民主主义的意识，这种意识只能从外面灌输进去，各国的历史已然证明：工人阶级单靠自己本身的力量，只能形成工联主义的意识，即确信必须结成工会，必须同厂主斗争，必须向政府争取颁布对工人是必要的某些法律等。"社会主义学说则是从有产阶级的有教养的人即知识分子创造的哲学理论、历史理论和经济理论中发展起来的"。②而要把社会主义意识灌输到工人运动中去，就必须同资产阶级意识形态进行不可调和的斗争，因为工人运动没有同社会主义意识结合之前，它无力抵抗资产阶级思想的进攻。资产阶级作为统治阶级通过学校、教会、报纸、文学艺术以及其他思想影响的渠道来压抑工人的意识，力图从精神上奴役工人。列宁写道："问题只能是这样：或者是资产阶级的意识形态，或者是社会主义的意识形态。这里中间的东西是没有的（因为人类没有创造过任何'第三种'意识形态，而且在为阶级矛盾所分裂的社会中，任何时候也不可能有非阶级的或超阶级的意识形态）。因此，对社会主义意识形态的任何轻视和任何脱离，都意味着资产阶级意识形态的加强。"③因此，俄国马克思主义政党在20世纪初期的迫切任务就在于，引导工人运动走上反对沙皇制度和资本主义的政治斗争的道路，以科学社会主义思想武装工人运动。

接下来，列宁通过阐发恩格斯关于社会民主运动的三种斗争——政治斗争、经济斗争和理论斗争——密不可分的思想，特别强调了理论工作的重大意义。列宁特别指出，对于俄国社会民主党来说，理论的意义显得更为重要。这是因为，其一，俄国社会民主党还刚刚在形成，刚刚在确定自己的面貌，同革命思想中有使运动离开正确道路危险的其他派别进行的清算还远没有结束，这

① 《列宁选集》第1卷，人民出版社2012年版，第311页。
② 《列宁选集》第1卷，人民出版社2012年版，第317—318页。
③ 《列宁选集》第1卷，人民出版社2012年版，第326—327页。

就意味着党在思想上还不成熟不统一，存在着各种不正确的思想派别。其二，社会民主主义运动就其本质来说是国际性的运动，这就意味着在俄国这种年轻的国家里搞运动，只有以批判性的态度来看待并运用别国的经验才能顺利发展，为了完成这个任务，就需要有雄厚的理论力量和丰富的政治经验以及革命经验。其三，俄国社会民主党担负的民族任务是世界上任何一个社会党都不曾有过的，这一任务的艰巨性就决定了只有以先进理论为指南的党，才能发挥先进战士的作用。列宁随后引证了恩格斯1874年谈到理论在社会民主主义运动中的意义问题时发表的意见："恩格斯认为，社会民主党的伟大斗争并不是有两种形式（政治的和经济的），像在我国通常认为的那样，而是有三种形式，同这两种斗争并列的还有理论的斗争"。[1] 只有实现理论斗争、政治斗争和经济斗争三方面的相互配合、相互联系，才能有计划地推进工人运动向前发展，给予资本家以集中的攻击。在强调理论斗争之于工人运动的重要性时，列宁进一步阐明了社会主义理论与工人运动相结合的问题，他强调必须用革命理论来武装工人运动，"从而使已经开始在俄国土壤上生根的马克思主义的社会主义和俄国的工人运动结合成为一个不可分割的整体，使俄国的革命运动同人民群众的自发行动结合起来。只有实现了这样的结合，才能在俄国建立起社会民主工党，因为社会民主党不只是为自发的工人运动服务（我们的一些现代'实际主义者'有时是这样想的），社会民主工党是社会主义同工人运动的结合。只有这样结合才能使俄国无产阶级完成它的第一个政治任务：把俄国从专制制度的压迫下解放出来"[2]。

最后，为了彻底批判经济派轻视革命理论的作用，列宁还系统论述了马克思主义革命理论的能动的反作用。其一，"没有革命的理论，就不会有革命的运动"[3]。列宁在总结以往工人运动经验教训的基础上提出，革命运动的成功与否与其指导理论息息相关，任何一个力图解放自己的阶级，任何一个力求达到统治的政党，只有在它代表最进步的社会思潮，因而是自己时代的最先进思想的担当者的时候才是革命的。只有以革命的理论为指导，才能确定正确的活动方式和灵活的斗争策略，才能维护党的团结统一，才能指引工人运动不断走向

---

① 《列宁选集》第1卷，人民出版社2012年版，第312—313页。
② 《列宁全集》第4卷，人民出版社2013年版，第287页。
③ 《列宁选集》第1卷，人民出版社2012年版，第153页。

胜利。"只有革命马克思主义的理论，才能成为工人阶级运动的旗帜"①，所以俄国社会民主党就应该设法继续发展并且实现这个理论，同时要捍卫其理论实质，防止被蓄意地歪曲和庸俗化。其二，"没有革命理论，就不会有坚强的社会党"②。党的使命是走在自发的工人运动前面，给它指明道路，回答无产阶级碰到的一切理论上、政治上和组织上的问题。党的力量就在于它具有理论武装。列宁希望工人运动的领袖们特别要不断地增进他们对于各种理论问题的知识，时刻记住恩格斯的教导："社会主义自从成为科学以来，就要求人们把它当做科学来对待，就是说，要求人们去研究它。必须以高度的热情把由此获得的日益明确的意识传播到工人群众中去，必须不断增强党组织和工会组织的团结"③。其三，"只有以先进理论为指南的党，才能实现先进战士的作用"④，才能使工人运动从自发性走向自觉性。在列宁看来，工人群众在同厂主的经济斗争的范围内，是不能形成真正的阶级意识的，这种经济斗争也不是真正无产阶级的阶级斗争。社会民主党的任务就是要反对自发性，就是要使工人运动脱离这种投到资产阶级羽翼下去的工联主义的自发趋势，而把它吸引到革命的社会民主党的羽翼下来。因此，为了从外面向工人灌输无产阶级政治意识，社会民主党人应该自觉以科学的马克思主义理论武装自己，"既以理论家的身份，又以宣传员的身份，既以鼓动员的身份，又以组织者的身份'到居民的一切阶级中去'"⑤，从而充分发挥其先进战士的作用，通过对专制制度的全面揭露来提高群众的政治觉悟和革命积极性，将无产阶级的自发斗争转变为真正的阶级斗争，将争取改良的局部斗争转变为争取自由和争取社会主义的整个革命斗争。

综上所述，经济派鼓吹自发论和经济决定论，夸大了经济因素的决定作用的同时，又忽视了政治斗争、政党组织和革命理论等上层建筑的能动的反作用，这种形而上学地割裂主客观因素的辩证关系的做法，是对马克思主义唯物史观的庸俗化。列宁结合俄国革命实际，彻底地驳斥了经济主义的荒谬论调，全面阐释了经济基础与上层建筑的辩证关系，系统论述了上层建筑诸因素在社

---

① 《列宁选集》第 1 卷，人民出版社 2012 年版，第 271 页。
② 《列宁选集》第 1 卷，人民出版社 2012 年版，第 274 页。
③ 《列宁选集》第 1 卷，人民出版社 2012 年版，第 314 页。
④ 《列宁选集》第 1 卷，人民出版社 2012 年版，第 312 页。
⑤ 《列宁选集》第 1 卷，人民出版社 2012 年版，第 366 页。

会历史发展过程中的能动作用，进一步丰富和发展了辩证唯物主义和历史唯物主义的基本原理。

在与各种错误思潮的不断斗争中为自身开辟前进的道路，是马克思主义发展史的一条基本规律。马克思主义在本质上是批判的、革命的，马克思主义理论的产生和发展，离不开对错误思潮的批判；马克思主义实践的展开和前进，离不开跟错误思潮的斗争；真正的马克思主义者的成熟和壮大，离不开向错误思潮的亮剑。时代是思想之母，实践是理论之源，批判是创新之路。列宁主义的形成和发展，既离不开对帝国主义时代特征的敏锐洞察，也离不开对俄国革命实践的深刻总结，更离不开对各种错误思潮的尖锐批判。列宁对俄国自由主义民粹派、"合法马克思主义"和经济派等错误思潮的批判，不仅坚决捍卫和科学阐释了马克思主义的哲学、政治经济学、科学社会主义的基本理论，而且进一步推动了马克思主义普遍原理与俄国革命具体实际的创造性结合，为俄国社会民主党乃至世界社会主义工人运动澄清了思想困惑、提供了理论指导、勾画了奋斗目标、指明了革命策略，更重要的是，它还标志着马克思主义的发展已经进入到一个崭新的阶段——列宁主义。批判错误思潮是检验马克思主义立场、观点和方法的试金石，不批判错误思潮，不揭露错误思潮的产生背景、理论实质和实践危害，就可能扰乱思想、误导舆论、动摇信仰、阻碍进步乃至犯颠覆性的错误。因此，作为马克思主义政党的共产党人历来重视党的思想建设，把坚定马克思主义理想信念、自觉抵制错误思潮的侵蚀，作为党的思想建设的首要任务。列宁对自由主义民粹派、"合法马克思主义"和经济派等错误思潮的批判，在意识形态领域斗争日益复杂、社会思潮纷纭动荡的今天，仍然具有十分重要的理论意义和现实价值，不仅有助于我们从哲学、政治经济学、科学社会主义的有机结合中完整准确地理解马克思主义的整体性，进一步深化马克思主义发展史的总体性研究，而且有助于我们巩固马克思主义在意识形态领域的指导地位，自觉运用马克思主义的立场、观点和方法旗帜鲜明地批判历史虚无主义、新自由主义等错误思潮，从而使我们在澄清歪曲、回应质疑、应对挑战的过程中掌握国际话语权，引领21世纪世界马克思主义研究。

第三章　建立无产阶级新型政党的理论与实践

　　19 世纪末 20 世纪初，马克思主义在俄国广泛传播并产生重大影响，以列宁为代表的无产阶级革命家将马克思主义作为行动指南，坚决同第二国际和本国的机会主义派别进行斗争，建立了区别于第二国际的新型政党——布尔什维克党。这个政党领导俄国人民经历了 1905 年和 1917 年 2 月的两次资产阶级民主革命，取得了 1917 年十月社会主义革命的伟大胜利，建立了世界上第一个社会主义国家。特别是在 1899 年至 1904 年这段时期，列宁同党的其他领导者，为在俄国建立新型无产阶级政党做了大量的工作，并在同经济派和孟什维克的斗争中积累了宝贵的经验，促使新型无产阶级政党的建立。列宁的建党理论是马克思主义政党学说同俄国建党实践相结合的产物，是俄国建党经验的科学总结和升华。

第一节　建立独立的无产阶级政党

　　1895 年秋，按照集中制、严格的纪律和密切联系群众的原则，在彼得堡，一个工人阶级的战斗组织——"工人阶级解放斗争协会"建立了。这是俄国无产阶级政党的萌芽。斗争协会包括若干马克思主义工人小组，并同群众性的工人运动建立了联系，自此开始了马克思主义和俄国工人运动的结合。在"协会"

的影响下，俄国许多地方都相继成立了类似的组织，但是摆在俄国社会民主党人面前的紧要任务，是把各个马克思主义组织联系起来，建立一个有统一的领导和明确的纲领的无产阶级革命政党。这个紧迫任务促使列宁对一系列理论问题和现实问题进行思考，开展实际的革命活动。

一、坚持无产阶级政治斗争原则

俄国的工人阶级政党应当是一个什么样的党？俄国的革命斗争应当采取何种形式？这在不同的派别中存在着争论。机会主义者把议会斗争作为基本的甚至是唯一的斗争手段，鼓吹和平的、合法的斗争方式，有的鼓吹个人恐怖手段。这些不同主张在很大程度上模糊了无产阶级的斗争原则和策略，因此，必须澄清一些似是而非的观点，维护无产阶级的政治斗争原则。

（一）任何斗争形式均不能代替政治斗争

在各种错误派别当中，主张以经济斗争代替政治斗争的经济派具有代表性。19 世纪 90 年代中期，俄国工人运动高涨，工人罢工规模不断扩大，经济罢工接连取得了胜利。在这种形势下，许多社会民主党人过高估计了经济斗争的作用，迷恋于工人的经济斗争。他们把党的工作限制在同厂主和政府作经济斗争和只在工人中进行经济鼓动，以及帮助工人建立各种罢工组织等狭小范围内，轻视和反对与沙皇专制制度进行政治斗争，轻视党的政治任务和组织任务。

经济派将经济基础决定上层建筑原理庸俗化，说政治斗争是上层建筑，应当在经济斗争的基础上生长起来，并且服从经济斗争。他们要求社会民主党只进行经济斗争，或者实行工联主义的政治，只向政府争取有利于工人的某些经济改良。列宁对这种以"经济斗争"代替"政治斗争"的主张进行了批判，阐述了无产阶级采取政治斗争的必要性。列宁认为，从经济利益起决定作用的原理中，决不应当作出经济斗争有首要意义的结论。因为一般来说，最重要的、有决定意义的阶级利益只能用根本的政治改造来满足。无产阶级的基本经济利益只能经过用无产阶级专政代替资产阶级专政的政治革命来满足。固然，在实践中，有时政治的确应当服从于经济，但是当无产阶级没有自由或者政治权利受到压制的时候，始终必须把政治斗争提到首位。经济斗争和工联主义的斗争最多只能暂时改善一下工人的劳动条件和生活条件，在一定程度上促进工人群众的觉醒和团结，然而它不能改变工人被剥削被压迫的地位，也不能把工人阶级的意识发展到马克思主义的政治意识的高度。列宁并不否认革命的无产阶级采取一切斗争手段的必要性，要求善于结合不同的情况采取不同的斗争形式和斗争方法，并能够随着形势的变化巧妙地从一种方法过渡到另一种方法，但是这决不意味着不突出政治斗争的首要地位。他主张，革命的社会民主党必须把经济斗争和政治斗争结合为无产阶级的统一的阶级斗争，要在工人阶级同现代社会的各个阶级、同国家的关系上代表工人阶级，要到居民的一切阶层中去，组织全面的政治揭露和政治鼓动，用科学社会主义精神来说明一切问题，领导各阶层人民推翻专制制度，并进而为实现无产阶级专政而斗争。

除了经济派的主张以外，还有一些人主张采取和平的方法进行斗争，认为应该像德国社会民主党那样习惯于公开的合法斗争，把议会斗争作为基本手段。列宁认为，这是一种机会主义的主张。俄国存在着专制制度，无产阶级政党不能合法存在，没有议会斗争可以利用，不可能建立西欧那种公开的、以议会斗争为主的党。无产阶级政党不能把和平的斗争方法作为唯一的活动方式，因为资产阶级一到决定关头就会用暴力保卫自己的特权，那时，无产阶级要实现自己的目的，除了进行政治斗争甚至是暴力革命外，没有其他选择。

（二）无产阶级的斗争任务和目标

在《社会民主党纲领草案及其说明》中，列宁论述了俄国无产阶级的斗争任务和目标，提出了无产阶级政党的实际要求，并对这些要求作了科学论证。列宁指出，俄国社会民主党的任务是帮助俄国工人阶级进行争取自身解放的斗争。由于工人阶级争取自身解放的斗争必然会引起反对专制政府的无限权力的斗争，所以社会民主党应当提高工人的阶级自觉，促使他们组织起来，指出斗争的任务和目的。列宁认为"俄国工人阶级争取自身解放的斗争是政治斗争，其首要任务是争得政治自由"[①]，从而实现社会主义的愿望，把斗争同大工厂造成的生活条件所产生的人民运动结合起来。

列宁认为，党的活动应该是帮助工人进行阶级斗争。这就需要党参加到工

---

① 《列宁专题文集　论无产阶级政党》，人民出版社 2009 年版，第 2 页。

人运动中去，阐明这个运动，并在工人自己已经开始进行的这个斗争中帮助他们。党的任务就是维护工人的利益，代表整个工人运动的利益。概括起来，党的活动包括以下几个方面：

第一，提高工人的阶级自觉。列宁指出，所谓提高工人的阶级自觉就是使工人认识到，只有同资本家、工厂主进行斗争，才是改善自身状况和争得自身解放的唯一手段。要使工人认识到本国所有工人的利益是相同的，一致的，他们全体组成了一个不同于社会上所有其他任何阶级的独立的阶级。还要使工人认识到，为了达到自己的目的，工人必须争取对国家事务的影响，就像土地占有者和资本家已经争取到并且在继续争取的对国家事务的影响一样。①

列宁认为，提高工人的自觉，要通过一定的途径。工人经常是通过他们已经开始的反对厂主的斗争、通过这个随着大工厂的发展而日益扩展、日益尖锐、日益吸引更多工人的斗争来认识到这一切的。有过一个时期，工人的斗争表现为工人的零星发动，比如，破坏厂房、捣毁机器、殴打厂长，等等。这是工人运动最初的、原始的形式，这在当时也是必要的，因为对资本家的憎恨在任何时候和任何地方都是促使工人产生自卫要求的第一个推动力。但是俄国工人运动已经从这种最初形式向前发展了。工人已经不是模糊地憎恨资本家，而是已经开始认识到工人阶级的利益和资本家阶级的利益是截然对立的。"他们已经不是模糊地感到自己在受压迫，而是开始分析，资本究竟通过什么和究竟怎样压榨他们，同时他们起来反对这种或那种压迫形式，限制资本的压榨，保卫自己，反击资本家的贪心。他们现在已经不是向资本家复仇，而是过渡到进行争取让步的斗争。"②俄国工人转向这种斗争是他们的一大进步。这个斗争把工人运动带上了康庄大道，它是工人运动进一步获得胜利的可靠保证。工人群众通过这个斗争，可以学习辨别和分析各种各样的资本主义剥削方式，学习把这些方式同法令、同自己的生活条件和同资本家阶级的利益加以对比。工人可以通过这个斗争，检阅自己的力量，学习如何联合，学习认识联合的必要性和意义。这个斗争提高了工人的政治觉悟。因此，工人通过这样的罢工完全可以受到政治教育。他们不仅学习认识工人阶级的特殊利益，而且学习认识工人阶级在国家中所处的特殊地位。"总之，社会民主党对工人的阶级斗争所能给予

---

① 参见李建俊：《列宁早期关于党的纲领的理论与实践》，《社会主义研究》2013 年第 4 期。
② 《列宁专题文集 论无产阶级政党》，人民出版社 2009 年版，第 18 页。

的帮助应该是：在工人争取自己最迫切的需要的斗争中给予帮助，以提高他们的阶级自觉。"①

第二，协助工人组织起来。工人阶级进行斗争必须组织起来，为了更顺利地进行罢工，为了给罢工者募捐，建立工人储金会，为了向工人进行宣传，在工人中间散发传单、通知、号召书等，都需要组织。社会民主党的任务就是协助工人组织起来。工人为了保卫自己免受宪警迫害，为了隐蔽工人的各种联系和关系不让宪警发现，为了递送给工人以书籍、小册子和报纸等，就更需要组织。社会民主党需要在这些方面对工人的斗争提供帮助，这也是社会民主党需要组织工人的原因。

第三，指出斗争的真正目的。社会民主党要向工人解释，什么是资本对劳动的剥削，剥削是依靠什么进行的，土地和劳动工具的私有制怎样使工人群众陷于赤贫境地，怎样迫使他们把自己的劳动出卖给资本家，把工人维持自己生活以外的全部剩余劳动产品白白送给资本家。还要向工人解释，这种剥削怎样必然地引起工人同资本家的阶级斗争，这个斗争的条件及其最终目的又是怎样的。总之，社会民主党要向工人指出斗争的真正目的。

列宁指出，工人阶级的斗争是政治斗争。"工人阶级不争得对国家事务、国家管理、发布法令的影响，就不可能进行争取自身解放的斗争。……工人阶级不争得对国家政权的影响，就不可能进行自己的斗争，甚至不可能争得自己处境的不断改善。"②工人同资本家的斗争必然导致工人同政府发生冲突，而政府本身也竭尽全力向工人证明，工人只有进行斗争，只有联合起来进行反抗，才能影响国家政权。工人阶级同资本家阶级的斗争必然成为政治斗争。这个斗争现在的确已在影响国家政权，获得政治意义。工人运动越向前发展，工人在政治上毫无权利的情况就越清楚、越明显地表现出来。因此，工人最迫切的要求和工人阶级影响国家事务的首要任务，应该是争得政治自由，即争得以法律（宪法）保证全体公民直接参加国家的管理，保证全体公民享有自由集会、自由讨论自己的事情和通过各种团体与报纸影响国家事务的权利。争得政治自由成了工人的迫切事情，因为没有政治自由，工人对国家事务就没有也不可能有任何影响，从而必然仍旧是一个毫无权利的、受屈辱的、不能发表意见的阶级。

---

① 《列宁专题文集　论无产阶级政党》，人民出版社 2009 年版，第 20 页。

② 《列宁专题文集　论无产阶级政党》，人民出版社 2009 年版，第 20—21 页。

（三）民主主义斗争与社会主义斗争有机结合

列宁在《俄国社会民主党人的任务》中论述了俄国社会民主党人的政治纲领和策略。列宁指出，俄国社会民主党人必须开展两种斗争，即社会主义斗争（反对资本家阶级，目标是破坏阶级制度、组织社会主义社会）和民主主义的斗争（反对专制制度，目标是在俄国争得政治自由并使俄国的政治制度和社会制度民主化）。这两种斗争既有本质区别，又有不可分割的联系，俄国社会民主党人只有把二者很好地结合起来，才能完成自己的使命。

列宁指出，1897年最迫切的问题是社会民主党人的实践活动问题。社会民主党的实践方面，关于它的政治纲领，关于它的活动方法和策略还有很多误会。社会民主党人在实践活动方面给自己提出的任务是，领导无产阶级的阶级斗争，并把这一斗争的两种具体表现组织起来：一种是社会主义的表现；另一种是民主主义的表现。俄国社会民主党人自从作为一个特别的社会革命派别出现时起，就始终十分明确地指出他们这一活动任务，始终强调无产阶级阶级斗争的两种表现与内容，始终坚持他们的社会主义任务与民主主义任务的不可分割的联系，而这一联系在他们所采用的名称上就已清楚地表现出来了。

列宁对社会民主党人的社会主义工作和民主主义工作的主要内容和联系进行了概括。他说，社会民主党人的社会主义工作，就是在工人中宣传科学社会主义学说，使工人正确了解现代社会经济制度及其基础与发展，了解俄国社会各个阶级及其相互关系，了解这些阶级相互的斗争，了解工人阶级在这个斗争中的作用，了解工人阶级对于正在没落的阶级和正在发展的阶级、对于资本主义的过去和将来所应采取的态度，了解各国社会民主党和俄国工人阶级的历史任务。同宣传工作紧密相联的，就是在工人中间进行鼓动工作，这个鼓动工作在俄国目前的政治条件和工人群众的发展水平下，自然成为首要的工作。社会民主党人的民主主义任务和民主主义工作与社会主义工作有不可分割的联系。社会民主党人在工人中间进行宣传的时候，不能避开政治问题，并且认为，想避开政治问题或者把它们搁置一边的任何做法，都是极大的错误，都是背离全世界社会主义的基本原理的。俄国社会民主党人除了宣传科学社会主义以外，同时还要在工人群众中间广泛宣传民主主义思想，竭力使工人认识专制制度的一切活动表现，专制制度的阶级内容，推翻专制制度的必要性，如果不争得政治自由并使俄国政治社会制度民主化，就不可能为工人事业进行胜利的斗争。社会民主党人根据当前的经济要求在工人中间进行鼓动的时候，要把这种鼓动与根据工人阶级当前的政治需要、政治困苦和政治要求进行的鼓动密切联系起来。无论经济鼓动或政治鼓动，都是为发展无产阶级的阶级自觉所必需的；无论经济鼓动或政治鼓动，都是为领导俄国工人的阶级斗争所必需的，因为"任何阶级斗争都是政治斗争"[①]。无论前一种鼓动或后一种鼓动，都能唤起工人觉悟，组织他们，使他们遵守纪律，教育他们进行一致活动并为社会民主主义理想而斗争，因而也就使工人有可能在解决迫切问题和迫切需要方面试验自己的力量。使工人们有可能从敌人方面争得局部的让步，改善自己的经济状况，使资本家不能不考虑有组织的工人的力量，使政府不能不扩大工人的权利和接受工人的要求，使政府在怀有敌对情绪并由坚强的社会民主党组织所领导的工人群众面前经常胆战心惊。

承认社会主义的与民主主义的宣传和鼓动有不可分割的联系，并不代表忽视二者之间的差别。列宁指出，在经济斗争中，无产阶级完全是孤立的，要同时反对地主、贵族和资产阶级，至多也只能得到小资产阶级中间那些趋向于无产阶级的分子的帮助。而在民主主义的政治斗争中，俄国工人阶级却不是孤立的；所有一切持反政府态度的分子、阶层和阶级，都是与它站在一起的，因为他们也仇视专制制度，并用这种或那种形式进行反对专制制度的斗争。但是无产阶级与其他阶级不同，只有无产阶级，才能成为彻底的民主主义者，坚决反对专制制度的战士，而不会作任何让步和妥协。只有无产阶级，才能成为争取政治自由与民主制度的先进战士，因为无产阶级受到的政治压迫最厉害，这个阶级的地位不可能有丝毫改变，它既没有接近最高当局的机会，甚至也没有接近官吏的机会，也无法影响社会舆论。只有无产阶级才能彻底实现政治社会制度的民主化，因为实行这种民主化，就会使工人成为这个制度的主人。

列宁主张将工人同其他反政府集团区分开来，将工人单独划分出来，保持无产阶级的阶级独立性。因为如果把工人阶级的民主主义活动与其他各个阶级和集团的民主主义融合起来，就会削弱民主运动的力量，就会削弱政治斗争，就会使这一斗争不是那样坚决，不是那样彻底，而是比较容易妥协。反过来，把工人阶级作为争取民主制度的先进战士划分出来，就会加强民主运动，加强争取政治自由的斗争，因为工人阶级将带动其他一切民主分子和持反政府态度

[①] 《列宁选集》第 1 卷，人民出版社 2012 年版，第 89 页。

的分子，将推动自由派去与政治激进派接近，将推动激进派去同当前社会整个政治社会制度坚决断绝关系。所以，列宁概括说："俄国一切社会主义者，都应当成为社会民主党人。我们现在还要补充说：俄国一切真正的和彻底的民主主义者，都应当成为社会民主党人。"①列宁最后指出，俄国社会民主党要满足正在觉醒的无产阶级的要求，要组织工人运动，要巩固革命团体及其相互联系，要供给工人们宣传鼓动的书刊，要把散布在俄国各个地方的工人小组与社会民主主义团体统一成为一个社会民主工党。

（四）党的纲领的实质就是组织无产阶级的阶级斗争

列宁十分重视制定党纲。早在 1895—1896 年，他在狱中的时候就写了《社会民主党纲领草案及其说明》。1899 年，在流放中，他又写了《我们的纲领》、《我们的纲领草案》等文章，论述了制定党纲的意义、党纲的实质以及主要内容等。列宁将制定党的纲领同无产阶级阶级斗争联系在一起，认为彻底的党的纲领应当具备三个条件：一是对于最终目的有明确的看法。党的最终目的就是由无产阶级夺取政权，建立社会主义社会；二是对于达到这一目的的道路有正确的了解。这条道路就是进行无产阶级反对资产阶级的阶级斗争，在俄国农村还有全体农民反对农奴制残余的斗争；三是明确党的最近政治任务是推翻沙皇专制制度，建立以民主宪政为基础的共和国。列宁认为，前两个条件是党的纲领的实质，即"组织无产阶级的阶级斗争，领导这一斗争，而斗争的最终目的是由无产阶级夺取政权并组织社会主义社会"②。

列宁提出，革命的社会民主党的真正任务不是臆造种种改造社会的计划，不是劝导资本家及其走狗改善工人的处境，不是策划密谋，而是组织无产阶级的阶级斗争和领导这一斗争。无产阶级的阶级斗争分经济斗争和政治斗争。有些俄国社会民主党人认为经济斗争比政治斗争重要得多，而政治斗争则似乎可以推延到比较遥远的将来。这种见解是完全错误的。列宁认为，社会民主党人必须组织工人阶级的经济斗争，必须在这个基础上到工人中间进行鼓动，即帮助工人去同厂主进行日常斗争，叫他们注意压迫的种种形式和事实，以此向他们说明联合起来的必要性。但是，因为经济斗争而忘掉了政治斗争，那就是背

---

① 《列宁选集》第 1 卷，人民出版社 2012 年版，第 147 页。

② 《列宁选集》第 1 卷，人民出版社 2012 年版，第 273—274 页。

弃了全世界社会民主运动的基本原则，那就是忘掉了全部工人运动史所教导我们的一切。俄国社会民主党纲领的实质就是组织无产阶级的阶级斗争，即实质说来的政治斗争。列宁认为，经济斗争最多只能暂时改善一下工人的劳动条件和生活条件，却不能改变工人被剥削被压迫的地位。"一切经济斗争都必然要变成政治斗争，所以社会民主党应该把这两种斗争紧紧地结合成无产阶级统一的阶级斗争。这种斗争的首要目的应该是争取政治权利，争取政治自由。"[1]"俄国社会民主党一旦成为一切争民权、争民主的战士的领袖，那它就会是不可战胜的！"[2]

二、寻找适当的革命组织形式

寻找适当的革命组织形式是以列宁为代表的马克思主义者关心的主要问题。列宁一方面总结了西欧社会民主党在组织方面的经验和教训，另一方面通过总结俄国历史上的革命组织经验，特别是俄国建立工人政党的经验教训，在《什么是"人民之友"以及他们如何攻击社会民主党人?》、《我们党的纲领草案》《我们运动的迫切任务》、《怎么办?》当中，创造性地制定了一种不同于西欧社会民主党的新的组织形式：党的组织由两部分组成，一部分是革命家组织，再一部分是经党批准为党组织的多种多样的工人组织。在党组织外围再由党员去建立各种广泛、合法和公开的组织，把它们作为党进行鼓动的基地和建立联系的隐蔽所。

（一）寻找适当的革命组织形式的重要性

列宁指出，俄国社会民主党的使命是把工人的分散的经济斗争转变为整个工人阶级反对剥削制度的自觉的有组织的斗争。为此，就必须把无产阶级团结成一个独立的社会主义工人政党，这个党能够始终不渝地捍卫无产阶级的阶级利益，并成为无产阶级的思想领导者。社会民主党人应当帮助无产阶级根据国际经验和俄国特点，制定出最适当的革命组织形式。这里谈的是这样一种组

---

[1] 《列宁选集》第 1 卷，人民出版社 2012 年版，第 276 页。

[2] 《列宁选集》第 1 卷，人民出版社 2012 年版，第 276 页。

织，这种组织应当依靠群众性的工人运动，能够领导反对专制制度、反对资本主义的政治斗争。列宁认为，党是无产阶级的阶级组织，是无产阶级的司令部，在它的活动中，要把理论工作与实际工作有机结合起来。这个党同宗派主义和革命冒险主义（布朗基主义）都毫无共同之处。

列宁认为，理论与实践、言论与行动之间的密切联系具有特殊的意义。只有理论工作符合现实生活的需要、理论工作成果在工人中间得到宣传、理论工作能够帮助工人组织起来时，社会民主党人才能避免那些孤立的、脱离实际的社会主义者团体常犯的教条主义和宗派主义的毛病。列宁写道："只要以是否符合社会经济发展的现实过程作为学说的最高的和唯一的标准，那就不会有教条主义；只要把任务归结为协助无产阶级组织起来，因而'知识分子'的作用就是使特殊的知识分子的领导者成为不需要的人物，那就不会有宗派主义。"[①]这样，列宁就把马克思主义对革命组织作用的理解同任何小资产阶级的、机会主义的概念严格区分开来了。

（二）以革命家组织为核心的新的组织形式

列宁创造的新的组织形式包括两个部分：一部分是革命家组织，另一部分是工人组织。列宁所说的工人组织，是指以做工为职业的人参加的组织，其中也包括从事其他职业而参加这种组织的人，这是相对于职业革命家来说的。这种工人组织比较广泛，按职能的不同和秘密程度的差别有多种多样，但是必须经党的委员会批准才能作为党组织的一部分。而革命家组织是由以革命活动为职业的人组成，它是不很广泛和尽可能秘密的组织，是牢固的、集中的、战斗的组织，是整个党组织的核心。这种组织从中央到基层都要建立。列宁说，在地方"需要有职业革命家组成的委员会"[②]，在工厂党组织中工人革命家小组"要成为核心和领导者即'主人'"[③]。

由于西欧社会民主党是从工会中产生的，保留着工会式组织的传统，所以建立革命家组织对于社会主义工人党来说，是一个新课题。此外，由于俄国的经济派只讲工人组织（工会式组织），不讲革命家组织，所以列宁重点论证了

---

① 《列宁选集》第1卷，人民出版社2012年版，第79页。

② 《列宁选集》第1卷，人民出版社2012年版，第402页。

③ 《列宁全集》第7卷，人民出版社2013年版，第10页。

建立革命家组织的问题。列宁认为，俄国专制统治的政治条件和俄国工人政党的政治任务，使俄国不能从建立工会着手建党，也不能按照工会组织的传统来建党，而必须从建立革命家组织着手建党。

列宁认为，党的核心应当由职业革命家组成，这些人献身革命，具有坚定的理论信念和广阔的政治眼界，富于自我牺牲精神，并无限忠于工人阶级。在不合法的情况下，特别重要的是要有善于同警察作斗争的本领和从事秘密活动的技能。列宁号召社会民主党人、最具有觉悟的工人和知识分子耐心地培养自己从事革命活动的本领。

列宁认为职业革命家同脱离人民的密谋家毫无共同之处。职业革命家的使命是：永远置身于群众之中，了解他们的需要，观察他们的情绪，为启发劳动者的意识、发展他们的组织和发挥他们的革命主动精神贡献自己的全部力量。同时，职业革命家应当善于建立密切的联系。列宁认为，为了顺利地进行反对沙皇制度和资本主义的斗争，俄国社会民主党人必须使自己的革命组织达到最完善的地步。他认为，必须把分散的社会民主主义小组和团体联合成为俄国无产阶级的统一的马克思主义政党。进行反对沙皇专制制度和资产阶级斗争的，不应当是一些密谋家，而应当是革命的社会民主主义组织。列宁在为《工人报》撰写的文章中把党称作工人运动和整个革命运动的领导力量，认为当前的主要任务是克服手工业方式和小组习气，建立俄国社会民主党人的巩固而完善的组织。

（三）革命家组织的严密体系

列宁认为，党不是党员的简单相加，也不是革命家组织和工人组织的简单相加，而是以革命家组织为核心有机地组织起来的一个整体，从中央到工厂有一个严密的组织体系，内部实行精细分工。处于组织体系顶层的是中央设立的委员会和中央机关报编辑部。前者负责领导党的实践活动，后者领导党的思想活动。为了统一两个机构，使它们步调一致，解决争端，设立一个总委员会。可见，中央机关报是与中央委员会并列的，这也是考虑到俄国当时的特殊条件。在1905年俄国社会民主工党第三次代表大会以后，改由中央委员会统一领导全党的活动，包括中央机关报。

在地方上，要建立党的地方委员会，领导地方一切运动，管理地方上的一切机构、人力和物力。委员会的人数不要太多，分工担任某项革命工作，负责某一个专门机构。委员会设立一系列附属机构，如宣传小组、运输小组、各种秘密机构等。同时，设立区小组作为地方委员会、工厂委员会、工厂小组的中介，执行委员会委托的职权。工厂设立工厂委员会和工厂小组。工厂的党组织内部是秘密的，外部是枝脉纵横的，把触角远远地伸到各方面去。工厂委员会通过各种小组（或代办员）力求掌握整个工厂，掌握尽量多的工人。工厂委员会的成员应当是地方委员会的代办员，服从地方委员会的一切指示。

列宁提出的这种以革命家组织为核心，与多种多样的工人组织相结合，形成一个严密体系的组织形式，使无产阶级政党组织上的严密性空前加强，使党在反动政治统治下既能保持自己组织的稳固性，又能保持同群众的密切联系，并大大加强了自己的战斗力。

三、马克思主义政党的性质

党的性质问题早在马克思和恩格斯那里就有过论述。1844 年，恩格斯指出："显然不论何时何地工人阶级都应当是社会主义政党所依靠的堡垒和力量。"[①] 在《共产党宣言》中马克思和恩格斯进一步指出："共产党人不是同其他工人政党相对立的特殊政党。他们没有任何同整个无产阶级的利益不同的利益。他们不提出任何特殊的原则，用以塑造无产阶级的运动。"[②] 由此可见，马克思主义政党的性质是无产阶级的政党，因为它以共产主义为宗旨。列宁继承了马克思和恩格斯关于党的性质的认识，认为党是工人阶级的先进的、有组织的部队，这是对马克思主义政党性质认识的进一步深化。

（一）马克思和恩格斯对党的性质的论述

马克思和恩格斯最早探讨了党的性质问题。他们认为共产主义作为一种理论体系，是无产阶级解放条件的学说；作为一种社会运动，它反映无产阶级的利益和要求；作为一种社会形态，是无产阶级解放斗争的最终目的。它的实现依赖于无产阶级的不懈奋斗。共产党本身就是科学共产主义与工人运动相结合

① 《马克思恩格斯全集》第 2 卷，人民出版社 1957 年版，第 589 页。
② 《马克思恩格斯选集》第 1 卷，人民出版社 2012 年版，第 413 页。

的产物，无产阶级是它当然的阶级属性。

科学共产主义把无产阶级作为自己的物质力量，那么，无产阶级是否具备了实现共产主义的条件和能力呢？马克思和恩格斯在《共产党宣言》中对此作了肯定回答。他们指出，在资本主义社会中，只有无产阶级是真正革命的阶级和最有前途的阶级。因为无产阶级是大工业本身的产物，它随着资本主义的发展而发展，而其余一切同资产阶级相对立的阶级，都将随着大工业的发展而日趋没落和灭亡。无产阶级的增长和集中，使它愈来愈明确地意识到本阶级的力量，愈难忍受资本的剥削和压迫，从而孕育着推翻资产阶级的社会革命。无产阶级是资本主义的掘墓人，不仅客观的历史进程赋予它这样的历史使命，而且它本身也具备了资产阶级掘墓人的主观条件。马克思和恩格斯指出："资产阶级无意中造成而又无力抵抗的工业进步，使工人通过结社而达到的革命联合代替了他们由于竞争而造成的分散状态。"[1]"现代工业已经把家长式的师傅的小作坊变成了工业资本家的大工厂。挤在工厂里的工人群众就像士兵一样被组织起来。"[2]团结性和纪律性，这是工人阶级最可宝贵的优秀品质。马克思和恩格斯特别指出，旧社会内部的冲突在许多方面都促进了无产阶级的发展。第一，资产阶级在联合无产阶级进行共同斗争的过程中，把自己的教育因素给了无产阶级；第二，在剧烈的竞争中，大批原统治阶级的分子被抛到无产者队伍中，也给无产阶级带来了大量的启蒙和进步的因素；第三，阶级斗争达到非常强烈、非常尖锐的程度后，统治阶级中会有一小部分人脱离统治阶级，归附于无产阶级，从而帮助无产阶级达到从理论上认识整个历史运动的水平。无产阶级有充分的能力接受科学共产主义思想，完成埋葬资本主义的历史任务。马克思和恩格斯还指出，无产阶级是彻底革命的阶级，"过去一切阶级在争得统治之后，总是使整个社会服从于它们发财致富的条件，企图以此来巩固它们已经获得的生活地位。无产者只有废除自己的现存的占有方式，从而废除全部现存的占有方式，才能取得社会生产力。无产者没有什么自己的东西必须加以保护，他们必须摧毁至今保护和保障私有财产的一切。"[3]"过去的一切运动都是少数人的，或者为少数人谋利益的运动。无产阶级的运动是绝大多数人的，为绝大

---

[1] 《马克思恩格斯选集》第 1 卷，人民出版社 2012 年版，第 412 页。

[2] 《马克思恩格斯选集》第 1 卷，人民出版社 2012 年版，第 407 页。

[3] 《马克思恩格斯选集》第 1 卷，人民出版社 2012 年版，第 411 页。

多数人谋利益的独立的运动。"①

根据无产阶级的历史特点，马克思和恩格斯指明了无产阶级政党的性质。共产党是无产阶级的政党，但党并不等于阶级本身，党员也不是一般的工人群众。党是无产阶级的先锋队。共产党的先进性表现在："一方面，在无产者不同的民族的斗争中，共产党人强调和坚持整个无产阶级共同的不分民族的利益；另一方面，在无产阶级和资产阶级的斗争所经历的各个发展阶段上，共产党人始终代表整个运动的利益"。②"因此，在实践方面，共产党人是各国工人政党中最坚决的、始终起推动作用的部分；在理论方面，他们胜过其余无产阶级群众的地方在于他们了解无产阶级运动的条件、进程和一般结果。"③马克思和恩格斯关于党的性质的学说被列宁充分地继承和发展了，列宁正是在马克思和恩格斯关于党的性质方面的学说基础上，提出了党是工人阶级的先进的、有组织的部队的思想。

（二）党是工人阶级的先进部队

列宁认为，"布尔什维主义作为一种政治思潮，作为一个政党而存在，是从1903年开始的。"④在1903年夏，俄国社会民主工党第二次代表大会召开之后，以列宁为首的布尔什维克坚决反对以马尔托夫为首的孟什维克派的思想主张，坚决捍卫马克思和恩格斯的无产阶级政党建设理论，对于在落后的俄国建立一个什么样的党和怎样建设党这一重要命题作出了艰辛探索和深刻思考，提出了一系列既符合俄国客观实际又具有广泛国际影响的思想和观点。

在党是无产阶级先进组织还是一般的阶级组织问题上，列宁同马尔托夫、阿克雪里罗得等存在着严重分歧。马尔托夫等人否定党的先进性，混淆了党同一般阶级组织之间的界限。阿克雪里罗得说："但是我们既然是阶级的党，就应当想法不把那些也许并不十分积极然而却自觉靠近这个党的人抛在党外"⑤。马尔托夫则说："党员称号散布得愈广泛愈好"⑥，"如果每一个罢工者，每一个

① 《马克思恩格斯选集》第1卷，人民出版社2012年版，第411页。
② 《马克思恩格斯选集》第1卷，人民出版社2012年版，第413页。
③ 《马克思恩格斯选集》第4卷，人民出版社2012年版，第2页。
④ 《列宁选集》第4卷，人民出版社2012年版，第135页。
⑤ 转引自《列宁选集》第1卷，人民出版社2012年版，第473页。
⑥ 转引自《列宁选集》第1卷，人民出版社2012年版，第474页。

示威者，在对自己行动负责的情况下，都能宣布自己是党员，那我们只会对此表示高兴。"①

列宁针对马尔托夫、阿克雪里罗得等人混淆党与阶级的界限的错误观点，深刻阐述了党是无产阶级先进部队的原理。

首先，列宁认为，党是无产阶级的党，但无产阶级同党是有区别的，两者不是一回事。这种把政党和阶级混淆的论调，是同"经济派"的观点一样的错误。"我们是阶级的党，因此，几乎整个阶级（而在战争时期，在国内战争年代，甚至是整个阶级）都应当在我们党的领导下行动，都应当尽量紧密地靠近我们党，但是，如果以为在资本主义制度下，不论在什么时候，几乎整个阶级或者整个阶级都能把自己的觉悟程度和积极程度提高到自己的先进部队即自己的社会民主党的水平，那就是马尼洛夫精神和'尾巴主义'。"② 所谓阶级的党，是指党代表整个无产阶级的根本利益，代表无产阶级的意志。不可否认，无产阶级是人类历史上最革命最伟大的一个阶级，是思想上、政治上、力量上最强大的一个革命阶级，是新的生产力的代表者。但是，不管这个阶级怎样先进，阶级同党是有区别的。因此，列宁坚决反对"把作为工人阶级先进部队的党同整个阶级混淆起来"。③ 列宁还认为在资本主义制度下，连工会这样的群众组织都不能包括整个工人阶级，何况是无产阶级先进的政党。

其次，列宁认为，党是由无产阶级中优秀分子所组成的，党的成员不能同一般群众等量齐观。党是工人阶级中优秀分子的集合点，是工人阶级中的精华。按党的成员的数量来说，应当比无产阶级少得多；按觉悟程度和经验来说，应当比无产阶级更高些；按组织程度来说，应当比无产阶级组织更团结、更严密些。所以，马尔托夫等人主张每个罢工者、大学教授、中学生都可以自行宣布自己是党员，就是把先进的有觉悟的党员降低到一般群众的水平，降低到罢工者的水平，把他们的错误弄到更加荒谬的地步。这是马尔托夫"把社会民主主义降低为罢工主义，重蹈阿基莫夫们的覆辙"④。在资本主义社会，罢工运动无疑是一种很重要的阶级斗争形式，党应当积极领导和支持这种斗争，但按其实质来说它还是一种工联主义的斗争形式。所有参加罢

---

① 转引自《列宁选集》第 1 卷，人民出版社 2012 年版，第 474 页。

② 《列宁选集》第 1 卷，人民出版社 2012 年版，第 473—474 页。

③ 《列宁选集》第 1 卷，人民出版社 2012 年版，第 473 页。

④ 《列宁选集》第 1 卷，人民出版社 2012 年版，第 474—475 页。

工的人，不可能都成为有觉悟的先进的社会民主党党员。马尔托夫关于党与阶级关系的观点、关于把党员的称号散布得越广越好的主张，是极其错误的，是对党有百害而无一利的。"它的害处就是会产生一种把党和阶级混淆起来的瓦解组织的思想。"①列宁认为，马尔托夫等人把党同阶级混淆起来的实质是"拿我们是阶级的党作借口来为组织界限模糊辩护，为把有组织和无组织现象混淆起来的观点辩护"②。

（三）党是一个严密的有组织的整体

孟什维克将党和组织完全割裂开来，认为党是比组织更为广泛的概念。阿克雪里罗得说，它是由少数有组织的革命家加上许许多多无组织的形形色色的同情党的人所构成。马尔托夫认为，党内还包括不是党组织的组织，如接受党的观点和纲领的"独立者"协会等。列宁批判了他们的观点，着重指出作为工人阶级的先进部队是必须要有组织的。"组织"一词有狭义和广义的区分，狭义的组织是指人类集体中的一些细胞，广义的组织是指这种细胞团结成一个整体的总和。也就是说，无产阶级政党是组织的总和，"无产阶级在争取政权的斗争中，除了组织，没有别的武器"③。这就意味着"党是联系在一起的各个组织的总和。党是工人阶级的组织，这个组织下面又分成密如蛛网的各种地方的和专门的、中央的和普通的组织"④。因此，无产阶级"所以能够成为而且必然会成为不可战胜的力量，就是因为它根据马克思主义原则形成的思想一致是用组织的物质统一来巩固的，这个组织把千百万劳动者团结成一支工人阶级的大军。在这支大军面前，无论是已经衰败的俄国专制政权还是正在衰败的国际资本政权，都是支持不住的"⑤。"无产者单枪匹马是无能为力的；无产阶级的百万大军才是万能的"⑥。

列宁关于无产阶级政党是工人阶级的先进的、有组织的部队的论述，全面地阐明了新型无产阶级政党的性质，澄清了孟什维克散布的关于无产阶级政党

---

① 《列宁选集》第1卷，人民出版社2012年版，第480页。
② 《列宁选集》第1卷，人民出版社2012年版，第474页。
③ 《列宁选集》第1卷，人民出版社2012年版，第526页。
④ 《列宁全集》第24卷，人民出版社2017年版，第34页。
⑤ 《列宁选集》第1卷，人民出版社2012年版，第526页。
⑥ 《列宁全集》第22卷，人民出版社2017年版，第119页。

的错误观念，并从无产阶级政党与工人阶级的区别和联系、党与组织的关系等方面，进一步揭示了无产阶级政党的本质特点，深化了对无产阶级政党的认识。

四、新型政党作用和活动的基本原则

新型无产阶级政党必须发挥它应有的作用，必须坚持基本的活动原则。列宁根据工人运动以及科学社会主义学说产生和发展的历史经验，进一步阐明了工人运动和社会主义思想的关系，论证了革命理论和马克思主义政党的巨大作用。新型马克思主义政党必须努力促进工人运动同社会主义运动的结合，将社会主义思想灌输到工人运动中去，不断提高工人的自觉性。同时，要把工人组织起来，使他们成为一支统一的伟大力量，领导整个工人阶级的斗争，保证无产阶级解放事业的胜利。新型政党的作用决定了它的整个活动必须坚持秘密性和集中制原则，做到集中性与分散性的统一。党还要坚持密切联系群众的原则，只有始终保持与群众的联系，才能使党立于不败之地。

（一）促进工人运动同社会主义运动的结合

列宁认为，工人阶级单靠本身的力量，只能形成工联主义意识，即只能产生必须结成工会、必须同厂主斗争、必须向政府争取颁布工人所必要的某些法律等等的信念，而不能自发地产生社会主义思想。自发的工人运动只能是工联主义的运动，而工联主义则意味着工人受资产阶级思想的奴役。工人运动只有和科学社会主义结合起来，以科学社会主义为指导时，才能成为自觉的阶级斗争，才能成为推翻资本主义社会、建立社会主义社会的革命运动。工人群众的社会主义意识是保障社会主义运动获得胜利的基础。因此，社会主义和工人运动二者必须结合，无产阶级政党要努力实现这种结合。

列宁十分重视工人运动与社会主义运动相结合，提出了二者结合的思想。在《我们运动的迫切任务》中，列宁提出了党是工人运动和社会主义结合的产物，"社会民主党是工人运动和社会主义的结合，它的任务不是消极地为每一阶段的工人运动服务，而是要代表整个运动的利益，给这个运动指出最终目的，指出政治任务，维护它在政治上思想上的独立性。工人运动脱离了社会民主党，就会变得无足轻重，并且必然会堕入资产阶级的泥潭，因为只从事经济斗争，工人阶级就会失去自己的政治独立性，成为其他党派的尾巴，背叛'工人的解放应该是工人自己的事情'这一伟大遗训。"① 只有当社会主义和工人运动结合以后，才能形成社会主义和工人运动的牢固基础。列宁认为，党体现了社会主义同工人运动的结合。他认为这种结合是革命运动不可战胜的保证。只有当觉醒了的无产阶级的一切力量和俄国革命者的一切力量统一成一个党，并且俄国一切生气勃勃和正直的人都倾向于这个党的时候，工人阶级才能拿下那座"敌人堡垒"。②

（二）灌输社会主义意识

要使社会主义和工人运动结合起来，实现社会主义与工人运动的统一，必须把社会主义意识灌输到工人运动中去。列宁指出，党的领导作用之一就是把科学社会主义的意识灌输到工人群众中去，这是无产阶级政党的任务之一。无产阶级政党不能承担起和完成这一任务，不能用先进的社会意识、思想体系武装工人群众，就不能使工人运动具有政治斗争的高度，不能使工人运动由自发而走向自觉。列宁认为，灌输是社会民主党有目的、有计划地引导无产阶级和其他革命群众接受社会主义的过程；是社会民主党把科学社会主义思想和知识输送给工人阶级，武装工人阶级，破除其头脑中旧思想、旧风俗、旧作风的过程。那么，谁是工人运动中社会主义意识灌输的主体呢？灌输的主体就是提出或已经接受并坚持社会主义意识的主体。列宁对此做了明确回答。他指出，社会主义学说"是从有产阶级的有教养的人即知识分子创造的哲学理论、历史理论和经济理论中发展起来的"③，"社会民主党的理论学说也是完全不依赖于工人运动的自发增长而产生的，它的产生是革命的社会主义知识分子的思想发展的自然和必然的结果。"④列宁所说的知识分子，是指革命的知识分子，即无产阶级知识分子。他们或是出身于剥削阶级家庭而又背叛其家庭，参加到革命队伍中来的知识分子；或者是原来坚持资产阶级立场而后来转到无产阶级立场上来的知识分子。这样的知识分子又往往是职业革命家。在列宁看来，无产阶级革命需要这样一批知识分子。当提出社会主义意识如何灌输到工人运动中去，

---

① 《列宁选集》第 1 卷，人民出版社 2012 年版，第 284 页。
② 《列宁选集》第 1 卷，人民出版社 2012 年版，第 287 页。
③ 《列宁选集》第 1 卷，人民出版社 2012 年版，第 317—318 页。
④ 《列宁选集》第 1 卷，人民出版社 2012 年版，第 318 页。

对工人群众，因而对运动发生实际影响的问题时，革命知识分子、职业革命家作用的发挥同社会民主党组织的任务就联系起来了，在实际运动中、在社会主义意识对这个运动实际发生作用的过程中，二者达到了一致，表明无产阶级革命政党组织与职业革命家集体同是向运动中的群众灌输马克思主义、社会主义意识的主体。

列宁说明了在工人运动中灌输社会主义意识的必要性。首先，工人不能自发地产生先进的社会意识，它是具有革命意识和理论修养的进步知识分子教育的结果，这个教育过程的形象说法就是灌输。灌输的根据在于它是无产阶级达到意识自觉的内在要求。因为无产阶级在资本主义生产关系基础上可以自发地产生社会主义倾向，但不能自发地产生社会主义意识。它是"从外面"灌输的结果。正如列宁所说："工人本来也不可能有社会民主主义的意识。这种意识只能从外面灌输进去，各国的历史都证明：工人阶级单靠自己本身的力量，只能形成工联主义的意识，即确信必须结成工会，必须同厂主斗争，必须向政府争取颁布对工人是必要的某些法律，如此等等。"[1] 所谓"从外面灌输"，是就灌输主体——具有剥削阶级出身和资产阶级教育背景的革命知识分子与接受灌输的主体——运动中的无产阶级群众之间的关系而言的。而处于灌输过程中的作为灌输主体的知识分子的实际身份同接受灌输的群众之间并不存在内与外的关系，他们其实是同一阶级阵营的革命同志。

其次，由于社会主义意识是完整的、系统的科学理论体系，是一个完整的世界观，无产阶级政党组织如果不去有计划地和有目的地积极实施灌输，无产阶级及其广大群众就不可能掌握这一科学的思想体系。它决定了俄国社会民主党的经常的任务就是要向广大工人群众进行马克思主义、科学社会主义的理论宣传、教育，向他们输送科学社会主义的知识和先进阶级的意识形态。比较而言，在现代社会中，资产阶级思想体系的渊源要比社会主义思想体系久远得多，而且它们拥有强大的宣传工具，是资产阶级社会中占统治地位的意识形态，这种意识形态无时无刻不在影响着和毒害着工人阶级和广大群众。所以，向工人灌输社会主义意识，是不能不同时经历无产阶级反对资产阶级意识形态的斗争的。灌输本身就具有无产阶级意识形态同资产阶级意识形态斗争的性质。就俄国社会民主党人面临的实际斗争环境和任务来说，就是在坚持不懈地

---

[1] 《列宁选集》第 1 卷，人民出版社 2012 年版，第 317 页。

批判资产阶级思想的同时，还要同运动内部经济派的错误倾向作斗争。经济派崇拜自发性，轻视理论和自觉意识对于革命的意义。

（三）秘密性和集中制的组织原则

列宁从俄国当时的具体条件出发，提出了秘密性和集中制两条组织原则。当时，俄国处于专制制度统治下，没有政治自由，工人政党不能单独存在，积极活动的社会民主党人往往活动几个月就遭逮捕。党的组织非常涣散，不仅全国没有集中统一的领导，就是一个城市、一个地区的组织也缺乏集中统一的领导，许多小组处于独自的和分散的活动状态。① 据此，列宁提出党的活动的秘密性原则，认为它是党组织存在的最必要的条件。他说："我们运动中的活动家所应当遵守的唯一严肃的组织原则是：严守秘密，极严格地选择成员，培养职业革命家。"②

列宁同时还提出党的活动的集中制原则。列宁认为，只有实行集中制才能形成一个统一的战斗的党，才会加强党同工人群众的联系的牢固性和地方工作的稳固性。在1899年写的《我们的当前任务》中，他初次提出要成立集中制的党，在1902年写的《怎么办？》中他又进一步论述了这个问题，把集中制作为党组织的基础，作为从原则上解决所有局部的和细节的组织问题的方法。列宁还论述了党的活动的集中与分散之间的辩证关系，指出："如果说对运动以及无产阶级革命斗争在思想上和实践上的领导方面需要尽量集中的话，那么党中央（因而也就是全党）在对运动的了解方面，在对党负责方面，则需要尽量分散"③。这里所说的分散，是指党中央要全面深入地了解党的各方面的情况，每个党员、每个参加党的工作的人、每个加入党的或附属于党的小组的人都对党负有很大的责任。这种分散是实现革命集中的一个必要的条件和补充，不能把它和集中对立起来。

列宁的上述观点是对经济派观点的反驳。经济派不顾俄国的专制统治和社会民主党的涣散状态，鼓吹在俄国党内实行"广泛民主制"④ 原则。列宁指出，

---

① 参见中国人民大学马列主义发展史研究所：《列宁思想史》，上海人民出版社1988年版，第167页。

② 《列宁选集》第1卷，人民出版社2012年版，第419页。

③ 《列宁全集》第7卷，人民出版社2013年版，第14—15页。

④ 《列宁选集》第1卷，人民出版社2012年版，第418页。

在具有政治自由的国家，党内应实行民主原则，而在专制制度下党内则无法实行广泛的民主制。因为广泛民主制要包含两个必要条件：第一个是完全的公开性；第二个是一切职务经过选举。可是，这两个条件对于秘密组织来说是无法实现的。在黑暗的专制制度下，党组织的广泛民主制只是一种毫无意思而且有害的儿戏，只能便于警察来广泛破获党的组织，并转移实际工作者的视线，使他们放弃把自己培养成职业革命家的迫切任务，而去拟制关于选举制度的详细的纸上章程。①

（四）密切联系群众原则

列宁提出关于党的活动与建设的联系群众的原则，要求党始终保持与群众的紧密联系。列宁认为，党不是狭小的密谋组织，而是同广大人民群众及其组织保持密切联系的群众性的党。必须把密谋组织同秘密组织区别开来。党的秘密组织同民粹派的密谋组织是根本不同的。建立秘密的党组织是同当时的革命形势相联系的。在沙皇专制制度统治下，党的力量还十分弱小，为了保存革命实力，要建立一个稳定的革命领导核心，必须组织秘密的党组织，并且要把中央的领导权集中到少数职业革命家手里。这些职业革命家是党的骨干，党的中坚。这种集中不等于用革命家的组织来代替党的组织和党的基层组织，更不等于断绝了党同群众的联系。

列宁认为，职业革命家的秘密组织必须同广大基层组织保持密切的联系。秘密的党组织并不是孤立的、同广大群众无联系的。党是由两部分组成的，除了领导骨干即职业革命家外，还有广泛的地方党组织网和为数众多的同广大群众密切联系的党员群众。列宁说："不要以为党的组织只应当由职业革命家组成。我们需要有不同形式、类型和色彩的极其多种多样的组织，从极狭小极秘密的组织直到非常广泛、自由的组织（松散的组织）。"② 所谓多种多样的组织，是指以工人组织形式出现的党组织。因为在沙皇白色恐怖下，社会民主工党的存在是非法的，不采取一般工人组织形式出现就不能生存。但是，也并不是所有的工人组织都是党组织。按照各组织的组织程度和秘密程度，这种组织大致

---

① 参见中国人民大学马列主义发展史研究所：《列宁思想史》，上海人民出版社1988年版，第168页。

② 《列宁选集》第1卷，人民出版社2012年版，第476页。

可分为五种：（1）革命家组织；（2）广泛的地方党组织；（3）靠近党的工人组织；（4）不靠近党，但事实上服从党的监督和领导的工人组织；（5）工人阶级中没有参加组织的分子，但在部分阶级斗争的重大事件中服从社会民主工党的领导。前两种组织构成为党。尽管有些工人组织不是党组织，但是，它们都同党保持着联系，都在党的领导下进行工作。

列宁认为，社会民主工党不仅要取得广大人民群众的帮助，而且必须首先得到本阶级的支持。一个无产阶级政党能否领导人民取得革命的胜利，关键在于本阶级对党所持的态度。"要成为社会民主党，就必须得到本阶级的支持。"[1]"只有当它由广泛的社会民主主义工人运动围绕着的时候，才是有意义的"[2]，才能使党立于不败之地。

第二节　无产阶级政党组织建设理论

1903 年至 1905 年这段时间，对于列宁新型无产阶级政党学说的形成具有特别重要的意义。列宁在反对孟什维克和第二国际在组织问题上的机会主义的斗争中，科学地阐述了新型无产阶级政党的基本组织原理，为党的真正成立奠定了组织基础。1904 年 1 月至 5 月，列宁将自己关于党的组织问题的观点系统化，形成了《进一步，退两步》这部阐述党的基本组织原理的名著。这是建党初期列宁同党内机会主义派别斗争的产物，他以犀利的笔触、雄辩的事实，驳斥了以马尔托夫为代表的机会主义的谬论，全面地阐述了新型无产阶级政党学说，规定了无产阶级革命政党的组织原理，粉碎了孟什维克在组织问题上的机会主义，为布尔什维克党的组织建设奠定了坚实的理论基础。

---

① 《列宁选集》第 1 卷，人民出版社 2012 年版，第 476 页。
② 《列宁选集》第 1 卷，人民出版社 2012 年版，第 475 页。

一、把组织问题提到党的建设的科学高度

列宁在建党活动中，特别重视组织，可以说没有组织就等于没有党。1903年俄国社会民主工党举行了第二次代表大会。在这次大会上通过了党纲、党章，选举了党的领导机关，并且在《火星报》制定的思想原则和组织原则的基础上建立了一个真正革命的工人政党。但是，在这次会上讨论党章时"火星派"内部发生了分歧。这种组织原则上的分歧使列宁不得不把组织问题提到党的建设的高度，同以马尔托夫为代表的孟什维克进行政治上和理论上的论争。

（一）党必须是有组织的机体

在组织问题上，列宁同马尔托夫、阿克雪里罗得等人存在着严重分歧。阿克雪里罗得在大会上多次为马尔托夫的条文进行辩护，说"我们必须分清党和组织这两个概念。而这里有人把这两个概念混淆了。这种混淆是危险的。"[1] 如果"我们采纳列宁的条文，就会把虽然不能直接吸收到组织中，但终究还是党员的那一部分人抛弃掉。"[2] 列宁批驳了这些错误观点，阐述了党是有组织的部队的原理。其主要论点是：

首先，党应当是组织的总和，是一个有机的整体。列宁明确指出："党应当是组织的总和（并且不是什么简单的算术式的总和，而是一个整体），那么，这是不是说我把党和组织这两个概念'混淆了'呢？当然不是。我只是以此来十分明确地表示自己的愿望，自己的要求，使作为阶级的先进部队的党成为尽量有组织的，使党只吸收至少能接受最低限度组织性的分子。反之，我的论敌却把有组织的分子和无组织的分子，接受领导的分子和不接受领导的分子，先进的分子和不可救药的落后分子——因为还可救药的落后分子是能够加入组织的——混淆在党内。这样的混淆才真正是危险的。"[3] 实际上，混淆概念的不是列宁，而恰恰是阿克雪里罗得本人，他把帮助党的人都认为是党员这种说法当作事实。用不着证明，这些不参加党组织的人，根本还不是什么党员，更谈不

---

[1]　转引自《列宁选集》第 1 卷，人民出版社 2012 年版，第 470 页。

[2]　转引自《列宁选集》第 1 卷，人民出版社 2012 年版，第 472—473 页。

[3]　《列宁选集》第 1 卷，人民出版社 2012 年版，第 471 页。

到抛到大门外的问题。因此，列宁反复地讲，党是一个伟大的整体，是有组织的体系，决不是什么若干人简单的相加。

其次，只有组织起来的党才有力量，才能成为夺取政权的领导者。列宁认为，马克思主义政党学说告诉我们，无产阶级政党奋斗的最终目的是实现人类的彻底解放，是实现美好的共产主义。这个历史任务的完成，首要条件之一是要有坚强的无产阶级组织。这个无产阶级政党是夺取政权的有力武器。"无产阶级在争取政权的斗争中，除了组织，没有别的武器。无产阶级被资产阶级世界中居于统治地位的无政府竞争所分散，被那种为资本的强迫劳动所压抑，总是被抛到赤贫、粗野和退化的'底层'，它所以能够成为而且必然会成为不可战胜的力量，就是因为它根据马克思主义原则形成的思想一致是用组织的物质统一来巩固的，这个组织把千百万劳动者团结成一支工人阶级的大军。在这支大军面前，无论是已经衰败的俄国专制政权还是正在衰败的国际资本政权，都是支持不住的。不管有什么曲折和退步，不管现代社会民主党的吉伦特派讲些什么机会主义的空话，不管人们怎样得意地赞美落后的小组习气，不管他们怎样炫耀和喧嚷知识分子的无政府主义，这支大军一定会把自己的队伍日益紧密地团结起来。"① 这就是说，单个的无产者是没有力量的，而上百万组织起来的无产者是万能的。只有组织起来，才能领导工人阶级为实现共产主义理想而进行胜利的斗争。

（二）党是无产阶级的最高组织形式

党组织同工会等其他群众组织是什么关系？处于什么地位？起什么作用？在这些问题上，列宁同马尔托夫等人同样存在严重的分歧。马尔托夫等人抹杀党和工会的界限，否认党的领导地位，把党和工会组织混为一谈。他们主张每个工会的会员都有权宣称自己是党员，每一个工人组织自行列名是党员，党组织都可以承认。实际上这是抹杀了先进的党组织同工会群众组织的界限，否定了党的领导和先锋作用。

首先，列宁认为，无产阶级政党的任务，在于领导无产阶级的一切形式的斗争，领导无产阶级的其他一切组织。他说："因为社会民主党的直接的和责无旁贷的义务就是领导无产阶级的一切表现形式的阶级斗争。而罢工就是这种

---

① 《列宁选集》第 1 卷，人民出版社 2012 年版，第 526 页。

斗争最深刻最强有力的表现形式之一。但是，如果我们把这种初步的、按实质来说不过是工联主义的斗争形式同全面的自觉的社会民主主义的斗争等同起来，那么我们就会是尾巴主义者"①。决不能把党与一般工人群众组织混同起来。除党组织以外，还有以下三种情况：一种是靠近党的工人组织；一种是不靠近党，但事实上服从党的监督和领导的工人组织；还有一种是工人中间的无组织分子，其中一部分至少在阶级斗争重大事件上也是服从党的领导的。事实上，列宁在这里已经说明了党同其他工人组织的领导关系。

其次，列宁认为，工会应当在党的领导和监督下进行工作。"说工会应当在社会民主党组织的'监督和领导下'进行工作，这在社会民主党人中间是不会产生异议的。但是根据这一点就给工会全体会员以'宣布自己'为社会民主党党员的权利，那就是十分荒谬的了，而且势必有两个害处：一方面是缩小工会运动的规模并且削弱工人在工会运动基础上的团结，另一方面，这会把模糊不清和动摇不定的现象带进社会民主党内。"②"党应当并且将力求把自己的思想灌输到行业工会中去，使工会接受自己的影响。"③

列宁的上述思想，在俄国社会民主党的建设过程中又有了新的发展，明确提出党是无产阶级组织的最高形式，解决了党在各种组织中的领导地位。

（三）党员的资格和条件

俄国社会民主工党第二次代表大会通过了党的纲领之后，便开始讨论党章草案。既然已经通过了党纲，为党的思想上的统一奠定了基础，当然也就要通过党章，以便彻底消除手工业方式和小组习气，消除组织涣散和党内缺乏坚强纪律的状况。但是如果说党纲的通过还比较顺利的话，那么党章问题却在大会上引起了激烈的争论。最尖锐的意见分歧是在讨论党章第一条，也就是党员资格这一条的条文时展开的。什么人可以成为党员？党的成分应当是怎样的？党在组织方面应当是一个有组织的整体，还是一种不定型的东西？这就是讨论党章第一条时产生的问题。当时有两个条文互相对立：一个是由列宁提出而为普列汉诺夫和坚定的火星派支持的条文；另一个是由马尔托夫提出而为阿克雪里

---

① 《列宁选集》第 1 卷，人民出版社 2012 年版，第 475 页。
② 《列宁选集》第 1 卷，人民出版社 2012 年版，第 477 页。
③ 《列宁选集》第 1 卷，人民出版社 2012 年版，第 477 页。

罗得、查苏利奇、不稳定的火星派、托洛茨基（1879—1940）以及代表大会上所有一切公开的机会主义分子支持的条文。列宁的条文是说，凡承认党纲和在物质上支持党并参加党的一个组织的人都可以成为党员。马尔托夫的条文虽认为承认党纲和在物质上支持党是做党员的必要条件，却不承认参加党的一个组织是做党员的条件，认为党员也可能不是党的一个组织中的一员。列宁把党看作是有组织的部队，其中各个成员并不是自行入党，而是由党的一个组织接收入党，因此他们必须服从党的纪律。而马尔托夫却把党看作是一种组织上不定型的东西，其中各个成员都是自行列名入党。他们不参加党的一个组织，当然也就不可能服从党的纪律。

马尔托夫的条文为那些不稳定的非无产阶级分子打开入党之门。在资产阶级民主革命前夜，资产阶级知识分子中一些暂时同情革命的人有时也能给党很大的帮助。但这些人绝不会加入组织，不会服从党的纪律，不会执行党的委托，不会承担由此产生的危险。马尔托夫和其他孟什维克分子却主张承认这样的人为党员，主张给予他们影响党内事务的权利和机会，他们甚至主张让每个罢工者都有自行"列名"入党的权利。因此，马尔托夫派想建立的并不是列宁和列宁派在大会上力争的那种一元化的、战斗性的、组织严密的党，而是成分复杂、组织涣散和没有定型的党，这样一个成分复杂的组织决定了它不可能有坚强的纪律，也不可能成为一个战斗型的党。讨论党章第一条时发生的分歧，到选举党的领导机关时，发展成更为激烈的争论。结果，列宁这派的人在选举时处于多数地位，大会通过了他们提出的中央机关报和中央委员会的候选人名单，这一派的人在两个中央机关中都占有多数，因此称为布尔什维克（多数派），马尔托夫派则称为孟什维克（少数派）。

二、民主集中制的组织原则

按照什么原则来建立无产阶级政党以及党内是否应该有严格的纪律的问题，是列宁同马尔托夫等人争论的焦点。第二次代表大会以后，孟什维克在行动上大搞无政府主义，在理论上大肆攻击集中制。在马尔托夫等人眼里，根本不需要自上而下的各级党的机关所构成的组织体系和必要的纪律，他们把部分服从整体、少数服从多数的原则，污蔑为"农奴制"。在第二次代表大会前后，还有崩得分子反对集中制。他们主张实行联邦制，即国内各民族以民族为单位建立社会主义工人政党，再由这些民族的党按照联邦制原则结合为俄国社会民主工党。列宁认为这是组织问题上机会主义所固有的根本特征，由于这种情况，需要对集中制问题作进一步的论述，阐明集中制的内容和意义。

（一）强调党的纪律的重要性

首先，列宁揭露了马尔托夫等人害怕纪律，完全是资产阶级知识分子心理的反映。列宁主张必须把"工厂的剥削作用（建筑在饿死的威胁上面的纪律）和工厂的组织作用（建筑在由技术高度发达的生产条件联合起来的共同劳动上面的纪律）区别开来"①。害怕和反对革命政党的纪律，反映了在资产阶级生活条件下的思想方法的特点。这种老爷式的无政府主义是俄国虚无主义者所特有的。不彻底清除这种思想，党的严格统一的纪律就不可能建立起来。

其次，列宁阐明了无产阶级及其政党纪律产生的客观条件。同马尔托夫等人相反，列宁认为纪律对无产阶级政党来说，是须臾不可丢掉的最宝贵的东西。纪律，是无产阶级阶级性的集中表现，是共产党人党性的集中表现，它的产生是受一定的物质条件决定的。列宁在批驳马尔托夫等人害怕无产阶级纪律时说："工厂在某些人看来不过是一个可怕的怪物，其实工厂是资本主义协作的最高形式，它把无产阶级联合了起来，使它纪律化，教它学会组织，使它成为其余一切被剥削劳动群众的首脑。"②"无产阶级是不怕组织和纪律的！无产阶级是不会去操心让那些不愿加入组织的大学教授先生和中学生先生因为在党组织的监督下工作，就被承认为党员的。无产阶级由它的全部生活养成的组织性，要比许多知识分子彻底得多"③。无产阶级及其政党的纪律，是在物质生产过程中形成的，是无产阶级及其政党具有的特殊品质和高尚情操。

再次，列宁提出了党内纪律应一律平等的思想。列宁认为，正因为无产阶级及其政党所具有的特殊品质，已经脱离了资产阶级知识分子害怕纪律的幼稚状态，随着俄国社会民主工党的成立，必须有统一的纪律，这样才能使党行动一致和更加团结，同心合力进行斗争。列宁明确指出："随着我们真正的政党

---

① 《列宁选集》第 1 卷，人民出版社 2012 年版，第 503 页。
② 《列宁选集》第 1 卷，人民出版社 2012 年版，第 502—503 页。
③ 《列宁选集》第 1 卷，人民出版社 2012 年版，第 500 页。

的形成，觉悟的工人应当学会辨别无产阶级军队的战士的心理和爱说无政府主义空话的资产阶级知识分子的心理，应当学会不仅要求普通党员，而且要求'上层人物'履行党员的义务。"① 党的纪律一律平等的思想成为后来党组织建设的一个重要内容。列宁不仅提出了这个命题，而且还身体力行，模范地遵守党的纪律，执行党的决议，服从党的决定。

（二）坚持集中制原则

列宁主张实行集中制，主张扩大中央机关对下层部分的指挥权力，将思想威信变成权力威信。列宁说："为了保证党内团结，为了保证党的工作集中化，还需要有组织上的统一，而这种统一在一个已经多少超出了家庭式小组范围的党里面，如果没有正式规定的党章，没有少数服从多数，没有部分服从整体，那是不可想象的。"②

首先，列宁强调集中制原则的重要性。他反复讲，集中制原则是《火星报》建党计划中最基本的、最具有原则意义的思想。有了集中制，党的思想威信就变成了权力威信。"《火星报》力求奠定的作为建党基础的基本思想，实际上可以归结为以下两点。第一是集中制思想，它从原则上确定了解决所有局部的和细节性的组织问题的方法。第二是承认进行思想领导的机关报的特殊作用，它恰恰估计到了俄国社会民主主义工人运动在政治奴役的环境下、在把革命进攻的最初的根据地建立在国外这种条件下的暂时的和特殊的需要。第一个思想是唯一的原则性思想，应该贯穿在整个党章中"③。

其次，列宁提出了实现集中制的原则。列宁为了把集中制原则贯穿到整个党的建设中去，在批判马尔托夫和阿克雪里罗得的所谓部分服从整体就是"农奴制"，把中央领导下实行分工说成是把人们变成小螺丝钉和小轮子时，尖锐地指出："这种倾向是组织问题上的机会主义所固有的根本特征"④。党要能够正确地开展自己的工作，就需要有少数服从多数、个人服从组织、下级服从上级、地方服从中央的组织原则。没有这些条件，集中制就是一句空话，无产阶级政党就不可能成为真正的有战斗力的组织。

---

① 《列宁选集》第1卷，人民出版社2012年版，第506页。
② 《列宁选集》第1卷，人民出版社2012年版，第499页。
③ 《列宁全集》第8卷，人民出版社2017年版，第236页。
④ 《列宁选集》第1卷，人民出版社2012年版，第507页。

再次，列宁指出集中制原则必须体现在党的组织章程中。列宁认为，一个真正的无产阶级政党，不仅要有一个马克思主义的纲领，而且还要有一个具体体现这个纲领的党的组织章程，通过党规党法把它固定下来。列宁在同马尔托夫关于党章第一条的争论过程中，提出了什么是党章，制定党章的意义等重要问题。列宁把章程看作党的组织性的正式表现，认为制定一个好的党章，对全党有重大意义，它是保证党的组织统一、思想统一，保证党的集中化的根本组织措施，没有这些，那我们党还不是正式的有组织的整体，而只是各个集团的总和，还仅仅停留在思想影响上，还没有组织章程的约束。而马尔托夫的"老爷式的无政府主义不了解，正式章程所以必要，正是为了用广泛的党的联系来代替狭隘的小组联系。一个小组内部或各个小组之间的联系，在过去是不需要规定的，也是无法规定的，因为这种联系是靠朋友关系或盲目的、没有根据的'信任'来维持的。党的联系不能而且也不应当靠这两种东西来维持。党的联系一定要以正式的，即所谓'用官僚主义态度'（在自由散漫的知识分子看来）制定的章程为基础，也只有严格遵守这个章程，才能保证我们摆脱小组的刚愎自用，摆脱小组的任意胡闹，摆脱美其名曰思想斗争的自由'过程'的小组争吵"①。这就告诉我们，在统一的新型无产阶级政党尚未建立的时候，各基层组织是靠思想权力的影响发挥其作用，那时没有党章的约束，是按朋友关系、个人的威信行事的。而党成立后，必须有统一的党的章程，作为全党行动的准绳。通过代表大会选举出来的中央委员会，就是以党章为依据，实现党纲、党章的具体规定。执行党章还是对每一个党员、党组织的考验。列宁就是坚持按党章办事，执行党章的典范。而马尔托夫等人则在党的第二次代表大会后，就违背了党章的规定，破坏党的决议，分裂党的团结。

（三）提出民主集中制概念

从 1899 年到 1904 年，列宁都强调集中，重点论述了集中制的问题。当时所以强调集中制，是建立集中统一的严密党的需要，是由当时阶级斗争形势所决定的。首先，俄国是沙皇专制统治的国家，没有政治自由，工人政党处于地下状态，无法在党内实行完备的民主制；第二，俄国工人政党的突出问题是极端涣散，缺乏集中统一，迫切需要集中以克服涣散状态；第三，机会主义

---

① 《列宁选集》第 1 卷，人民出版社 2012 年版，第 504 页。

者，从经济派到孟什维克，反对集中制，反对党的集中统一，力图保持涣散状态。[1] 所以，列宁一直强调集中制。但是到了 1905 年革命高潮中，沙皇被迫宣布言论、集会、结社自由和人身不可侵犯，列宁在俄国人民争得部分自由后，立即提出用民主原则改组党，实行民主制度。

列宁认为，民主集中制是民主与集中的统一。民主集中制在不同时期侧重点应该有所不同。比如，在沙皇统治和国内战争时期，强调集中要多些，而在夺取政权以后的和平建设时期，则强调民主要多些。但是不论在什么情况下，民主与集中都是不可偏废的，既不能离开民主讲集中，也不能离开集中讲民主。只有按照民主集中制的原则建立起来的无产阶级政党，才能形成一个有组织的整体；才能正确处理中央与地方、党员与组织、局部与整体的关系；才能实现决策的民主化、科学化。列宁坚持的民主集中制原则，主要有以下内容：党员必须参加党的一个组织，服从党的决议；党内所有负责人都由选举产生，并且可以随时撤换；在党内生活上少数服从多数，部分服从整体，下级服从上级；党内实行讨论自由和行动一致的纪律；党的代表大会是最高权力机关，有最后决定权；发扬党内民主，加强党内监督；等等。

在发扬民主的同时，列宁认为还必须坚持实行彻底的集中制。要赋予选举出来的中央机构以进行思想领导和实际工作领导的全权。讨论自由和批评自由不能影响行动的一致。党内的批评自由，是在党纲、党章范围内的自由，不容许宣传反党的观点。如果党内有宣传反党的自由，那么党首先会在思想上瓦解，然后在组织上瓦解。确定党的观点和反党观点的界限是党纲，是党的策略决议和党章，最后是国际社会民主党、各国的无产阶级自愿联盟的全部经验。

1905 年 12 月，列宁主持召开了俄国社会民主工党第三次代表大会第一次代表会议，通过了《党的改组》的决议，其中提出确认民主集中制原则是不容争论的，这是历史上第一次提出民主集中制这个概念。此后列宁一直把民主集中制作为党的基本组织原则。俄国社会民主工党第四次代表大会通过的党章中明确规定，党的一切组织是按民主集中制原则建立起来的。列宁的民主集中制思想，不仅在当时保证了布尔什维克党的团结统一，保证了党组织在斗争中不断发展壮大，并且最终成为世界上第一个无产阶级的执政党，同时也为世界上

---

[1] 参见中国人民大学马列主义发展史研究所：《列宁思想史》，上海人民出版社 1988 年版，第 185 页。

其他国家无产阶级政党的组织原则提供了重要参考。

三、按无产阶级国际主义原则建党

在无产阶级政党建设过程中，坚持什么样的原则是一个基本的理论问题。反对社会沙文主义和民族利己主义，按照无产阶级国际主义原则建党，是列宁建立无产阶级政党坚持的一个基本原则。

首先，列宁以他坚持无产阶级国际主义的实际行动为我们做出了榜样。在俄国社会民主工党创立时期，党的报刊中曾以"俄罗斯社会民主工党"为名，因为这种名称突出了俄罗斯大民族主义意识，与无产阶级的民族平等不相符，所以在俄国社会民主工党第一次代表大会上便抛弃了工人阶级政党建设中的民族特征，改为"俄国社会民主工党"。列宁认识到，俄国社会民主工党是多民族的全俄的工人阶级政党，创立一个把全俄工人阶级各民族的先进代表联合在一起的、统一的、国际主义的工人阶级政党，是工人阶级反对沙皇制度、反对资本主义斗争的客观要求。在俄国社会民主工党第二次代表大会上，犹太的社会民主主义团体——"崩得"，要求承认这个团体是犹太无产者的唯一代表，主张把党建设成为各民族团体的联盟。假若接受"崩得"这种民族主义的主张，不但不能使工人阶级团结起来，联合起来，相反会使工人运动分裂，使民族疏远合法化。这是列宁所坚决反对的。列宁主张建立的新型无产阶级政党——俄国社会民主工党是建立在国际主义原则基础上的党。马克思主义国际主义原则，是用各民族高度统一的融合来代替一切民族主义。因为狭隘民族主义是以落后的、闭塞的地域性经济为基础的，所以它必然被国际性的经济开发、联合所代替，随着世界无产阶级的联合而走下历史的舞台，被各民族高度统一的融合所取代。列宁指出："马克思主义提出以国际主义代替一切民族主义，这就是各民族通过高度统一而达到融合，我们亲眼看到，每修筑一俄里铁路，建立一个国际托拉斯，建立一个国际工人协会（就其经济活动来说，以及就其宗旨和意向来说是国际性的），这种融合都在加强。"①

---

① 《列宁选集》第2卷，人民出版社2012年版，第346—347页。

其次，列宁坚决反对国际沙文主义。沙文主义产生于18世纪末19世纪初的法国，它宣扬本民族的利益高于其他一切民族的利益；煽动民族仇恨，主张以暴力建立大法兰西帝国，征服和奴役其他民族。资产阶级所宣扬的沙文主义就是为帝国主义、扩张主义政策服务的一种理论。沙文主义所炮制的反动理论是资产阶级收买政策下的产物，在俄国也有沙文主义的追随者。列宁对沙文主义者作了淋漓尽致的剖析，指出："社会沙文主义者是我们的阶级敌人，是工人运动中的资产者。他们是那些客观上被资产阶级收买（用优厚的工资、荣耀的职位等等）的工人阶层和集团，他们帮助本国资产阶级掠夺和扼杀弱小民族，帮助他们为瓜分资本主义的赃物而进行争斗。"①作为一个真正的国际主义者，要同本国的社会沙文主义者，即护国派，同本国的帝国主义政府决裂，甚至要不惜忍受最大的民族牺牲来换取国际工人革命的发展。所以，列宁于1914年4月，在《关于民族政策问题》中就提出："一个民主国家不容许在公共事务的任何一个方面、任何一个部门中，有任何一个民族压迫其他民族，即以多压少的现象。"②

列宁在1915年5月撰写的《第二国际的破产》这部著作以及同时期撰写的类似文章中，阐述和捍卫了马克思主义一系列重要原理，并发展了新型无产阶级政党学说。其中，重要内容之一就是提出必须坚持国际主义原则。他指出，第二国际的机会主义者在帝国主义大战中变成社会沙文主义者，狂热地鼓吹"保卫祖国"，并把这种行径冠之以"真正的国际主义者"。对此，列宁一针见血地指出："真正的国际主义就是要确认：为了'保卫祖国'，法国工人应当向德国工人开枪，德国工人应当向法国工人开枪！"③"而无产阶级的国际主义，第一，要求一个国家的无产阶级斗争的利益服从全世界范围的无产阶级斗争的利益；第二，要求正在战胜资产阶级的民族，有能力有决心为推翻国际资本而承担最大的民族牺牲。"④

在俄国，列宁领导的布尔什维克党，由于坚持了全世界无产者联合起来的国际主义原则，并在俄国的实践中进一步发展了这一政治口号，提出并坚持了

---

① 《列宁选集》第3卷，人民出版社2012年版，第55—56页。
② 《列宁全集》第25卷，人民出版社2017年版，第73页。
③ 《列宁选集》第2卷，人民出版社2012年版，第467页。
④ 《列宁选集》第4卷，人民出版社2012年版，第219—220页。

"全世界无产者和被压迫民族，联合起来！"① 才使俄国革命取得了胜利。列宁在建党中，总是把布尔什维克党领导的无产阶级社会主义革命，看成是国际共产主义运动的组成部分。他认为，这一理论的实质是：一方面全世界的无产阶级的命运是联系在一起的，一个国家的无产阶级要取得胜利，必须有世界范围内的无产阶级运动的支持；另一方面，一国无产阶级革命是整个世界无产阶级革命的一部分，必须相互支持。早在 1903 年俄国社会民主工党第二次代表大会通过的《俄国社会民主工党党纲》就已载明，俄国社会民主党把自己看作是全世界无产阶级大革命的一支队伍，它所追求的最终目的也就是其他各国社会民主党人所要达到的目的。1919 年 11 月，列宁《在全俄东部各民族共产党组织第二次代表大会上的报告》中认为："我们应当懂得，单靠一支先锋队还不能实现向共产主义的过渡。必须激发劳动群众从事独立活动和把自己组织起来的革命积极性（不管他们的水平如何）；把指导较先进国家的共产党人的真正的共产主义学说译成各民族的文字；实现那些必须立刻实现的实际任务，同其他国家的无产者联合起来共同斗争"。②"获得解放的唯一希望是国际革命的胜利。"③1919 年 12 月，列宁又进一步指出："无论在十月革命前或十月革命中，我们一直说，我们把自己看做是而且只能看做是国际无产阶级大军中的一支部队，我们这支部队所以走在前面，决不是由于我们的程度高，素养好，而是由于俄国的特殊条件，因此，社会主义革命至少要无产阶级在若干先进国家中取得胜利后，才能说取得了最终的胜利。"④

最后，列宁坚决反对民族利己主义。列宁认为，必须反对只注重本国、本民族利益，甚至为了本国、本民族利益而损害世界各民族利益的狭隘民族主义。各国工人阶级政党贯彻国际主义原则的时候，就要坚持把本民族利益与国际各民族共同利益正确地结合起来，首先要使民族的、局部的、部分的利益服从于国际任务。"我不应该从'自己'国家的角度来推论（因为这是民族主义市侩这类可怜的笨蛋的推论，他不知道他是帝国主义资产阶级手中的玩物），而应该从我参加准备、宣传和促进世界无产阶级革命的角度来推论。这才是国际

---

① 《列宁选集》第 4 卷，人民出版社 2012 年版，第 326 页。
② 《列宁选集》第 4 卷，人民出版社 2012 年版，第 80 页。
③ 《列宁选集》第 4 卷，人民出版社 2012 年版，第 80 页。
④ 《列宁全集》第 37 卷，人民出版社 2017 年版，第 376—377 页。

主义，这才是国际主义者、革命工人、真正的社会主义者的任务。"① 把自己本民族、本国看成是世界无产阶级整体的目的达到了，部分的目的也一定能达到；只有全世界无产阶级都得到解放，一个国家一个民族的无产阶级才能最后解放。因此，共产党人必须坚持国际主义的整体原则，不单从一国、一民族、一地区利益着想，而是放眼于整个世界无产阶级，这样就必须同只注重一国、一民族的利益，甚至以一国、一民族利益而牺牲世界其他民族利益，违背无产阶级国际主义原则的狭隘民族主义现象进行斗争。

列宁认为，世界各国无产阶级革命应当互相援助。既然世界各国革命是无产阶级革命的一个组成部分，那么各国革命相互支援和支持就是责无旁贷的义务。列宁指出："我们要尽一切努力同蒙古人、波斯人、印度人、埃及人接近和融合，我们认为做到这一点是我们的义务和切身利益之所在，否则，欧洲的社会主义就将是不巩固的。我们要尽量给这些比我们更落后和更受压迫的人民以'无私的文化援助'。"② 他认为，资本主义国家的无产阶级要拥护殖民地、半殖民地人民的解放斗争，殖民地、半殖民地的无产阶级要拥护资本主义国家的无产阶级的解放斗争，世界革命才能胜利。

列宁认为，要区分两种不同的民族主义，即压迫民族的民族主义和被压迫民族的民族主义。资产阶级取得并巩固政权后，往往在民族主义的掩饰下，一方面加强对本民族中被压迫阶级进行剥削和奴役，另一方面以各种形式侵犯其他民族的利益。所以，任何自由资产阶级的民族主义，都会在工人中间起极大的腐蚀作用，都会使争取自由的事业和无产阶级阶级斗争的事业遭到极大的损失。列宁指出，在民族利益上，无产阶级始终采取同资产阶级相反的认识与态度，"资产阶级总是把自己的民族要求提到第一位，而且是无条件地提出来的。无产阶级认为民族要求服从阶级斗争利益。"③ 在民族问题上，工人阶级政党所坚持的基本原则是国际主义，而不是民族主义，它主张各民族一律独立平等，主张各民族无产阶级的联合；反对民族歧视和民族压迫。

① 《列宁选集》第 3 卷，人民出版社 2012 年版，第 645 页。
② 《列宁选集》第 2 卷，人民出版社 2012 年版，第 774 页。
③ 《列宁选集》第 2 卷，人民出版社 2012 年版，第 384 页。

四、重视党的中央机关的建设与作用

列宁高度重视党的中央机关的作用，认为党的组织必须有一个坚强的领导核心，必须有自己的首脑机关。列宁认为，只有把党的领导核心解决好，才能组织千军万马实现无产阶级的伟大历史任务。十月革命前，列宁为适应夺取政权的需要，在党的中央机关的设计中一再突出中央委员会的地位和作用，强调中央委员会的高度集权。因此，关于党的中央机关的建设是列宁在领导俄国革命和布尔什维克党的建设活动中始终十分关注的问题。从成立《火星报》编辑部开始，到《怎么办？》一书中提出建立革命家组织，《给一个同志的信，谈谈我们的组织任务》提出成立极少数人指挥小组，一直到《进一步，退两步》一书中，列宁都强调了党的中央领导机关建设对于党的建设的重要意义，并在党的第二次代表大会上为建立精干的《火星报》编辑部和中央委员会同孟什维克在党的建设问题上的错误思想和主张进行了不懈的斗争。

1903 年 7 月，在俄国社会民主工党二大上，列宁与马尔托夫分子不但在党员资格问题上发生争论（由此导致党分裂为布尔什维克和孟什维克两派），而且在中央委员会的领导作用问题上也发生了争论。在俄国社会民主工党第二次全国代表大会前，马尔托夫等人就用"自治制"对抗列宁的"集中制"，宣称党是各个自治委员会的总和，党的各个部分不应该服从整体，部分对整体应该有自治权；在第二次全国代表大会上，他们要求限制中央委员会解散地方委员会的权力，主张只有中央委员会的具有全党性质的决议，各级党组织才必须执行。在列宁向大会提交的党的章程草案中，关于党员必须参加党的一个组织的要求没有被接受，但关于中央机关的结构与功能的设计，却基本上得到认可。二大党的章程规定，党的中央机关由党总委员会、中央委员会和中央机关报编辑部组成，它们均由代表大会任命。党总委员会是全党的最高机构，负责召开代表大会，代表党同其他政党发生关系，协调中央委员会和中央机关报编辑部的活动，并有权在这两个机构之一的全部组成人员都出缺时恢复该机构。中央机关报编辑部在思想上领导党。中央委员会组织各委员会、委员会联盟和党的所有其他机关并领导它们的活动；组织并管理全党性的事业；分配党的人力和财力并管理党的中央会计处；处理党的各种机构之间的以及它们内部的争端，并大体上统一和指导党的全部实践活动；除已由党代表大会批准的组织外，其他一切党组织均由中央委员会批准；中央委员会的一切决议，各级党组织都必须执行；一切党组织还应按中央委员会所规定的数量向党的中央会计处缴纳党费。① 在这里，党的中央机关虽然一分为三，且中央委员会和中央机关报编辑部在地位上低于党总委员会，但实际上中央委员会却被赋予了相当大的职权。②

十月革命前，列宁在关于中央机关设计的思想中之所以要一再突出中央委员会的地位和作用，首先是由列宁关于政治策略的思想决定的。列宁认为，俄国无产阶级政党不但应当承担推翻沙皇专制制度的任务，还应当把民主革命进行到底，并适时由此转变为社会主义革命。因而当布尔什维克的其他领导人都在谈论民主革命时，列宁却已提出社会主义革命的主张。

其次，是出于保持无产阶级政党及其党员先进性的考虑。列宁强调，每个党员都要对党负责，党也要对它的每个成员负责，如果像马尔托夫那样力求把各色各样的人都变成党员，让党替那些组织上对其无法监督和领导、只说空话而不办实事的人负责，那是危险的和有害的。

最后，这是由列宁的理论品格和革命精神决定的。列宁之所以强调党的中央机关的作用，是因为列宁深谙马克思和恩格斯的建党学说，又能够从俄国实际出发理解和贯彻这种学说。马克思和恩格斯在创建无产阶级政党的过程中，坚持代表大会是党的最高领导机关，并立足西欧的政治生态，强调"集中制的组织不管对秘密团体和宗派运动多么有用，但它同工会的本质是相矛盾的"③。前者为列宁所遵循，因为如此才能确立党内权力的授受关系，使中央机关的职权具有合法性；后者为列宁所突破，因为如果唯命是从，党连生存都成问题，更何谈革命和夺权。

十月革命后，列宁除了在中央委员会内部设立政治局、组织局和书记处外，还专门成立了中央监察委员会，并赋予其重要职权，以及提出一系列改革中央机关的设想。总之，加强党的中央机关建设构成列宁党建思想的重要组成部分，这也成为加强无产阶级政党组织建设的宝贵经验。

---

① 参见中共中央党校党建教研室编：《苏联共产党章程汇编》，求实出版社 1982 年版，第 5—6 页。

② 参见林怀艺：《列宁关于党的中央机关设计思想》，《马克思主义研究》2010 年第 3 期。

③ 《马克思恩格斯选集》第 4 卷，人民出版社 2012 年版，第 477 页。

第三节　无产阶级政党思想建设理论

从思想上建设党，是马克思主义党建学说的一条重要原则。马克思和恩格斯十分重视革命理论的指导作用，强调党员要接受无产阶级世界观，其他阶级成员加入共产党，要放弃原来的非无产阶级世界观。列宁在创建俄国新型无产阶级政党的过程中，强调用马克思主义武装工人阶级的重要性，严格按照马克思和恩格斯的党的建设思想不断加强俄国无产阶级政党的思想建设，积累了宝贵的关于无产阶级政党思想建设的经验，丰富和发展了马克思主义党建学说。

一、坚持马克思主义指导，彻底扫清党的思想建设障碍

（一）加强俄国无产阶级政党的思想建设，最根本的就是坚持马克思主义的指导

列宁在《怎么办?》一书中，"在马克思主义史上第一次充分阐明了革命理论对于无产阶级政党有着关系到生死存亡的重大意义"[1]，他说："没有革命的理论，就不会有革命的运动。"[2]"只有以先进理论为指南的党，才能实现先进战士的作用"[3]。他还说："没有革命理论，就不会有坚强的社会党，因为革命理论能使一切社会党人团结起来，他们从革命理论中能取得一切信念，他们能运用革命理论来确定斗争方法和活动方式"[4]。列宁指出，当时存在的以下"三种时常被人忘记的情况"而使理论的意义显得更为重要。这三种情况是：第一，俄国工人阶级的政党刚刚形成，刚刚在确定自己的面貌，同革命思想中有使运

---

① 中国人民大学马列主义发展史研究所：《列宁思想史》，上海人民出版社 1988 年版，第149 页。
② 《列宁选集》第 1 卷，人民出版社 2012 年版，第 311 页。
③ 《列宁选集》第 1 卷，人民出版社 2012 年版，第 312 页。
④ 《列宁选集》第 1 卷，人民出版社 2012 年版，第 274 页。

动离开正确道路危险的其他派别进行的清算还远没有结束。相反，正是在最近时期，非社会民主党的革命派别显得活跃起来了。在这种条件下，初看起来似乎并"不重要的"错误也可能引起极其可悲的后果；只有目光短浅的人，才会以为进行派别争论和严格区分各派色彩，是一种不适时的或者多余的事情。这种或那种"色彩"的加强，可能决定俄国社会民主党许多许多年的前途。第二，社会民主主义运动就其本质来说是国际性的运动。这不仅意味着我们应当反对民族沙文主义，还意味着在年轻的国家里开始的运动，只有在运用别国经验的条件下才能顺利发展。但是，要运用别国的经验，简单了解这种经验或者简单抄袭别国最近的决议是不够的。为此必须善于用批判的态度来看待这种经验，并且独立地加以检验。只要想一想现代工人运动已经有了多么巨大的成长和扩展，就会懂得，为了完成这个任务，需要有多么雄厚的理论力量和多么丰富的政治经验（以及革命经验）。第三，俄国社会民主党担负的民族任务是世界上任何一个社会党都不曾有过的。我们在下面还要谈到把全体人民从专制制度压迫下解放出来这个任务所赋予我们的种种政治责任和组织责任。为了加强党员对理论在社会民主主义运动中的意义的认识，列宁在这里还引证了恩格斯关于社会民主党的伟大斗争的"三种形式"的思想，即恩格斯认为，这种斗争并不是像在俄国通常认为的那样有政治的和经济的两种形式，而是有三种形式，即同这两种斗争并列的还有理论的斗争[①]。

　　上述所说的理论，当然有它的具体方面，那么，总体说来，或本质说来，它是什么呢？它就是马克思主义。对于社会民主党人来说，作为其行动和思想的指导性的理论，只有马克思主义，而没有什么别的理论。列宁在《我们的纲领》中说："马克思和恩格斯的学说一向被认为是革命理论的牢固基础"。"我们完全以马克思的理论为依据，因为它第一次把社会主义从空想变成科学，给这个科学奠定了巩固的基础，指出了继续发展和详细研究这个科学所应遵循的道路。"[②]列宁认为，社会民主党要坚持以马克思主义为指导，以它为理论基础，就必须开展同一切非马克思主义和反马克思主义思潮的理论斗争。为了说明这个道理，列宁在《怎么办?》中谈到这个问题时，用一节的篇幅特别引证了恩格斯在 1874 年谈到理论在社会民主主义运动中的意义问题时所发表的

---

① 参见《列宁选集》第 1 卷，人民出版社 2012 年版，第 312—313 页。
② 《列宁选集》第 1 卷，人民出版社 2012 年版，第 273 页。

意见，标题直截了当地和鲜明地为"恩格斯论理论斗争的意义"①。列宁把恩格斯关于理论斗争的思想贯彻到对俄国社会民主主义运动的指导中，贯彻到俄国无产阶级政党的建设中，领导了同各种错误思潮，特别是同民粹主义和经济主义的斗争。

（二）批判民粹主义

民粹主义是俄国工人运动中的民粹派的思想体系。为了彻底粉碎这一思想体系，使马克思主义同俄国工人运动结合起来，并为建立俄国无产阶级政党创造条件，列宁从开始他的革命活动时期，就同民粹主义进行了斗争，这些思想构成列宁早期理论活动及其著作的主要内容。从已经发现的列宁最早的著作《农民生活中新的经济变动》（1893 年春）到《论所谓市场问题》（1893 年秋），再到《什么是"人民之友"以及他们如何攻击社会民主党人?》（1894 年春夏）、《评经济浪漫主义》（1896 年 8 月—1897 年 3 月），特别是他在 1895 年底至 1899 年 1 月完成的巨著《俄国资本主义的发展》，都是列宁批判民粹主义的代表性著作。列宁对民粹主义的批判奠定了俄国无产阶级政党建设的科学思想基础。概括起来有以下方面：

第一，阐述了马克思主义对无产阶级革命的指导作用。列宁指出，马克思主义"这个理论公开认为自己的任务就是揭露现代社会的一切对抗和剥削形式，考察它们的演变，证明它们的暂时性和转变为另一种形式的必然性，因而也就帮助无产阶级尽可能迅速地、尽可能容易地消灭任何剥削"②。社会主义者的任务是要做无产阶级的思想领导者，领导无产阶级进行现实斗争，不仅要做理论工作，还要做组织工作。"在这种条件下，理论工作和实际工作就会融合在一起"③。通过社会主义者的政治活动，促进俄国工人运动的发展，使它由分散的、缺乏思想领导的抗议、"骚动"和罢工状态转变为使整个俄国工人阶级行动起来的有组织的斗争。就俄国工人运动和无产阶级政党建设的思想指导而言，"俄国社会主义者越是迅速了解在现代知识水平上，不可能有马克思主义之外的革命理论，越是迅速集中他们的全部力量来把这个理论在理论上和实践

① 《列宁选集》第 1 卷，人民出版社 2012 年版，第 310 页。
② 《列宁选集》第 1 卷，人民出版社 2012 年版，第 83 页。
③ 《列宁选集》第 1 卷，人民出版社 2012 年版，第 78 页。

上运用于俄国，革命工作的成功就会越可靠越迅速"①。

在这里，列宁揭露和批判了以米海洛夫斯基为代表的自由主义民粹派对马克思主义的狭隘理解和曲解。他们在合法报刊上叙述马克思主义的时候，简直把马克思主义缩小和曲解得不成样子。列宁揭露说，经他们叙述的马克思主义大概成了这样一种学说，它说明在资本主义制度下，以私有者的劳动为基础的个人所有制，怎样经历着辩证的发展，怎样变为自己的否定，然后又怎样社会化。他们郑重其事地把马克思主义的全部内容纳入这一"公式"，不谈它的社会学方法的一切特点，不谈阶级斗争学说，不谈研究的直接目的——揭露一切对抗和剥削形式，以帮助无产阶级来推翻这些形式。毫不奇怪，得出的必然是一种这样暗淡和狭隘的东西，以致我们的激进派也要为贫乏的俄国马克思主义者表示惋惜。他们实际是一批根本不懂马克思主义的"马克思主义者"。列宁说，如果俄国的自由派和激进派真的懂得马克思主义（即使是根据德文书刊），他们也许会羞于在受检查的报刊上这样糟蹋马克思主义。"要知道，这样只会闹出只有俄国才有的笑话来，把一些根本不懂阶级斗争，不懂资本主义社会所固有的必然对抗，不懂这种对抗的发展，不懂无产阶级的革命作用的人算做马克思主义者；甚至把一些直接提出资产阶级方案的人，也算做马克思主义者，只要他们有时也说过'货币经济'及其'必然性'等等一类字眼就行，而承认这些字眼是马克思主义者专用的字眼，是需要有米海洛夫斯基先生那样的机智的。"② 在这里，列宁把马克思说过的他们所理解和坚持的辩证法的"批判的和革命的"③ 品质，看作马克思的理论的"全部价值"所在，并说："后一性质的确完全地和无条件地是马克思主义所固有的，因为这个理论公开认为自己的任务就是揭露现代社会的一切对抗和剥削形式，考察它们的演变，证明它们的暂时性和转变为另一种形式的必然性，因而也就帮助无产阶级尽可能迅速地、尽可能容易地消灭任何剥削。"④"这一理论对世界各国社会主义者所具有的不可遏止的吸引力，就在于它把严格的和高度的科学性（它是社会科学的最新成就）同革命性结合起来，并且不仅仅是因为学说的创始人兼有学者和革命家的品质而偶然地结合起来，而是把二者内在地和不可分割地结合在这个理论本身

---

① 《列宁选集》第 1 卷，人民出版社 2012 年版，第 84 页。

② 《列宁选集》第 1 卷，人民出版社 2012 年版，第 82 页。

③ 《马克思恩格斯选集》第 2 卷，人民出版社 2012 年版，第 94 页。

④ 《列宁选集》第 1 卷，人民出版社 2012 年版，第 82—83 页。

中。"① 可以看出，列宁正是在对民粹主义等思潮的批判中，在它们对马克思主义的歪曲的和错误的解释的批判中，回答了什么是马克思主义和怎样正确对待马克思主义的问题，为无产阶级政党的思想建设奠定了科学的理论基础。

第二，阐述了工人阶级的历史作用及其斗争策略。列宁针对民粹派否认工人阶级革命作用的错误观点，论证了工人阶级是社会革命的领导力量，是争取全体被剥削的劳动人民彻底解放的战士。他反复强调，代表俄国的未来的人是工人，"俄国工人是俄国全体被剥削劳动群众唯一的和天然的代表。"② 工厂工人在资本主义关系总体系中所处的地位，使得他们成为争取本阶级和劳动群众解放的唯一战士。这是因为，只有资本主义的大工业，才造成进行这一斗争所必需的物质条件和社会力量。大资本主义又必然割断工人和旧社会、和一定地点、和一定剥削者的任何联系，使他们联合起来，使他们不得不思考，使他们处于可能开始进行有组织斗争的地位。所以，社会主义者把自己的全部注意力和全部活动都集中在工人阶级身上。

列宁认为，在消灭资本主义的道路上，俄国工人阶级的当前任务是推翻沙皇专制制度。由于俄国中世纪的半农奴制残余还像一副沉重的枷锁套在无产阶级和一般人民身上，阻碍着一切阶级和一切等级政治思想的发展，所以，反对农奴制残余，即反对专制制度、等级制度和官僚制度的斗争，对于工人阶级具有重大意义。工人阶级不推翻这些反动支柱，就无法顺利地进行反对资产阶级的斗争。因此，同激进民主派一道去反对专制制度，反对反动的等级和机构，乃是工人阶级的直接责任。工人阶级必须明确理解这个责任，并且记住："反对这一切制度的斗争，只是作为促进反资产阶级斗争的手段才是必要的；工人需要实现一般民主主义要求，只是为了扫清道路，以便战胜劳动者的主要敌人即资本。"③

列宁还强调，在反对专制制度的斗争中，工人阶级要团结一切民主分子，首先是联合农民。只要存在专制制度，农民就不能摆脱闭塞无知的被压迫状况，只能做痛苦的挣扎，而不能从事明智而坚定的斗争。工人阶级的斗争也必须得到农民的支持，因为这个阶级的支持是工人阶级取得胜利的必要条件。由于具有共同利益和共同要求，农民将是工人阶级在革命斗争中可靠

---

① 《列宁选集》第 1 卷，人民出版社 2012 年版，第 83 页。
② 《列宁选集》第 1 卷，人民出版社 2012 年版，第 79 页。
③ 《列宁选集》第 1 卷，人民出版社 2012 年版，第 72 页。

的同盟者。

第三，明确指出俄国工人的直接任务是组织社会主义工人政党。这个工人政党，既区别于资产阶级激进派，也区别于小资产阶级革命集团，是一个坚持马克思主义革命原则的独立政党。社会民主主义者认为，创立一个民主主义政党当然是有益的前进步骤。反对民粹主义的工作应该促进这个进步，使社会主义者在马克思主义旗帜下团结起来，使其余的集团组成一个民主主义政党。列宁阐述了建立一个区别于其他阶级政党的独立的统一的无产阶级政党的重要思想。在分析了各种条件之后，列宁满怀信心地宣告："当工人阶级的先进代表领会了科学社会主义思想，领会了关于俄国工人的历史使命的思想时，当这些思想得到广泛的传播并在工人中间成立坚固的组织，把他们现时分散的经济战变成自觉的阶级斗争时，俄国工人就会起来率领一切民主分子去推翻专制制度，并引导俄国无产阶级（和全世界无产阶级并肩地）循着公开政治斗争的大道走向胜利的共产主义革命。"①

（三）批判经济主义

列宁新型无产阶级政党学说在创建过程中，遇到的一个严重思想障碍就是作为伯恩施坦主义变种的经济主义。经济主义使刚刚成立的俄国社会民主工党陷于政治上动摇、思想上混乱、组织上涣散的境地。列宁说，他对经济派的斗争尝试了各种方法，都没有得到彻底解决。可见"'经济主义'比我们设想的要顽强得多"②。经济派反对马克思主义，对《火星报》上宣传的马克思主义观点表示"茫然不解"。因此，列宁说："如果我们不从头讲起，那我们就不可能谈出什么结果；必须作一次尝试，用尽可能通俗的方式，用大量具体的例证，来就我们之间的意见分歧的一切根本之点，向所有的'经济派'作系统的'说明'。"③

1. 同经济派划清界限是思想上建党的必要准备

1898 年召开的俄国社会民主工党第一次代表大会，虽然从形式上宣告了党的成立，实际上并不存在统一集中的党组织，党内思想混乱、政治动摇和组

① 《列宁选集》第 1 卷，人民出版社 2012 年版，第 81 页。

② 《列宁选集》第 1 卷，人民出版社 2012 年版，第 291 页。

③ 《列宁选集》第 1 卷，人民出版社 2012 年版，第 292 页。

织涣散的状况有增无减。经济派的活动和经济主义在党内的影响是造成这种状况的原因之一。经济派的基本特征就是不要政治斗争，不要党的领导，它与无产阶级新型政党的性质、宗旨和任务是根本矛盾的。经济派大约于 1897 年初发端于"工人阶级解放斗争协会"内部。它趁着列宁等一批革命家被捕，党内出现混乱之机，掌握了"斗争协会"的领导权。1898 年 11 月在苏黎世召开的《俄国社会民主党人国外联合会》第一次代表大会上，因为多数"青年"会员都倒向了经济派，"劳动解放社"退出了联合会，从而使经济派在党内占了优势。俄国社会民主工党第一次全国代表大会以后，普罗柯波维奇（1871—1955）等人，利用党的无组织状态，于 1899 年公然抛出一个纲领性文件——"克列多"（即纲领、信条），散布一系列错误观点，说他在研究工人运动时所得出的基本规律就是阻力最小的路线，这条路线在俄国就是经济斗争，用改良现代社会的意图来代替夺取政权的意图；宣扬资本主义发展到帝国主义时代，《共产党宣言》中的基本原理已经过时，不适合于俄国了，应该加以修正。经济派以其手里控制的国内《工人思想报》和在国外出版的《工人事业》杂志为阵地，在反对思想僵化、反对教条主义，主张批评自由的幌子下，崇拜工人运动的自发性，否定政治斗争的必要性，否定革命理论的意义，否定在俄国建立集中统一的无产阶级政党的必要性。列宁称这些陈腐的滥调是俄国的伯恩施坦主义。

列宁指出，在俄国党内产生经济主义并不是偶然的，它同俄国社会民主工党发展的历史特点相联系。首先，俄国的社会主义者，在反对民意党人的时候，在把政治斗争理解为脱离群众的少数人的密谋活动时，往往不自觉地否定了政治斗争。其次，俄国社会主义者，由在工人小组内进行宣传而转到在工人群众中进行政治宣传的时候，为了把无产阶级中的落后分子吸引过来，往往把眼前的要求和利益提到首位，暂时不宣传争取政治自由和社会主义的远大理想。再次，当时各个马克思主义工人小组和团体是分散活动的，组织之间缺乏联系，特别是缺乏同国外那些理论上坚定、有丰富革命经验的革命家的联系，因而缺乏科学的理论指导。第四，就是国际共产主义运动中以伯恩施坦为代表的修正主义思潮的消极影响。

经济主义思潮的泛滥，直接动摇着俄国社会民主党的理论基础，是建立新型无产阶级政党的一个严重的思想障碍。因此，批判经济主义，同经济派划清界限，是俄国建立统一的马克思主义政党的迫切任务。

2. 列宁早期对经济主义的批判

因为被流放，列宁与广大工人、农民和革命者的联系中断了，可是他们为在实际上建立俄国革命党而积极工作。1899 年，列宁在流放地看见了经济派的"克列多"后，立即召集附近的马克思主义者举行会议，通过了由列宁起草的痛斥经济派的第一个战斗檄文——《俄国社会民主党人抗议书》，回击了经济派的挑战。《抗议书》指出，按照《信条》所指引的路线前进，就是在政治上背叛革命。想使工人阶级沿着阻力最小的路线前进，工人只进行经济斗争，而让资产阶级自由派去进行政治斗争，如果俄国社会民主党实行这样的纲领，就等于政治上自杀。

《抗议书》批驳了经济派反对建立无产阶级革命政党的谬论。经济派断言，俄国工人运动还处于原始状态，工人还没有成熟到能够进行政治斗争，因此他们断定成立独立政党的议论，无非是人云亦云。列宁反驳说，经济派完全不懂得俄国工人阶级的伟大历史作用，不懂得工人阶级正是推翻专制制度争取政治自由的先锋战士。没有政党，就不能进行政治斗争，所以社会民主党的最迫切的任务就是建立一个既能领导工人阶级实现民主主义的任务，又能实现社会主义任务的马克思主义的革命政党。列宁告诫全体社会民主党人，坚决反对和排除经济主义观点影响，沿着社会民主党既定的路线前进。"这条路线就是组织一个同无产阶级阶级斗争密切联系的、以争取政治自由为当前任务的独立的工人政党。"[1]社会民主党人应当集中力量来组织党，巩固党内纪律并发展秘密工作的技术。

《抗议书》指出，只有马克思主义理论才能成为工人运动的旗帜。社会民主党应该设法保卫自己的理论基础的纯洁性，使它不像许多时髦理论那样被曲解和被庸俗化。经济派把伯恩施坦主义搬到俄国来的一切企图，将会遇到绝大多数俄国社会民主党人的坚决回击。

列宁对经济主义观点的批判，实际上也是对国际机会主义的代表伯恩施坦主义的批判。随后，列宁于 1899 年在《工人报》上发表了《我们的纲领》、《我们的当前任务》、《迫切的问题》和《我们党的纲领草案》等许多文章，在思想上、理论上为建党做了准备。

在《我们的纲领》一文中，列宁阐述了马克思主义理论对革命和对于建立

---

[1] 《列宁选集》第 1 卷，人民出版社 2012 年版，第 265 页。

俄国无产阶级政党的重要意义，指出马克思和恩格斯的学说是革命理论的牢固基础，俄国无产阶级的革命事业和党的活动应该完全以马克思的理论为依据；指出要建设一个坚强的革命的社会民主党，就必须有革命的理论；提出无产阶级政党要独立地探讨马克思主义，不要把理论看作某种一成不变的和神圣不可侵犯的东西，要把一般的指导原理同具体情况相结合。

在《我们的当前任务》一文中，列宁阐明了党组织起来的迫切性。列宁在分析"一大"前后的革命形势后，明确提出了迫切需要在全国组成一个统一的集中的党的任务，指出在当前俄国建党的中心环节是如何把分散的地方组织组织起来，彻底摆脱狭隘的地方分散性，在保持地方党组织活动自由的同时，"必须成立统一的因而也是集中制的党"①。列宁在《迫切的问题》等文章中，还阐述了制定无产阶级政党纲领的必要性。

3. 对经济主义的系统批判

列宁对经济主义全面和系统的批判是在《怎么办？》中完成的。这部著作本来是想详尽发挥《从何着手？》一文的思想，正面论述政治鼓动的性质和内容、组织任务、建党计划等三个问题。但是，由于同经济派各种不同观点根本对立的加深，原定的计划、内容、结构、写法都有改变，这本书也就以论战方式表达了它的主题。《怎么办？》批判了经济派崇拜工人运动自发性的观点和态度，阐明了列宁的建党思想和计划。

一是揭露了"批评自由"的实质，阐明了革命理论对工人运动和工人政党的指导作用。列宁指出，受伯恩施坦修正主义的影响而在俄国兴起的那个主张对马克思主义采取"自由批评"态度的新派别，是机会主义的新变种。他们提出的"批评自由""就是机会主义派在社会民主党内的自由，就是把社会民主党变为主张改良的民主政党的自由，就是把资产阶级思想和资产阶级因素灌输到社会主义运动中来的自由。"②向俄国社会民主党要求"批评自由"并为伯恩施坦主义辩护的经济派，就是要在"批评自由"的幌子下把伯恩施坦主义搬到俄国来。

针对经济派醉心于狭隘的实际活动而轻视革命理论的倾向，列宁又一次强调"没有革命的理论，就不会有革命的运动。"③指出了决定理论对于俄国社会

---

① 《列宁全集》第4卷，人民出版社2013年版，第167页。
② 《列宁选集》第1卷，人民出版社2012年版，第297页。
③ 《列宁选集》第1卷，人民出版社2012年版，第311页。

民主党的建设的重要意义的"三种情况"，阐明了党坚持理论斗争的必要性和国际工人运动的经验与教训。

二是批判了经济派的自发论，阐明了社会民主党必须把社会主义意识灌输到工人群众中去的思想。经济派认为，纯粹的工人运动本身就能够创造出而且一定会创造出一种独立的思想体系。列宁在批判这种错误论调时指出："工人本来也不可能有社会民主主义的意识。这种意识只能从外面灌输进去。"① 各国的历史证明，工人阶级单靠本身的力量，只能形成工联主义的意识，即结成工会、同厂主作斗争、向政府争取颁布工人所必要的某些法律等等的信念。"而社会主义学说则是从有产阶级的有教养的人即知识分子创造的哲学理论、历史理论和经济理论中发展起来的。"② 同样，俄国社会民主主义的理论也是完全不依赖于工人运动的自发增长而产生的，它是革命的社会主义知识分子的思想发展的必然结果。列宁"为了补充我们以上所说的话"，还引用了考茨基谈到奥地利社会民主党的新纲领草案时所说的"一段十分正确而重要的话"。这段话表明作为当时的国际上著名的马克思主义者的考茨基实际也是坚持关于工人运动的社会主义意识的"灌输论"的。列宁关于"灌输论"的论述表明，作为历史的先进意识形态的社会主义意识、马克思主义在工人群众中的"灌输"，是社会主义意识、马克思主义与工人运动结合的一个规律，也是无产阶级政党用先进的思想理论教育、武装党员及无产阶级和广大群众，从而也是党员和群众掌握先进思想、理论的一种固有方式，因而在广义上也成为无产阶级先进政党在党员中和群众中开展思想政治教育的一个原则，而不是一种传授专业知识的具体方法。列宁说，既然工人群众决不能在他们运动进程中创造出独立的思想体系，那么问题只能是这样：或者是资产阶级的思想体系，或者是社会主义的思想体系，中间的东西是没有的。本来，社会主义理论比其他一切理论都更正确地和更深刻地反映了工人阶级受苦受难的原因，指明了工人阶级求得解放的现实道路，也就很容易为工人所领会和接受。但是由于资产阶级思想体系的渊源比社会主义思想体系久远得多，它经过了更全面的加工，它拥有多得不能相比的传播工具，便时时刻刻以各种形式自发地而又最厉害地迫使工人接受它。因而自发的运动，就恰恰会受资产阶级思想体系的控制。"对工人运动自发性

① 《列宁选集》第 1 卷，人民出版社 2012 年版，第 317 页。
② 《列宁选集》第 1 卷，人民出版社 2012 年版，第 317—318 页。

的任何崇拜，对'自觉因素'的作用即社会民主党的作用的任何轻视，完全不管轻视者自己愿意与否，都是加强资产阶级意识形态对工人的影响"。① 因此，社会民主党的任务就是要反对自发性，使工人运动摆脱资产阶级思想的影响，同科学社会主义相结合。向工人"灌输"社会主义思想，就是一种自觉"结合"的工作。"这样结合起来，工人的阶级斗争就成了无产阶级争取从有产阶级剥削下解放出来的自觉斗争，而社会主义工人运动的高级形式——独立的社会民主主义工人政党也就产生了。"②

三是批判了经济派的改良主义路线，阐述了社会民主党的革命路线。经济派只重视经济斗争、经济揭露工作而轻视政治斗争。列宁肯定了这种揭露工作的作用，但指出这还不是社会民主党的工作，而只是工联的工作。因为这种揭露工作不过是使出卖劳动力的人学会较为有利地出卖这种"商品"，学会在纯粹商业契约基础上同劳动力的买主作斗争。社会民主党领导工人阶级斗争不仅要争取出卖劳动力的有利条件，而且要消灭迫使穷人卖身给富人的社会制度。因此，"社会民主党人不但不能局限于经济斗争，而且不能容许把组织经济方面的揭露当做他们的主要活动。我们应当积极地对工人阶级进行政治教育，发展工人阶级的政治意识。"③

列宁极其重视全面的政治揭露工作，把这种工作看作是培养群众的政治意识和革命积极性的必要条件。列宁认为，政治教育，不能以宣传工人阶级与专制制度敌对的观念为限，不能以说明工人在政治上受压迫为限。既然这种压迫是落在社会中各种不同的阶级身上，既然这种压迫表现在职业、个人、家庭、宗教、科学以及生活和活动的各种不同方面，那么，如果不对专制制度进行全面的政治揭露，便不能发展工人的政治意识。这种意识，无论从哪本书里也学不到，只有把发生在我们周围的表现与某些事件、数字、法庭判决词等等之中的一切情形揭露出来，才能使人获得这种意识。这就是说，"阶级政治意识只能从外面灌输给工人，即只能从经济斗争外面，从工人同厂主的关系范围外面灌输给工人。只有从一切阶级和阶层同国家和政府的关系方面，只有从一切阶级的相互关系方面，才能汲取到这种知识"。④ 社会民主党人要到各方面去，

① 《列宁选集》第 1 卷，人民出版社 2012 年版，第 325 页。
② 《列宁全集》第 4 卷，人民出版社 2013 年版，第 213 页。
③ 《列宁选集》第 1 卷，人民出版社 2012 年版，第 342 页。
④ 《列宁选集》第 1 卷，人民出版社 2012 年版，第 363 页。

到居民的一切阶级中去，利用一切材料来向大家说明社会主义信念和民主主义要求，向大家解释无产阶级解放斗争的意义，并且领导各个反政府阶层开展推翻专制制度的全面的政治斗争。

四是批判了经济派反对建立革命家组织的谬论，论述了建立集中统一政党的计划。列宁根据领导全面政治斗争的需要，根据当时处于非法状态和手工业方式盛行的实际情况，主张建立一个严守秘密的集中统一的工人阶级政党。经济派攻击这种组织观点是"反民主倾向"，要求维护和发展"广泛民主原则"。列宁反驳说，"广泛民主原则"包含两个必要条件：一个是公开性，一个是选举。在黑暗专制统治的宪警到处横行的情况下，党组织的"广泛民主原则"只是一种毫无意思而且有害的儿戏。"我们运动中的活动家所应当遵守的唯一严肃的组织原则是：严守秘密，极严格地选择成员，培养职业革命家。只要具备这些品质，就能保证有一种比'民主制'更重要的东西，即革命者之间的充分的同志信任。"[1]列宁阐明的这种同志之间的信任，对于不能建立普遍民主监督的任何秘密组织的活动，都是绝对必要的。

列宁认为，建党活动中最迫切的首要的任务是要建立一个能使政治斗争具有力量、具有稳固性和继承性的革命家组织，形成党的领导核心。"无产阶级的自发斗争如果没有坚强的革命家组织的领导，就不能成为无产阶级的真正的'阶级斗争'。"[2]经济派把这种革命家组织与工人组织等同起来，他们从经济斗争的考虑出发，认为完全不需要建立革命家组织。列宁指出，工人组织与革命家组织是有区别的：第一，工人组织是职业性的，革命家组织是政治性的；第二，工人组织应尽量广泛地吸收工人群众参加，革命家组织只能容纳少数领导骨干；第三，工人组织应尽量公开，革命家组织则应具有高度秘密性。社会民主党人不仅要领导经济斗争，更重要的是要领导全面的政治斗争。如果从建立坚强的革命家组织开始，就能保证整个运动的稳固性，既能实现社会民主主义的目的，又能实现工联主义的目的。如果从建立一些好像是群众最容易接受、其实是宪兵最容易破坏的广泛的工人组织开始，那就两种目的都不能实现。

列宁还批判了经济派的另一糊涂思想：他们把领导者和群众对立起来，主张在工人运动中拒绝任何领导者而去找"群众"，激发群众的虚荣心和劣根性

---

[1] 《列宁选集》第1卷，人民出版社2012年版，第419页。
[2] 《列宁选集》第1卷，人民出版社2012年版，第414页。

以破坏领导者的威信。列宁指出，这是一种在组织方面倒退的企图。德国人的组织就包括了广大群众，一切事情都是由群众来干，工人运动已经学会用自己的腿走路。但这些数以百万计的群众又是怎样重视和拥护自己经过考验的政治领袖？德国工人的经验表明："在现代社会中，假如没有'十来个'富有天才（而天才人物不是成千成百地产生的）、经过考验、受过专业训练和长期教育并且彼此配合得很好的领袖，无论哪个阶级都无法进行坚持不懈的斗争。"①

列宁所著《怎么办?》一书系统地批判了经济派的机会主义观点及其思想根源，阐述了建立马克思主义政党的思想原则和计划，强调了理论斗争的意义，把革命理论对工人运动和工人政党的指导作用提到了应有的高度，从而奠定了新型无产阶级政党的思想基础。

二、创建中央机关报刊

在党的建设过程中，列宁高度重视创办党的报刊工作，他认为，报刊对于弄清党的目的和任务，聚集干部以及把这些力量结合成全俄统一的战斗性的革命政党的核心都是至关重要的，为此他把创办党的报刊作为维护党的思想统一的重要渠道。

1899 年他在被流放时，就在《我们的当前任务》、《迫切的问题》两篇文章中提出过这种设想。1901 年以后，他在《从何着手?》、《怎么办?》等著作中对这个计划又作了全面论证。实践证明，列宁的计划是正确的，他发起创办的《火星报》就为俄国社会民主工党的真正建立作了思想上和组织上的准备。后来，由于同孟什维克的分歧，列宁退出了《火星报》编辑部。《火星报》这个中央机关报从第 52 期起便成为孟什维克反对列宁和布尔什维克的报纸，列宁不得不重新着手创建布尔什维克的机关报，这就是俄国社会民主工党布尔什维克派的第一家机关报《前进报》，由列宁担任主编。《前进报》也因此既成为布尔什维克表达自己观点的报纸，也成为党内进行思想理论教育的阵地和工具。通过创办全俄政治报刊来建党是列宁从俄国的实际出发提出的天才设想，是对马克思主义党的建设学说的重要发展。

---

① 《列宁选集》第 1 卷，人民出版社 2012 年版，第 401 页。

列宁重视创办党的报刊，主要是基于以下方面的考虑：

一是为了进行系统的宣传鼓动。宣传鼓动工作是社会民主党经常的和主要的任务，"没有报纸就不可能系统地进行有坚定原则的和全面的宣传鼓动"①。列宁认为广大群众对社会主义问题产生兴趣时，宣传鼓动特别迫切。因此，列宁进一步说："现在比过去任何时候都更加迫切地需要进行集中的和经常的鼓动工作，用以补充靠个人影响、地方传单、小册子等方式进行的零散的鼓动工作；而要进行这种集中的和经常的鼓动工作，就必须利用定期的报刊。"②

二是为了用统一的言论来统一革命人民的思想。不用报刊上的言论来统一人们的思想，那么一切统一都只能是一种空想罢了。因此，列宁说，为了克服散漫性，为了把各个地方的运动合成一个全俄的运动，第一步就应当是创办全俄的报纸。

三是政治运动的需要。列宁说："我们需要的报纸还必须是政治报纸。没有政治机关报，在现代欧洲就不能有配称为政治运动的运动"③。政治机关报是把革命阶级集合起来向资产阶级进行斗争的有力武器。所以重视全俄政治报，是为了通过它而把革命人民组织起来，列宁称"报纸不仅是集体的宣传员和集体的鼓动员，而且是集体的组织者"④。他在谈到报纸的组织作用时形象地把报纸比作脚手架，"它搭在正在建造的建筑物周围，显示出建筑物的轮廓，便于各个建筑工人之间进行联络，帮助他们分配工作和观察有组织的劳动所获得的总成绩"⑤。此外，还可以通过推销报纸建立统一的党的地方代办员网，这些代办员彼此间密切联系，从而起到了组织的作用。

四是有利于培养党的政治领袖。列宁说："假如我们集中自己的力量来办共同的报纸，那么，这样的工作不仅可以培养和造就出最能干的宣传员，而且可以培养和造就出最有才干的组织者，最有才能的党的政治领袖"⑥。

此外，列宁还通过报刊在组织上将社会民主主义运动团结起来，通过报刊宣传马克思主义，同非马克思主义进行斗争。他认为，创办秘密的全俄政

① 《列宁全集》第5卷，人民出版社2013年版，第6页。
② 《列宁全集》第5卷，人民出版社2013年版，第7页。
③ 《列宁全集》第5卷，人民出版社2013年版，第7页。
④ 《列宁全集》第5卷，人民出版社2013年版，第8页。
⑤ 《列宁全集》第5卷，人民出版社2013年版，第8页。
⑥ 《列宁全集》第5卷，人民出版社2013年版，第9—10页。

治报是俄国建党工作的主要环节，是行动的出发点，是建党的第一个实际步骤。报刊应该不仅在思想上和政治上，而且在组织上把社会民主主义运动团结起来，报刊应当成为建党工作中的主要的决定性的环节。列宁制定的办报纲领规定，要坚决同俄国和西欧的修正主义者划清界限，要创造性地发展马克思主义理论，建立无产阶级政党的牢固的思想基础和组织基础。列宁认为，党的机关报刊应当在意识形态斗争中始终不渝地贯彻执行马克思主义路线。按照列宁的想法，党的报刊应当维护马克思主义理论的纯洁性，应当同那些与无产阶级格格不入的资产阶级影响进行斗争。报刊必须把批判的锋芒对准"合法马克思主义"者、经济派、伯恩施坦分子，因为这些人诱使工人阶级脱离革命运动，怂恿他们走改良主义的道路。列宁认为，党的报刊的首要任务之一就是讨论极其重要的理论问题和策略问题，发展马克思主义，并把它运用于俄国的具体条件。

三、加强党的科学世界观教育

列宁在建立新型无产阶级政党以及加强党的思想建设的过程中，一直坚持以科学的理论为指导，善于运用科学的世界观和方法论指导无产阶级政党的实践和党的思想建设。

（一）通过"自发"与"自觉"关系的辩证法阐释政治斗争的意义

"自发性"与"自觉性"是一对哲学范畴，表现主体在历史活动中面对一定客体、对象的态度、状态。自发性表现的是主体在客体面前的被动态度、状态，这种态度、状态以对客体缺乏认识和缺乏改变对象、客体的冲动、意志为基础，具有形而上学、机械论的哲学特征。自觉性是指认识和实践主体在对象、客体面前的能动性，它以主体对对象、客体的本质、规律的认识以及对自己的行为的意义、价值的认识为基础，它同时也是这种认识向主体的行动的意识和意志的转化。自觉性是主体面对客体的一种自由的状态，准确地说是一种改变现实、创造自由的意志、态度。就无产阶级实践而言，它就是积极地主动地改变一切失去现实性的社会存在，包括已经腐朽了的资本主义制度、资产阶级维护其统治的一切反现实的行为及其物质的和精神的结果的态度，是无产阶级及其革命政党在这些存在、现象面前具有的主体性。列宁是根据无产阶级革命的国际经验和俄国革命中不同党派、思潮的不同政治表现而提出这一哲学的理论关系问题的，实际针对俄国社会民主党内的各个不同派别、倾向对于阶级斗争和政治斗争的不同态度提出的，并且是为了俄国无产阶级及其政党面临的这一迫切问题的。列宁和普列汉诺夫早在开始革命活动，特别是建党活动的初期就特别指出俄国工人运动中存在的经济主义危险，指出俄国革命的胜利与出路就在于把经济斗争提升到政治斗争的高度。

列宁揭露经济主义的哲学根源在于将唯物主义的物质决定意识、社会发展规律客观性的原理庸俗化了。经济派认为自发的工人斗争是运动的物质因素，正是这个因素和物质环境的相互作用形成工人运动的一定形式，并且决定着运动的道路。不管领导者抱着多么出色的理论和纲领，付出多么大的努力，都不可能使运动脱离这样的道路。经济派甚至认为，社会民主党人对工人运动的领导即是对它的束缚，工人只要有罢工组织和合法团体就行了，用不着建立政党。虽然有些经济主义者没有否定工人政党的必要性，但是他们认为党的作用是为自发的工人运动服务，做工人经济斗争的执行组。列宁认为，经济派鼓吹自发论，贬低和否定党的作用，并且否定俄国有建立独立的工人政党的必要性和可能性。对此，必须给予有力回击。

列宁强调由经济斗争上升到政治斗争，这是自发性上升到自觉性的生动体现，它使工人运动摆脱庸俗决定论，坚持了辩证决定论。经济主义这种机会主义思潮只肯定经济的决定性作用，把无产阶级的阶级斗争归结为改良和改善生活活动的经济斗争，拒绝为夺取政权采取政治斗争，这在意识形态方面的立场就是崇拜自发性，不了解革命斗争中的自发性与自觉性的辩证法。经济主义主张的结果就是把工人阶级束缚在资本主义社会制度上。所以，要旗帜鲜明地反对经济主义的各种表现，掌握自发性与自觉性的辩证法。列宁在《怎么办?》、《同经济主义的拥护者商榷》、《我们运动的迫切任务》等论著中，集中批判了经济派的庸俗决定论，阐述了自觉性和自发性之间的辩证关系。列宁认为，自觉性非常重要，自觉的领导者走在自发运动的前面，为它指出道路，善于比其他人更先解决运动的"物质因素"自发地遇到的一切理论的、政治的、策略的和组织的问题。自觉性是参加决定工人运动的道路的，不能把自觉性和自发性对立起来，不能否定自觉性的作用，而应把自发的进化和自觉的革命活动结合起来。为了真正地考虑运动的物质因素，就必须批判地对待它们，善于指出自发运动的危险，善于把自发性提高到自觉性。可见，列宁从辩证法的角度来理解自发与自觉的关系，认为重要的不是强调自发性，而是考虑如何将自发性提高到自觉性，这不是完全否定自发性，而是否定将二者相互对立的观点。

（二）捍卫党的科学世界观基础

对于新型无产阶级政党的建设，列宁特别重视它的科学世界观基础，强调无产阶级政党要坚持马克思主义理论的武装，坚持辩证的和历史的唯物主义。对于公开诋毁马克思主义，宣传唯心主义哲学的现象，列宁主张并带头与之进行坚决的斗争，决不允许反动和错误的哲学动摇马克思主义的理论基础、世界观基础，从而阻碍党的思想建设。哲学斗争是最基本的理论斗争。列宁在《唯物主义和经验批判主义》一书中对俄国马赫主义的批判，是列宁为捍卫党的科学世界观基础而进行的实际的理论斗争。列宁在对马赫主义即经验批判主义的批判中，系统地阐述了马克思主义哲学基本原理，特别是辩证唯物主义认识论的基本原理，捍卫了以辩证唯物主义和历史唯物主义为内容的马克思主义世界观。列宁把这种哲学唯物主义世界观叫作马克思主义哲学的党性原则。列宁说：哲学的党性也称党派性，是指在哲学中，一直存在着的唯物主义和唯心主义的对立和斗争，这是两个哲学基本派别与两条哲学路线的斗争。唯心主义哲学曾拒绝承认哲学的党性问题，列宁曾揭露俄国的马赫主义者"哲学没有党性"论断的实质，认为这是妄图用马赫主义哲学来修正、替代马克思主义哲学的唯物主义，是对马克思主义哲学的党性原则的背离。列宁指出，哲学的党性就是阶级性在哲学上的集中表现。两个根本对立的哲学派别的斗争构成了哲学党性的基本内容。"最新的哲学像在两千年前一样，也是有党性的。唯物主义和唯心主义按实质来说，是两个斗争着的党派，而这种实质被冒牌学者的新名词或愚蠢的无党性所掩盖。"[①]

共产党员的党性是与哲学的党性原则相呼应的。无产阶级政党应该坚持唯物主义，拒绝唯心主义，其成员都应是坚定的唯物主义无神论者，始终要捍卫无产阶级的世界观。列宁在《论战斗唯物主义的意义》一文中，针对当时俄国资产阶级分子和反动势力企图复辟资本主义，思想领域斗争激烈和唯心主义猖獗的情况，专门讨论了共产党员如何成为一个战斗的唯物主义者的

———————

① 《列宁选集》第 2 卷，人民出版社 2012 年版，第 240 页。

问题。比如必须和一切唯物主义者建立联盟，共同斗争，反对唯心主义，发展唯物主义哲学；必须进行彻底的无神论宣传，使广大劳动群众摆脱宗教迷信的束缚，为进行共产主义教育创造条件；哲学家必须同自然科学家结成联盟，从哲学上总结自然科学的新成就，排除唯心主义的干扰；要充分发扬18世纪唯物主义和无神论的优秀传统，用唯物辩证法来分析当代社会等等。①这都表明，列宁将哲学的党性原则与共产党员的党性原则结合起来，充分维护了无产阶级政党的党性和科学性的统一。列宁始终反对把在哲学上是坚持唯物主义还是唯心主义、是坚持无神论还是有神论，即是信仰宗教还是不信仰宗教，看作个人的事情。在列宁看来，对于普通个人来说，它可能是个人的事情，但是对于无产阶级政党的成员来说，它无论如何不是个人的事情，而是党员的党性问题。

（三）认识和实践关系的正确理解

正确理解认识和实践的关系，是列宁加强无产阶级政党的思想建设的又一维度。在《唯物主义和经验批判主义》当中，列宁对它们之间的关系进行了集中阐述。列宁认为人的认识是不能脱离实践的，知识、科学都是人类从生产活动及社会活动中得到并丰富的，因此实践是认识的基础，"生活、实践的观点，应该是认识论的首要的和基本的观点。这种观点必然会导致唯物主义，而把教授的经院哲学的无数臆说一脚踢开"。②列宁指出，人的认识来源于实践，若离开实践，就不能获得真理性的认识。因此，人的认识要用实践来检验，实践是检验真理的标准。"物存在于我们之外。我们的知觉和表象是物的映象。实践检验这些映象，区分它们的正确和错误"③。对于20世纪初发生的一些新理论代替旧理论的事实，列宁给予了充分的肯定，并指出每一科学理论都是一个相对的真理，它具有客观内容，也就是说它包含着绝对真理的颗粒，虽然是不完全、不彻底的，然而都是被实践所证实了的真理。

列宁对实践和认识关系问题的阐述，以及对于实践是检验真理的标准的科学认识，为加强无产阶级政党建设提供了科学的认识论基础和方法论基础。承

---

① 参见《列宁选集》第4卷，人民出版社2012年版，第646—655页。

② 《列宁选集》第2卷，人民出版社2012年版，第103页。

③ 《列宁全集》第18卷，人民出版社2017年版，第108页。

认人的认识来源于实践，也就意味着无产阶级政党在革命实践过程中，必须坚持理论联系实际、从实际出发，贯彻实事求是和实践第一的原则。因此，党的建设要服务于无产阶级的伟大实践。例如，在俄国革命形势高涨时，就应当强调建立无产阶级政党的紧迫性和可能性；一旦条件成熟，无产阶级政党就应当勇于进行革命和斗争，而不应拘泥于教条，错失革命时机；党在领导革命过程中，要结合俄国的实际，团结一切可以团结的力量，形成最广泛的统一战线；强调集中多一些还是强调民主多一些，什么时候应更强调集中，什么时候应更重视民主，这完全取决于党所面对的国内外形势和任务，等等。这些都表明，实践永远是决定党的建设和活动原则的决定性因素，加强党的建设应当一切以实践为依据。党的建设是为伟大的无产阶级革命实践服务的，它服务于党的斗争的整体目标。实践发生了变化，党的建设的重点和任务就要发生转换，这是党的建设的辩证法。

（四）党的建设的价值维度

列宁还从价值维度谈到无产阶级政党的思想建设。他强调无产阶级政党建设必须符合广大无产阶级和人民大众的利益，要为无产阶级和人类解放服务。党的建设时刻不能偏离实现共产主义这一终极目标，这也是共产党员的大目标。明确这一大目标，是为了自觉与修正主义划清界限，因为修正主义者伯恩施坦就曾忽视目标的意义，他说："人们通常称为社会主义的最终目的的东西，对我来说是微不足道的，运动就是一切"[1]。

为实现社会主义的最终目标，无产阶级政党应当致力于将工人运动与科学社会主义结合起来，以先进的思想为指导，开展自觉的阶级斗争，并发展为推翻资本主义社会、建立社会主义社会的革命运动。列宁认为，无产阶级政党的纲领要对党的最终目的有明确的看法，要明确指出党的最终目的是无产阶级夺取政权，建立社会主义。总之，为无产阶级和人类解放而服务，是党的建设的重要价值维度。

列宁还从党的建设与维护群众利益和坚持群众路线的关系的角度谈到党的建设的价值维度。这就是党的建设要明确"为什么人"和"怎样依靠人"的问题。列宁高度重视党的群众工作，他指出："一个能够通过联系群众而得到巩

---

[1]　《伯恩施坦文选》，人民出版社 2008 年版，第 316 页。

固以进行坚持不懈的工作的党，……是一定会取得胜利的。"① 党要能够密切联系群众，脱离群众就是党的建设的最大危险。他说："我们需要的是能够经常同群众保持真正联系的党，善于领导这些群众的党。"②"对于一个人数不多的共产党来说，对于一个作为工人阶级的先锋队来领导一个大国在暂时没有得到较先进国家的直接援助的情况下向社会主义过渡的共产党来说，最严重最可怕的危险之一，就是脱离群众，就是先锋队往前跑的太远，没有'保持排面整齐'，没有同全体劳动大军即同大多数工农群众保持牢固的联系。"③"先锋队只有当它不脱离自己领导的群众并真正引导全体群众前进时，才能完成其先锋队的任务。"④ 在与群众的关系问题上，列宁认为党员始终是人民群众当中的普通一员，"在人民群众中，我们毕竟是沧海一粟，只有我们正确地表达人民的想法，我们才能管理。"⑤ 所以，党的干部最应该避免的就是官僚主义，"我们所有经济机构的一切工作中最大的毛病就是官僚主义。共产党员成了官僚主义者。"⑥"泛泛之谈。空话连篇。大家听厌了的愿望。这就是当今的'共产党员的官僚主义'"⑦。总之，加强党的建设就是为了服务人民群众，使党始终保持与人民群众的紧密联系。这也是党的建设价值维度的重要体现。列宁关于坚持党的群众路线的观点，对于加强无产阶级政党建设仍具有巨大的现实意义。

---

① 《列宁专题文集 论无产阶级政党》，人民出版社 2009 年版，第 342 页。
② 《列宁专题文集 论无产阶级政党》，人民出版社 2009 年版，第 343 页。
③ 《列宁专题文集 论无产阶级政党》，人民出版社 2009 年版，第 343 页。
④ 《列宁专题文集 论无产阶级政党》，人民出版社 2009 年版，第 343 页。
⑤ 《列宁专题文集 论无产阶级政党》，人民出版社 2009 年版，第 343—344 页。
⑥ 《列宁专题文集 论无产阶级政党》，人民出版社 2009 年版，第 348 页。
⑦ 《列宁专题文集 论无产阶级政党》，人民出版社 2009 年版，第 348 页。

第四章　制定俄国民主革命的理论和策略

1905 年，沙皇俄国爆发了进入帝国主义阶段后的第一次反对封建专制的人民民主革命。从此，结束了欧美各国相对和平发展时期，整个世界也因此进入一个新的革命风暴期。列宁全面总结这次革命的经验，制定了完备的民主革命理论和策略，用新的实践和新的思想丰富和发展了马克思主义革命学说，使马克思主义理论得到空前广泛的传播并进入蓬勃发展的新时期。

第一节　无产阶级领导权和武装起义思想

在无产阶级革命过程中，领导权问题一直是个备受关注的核心问题。马克思主义革命领导权理论强调，一切革命的关键就是夺取领导权。列宁结合当时俄国的社会状况和具体国情明确指出，在俄国，无产阶级要通过暴力革命夺得政治领导权。

一、1905 年革命与革命策略问题的提出

沙皇政府在 1904—1905 年日俄战争中的惨败，加剧了俄国国内矛盾，激

发了人民斗争的日益高涨。1905 年 1 月 22 日，彼得堡工人和他们的家属共 14 万多人游行示威，向沙皇请愿以改善生活条件。彼得堡工人在请愿书上写道：我们，彼得堡市的工人，偕同我们的妻室儿女和老弱父母，特来向皇上请求公道和保护。我们生活困苦，备受压迫，当牛做马，遭受着欺凌侮辱和非人的待遇……我们已再三忍耐，但是我们日甚一日地被推入困苦、无权和愚昧的深渊，暴政专横压制着我们……忍耐已经到了极限。我们已经到了与其让这种难以忍受的痛苦继续下去还不如死去为好的可怕时刻……沙皇无视游行者的要求，命令军队向手无寸铁的抗议者们开枪镇压，打死打伤 4600 多人，约 1000 人惨遭杀害。沙皇制造血腥暴行的可怕消息迅速传遍了全国。全体工人阶级和其他行业的民众义愤填膺，纷纷组织起来高喊"打倒专制制度"的口号上街游行，用罢工的方式来抗议沙皇的暴行，并明确提出推翻沙皇专制制度的政治要求。在 1905 年 1 月间，罢工人数已经达到44 万，一个月之内参加罢工的工人人数就超过了过去整整十年的罢工人数总和。日渐高涨的罢工运动，唤醒了人民的觉悟，继而各种形式的抗议活动和反抗斗争迅速在全国各地风起云涌。彼得堡、莫斯科、华沙、里加和巴库等工人相对集中的 140 个大城市，罢工进行得有组织、有规模而且斗争特别顽强。先进的工人阶级用自己的罢工唤醒和振奋了觉悟较低的社会阶层，形成了全国范围内反对沙皇专制统治的罢工斗争。10 月，爆发了全国的政治总罢工。12 月，莫斯科工人发动了大规模的武装起义，但遭到沙皇政府的残暴镇压。革命虽然失败了，但却沉重地打击了沙皇专制制度，极大地锻炼了无产阶级和广大人民的斗争意志和组织能力，形成了具有震慑力的社会合力和斗争目标，为探索新时代人民革命运动的发展道路提供了宝贵经验。

1905 年初，国内工人罢工不断高涨之时，列宁住在瑞士的日内瓦，得知国内发生革命的消息后，他立即全力搜集各种资料，密切关注和研究革命进展，初步拟定了党在这次革命中的路线和策略。4 月，列宁在伦敦主持召开了俄国社会民主工党第三次代表大会，出席大会的 24 名代表，代表着 20 个布尔什维克委员会。大会在严厉谴责孟什维克是"党内分裂出去的部分"后，转入研究和制定党的策略议题的讨论。此次大会，全面分析了国内革命的形势和革命进程，制定了党在这次革命中的马克思主义纲领和策略，其要旨是：在俄国的资产阶级民主革命中，无产阶级必须充当革命的领导者，依靠工农联盟，孤立自由资产阶级，通过武装起义，实行工农民主专政，把资产阶级民主革命进行到底。11 月，在全国工人总罢工进行到革命高潮之时，列宁回到祖国亲自领导革命并总结了人民在革命中的作用和创造精神。与此相反，孟什维克在日内瓦召开了自己的代表会议，提出并顽固推行机会主义路线，其路线的要旨是：俄国的资产阶级民主革命只能由资产阶级领导，无产阶级应当跟在资产阶级后面走；不采用武装起义的形式，而是通过和平的方式改良沙皇制度；革命胜利后建立资产阶级专政，发展资本主义。很显然，这是一条与列宁领导的布尔什维克党完全相悖的路线，是一条瓦解工人力量和葬送革命的路线。

为了彻底批判孟什维克的错误路线，科学地阐明无产阶级在民主革命中的理论和策略，列宁在《社会民主党在民主革命中的两种策略》、《社会民主党对农民运动的态度》等论著中，分析了当时俄国的经济、政治形势，根据人民革命的新经验，彻底揭露了孟什维克路线的实质和错误，强调在俄国资产阶级民主革命中，只有无产阶级充当革命的领导者，依靠工农联盟，通过武装起义，实行工农民主专政，才是革命取得胜利的唯一出路。

二、无产阶级领导权理论

列宁的无产阶级革命领导权思想，是结合当时俄国国情，在全面分析当时主要政党特征的基础上提出来的，并在 1905—1907 年俄国资产阶级民主革命实践中进行了充分运用和检验。

（一）坚持无产阶级革命领导权的必然性

第一次俄国资产阶级民主革命，列宁就深信要推翻沙皇专制制度，彻底完成资产阶级民主革命任务，必须坚持无产阶级领导权。列宁得出这一结论的根据在于："立宪民主党是自由派资产者的政党。这个阶级的经济地位使它害怕农民的胜利和工人的团结。所以，立宪民主党向右转去跟反动派勾结的倾向决非偶然，而属必然，而且人民群众向左转得愈快，它就向右转得愈快。"[1]资产阶级的阶级本质决定了他们不能够成为革命的动力，革命要想取得胜利，领导权不可能让他们来掌握。

---

① 《列宁全集》第 15 卷，人民出版社 2017 年版，第 51 页。

孟什维克是社会民主党的主要派别之一。他们认为，俄国革命和以往西欧的资产阶级革命一样，应当在资产阶级的领导下进行，革命胜利后应当是资产阶级掌握政权进行统治，工人的任务就是支持资产阶级，不要让资产阶级因为群众的革命而退出革命，完全否定无产阶级在革命中的地位和作用。1907 年 2 月，沙皇政府召开第二届国家杜马会议，谋求与自由派资产阶级妥协共同对付革命。孟什维克在对待杜马的问题上继续推行拱手相让领导权的策略，谋求建立与自由派资产阶级的联盟。列宁在总结 1907 年的彼得堡选举时，一针见血地指出了孟什维克无骨气的原因。他认为，这是由孟什维克的小资产阶级本质决定的，而小资产阶级必然步自由派的后尘，当自由派的尾巴。不仅如此，列宁还揭露了孟什维克维护立宪民主党领导权的具体表现，即"他们要实行支持立宪民主党的政策，同时又不敢公开讲明！无论是支持'杜马组阁'的要求，或者以根本不存在的黑帮危险为借口同立宪民主党结成联盟，或者是投票赞成立宪民主党人当杜马主席，这一切都不过是支持立宪民主党的政策、使无产阶级接受自由派领导权的政策的具体表现。"① 在革命时期，孟什维克否认无产阶级的独立性；在杜马选举中，又加入了立宪民主党的行列，拱手送出了革命领导权。因此，要指望孟什维克来领导革命取得胜利显然是不切实际的妄想。历史给予了资产阶级掌握领导权的机会，但其阶级本质决定了它不可能彻底完成反对专制制度的任务，一旦它的利益得到实现，就会不思进取甚至走向反动。而孟什维克做了资产阶级的跟随者，最终与资产阶级同流合污。因此，列宁指出："革命的结局将取决于工人阶级是成为在攻击专制制度方面强大有力但在政治上软弱无力的资产阶级助手，还是成为人民革命的领导者"②。

（二）争取和掌握革命领导权是无产阶级的义务

列宁认为："保持无产阶级政党在思想上和政治上的独立性，是社会主义者的始终不渝和绝对必须履行的义务。谁不履行这个义务，谁就实际上不再是社会主义者，不管他的'社会主义'（口头上的社会主义）信仰是多么真诚。"③

---

① 《列宁全集》第 15 卷，人民出版社 2017 年版，第 230 页。
② 《列宁专题文集　论无产阶级专政》，人民出版社 2009 年版，第 162 页。
③ 《列宁选集》第 1 卷，人民出版社 2012 年版，第 678 页。

列宁反复强调，无产阶级在资产阶级民主革命中必须保持政治上的独立性，无产阶级政党必须坚持鲜明的党性。而"保持思想上和政治上的独立性"事实上也就是争取和掌握革命的领导权。

虽然 1905—1907 年革命是资产阶级革命，但列宁认为这并不影响无产阶级领导者的地位。革命的领导者与革命的性质并不是严格的对应关系，"资产阶级革命的领导者可以是自由派地主加上厂主、商人和律师等等，也可以是无产阶级加上农民大众。在两种情况下革命都保持着它的资产阶级性质；可是革命的范围，革命对无产阶级有利的程度，对社会主义（也就是首先对生产力的迅速发展）有利的程度，在前后两种情况下却完全不同。""因此，布尔什维克认为社会主义的无产阶级在资产阶级革命中的基本策略是：领导民主派小资产阶级特别是农民小资产阶级，使他们脱离自由派，麻痹自由派资产阶级的不稳定性，开展以完全消灭包括地主土地占有制在内的一切农奴制残余为目的的群众斗争"。[1] 在资产阶级民主革命过程中，无产阶级要始终保持思想上和政治上的独立性，把争取和掌握革命的领导权作为本阶级的义务。

（三）革命领导权的实质就是无产阶级领导人民同敌人作斗争

列宁虽然未对"领导权"给出明确的解释，但从他的论述中可以理解他的领导权思想的内涵。在革命初期，列宁曾经指出："只有从小资产阶级、小贩的观点出发，才会把达成协议、互相承认、口头的条件看做是领导权的实质。从无产阶级观点看来，在战争中实现领导权的应该是斗争最坚决、利用一切机会打击敌人并且言行一致的人"[2]。对立阶级的经济地位和物质利益也是对立的，阶级之间的冲突，归根到底是围绕物质利益展开的。18 世纪初，是俄国阶级矛盾激化的时代，要实现领导权就必定要以阶级斗争为实质内容，任何以非斗争形式求得的暂时协调都不是领导权的实质。1905 年初，俄国无产阶级开始了为推翻专制制度而进行斗争的序幕。在 1 月 9 日这个被称为"流血星期日"之后，俄国无产阶级革命斗争迅速在全国兴起，社会民主党人组织农业工人在许多地方进行了罢工。在社会民主工党第三次代表大会上，列宁着重强调无产阶级领导全国人民进行武装斗争的必要性，建议所有党组织都要认真做好

---

① 《列宁全集》第 15 卷，人民出版社 2017 年版，第 53 页。

② 《列宁全集》第 9 卷，人民出版社 2017 年版，第 171 页。

向无产阶级解释武装起义的政治意义的工作，所有这些都是列宁对领导权实质的诠释。

（四）坚持无产阶级领导权是社会民主党的策略原则

在马克思和恩格斯创立马克思主义时期，并没有对无产阶级在民主革命中的领导权问题进行深入探讨。20世纪初，俄国的阶级力量对比、革命形势已经发生了巨大变化。列宁在马克思和恩格斯关于阶级斗争理论的基础上，丰富和发展了无产阶级领导权思想。他提出，争取无产阶级领导权是社会民主党的策略原则。十月罢工后，资产阶级的革命性消退了，他们与沙皇政府达成了妥协。以武装起义为主要形式的斗争暂时结束，但是在之后的第一届和第二届杜马选举斗争中，以布尔什维克为代表的无产阶级始终掌握着杜马斗争的领导权。

1907年2月，列宁提出了社会民主党在国家杜马中的策略，并指出坚持无产阶级领导权应当成为社会民主党的策略。社会民主党一方面应当揭穿一切非无产阶级政党的实质，提出自己的法案来反对资产阶级的一切法案，另一方面还应当始终反对资产阶级的领导权。在第二届国家杜马选举时期，列宁也指出："保持革命无产阶级的阶级政党的完全独立性，应当是社会民主党的选举总策略的出发点。"① 所以，社会民主党应当把坚持无产阶级领导权当作自己的策略。

（五）实现无产阶级领导权的途径

列宁在俄国资产阶级革命的实践过程中，初步探索了无产阶级领导权的实现途径。

1. 确立无产阶级对农民的领导，建立工农联盟

列宁认为，只有在农民加入无产阶级革命斗争的条件下，无产阶级才能成为战无不胜的民主战士。对此，列宁分析了俄国农民的特点："农民中有大批的半无产者，同时有小资产阶级分子。这使得它也不稳定，因而迫使无产阶级团结成为一个具有严格的阶级性的党。但是农民的不稳定和资产阶级的不稳定根本不同，因为农民现在所关心的与其说是无条件地保护私有制，不如说是夺

---

① 《列宁全集》第14卷，人民出版社2017年版，第91页。

取私有制主要形式之一的地主土地。"①列宁指出，俄国农民深受农奴制残余压迫，是俄国人民中最没有权利的阶级，他们具有天然的革命性，必然会成为全心全意地和最彻底地拥护民主革命的力量。无产阶级要成为革命领导者，关键在于引导农民参加无产阶级争取民主的革命斗争。列宁将工农联盟与实现无产阶级领导权联系起来，明确提出无产阶级在民主革命中的主要作用就是实现对农民的领导，这也是对马克思和恩格斯革命领导权思想的深化和发展。

2. 始终同党内机会主义进行斗争是掌握领导权的关键

1905 年革命以后，孟什维克从组织路线上的机会主义发展到策略路线上的机会主义，在各种场合进行分裂党、放弃领导权的行动。他们不懂得在新的历史条件下俄国革命的本质特征，坚定地认为资产阶级要掌握革命领导权，否则革命的规模会因资产阶级的退出而缩小。在这种情况下，布尔什维克如果不能挺身而出与机会主义作斗争，肯定会丧失领导权甚至葬送革命。列宁针对机会主义的错误认识，批判道："为了使资产阶级不致退出而迫使无产阶级采取温和柔顺的态度。我们会阉割掉无产阶级最迫切的需要，即经济派及其仿效者们从来没有很好地了解的政治需要，为了使资产阶级不致退出而阉割这些需要。我们会完全离开在无产阶级所需要的范围内为实现民主制而进行革命斗争的立场。"②列宁在同机会主义的斗争中有力地捍卫了无产阶级领导权。

3. 争取无产阶级领导权就必须破坏资产阶级领导权

在 1906—1907 年彼得堡选举中，立宪民主党领导了城市小资产阶级，对资产阶级领导革命列宁是非常担忧的。他对资产阶级掌握领导权的现实发表了看法，说："在这种条件下，我们不能忽视的任务是，破坏立宪民主党的这种领导权，帮助劳动人民迈出一步（当然是不大的一步，但无疑是具有政治意义的一步），使他们的斗争更坚决，政治思想更明确，阶级自觉更坚定。"③在社会民主党与劳动派等组成左翼联盟的过程中，破坏资产阶级领导权也得到充分体现。1907 年 1 月 6 日，俄国社会民主工党彼得堡组织为解决是否同立宪民主党达成协议的问题召开了代表会议。列宁在会上指出，社会革命党和劳动派同社会民主工党达成联盟协议，必须是以他们要拒绝同立宪民主党人的任何合

---

① 《列宁选集》第 1 卷，人民出版社 2012 年版，第 604 页。
② 《列宁选集》第 1 卷，人民出版社 2012 年版，第 600 页。
③ 《列宁全集》第 14 卷，人民出版社 2017 年版，第 246 页。

作为前提条件。这样，列宁有效地阻止了社会革命党、劳动派与资产阶级联盟的可能。

破坏资产阶级领导权和争取农民、小资产阶级到革命队伍中来在本质上是一致的，因为广大人民群众是历史的创造者，只有把他们争取到革命队伍中来才能彻底完成民主革命，建立社会主义制度。为此，布尔什维克进行了不懈努力，使广大人民群众看到了工人阶级政党的强大力量，自觉地接受了无产阶级的领导。列宁在评价 1905 年革命时指出："没有 1905 年的'总演习'，1917 年的二月资产阶级革命和十月无产阶级革命都是不可能的。"[①] 而这次革命的历史地位与无产阶级在斗争实践中始终争取和掌握领导权是分不开的。

三、人民武装起义是夺取革命胜利的重要手段

马克思和恩格斯在《共产党宣言》中指出："共产党人不屑于隐瞒自己的观点和意图。他们公开宣布：'他们的目的只有用暴力推翻全部现存的社会制度才能达到'。"[②] 列宁在《国家与革命》一书中指出："资产阶级国家由无产阶级国家（无产阶级专政）代替，不能通过'自行消亡'，根据一般规律，只能通过暴力革命。"[③] 暴力革命是某些阶级或集团为了进行社会变革所采取的武装行动，是无产阶级革命斗争的一般规律。俄国暴力革命的基本形式就是"人民武装起义"。

（一）人民武装起义的成功范例——十月革命

第一次世界大战到 1917 年已进行了 3 年，战争夺去了俄国数百万人的生命，全面破坏了俄国经济。大批工厂关闭、工人失业；农村大片土地荒芜，粮食奇缺。劳动群众陷入饥寒交迫的极度困苦中，而地主资产阶级却在战争中大发横财，俄国社会内部矛盾激化，人民群众对沙皇专制制度的深恶痛绝已经到了忍无可忍的程度，革命一触即发。布尔什维克根据列宁制定的路线和策略方

---

① 《列宁选集》第 3 卷，人民出版社 1995 年版，第 794 页。
② 《马克思恩格斯文集》第 2 卷，人民出版社 2009 年版，第 66 页。
③ 《列宁专题文集　论马克思主义》，人民出版社 2009 年版，第 194 页。

针进行了多方面的工作。他们深刻揭露战争的帝国主义性质，在广大人民群众中进行反战宣传和鼓动工作，派出许多优秀干部到各地恢复和建立党的秘密组织，在工会、工人合作社、伤病互助会以及一些文教团体中进行革命工作，特别是在军队中建立了许多秘密支部，发展了数千名党员，向广大士兵揭露战争的根源和性质，鼓动他们掉转枪口进行革命。

由于战争灾难所造成的革命形势和布尔什维克党的正确领导，俄国人民反战斗争浪潮急剧高涨。1917年1月初（俄历），许多城市爆发了罢工和示威游行。2月18日，彼得格勒普梯洛夫工厂3万多工人发动罢工，2月23日有50个企业的9万多工人举行了政治罢工，2月24日罢工人数增加到20万人，2月25日彼得格勒全市工人举行政治总罢工，罢工人数达到25万人以上。2月26日，布尔什维克党中央局号召武装起义，次日清晨，武装起义开始。工人群众解除宪警武装，夺取武器库，并深入营房与士兵联欢。2月27日（公历3月12日）彼得格勒驻军开始参加起义。工人和士兵的联合行动，迅速摧毁了反动军警的反抗，逮捕了沙皇大臣和将军。当天晚上，彼得格勒工兵代表苏维埃第一次大会宣告开幕。首都起义胜利的消息迅速传遍全国，各地人民一致奋起摧毁沙皇的地方政权，纷纷建立了工农兵代表苏维埃，统治俄国人民将近400年的罗曼诺夫王朝被推翻。

在"二月革命"中，工人和士兵根据1905年革命经验，先后在全国各地建立了苏维埃，它既是起义的领导机关，同时又是工农专政的政权机关。但由于当时阶级力量对比和群众觉悟性不够等原因，首都彼得格勒、莫斯科等许多重要地方的苏维埃组织一开始就被"妥协党"——孟什维克和社会革命党人占据了多数。"妥协党"从俄国二月革命是资产阶级民主革命、革命胜利后应建立资产阶级民主共和国的观点出发，认为苏维埃不应掌握政权，而只应从旁"监督"和支持资产阶级去建立民主共和国。于是，3月2日成立了以大地主大资产阶级代表人物李沃夫（1861—1925）侯爵为总理、有社会革命党人克伦斯基（1881—1970）参加的临时政府。这样，"二月革命"后形成了两个政权并存的局面。这一局面表明俄国革命正处在一个过渡的、不稳定的阶段，面临着向何处去的关键时刻。

列宁在瑞士得知"二月革命"的消息后，立即进行回国准备。与此同时，列宁为《真理报》写了5封《远方来信》，提出不给临时政府任何支持，保持党的独立性，要按照革命方式进行全部工作，准备用工人代表苏维埃夺取政权的方针和政策。4月3日，列宁排除种种阻挠回到俄国。第二天，列宁在布尔什维克领导人员会议上作了《论无产阶级在这次革命中的任务》的报告。这就是著名的《四月提纲》。在此，列宁回答了俄国革命面临的重大问题，提出并制定了从资产阶级民主革命向社会主义革命发展的路线和方针。列宁在《四月提纲》中，根据"二月革命"后的时局特点，进一步论证了由民主革命向社会主义革命过渡的必然性，并提出了过渡的具体措施和"全部政权归苏维埃"的斗争口号。这一口号的内容和实质是要求布尔什维克党进行艰苦细致的工作，引导工农群众逐步摆脱孟什维克和社会革命党的影响，认清它们的反动面貌，把孟什维克和社会革命党逐步从苏维埃中排除出去，使布尔什维克在苏维埃中占多数，改变苏维埃的路线和政策。这是一种基于当时武器掌握在人民手中又没有外力压制人民的情况，而预计的实现革命和平发展的策略。这条策略路线经过激烈的党内争论和斗争，在布尔什维克第七次代表会议（"四月会议"）上得到通过。"四月会议"后，布尔什维克党大力展开了争取、教育和组织群众的工作。随着形势的发展，临时政府和"妥协党"的反动面目日益暴露，群众的觉悟不断提高，阶级力量的对比不断向有利于无产阶级方面转化。到了1917年五六月间，布尔什维克在彼得格勒苏维埃工人代表中已争得了一半席位，在士兵代表中争得了3/4的席位。随后，又连续发生了数十万群众走上街头反对临时政府的示威游行。而随着临时政府对群众的血腥镇压和对革命者的政治迫害，发生了反动的"七月事变"和"妥协党"把持的苏维埃全俄中央执行委员会拱手让出全部政权，从而结束了两个政权并存的局面。

"七月事变"后，列宁根据俄国阶级斗争的新形势，及时提出了武装夺取政权的任务，暂时收回了"全部政权归苏维埃"的口号。布尔什维克党根据第六次代表大会确定的路线，积极进行武装起义的准备工作，同时，也在群众和士兵的支持下，粉碎了科尔尼洛夫的反革命叛乱。随后，8月底，布尔什维克夺取了彼得格勒苏维埃中的多数席位，掌握了首都苏维埃的领导权。9月初，莫斯科苏维埃也转向布尔什维克。当时157个主要城市中，通过布尔什维克决议的有118个，占77%。这些情况表明，俄国武装起义的时机已经成熟，用暴力推翻资产阶级政府，武装夺取政权已成为布尔什维克党的迫切任务。

在此形势下，列宁放下《国家与革命》第7章的写作，全力以赴地投入领导武装起义的工作。10月7日，列宁从芬兰秘密回到彼得格勒。10月10日在列宁主持下，布尔什维克党中央召开全体会议，讨论起义问题。会上，列宁作了关于目前形势的报告，指出实行武装起义的政治形势已经完全成熟，应立即发动起义，并加紧进行技术方面的准备。加米涅夫、季诺维也夫在会上反对列宁的主张，认为起义的时机不成熟，应通过争取立宪会议多数来实现无产阶级的政治统治。全会否决了他们的主张，通过了由列宁起草的关于武装起义的决议。会议决定成立以列宁为首的中央政治局，负责起义的政治领导。10月16日，党中央召开了扩大会议，决定了武装起义的日期，成立了军事革命总部，负责起义的军事组织和指挥。鉴于布尔什维克在大多数苏维埃中已占多数，于是布尔什维克又提出"全部政权归苏维埃"的口号。这一口号与以前不同，目的是通过武装起义使苏维埃成为无产阶级专政的国家政权形式。又鉴于临时政府对武装起义的疯狂反扑，列宁和布尔什维克党中央决定提前于10月24日发动起义，集中优势兵力进攻重要据点。10月25日上午，起义者已占领了车站、发电站、主要桥梁、邮电局、国家银行等重要据点。下午6时，起义军队包围了临时政府的所在地——冬宫。晚9时，革命的"阿芙乐尔"巡洋舰开始炮击冬宫，经过6小时激战，起义者至深夜两点全部占领冬宫，逮捕了临时政府成员，彼得格勒起义胜利了。10月25日晚，第二次苏维埃代表大会通过了列宁起草的《告工人、士兵、农民书》，宣告了临时政府被推翻和苏维埃政府成立。大会成立了第一届苏维埃政府即人民委员会，列宁当选为人民委员会主席。大会通过了《和平法令》，向一切交战国建议立即实行不割地不赔款的和平，大会还通过了《土地法令》，宣布永远废除土地私有制，全部土地收归国有并无偿地交给劳动农民使用。彼得格勒武装起义胜利后，革命迅速向全国各地扩展。大致到1918年2月，革命在全国范围内取得了决定性胜利，世界上第一个无产阶级专政的国家建立了。

（二）先城市后乡村的人民武装起义道路

十月革命，首先是从城市武装起义并夺取胜利开始的，随后扩展到农村和边远地区，进而在全国取得胜利。这就是列宁把马克思主义与俄国革命实际相结合所开创的先城市后乡村的武装起义道路。这条道路是历史性的创造，是对马克思主义的划时代发展，具有重要的理论意义和实践意义。

1917年下半年，俄国以临时政府为代表的统治阶级处于严重的危机之中，俄国无产阶级举行武装起义的条件已经成熟。以列宁为首的布尔什维克党为发动武装起义进行了紧张的准备工作。为了保证起义中给临时政府以毁灭性的打击，必须选择有利的起义地点。当时列宁分析起义的有利地点就是彼得格勒和莫斯科，因为这两个城市是俄国最大的城市，集中了大批产业工人，而且布尔什维克党在这两个城市的工人和军队中进行了长期的革命发动和组织工作，有着坚实的群众基础。从阶级力量对比看，革命力量已超过反革命力量，标志着城市武装起义条件已经成熟。彼得格勒和莫斯科武装起义胜利后，起义潮流迅速向农村和边远地区扩展。在俄国中部，广大贫苦农民在当地布尔什维克党组织的领导下，纷纷组织起来，进行集会和串连，建立农民代表苏维埃和革命武装，夺取地主的土地，镇压地主、富农的反抗。他们的斗争，是对工人阶级的有力支持。由于工农斗争的配合，10 月 26 日，俄国中部县城舒雅建立了以伏龙芝（1885—1925）为首的革命军事委员会，夺取了政权。同一天，亚历山大洛夫和科浦洛夫两个县城也建立了苏维埃政权。

在伏尔加河流域的尼什涅诺夫哥罗德市，10 月 28 日，赤卫队和革命士兵举行武装起义，相继占领了弹药库、邮电局和印刷厂，控制了全市的政权。接着，立即迫使尼什涅诺夫哥罗德省苏维埃改选，宣布全省政权归工农兵代表苏维埃。与此同时，全省各县、乡、村广大农民在工农兵代表苏维埃的支持下，纷纷召开大会，通过拥护苏维埃政权的决议，用武力推翻本地地主和资产阶级的政权。至 1918 年初，尼什涅诺夫哥罗德省大部分地区普遍建立了苏维埃政权。在顿河地区，哥萨克首领发动叛乱，反对苏维埃政权。11 月下旬，哥萨克首领卡列金率匪徒进攻，占领了罗斯托夫、塔甘罗格等地区，并准备继续北犯莫斯科。哥萨克贫苦农民在布尔什维克党组织的领导下，同从前线复员归来的革命士兵团结起来，建立起了农民革命武装。11 月 25 日，人民委员会发表了致《哥萨克劳动者》宣言书，揭露了卡列金反动分子的反革命阴谋，强调哥萨克地区的一切土地归哥萨克贫苦农民所有，号召所有劳动者团结一致，打败卡列金反动派。在布尔什维克的领导和组织下，1918 年 1 月，广大哥萨克贫苦农民同革命部队一道，开始对卡列金匪帮发动进攻。塔甘罗格等城市的工人举行武装起义，配合了贫苦农民和革命部队的行动。2 月，革命部队攻下了罗斯托夫。3 月，顿河地区苏维埃共和国建立。此外，西伯利亚和远东等农业落后地区，白俄罗斯、乌克兰、外高加索、中亚等少数民族地区，在广大少数民族的工人和农民的共同斗争下，于 1917 年底至 1918 年初相继建立了苏维埃政权。当时俄国境内的主要城市和广大乡村苏维埃政权的建立，标志着十月社会主义革命已经在全国范围内取得了决定性胜利。

同时也应看到，由于俄国社会具有浓厚的封建色彩，农奴制的残余比较严重，地主阶级在资产阶级支持下，统治着广大农村，农民占全国劳动人口的76%。农民既是无产阶级革命解放的对象，又是一支不可忽视的重要力量。革命如果不打倒地主阶级在农村的统治，得不到农民的支持，那么城市起义是很难成功的，即使成功也不会持久。因此，农村工作和农民运动是俄国无产阶级革命的重要方面。在十月革命前，布尔什维克党就长期在农村进行革命的发动工作。早在1905年大革命高潮时期，就在农村建立了"农民联合会""劳动党"等组织。十月革命武装起义胜利后，苏维埃政权一成立，立即颁布了《土地法令》，该法令被广大农民称为"神圣的法令"，法令作出了有利于维护农民利益的法律规定，深得农民的拥护。革命在城市起义成功后向农村发展时，广大农民积极投入推翻地主阶级，建立农村苏维埃的斗争，保证和促进了革命的全面胜利。总之，先城市后乡村武装起义道路是俄国无产阶级解放的道路，它不仅使社会主义革命在俄国取得了胜利，而且为全世界无产阶级革命树起了一面光辉旗帜。但由于各国具体情况不同，这条道路并不是无产阶级暴力革命的唯一模式。

（三）人民武装起义的经验总结

巴黎公社的革命实践，为全世界无产阶级革命树立了榜样，它的革命目标在俄国变成了现实。无产阶级革命之所以能首先在俄国而不是在其他国家取得成功，这是由当时俄国革命的主客观条件所决定的。沙俄封建专制式的帝国主义社会，为革命提供了极为有利的客观条件。当时俄国社会的政治、经济状况，处于沙皇专制统治下的俄国，成为帝国主义一切矛盾的焦点和帝国主义世界链条中最薄弱的环节，社会的阶级矛盾、民族矛盾十分尖锐。工人阶级受资产阶级的残酷剥削，农民受地主阶级和资产阶级的双重压迫，各少数民族受沙皇政府的野蛮统治。一句话，工人、农民和各族人民处于水深火热之中。特别是在第一次世界大战期间，沙皇政府穷兵黩武，屡遭失败，损失惨重，陷入严重的政治、经济危机之中，导致本来十分尖锐的阶级矛盾、民族矛盾更加激化。整个俄国社会，就像布满了干柴，星星之火就可成燎原之势。革命已成为工人阶级和广大劳动人民的迫切要求，社会已成为革命即将喷发的火山。

坚强的布尔什维克党，正确的列宁主义路线，富有战斗力的革命武装力量和巩固的工农联盟，是俄国十月革命主观条件成功的经验。坚强的布尔什维克党，是俄国无产阶级革命的领导核心。布尔什维克党即俄国社会民主工党的多数派，是真正的无产阶级政党。它始终领导工人阶级同帝国主义、资产阶级和孟什维克进行不懈的斗争，并在斗争中越来越坚强、越来越壮大。1905 年，在布尔什维克党的领导人和国家杜马中许多工人代表被沙俄政府逮捕、流放的极端困难条件下，党仍坚持在工人中间、部队里和军舰上进行宣传、组织工作，把反对战争（日俄战争）与号召革命相结合、反对帝国主义与反对修正主义相结合。列宁曾高度评价布尔什维克党彼得格勒委员会是"在最困难的条件下进行工作的榜样"。1917 年的"二月革命"成果被资产阶级篡夺后，临时政府对布尔什维克党和工人阶级实行白色恐怖，大肆搜捕党的干部，强行解散工人武装，捣毁《真理报》并下令逮捕列宁。但布尔什维克党没有被吓倒，反而更积极地在苏维埃职工会和旧军队中开展工作，积蓄和扩大革命力量，准备武装夺取政权。由于有这样一个坚强的无产阶级政党作为领导核心，使俄国无产阶级革命力量经受住了挫折并不断发展、壮大，革命运动不断高涨。

列宁主义路线为俄国革命指明了正确方向。在俄国二月革命和十月革命整个过程中，列宁根据阶级斗争、暴力革命和无产阶级专政的学说，吸取了1848 年法国"六月起义"和巴黎公社的经验教训，领导制定了一条正确路线。这条路线的基本点是：通过先城市后乡村的武装起义道路夺取政权，坚持布尔什维克党的领导，建立无产阶级专政。正是在这条路线的指引下，俄国工人阶级和劳动群众推翻了罗曼诺夫王朝，完成了资产阶级民主革命任务，为社会主义革命创造了条件。接着，又同资产阶级的临时政府和社会革命党人、孟什维克进行了坚决斗争，举行了革命性的武装起义，推翻了临时政府，建立了无产阶级政权。

无产阶级始终是武装起义的主力军。为了武装夺取政权，列宁和布尔什维克党始终重视武装力量的建设，一方面建立和发展工人赤卫队，配备武器进行训练，实行军队编制，至十月革命前夕，全国已发展到 20 余万人；另一方面争取旧军队和临时政府的军队转到革命方面来。根据列宁的指示，布尔什维克党中央在 1917 年 6 月，成立了全俄军事局，统一领导所有武装力量。这样，就使党的武装力量不断强大，至 1917 年秋，波罗的海舰队的水兵和西方、北方战线的士兵及全国大部分卫戍部队都站到布尔什维克一边，这就为十月革命起义创造了极为有利的军事条件。

巩固的工农联盟是武装起义胜利的社会基础。俄国是封建专制的帝国主义国家，农民对革命的态度关系到革命的成败。因此，布尔什维克党在组织、动员工人阶级的同时，十分重视对农民的发动工作。在革命纲领中反映农民的要求，维护农民的利益；在革命运动中动员农民开展反对地主阶级的斗争，把工人运动和农民运动紧密结合起来。这样，武装起义不仅得到了广大工人、士兵的支持，也得到了广大农民的支持，保证了武装起义规模的扩大和战斗力的增强，直至取得全国性的胜利。

第二节　工农民主专政和革命转变理论

工农民主专政思想是列宁领导俄国民主革命的重要思想，列宁把它看成是彻底推进俄国民主革命的必要条件。工农民主专政思想提出了新型民主革命问题，为完全实现工农民主专政制定了斗争策略，其中也包含了向社会主义革命直接过渡的思想萌芽。当时由于俄国内外矛盾交织，工农民主专政因为无产阶级和小资产阶级矛盾的尖锐化而破裂，结果为无产阶级专政所取代。

一、无产阶级和农民的革命民主专政

列宁开始革命活动的时候，俄国还处于沙皇君主专制统治之下，虽然经历了农奴制改革，但封建势力仍然很强大，封建土地关系及其宗法关系和封建义务依然压迫着农民。俄国资本主义的发展，由于时间短暂加之俄国封建势力的阻碍，力量薄弱。俄国无产阶级虽然在人口中所占比例不大，但是他们的集中程度相对较高，而且在长期革命实践中形成了用先进思想理论即马克思主义武装起来的政党——俄国社会民主工党。在俄国这样一个复杂落后的国家，民主革命和社会主义革命道路问题是一个新问题，如何把马克思主义的科学社会主义理论用于指导革命运动，为无产阶级政党制定科学的符合国情的革命纲领，成为摆在新生无产阶级政党面前的一个重要问题。

（一）工农民主专政思想的形成

1903 年俄国社会民主工党第二次代表大会通过的党章，第一次明确提出了一个民主主义的革命纲领即最低纲领。"纲领"为社会民主工党规定的政治任务是："推翻沙皇专制制度，建立民主共和国"，还规定要确保实现公民的一般民主政治权利等。纲领规定的经济任务则局限于民主主义的范围，如征收累进税制、实行 8 小时工作制、在农村实现比较彻底的土地改革、废除封建义务等。总体看，这是一个比较彻底的资产阶级民主革命纲领。但值得一提的是，纲领中并没有具体规定民主共和国各个阶级在政权中的关系和地位问题。1905 年以后，由于沙皇俄国在日俄战争中的惨败，国内矛盾日益激化，革命形势日益高涨，工人罢工迅速增多，农民起义此起彼伏，莫斯科流血案更使沙皇政府和人民群众的矛盾空前尖锐，拉开了俄国第一次资产阶级革命的序幕。为了解决党内已有的派别纷争，统一意志和组织，选举新的领导机构来更好地参加和领导俄国即将来临的革命，俄国社会民主工党于 1905 年召开了第三次代表大会。然而就是在这次代表大会上，在设想推翻专制制度后如何对待临时革命政府的态度问题上，党内再次发生组织上的分裂，形成了三种不同意见。

第一种是以马尔丁诺夫（1865—1935）为代表的新火星报派的意见。他们认为，俄国面临的是资产阶级民主革命的任务，资产阶级将是未来社会的主人，革命不可能产生违背资产阶级意志的政治形式，因此俄国无产者应该做的是做一个临时政府之外的反对派，给资产阶级施加压力，迫使他们把民主革命推向深入。社会民主党参加临时政府就等于掌握政权，而社会民主党作为无产阶级的政党，如果不打算实现社会主义变革，就不能掌握政权。社会民主党参加临时革命政府是不能被允许的。

第二种是以托洛茨基（1879—1940）和帕尔乌斯（1869—1924）为代表的"不断革命"的意见。这种观点拥护革命专政思想，同意参加临时政府，但是认为"俄国临时革命政府将是工人民主派的政府"[①]，"如果社会民主党领导俄国无产阶级的革命运动，那么这个政府将是社会民主主义的政府"[②]，"社会民

[①] 转引自《列宁全集》第 10 卷，人民出版社 2017 年版，第 16 页。
[②] 转引自《列宁全集》第 10 卷，人民出版社 2017 年版，第 16 页。

主主义的临时政府'将是社会民主党人占多数的完整的政府'"①。托洛茨基认为，临时政府里面也可能有农民和知识分子，从形式上可以称之为"工农民主专政"或者联合政府，但是领导权只能在无产阶级手中，因为农民不能发挥独立的政治作用，无法建立一个自己阶级的强大政党来发挥独立作用，它在政治上不是跟随资产阶级，就是跟随无产阶级。而资产阶级在夺取政权之后在政治经济上对农民施加的新奴役，决定了资产阶级政党对农民不能有"支配影响"。所以，托洛茨基的结论是：俄国资产阶级不得不将对农民的领导权交给无产阶级，无产阶级必然要在民主政府中占据领导和统治地位，"工农民主专政"的口号只能是空想，不可能实现。

第三种就是列宁的工农民主专政主张。与以上两种意见相区别，列宁的"无产阶级和农民的革命民主专政"（简称工农民主专政）的思想主张在《社会民主党和临时革命政府》、《无产阶级和农民的革命民主专政》等一系列文章中提出并进行了论证。列宁的主张是在与其他两种观点斗争中产生和发展起来的。在《社会革命党和临时革命政府》一文中，列宁首先批评马尔丁诺夫教条地引用恩格斯关于一个阶级被迫提前夺取政权是"最糟糕"的事情的思想，指出马尔丁诺夫把推翻专制制度的临时革命政府和推翻资产阶级的无产阶级专政混为一谈。马尔丁诺夫机械地认为，既然是资产阶级革命，那么革命中资产阶级必将取得统治地位。无产阶级如果用社会主义来恐吓资产阶级，就会把它逼到反革命的阵营，到时可能连民主革命的任务都不能完成。因此，无产阶级只能给资产阶级施加压力，迫使他们在两种制度即专制和民主共和国之间进行选择。

列宁指出，马尔丁诺夫只是看到了无产阶级和资产阶级，他没有注意到民主革命的主力是小资产阶级，"社会中的大批人其实是站在无产阶级和资产阶级之间，构成最广泛的小资产阶级和农民的阶层。正因为民主主义变革还没有完成，所以在实现政治形式的问题上，这个巨大的阶层同无产阶级的共同利益，要比狭义上的真正'资产阶级'同无产阶级的共同利益多得多。马尔丁诺夫不懂得这个简单的道理，这就是他的糊涂观念的主要根源之一"②。无产阶级和其他社会下层迫使资产阶级前进的运动，实际就是"无产

---

① 转引自《列宁全集》第 10 卷，人民出版社 2017 年版，第 16 页。
② 《列宁全集》第 10 卷，人民出版社 2017 年版，第 7 页。

阶级和农民的革命民主专政"。马尔丁诺夫的要害在于不敢斗争、不敢胜利，犯了"尾巴主义"的错误。在同一篇文章里，列宁还批评了帕尔乌斯和托洛茨基等人"左"的主张，提出所谓的"俄国临时革命政府将是工人民主派的政府"①，列宁将其称之为"空洞的革命词句"。列宁指出："如果讲的不是瞬息即逝的偶然事件，而是在历史上多少能留下点痕迹的时间比较长的革命专政，那么，这种情况是不可能有的。这种情况之所以不可能有，是因为只有依靠绝大多数人民的革命专政才可能是比较巩固（当然不是绝对巩固，而是相对巩固）的专政。而俄国无产阶级目前在俄国人口中占少数。它只有和半无产者、半有产者群众，即和城乡小资产阶级贫民群众联合起来，才能成为绝大多数。可能的和所希望的革命民主专政的社会基础的这种构成，当然要反映到革命政府的构成上，革命民主派中形形色色的代表必然要参加这个政府，或者甚至在这个政府中占优势。在这个问题上抱任何幻想都是十分有害的。"② 在《无产阶级和农民的革命民主专政》中，列宁进一步指出，没有无产阶级和农民的革命专政，争取共和国的斗争就不会成功，"临时革命政府只能是无产阶级和农民的革命专政"。③列宁认为，无产阶级参与甚至领导政权，不会发生向最高纲领过渡太快的问题，因为有广大的农民、小资产阶级的利益摆在那里，在他们变成无产阶级、支持社会主义以前，是难以实行社会主义革命的。

（二）工农民主专政的性质

列宁在《社会民主党在民主革命中的两种策略》等文章中，对工农民主专政的性质问题进行了系统阐述和论证。列宁在该文的序言中指出，革命的最终结局，就是取决于无产阶级是充当资产阶级的助手，还是成为革命的领导者。列宁首先分析了俄国资产阶级在民主革命中的立场。他指出，资产阶级的阶级地位决定了他们不能和沙皇制度作坚决的斗争："他们带着私有财产、资本、土地等过分沉重的镣铐，不能去作坚决的斗争。"④他们更愿意保留一些旧时代的残余，如君主制度、常备军等来对付无产阶级和农民。"资产阶级在

---

① 转引自《列宁全集》第 10 卷，人民出版社 2017 年版，第 16 页。
② 《列宁全集》第 10 卷，人民出版社 2017 年版，第 16 页。
③ 《列宁全集》第 10 卷，人民出版社 2017 年版，第 27 页。
④ 《列宁选集》第 1 卷，人民出版社 2012 年版，第 562 页。

资本主义社会中的阶级地位必然使它在民主革命中表现不彻底"①，他们需要的是渐进缓慢的改良而不是革命。因此，要把俄国民主向尽可能彻底的方向推进，无产阶级就必须联合广大具有民主革命利益的小资产阶级和农民阶层，而将革命进行到底，取得对沙皇制度的彻底胜利，"而彻底胜利也就不外是无产阶级和农民的革命民主专政"②。"此外没有任何力量能够取得对沙皇制度的彻底胜利"③。

由于资产阶级的不彻底性，在无产阶级起来独立发挥作用的时候，在它和农民联合起来要把革命进行到底的时候，革命就会超出资产阶级的狭隘的要求，他们就不可避免地会大批转到反革命方面，转到专制制度方面去反对革命，而具有动摇性的小资产阶级和农民恰恰相反，民主革命进行得越彻底，他们的利益就同革命结合得越加紧密，越需要"寻求革命共和派的领导"，他们就会成为民主共和国的坚强支柱。列宁甚至指出，恰恰只有资产阶级退出，民主革命才能取得彻底胜利，才有最大的规模。因此，引起资产阶级退出革命甚至成为反革命的工农民主专政，恰恰是民主革命走向彻底的唯一保障。新火星报派反对工农民主专政的理由之一，就是专政要有统一的意志，而无产阶级和小资产阶级却不可能有统一的意志。对此，列宁指出，意志的统一只能是具体的，"在社会主义问题上和争取社会主义的斗争中缺乏意志的统一，并不排除在民主主义问题上和争取共和制的斗争中的意志的统一"。④ 民主专政有它的过去和未来，在超过民主革命的范围之后，无产阶级和小资产阶级之间的阶级斗争是不可避免的，"但是在民主共和制的基地上，这个斗争将是为争取社会主义而进行的最深刻、最广泛的人民斗争。"⑤新火星报派实际上是忘记了民主革命的全民性质，把未来的社会主义革命中的矛盾放到了民主革命时期来考虑。

关于工农民主专政与社会主义革命的关系问题。列宁明确指出，工农民主专政"当然不是社会主义的专政，而是民主主义的专政"；"它不能触动（如果不经过革命发展中的一系列中间阶段的话）资本主义的基础。它至多只能

---

① 《列宁选集》第 1 卷，人民出版社 2012 年版，第 558 页。
② 《列宁选集》第 1 卷，人民出版社 2012 年版，第 593 页。
③ 《列宁选集》第 1 卷，人民出版社 2012 年版，第 562 页。
④ 《列宁选集》第 1 卷，人民出版社 2012 年版，第 590 页。
⑤ 《列宁选集》第 1 卷，人民出版社 2012 年版，第 591 页。

实行有利于农民的彻底重分土地的办法，实行彻底的和完全的民主主义，直到共和制为止"①，这样的胜利丝毫不会把资产阶级革命变为社会主义革命，"民主革命不会直接越出资产阶级社会经济关系的范围。"②另一方面，列宁又指出，工农民主专政虽然不是社会主义革命，但它是社会主义的必要前提，为争取社会主义胜利创造最有利的形势："即无产阶级和农民的革命民主专政的口号，能完全保证不犯这个错误。我们的口号无条件地承认不能直接越出纯粹民主革命范围的革命是资产阶级性质的，但是它同时又把当前的这个革命推向前进，努力使它具有一个最有利于无产阶级的形式，因而也就是力求最大限度地利用民主革命，使无产阶级下一步争取社会主义的斗争得以最顺利地进行"③，"除了无产阶级和农民的革命民主专政，没有而且也不可能有其他手段可以加速社会主义的到来。作为先进的和唯一革命的阶级的代表，作为毫无保留、毫不犹豫、毫不反顾的革命阶级的代表，我们应当尽可能广泛、尽可能大胆、尽可能主动地向全体人民提出民主革命的任务"④。

（三）工农民主专政的历史作用

列宁从国际革命的角度阐明了工农民主专政的实现对于社会主义运动的意义。他认为，俄国工农民主专政的实现和民主革命的彻底完成，将有可能把欧洲发动起来，"而欧洲的社会主义无产阶级摆脱了资产阶级的桎梏，就会反过来帮助我们实现社会主义革命"⑤。它能够极大地提高全世界无产阶级的革命毅力，而且"再没有什么东西能把达到全世界无产阶级完全胜利的道路缩得这样短"⑥，俄国工农民主专政的实现也将成为无产阶级国际革命的起点。

列宁在多种场合提到对工农民主专政时间尺度的估计。例如，"和专制制度作斗争是社会主义者的一个临时的和暂时的任务"⑦，因此"无产阶级和农民

① 《列宁选集》第1卷，人民出版社2012年版，第563页。
② 《列宁选集》第1卷，人民出版社2012年版，第563页。
③ 《列宁选集》第1卷，人民出版社2012年版，第594页。
④ 《列宁选集》第1卷，人民出版社2012年版，第616页。
⑤ 《列宁选集》第1卷，人民出版社2012年版，第589页。
⑥ 《列宁选集》第1卷，人民出版社2012年版，第563页。
⑦ 《列宁选集》第1卷，人民出版社2012年版，第592页。

的革命民主专政当然只是社会主义者的一个暂时的、临时的任务，但是在民主革命时代忽略这个任务，就简直是反动了。"①到一定时候，对俄国的专制制度的斗争就会结束，"俄国的民主革命时代就会成为过去，那时再说什么无产阶级和农民的'意志的统一'，说什么民主专政等等，就是可笑的了。那时候，我们就会直接想到无产阶级的社会主义专政"②，"而且革命的完全胜利也成为事实的时候，我们就会用无产阶级社会主义专政的口号，即完全的社会主义革命的口号，来'调换'（也许是在将来的新的马尔丁诺夫们的恐怖的号叫声中）民主专政的口号。"③由此可见，列宁有时也只是把工农民主专政看成是向社会主义的一个短暂过渡，在工农民主专政确立即完成其民主革命任务的时候，就要马上展开对资产阶级、对小资产阶级的斗争，这里包含着某种直接过渡的思想。

在列宁的正确策略的指引下，在国内外矛盾的推动下，列宁"变帝国主义战争为国内战争的口号"变成了现实，布尔什维克成功地争取到了小资产阶级左翼（主要是"左派"社会革命党）的支持，成功地推翻了临时政府，夺取了政权，使工农民主专政得以真正实现。工农民主专政成为推进俄国民主革命的最强有力的杠杆，它实行了比较彻底的土地改革。这是社会革命党的土地纲领，同时也是这个政权性质的最佳体现，消除了封建义务，并按照民主主义原则精神来改造各种社会关系，如宗教改革、妇女解放、民族自决等等。但是，列宁设想的工农民主专政是一个相对短暂、临时的状态。由于俄国国内外矛盾的持续深化，工人阶级和小资产阶级的政治联盟在二者矛盾的激化下很快破裂了。布列斯特和约的签订不但使布尔什维克陷于分裂的边缘，更使"左派"社会革命党同布尔什维克决裂，工农民主专政开始向无产阶级专政转变。俄国革命的悲剧没有就此结束。帝国主义大战还没有停止，对新生的苏维埃政权的武装干涉就开始了，战火在苏俄广袤的国土上燃烧起来。已经持续多年的战争、物资严重欠缺的俄国不得不实行对私有制的强制干预（包括对工厂的没收，对富农的进攻）来渡过战争难关，而这反过来引起国内阶级矛盾的更加尖锐化，国外干涉和国内阶级内战相互交织起来，布尔什维克政权为了生存，开

---

① 《列宁选集》第 1 卷，人民出版社 2012 年版，第 592 页。
② 《列宁选集》第 1 卷，人民出版社 2012 年版，第 592 页。
③ 《列宁选集》第 1 卷，人民出版社 2012 年版，第 633 页。

始实行激进的带有强烈强制性的"战时共产主义"。布尔什维克不是把它看成是一种为保持生存而不得不进行的暂时干预，却把它理论化为一种暴力强制下的直接过渡理论，以致无产阶级和小农的政治联盟无可挽回地破裂了。无产阶级不得不把自己在农村的统治建立在社会基础较为狭窄的贫农和雇农的基础上。"左派"社会革命党这时试图以暴力推翻布尔什维克政府，在被布尔什维克镇压之后同其他政党一样为布尔什维克所取缔。布尔什维克最终实现了对苏维埃政权的排他性占有。到1918年夏天（列宁自己多次提到过这个时间分界线），"无产阶级专政"不论是在政权上还是在社会经济方面都开始了。从那时起，列宁虽然还偶尔谈到俄国是工农国家，虽然还谈工农联盟（而且侧重经济联盟即在无产阶级对农民的经济政策的意义上），但是对于工农民主专政已经很少提及了。工农民主专政在俄国短暂的历史实践遂告结束。

列宁关于工农民主专政性质、任务和历史作用的阐述，是马克思主义国家学说在俄国的运用和发展，具有重大的实践意义。列宁的工农民主专政理论揭示了新型民主革命的道路，它紧紧围绕俄国民主革命的任务，依靠对各阶级力量和关系的正确分析，抓住了帝国主义条件下落后国家从民主革命向社会主义革命转变的中间环节，为落后国家民主革命和社会发展开辟了一条新路，实现了基于历史唯物主义的革命阶段论和基于革命政党主观能动性的不断革命思想的辩证统一，是真正科学而革命的无产阶级战斗纲领。这一理论在此后一些东方国家的民主革命中发挥了巨大作用，为社会主义从一国到多国的发展奠定了前期理论基础。

二、从民主革命向社会主义革命转变理论

从民主革命向社会主义革命的转变，是列宁关于在落后国家进行社会主义革命理论的重要组成部分。俄国社会主义的实现，开创了世界历史从资本主义向社会主义过渡的新纪元，也开创了由落后国家无产阶级带头探索社会主义道路的国际共产主义运动历史的新阶段。

（一）从民主革命转变为社会主义革命理论的提出

列宁在《社会民主党在民主革命中的两个策略》一书中，发展了马克思和

恩格斯 19 世纪中叶提出的不断革命思想，指出无产阶级在资产阶级民主革命中必须争取革命领导权，把民主革命进行到底，以便在民主革命胜利后使之有可能发展到社会主义革命阶段。列宁在《社会民主党对农民运动的态度》一文中明确提出："我们将立刻由民主革命开始向社会主义革命过渡，并且正是按照我们的力量，按照有觉悟有组织的无产阶级的力量开始向社会主义革命过渡。我们主张不断革命。我们决不半途而废。"①

列宁把无产阶级领导下的民主革命与社会主义革命看成是一场伟大革命包含的两个发展阶段。他在《四月提纲》中指出："俄国当前形势的特点是从革命的第一阶段向革命的第二阶段过渡，第一阶段由于无产阶级的觉悟和组织程度不够，政权落到了资产阶级手中，第二阶段则应当使政权转到无产阶级和贫苦农民手中。"②在无产阶级及其政党领导下，民主革命与社会主义革命构成一个革命的两个阶段，这是一个极其重要的论断，它指出了两种不同性质革命的内在联系。列宁在《十月革命四周年》一文中对此作了总结："前一革命可以转变为后一革命。后一革命可以顺便解决前一革命的问题。后一革命可以巩固前一革命的事业。"③根据列宁的理论，只有无产阶级掌握民主革命的领导权，才可能实现革命的转变。

（二）实现从民主革命向社会主义革命转变的条件

列宁关于实现民主革命向社会主义革命转变条件的阐述主要包括如下几个方面：

第一，无产阶级能否掌握民主革命领导权是能否实现革命转变的首要条件。资产阶级对民主革命的态度是：坚决掌握革命领导权，使革命根据自己的利益进行。由于它害怕无产阶级和劳动人民，因而它总想依靠旧制度的某些残余来反对无产阶级。早期资产阶级革命就是如此，法国革命也不例外。帝国主义时代的资产阶级更是如此。1917 年俄国"二月革命"后，人民要求和平、土地和面包，而资产阶级临时政府对这些要求则置若罔闻。资产阶级的阶级地位决定了它非常害怕任何能使无产阶级强大起来的民主进步。总之，资产

---

① 《列宁选集》第 1 卷，人民出版社 2012 年版，第 650 页。
② 《列宁专题文集　论社会主义》，人民出版社 2009 年版，第 19 页。
③ 《列宁选集》第 4 卷，人民出版社 2012 年版，第 566 页。

阶级掌握了民主革命的领导权，民主革命就不会彻底，建立资产阶级统治后，就将终结革命。无产阶级在民主革命中失去的只是一副锁链即封建制度的束缚，而借助于民主制度取得的将是整个世界。无产阶级是最先进的和唯一彻底革命的阶级，它不仅不避开资产阶级革命，而且要积极参加这个革命，领导这个革命（掌握革命领导权）并将革命进行到底。资产阶级革命愈彻底，就愈能为无产阶级反对资产阶级的斗争扫清战场，这个革命就愈少局限在仅仅有利于资产阶级的范围内，就愈能保证无产阶级和农民在民主革命中获得利益，使无产阶级争取社会主义的斗争愈有保证。民主革命中，无产阶级通过加强同人民群众的联系而获得人民的拥护，不断为社会主义革命组织力量。"二月革命"后，俄国由一个专制统治的国家变成世界各交战国中最自由的国家，工人士兵掌握了武器，没有暴力镇压人民，而是通过报纸、文章、传单、决议和小册子广泛宣传，并深入到工人、士兵和农民中，耐心解释布尔什维克的方针政策，揭露孟什维克社会革命党的妥协主义，争取苏维埃中的多数。由于布尔什维克成功的宣传鼓动工作，在短短几个月里，很多城市的工人改选了苏维埃，驱逐了孟什维克和社会革命党人，选进了布尔什维克的拥护者。可见，无产阶级只有掌握民主革命领导权，才有可能将民主革命进行到底并将革命转变为社会主义革命。

第二，无产阶级能否掌握民主革命领导权取决于无产阶级的组织程度和觉悟程度，取决于有没有成熟的无产阶级政党。俄国"二月革命"是在无产阶级领导下取得胜利的，但是由于无产阶级的觉悟性和组织性不够，在妥协党的帮助下，政权落到资产阶级手中，这表明无产阶级领导权由于妥协党破坏而不牢固，但是由于列宁制定的正确路线方针政策和布尔什维克成功地发动群众，极大地提高了无产阶级的组织性和觉悟程度，孟什维克和社会革命党丧失了在群众中的影响，从而巩固了无产阶级对革命的领导权。在德国十一月革命中，无产阶级没有牢固掌握领导权，相当多的工人还处在社会民主党的影响下，而斯巴达克联盟只是左派革命团体，并不能代替马克思列宁主义政党，它也没有同劳动农民结成联盟。社会民主党右派的叛变，使革命的根本问题即政权问题的解决仍然有利于资产阶级，革命被纳入资产阶级轨道。德国共产党虽在1918年底成立，由于建党前长期未做发动群众的工作，多数工人不在自己这边，军队未争取过来，农民更没有发动，而社会民主党实行与资产阶级合作的政策，造成工人阶级分裂，使无产阶级革命派未能牢固掌握革命领导权，资产阶级民主革命未能进行到底。30 年代法国人民阵线和西班牙共和国的失败都与无产阶级没有牢固掌握领导权有关系。

第三，实现革命转变取决于斗争，取决于阶级力量的对比。无产阶级掌握民主革命领导权为实现革命转变提供了可能性，能否把这个可能性变为现实即实现从民主革命到社会主义革命的转变取决于斗争。"斗争，只有斗争，才能决定后一革命能够超过前一革命到什么程度。"[1] 但归根结底，取决于阶级力量的对比，即无产阶级能否在斗争中组成强大的革命力量。俄国 1905 年革命失败的原因在于没有强大的力量，一方面，无产阶级和农民没有结成巩固联盟，孟什维克的机会主义路线分裂了无产阶级队伍；另一方面，国内外资产阶级对沙皇政府的支持，在力量对比上形成敌强我弱，使沙皇得以镇压革命。1917 年"二月革命"后，列宁在《四月提纲》中提出争取从资产阶级民主革命过渡到社会主义革命、从革命第一阶段过渡到第二阶段即社会主义革命阶段的纲领和向社会主义革命过渡的具体计划，接着召开了布尔什维克的四月代表会议，并展开了争取、教育和组织群众的工作。布尔什维克巧妙地把社会主义革命同广大群众对和平、土地和民族自由等迫切的民主要求结合起来，提出最易了解、最易接受、最能把群众引导到同资产阶级作革命斗争的口号。正因为布尔什维克党善于同各种政治力量和社会力量找到共同语言，从而扩大了工人阶级同盟军，赢得了人民群众的信任，大大增强了它的威望。在党的领导下，工人、农民、士兵、城市小资产阶级和被压迫民族，结成广泛的革命统一战线，工人阶级的社会主义运动，反对战争和反对帝国主义的一般民主运动，农民争取土地与和平的革命民主斗争，以及俄国各族人民的民族解放运动，汇合成为一股统一的革命洪流，组成一支强大的社会主义革命力量，从而实现了革命转变。与此形成鲜明对比的是，德国十一月革命后，无产阶级的分裂使它没能掌握革命领导权，德国共产党成立后虽然为实现革命转变进行了英勇斗争，但没有组成社会主义革命力量，而德国资产阶级力量又很强大，在力量对比上革命方面处于劣势，所以没能实现革命转变。

第四，有利的国际环境是能否实现革命转变的重要外部条件。在世界已成为紧密联系不可分割的整体的形势下，任何国家从民主革命向社会主义革命的

---

[1] 《建国以来重要文献选编》第 13 册，中央文献出版社 1996 年版，第 343 页。

转变，都离不开有利的国际环境。第一次世界大战为十月革命的胜利提供了极为有利的外部条件。苏俄粉碎帝国主义武装干涉、巩固十月革命的成果，与东西方革命高潮和世界人民的支持与援助是分不开的。第二次世界大战后东欧各国走上人民民主和社会主义道路，离不开世界反法西斯战争的胜利，特别是苏联的援助。中国人民革命的胜利也是与反法西斯战争胜利后世界的大好形势和强大苏联的存在有着不可忽视的联系。

（三）从民主革命向社会主义革命转变理论的历史作用

马克思和恩格斯在总结 1848 年革命经验的基础上，曾经制定了关于不断革命的理论和策略，指明无产阶级不但要积极参加民主革命并把它进行到底，而且要在民主革命胜利后就开始为社会主义而斗争，直到消灭一切阶级和阶级差别。列宁分析了新时代的情况和俄国革命的经验，科学地阐明了民主革命与社会主义革命的区别和联系，提出了由民主革命直接转变为社会主义革命的任务和策略，发展了马克思和恩格斯的理论。

列宁指出，民主革命和社会主义革命的性质不同，革命的对象、任务和动力也各不相同。但在俄国，两者是一个链条中的两个环节。民主革命是第一步，社会主义革命是第二步。资产阶级革命进行得越坚决、越彻底，无产阶级为争取社会主义而反对资产阶级的斗争就越有保证、越迫近。两者之间没有横亘着一道万里长城，民主革命的终结，就是为社会主义革命而斗争的开始。无产阶级及其政党必须用全部力量去实现民主革命，除此之外没有其他走向社会主义的道路。同时，决不要忘记我们的终极目的是社会主义。在民主革命阶段就要充分利用和积极扩大它的革命成果，为将来的社会主义革命准备条件。而当条件成熟之后，就要不失时机地向社会主义革命转变，决不可使革命半途而废。实现革命转变的重要条件是，坚持和发展无产阶级的领导权，巩固同农民的联盟，建立和壮大工农民主专政。而最重要的是，在党的领导下，把无产阶级训练和团结成为最强大的政治力量，这是实现革命转变的基本保证。总之，列宁关于革命转变理论，不仅指明了俄国无产阶级革命的具体道路，引导俄国无产阶级夺取革命胜利，而且也为广大殖民地半殖民地国家无产阶级解决本国革命道路和方法提供了理论指南，是马克思主义社会革命理论在新时代的新发展。

第三节　革命低潮时期秘密斗争与合法斗争相结合的策略

革命道路不是笔直的，革命高潮与低潮交替出现是革命斗争的重要特点之一。无产阶级革命者都会为革命高潮的到来欢欣鼓舞，并积极投身于汹涌澎湃的革命洪流中。然而，如何正确分析革命遭受挫折后的形势，如何在革命低潮时期坚持斗争，则是无产阶级政党必须认真解决的问题。1905年，俄国革命失败后，列宁领导布尔什维克党进行了顽强的斗争，形成了丰富的策略原则和斗争经验。

一、同"取消派"、"召回派"的斗争

1907年6月3日，俄国沙皇解散第二届杜马，逮捕社会民主党杜马党团，颁布了新的进一步剥夺工农劳动群众政治权利的选举法，这就是历史上所称的"六三政变"。"六三政变"标志着俄国第一次资产阶级革命即1905—1907年革命的结束，标志着斯托雷平反动时期的开始。在这一时期，沙皇政府、地主和资本家"出于对革命的仇恨而向革命阶级首先向无产阶级进行疯狂的报复"。[①]在沙皇政府对革命的残酷镇压下，罢工人数急剧减少（由1907年的74万人降至1910年的4.65万人）。沙皇政府大批逮捕和枪杀革命者（1907—1910年军事法庭把5000多人判处死刑，把2.6万多人送进监狱或苦役营）。大批党员遭到逮捕和杀害，党员人数急剧减少。党的领导人斯大林（1878—1953）、斯维尔德洛夫（1885—1919）、基洛夫（1886—1934）、奥尔忠尼启则（1886—1937）、古比雪夫（1888—1935）等被逮捕和流放。1907年12月，沙皇政权下令逮捕列宁，列宁被迫流亡国外。俄国社会民主工党的工作陷入极度困难时

---

① 《列宁全集》第20卷，人民出版社2017年版，第73页。

期，所有的工人报刊都被关闭，党的许多中央委员和其他著名活动家遭到逮捕，大多数党组织被破坏，党的活动被迫转入地下。工人运动急剧衰落，农村中的斗争暂时沉寂下来。当时形势的特点，正如列宁所说："在目前解放运动沉寂、反动势力猖獗、民主派阵营内出现叛变和消沉的现象、社会民主党的组织发生危机和一部分已经解体"。① 在这种情况下，俄国社会民主工党面临的迫切问题是：保护党的干部，重建党的队伍，制定适应国内政治形势的新策略，采取新的工作方法即一方面加强党的地下工作，完善秘密活动的形式；另一方面广泛和巧妙地利用各种合法条件，把合法斗争与非法斗争结合起来。但是，当时在俄国社会民主工党内部产生了两个反对党的机会主义派别，一个是右倾机会主义派别——"取消派"；另一个是反对利用合法斗争形式的"左"倾机会主义派别——"召回派"。

（一）同"取消派"的斗争

俄国 1905—1907 年资产阶级民主革命失败以后，俄国社会民主工党内部的孟什维克完全灰心丧气。孟什维克中的最不坚定的分子惊慌失措地退党。他们之中有一部分人组织了合法的工人组织。大部分孟什维克留在俄国社会民主工党内向右演变，抛弃革命纲领和革命口号，抛弃党的组织原则和传统，号召工人向自由资产阶级和斯托雷平制度妥协，要求停止秘密斗争，取消工人阶级的秘密政党。这样，孟什维克主义就变成了取消主义。"取消派"认为俄国资产阶级革命已经结束，俄国进入了长期的和平发展时期；在这个时期，资产阶级将发展生产力，无产阶级则要通过和平方式扩大自己的政治权利和提高物质福利；工人阶级组织起来不是为了革命，而是为了在革命结束时保卫自己的利益。"取消派"否认在俄国进行资产阶级民主革命的可能性和必要性，否认无产阶级在革命中的领导权，否认工农联盟。按照列宁的说法，"取消派"在思想上"否认社会主义无产阶级的革命阶级斗争，特别是否认无产阶级在我国资产阶级民主革命中的领导权"②；在组织上"否认秘密社会民主党的必要性，因而要脱离俄国社会民主工党，退出党，在合法的报刊上，在合法的工人组织、工会、合作社和有工人代表参加的代表大会上

---

① 《列宁全集》第 17 卷，人民出版社 2017 年版，第 247 页。
② 《列宁选集》第 2 卷，人民出版社 2012 年版，第 261 页。

反对党"。① 孟什维克右翼的"取消派"思想不是在 1905—1907 年革命失败以后才产生的。1905—1907 年革命还在进行的时候，孟什维克右翼就开始向"取消派"立场堕落。阿克雪里罗得是孟什维克中最早阐述取消主义的，他在 1905 年秋就提出了"工人代表大会"思想。按照阿克雪里罗得的设想，"工人代表大会"就是各种工人组织代表参加的会议，在会议上将建立有社会民主党人、社会革命党人和无政府主义者参加的广泛的工人政党。列宁说："在俄国社会民主工党内，由于阿克雪里罗得同志鼓吹召开非党工人代表大会，已出现了一种主张取消社会民主工党而代之以无产阶级的非党政治组织的思潮"②。在阿克雪里罗得之后，拉林（1882—1932）和切列万宁（1868—1938）等人也都跟着发表文章，认为俄国工人阶级还没有成熟到有自己政党的程度。这种看法也是对阿克雪里罗得为什么提出召开党派工人代表大会的解释和说明。切列万宁说，党不仅不能领导革命，也不能领导无产阶级，因此，武装起义的方针从根本上说是不正确的。无产阶级只有进行合法斗争，只有把杜马作为自己进一步斗争的出发点，才能取得胜利。孟什维克首领们提出取消主义思想以后，就开始从不同的角度、通过各种方式阐述和宣传他们对一系列问题的取消主义的主张。在 1907 年俄国社会民主工党第五次（伦敦）代表大会期间，在孟什维克派的会议上，马尔托夫阐述了取消秘密党和在非党工人组织基础上建立新党的草案，阿克雪里罗得也同意这种观点，并大力加以宣扬。

孟什维克"取消派"为了宣传自己的取消主义观点，先后创办了《社会民主党人呼声报》、《复兴》、《我们的曙光》和《生活事业》等机关刊物，竭力利用这些报刊到处鼓吹机会主义观点，反对和攻击马克思主义。孟什维克的首领马尔托夫、马斯洛夫和波特列索夫等编辑出版了《二十世纪初叶俄国的社会运动》文集，公然宣扬俄国的马克思主义无论在日益高涨的工人运动中，还是在知识分子中都没有基础，它只是某些人试验室里的产物。不仅如此，马尔托夫还宣扬：在俄国资产阶级民主革命时期，资产阶级不可能是反革命力量，它是革命的动力，而且应当领导革命。因此，党的策略也应该从无产阶级支持自由资产阶级出发。在农民问题上也采取反马克思主义立场，声称既然农民争取土

---

① 《列宁选集》第 2 卷，人民出版社 2012 年版，第 261 页。
② 《列宁全集》第 15 卷，人民出版社 2017 年版，第 7 页。

地的斗争妨碍资本主义制度在俄国的巩固，这一斗争就带有反动的性质。列宁对孟什维克"取消派"的这些论点进行了批驳，认为他们无论对自由资产阶级的估计还是对农民的估计，都是对马克思主义的严重歪曲。

1908 年 8 月，俄国社会民主工党在日内瓦召开中央全会。孟什维克"取消派"带着改组中央委员会的既定计划出席全会。列宁指出："担任中央委员的孟什维克企图直接破坏党中央委员会，使这个机构不起作用。"[①] 在全会上，布尔什维克在波兰和拉脱维亚社会民主党人的支持下，粉碎了"取消派"改组中央委员会的计划。为了同"取消派"进行斗争，布尔什维克在中央全会上提出立即准备召开党的代表会议的决议案，并为全会所通过。孟什维克提出把代表会议无限期拖下去的决议案，被全会所否决。1908 年 12 月，俄国社会民主工党在巴黎举行第五次全俄代表会议。这是克服"取消派"为破坏召开代表会议而设置的各种障碍的结果。"取消派"阻挠召开代表会议的阴谋未能得逞，布尔什维克坚持这次会议具有全党代表会议的权限。在代表会议就工作报告所通过的决议中指出，"取消派"企图取消现有的俄国社会民主工党组织，而代之以一种不定型的团体，这种团体无论如何要在合法范围内活动，甚至不惜放弃党的纲领、策略和传统来换取合法性。因此，代表会议号召党的所有工作人员，不分派别，都来坚决反对这种取消主义企图，以继续维护党的完整统一。决议还指出，只有当中央委员会的少数派服从党的纪律并忠实地进行工作时，中央委员会才能顺利地完成任务。代表会议在讨论组织问题时，否决了孟什维克"取消派"提出的要以界限模糊的合法组织代替马克思主义革命政党的决议案，肯定了布尔什维克关于秘密政党必须存在的观点。代表会议为了克服党内存在的涣散状态和惊慌失措情绪，就组织问题通过了一项决议，提出了巩固党的具体办法：加强现有的组织，建立新的不合法的和半合法的组织；合法组织内的一切工作都要接受党的不合法组织的领导；在每一个区域内建立区域中心机关，在思想和技术方面帮助地方组织，在中央委员会同区域和地方组织之间建立最密切的联系，等等。

1910 年 1 月，俄国社会民主工党在巴黎召开中央全会。在这次全会上，"取消派"同布尔什维克展开了激烈的斗争。例如，仅议事日程就争论了一个多星期。列宁要把"关于党内派别"这一原则问题列入议事日程，以便引导全会讨

---

① 《列宁选集》第 2 卷，人民出版社 2012 年版，第 261 页。

论同"取消派"划清界限，联合和团结所有护党分子。但是，"取消派"在托洛茨基以及季诺维也夫和加米涅夫的支持下，拒不讨论党内派别问题。在列宁为全会起草的决议草案中说，取消主义是资产阶级对无产阶级的影响的表现。"取消派"对此十分不满，在讨论草案时，他们企图以修改、补充和加上附带条件的办法来阉割这一论断。但是，由于布尔什维克坚持斗争，全会终于通过了列宁起草的批评"取消派"的决议草案。由于孟什维克"取消派"及其支持者的势力相当强大，布尔什维克对他们不得不作出一些让步，其中包括组织问题上的让步，如同意"取消派"参加中央委员会、中央委员会俄国委员会、中央委员会国外局、中央机关报。但参加会议的大多数人通过的决议还是谴责"取消派"的，认为取消主义是资产阶级对无产阶级的影响的表现，认为他们取消无产阶级政党的思想，对于无产阶级革命来说是非常危险的。"取消派"对党通过的谴责他们的决议非常不满，否认党的决议，继续攻击党。例如，1910 年 3 月，"取消派"的《复兴》杂志刊文强调：根本没有什么东西可以取消。他们认为党已经没有了，根本不存在什么取消不取消的问题。阿克雪里罗得也继续公开鼓吹党内革命，即坚持取消旧的秘密的党，建立一个新的公开的党。面对"取消派"这种顽固的反党立场，1910 年 5 月，列宁代表布尔什维克发表声明说，既然"取消派"全面破坏了一月全会的决议，同他们就根本谈不上和解了。"任何统一都是幻想。"所以，俄国社会民主工党在 1912 年 1 月第六次（布拉格）全国代表会议上通过决议，把孟什维克"取消派"正式开除出党。

　　列宁认为，孟什维克"取消派"是加入到无产阶级政党中来的小资产阶级同路人，他们在革命受到挫折的时候，很容易发生动摇，转向机会主义。取消主义是一种深刻的社会现象，它与自由资产阶级的反革命情绪，与民主派小资产阶级中的软弱涣散密不可分。"取消派"提出的取消无产阶级秘密政党，建立公开的工人党的口号，是适应自由派资产阶级需要的口号。俄国社会民主工党是革命的最重要的堡垒，正如列宁所说的，"革命无产阶级的独立的、毫不妥协的马克思主义政党，是社会主义胜利的唯一保证"。[①]"取消派"不仅想要瓦解、破坏和搞垮党，而且要使无产阶级丧失阶级独立性，用资产阶级思想来腐蚀无产阶级的意识。他们的这种行为是有利于自由派资产阶级和其他反动派

---

① 《列宁专题文集　论社会主义》，人民出版社 2009 年版，第 382 页。

对革命的阻挠和破坏的。列宁认为，在"取消派"千方百计破坏党的情况下，布尔什维克的任务就是要一切护党分子首先同孟什维克护党派联合起来反对"取消派"，保存和巩固俄国社会民主工党。俄国社会民主工党第六次(布拉格)代表会议把孟什维克"取消派"从无产阶级政党内部清除出去，对于独立的革命的布尔什维克党，对于党的发展和巩固，对于党率领无产阶级和革命人民夺取无产阶级革命的胜利都具有重大意义。

（二）同"召回派"的斗争

反对利用合法斗争形式的"左"倾机会主义派别——"召回派"一出现，就遭到以列宁为首的布尔什维克的坚决批判和抵制。

1908年3月，莫斯科市举行党代表会议，14名"召回派"代表提出一项关于对待社会民主党杜马党团的决议案，他们在决议案中提出：由于社会民主党党团所处的外部条件和它本身的成分，在杜马中不可能进行宣传和组织活动；社会民主党党团的主要工作是参加制定各种法案，提出小的修改意见，这类活动只会加强立宪幻想；目前的唯一出路是从杜马中召回社会民主党党团。多数代表不同意这一决议案，以18票对14票否决了它。列宁高度评价了莫斯科市布尔什维克这次同"召回派"的斗争。

"召回派"在党的莫斯科市代表会议上遭到失败以后，并没有放弃自己的观点。索柯洛夫认为，参加国家杜马不仅不能从政治上教育群众，而且在群众中还损害了参加国家杜马的那些政党的名誉。在1908年秋，他支持工人马拉库舍夫在莫斯科市布尔什维克报纸《工人旗帜报》上发表一封来信，信中说：党参加杜马选举的主要动机之一就是希望利用杜马讲坛来进行宣传鼓动，但事实证明，在杜马中进行宣传鼓动，其作用等于零。《无产者报》编辑部不同意这篇文章的观点，但转载了它，目的是为了引起全党对党的杜马策略展开讨论。列宁在《关于两封来信》一文中，详细地分析批判了马拉库舍夫的来信，指出"召回派"的思想观点是完全站不住脚的。1908年12月，列宁在《工人旗帜报》第7号上发表《一位党的工作者的来信》，批评"召回派"工人马拉库舍夫的文章，同时也表达了该报编辑部的意见。《无产者报》第42号转载了这篇批评文章，标题是《论迫切问题》，列宁为此写了《关于〈论迫切问题〉一文》。列宁充分肯定了这篇文章的提法：或者是革命的马克思主义，俄国的布尔什维主义，或者是召回主义即放弃布尔什维主义。列宁指出，召回主义包含着"来自左面的取消主义思想的萌芽"①。有些人看不到这一点，在政治上是近视的："他们在思想上掩饰召回派或者即使是在思想上对他们保持友好的中立，都是在助长召回派的声势，变成召回派的战俘，危害布尔什维主义。"②

召回主义思潮不仅在莫斯科，而且在彼得格勒、伊万诺沃—沃兹涅先斯克、敖得萨等城市都先后发展起来。1908年秋天，召回主义的变种——"最后通牒主义"开始活跃起来。"召回派"与"最后通牒派"稍有一点区别就是："召回派"认为只应该利用不合法的斗争形式，所以应该把党的杜马党团从第三届杜马中召回来；"最后通牒派"则主张向决定要独立于党中央委员会的杜马党团提出最后通牒：必须绝对服从中央的决定，否则就把党团从杜马中召回。党的杜马党团的大多数是孟什维克"取消派"，一定会拒绝这样的最后通牒。如果按照"最后通牒派"的主张去办，党团势必被召回，党也就势必丧失杜马讲坛。这同"召回派"利用杜马党团的错误主张从根本上召回党团实质上是一样的。在选举党的第五次全国代表会议的代表时，"召回派"提出了自己的纲领。列宁在《歪曲布尔什维主义的讽刺画》一文中，几乎逐条批驳了"召回派"的纲领。到1908年年底，党的第五次全国代表会议召开前夕，许多地方的党组织都反对从杜马当中召回社会民主党党团，反对"召回派"。坚定地站在列宁的立场上反对"召回派"的布尔什维克有：斯维尔德洛夫、捷尔任斯基（1877—1926）、古比雪夫（1888—1935）、加里宁（1875—1946）、古谢夫（1874—1933）、邵武勉（1878—1918）等。

"召回派"和"取消派"从左右不同的角度反对以列宁为首的布尔什维克党的斗争策略。"召回派"企图通过单独召开布尔什维克代表会议的办法来与列宁关于团结全党力量的思想相对抗；企图通过取消布尔什维克中央和解散《无产者报》编辑部的办法来把列宁及列宁主义者排斥在领导核心之外，从而改变布尔什维克的马克思主义路线。在第五次全国代表会议上，讨论关于社会民主党杜马党团问题时，"召回派"和"取消派"从两个极端来反对列宁为首的布尔什维克的马克思主义策略。"召回派"的首领之一——索柯洛夫坚持要把党团从杜马中召回，其理由是俄国没有宪法，没有议会，只有斯托雷平反动内阁下设的部。也就是说，社会民主党党团在当时的俄国没有活动的条件。"取

---

① 《列宁全集》第17卷，人民出版社2017年版，第341页。
② 《列宁全集》第17卷，人民出版社2017年版，第341页。

消派"坚持要杜马党团独立于党中央委员会，反对党中央委员会领导杜马党团的活动。这种观点的实质，就是要使党充当议会党团的附属物并把这种第二国际机会主义的经验引进俄国社会民主党。代表会议坚决回击了"召回派"和"取消派"，以多数票通过了布尔什维克的决议案。这一决议案既指出了党团犯了偏离党的路线的错误，又不主张因此就召回党团，而是提出改进他们工作的具体措施，提出党团在反革命的第三届杜马中的基本任务是：作为党的一个机构去进行社会民主党的宣传、鼓动和组织工作，决不可局限于杜马中多数派的意见，采取所谓积极立法的方式和追求一些微小的虚假改革。第五次全国代表会议以布尔什维克策略的完全胜利而结束，正如列宁所说，代表会议坚决地谴责了取消主义，同时也坚决地与"召回派""最后通牒派"划清了界线。第五次全国代表会议以后，布尔什维克同"召回派"的斗争仍然十分激烈。据"召回派"德·扎·曼努伊尔斯基（1883—1959）回忆，有一次在巴黎争论党对待杜马的策略时，波格丹诺夫（1873—1928）和阿列克辛斯基建议向杜马党团提出最后通牒，他自己则主张直接召回党团，列宁接着发言时如同狮子一样，狠咬自己的对手，使自己处于绝对的优势地位。

第五次代表会议以后，"召回派"和"最后通牒派"还继续反对党参加合法的文化教育团体、学校、工会，要求党把全部工作转入地下，并集中主要精力训练群众准备进行武装斗争。他们要求举办教官学校，在军队中进行革命宣传，对党员进行军事实践训练。他们反对布尔什维克参加合法组织进行革命宣传，理由是所有这些组织都是资产阶级的机构，而且资产阶级成立这些机构的目的是为了把无产阶级吸收到改良主义的轨道上去。以列宁为首的布尔什维克坚持利用合法组织宣传自己的观点。老布尔什维克茨韦特科夫－普罗斯韦先斯基就怎样利用合法形式进行斗争的问题回忆道：这次代表大会的大多数代表是禁酒协会的代表和其他宗教及慈善组织的代表。许多神甫出席了代表大会，他们建议用宗教的办法医治酗酒。我们的代表团则向资产阶级黑帮分子宣布：酗酒问题与现在警察横行的制度有着不可分割的联系。在这种制度下，工人组织任何旨在使工人离开小酒馆的文明倡议，都会遭到有产阶级的反对。所以，我们公开地讲，首先必须集中工人阶级的全部精力，去同这一现存制度作斗争。当然，这些发言是在法律允许的范围内，工人代表在发言中必须避免"激烈的言辞"。

"召回派"为了执行自己的"左"的召回主义策略，还在组织上进行了许多分裂活动，突出的表现是他们在喀普里岛成立了由"召回派""最后通牒派""造神派"联合创办的所谓工人党校。列宁认为："卡普里学校就是在我们党内成立一个新的、我所不赞同的派别"①。这所学校的派别性质是由以下条件决定的：它是由"召回派""最后通牒派"和"造神派"发起建立的；它是由这些派别出钱办的；它所建立的地方只有这些派别的讲师。列宁说："在任何学校里，最重要的是课程的思想政治方向。这个方向由什么来决定呢？完全而且只能由教学人员来决定。"② 教员都是"召回派""最后通牒派"和"造神派"的教员，学员再有什么良好意愿也改变不了学校的性质。1909 年 6 月 8—17 日（21—30 日）在巴黎举行的《无产者报》编辑部扩大会议上，"召回派"继续坚持自己的错误观点，以列宁为首的布尔什维克不但从思想上、政治上、理论上、组织上同他们划清了界限，而且同"召回派"和"最后通牒派"作了最坚决的斗争。在列宁起草的并为会议所通过的《关于召回主义和最后通牒主义》决议中说："同召回主义和最后通牒主义毫无共同之处，布尔什维克派必须同这些背离革命马克思主义道路的倾向作最坚决的斗争。"③ 会议通过了《关于在党的其他方面的工作中对杜马活动的态度》和《布尔什维克在党内的任务》等决议，肯定了工人阶级必须利用包括国家杜马在内的一切合法和半合法的组织，而且强调在这方面"应当比过去更加注意、更加主动和更加努力"；同时指出，"要反对孟什维克的机会主义、取消主义和议会迷"。但"召回派"并不甘心于自己的失败。波格丹诺夫、克拉辛和波克罗夫斯基（1868—1932）于 1909 年 7 月 3 日（16 日）发表了关于总结会议工作的文章，认为布尔什维克的杜马策略是孟什维主义的策略，反对布尔什维克与孟什维克护党派接近。他们企图阻挠会议决议的执行。8 月，他们在党的彼得堡委员会执行委员会会议上通过决议，与编辑部扩大会议的决议唱反调，否定参加杜马选举运动的必要性。但他们的这种作法遭到工人的反对，在工人党员的要求下，他们被迫撤销了他们通过的决议。列宁就此高兴地指出："彼得堡的社会民主主义无产阶级马上就要求最后通牒派必须守规矩，而且要求很强烈，使他们马上就服帖了。……这说明党的观念占了优势，无产阶级群众的接近起了好的作用"④。1909 年 9 月 10 日（23日），波兰和德国工人运动活动家扬·梯什卡（1867—1919）在给波格丹诺夫

---

① 《列宁全集》第 45 卷，人民出版社 2017 年版，第 229 页。
② 《列宁全集》第 45 卷，人民出版社 2017 年版，第 240 页。
③ 《列宁全集》第 19 卷，人民出版社 2017 年版，第 34—35 页。
④ 《列宁全集》第 19 卷，人民出版社 2017 年版，第 119—120 页。

的信中指出，我们早就反对召回主义和最后通牒主义，《无产者报》编辑部在这些问题上所采取的立场是完全正确的。以列宁为代表的布尔什维克对"召回派"的斗争同与党内的其他派别的斗争一样，立足于团结，希望在完成共同的斗争任务中消除分歧。同时，对他们中间的各种情况采取区别对待的政策。列宁在批判马拉库舍夫的来信时指出，"召回派"和反"召回派"在理论上存在着分歧，但他们都提出了一个迫切的实际任务：在思想方面，加强社会主义的宣传；在组织方面，巩固秘密的、拥有工人出身的领导人的工人政党，在群众中开展社会民主党的全面鼓动工作。只要大家同心协力地来完成这些任务，就会改进工作，加强纪律，纠正错误，就会把僵死的、臆造出来的召回主义口号一扫而光。这就是说，尽管存在着分歧，但列宁认为，双方还有共同点，希望通过为完成共同任务而进行的斗争来克服分歧、加强团结。

在同"召回派"的斗争中，列宁对"召回派"的主要代表人物同一般具有召回主义情绪的工人是区别对待的。列宁说，一般工人的召回主义情绪多半是由于我们的杜马党团犯了严重错误而引起的一种暂时的情绪，所以，对召回主义的一些严厉批判不是针对他们的。列宁还警告说，如果把有召回主义情绪的大批工人看成是"自绝于党"的人，把他们所在的地方组织解散，把他们驱逐出党，那是非常荒唐的，那就是犯严重的错误。列宁对待"召回派"代表人物也是有区别的。例如，对待波格丹诺夫这样的最主要的代表人物，就揭露批判得比较严厉，而对于卢那察尔斯基（1875—1933）和利亚多夫（1855—1914）等人除了批评以外，还寄予热情的希望。列宁曾对高尔基（1868—1936）说，卢那察尔斯基会回到党里来的，他的个人主义没有波格丹诺夫和巴扎罗夫（1874—1939）多，他真是个罕有的聪明人，我对他有些"偏爱"……我的确喜欢他，他是个优秀同志！

列宁坚持对国家杜马采取具体分析的历史唯物主义态度，既不是一概抵制，也不是在任何时候都主张参加，而是根据各个历史时期的不同情况区别对待。对于1905年的布里根杜马，列宁是抵制的，而且把抵制杜马选举与举行武装起义推翻专制制度联系起来。列宁曾对第一次、第二次对待杜马的策略进行了总结，认为在过去的形势下采取抵制的策略是完全正确的。但是，如果在革命已经开始转入低潮时还盲目地、不加分析地套用革命高潮时的正确策略，那就大错特错了，就如同在人家送葬时高喊"恭喜恭喜"一样荒唐可笑！列宁认为，要用杜马这个斗争舞台，把杜马内的斗争同杜马外的斗争结合起来，并使前者服从于后者。至于对 1907 年、1908 年的第三届杜马，列宁就主张更要积极参加，利用杜马讲坛这种合法斗争形式来争取群众、积蓄革命力量。

"召回派"与列宁的辩证唯物主义的立场、观点、方法相反，它不细心观察新的历史情况，死抓住过去政策中的一些个别词句，乐于从概念出发来编制自己的路线，在革命高潮已经转入革命低潮的情况下，仍然坚持抵制第三届杜马，排斥一切合法的斗争形式，在思想上是只会背诵马克思主义个别词句的教条主义者。列宁认为，"召回派"在 1907 年以后的革命低潮时期仍然一味坚持 1905—1906 年间的策略，"是一种僵死的策略。"[①] 列宁批评"召回派"："总不合时宜地重复布尔什维克文献中的片断思想"，"死记了很好言论的片言只语。却不了解其中的意思"。列宁领导布尔什维克同"召回派"斗争的过程，是他运用唯物论和辩证法的光辉范例。

二、秘密斗争与合法斗争相结合的正确原则

列宁领导布尔什维克党在 1905 年革命失败后，及时地调整和转换策略，并同俄国社会民主工党内"左"的和"右"的机会主义作斗争，使党沿着正确的道路前进。

1905 年俄国革命是逐渐从高潮走向低潮的，布尔什维克党的策略调整和转变与革命形势的发展是同步的。在 1906—1907 年，列宁和布尔什维克制定了积极而又慎重的斗争策略。在对革命形势的估计上，他们一方面认为："新的爆发也许在春天还不会到来，但它一定要来的，大概为期不会太远了。"[②] 另一方面又认为："无疑，新高潮、新攻击或新运动形式的准备时期完全可能是漫长的。"[③] 在革命斗争形式的选择上，一方面列宁认为，"我们没有理由把起义的问题从日程上勾销。我们不应该从目前反动时期的情况出发重新调整党的策略"[④]。与此同时，他又说："当然我们也不拒绝利用一切'合法'手段来开

① 《列宁全集》第 45 卷，人民出版社 2017 年版，第 277 页。
② 《列宁全集》第 12 卷，人民出版社 2017 年版，第 163 页。
③ 《列宁全集》第 14 卷，人民出版社 2017 年版，第 151 页。
④ 《列宁全集》第 12 卷，人民出版社 2017 年版，第 162 页。

展宣传、鼓动和组织的工作"①。在实际斗争中，列宁提醒布尔什维克党："我们不应当加速事变的进程。现在促进爆发对我们没有好处。这是无可怀疑的。我们应该从 1905 年年底的经验中吸取这一教训。"②1906 年年初，列宁估计革命还不可能出现新的高潮，采取了抵制第一届杜马的策略；当 1907 年初沙皇政府召开第二届杜马时，布尔什维克党考虑到革命明显低落的形势，及时调整了策略，决定参加杜马，以合法斗争掩护党的活动。1907 年 11 月，第三届国家杜马召开，布尔什维克继续参加杜马，进行合法斗争。布尔什维克一方面坚持秘密斗争，另一方面在杜马中揭露沙皇政府的反动政策，巧妙地宣传革命。

革命低潮时期，无产阶级斗争的中心任务是聚集和发展革命力量，迎接新的革命高潮。1905 年革命失败后列宁领导的布尔什维克临阵不乱，沉着应战，制定了合法斗争与非法斗争、公开斗争与秘密斗争相结合的策略路线，排除了"取消派"与"召回派"的干扰，使得布尔什维克不断成长壮大，在群众中的影响也不断扩大，为迎接新的革命高潮准备了条件。正如列宁所指出的："人们说我们坚如磐石……社会民主党人已建立起无产阶级的党，这个党决不会因第一次军事进攻遭到失败而心灰意懒，决不会张皇失措，决不会热衷于冒险行动。这个党在走向社会主义，而没有把自己和自己的命运同资产阶级革命某个阶段的结局联结在一起。正因为如此，它就不会有资产阶级革命的种种弱点。这个无产阶级的党正在走向胜利。"③革命低潮时期的列宁和布尔什维克党不仅要坚持政治上策略上的斗争，还要坚持思想理论战线上的斗争。对工人阶级政党来说，反动年代是同思想上的敌人进行残酷搏斗的时期。

1905 年革命失败后，各种反动势力不仅对无产阶级政党、对革命者实行政治上的高压，而且在意识形态上发动了对马克思主义的全面讨伐。一方面，它们直接否定科学社会主义理论。1908 年俄国翻译出版《现代经济的社会概论》一书，攻击马克思主义关于资本主义崩溃的学说只是一种"神话"，这种神话在生活中是永远不会实现的。另一方面，俄国的反动势力把攻击矛头直指马克思主义哲学，其中"造神派"的宗教哲学和马赫主义哲学就是反马克思主

---

① 《列宁全集》第 12 卷，人民出版社 2017 年版，第 163 页。

② 《列宁全集》第 13 卷，人民出版社 2017 年版，第 73 页。

③ 《列宁全集》第 16 卷，人民出版社 2017 年版，第 404 页。

义哲学的两路大军。卢那察尔斯基在《宗教和社会主义》一文中，鼓吹马克思主义的"严谨而冷酷的公式"难于为群众所理解，应创立一种"无神"的新宗教即"劳动宗教"。"取消派"代表人物尤什凯维奇（1873—1945）和"召回派"代表人物波格丹诺夫等人不到半年就出版了四本书，攻击马克思主义哲学"过时了"，辩证法是"神秘主义"，要用马赫主义即经验批判主义代替辩证唯物主义。为了回击和批判资产阶级和机会主义者对马克思主义的攻击和污蔑，为了更好地用革命理论指导革命低潮时期的斗争，列宁领导的布尔什维克党把理论研究、捍卫革命马克思主义作为思想战线上的首要任务。

列宁始终坚持秘密斗争与合法斗争相结合的原则，坚决驳斥资产阶级和机会主义者鼓吹的马克思主义"过时论""破产论"，明确指出，马克思主义在其生命的历程中每走一步都得经过战斗，它被资产阶级攻击是不足为奇的。"马克思主义的发展、马克思主义思想在工人阶级中的传播和扎根，必然使资产阶级对马克思主义的这种攻击更加频繁，更加剧烈，而马克思主义每次被官方的科学'消灭'之后，却愈加巩固，愈加坚强，愈加生气勃勃了。"[1] 在同反马克思主义思潮的斗争中，列宁把主要力量集中在对马赫主义哲学的批判上。因为"取消派"和"召回派"打着马克思主义旗号反马克思主义，其理论上所依赖的正是鼓吹主观唯心主义和无党性"中派"哲学的马赫主义。1908 年 2 月至10 月，列宁写下了马克思主义哲学名著——《唯物主义和经验批判主义》。列宁批判了马赫主义唯心主义先验论和不可知论，捍卫和发展了马克思主义哲学原理，指出辩证唯物主义和历史唯物主义是无产阶级完整的科学世界观，"在这个由一整块钢铸成的马克思主义哲学中，决不可去掉任何一个基本前提、任何一个重要部分，不然就会离开客观真理，就会落入资产阶级反动谬论的怀抱。"[2] 列宁还批判了马赫主义的所谓"中派"哲学，指出马赫主义用"无党性"掩盖其资产阶级本质。马克思主义哲学为无产阶级利益服务，"马克思和恩格斯在哲学上自始至终都是有党性的"[3]。列宁和布尔什维克党批判"造神派"宗教哲学鼓吹的宗教社会主义时指出："社会民主党的整个世界观是以科学社会主义即马克思主义为基础的。马克思和恩格斯曾多次声明，马克思主义的哲学

---

①　《列宁专题文集　论马克思主义》，人民出版社 2009 年版，第 148—149 页。

②　《列宁专题文集　论辩证唯物主义和历史唯物主义》，人民出版社 2009 年版，第 112 页。

③　《列宁专题文集　论辩证唯物主义和历史唯物主义》，人民出版社 2009 年版，第 121 页。

基础是辩证唯物主义，它完全继承了法国 18 世纪和德国 19 世纪上半叶费尔巴哈的唯物主义历史传统，即绝对无神论的、坚决反对一切宗教的唯物主义的历史传统。"[①]1909 年，《无产者报》扩大的编辑部会议斥责了"造神说"，并在特别决议中声明：布尔什维克派"跟诸如此类的对科学社会主义的歪曲"是没有丝毫共同之处的。列宁同马赫主义、宗教哲学的斗争，从理论上彻底粉碎了"取消派"和"召回派"等机会主义，捍卫了马克思主义哲学和科学社会主义的理论，坚持了无产阶级政党的指导思想，提高了全党的理论水平，为布尔什维克党及时制定和贯彻正确的策略方针、渡过革命低潮时期、迎接新的革命高潮做了充分的理论准备。

列宁领导布尔什维克党科学地估计 1905 年革命失败后的形势，制定正确的斗争策略，反对"左"右倾机会主义，捍卫和发展马克思主义理论，积累了无产阶级在革命低潮时期的斗争经验，值得认真学习、研究和借鉴。国际共产主义运动曾经历过社会主义革命在多国胜利和社会主义国家改革开放探索本国社会主义建设模式的两大高潮时期，但当国际共产主义运动总体上处在低潮时期，西方主要资本主义国家没有爆发无产阶级革命，帝国主义加紧对社会主义国家的渗透颠覆，致使一些国家相继发生动荡和剧变。面对严峻形势时，我们应当学习列宁，既看到国际共产主义运动的曲折性和困难方面，又要看到国际共产主义运动的前进性和积极方面，充分把握国际共产主义运动高潮与低潮相互交替的规律，坚持秘密斗争与合法斗争相结合的正确原则，与国际势力的和平演变图谋作坚决斗争，将社会主义革命和建设事业不断推向前进。

第四节　土地国有化的理论和纲领

列宁从成为一个马克思主义者开始，就十分重视土地问题，并试图从马克思主义的立场出发提出解决土地问题的方法。列宁的土地思想发展主要经历了

---

① 《列宁专题文集　论无产阶级政党》，人民出版社 2009 年版，第 171 页。

主张收回割地和主张没收一切地主土地、实现土地国有化两个阶段。1905 年，俄国革命围绕土地问题展开了广泛的斗争，列宁根据这次革命的历史经验，修改了俄国社会民主党以前的土地纲领，提出并深刻论述了土地国有化理论，使马克思主义关于土地问题的理论上升到一个新的高度。

一、土地问题在俄国革命中的地位

"土地问题是俄国资产阶级革命的根本问题，它决定了这场革命的民族特点。"[①] 这是列宁在总结第一次俄国革命的经验时对土地问题所作的评价，说明土地问题在俄国革命中具有十分重要的地位。

土地问题之所以重要，在经济上，只有消灭农奴制残余，废除农民身上的一切束缚，才能为资本主义的发展创造良好的条件。列宁认为，以工役制为特征的地主对农民的剥削，"造成技术停滞和农村中一切社会经济关系停滞，因为这种工役制阻碍货币经济的发展和农民的分化，使地主不受（比较而言）竞争的促进影响"[②]。这种工役制把农民束缚在土地上，阻碍人们的迁徙及农闲时从事副业。为了建立真正的自由农场主经济，即发展农业资本主义，"必须把一切土地上的中世纪垃圾全部'清扫'"[③]，摧毁大土地占有制，铲除一切土地方面的特权，允许自由交换土地，自由迁居。在政治上，土地问题的解决能使"农村阶级斗争自由发展"，列宁把这一目标作为社会民主党土地纲领的总原则之一，认为这个条件是"革命马克思主义理论在土地问题方面的基本点和中心点。"[④]农奴制残余对全体农民的剥削，掩盖了农村无产阶级和资产阶级的对抗，使它不能自由发展。对工业无产阶级来说，为了最后进行社会革命，把土地、工厂等一切生产资料转归社会所有，首先必须使农村的阶级斗争明朗化，加速农村无产阶级和农村资产阶级之间的分化，使农村无产阶级尽快地独立成长起来。为此，必须消灭农奴制残余，使农村资本主义生产关系自由发展，从中培养和提高农村无产阶级的阶级觉悟。列宁认为，这是从严格维护无产阶级

---

① 《列宁选集》第 1 卷，人民出版社 2012 年版，第 779 页。
② 《列宁全集》第 6 卷，人民出版社 2013 年版，第 303 页。
③ 《列宁选集》第 1 卷，人民出版社 2012 年版，第 782 页。
④ 《列宁全集》第 6 卷，人民出版社 2013 年版，第 296 页。

的阶级利益出发对土地问题重要性的认识。

从 1901 年列宁写《工人政党与农民》一文到 1905 年革命爆发，收回割地主张成为列宁对土地问题的基本观点，同时也成为这一时期俄国社会民主党内土地问题争论的中心。列宁认为"割地"是在农奴制改革过程中，被地主从农民手中强行夺走的土地，它仍然被地主利用来作为强迫农民从事农奴制劳动的手段，要解决土地问题，就必须首先收回这些割地。至于收回的手段，只能是设立农民委员会，用剥夺的方式，而不能用赎买的办法，因为割地本来就是农民所有的，农民有权占有这些割地，赎买是损害农民的方式。收回割地对农奴制残余是一个打击，能推动俄国社会经济的发展，列宁对此进行了大量的论述。当然，列宁也没有把归还割地作为解决土地问题的终极手段，他认为这是在农村无产阶级还没独立成长起来的情况下所采取的土地改革口号，只是第一步，收回割地不是一堵墙，而是一扇大门，要想彻底解放全体俄国劳动人民，就得先走出这扇大门。

1905 年革命一爆发，列宁就认为应对原先的土地纲领加以修改。因为，由于无法预见革命发展的进程，对资本主义农业的演进可能出现的多种途径缺乏正确认识，在割地问题上是有错误的，它没有把矛头指向整个地主土地所有制。随着革命的到来，特别是农民运动的高涨，应把原先作为正式纲领条文的"归还割地"要求放到注解中去，而把"建立革命农民委员会以消除一切农奴制残余，对一切农村关系实行民主改革并采取革命措施来改善农民的状况直到剥夺地主的土地"[1] 这个要求放到正式条文中去。随着革命的深入，列宁对土地问题的认识也逐渐加深，先是在 1905 年 4 月提出"剥夺"一词应当用更狭隘的"没收"来代替，用"直到没收全部国家的、教会的、寺院的、皇族的、皇室的和私有的土地"[2] 代替"归还割地"。接着，在《修改工人政党的土地纲领》（1906 年 3 月）一文中，提出没收地主土地，并"在一定的政治条件下，反对土地私有制，而拥护土地国有"[3]，这一政治条件就是建立起共和民主的国家制度。有条件的土地国有化思想反映了列宁在第一次俄国革命中对土地问题的基本立场。这是列宁基于俄国历史及革命运动发展的现实，从马克思主义立

---

① 《列宁全集》第 9 卷，人民出版社 2017 年版，第 341 页。

② 《列宁全集》第 12 卷，人民出版社 2017 年版，第 136 页。

③ 《列宁全集》第 12 卷，人民出版社 2017 年版，第 227 页。

场出发对解决民主革命中土地问题所得出的结论。

二、农业资本主义发展的两条道路

民主革命的不同实现方式，关键在于领导阶级不同，而不同的领导阶级必然会对俄国社会发展产生不同的影响。列宁排除资产阶级作为革命领导阶级之后，与俄国革命的两种新格局相对应的是俄国社会发展的两条新道路。对此列宁这样写道："从俄国现阶段经济发展的角度来看，我国革命的基本问题恰恰在于，革命要保证资本主义的发展，是通过农民对地主的彻底胜利呢，还是通过地主对农民的胜利。"[①]地主领导的不彻底的、封建残余极多的资本主义道路，历史上有过先例，那就是普鲁士，因此列宁把这条道路称之为普鲁士式（农业）资本主义发展道路。与之相对应，列宁把无产阶级领导的、资产阶级革命彻底胜利基础上的资本主义发展道路称为美国式资本主义道路，因为在列宁看来，美国式农业资本主义是在没有任何封建羁绊的条件下、在农民自由的土地所有制的基础上发展起来的。这样俄国革命的两种新的方式决定了俄国农业资本主义发展的两条道路："要么是普鲁士式的（如果可以这样说的话），要么是美国式的。"[②]

列宁对俄国革命和社会发展估计的这种转变，是因为对资产阶级在革命中的角色有了不同的判断。而这又促使列宁进一步提升了对俄国农民在民主革命中作用的认识。在同马尔丁诺夫争论是否应该加入临时革命政府时列宁就提出，为了把革命进行到底，无产阶级就必须联合农民。1905 年革命中工人政治罢工和起义的失败，表明俄国工人只靠自己力量还不足以战胜沙皇，这就要求列宁更加注意挖掘农民的革命潜力，从而更加突出农民在民主革命中的作用。而农民问题归结起来就是土地问题，因此可以理解，正是在第一次革命以后列宁开始把土地问题的解决看作是俄国革命取得胜利的关键所在。他指出："农民为土地而斗争的问题是俄国当前的资产阶级革命的主要经济问题"[③]，"农民在争取土

---

① 《列宁全集》第 15 卷，人民出版社 2017 年版，第 336 页。
② 《列宁全集》第 15 卷，人民出版社 2017 年版，第 336 页。
③ 《列宁全集》第 15 卷，人民出版社 2017 年版，第 62 页。

地的斗争中获得胜利，是俄国资产阶级革命获得胜利的真正的经济基础。"①

在 1905 年之后，列宁尤为关注各种政治力量对农村土地问题的态度。他根据 1905 年革命的经验指出："无论沙皇政府还是资产阶级，都不能不反对用剥夺地主土地的办法来根本改善农民状况，而工人阶级却不能不在这方面帮助农民。"②自由派资产阶级由于和农村地主的密切关系，不可能支持农民用革命的方式来解决土地问题，立宪民主党人在杜马提出的土地纲领证实了这一点（正因为这点两次杜马之后农民大批离开了立宪民主党）。这样，俄国土地问题的解决，要么按照地主主导的方式来进行，要么就是按照符合农民和工人利益的方式进行，这就是俄国社会发展的两条不同道路，即上面所说的普鲁士式道路和美国式道路。

列宁多次论述了这两条道路的不同，并阐述了二者在经济内容、依靠的阶级力量和发展结果等方面广泛而深刻的区别。在他看来，农业资本主义的普鲁士式道路，其经济内容是地主通过作出些细小的经济让步，让农民缴纳赎金以换取地主让出部分土地，这样为地主资产阶级化提供财政支持，保留地主在农村的支配地位，在这个过程中普通农民将再次付出沉重的代价，很多人将陷入饥饿、贫困、破产和流浪之中。由于这种解决方式并没有彻底扫除地主在农村的权力，因此，各种中世纪的宗法关系将在长时期内继续存在，地主将仍然在经济、社会和精神等诸领域对农民有着支配作用，在农村居民及其他居民中将仍然存在着大量的不平等。政治上与这条道路相适应的是"以议会形式粉饰门面的军事专制"而不是民主制度。总之，农业资本主义的普鲁士式道路，是一条给工农带来极大痛苦的道路，它虽然终将沿着资本主义发展，但由于保留了大量的封建残余，发展速度是缓慢的，它也不利于无产阶级争取社会主义的斗争，因为无产阶级还要去清除一些前资本主义的障碍。相反，美国式的农业资本主义道路则要彻底没收地主土地，扫除农村的一切封建残余，建立自由的土地所有制（甚至是消灭土地私有制，实行土地国有化），在农村实现最大的平等，在这个基础上通过自由的土地流转为资本主义发展扫清一切中世纪的障碍。由于这条道路需要经过革命的方式才能实现，农民和工人将会获得最大的经济和政治权利，他们同时还会在文化和精神上都获得很大的提高，形成民主主义传统和独立自

---

① 《列宁全集》第 15 卷，人民出版社 2017 年版，第 52 页。

② 《列宁选集》第 1 卷，人民出版社 2012 年版，第 574 页。

由精神，与这条道路相适应的政治制度则是"实行民权制度和资产阶级民主制度"。在促进资本主义发展的速度方面，列宁认为，普鲁士式道路由于保留了大量的封建残余，由于它在这个过程中继续压榨农民，这使得其速度同美国式资本主义道路无法比拟。因此，列宁认为，只有美国式资本主义道路才能最快地使俄国的资本主义发展起来，从而为俄国的社会主义更好地准备条件。

　　总之，普鲁士式道路是最大限度地保存地主和资本家的利益、再次剥夺农民的道路，是沙皇和地主主导的、资产阶级赞助的自上而下的改良的道路，它意味着反革命大资产阶级和地主将成为俄国革命的遗嘱执行人，"正像容克俾斯麦成为不彻底的德国 1848 年革命的遗嘱执行人一样。"[①] 美国式道路要求彻底剥夺地主的利益，是最符合农民利益的道路，民粹派小资产阶级和社会革命党支持这条道路，它要求实行工农民主专政，要求通过武装起义来推翻地主和封建专制制度。这两条道路，一条是改良的道路，一条是革命的道路。列宁后来把俄国革命的问题，归结为在两条道路之间选择的问题。他在总结 1905 年革命时指出："1905—1907 年的斗争提出了俄国农业按普鲁士类型还是按美国类型演进的问题"[②]。列宁把这看作是关系到俄国"整个资产阶级民主革命的基本问题，是关系这个革命成败的问题"。[③] 面对俄国资本主义这两条新的发展道路，列宁认为，无产阶级当然应当推动俄国走美国式资本主义发展道路，因为无论是从促使俄国资本主义快速发展和社会进步的角度看，还是从改善无产阶级和农民的实际政治经济处境来看，或者从形成民主主义和独立自由的传统看，抑或是从无产阶级进一步争取社会主义斗争的角度看，这条道路都是最有利的。

三、土地国有化纲领

　　1907 年 6 月 3 日，俄国第二届杜马被强行解散，革命时期颁布的选举法被废除，这标志着俄国第一次革命的彻底失败。不久列宁就完成了《社会民主党在 1905—1907 年俄国第一次革命中的土地纲领》（以下简称《土地纲领》）

---

① 《列宁全集》第 14 卷，人民出版社 2017 年版，第 14 页。
② 《列宁全集》第 19 卷，人民出版社 2017 年版，第 140 页。
③ 《列宁全集》第 15 卷，人民出版社 2017 年版，第 193 页。

一书，这是一部关于俄国土地问题的马克思主义巨著。列宁在这本书中对俄国土地问题的经济基础、实质及各种解决土地问题的方案进行了深入研究，并根据第一次革命的经验评价了社会民主党历次土地纲领的得失，在此基础上正式提出了土地国有化主张。列宁对土地国有化主张论证的完成，标志着他关于俄国民主革命理论的成熟。

（一）土地国有化纲领提出的背景

列宁根据 1907 年的统计资料指出，在俄国总计 1230 万农户中占有土地低于 15 俄亩的为 1010 万户，他们共占有 7290 万俄亩土地，这些农户过着半饥半饱的生活。而 2.8 万个贵族和地主则占有 6200 万俄亩。列宁把这种土地占有状况简单地归结为一句话："1000 万个农户拥有 7300 万俄亩土地。28000 个贵族大地主和暴发户大地主却拥有 6200 万俄亩土地。"[①] 他把这种土地占有的极不平衡状况看作是农民革命斗争的主要背景，而斗争的实质就是要剥夺地主土地。列宁指出，地主占有的土地多数仍然按照中世纪的方式进行耕作和剥削，成为俄国农业资本主义发展的障碍。俄国要发展资本主义，就必须消除残存的封建土地关系对俄国农业生产力发展的障碍。同时他也指出，俄国农业的资本主义演进有两条途径，即前面介绍过的普鲁士式道路和美国式道路。"六三政变"后的斯托雷平改革代表着俄国的普鲁士式道路，而社会民主党则主张消灭地主土地，走美国式资本主义道路。

列宁在《土地纲领》一书的开头这样写道："1905 年秋天到 1907 年秋天这两年的革命，提供了大量有关俄国农民运动、有关农民争取土地的斗争的性质和意义的历史经验。几十年的所谓'和平'演进时期（即千百万人听任一万个上层分子宰割的时期），无论在农民群众同地主直接作斗争方面，还是在人民代表大会上稍微自由地表达农民要求方面，都不可能像这两年那样提供如此丰富的材料，来说明我国社会制度的内部机制。因此，根据这两年的经验来修改俄国社会民主党的土地纲领是绝对必要的。"[②] 在革命初期列宁顺应形势的要求，提出了没收地主全部土地的纲领，但是对于如何处置没收的土地，他拒绝预先给予回答。第一次革命失败之后，各个阶级对于土地问题的态度已经明

---

① 《列宁全集》第 16 卷，人民出版社 2017 年版，第 191 页。

② 《列宁全集》第 16 卷，人民出版社 2017 年版，第 185 页。

朗，尤其是革命期间俄国农民通过政治代表（主要是劳动派，还有部分社会革命党）在两届杜马关于土地问题的辩论中都公开表达消灭全部土地私有制、实行国有化的要求，这促使列宁对这种诉求进行深入的分析。列宁认为，土地国有化是最彻底的资产阶级土地革命方案。土地国有化是把俄国农民的利益、无产阶级在民主革命中的利益和俄国整个资本主义发展的利益最佳地结合在一起的土地纲领。

（二）土地国有化与俄国农业资本主义的发展

列宁用经济学理论论证了土地国有是最能促进生产力发展的土地制度。列宁指出，在俄国当前的条件下，实行土地国有化并不消灭商品流通和货币，也不消灭已经发展起来的雇佣劳动，因为"以经济现实为依据的土地国有化概念，是商品社会和资本主义社会的范畴。这个概念所包含的现实内容，并不是农民所想的或者民粹派所说的东西，而是由当前社会的经济关系产生的。在资本主义关系下实行土地国有化，无非就是把地租交给国家。"[1] 土地作为资本主义经济关系的载体，其经济范畴是地租。列宁援引马克思关于地租的理论，区分了两种地租，即绝对地租和级差地租，并指出了二者产生的不同条件和基础：前者的前提是土地私有制，是平均利润率的形成；后者则同资本主义竞争有关，同不同地段的条件有关，只要有资本主义，就会存在级差地租。列宁把绝对地租称为非资本主义地租（因为它的存在不依赖于资本主义关系），而把级差地租称为资本主义地租。在土地国有化的条件下，由于消灭了土地私有制，绝对地租就不存在了，但是级差地租还保留，地租的所有者为国家。这样，"国有化一方面是资本主义范围内的局部改良（更换一部分剩余价值的占有者），另一方面是取消阻碍整个资本主义充分发展的垄断。"[2] 当时主张土地地方公有的马斯洛夫在理论上否定马克思的绝对地租理论，只承认相对地租，列宁认为，这样他就看不到私有制和消灭私有制的国有化对于资本主义经济发展的不同影响，"这种理论必然会否定国有化这一措施具有任何加速资本主义发展、为资本主义发展扫清道路等等的作用。"[3] 在列宁看来，理论上否认这两种地租的存

---

① 《列宁全集》第 16 卷，人民出版社 2017 年版，第 260 页。
② 《列宁全集》第 16 卷，人民出版社 2017 年版，第 264 页。
③ 《列宁全集》第 16 卷，人民出版社 2017 年版，第 276 页。

在，是产生地方公有这种土地问题上的二元论（即一方面保存旧的过时的份地所有制，另一方面实行废除私有制的公有制）的错误理论基础。

列宁充分阐述了土地私有制与国有制对资本主义发展的不同意义。在资本主义条件下，土地私有就意味着土地买卖的自由，就意味着投资购买土地，而这是造成资本深入土地的障碍。他引用了马克思在《资本论》第三卷中关于土地问题的论述指出，在土地私有制条件下，资本要同土地结合，首先必须购买土地而不是投入农业生产，这就相应地减少了小农在他们的生产领域本身中可以支配的资本，从而缩小了再生产的经济基础。此外，在资本私有制条件下，小农尤其容易遭到高利贷的盘剥，因为小农缺少信用。"这种支出实际上和资本主义生产方式是矛盾的，对资本主义生产方式来说，土地所有者是否负债，他的土地是继承来的，还是买来的，这是完全没有关系的。"① 从这个角度讲土地私有制造成了资本主义农业发展的一大障碍，而在土地国有化的条件下，这个障碍就不存在了。因此，土地私有制和土地国有化的不同意义就归结为，资本能够完全自由地直接流入农业，还是要经过高利贷者和信贷机关。"废除土地私有制就是在资产阶级社会可能做到的范围内，尽量铲除一切阻挠资本自由地投入农业、阻挠资本自由地从一个生产部门转入另一生产部门的障碍。"② 让资本自由地无障碍地同土地结合，这就是土地国有化对于资本主义发展的意义，在这个意义上，土地国有化是最能促进农业资本主义发展的土地制度。

此外，列宁还指出，俄国资产阶级革命所处的时代有利于土地国有化的实现。当时有人提出土地国有化只有在资本主义高度发展的时代才可能，列宁认为，土地国有化本身是促进资本主义发展的重要条件；在资本主义高度发展的时代提出的要求不是土地国有化而是土地社会化（它包括整个农业生产资料的国有化而不仅仅是土地的国有化）。列宁知道马克思曾经提到土地国有化有两个障碍：一是资产阶级因担心国有化会导致对其他私有制的攻击而不支持国有化；二是资产阶级已经居于统治地位变得保守，不会同意这样，在资产阶级革命时代这两个条件恰好都不具备。"总的说来，这两个障碍只有在资本主义开始的时代而不是在资本主义终结的时代，只有在资产阶级革命时代而不是在社

---

① 《马克思恩格斯文集》第 7 卷，人民出版社 2009 年版，第 916 页。
② 《列宁全集》第 16 卷，人民出版社 2017 年版，第 280 页。

会主义革命前夜才可以消除。"① 也就是说，由于俄国处于资产阶级革命时代，资产阶级才更加有勇气要求土地国有化。

（三）土地国有化与俄国政治革命

在 1907 年之前，列宁讨论土地国有化时总是强调要加一个政治前提即民主共和国，因为当时他认为，土地国有化有可能在其他政治条件下、在非民主共和国的情况下，在革命没有取得完全胜利的情况下实现。这曾经是他反对土地国有化纲领的一个理由。但是在《土地纲领》中他指出，土地变革的规模与政治革命的规模是相适应的，即作为最激进最彻底的土地革命纲领，土地国有化是内在地与民主共和国甚至是与无产阶级和农民的民主专政联系在一起的。这是列宁得以确立土地国有化纲领的又一认识前提。

1907 年第一次革命失败以后，随着斯托雷平改革的推行，列宁关于俄国农业资本主义发展两条道路的思想得到证实。在列宁看来，俄国农业资本主义演进的两条道路中，斯托雷平改革作为不彻底的普鲁士式道路是同地主贵族权力的残余（列宁称之为"波拿巴主义"）联系在一起的，土地国有化则是激进的、彻底消灭封建残余的道路，这条道路同激进的政治变革联系在一起。"马克思主义应该坚决反对那种认为在俄国没有激进的政治变革也可能实现激进的土地变革的观点。"② 具体来说，要按农民的愿望实现国有化，就必须有农民革命，就要由农民夺取政权，即建立工农民主专政和民主共和国："农民要实现土地变革，就不可能不铲除旧政权、取消常备军和官僚制度，因为这一切都是地主土地占有制最可靠的支柱，都同地主土地占有制有着千丝万缕的联系。所以，那种认为只要有地方机关的民主化、不必彻底粉碎中央机关就可以实现农民变革的想法，在学术上是站不住脚的。这种想法在实践上是反动的，因为它助长小资产阶级的愚钝和小资产阶级的机会主义。"③ 这样，列宁就在土地国有化这个最激进的土地变革方案与工农民主专政之间建立起内在的巩固的联系，此后工农民主专政就不必刻意作为国有化的前提加以强调了。

列宁清醒地认识到，实现土地国有化是非常困难的，这需要各种有利条

---

① 《列宁全集》第 16 卷，人民出版社 2017 年版，第 285 页。
② 《列宁全集》第 16 卷，人民出版社 2017 年版，第 311 页。
③ 《列宁全集》第 16 卷，人民出版社 2017 年版，第 314 页。

件的组合。他指出："没收土地将会损害大资产阶级的许多利益，而农民革命——正如考茨基所正确指出的那样——将使国家趋于破产，也就是说，不但损害俄国一国资产阶级的利益，而且损害整个国际资产阶级的利益。"①"在这样的条件下，农民革命的胜利、小资产者对地主和大资产者的胜利，就需要有各种情况特别有利的凑合，需要实现非同寻常的、在庸人或庸俗历史学家看来是'乐观的'种种假设，需要大大发挥农民的主动性、革命毅力、觉悟、组织性和丰富的人民创造力。这是无可争辩的。"②同之前的土地纲领相比，列宁的土地国有化理论在如下几点上实现了突破：首先，列宁不仅指出地主的大土地占有制和对农民的各种盘剥是封建制度的，而且指出农民的份地占有制也是封建制的，它只能维持旧的劳动方式，是工役制的基础。这是列宁对俄国土地问题的一个重大的观念更新。既然无论地主土地还是农民的份地，二者都是旧的中世纪的土地占有，都阻碍着农业资本主义的发展，都必须加以废除。因此，这一认识是列宁建立土地国有制的重要理论基础，是他批判土地地方公有主张导致土地制度的"复本位制"的主要依据。其次，列宁用马克思的地租理论证明，由于取消了绝对地租，国有化能促进资本同土地的自由结合，从而最有利于农业资本主义大生产的发展，这就使得国有化的主张具有更加充实的经济论据。最后，列宁确定了土地国有化与激进的政治变革之间的内在统一关系，纠正了把二者分裂开来的错误认识，从而最终可以把自己的纲领明确地主张为土地国有化而无须再为其添加一个政治前提。土地国有化思想的形成，标志着列宁关于俄国民主革命思想的成熟。

第五节　民族问题的理论和纲领

民族问题在俄国政治生活中始终占有特殊的重要地位。历史上，俄国是一

---

① 《列宁全集》第 16 卷，人民出版社 2017 年版，第 310 页。
② 《列宁全集》第 16 卷，人民出版社 2017 年版，第 310 页。

个统一的多民族国家。主体民族是俄罗斯族，但它的人口仅占 43%，其余的都是少数民族。全俄共有民族集团 120 余支。这种情况在世界上都是绝无仅有的。沙俄曾对各族人民实行残暴统治，向各民族推行大俄罗斯主义，对民族地区进行残酷掠夺、剥削和殖民政策，强制推行俄语，阻挠民族教育发展，磨灭民族痕迹，以达到同化非俄罗斯民族的目的。沙俄野蛮的民族政策，使民族问题异常尖锐和复杂，民族矛盾根深蒂固。列宁曾愤怒地谴责："俄国是各民族人民的监狱"，它"打破了民族压迫的世界纪录"。为了完成无产阶级的历史使命，解决俄国的民族问题，以列宁为代表的布尔什维克党在十月革命前夕提出了一系列马克思主义民族问题纲领，为推翻沙皇专制制度和资本主义制度做了充分的思想理论准备。

一、俄国民族问题的复杂性

俄国极为复杂的民族问题，在俄国社会民主工党的建设上突出地反映出来，它严重妨碍了各民族无产阶级的联合统一。俄国党建设的一个重要特点就是同民族问题的联系非常密切。建党初期，俄国不少党组织就是以民族为单位建立起来的，较长时期处在一个严重的思想分离和组织涣散状态。因此，列宁和俄国马克思主义者一开始的任务，就是努力使各民族分散的社会民主党组织联合为统一的全俄国社会民主党，制订党纲和党的民族纲领，解决党的建设中暴露出来的民族问题。1898 年俄国社会民主工党第一次代表大会和 1903 年第二次代表大会的召开就是为了完成这个使命。但两次大会都受到主要来自犹太工人组织——崩得民族主义的干扰和反对。第一次代表大会为了消除党的民族性，建立集中统一的党，决定定名为俄国社会民主工党，而不称俄罗斯社会民主工党。大会通过的党章和决议，明确提出了民族平等的原则，承认每个民族都有自治权。大会否决了崩得提出的联邦制建党原则，规定以自治原则作为实现联合和统一各民族党的基础，同意崩得作为自治组织加入党。列宁后来解释这种自治原则时指出，这种自治并不违背民主集中制原则，因为它要求"在同专制制度、同全俄资产阶级斗争的问题上，我们应当以一个统一的、集中的战斗组织出现"[1]。

---

① 《列宁全集》第 7 卷，人民出版社 2013 年版，第 104 页。

第二次代表大会鉴于第一次代表大会未能从思想上和组织上把分散的各民族党组织联合起来，仍然继续为恢复党的完整、建立真正的马克思主义政党而斗争。大会通过了列宁起草的党纲和党章，制订了马克思主义的民族纲领。纲领规定：党的最近的政治任务就是推翻沙皇专制制度，建立民主共和国，制订宪法，保证广泛实行民族区域自治和地方自治，废除等级制，全体公民不分性别、宗教信仰、种族和民族一律平等，国内各民族都有自决权。大会批驳和否决了崩得要求在党纲中用"民族文化自治"取代民族自决权并把党改组为"联邦同盟"的主张，拒绝承认崩得为犹太工人的唯一代表，也不允许它在党内获得一种特殊地位。大会最后实现了统一各民族党组织的任务，选举了新的中央委员会。列宁曾指出："布尔什维主义作为一种政治思潮，作为一个政党而存在，是从1903年开始的。"① 也正是从这时开始，制订和维护党的民族纲领，特别是民族自决权就一直成为列宁进行党的建设的重要内容。大会之后，列宁专门著文论述俄国党纲领中的民族问题，重点分析了在俄国实行民族自决权的必要性和重要意义，要求民族自决权完全服从无产阶级阶级斗争的利益，不能超出无产阶级团结所决定的界限，认为无产阶级同资产阶级对民族问题提法的区别就在于这个条件。

列宁认为，尽管"民族问题和'工人问题'比较起来，只有从属的意义"②，但不能因此而忽视民族问题在革命总问题中的积极作用，"把社会主义革命和反对资本主义的革命斗争同民主问题之一（在这里是民族问题）对立起来是荒谬的。我们应当把反对资本主义的革命斗争同实现一切民主要求的革命纲领和革命策略结合起来。"③ 他告诫布尔什维克们："必须特别慎重地对待民族感情"，"必须加紧帮助落后的弱小民族"。④"必须实行民族平等，宣布、规定和实现各民族的平等'权利'。"⑤ 民族问题将长期存在，原因在于：（1）在无产阶级专政的条件下，民族仍然长期存在，民族差别也长期存在并由此产生民族关系问题。（2）建立在发达社会生产力基础上的生产资料社会主义公有制经济的实现，只是为消除民族压迫提供了基本的前提条件，而要彻底消除民族压迫

① 《列宁选集》第4卷，人民出版社2012年版，第135页。
② 《列宁全集》第25卷，人民出版社2017年版，第268页。
③ 《列宁全集》第27卷，人民出版社2017年版，第78页。
④ 《列宁专题文集 论无产阶级政党》，人民出版社2009年版，第195页。
⑤ 《列宁选集》第2卷，人民出版社2012年版，第782页。

现象还必须有发达的社会主义民主政治条件作保证。列宁指出："要铲除民族压迫，必须有社会主义生产这个基础，但是，在这个基础上还必须有民主的国家组织、民主的军队等等。"① 世界社会主义运动的实践证明，经济文化落后的社会主义国家由于受经济、政治、思想文化及社会主体等各方面条件的制约，建立高度发达的社会主义民主政治尚需要较长时期的努力，而在此期间还不可避免地会出现由于社会主义民主政治的局限性而产生的民族问题。(3) 各民族不同的具体利益的长期存在是民族关系问题长期存在的一个重要因素，必须长期坚持民族利益原则，才能消除民族间因利益矛盾而导致冲突的根源。列宁强调："只有对各个民族的利益极其关心，才能消除冲突的根源，才能消除互不信任"② 才有助于建立各民族之间和睦相处的关系。(4) 在社会主义社会各民族之间的不信任心理和情绪的继续长期存在是影响民族关系的又一个重要因素。列宁指出："因为在广大农民和小业主中，民族的不信任心理往往是根深蒂固的，操之过急反而会加强这种心理，对实现完全彻底的统一这个事业造成危害。"③ 所以，列宁在总结十月革命后的经验时强调："这种不信任心理的消除和消失非常缓慢；长期以来一直是压迫民族的大俄罗斯人表现得愈谨慎、愈耐心，这种不信任心理的消失就愈有保证。"④

二、民族运动的实质

1913 年在俄国党民族问题的大争论中，列宁写了《关于民族问题的批评意见》，对民族理论和纲领作了如下阐述："发展中的资本主义在民族问题上有两种历史趋势。民族生活和民族运动的觉醒，反对一切民族压迫的斗争，民族国家的建立，这是其一。各民族彼此间各种交往的发展和日益频繁，民族隔阂的消除，资本、一般经济生活、政治、科学等等的国际统一的形成，这是其二。"⑤"这两种趋势都是资本主义的世界性规律。第一种趋势在资本主义发展

---

① 《列宁全集》第 28 卷，人民出版社 2017 年版，第 21 页。
② 《列宁全集》第 43 卷，人民出版社 2017 年版，第 243 页。
③ 《列宁选集》第 4 卷，人民出版社 2012 年版，第 98 页。
④ 《列宁选集》第 4 卷，人民出版社 2012 年版，第 99 页。
⑤ 《列宁选集》第 2 卷，人民出版社 2012 年版，第 340 页。

初期是占主导地位的，第二种趋势标志着资本主义已经成熟，正在向社会主义社会转化。马克思主义者的民族纲领考虑到这两种趋势，因而首先要维护民族平等和语言平等，不允许在这方面存在任何特权（同时维护民族自决权，关于这一点下面还要专门谈），其次要维护国际主义原则，毫不妥协地反对资产阶级民族主义（哪怕是最精致的）毒害无产阶级。"①

列宁提出的第一种历史趋势是对资本主义上升时期民族运动的总结。大体上从 17 世纪英国资产阶级革命至 1871 年德国统一。这个时期，第一种趋势之所以"占主导地位"，是由于民族运动与资产阶级民族革命同步发展这一历史特点决定的。当时，民族问题主要是觉醒了的民族反对封建专制的民族压迫，争取民族独立和民族平等权利的问题。列宁指出："在全世界，资本主义彻底战胜封建主义的时代是同民族运动联系在一起的"②，"当时民族运动第一次成为群众性的运动"③。这时的民族运动同资产阶级民主革命相联系，其群众性和革命性促进了现代民族意识的形成和空前的民族觉醒。资产阶级民族运动的经济基础，是"为了使商品生产获得完全胜利，资产阶级必须夺得国内市场，必须使操同一种语言的人所居住的地域用国家形式统一起来"④，而"建立最能满足现代资本主义这些要求的民族国家"⑤。资本主义上升时期，西欧民族的形成过程与社会进程有着较好的同步关系，民族的形成同资本主义制度的确立相一致。西欧各资产阶级民族形成的过程，同时就是它们变为独立的民族国家的过程。例如英吉利、法兰西、德意志、意大利等民族，同时也就是英、法、德、意等国家。这一时期民族运动的结果，就是西欧一系列单一民族国家的建立。列宁对此作了历史性总结，指出这个时期民族问题第一种历史趋势占主导地位，这种趋势可概括为民族觉醒。

列宁提出的第二种趋势就是民族接近的历史趋势。19 世纪 70 年代以后，随着资本主义的发展，在民族关系问题上形成了民族间联系不断加强、民族隔阂逐渐消除、经济和政治等方面的跨民族联合紧密的趋势。列宁指出："这时发达的资本主义使完全卷入商业周转的各个民族日益接近，杂居在一起，而把

---

① 《列宁专题文集　论资本主义》，人民出版社 2009 年版，第 290 页。
② 《列宁选集》第 2 卷，人民出版社 2012 年版，第 370 页。
③ 《列宁选集》第 2 卷，人民出版社 2012 年版，第 375 页。
④ 《列宁选集》第 2 卷，人民出版社 2012 年版，第 370 页。
⑤ 《列宁选集》第 2 卷，人民出版社 2012 年版，第 371 页。

跨民族联合起来的资本同跨民族的工人运动的对抗提到第一位。"① 由于民族间各种联系的发展、跨民族联合的加强、无产阶级同资产阶级的对抗大大发展。所以，从某种意义上看，民族接近的历史趋势也成了资本主义成熟并向社会主义社会转化的历史标志。

列宁在阐述两种趋势及其在不同时期的地位和作用时提出了民族纲领。后来概括为"各民族完全平等，各民族享有自决权，各民族工人打成一片"②。民族问题的两种趋势在资本主义制度下是对立的，因为它存在着民族压迫和民族剥削，即使在资本主义上升时期也是如此。列宁指出："民族国家无疑是保证资本主义发展的最好的条件。这当然不是说，这种国家在资产阶级关系基础上能够排除民族剥削和民族压迫。"③ 资本主义制度按其本性日益加剧了民族压迫和民族矛盾，并且随着经济的集中日益使殖民主义统治体系化、国际化。资本主义发展到帝国主义阶段，民族问题的两种趋势发生了历史性变化。第一种趋势，即民族觉醒的趋势空前发展起来，并在相当大程度上改变了它的历史内容。它已经不是资本主义上升时期西欧国家反对封建压迫的民族运动，也不局限于欧洲个别民族的解放，而是变成为世界范围的殖民地、半殖民地、附属国和一切被压迫民族反对殖民主义、帝国主义的侵略和压迫，争取民族独立和国家主权的斗争，并且从长远的总体的关系上看已经属于无产阶级革命总问题的一部分。这是由帝国主义时期民族问题的特点决定的。这个时期，原先基本上是单一国家的英国、法国、德国、意大利、日本和美国等都变成了包括众多被压迫民族的殖民主义国家。到第一次世界大战前，世界已被列强瓜分完毕，亚洲、非洲、拉丁美洲广大地区和民族，都成为不同的帝国主义"宗主国"的势力范围。这表明民族问题已经越出了国家范围，成了世界性的民族和殖民地的问题。列宁指出："就是现在全世界已经划分为两部分，一部分是为数众多的被压迫民族，另一部分是少数几个拥有巨量财富和强大军事实力的压迫民族。"④ 这一区别揭示了造成当代民族压迫剥削的是帝国主义制度，进而证明了殖民地民族解放运动这一历史趋势发展的客观必然性。

与此同时，列宁发展了马克思和恩格斯关于殖民地问题的基本思想。第一

① 《列宁选集》第 2 卷，人民出版社 2012 年版，第 375 页。
② 《列宁选集》第 2 卷，人民出版社 2012 年版，第 401 页。
③ 《列宁选集》第 2 卷，人民出版社 2012 年版，第 374 页。
④ 《列宁选集》第 4 卷，人民出版社 2012 年版，第 275 页。

次世界大战前，社会主义者包括马克思恩格斯和列宁都把民族问题和殖民地问题作为两个问题来看待。那时他们所讲的民族问题，主要是指欧洲的爱尔兰、波兰等被压迫民族的问题，并把这个问题只看作个别国家的问题或欧洲的问题。列宁在 1915 年 7—8 月写的《和平问题》一文最早把民族问题同帝国主义时代和殖民地问题联系起来，明确指出应当承认殖民地民族自决权。此后，列宁形成了关于殖民地民族解放运动的系统理论。民族自决是民族解放的核心问题和根本原则，也是列宁提出这一学说的指导思想。

此后，列宁关于民族解放运动理论的深化和发展，主要体现在列宁对民族觉醒的历史趋势在世界范围内的发展和演变的论述中。他指出，进步的民主民族运动在西欧已经结束并在东欧和亚洲兴起，从 1905 年后"所发生的一连串有世界意义的事变"中，可以"看出一系列资产阶级民主民族运动的兴起，看出建立民族独立的和单一民族的国家的趋向"。[1]"正是因为而且仅仅是因为俄国及其邻邦处在这个时代，所以我们需要在我们的纲领上提出民族自决权这一条。"[2]1916 年列宁又从当时世界的具体情况出发，区分了三种不同国家民主民族运动历史趋势的进程和表现，从而确定其对民族自决应有的态度和斗争任务。第一种是西欧的先进资本主义国家和美国。这些国家进步的民族运动早已结束，无产阶级的任务就是要求被压迫民族有分离的自由。第二种是欧洲东部的国家，如俄国、奥地利、巴尔干等国家的民族运动日益发展起来。无产阶级只有坚持民族自决才能完成本国革命任务并帮助其他国家，这里特别重要的是使压迫民族工人和被压迫工人的阶级斗争融合起来。第三种是殖民地和半殖民地国家。这里民族运动一部分刚刚开始，一部分远未结束。社会主义者应当要求无条件地、无代价地立即解放殖民地，承认自决权，支持这些国家民族解放运动中最革命的力量。总之，列宁关于世界范围内民族觉醒、民族运动发展历史趋势的论述，成了帝国主义时期民族自决权和整个民族解放运动学说的重要理论基础。

列宁的理论被此后民族解放运动的发展所证实。在整个帝国主义时期，从世界范围来看，殖民地被压迫民族沿着第一种趋势发展，表现为彻底的民族觉醒，民族解放运动迅猛发展。两次世界大战削弱了帝国主义势力，建立了一批

---

① 《列宁全集》第 25 卷，人民出版社 2017 年版，第 237 页。

② 《列宁选集》第 2 卷，人民出版社 2012 年版，第 380 页。

社会主义国家。民族解放运动的浪潮摧毁了帝国主义的殖民体系，建立起100多个新兴民族国家。它们在斗争中和胜利后，力谋促进各民族的接近与合作，也就是沿着第二种历史趋势发展。这些新兴国家，成为反对霸权主义和强权政治的巨大力量，完全改变了本世纪初叶世界民族被分为压迫民族和被压迫民族两大阵营的民族关系格局。新兴民族国家的崛起使全球政治出现了多元化格局。这些都是列宁指出的民族觉醒和民族接近两种趋势的表现，不过，它们的历史内容已经大大地改变了。当然，在资本主义剥削制度下两种趋势的矛盾是不可能解决的，只有改变剥削制度才有可能使之解决。

三、关于民族自决权

列宁最初明确提出俄国民族自决权问题是1902年。他在《关于制定俄国社会民主工党纲领的材料》一文中指出，俄国社会民主工党的最近的政治任务是推翻沙皇专制制度，建立以民主宪法为基础的共和国，承认国内各民族的自决权。1903年，列宁又在《论亚美尼亚社会民主党人联合会的宣言》中指出："俄国一切社会民主党人在民族问题上应当遵循的两条基本原则，联合会都拟定得完全正确。这就是：第一，不要求民族自治，而要求政治自由、公民自由和完全平等；第二，要求国内每个民族都有自决权。"[①] 列宁认为，民族自决权是俄国无产阶级政党在民主革命时期制定民族纲领的基本原则。列宁在1913年9月俄国社会民主工党中央委员会通过的《关于民族问题的决议》中指出："至于在沙皇君主制度压迫下的各民族的自决权，即分离权和成立独立国家的权利，无疑是社会民主党应当维护的。这是国际民主派的基本原则的要求。"[②] 把民族自决权明确地确定和解释为民族具有分离权和成立独立国家的权利，这在俄国社会民主工党文件中还是第一次。1916年，列宁又进一步把民族独立的程序以及这种政治民主要求同民族分裂与建立小国的问题区别开来。他说："民族自决权只是一种政治意义上的独立权，即在政治上从压迫民族自由分离的权利。具体说来，这种政治民主要求，就是有鼓动分离的充分自由，以及由

① 《列宁全集》第7卷，人民出版社2013年版，第89页。
② 《列宁全集》第24卷，人民出版社1990年版，第61页。

要求分离的民族通过全民投票来决定分离问题。因此，这种政治民主要求并不就等于要求分离、分裂、建立小国，它只是反对任何民族压迫的斗争的彻底表现。"① 所以，如果无产阶级政党不提出和不宣传分离权的口号，那就不仅是帮助了压迫民族的资产阶级，而且是帮助了压迫民族的封建主和专制制度。不过，列宁在 1914 年曾认为，不能把民族自决权同联邦制和自治混为一谈。他指出，从社会民主党的观点看来，既不能把民族"自决"权理解为联邦制，也不能理解为自治（虽然抽象地说，两者都是包括在"自决"这个概念之内的）。联邦权根本是荒谬的，因为联邦制是双边协定。马克思主义者决不能在自己的纲领内拥护任何联邦制，这是用不着说明的。至于自治，马克思主义者所维护的并不是自治"权"，而是自治本身，把它当作民族成分复杂和地理等条件各异的民主国家的一般普遍原则。因此，承认"民族自治权"，也像承认"民族联邦权"一样，是荒谬的。但是，十月革命胜利后，列宁又放弃了这种主张。

列宁和俄国党规定的民族自决权，承认各民族自由分离的权利，但反对分离。它只是反对民族压迫和民族特权的彻底表现，是实现完全民主自愿平等的民族联盟的武器。它是针对民族压迫提出来的，是向帝国主义要自决，不是向无产阶级要自决，也不是向社会主义要自决；它的作用不在于鼓吹和扩大分离倾向，而是为了加速各民族无产阶级的团结和民族联合；它不是绝对的、无条件的要求，而是无产阶级革命和无产阶级专政问题的一部分，是以服从无产阶级的利益为前提的，是以不超过无产阶级团结所规定的范围和不威胁社会主义共和国的生存为界限的。因此，列宁和俄国党一再重申：第一，民族自决权是政治上的分离权或独立权，但这并不等于分离、分散、成立小国家的要求；第二，国内各民族有自决权，但各民族无产阶级必须坚持共同斗争和组织上的统一；第三，坚持民族自决权，决不是拥护分离，决不允许把民族有权自由分离的问题和某一民族在某个时期实行分离是否适当的问题混为一谈。对于后一问题，应当在各个不同场合，根据整个社会发展的利益和无产阶级争取社会主义的阶级斗争的利益，分别地加以解决。总之，民族自决权只是"主张自由的、自愿的接近和融合，但不主张强制的接近和融合。"② 这看起来似乎是

---

① 《列宁选集》第 2 卷，人民出版社 2012 年版，第 564 页。
② 《列宁全集》第 28 卷，人民出版社 2017 年版，第 161 页。

矛盾的，不好理解，但正是这些"矛盾"的提法，体现了马克思主义辩证法的真理。

列宁和俄国党的民族自决权，在民族压迫存在的条件下"是绝对必要的"，拒绝承认民族自决权就是对社会主义的背叛。但它不是马克思主义国家政权建设的理想方案，"绝对不是"列宁和俄国党建设新型民主国家的"计划"。列宁指出："自决权是我们集中制这个总前提中的一个例外。这个例外，在黑帮的大俄罗斯民族主义存在的时候，是绝对必要的，稍一抛弃这个例外，就是机会主义（像罗莎·卢森堡那样），就是对黑帮的大俄罗斯民族主义有利的愚蠢做法。但是对这个例外不能解释得过头。这一点上只是指有要求分离的权利，此外绝对没有也不应该有别的什么东西。"[1]因此，我们主要应从反对民族压迫的角度来认识民族自决权政策的必要性和重要性，不能视作任何时候任何问题上的普通原则。列宁和俄国党之所以在社会主义制度下还坚持民族自决权，这主要是由俄国的具体情况和俄国民族问题历史特点决定的。第一，列宁指出："现在有种种迹象说明，帝国主义会把欧洲和世界其他各洲的一些不够民主的疆界，许多兼并的地方，遗留给将取代它的社会主义。胜利了的社会主义在一切方面恢复和彻底实行充分的民主时，难道会拒绝以民主方式确定国界吗？难道会不愿意考虑居民的'共同感情'吗？"[2]既然沙皇俄国作为帝国主义国家最先给胜利了的俄国社会主义遗留下许多兼并的地方，许多不够民主的疆界，许多殖民地，那么俄国社会民主工党唯一的办法只能是坚持民族自决权，因为只有这样，才能同沙俄帝国主义彻底划清界限，才能联合各民族彻底摧毁旧的殖民制度。第二，十月革命胜利之初，帝国主义列强一方面诬蔑布尔什维克党想在共产主义名称的掩盖下，强迫异族接受他们的万能制度，移植大俄罗斯主义，以此挑拨民族关系；另一方面勾结边疆地区各民族的反动资产阶级，在"民族自决"旗号下，大搞分裂活动，阻挠和敌视十月革命的发展。在这种情况下，俄国社会民主工党只有坚持民族自决权才能戳穿帝国主义的欺骗阴谋，才能使年轻的苏维埃政权在政治上站住脚。第三，十月革命胜利以后，俄国民族运动的比重相当大，各民族工人农民先后建立的各种形式的苏维埃政权，在政治上是独立自主、各自为政的，他们对大俄罗斯民族普遍存在猜疑和不信

---

[1] 《列宁全集》第46卷，人民出版社2017年版，第388页。
[2] 《列宁全集》第28卷，人民出版社2017年版，第19—20页。

任，分离倾向也较为严重。因此，要想消除这些猜疑和不信任，在平等和自愿的基础上吸引各民族的无产阶级和劳动人民结成联盟，实现各民族的统一，建立统一的多民族的社会主义大国，也必须坚持民族自决权。

列宁和俄国社会民主党关于民族自决权的思想，不是绝对的、凝固的、一成不变的。十月革命后，随着形势的变化，及时地做出了许多调整。十月革命前，列宁一直强调的是国内各民族有自决权。俄国党的党纲和决议也是这么写的。十月革命后的新党纲则修改为："承认殖民地和不平等民族有国家分离权"。民族自决权的范围有了限制，不包括有了平等权的民族。十月革命前，列宁和俄国党虽然对民族自决权作了全面的论述，但在党纲中只简单写了"承认民族自决权"几个字。十月革命后的新党纲第一次把民族自决权的条文写成了两部分：第一部分对民族自决权作了新的表述，只承认殖民地和不平等民族有自决权。第二部分增写了属于宣言性质的新内容，要求"把各民族无产者和半无产者联合起来共同进行推翻地主和资产阶级的革命斗争的政策提到首要地位"①。列宁在修改党纲过程中说："一般说来，党纲内不应有宣言"②，但是，"我们是希望联合的，这一点应当说清楚，在一个多民族国家的党的纲领里讲明这一点极为重要，为此，就必须打破惯例，容许提出宣言。"③这样在党纲里就把民族自决权的内容写的更全面了，强调的重点发生了较大的变化。十月革命前，列宁和俄国党只是孤立地提承认民族自决权，并没有找到正确实现民族自决的具体措施。十月革命后，列宁和俄国党采纳了国家联邦制形式，并同民族自决权的政策相结合，写进了党纲，从而找到了实现各民族平等自愿联合的适当途径。这样民族自决权更显示了它的威力。

无论从处理民族问题出发，还是从国家政权建设的角度看，实行民族区域自治都是必要的、适宜的政策。列宁认为，民族区域自治不是超地域的民族自治，它是"根据当地居民自己对经济和生活条件、居民民族成分等等的估计"④，确定"区域自治地区的边界"；它是"在全国性立法的基础上"，"掌管的是纯粹地方性的、区域性的或纯粹民族方面的问题"⑤；它只是在本民族事务

---

① 《列宁全集》第 36 卷，人民出版社 2017 年版，第 409 页。

② 《列宁全集》第 32 卷，人民出版社 2017 年版，第 369 页。

③ 《列宁全集》第 32 卷，人民出版社 2017 年版，第 370 页。

④ 《列宁选集》第 2 卷，人民出版社 2012 年版，第 363 页。

⑤ 《列宁选集》第 2 卷，人民出版社 2012 年版，第 359 页。

上有自主权，不涉及中央国家机关管理的许多重大的政治和经济问题。列宁指出，一个民族成分复杂的大国必须实行广泛的民族区域自治，只有这样，才能够实现真正的民主集中制，因为民族区域自治是国家民主化的具体体现，而这种民主化"对于消灭任何民族压迫都有极其重要的意义"。民族区域自治同民主集中制"一点也不矛盾"。民主集中制不但丝毫不排斥民族区域自治，相反是以必须实行民族区域自治为前提的。不实行民族区域自治，那就无法彻底铲除民族压迫，不可能设想有现代的真正民主的国家，实行民族区域自治既可以铲除民族压迫、维护国家的统一，又有利于民族地区政治经济的繁荣。正是基于这样的原因，列宁和俄国党一直把民族区域自治"当作具有复杂民族成分和极不相同的地理等条件的民主国家的一般普通原则"，并作为建立新型民主国家的计划。

但是，在俄国的专制制度下，列宁和俄国党从反对民族压迫出发，强调的是民族自决权，而不是民族区域自治。列宁说："自治是一种改良，它和作为革命措施的分离自由根本不同"[①]，只实行自治，在俄国"是有利于万恶的警察制度的"。因此，列宁和俄国党从俄国的实际情况出发，始终都是把民族区域自治和民族自决权并提的，并且强调的是各民族的自决权。十月革命胜利后，列宁和俄国党改变民族自决权重点的同时，也提高了民族区域自治的地位。俄罗斯苏维埃社会主义共和国不仅把实行民族区域自治写进了宪法，而且积极支持各民族根据苏维埃原则实行区域自治，在很短时间内就实现了广泛的无处可与之比拟的地方自治和民族区域自治。不过，列宁和俄国党经十月革命胜利后实行的民族区域自治是同民族自决权和联邦制结合在一起的，不仅采用自治省、自治州的形式，而且采用自治共和国的形式，其区域划分与权限的规定都带有自己的特点，与我国实行的民族区域自治政策大不相同。

从列宁整个思想发展过程来看，关于民族自决权应当从两个历史时期来认识和理解，即俄国资产阶级民主革命时期的民族自决权问题和苏俄社会主义革命时期的民族自决权问题。在民主革命时期，民族自决权是帝国主义时代被压迫民族争取解放和独立运动以实现社会主义革命的重要策略原则。在社会主义时期，民族自决权则是处理民族关系的重要政治原则和基本政策。列宁提出民族自决权的出发点完全是为了维护各民族的无产阶级和劳动人民的根本利益。

① 《列宁全集》第28卷，人民出版社2017年版，第41页。

因此，他在最初提出民族自决权时就强调，民族自决要服从于无产阶级革命利益的要求。1903 年 2 月，列宁在《论亚美尼亚社会民主党人联合会的宣言》中，对民族自决权与无产阶级革命利益之间的关系作了明确的说明。他认为，无条件地承认争取民族自决的自由的斗争，这丝毫也不意味着我们必须支持任何民族自决的要求，社会民主党作为无产阶级的政党，其真正的主要的任务不是促进各民族的自决，而是促进每个民族中的无产阶级的自决。应当永远无条件地努力使各民族的无产阶级最紧密地联合起来。只有在个别的特殊情况下，我们才能提出并积极支持建立新的阶级国家，或者用比较松散的联邦制的统一代替一个国家政治上的完全统一等要求。1903 年 7 月，列宁指出："我们应当使民族自决的要求服从的正是无产阶级阶级斗争的利益。这个条件正是我们对民族问题的提法同资产阶级民主派的提法的区别之所在。"[1] 后来，列宁在许多著作中反复强调社会主义革命的利益高于民族自决权的利益，认为民族自决权不是为了促使各民族分裂、独立，而是为了推动各民族接近、团结以至进一步融合。1915 年，他在谈到革命的无产阶级和民族自决权问题时指出，社会民主党纲领的一个中心问题就是把民族区分为压迫民族和被压迫民族，要从这种区分中来深刻理解民族自决权的革命定义，这个革命定义就是要把民族自决权与社会主义革命斗争的总任务结合起来。压迫民族的社会民主党人应当承认被压迫民族有分离的自由，否则承认民族平等和工人国际团结就是一句空话，而被压迫民族的社会民主党人则应当把被压迫民族的工人同压迫民族的工人的团结当作首要任务，否则就会成为资产阶级的同盟者。

列宁提出的民族自决权理论反映了俄国被压迫民族的共同心愿，体现了他们的共同利益，因而受到被压迫民族及其革命政党的拥护。俄国共产党正是运用这一革命思想，把大多数被压迫民族发动起来，把各民族人民反对沙皇专制统治的斗争同俄国无产阶级和贫苦农民反对地主和资产阶级斗争结合起来，从而实现了推翻沙皇专制制度的目标，完成了俄国民主革命和社会主义革命的任务。列宁认为，在社会主义时期，苏维埃国家政权仍然要实行民族自决权。"在社会主义制度下如果拒绝实行民族自决，那就是背叛社会主义"[2]。"取得胜利的社会主义必将实现充分的民主，因而，不但要使各民族完全平等，而且要实

---

① 《列宁选集》第 1 卷，人民出版社 2012 年版，第 461 页。

② 《列宁全集》第 28 卷，人民出版社 2017 年版，第 17 页。

现被压迫民族的自决权，即政治上的自由分离权。任何社会主义政党，如果不能在目前和在革命时期以及革命胜利以后，用自己的全部行动证明它们将做到解放被奴役的民族并在自由结盟的基础上——没有分离自由，自由结盟就是一句谎话——建立同它们的关系，那就是背叛社会主义。"[①] 正是基于这种认识，俄国十月革命胜利后，由列宁签署的《俄罗斯各族人民权利宣言》宣布了俄罗斯各民族的自由自决权，这是俄罗斯各民族不可剥夺的权利。

四、两种不同的民族纲领

斯托雷平反动时期，在民族关系上，沙皇政府对被压迫民族进行血腥的屠杀和镇压，反动的黑帮民族沙文主义猖獗。自由资产阶级的民族主义开始表现为帝国主义野心，极力鼓吹和支持沙皇政府的侵略政策和兼并政策。在被压迫民族中间也因为民族压迫而激起了形形色色的民族主义浪潮。民族问题在俄国社会生活中已上升到显著地位。反映到俄国党内，俄国的反动时期不仅带来了屠杀和流放，而且产生了对革命事业的悲观失望和对共同力量的怀疑顾虑。各民族的党组织或搞分裂活动，或徘徊观望，极力鼓吹民族文化自治，反对民族自决权，破坏党的民族纲领，坚持独特性的"民族集团"，使俄国社会民主工党事实上成了"最坏形式的联邦"。面对这种极为复杂的形势，列宁和俄国党不得不更加注意民族问题，不得不以主要精力来维护关系党的存亡的民族纲领。从1912年起，俄国社会民主工党连续召开了几次重要会议，如1912年的第六次（布拉格）全国代表会议、1912年和1913年由党的工作人员参加的中央委员会的"二月会议"和"八月会议"，把民族问题同"取消派"问题一道作为当时最迫切的两个问题提出来，决定把"取消派"清除出党，决不允许党内实行"最坏形式的联邦"。"八月会议"还专门通过了关于民族问题的决议，重申坚持党的民族纲领，主张建立彻底民主的共和国以保证一切民族和语言完全平等，取消带强制性的国语，实行广泛的区域自治和完全民主的地方自治，坚持民族自决权，要求各民族的工人在统一的无产阶级组织如政治组织、工会组织、合作社和教育组织等中融合起来。这期间，列宁深入研究了民族问题，

---

① 《列宁选集》第2卷，人民出版社2012年版，第561页。

从反对沙皇专制制度的基本任务出发，彻底批驳了民族文化自治论，全面论证了党的民族纲领。列宁概括说："社会民主党主张建立彻底民主的国家制度，它要求各民族一律平等，反对某个民族或某些民族享有任何特权。"①"各民族完全平等，各民族享有自决权，各民族工人打成一片，——这就是马克思主义教导给工人的民族全世界经验和俄国经验教给工人的民族纲领。"②

第一次世界大战期间，作为帝国主义链条上薄弱环节的俄国，工人运动和民族运动此起彼伏。十月革命胜利初期，俄国的民族问题又呈现出新特征：一方面是社会主义的胜利，苏维埃政权的建立；另一方面是民族运动的扩大，民族关系陷入极其复杂和尖锐的境地。当时，既有帝国主义列强同边疆地区各民族资产阶级相勾结，在"民族自决"的旗号下，大搞民族分裂活动，严重威胁着年轻苏维埃政权的生存，又相继建立了以各民族工人和农民为主体的、独立自主和各自为政的各种形式的苏维埃共和国，分离倾向十分严重。正是在这样的关键时刻，列宁和俄国党坚决排除了党内借口社会主义，取消民族，鼓吹民族虚无主义思潮的干扰，批评了一些领导人在民族问题上操之过急，喜欢采取行政措施的大俄罗斯沙文主义错误，坚持了无产阶级民族观，并且从实际情况出发，特别谨慎小心地对待民族问题，实施了多样化的民族政策。1917 年俄国党的四月代表会议关于民族问题的决议重新阐述了党的民族纲领。正如列宁概括的："分离的完全自由，最广泛的地方自治（和民族自治），详尽规定保障少数民族权利的办法，——这就是革命无产阶级的纲领。"③1917 年 11 月 15日，苏俄政府发表了《俄国各族人民权利宣言》，坚决废除地主资本家实行的可耻的民族挑拨与民族压迫政策，代之以俄国各民族人民真诚自愿的联盟和相互间完全信任的政策，规定了苏维埃政权在民族问题方面的活动原则。这些原则是：俄国各族人民的平等和自主权；俄国各族人民的自由自决乃至分立并组织独立国家的权利；废除任何民族的和民族宗教的一切特权和限制；居住在俄国领土上的少数民族与民族集团的自由发展。1918 年 1 月，全俄苏维埃第三次代表大会批准的《被剥削劳动人民权利宣言》，第一次既承认民族自决权，又明确肯定联邦制，开始把两者联系起来。1918 年 7 月，俄罗斯苏维埃联邦社

---

① 《列宁全集》第 23 卷，人民出版社 2017 年版，第 331 页。
② 《列宁全集》第 25 卷，人民出版社 2017 年版，第 288 页。
③ 《列宁选集》第 3 卷，人民出版社 2012 年版，第 52 页。

会主义共和国宪法规定：凡生活习惯及民族成分特殊的各省的苏维埃，得联合为自治省联盟，它将根据联邦制原则加入俄罗斯苏维埃联邦社会主义共和国。1919 年 3 月，俄共（布）第八次代表大会通过的新党纲规定了党在民族问题方面的指针：把各民族无产者和半无产者联合起来共同进行推翻地主和资产阶级的革命斗争的政策提到首要地位；必须取消任何民族的一切特权，各民族一律平等，承认殖民地和不平等民族有国家分立的权利；党主张按照苏维埃形式组织起来的各个国家实行联邦制的联合，作为走向完全统一的一种过渡形式；对于谁是民族分离意志的代表者这一问题，俄国共产党抱着历史观点和阶级观点，考虑到该民族处于历史发展的哪一阶段，是从中世纪制度进到资产阶级民主制，还是从资产阶级民主制进到苏维埃的或无产阶级的民主制等。1922 年在筹建苏维埃社会主义共和国联盟过程中，列宁批评了俄共（布）中央某些领导人的大俄罗斯沙文主义错误，否决了他们提出的"自治问题"草案，要求把草案中各民族苏维埃共和国作为自治共和国加入俄罗斯联邦共和国的规定，改为各民族苏维埃共和国，包括俄罗斯苏维埃联邦共和国在内，根据完全平等的原则，自愿结合成一个新的国家——苏维埃社会主义共和国联盟，并"绝对坚持"在中央执行委员会中由俄罗斯人、乌克兰人、格鲁吉亚人等等轮流担任主席，充分体现了各民族一律平等的原则。苏维埃社会主义共和国联盟的建立，拒绝了鼓吹民族分裂的"独立分子"的要求，否决了漠视民族平等原则和自决权利的"自治化问题"草案，而是更上一层楼，在承认民族自决权的基础上，通过采用联邦制，保持了社会主义国家的统一，实现了各民族自愿的平等联盟。

列宁和俄国党制订的资产阶级民主革命时期和社会主义时期的两个民族纲领是紧密相联的，但各有其特定的含义和规定，二者都提出了解决俄国民族问题的三条原则即反对民族压迫，实现各民族完全彻底的真正平等；发展各民族无产阶级之间的团结和联合；建立统一的集中的多民族的新型国家。当然，这三条原则在不同时期的侧重点并不完全相同。反对民族压迫，实现各民族完全彻底的真正平等，是列宁和俄国党处理民族问题的重要原则。同资产阶级关于民族平等的虚伪性欺骗宣传相反，列宁和俄国党的民族平等原则不仅宣布形式上的平等，而且包括许多实际内容，如反对民族压迫，决不容许任何一个民族享有任何特权；各民族在一切权利上和语言上一律平等；制订法规，无条件地保护一切少数民族的权利；在政治、经济和文化等方面实现各民族事实上的平等。列宁鉴于阶级压迫是产生民族问题和造成民族不平等的主要原因，认为要求平等的真正意义只能是要求消灭阶级，指出只有推翻地主资产阶级政权，摧毁民族压迫制度，建立无产阶级政权，才能解放被压迫民族，实现各民族一律平等。因此，在资产阶级民主革命时期，列宁和俄国党一直把民族平等原则同反对沙皇专制制度和建立新型民主国家紧密联系起来，首先要求实现政治上和法律上的民族平等。十月革命的胜利，打倒了沙皇专制政权，摧毁了各民族的大监狱，使俄国境内的一切被压迫民族都获得了解放。从此，列宁和俄国党的民族平等原则就主要体现在由无产阶级国家政权组织各民族实现共同繁荣，共同富裕，并帮助过去受压迫民族的劳动群众达到事实上的平等。具体说，就是帮助他们组织起来，去反对中世纪制度和资产阶级压迫，充分行使自己的民主权利；帮助他们"改造边疆"、"复兴边疆"，发展社会生产力；帮助他们发展民族语言和文化，以便清除民族间的不信任和隔阂。一句话，就是帮助他们避免资本主义发展阶段，逐步过渡到社会主义。为了实现各民族事实上的平等，列宁要求胜利了的无产阶级充分认识社会主义制度下民族的稳定性和解决民族问题的长期性和复杂性，特别谨慎小心地对待民族问题。列宁在处理俄国民族问题过程中充分估计了大俄罗斯沙文主义的顽固性，认为由于沙皇政府数百年镇压民族解放运动的历史，以及关于这种镇压的系统宣传，腐化了大俄罗斯民族，造成了俄罗斯民族的种种偏见，必将在党和政府机构内暴露出来。列宁对大俄罗斯沙文主义一直是深恶痛绝，宣布同它"进行决一死战"，主张颁布反对民族特权的根本法，制订详细的法规同大俄罗斯沙文主义作斗争。列宁甚至要求大俄罗斯民族的无产阶级用让步来抵偿沙皇政府在过去历史上给其他民族带来的不信任和侮辱，认为"压迫民族或所谓'伟大'民族……的国际主义，应当不仅表现在遵守形式上的民族平等，而且表现在压迫民族即大民族要处于不平等地位，以抵偿在生活中事实上形成的不平等"[1]。列宁强调说："谁不懂得这一点，谁就不懂得对待民族问题的真正无产阶级态度，谁就实质上仍持小资产阶级观点，因而就不能不随时滚到资产阶级观点的泥坑里去。"[2]列宁在领导俄国各民族的社会主义建设中要求从各民族的实际情况出发，认真"考察、研究、探索、揣测和把握民族的特点和特征"，把马克思主义基本原理"正确

---

[1] 《列宁全集》第 43 卷，人民出版社 2017 年版，第 356 页。
[2] 《列宁全集》第 43 卷，人民出版社 2017 年版，第 356 页。

地适应和运用"于民族间的差别，帮助落后民族更加谨慎、更加有步骤地过渡到社会主义，绝对不能以任何借口对兄弟民族使用哪怕是轻微的强制做法。列宁曾经引用恩格斯的话告诫"胜利了的无产阶级不能强迫他国人民接受任何替他们造福的办法，否则就会断送自己的胜利。"[①] 同样，为了实现各民族事实上的平等，列宁和俄国党还要求各民族人民坚信社会主义方向，坚定走社会主义道路，把民族利益和社会主义利益统一起来。一切民族都将走到社会主义，这是不可避免的。各民族过渡到社会主义的"阶梯"是苏维埃政权，因此，在政治上必须保持和发展各民族苏维埃政权联盟；在经济上必须在国家统一计划下加强各民族的兄弟互助合作，结成紧密的经济联盟。当然，各民族开始建设社会主义时所处的条件不同，在向社会主义过渡中的走法不完全一样，都会有自己的特点，应当从实际情况出发，实行不同的政策，找出自己走向社会主义的具体条件和形式。列宁认为，这种多样性愈是丰富，我们就能愈可靠愈迅速地达到民主集中制和实现社会主义经济繁荣。

　　列宁和俄国党在制订解决俄国民族问题纲领过程中，一直以俄国各民族工人和劳动群众的团结和联合为根本出发点，并且把各民族工人和劳动群众的团结和联合作为无产阶级同资产阶级的民族纲领的分界线。在民族问题上，与资产阶级不同，列宁和俄国党的政策是坚定不移地使各民族无产者和劳动群众在他们推翻资产阶级革命斗争中接近和联合起来。只有各民族工人联合共同斗争，无产阶级才能顺利地进行反对沙皇专制和资本主义的斗争；才能摧毁民族压迫制度，消除民族迫害和民族纠纷的一切根源；才能消除民族间最微小的不信任、疏远、猜疑和仇视，保证各民族的平等和最和睦的相处。

　　在俄国党的建设上，列宁从一开始就主张建立民主集中的统一的革命政党，既反对建立独立的民族党，又拒绝联邦制的建党原则和分裂党的任何企图，认为应该不分民族地依靠整个无产阶级，不应当建立各行其是的组织，不应当分散成立许多独立的政党而削弱自己的进攻力量。为了消除党的民族性的一切想法，建党之初就定名为俄国社会民主工党，不称俄罗斯社会民主工党。俄国党的发展过程，也是不断反对把党变成各民族党联邦同盟的过程。十月革命胜利之初，尽管各民族苏维埃共和国处于独立自主、各自为政的状况，民族关系面临极为复杂的形势，尽管列宁和俄国党一再宣布承认各民族的自决权，

---

① 《马克思恩格斯文集》第 10 卷，人民出版社 2009 年版，第 481 页。

但在布尔什维克党的建设上却始终坚持党的集中统一领导，保持和发展各民族工人阶级最紧密的团结。坚持民主集中制，坚持统一而不可分割的多民族共和国，这是列宁和俄国党解决民族问题的重要基础和共同目标。列宁同马克思和恩格斯一样："从无产阶级和无产阶级革命的观点出发坚持民主集中制，坚持单一而不可分的共和国。"[1] 他们认为，"联邦制共和国或者是一种例外，是发展的障碍，或者是由君主国向集中制共和国的过渡，是在一定的特殊条件下的'一个进步'。而在这些特殊条件中，民族问题占有突出的地位"。[2]

十月革命胜利后，列宁一直为建立多民族的社会主义大国而斗争，甚至从俄国的实际情况出发，根本改变对联邦制的态度，从反对联邦制转而采纳联邦制，作为向民主集中制的过渡形式，作为建立第一个多民族社会主义大国最适宜的途径。列宁关于建立苏维埃社会主义共和国联盟的主张，就是以建立多民族社会主义大国为重要基础和共同目标，来正确处理当时俄国存在的民族关系方面的复杂问题。实践证明，这种把民族问题的解决同国家政权建设结合起来的做法是完全正确的。总之，列宁和俄国党先后制定的两个民族纲领及其解决民族问题的三条原则是不可分割的，其基本点是民族平等和民族团结。在资产阶级民主革命时期，民族平等和民族团结必须以反对民族压迫制度为前提，而在社会主义时期则应以建立和维护多民族社会主义国家为基础。但无论在哪个时期都必须同无产阶级政党的建设紧密结合起来，把对民族问题的态度和处理民族问题的原则看成是党的建设的重要组成部分。列宁和俄国党始终坚持从俄国的实际情况出发，制定和实施多样化的民族纲领和民族政策来解决极为复杂的民族问题，这也是列宁和俄国党为社会主义国家建设提供的一条重要经验。

---

[1] 《列宁专题文集 论社会主义》，人民出版社 2009 年版，第 243 页。

[2] 《列宁选集》第 3 卷，人民出版社 2012 年版，第 175 页。

第五章 《唯物主义和经验批判主义》与《哲学笔记》对马克思主义哲学的丰富和发展

　　《唯物主义和经验批判主义》与《哲学笔记》是列宁的两部主要哲学著作，是马克思主义哲学发展到列宁阶段的标志。尽管两部著作涉及的问题较为广泛，但侧重点有所不同。《唯物主义和经验批判主义》在总结当时革命斗争新经验和自然科学新发展的基础上系统地阐述了辩证唯物主义和历史唯物主义的一些基本原理，着重阐发了辩证唯物主义认识论的一些重要原则。《哲学笔记》则以阐释唯物主义辩证法为重点。它们都把马克思主义哲学向前推进和深化了。

第一节 批判俄国马赫主义，捍卫和发展马克思主义哲学

　　《唯物主义和经验批判主义》是列宁批判马赫主义（又称经验批判主义）哲学思潮，系统论述辩证唯物主义认识论的基本原理的重要著作。本书是列宁于1908年2—10月在日内瓦和伦敦完成，1909年5月由莫斯科环节出版社出版，署名弗拉·伊林。[①] 这本著作在国际上得到广泛传播，先后被译成20多种文

---

① 《列宁选集》第2卷，人民出版社2012年版，第795页。

字。本书是列宁哲学思想的一部代表性著作，也是学习和研究马克思主义认识论的重要著作之一。

一、俄国马赫主义的性质与消极影响

1905 年俄国资产阶级民主革命失败以后，各种反动言论随着沙皇政府的日益残暴的统治而甚嚣尘上。形形色色的唯心主义泛滥，一时间对马克思主义的"批评"成为时髦。一派是资产阶级思想家，鼓吹"寻神说"，把革命的失败归于"上帝的惩罚"，宣称俄国人民"失去了上帝"，现在的任务是把上帝"找回来"。另一派出自俄国社会民主党内部，以阿·瓦·卢那察尔斯基、弗·亚·巴扎罗夫、尼·瓦连廷诺夫（1879—1964）、帕·索·尤什凯维奇（1873—1945）、亚·亚·波格丹诺夫等为代表，他们信奉奥地利物理学家、哲学家恩·马赫（1838—1916）和德国哲学家理·阿芬那留斯（1843—1896）创立的经验批判主义哲学，利用它来"补充"、"修正"马克思主义哲学，向辩证唯物主义发起进攻。他们歪曲辩证唯物主义的基本原理，连篇累牍地宣扬经验批判主义的观点。俄国马赫主义者对马克思主义的修正，是第二国际修正主义思潮在俄国的反映。伯恩施坦主张用新康德主义"修正"马克思主义哲学，考茨基和阿德勒企图用马赫主义的认识论来"补充"马克思主义，哲学修正主义对无产阶级政党的理论基础构成了严重威胁，马克思主义面临着严峻挑战，"马克思主义者同马赫主义者的斗争问题已经提出来了"[①]。

19 世纪末至 20 世纪初，自然科学，特别是物理学，取得了一系列具有划时代意义的新成果，先后创立了电子论，发现了 X 射线、波克勒尔射线和放射性元素镭，这些新发现使得人类认识由宏观世界进入到微观世界，打破了传统物理学关于物质结构和特性的旧观念，缩小了经典物理学某些定律的适用范围，动摇了形而上学唯物主义的机械自然观，为辩证唯物主义自然观提供了新的科学论据。然而，马赫主义者却歪曲这些自然科学新发现的哲学意义，利用它们宣扬唯心主义和不可知论，攻击唯物主义的认识论。他们宣扬"物质在消失"，否认客观世界的实在性；他们夸大认识的相对性，把科学规律说成是人

---

① 《列宁全集》第 19 卷，人民出版社 2017 年版，第 247 页。

们为了"方便"和"思维经济"而"任意"制定的，从而否定科学规律的客观性，否认认识客观世界及其规律的可能性。面对自然科学中的这些伟大发现和唯心主义对这些发现的歪曲，需要马克思主义者作出新的哲学概括，澄清马赫主义者制造的思想混乱，捍卫和发展辩证唯物主义的科学世界观和方法论。

二、科学阐释辩证唯物主义认识论的世界观基础

恩格斯阐释了思维和存在的关系，指出"思维永远不能从自身中，而只能从外部世界中汲取和引出这些形式"。"原则不是研究的出发点，而是它的最终结果；这些原则不是被应用于自然界和人类历史，而是从它们中抽象出来的；不是自然界和人类去适应原则，而是原则只有在符合自然界和历史的情况下才是正确的。"① 列宁首先引用恩格斯关于哲学两条基本路线的思想，即是从物到感觉和思想呢？还是从思想和感觉到物呢？唯物主义者坚持第一条路线，而马赫主义者坚持第二条路线。关于物质，无论像马赫所说的"感觉的复合"，还是像贝克莱（1685—1753）所说的"感觉的组合"，结论都是"整个世界只不过是我的表象而已"。在对马赫、阿芬那留斯、彼得楚尔特（1862—1929）、巴扎罗夫、波格丹诺夫、别尔曼（1868—1933）、尤什凯维奇、苏沃洛夫（1730—1800）等进行综合分析后，列宁认为他们的共同点首先在于坚持唯心主义而反对唯物主义，他们无一例外地陷入了唯我论。事实上，马赫自称唯我论者，正如他在《认识和谬误》中所讲的："唯我论的观点好像使世界不再成为独立的东西了，因为它抹去了世界与我之间的对立。"② 他的论据在于："谁要是认为概念是一个虚无缥缈的思想产物，与实际的东西根本不符合，那么他就应该考虑到，显然，抽象的事物根本不是独立的生理'事物'。……概念的特征最后所依据的是生理的和心理的事实"。③ 马赫在《感觉的分析》、《认识和谬误》中对感觉的来源作了分析，认为感觉确是有机世界的最高形式（人）才具有的，

① 《马克思恩格斯选集》第 3 卷，人民出版社 2012 年版，第 410 页。

② ［奥］恩斯特·马赫：《认识和谬误》，洪佩郁译，北京联合出版公司 2014 年版，第 7 页。

③ ［奥］恩斯特·马赫：《认识和谬误》，洪佩郁译，北京联合出版公司 2014 年版，第 108 页。

并由此把感觉上升为意识、精神。列宁立刻指责了这种认识论的谬误，指出把外部世界、物体确定为"感觉的复合"会造成如下的逻辑悖论："我（我也无非是感觉的复合）依靠感觉的复合去感觉感觉的复合"①。

列宁揭露了马赫的"要素"说的实质。列宁认为，所谓"要素"，只是马赫掩盖其唯心主义认识论基础的伎俩，并不是一种"新东西"和"新发现"。他引用了马赫《认识和谬误》一书中的一段话："用感觉即心理要素构成任何物理要素，是没有任何困难的，但不能设想，任何心理体验怎么可以由现代物理学所使用的要素即质量和运动（处在仅仅对这门特殊科学有用的那种僵化状态……的要素）构成。"②马赫还在此处特别强调："凡不能成为某种意识内容的东西，就不是经验或科学的对象"③。对此，列宁至少做出了两点说明：一是"尽管马赫使用了混乱的、似乎是新的术语，但他的唯心主义表现得非常明显"。在马赫看来，"用感觉即心理要素构成任何物理要素，是没有任何困难的"④，马赫以他的"内在论"哲学自然迎合了苏俄最新的"内在论"哲学；二是马赫的错误不仅在于"从感觉中引出物质的运动"，违反了从物质的运动中引出感觉的唯物主义论点，而且在于根本否认"感觉是运动着的物质的一种特性"的论点。

列宁批判了阿芬那留斯和波格丹诺夫的经验批判主义哲学的唯心主义前提。阿芬那留斯在其著作《哲学——按照费力最小的原则对世界的思维》中犯了经验批判主义者同样的毛病，几乎说出了与马赫如出一辙的话："只有感觉才能被设想为存在的东西"，"我们应当把存在的东西设想为感觉，在它的基础中没有感觉以外的任何东西"。在谈到唯物主义的运动观时，阿芬那留斯则认为："运动引起感觉这个论点，仅仅是以一种假象的经验为根据的"，而"为了使设想的经验成为各部分都是真实的经验，至少必须用经验的证据来证明：那种似乎由传来的运动在某一实体中所引起的感觉，不是早就以某种形式存在于这个实体中的"，"实体在具有感觉之前的那种根本没有感觉的状态，只不过是一种假说而已"。因此，感觉才是实体存在的最真实、唯一的前提。波格丹诺夫也在《经验一元论》中表达了同样的论点。列宁坚定地驳斥了阿芬那留斯和

---

① 《列宁选集》第2卷，人民出版社2012年版，第40页。

② 转引自《列宁选集》第2卷，人民出版社2012年版，第42页。

③ ［奥］恩斯特·马赫：《认识与谬误》，洪佩郁译，北京联合出版公司2014年版，第10页。

④ 转引自《列宁选集》第2卷，人民出版社2012年版，第42页。

波格丹诺夫的观点，指出了他们的唯心主义的诡辩术："它把感觉不是看做意识和外部世界的联系，而是看做隔离意识和外部世界的屏障、墙壁；不是看做同感觉相符合的外部现象的映象，而是看做'唯一存在的东西'"①，并指出他们同贝克莱主义一脉相承，他们只是把这种早已被贝克莱主教用滥了的旧诡辩的形式略微改变了一下。

（一）经验批判主义的实质是唯心主义先验论

列宁鲜明地指出，经验批判主义连同它的最新实证论是不折不扣的主观唯心主义。它的表现是，无论是马赫主义者，还是俄国的经验批判主义者，都是坚持精神、理性、意识第一性的哲学路线。它们坚持"经验符号论"和所谓"思维经济原则"，崇尚"逻各斯"和"抽象的理性"，否认"存在于一切'认知'和一切人以前和以外的自然界的客观必然性"②。经验批判主义者还否认客观世界的规律性。在他们看来，规律不属于经验的范围，不是在经验中获得，"而是思维创造出来用以组织经验、和谐地把经验协调成严整的统一体的一种手段"③。

列宁特别分析了"思维经济原则"的唯心主义性质，指出它直接从认识论导致主观唯心主义。经验批判主义之所以发明"思维经济原则"，直接目的在于宣布因果性和"实体"统统被废弃了，除去"感觉"以外其他都是虚无，甚至"没有头脑的思想"连同产生思想的"实体"——"头脑"的物质性和客观存在也一并去除。"思维经济原则"的间接目的和最高目标是要抽掉认识论的唯物主义基础，从"纯粹经验"中抽离掉"感性的"物质成分，从而将"纯粹经验"与"纯粹理性"彻底分离。列宁指出，经验批判主义的认识论决不是对马克思的"纯粹经验"概念的重复，相反它违反并彻底背离了马克思在《德意志意识形态》中所强调的"纯粹经验的方法"。

列宁揭露马赫哲学的"思维经济原则"实质上是先验论。在唯心主义哲学路线上，康德主义者和唯灵论者与他们是志同道合的。"思维经济原则"有很大的迷惑性，在剥去其自然科学外衣与剔除其光怪陆离的假话之后，就可以发

---

① 《列宁选集》第2卷，人民出版社2012年版，第47页。

② 《列宁选集》第2卷，人民出版社2012年版，第130页。

③ 转引自《列宁选集》第2卷，人民出版社2012年版，第130页。

现康德主义的先验本质。尽管在康德（1724—1804）那里是先验在先、经验在后，在马赫那里是经验在先、先验在后，但终究无法改变马赫哲学的先验本质。列宁还以"世界的统一性"问题进一步揭露了经验批判主义的先验本质，引用并发挥了恩格斯阐释的在这个问题上的两条路线的分歧与对立："……或者从思维中推论出世界的统一性——那样它就毫无力量反对唯灵论和信仰主义……或者从存在于我们之外的、在认识论上早就叫做物质的并为自然科学研究的客观实在中推论出世界的统一性。"[①] 前者是唯心主义，后者是唯物主义。

（二）表现在时空观上的唯物主义与唯心主义的对立

列宁批判经验批判主义在时间、空间问题上的唯心主义，坚持时间和空间的客观实在性，坚持辩证唯物主义的时空观。

列宁在"空间和时间"这一节一开始就阐明了辩证唯物主义哲学在空间和时间问题上坚持的立场和观点。这个立场、观点同一切旧唯物主义比较并无特别之处，列宁以费尔巴哈的时空观说明了这个事实，指出"唯物主义既然承认客观实在即运动着的物质不依赖于我们的意识而存在，也就必然要承认时间和空间的客观实在性"[②]。

马赫主义者回避和否认空间和时间的客观实在性的惯用手法，就是用时空观的可变性掩盖和否定时空的客观实在性，列宁表明："人类的时空观念是相对的，但绝对真理是由这些相对的观念构成的；这些相对的观念在发展中走向绝对真理，接近绝对真理。正如关于物质的构造和运动形式的科学知识的可变性并没有推翻外部世界的客观实在性一样，人类的时空观念的可变性也没有推翻空间和时间的客观实在性。"[③] 列宁还指出，马赫主义者的这种手法其实是可以从杜林（1833—1921）的时空观那里找到先例的。"恩格斯在揭露不彻底的糊涂的唯物主义者杜林时，抓住他的地方正是：他只谈时间概念的变化（这对于各种极不相同的哲学派别中多少有些名气的现代哲学家来说是无可争辩的问题），躲躲闪闪地不明确回答下面的问题：空间或时间是实在的还是观念的？我们的

① 《列宁选集》第 2 卷，人民出版社 2012 年版，第 135 页。

② 《列宁选集》第 2 卷，人民出版社 2012 年版，第 137 页。

③ 《列宁选集》第 2 卷，人民出版社 2012 年版，第 137 页。

相对的时空观念是不是接近存在的客观实在形式？或者它们只是发展着的、组织起来的、协调起来的和如此等等的人类思想的产物？这就是而且唯有这才是真正划分根本哲学派别的认识论基本问题"。①"恩格斯提出了大家公认的、一切唯物主义者都十分明了的关于时间的现实性即客观实在性的原理来反对杜林。他说，光凭谈论时空概念的变化是回避不了直接承认或否认这个原理的。这并不是说，恩格斯否认对我们的时空概念的变化和发展进行研究的必要性和科学意义，而是说，我们要彻底解决认识论问题，即关于整个人类知识的泉源和意义的问题。"②列宁首先把空间和时间的客观实在性问题看作是世界观问题，也就是坚持时空观问题即世界观问题的主张，即与哲学基本问题相联系的问题，而且把它看作一个认识论问题，一个关系到人的认识的来源的问题，一个认识论的基本问题。

在考察了杜林的时空观和恩格斯对它的批判后，列宁转到对"最新实证论者"马赫的时空观的考察、批判。列宁首先揭露了马赫不仅像杜林一样坚持"很明显的唯心主义谬论"，而且也像杜林一样企图用时空观念的可变性淹没时空的客观实在性，揭露他"根据相对主义的原则建立时间和空间的认识论"的理论目的，指出"这样的构造"，其结果只能是主观唯心主义。但是，马赫似乎没有勇气从自己的前提中得出唯心主义的结论，于是便企图通过借助于反驳康德，来"抵制"这个结论，"坚持说空间概念起源于经验"。列宁指出："但是，如果我们没有在经验中感知客观实在（像马赫告诫我们的那样），那么这样反驳康德就一点也没有抛弃康德和马赫的共同的不可知论立场。如果空间概念是我们从经验中获得的，但不是我们以外的客观实在的反映，那么马赫的理论仍旧是唯心主义的。"③

列宁还揭示马赫无论在自然科学方面寻找什么样的论据都不能掩盖他在时空问题上的哲学上的唯心主义，因为真正的自然科学的结论总是和自然科学一致的。而对于马赫关于时间和空间问题的学说的唯心主义性质，"无论是马赫主义者自己，或者是自然科学家营垒中反对他们的人，或者是哲学专家营垒中拥护他们的人"，都丝毫没有怀疑。列宁说："'看不出'这一点的只有几个想

---

① 《列宁选集》第 2 卷，人民出版社 2012 年版，第 137—138 页。
② 《列宁选集》第 2 卷，人民出版社 2012 年版，第 138 页。
③ 《列宁选集》第 2 卷，人民出版社 2012 年版，第 140 页。

当马克思主义者的俄国著作家。"① 在这里，这些"想当马克思主义者的俄国著作家"列宁只提到巴扎罗夫和波格丹诺夫两人。

巴扎罗夫把恩格斯的空间和时间的观念看作他的许多"个别观点"中的一种，不仅认为它像恩格斯的一切其他观点一样，"现在已经陈旧了"，而且把马克思和恩格斯的唯物主义世界观的"出发点"同这种所谓"个别观点"对立起来。列宁批判道，他这样做，"就像把马克思的经济学说的'出发点'同他关于剩余价值的'个别观点'对立起来一样，是荒谬绝伦的"。"把恩格斯关于时间和空间的客观实在性的学说同他关于'自在之物'转化为'为我之物'的学说分开来，同他对客观真理和绝对真理的承认（就是承认我们通过感觉感知的客观实在）分开来，同他对自然界的客观规律性、因果性、必然性的承认分开来，这就等于把完整的哲学变为杂烩。"② 关于波格丹诺夫的时空观，列宁指出，当他重复赫林（1834—1918）和马赫关于生理学空间和几何学空间的差别或者感性知觉的空间和抽象空间的差别的论述时，他完全是在重复杜林的错误。波格丹诺夫同杜林一样，用关于空间的感觉如何发生，又如何由这种感觉而上升为知觉，再由知觉而上升到抽象概念的实证科学的问题，掩盖或回避"不依赖于人类的客观实在同人类的这些知觉和这些概念是否符合"这样一个哲学问题。列宁指出，"波格丹诺夫由于对前一个问题进行了一大堆详细的研究而'看不出'这后一个问题，所以他不能明确地用恩格斯的唯物主义来反对马赫的糊涂观念"。③ 列宁还批驳了波格丹诺夫把时间和空间解释为"各种人的经验的社会一致的形式"，用它们的"普遍意义"替代它们的"客观性"问题的唯心主义观点。列宁说，这种说法完全是骗人的话。宗教也是具有普遍意义的，因为它表现出人类大多数的经验的社会一致。但是，任何客观实在都和宗教的教义（例如，关于地球的过去和世界的创造的教义）不相符合的，而和科学学说相符合。"在波格丹诺夫看来，空间和时间的各种形式适应人们的经验和人们的认识能力。事实上，恰恰相反，我们的'经验'和我们的认识日益正确而深刻地反映着客观的空间和时间，并日益适应它们。"④

---

① 《列宁选集》第 2 卷，人民出版社 2012 年版，第 147 页。
② 《列宁选集》第 2 卷，人民出版社 2012 年版，第 147 页。
③ 《列宁选集》第 2 卷，人民出版社 2012 年版，第 149 页。
④ 《列宁选集》第 2 卷，人民出版社 2012 年版，第 149—150 页。

三、马克思主义认识论是能动的革命的反映论

在《唯物主义和经验批判主义》中，列宁对唯物主义认识论的基本原则做过多次阐述，譬如，在批判休谟主义者（不可知论者）舒尔采（1808—1883）的唯心主义认识论时，阐述了"独断主义"即唯物主义认识论的基本主张："我们通过感觉感知的是客观实在，或者换句话说，我们的表象是由客观的（不依赖于我们意识的）对象作用于我们的感官而产生的。"①列宁认为，从某种程度上讲，康德主义关于自在之物的观点与不可知论是一个悖论，虽然较之辩证唯物主义，它偏向了唯心主义，然而较之于主观唯心主义，它又离一般唯物主义近了些。马赫主义者就是利用了这一点，而提出要"清洗掉"经验主义认识论中的康德主义，这无疑是彻底地倒向主观唯心主义。为此，列宁给自己提出的任务之一，就是深刻分析康德主义的"自在之物"和经验观，阐明辩证唯物主义认识论的能动的革命的反映论的性质。

（一）马克思主义认识论的唯物主义基础

在《唯物主义和经验批判主义》一书中，列宁通过对"自在之物"的不同认识，揭示了经验批判主义的认识论与辩证唯物主义的认识论之间的对立，并在马克思主义认识论的"三个重要结论"的基础上，阐释了马克思主义认识论的唯物主义基础。

"自在之物"（das Ding an sich，thing-in-itself，又译为"物自体"）是康德首先提出的概念，指"在自身中的一类物体"，有本体之意，一般指世界、自我、上帝。康德承认在人之外客观物质世界的存在，但又认为人们不能够达到对它的认识，从而在"现象"与显现者、感觉与被感觉者、"为我之物"与"自在之物"之间划了一条绝对的不可跨越的界限。马克思主义哲学不接受康德的"自在之物"不可认识的观点，但是肯定他的自然界是一种客观存在的观点。正是在这一意义上，马克思主义者有时也借用"自在之物"这个词，特指独立于人之外的自然界、客观世界。

列宁谈到，"自在之物"引起马赫主义者的极大兴趣，特别是波格丹诺夫、

---

① 《列宁选集》第 2 卷，人民出版社 2012 年版，第 159 页。

瓦连廷诺夫、巴扎罗夫、切尔诺夫等俄国马赫主义者，视"自在之物"为怪物，对它用尽了污言秽语，使尽了冷嘲热讽。但是，在"为了这个倒霉的'自在之物'，他们究竟同谁战斗"这个问题上，俄国马赫主义者却"按政党"而发生分化，一切想当马克思主义者的马赫主义者都攻击普列汉诺夫的"自在之物"，谴责他糊涂和陷入康德主义，谴责他背弃恩格斯；民粹派分子、马克思主义的死敌、马赫主义者维·切尔诺夫，为了"自在之物"则直接攻击恩格斯。这种分化并不表明在"自在之物"问题上两派哲学家在根本观点上的不同，只是因为想当马克思主义者的马赫主义者的那"不干净的心地（也许再加上对唯物主义的无知?)"使其"圆滑地撇开恩格斯"，而"专门围着普列汉诺夫兜圈子"。列宁指出，正是出于在"自在之物"问题上"指出马赫主义的反动性以及马克思和恩格斯的唯物主义的正确性"这个"简略评述的任务"，他才把那些想当马克思主义者的马赫主义者同普列汉诺夫的吵闹搁置一旁，而直接谈论经验批判主义者维·切尔诺夫先生所驳斥的恩格斯 [①]。

切尔诺夫在一篇载于他的《哲学和社会学论文集》（1907 年莫斯科版）的题为《马克思主义和先验哲学》的文章中，一开始就企图把马克思和恩格斯对立起来，谴责恩格斯的学说是"素朴的独断的唯物主义"，是"最粗陋的唯物的独断主义"。切尔诺夫把恩格斯反对康德的自在之物和休谟的哲学路线的议论，看作他对恩格斯的学说的这一看法的"充分的"例证。所以，列宁决定，对切尔诺夫的反驳就"从这个议论谈起"。这个"议论"特别涉及恩格斯在《路德维希·费尔巴哈和德国古典哲学的终结》一书中关于哲学基本问题的第二个方面的思想。哲学基本问题的这个方面涉及的内容是："我们关于我们周围世界的思想对这个世界本身的关系是怎样的？我们的思维能不能认识现实世界？我们能不能在我们关于现实世界的表象和概念中正确地反映现实？"恩格斯指出"绝大多数哲学家对这个问题都作了肯定的回答" [②]。在列宁看来，恩格斯所指的这些哲学家不只是所有的唯物主义者，而且包括彻底的唯心主义者，正如恩格斯所举的绝对的唯心主义者黑格尔的例子。关于对哲学基本问题的这个方面的问题的回答，恩格斯还提到另外一部分哲学家，他们"否认认识世界的可能性，或者至少是否认彻底认识世界的可能性。在近代哲学家中，休谟和康德

---

① 《列宁选集》第 2 卷，人民出版社 2012 年版，第 73 页。
② 《马克思恩格斯选集》第 4 卷，人民出版社 2012 年版，第 231 页。

就属于这一类，而他们在哲学的发展上是起过很重要的作用的"①。维·切尔诺夫在他的文章中引述了恩格斯的这段话之后，就对恩格斯拼命地加以攻击。他反对恩格斯把康德，特别是休谟（1711—1776）这样的哲学家称作"近代"哲学家，并讽刺恩格斯在谈到这个时候的哲学家时却连柯亨、朗格、黎尔、拉斯、李普曼、戈林等人的名字都没有提到，并由此判定"恩格斯在'近代'哲学方面不怎么行"②。列宁指出，所有这些被切尔诺夫提到的"权威"，其实就是恩格斯在《路德维希·费尔巴哈和德国哲学的终结》一书的同一页上讲到的那些新康德主义者，"恩格斯把他们看做是企图使早已被驳倒的康德和休谟学说的僵尸重新复活的理论上的反动分子"③。切尔诺夫不懂得，恩格斯在自己的议论中所要驳斥的正是这些（在马赫主义看来是）权威的糊涂教授们！列宁接着引述了恩格斯的那一大段著名论述："对这些以及其他一切哲学上的怪论的最令人信服的驳斥是实践，即实验和工业。"④在这一大段论述中，恩格斯还用从煤焦油中提炼出茜素这一例子说明"自在之物"可以变成"为我之物"。但是，切尔诺夫却从这段论述中得出这样一个结论："显然，恩格斯知道了康德认为'自在之物'是不可认识的，于是他就把这个定理改成逆定理，断言一切未被认识的东西都是自在之物……。"列宁明确指出，这是对他所引证的恩格斯的那段话的歪曲，并且他搞乱了恩格斯的两个唯物主义观点：第一，说恩格斯"提炼出对自在之物的驳斥"，这是不对的。恩格斯曾经直截了当地明确说过：他驳斥康德的不可捉摸的（或不可认识的）自在之物。"切尔诺夫先生把恩格斯关于物不依赖于我们的意识而存在的唯物主义观点搞乱了。"第二，如果康德的定理说自在之物是不可认识的，那么"逆"定理应当说不可认识的东西是自在之物。"切尔诺夫先生却用未被认识的代替了不可认识的，他不理解由于这样一代替，他又把恩格斯的唯物主义观点搞乱和歪曲了！"列宁指出，切尔诺夫这是在根本不了解自己所引用的例子的情况下便大叫大嚷地反对恩格斯。在此，列宁向这位马赫主义的代表指出了"问题究竟在什么地方"⑤。

---

① 《马克思恩格斯选集》第 4 卷，人民出版社 2012 年版，第 232 页。
② 《列宁选集》第 2 卷，人民出版社 2012 年版，第 74 页。
③ 转引自《列宁选集》第 2 卷，人民出版社 2012 年版，第 75 页。
④ 《马克思恩格斯选集》第 4 卷，人民出版社 2012 年版，第 232 页。
⑤ 《列宁选集》第 2 卷，人民出版社 2012 年版，第 76 页。

列宁指出，恩格斯直截了当地明确地说，他既反对休谟，又反对康德。虽然休谟根本不谈什么"不可认识的自在之物"。但是，这两个哲学家却有着一个共同点，即他们都把"现象"和显现者、感觉和被感觉者、为我之物和"自在之物"根本分开。由此决定了恩格斯对休谟和康德的观点进行反驳的实质。用恩格斯使用过的从煤焦油里提炼茜素的例子来说，问题的实质就是：昨天我们不知道煤焦油里有茜素，今天我们知道了。"试问，昨天煤焦油里有没有茜素呢？"列宁回答说："当然有。对这点表示任何怀疑，就是嘲弄现代自然科学。"列宁把这个道理提高到哲学的高度，从中得出马克思主义哲学的"三个重要的认识论的结论"：（1）物是不依赖于我们的意识，不依赖于我们的感觉而在我们之外存在着的。因为，茜素昨天就存在于煤焦油中，这是无可怀疑的；同样，我们昨天关于这个存在还一无所知，我们还没有从这茜素方面得到任何感觉，这也是无可怀疑的。（2）在现象和自在之物之间决没有而且也不可能有任何原则的差别。差别仅仅在于已经认识的东西和尚未认识的东西之间。所谓二者之间有着特殊界限，所谓自在之物在现象的"彼岸"（康德），或者说可以而且应该用一种哲学屏障把我们同关于某一部分尚未认识但存在于我们之外的世界的问题隔离开来（休谟），——所有这些哲学的臆说都是废话、怪论（Schrulle）、狡辩、捏造。（3）在认识论上和在科学的其他一切领域一样，我们应该辩证地思考，也就是说，不要以为我们的认识是一成不变的，而要去分析怎样从不知到知，怎样从不完全的不确切的知到比较完全比较确切的知。① 列宁在这里提出的"三个重要的认识论的结论"，是对马克思主义认识论的重要发展。它不仅从根本上把马克思主义认识论与唯心主义认识论区别开来，而且由于把辩证法贯彻到认识论，从而也在认识论上把马克思主义哲学与历史上的一切旧唯物主义区别开来。这"三个重要的认识论的结论"就是马克思主义认识论的三个基本原则，是关于马克思主义认识论的基本内容的科学的和全面的概括。

列宁没有把关于"自在之物"的讨论以及对切尔诺夫对恩格斯的驳斥的反驳限制在认识论范围，而是把它提高到世界观的高度。也就是，当看到和提出问题的认识论意义时，或者说从得出的认识论的结论中，列宁还同时看到问题的世界观意义，得出具有世界观高度的结论。列宁说，只要你们抱着人的认识

---

① 《列宁选集》第2卷，人民出版社2012年版，第77页。

是由不知发展起来的这一观点，你们就会看到：千百万个类似在煤焦油中发现茜素那样简单的例子，千百万次从科学技术史中以及从所有人和每个人的日常生活中得来的观察，都在向人表明"自在之物"转化为"为我之物"；都在表明，当我们的感官受到来自外部的某些对象的刺激时，"现象"就产生，当某种障碍物使得我们所明明知道是存在着的对象不可能对我们的感官发生作用时，"现象"就消失。"由此可以得出唯一的和不可避免的结论：对象、物、物体是在我们之外、不依赖于我们而存在着的，我们的感觉是外部世界的映象。这个结论是由一切人在生动的人类实践中作出来的，唯物主义自觉地把这个结论作为自己认识论的基础。"①

（二）实践的观点是马克思主义认识论的首要的基本的观点

在《唯物主义和经验批判主义》一书中，列宁特别阐述了认识论中的实践标准的观点。他指出，"马克思在 1845 年，恩格斯在 1888 年和 1892 年，都把实践标准作为唯物主义认识论的基础"②。这指的是马克思在《关于费尔巴哈的提纲》中，恩格斯在《路德维希·费尔巴哈和德国古典哲学的终结》和《〈社会主义从空想到科学的发展〉英文版导言》中的观点。实践标准之所以应该成为唯物主义认识论的基础，是因为实践是区分辩证唯物主义认识论与唯心主义认识论的根本标准，也是区分辩证唯物主义认识论与不可知论的根本标准。

在列宁看来，实践的地位和功能在哲学史上，尤其是在近代哲学史上，被弱化了。这种弱化主要表现为只承认理论上的实践研究，即仅将实践停留在哲学讨论的层面，而不是将日常生活、社会生产纳入到人类思维的历史中。为了给不可知论和唯心主义扫清地盘，他们竭力想把实践作为一种在认识论上不值得研究的东西加以排除，列宁列举舒尔采（1761—1833）的实例来说明这个问题。舒尔采公开拥护哲学上的怀疑论路线，自称为休谟的追随者。他坚决否认任何自在之物和客观认识的可能性，坚决要求唯物主义者不要超出"经验"、感觉之外。不仅舒尔采，主观唯心主义者费希特（1762—1814）和经验论者马赫也一样，他们都认为费尔巴哈、马克思和恩格斯一样，在认识论的基本问题上作了不能容许的"跳跃"。在这里，列宁以费尔巴哈对唯心主义的批判来表

① 《列宁选集》第 2 卷，人民出版社 2012 年版，第 78 页。

② 《列宁选集》第 2 卷，人民出版社 2012 年版，第 98 页。

明唯物主义在认识的基础问题上的观点。列宁指出："在批判唯心主义的时候，费尔巴哈引证了费希特的一段典型的话来说明唯心主义的实质，这段话绝妙地击中了整个马赫主义的要害。"① 费希特写到："你所以认为物是现实的，是存在于你之外的，只是因为你看到它们、听到它们、触到它们。但是视、触、听都只是感觉……你感觉的不是对象，而只是你自己的感觉。"费尔巴哈反驳说：人不是抽象的自我，它不是男人，就是女人，可以把世界是否是感觉的问题同别人是我的感觉还是像我们在实践中的关系所证明的那样不是我的感觉这一问题同等看待。"唯心主义的根本错误就在于：它只是从理论的角度提出并解决世界的客观性或主观性、现实性或非现实性的问题。"列宁十分赞同费尔巴哈的这一观点，认为"费尔巴哈把人类实践的总和当做认识论的基础"，并对此做了深入发挥，从而得出一个认识论的重要结论："生活、实践的观点，应该是认识论的首要的基本的观点。"②

列宁还谈到唯物主义在实践标准上的辩证态度，指出实践的观点必然会导致唯物主义，而把教授的经院哲学的无数臆说一脚踢开。"当然，在这里不要忘记：实践标准实质上决不能完全地证实或驳倒人类的任何表象。这个标准也是这样的'不确定'，以便不让人的知识变成'绝对'，同时它又是这样的'确定'，以便同唯心主义和不可知论的一切变种进行无情的斗争。"③

（三）揭示对于"经验"概念理解的哲学上的两条基本路线

列宁在问题的一开始就说明哲学史上的这样一个现象：什么是物质？什么是经验？唯心主义者，不可知论者，其中也包括马赫主义者，经常拿第一个问题追问唯物主义者，而唯物主义者经常拿第二个问题追问马赫主义者。经验批判主义创始人之一阿芬那留斯通过对立项和中心项分不开、环境和自我分不开、非我和自我分不开的所谓"理论"，否认物质的客观性。列宁称之为"改头换面的主观唯心主义"。马赫则直截了当地把物质解释为"要素"即感觉，"用'要素'这个字眼掩盖了真面目的老朽不堪的主观唯心主义"。"疯狂地攻击唯物主义的英国马赫主义者"毕尔生（1857—1936）则没有使用"要素"这

---

① 《列宁选集》第2卷，人民出版社2012年版，第102页。

② 《列宁选集》第2卷，人民出版社2012年版，第102、103页。

③ 《列宁选集》第2卷，人民出版社2012年版，第103页。

块遮羞布，而是把物质直接解释为"感性知觉群"，自认为这样就同"物质是运动着的东西"的定义区分开来，"直接向不可知论者伸出了手"。列宁揭露说："经验批判主义的创始人的这一切论述，完全是在思维对存在、感觉对物理东西的关系这个认识论的老问题上兜圈子"。"所有我们提到的哲学家都是用唯心主义的基本哲学路线代替唯物主义的基本哲学路线"[①]。"他们否认物质，也就是否认我们感觉的外部的、客观的泉源，否认和我们感觉相符合的客观实在"[②]。

俄国马赫主义者波格丹诺夫攻击唯物主义者关于物质和意识的定义"原来是简单地重复"下面的"公式"：对哲学上的一个派别说来，物质是第一性的，精神是第二性的；对另一个派别说来，则恰恰相反。针对被所有的俄国马赫主义者都喜出望外地重复的波格丹诺夫的那个唯物主义关于物质和意识的定义是"简单重复"的说辞，列宁驳斥说："……这些人稍微想一想就会明白，对于认识论的这两个根本概念，除了指出它们之中哪一个是第一性的，不可能，实质上不可能再下别的定义。""现在试问，在认识论所能使用的概念中，有没有比存在和思维、物质和感觉、物理的东西和心理的东西这些概念更广泛的概念呢？没有。"[③] 列宁指出，就拿上面所引的"三种关于物质的论断"来说，这三种论断归结起来就是：这些哲学家是从心理的东西或自我到物理的东西或环境，也就是从中心项到对立项，或者从感觉到物质，或者从感性知觉到物质。实际上，阿芬那留斯、马赫和毕尔生除了表明他们的哲学路线的倾向以外，能不能给这些基本概念下什么别的"定义"呢？"只要清楚地提出问题就可以了解，当马赫主义者要求唯物主义者给物质下的定义不再重复物质、自然界、存在、物理的东西是第一性的，而精神、意识、感觉、心理的东西是第二性的时候，他们是在说些多么荒唐绝顶的话。"[④] 在这里，列宁针对经验批判主义创始人和俄国的马赫主义者在关于物质和意识的理解上，在关于如何给这两个最高哲学范畴下定义的问题上的主观唯心主义倾向，阐述了在这个问题上的唯物主义立场。为防止人们把这种立场引向极端，陷入形而上学，列宁特别阐明马克思主义哲学在这个问题上的全面的辩证的观点，指出："当然，就是物质和意

---

① 《列宁选集》第 2 卷，人民出版社 2012 年版，第 106 页。
② 《列宁选集》第 2 卷，人民出版社 2012 年版，第 106—107 页。
③ 《列宁选集》第 2 卷，人民出版社 2012 年版，第 107 页。
④ 《列宁选集》第 2 卷，人民出版社 2012 年版，第 108 页。

识的对立，也只是在非常有限的范围内才有绝对的意义，在这里，仅仅在承认什么是第一性的和什么是第二性的这个认识论的基本问题的范围内才有绝对的意义。超出这个范围，这种对立无疑是相对的"①。马克思主义哲学发展史的经验表明，列宁的这个说明对于正确理解马克思主义哲学的性质和坚持其基本的唯物主义立场，具有重要的意义。

列宁接着考查了经验批判主义哲学对"经验"一词的解释和使用，揭露经验批判主义者用"经验"掩盖哲学上的唯物主义路线和唯心主义路线的意图和实质。列宁首先用阿芬那留斯对于"经验"概念的理解来说明这一点。阿芬那留斯在《纯粹经验批判》一书的第一节谈到他的一个"假设"，就是"我们环境的任何构成部分都和个人处在这样一种关系中：如果前者呈现，那么后者就申述自己的经验，说某某东西是我从经验中知道的，某某东西是经验；或说某某东西是从经验产生的，是依赖于经验的。"这样，经验还是由自我和环境这两个概念来确定的，可是关于二者有"不可分割的"联系的"学说"暂时收藏起来了。如果说在这里阿芬那留斯关于经验的性质说得还不够清楚，那么他关于"纯粹经验"的分析就不是这样了。他说："纯粹经验的综合概念"，"就是作为这样一种申述的经验的综合概念，在这种申述的所有构成部分中，只有我们环境的构成部分才是这种申述的前提"。列宁指出："如果认为环境是不依赖于人的'申述'或'言表'而存在着的，那么就有可能唯物地解释经验了！"阿芬那留斯把环境看作"申述"的前提，实际上关于经验的认识是有了唯物主义的性质了。但是，他在《纯粹经验批判》第 2 卷中关于"经验"的看法则明显带有了唯心主义的性质。在这里，他把"经验"看作是心理东西的一种"特殊状态"；他把经验分为物的价值和思想价值；"广义的经验"包含思想的价值；"完全经验"被视为和原则同格是同一的。一句话，"想怎么说，就怎么说"。列宁指出，阿芬那留斯关于"经验"的性质的认识的这种摇摆，不是说他关于"经验"的认识中本来包含唯物主义的成分，而是故意用这种摇摆来"掩盖哲学上的唯物主义和唯心主义路线，使二者的混同神圣化"。所以，所谓"纯粹经验"是不存在的，只有"我们的马赫主义者"才轻信地把它当做真的，"可是在哲学著作中，各种派别的代表都一致指出阿芬那留斯滥用这个概念"②。

① 《列宁选集》第 2 卷，人民出版社 2012 年版，第 108—109 页。
② 《列宁选集》第 2 卷，人民出版社 2012 年版，第 109 页。

波格丹诺夫对"经验"概念的理解和使用几乎是复制阿芬那留斯，在唯物主义和唯心主义之间表现出同样的摇摆。列宁指出，当他说"意识和直接心理经验是同一概念"，物质"不是经验"，而是"引出一切已知物的未知物"，"这时候他是在唯心地解释经验"。当他驳斥反动的哲学家们，说那些想超出经验界限的尝试事实上"只会导致空洞的抽象和矛盾的映像，而这些抽象和映像的一切要素毕竟是从经验中取得的"，"这时候他把在人之外、不依赖于人的意识而存在的东西同人的意识的空洞抽象对立起来，就是说，他是在唯物地解释经验"①。在这里，列宁又用马赫"常常不由自主地对'经验'一词作唯物主义的解释"的实例说明经验批判主义者、马赫主义者的这种共同表现特征，并揭露这一表现的实质。列宁总结道："马赫主义者用来建立自己体系的'经验'一词，老早就在掩盖各种唯心主义体系了，现在它又被阿芬那留斯之流用来为由唯心主义立场转到唯物主义立场或由唯物主义立场转到唯心主义立场的折中主义效劳了。这个概念的各种不同的'定义'，只是表现着被恩格斯十分鲜明地揭示出的哲学上的两条基本路线。"②

四、系统阐述马克思主义哲学的真理观

列宁在对经验批判主义真理观的批判中，阐述了马克思主义哲学的真理观。列宁针对马赫主义的真理观，着重谈了真理问题的两个方面：一是有没有客观真理的问题，二是绝对真理和相对真理的关系问题。这是真理问题上的两个基本方面。

（一）是否承认客观真理的问题是哲学上的"两种倾向的问题"

波格丹诺夫在他的《经验一元论》中宣称："马克思主义包括对任何真理的绝对客观性的否定，对任何永恒真理的否定。"他说，"永恒真理"就是"具有绝对意义的客观真理"，他只同意承认"仅仅在某一时代范围的客观真理"。列宁指出，在这里他显然是把下面两个问题搞混了：（1）有没有客观真理？就

---

① 《列宁选集》第 2 卷，人民出版社 2012 年版，第 111 页。
② 《列宁选集》第 2 卷，人民出版社 2012 年版，第 112 页。

是说，在人的表象中能否有不依赖于主体、不依赖于人、不依赖于人类的内容？（2）如果有客观真理，那么表现客观真理的人的表象能否立即地、完全地、无条件地、绝对地表现它，或者只能近似地、相对地表现它？这第二个问题是关于绝对真理和相对真理的相互关系问题。波格丹诺夫明确地、直截了当地回答了第二个问题，他根本否认绝对真理。对于第一个问题，他虽然没有直接说到，但实际也是做了否定的回答。"因为，否定人的某些表象中的相对性因素，可以不否定客观真理；但是否定绝对真理，就不可能不否定客观真理的存在。"①

波格丹诺夫在《经验一元论》中还写道："别尔托夫②所理解的客观真理的标准是没有的；真理是思想形式——人类经验的组织形式。"列宁指出，这里和"别尔托夫的理解"毫无关系，因为这里谈的是哲学的基本问题中的一个问题，而根本不涉及别尔托夫。这和真理的标准也毫无关系，不应该把这个问题和有没有客观真理的问题混为一谈。波格丹诺夫不仅对第一个问题做了否定的回答，而且对后一个问题的否定的回答也是明显的。列宁说，如果真理只是思想形式，那就是说，不会有不依赖于主体、不依赖于人类的真理了，因为除了人类的思想以外，我们和波格丹诺夫都不知道别的什么思想。列宁进一步指出，从波格丹诺夫的后半句话来看，它的否定的回答就更加明显：如果真理是人类经验的形式，那就是说，不会有不依赖于人类的真理，不会有客观真理了。"波格丹诺夫对客观真理的否定，就是不可知论和主观主义。"③列宁以自然科学真理的例子来说明波格丹诺夫对客观真理的否定的荒谬。这就是关于地球存在于人类之前的论断的客观真理性。自然科学的这个原理同马赫主义者的哲学以及他们的真理学说，是不可调和的："如果真理是人类经验的组织形式，那么地球存在于任何人类经验之外的论断就不可能是真理了。"④但是不仅如此。如果真理只是人类经验的组织形式，那么天主教的教义也可以说是真理了。因为，天主教毫无疑问地是"人类经验的组织形式"。波格丹诺夫也感觉到自己的这套理论的荒谬，他力图摆脱这种窘况，"从他所陷入的泥坑中爬出来"。

---

① 《列宁选集》第 2 卷，人民出版社 2012 年版，第 82 页。

② 指普列汉诺夫。

③ 《列宁选集》第 2 卷，人民出版社 2012 年版，第 82 页。

④ 《列宁选集》第 2 卷，人民出版社 2012 年版，第 83 页。

波格丹诺夫通过用普遍性代替客观性的手法来为自己的理论提供辩护。列宁转述了波格丹诺夫在《经验的一元论》第 1 卷中说的一段话："客观性的基础应该是在集体经验的范围内。我们称之为客观的，是这样一些经验材料，它们对于我们和别人都具有同样的切身意义，不仅我们可以根据它们来毫无矛盾地组织自己的活动，而且我们深信，别人为了不陷于矛盾也应该以它们为根据。物理世界的客观性就在于：它不是对我一个人，而是对所有的人说来都是存在的，并且我深信，它对于所有的人，就像对于我一样，具有同样确定的意义。物理系列的客观性就是它的普遍意义。""我们在自己的经验中所遇见的那些物理物体的客观性，归根到底是确立在不同人的意见的相互验证和一致的基础上的。总之，物理世界是社会地一致起来的、社会地协调起来的经验，一句话，是社会地组织起来的经验。"对于波格丹诺夫在以上这段话中关于物理世界的客观性的错误解释，列宁非常明确地指出："这是根本错误的唯心主义的定义；物理世界是不依赖于人类和人类经验而存在的；在不可能有人类经验的任何'社会性'和任何'组织'的时候，物理世界就已经存在了，等等。"①

波格丹诺夫意识到从"普遍意义"上给客观性下定义，会在对宗教教义的理解上带来麻烦，使自己的理论不能自圆其说，所以他自己就首先谈到"鬼神"的"安置"问题。列宁也正是在这里把它作为波格丹诺夫关于客观性的理解上的问题的"另一方面来揭穿马赫主义哲学"，指出："它给客观性下这样的定义，就会使宗教教义也适合这个定义了，因为宗教教义无疑地也具有'普遍意义'等等。"波格丹诺夫是这样继续为自己的理论做辩解的，他说："我们再一次提醒读者：'客观'经验决不是'社会'经验……社会经验远非都是社会地组织起来的，它总包含着各种各样的矛盾，因而它的某些部分和其他一些部分是不一致的。鬼神可以存在于某个民族或民族中某个集团（例如农民）的社会经验范围之内，但还不能因此就把它们包括在社会地组织起来的或客观的经验之内，因为它们和其余的集体经验不协调，并且不能列入这种经验的组织形式中，例如，因果性的链条中。"②列宁指出，波格丹诺夫在上述辩解中表现出来的"以否定信仰主义的精神来作出的这种善意修正，丝毫没有改正波格丹诺夫的整个立场的根本错误"，用宗教的"普遍意义"来为它

---

① 《列宁选集》第 2 卷，人民出版社 2012 年版，第 83—84 页。
② 转引自《列宁选集》第 2 卷，人民出版社 2012 年版，第 84 页。

给客观性和物理世界所下定义的辩护也是徒劳的。因为宗教教义比科学学说具有更大的"普遍意义"，但是科学与宗教完全是两种不同的东西，"二者之间存在着原则的根本的差别"。"波格丹诺夫在否认客观真理时却把这种差别抹杀了。"① 列宁说，无论波格丹诺夫怎样"修正"，说信仰主义或僧侣主义是和科学不协调的，然而有一个事实毕竟是无可怀疑的，即波格丹诺夫对客观真理的否定是和信仰主义完全"协调"的。"现代信仰主义决不否认科学；它只否认科学的'过分的奢望'，即对客观真理的奢望。如果客观真理存在着（如唯物主义者所认为的那样），如果只有那在人类'经验'中反映外部世界的自然科学才能给我们提供客观真理，那么一切信仰主义就无条件地被否定了。如果没有客观真理，真理（也包括科学真理）只是人类经验的组织形式，那么，这就是承认僧侣主义的基本前提，替僧侣主义大开方便之门，为宗教经验的'组织形式'开拓地盘。"②

列宁在揭露了波格丹诺夫用"普遍意义"解释客观真理或物理世界的客观性的实质和理论后果后，提出这样一个问题："试问：这种对客观真理的否定，是出自不肯承认自己是马赫主义者的波格丹诺夫本人呢，还是出自马赫和阿芬那留斯的学说的基本原理？"列宁回答说："对这个问题的回答只能是后者。"列宁对波格丹诺夫否定客观真理的思想根源的揭露，是为了把这个问题提高到哲学的基本路线的高度，归结起来，是如何回答人的感觉的泉源的问题。列宁说，阿芬那留斯和马赫都承认感觉是我们的知识的泉源，因此他们都抱着经验论或感觉论的观点。"但是，这种观点只会导致唯心主义和唯物主义这两个基本哲学派别之间的差别，而不会排除它们之间的差别"③。他说，无论唯我论者即主观唯心主义者还是唯物主义者，都可以承认感觉是我们知识的泉源。贝克莱和狄德罗（1713—1784）都渊源于洛克（1632—1704）。认识论的第一个前提无疑地就是：感觉是我们知识的唯一泉源。马赫承认了第一个前提，但是搞乱了第二个重要前提：人通过感觉感知的是客观实在，或者说客观实在是人的感觉的泉源。由此列宁得出一个关于认识论的重要结论："从感觉出发，可以沿着主观主义的路线走向唯我论（'物体是感觉的复合或

---

① 《列宁选集》第 2 卷，人民出版社 2012 年版，第 84 页。

② 《列宁选集》第 2 卷，人民出版社 2012 年版，第 85 页。

③ 《列宁选集》第 2 卷，人民出版社 2012 年版，第 85 页。

组合'），也可以沿着客观主义的路线走向唯物主义（感觉是物体、外部世界的映象）。在第一种观点（不可知论，或者更进一步说，主观唯心主义）看来，客观真理是不会有的。在第二种观点（唯物主义）看来，承认客观真理是最要紧的。这个哲学上的老问题，即关于两种倾向的问题，或者说得更确切些，关于从经验论和感觉论的前提中得出两种可能的结论的问题，马赫并没有解决，也没有排除或超越，他只是玩弄'要素'这类名词，把问题搞乱。波格丹诺夫否定客观真理，这是整个马赫主义的必然结果，而不是离开马赫主义。"①

　　列宁接着阐述了唯物主义与不可知论在知识的泉源问题上的根本分歧。列宁指出，一切知识来自经验、感觉、知觉，这是对的。但是，我们的提问和思考不能仅仅停留在这里，还要进一步提出"作为知觉的泉源"是不是客观实在？如果你对此的回答是肯定的，你就是唯物主义者。如果你回答说不是，那你就是不彻底的，你不可避免地会陷入主观主义，陷入不可知论。你的问题在于，或者说你的经验论、经验哲学的不彻底性就在于：你否定经验中的客观内容，否定经验认识中的客观真理。列宁指出，康德和休谟路线的维护者和唯物主义者对对方的问题所在都是清楚的。前者把后者叫做"形而上学者"，是因为我们承认我们在经验中感知的客观实在，承认我们感觉的客观的、不依赖于人的泉源。而我们唯物主义者，继恩格斯之后，把康德主义者和休谟主义者叫做不可知论者，是因为他们否定客观实在是我们感觉的泉源。从作为不可知论一词的希腊文来源来看，不可知论包含两层意思：一是对于作为感觉的对象、内容的客观实在的怀疑，即所谓"我不知道是否有我们的感觉所反映、模写的客观实在"；二是否定认识的这一客观对象的可能性。概括地说，或根本说来，"不可知论者就否定客观真理，并且小市民式地、庸俗地、卑怯地容忍有关鬼神、天主教圣徒以及诸如此类东西的教义"②。主观主义的和不可知论的马赫主义者对唯物主义的观点表示轻视，是因为唯物主义者还在坚持似乎已被"最新科学"和"最新实证论"驳倒了的物质概念。因为物质概念就是在哲学史上被"制定出来"的关于客观实在的哲学概念。列宁指出，马赫主义者这是弄混了新物理学的关于物质的某种构造的理论与哲学认识论

①　《列宁选集》第 2 卷，人民出版社 2012 年版，第 86 页。
②　《列宁选集》第 2 卷，人民出版社 2012 年版，第 87 页。

的范畴。"把关于物质的新类型（例如电子）的新特性问题和认识论的老问题，即关于我们知识的泉源、客观真理的存在等等问题混淆起来"。在这里，列宁给哲学上的物质下了一个具有哲学史的意义的经典性的定义："物质是标志客观实在的哲学范畴，这种客观实在是人通过感觉感知的，它不依赖于我们的感觉而存在，为我们的感觉所复写、摄影、反映。"[①]物质概念，以及它的另一种提法——客观实在，虽然都是在列宁的这部所谓认识论的著作中谈到，并且给作为哲学的物质概念下了一个精确的定义，做了最系统、最清晰和最明确的阐述，但不能认为它仅仅是一个认识论的概念，或者局限于认识论范围来认识它的意义。可以说，在《唯物主义和经验批判主义》这部著作中，形式上列宁谈的是认识论问题，实质上则是超越认识论的一般哲学问题，或者说是具有世界观高度的问题。而物质、客观实在这些概念所具有的意义，正如所谓认识论上的两条基本路线、两种倾向其实是一般哲学发展中的两条基本路线、两种基本倾向一样，都是具有一般哲学史意义，特别是马克思主义哲学史意义的概念和原理。

（二）绝对真理和相对真理

列宁在对波格丹诺夫的"经验一元论"的批判中，还谈到真理问题上的第二个方面，即绝对真理与相对真理的关系问题。在真理问题上，唯物主义者是从来不否定绝对真理的。可以说，唯物主义坚持客观真理，必然合乎逻辑地坚持绝对真理。但在绝对真理和相对真理的关系上，波格丹诺夫严重地误解和歪曲了恩格斯在《反杜林论》一书中的思想。他以为恩格斯像他一样是否定一切永恒真理的，"否定任何真理的绝对客观性"。对于恩格斯在《反杜林论》中以"拿破仑死于1821年5月5日"这一命题说明"永恒真理"的存在，波格丹诺夫嘲讽地说，"这是什么'真理'啊？它有什么'永恒的'呢？"他把这个命题看作一种"陈词滥调"，然后问道："难道'陈词滥调'可以叫做'真理'吗？"他又搬出他的那套"真理就是经验的生动的组织形式"为他否认绝对真理的观点辩护。列宁说，波格丹诺夫的这种说法不是在反驳恩格斯，而是在唱高调，指出"如果你不能断定'拿破仑死于1821年5月5日'这个命题是错误的或是不确切的，那么你就得承认它是真理。如果你不能断定它在将来会被推翻，

---

① 《列宁选集》第2卷，人民出版社2012年版，第89页。

那么你就得承认这个真理是永恒的。把真理是'经验的生动的组织形式'这类词句叫做反驳，这就是用一堆无聊的话来冒充哲学。"①像"拿破仑死于 1821 年 5 月 5 日"，或者"巴黎在法国"这样的命题，是非常浅显的，是只有疯子才会怀疑的真理。恩格斯在这里之所以讲到这些在波格丹诺夫看来是"陈词滥调"的东西，"因为他是要驳斥和嘲笑不会在绝对真理和相对真理的关系问题上应用辩证法的、独断的、形而上学的唯物主义者杜林。"他说："当一个唯物主义者，就要承认感官给我们揭示的客观真理。承认客观的即不依赖于人和人类的真理，也就是这样或那样地承认绝对真理。"而"正是这个'这样或那样'，就把形而上学唯物主义者杜林同辩证唯物主义者恩格斯区别开来了。"②在一般科学特别是历史科学的最复杂的问题上，杜林到处滥用最后真理、终极真理、永恒真理这些字眼。恩格斯嘲笑了他，回答说：当然，永恒真理是有的，但是在简单的事物上用大字眼是不聪明的。为了向前推进唯物主义，必须停止对"永恒真理"这个字眼的庸俗的玩弄，必须善于辩证地提出和解决绝对真理和相对真理的关系问题。正是由于这个缘故，在杜林和恩格斯之间展开了斗争。而波格丹诺夫却假装"没有看到"恩格斯在同一章中对绝对真理和相对真理的问题所作的说明，他由于恩格斯承认了对一切唯物主义来说都是最起码的论点，就想尽办法非难恩格斯搞"折中主义"③。

绝对真理与相对真理的关系问题就是关于人的思维的至上性与非至上性的关系问题。恩格斯在《反杜林论》中对此作了系统的阐述，回答了"人的知识的产物究竟能否具有至上的意义和无条件的真理权"问题。恩格斯指出，人的思维的至上性与非至上性是一对矛盾："一方面，人的思维的性质必然被看做是绝对的，另一方面，人的思维又是在完全有限地思维着的个人中实现的。这个矛盾只有在无限的前进过程中，在至少对我们来说实际上是无止境的人类世代更迭中才能得到解决。从这个意义来说，人的思维是至上的，同样又是不至上的，它的认识能力是无限的，同样又是有限的。按它的本性、使命、可能和历史的终极目的来说，是至上的和无限的；按它的个别实现情况和每次的现实来说，又是不至上的和有限的。"④列宁指出，恩格斯的这个论断，对于一切马

①　《列宁选集》第 2 卷，人民出版社 2012 年版，第 91、92 页。

②　《列宁选集》第 2 卷，人民出版社 2012 年版，第 92 页。

③　《列宁选集》第 2 卷，人民出版社 2012 年版，第 93 页。

④　《马克思恩格斯选集》第 3 卷，人民出版社 2012 年版，第 463 页。

赫主义者所强调的相对主义问题，即我们知识的相对性原则问题，是极端重要的。马赫主义者都坚决认为他们是相对主义者，但是，俄国马赫主义者在重复德国人的话的时候，却害怕或不能直截了当地明白地提出相对主义和辩证法的关系问题。在波格丹诺夫以及一切马赫主义者看来，承认我们的知识的相对性，就是根本不承认绝对真理。在恩格斯看来，绝对真理是由相对真理构成的。波格丹诺夫是相对主义者。恩格斯是辩证论者。

与绝对真理和相对真理的关系问题相联系的是真理和谬误的关系问题。恩格斯在《反杜林论》中也明确地阐述了这个问题，提出"真理和谬误，正如一切在两极对立中运动的逻辑范畴一样，只是在非常有限的领域内才具有绝对的意义"①，在狭窄的领域之外应用真理和谬误的对立，这种对立就变成相对的。如果我企图在这一领域之外把这种对立当作绝对有效的东西来应用，那我们就会完全遭到失败。列宁根据恩格斯在绝对真理和相对真理、真理和谬误问题上的以上思想，作出以下科学概括："因此，人类思维按其本性是能够给我们提供并且正在提供由相对真理的总和所构成的绝对真理的。科学发展的每一阶段，都在给绝对真理这一总和增添新的一粟，可是每一科学原理的真理的界限都是相对的，它随着知识的增加时而扩张、时而缩小。"②"在辩证唯物主义看来，相对真理和绝对真理之间没有不可逾越的鸿沟。"③

在关于绝对真理和相对真理的理解中，还涉及真理的条件性问题。在这个问题上，列宁阐述了"我们的知识向客观的、绝对的真理接近的界限是受历史条件制约的，但是这个真理的存在是无条件的，我们向这个真理的接近也是无条件的"的思想。④列宁说，有人可能从上述思想中得出相对真理和绝对真理的区分是不确定的结论，这个结论当然不能说是错误的。"这种区分正是这样'不确定'，以便阻止科学变为恶劣的教条，变为某种僵死的凝固不变的东西；但同时它又是这样'确定'，以便最坚决果断地同信仰主义和不可知论划清界限，同哲学唯心主义以及休谟和康德的信徒们的诡辩划清界限。"⑤

---

① 《马克思恩格斯选集》第3卷，人民出版社2012年版，第467页。
② 《列宁选集》第2卷，人民出版社2012年版，第95页。
③ 《列宁选集》第2卷，人民出版社2012年版，第95—96页。
④ 《列宁选集》第2卷，人民出版社2012年版，第96页。
⑤ 《列宁选集》第2卷，人民出版社2012年版，第96页。

在《唯物主义和经验批判主义》一书中，列宁继承和发展了恩格斯在《反杜林论》中关于绝对真理和相对主义的关系的思想，结合对俄国马赫主义者，特别是波格丹诺夫在真理观上的糊涂思想，特别是表现为对绝对真理的否定的唯心主义，着重阐述了坚持在绝对真理和相对真理的界限问题上的辩证法，即所谓确定性与非确定性的辩证法的意义。而给读者留下更深刻印象的可能是关于如何看待唯物主义辩证法体系中的相对主义问题。列宁把辩证唯物主义关于相对主义的认识概括如下："辩证法，正如黑格尔早已说明的那样，包含着相对主义、否定、怀疑论的因素，可是它并不归结为相对主义。马克思和恩格斯的唯物主义辩证法无疑地包含着相对主义，可是它并不归结为相对主义，这就是说，它不是在否定客观真理的意义上，而是在我们的知识向客观真理接近的界限受历史条件制约的意义上，承认我们一切知识的相对性。"[1]

五、19 世纪末 20 世纪初物理学新发现的哲学总结

列宁在《唯物主义和经验批判主义》一书中关于"最近的自然科学革命和哲学唯心主义"这个问题，是从一位"普通的马克思主义者"约瑟夫·狄奈－德涅斯（1857—1937）的一篇论文首先谈起的。这篇论文的题目叫作《马克思主义和最近的自然科学革命》。列宁评价说："这篇论文的缺点在于：它忽视了从'新'物理学中得出的并且是我们现在特别感兴趣的认识论结论。"[2] 列宁关于约瑟夫·狄奈－德涅斯的这篇论文的缺点的认识其实主要不是针对这篇论文来说的，而是就在最近的自然科学革命面前马克思主义应该有的理论反应来说的。实际上，约瑟夫·狄奈－德涅斯的这篇论文就最近的自然科学革命，特别是物理学革命的哲学意义还是谈了一些认识，虽然这些认识不具有列宁所说的或期望的"认识论结论"那样的高度。约瑟夫·狄奈－德涅斯把自然科学特别是物理学中的最新发现（x 射线、柏克勒尔射线、镭等）直接同恩格斯的《反杜林论》做了比较。在这种比较中，他得出的结论是："在自然科学的各种极不相同的领域里都获得了新知识，所有这些新知识归结起来就是恩格斯想要提

---

① 《列宁选集》第 2 卷，人民出版社 2012 年版，第 97 页。
② 《列宁选集》第 2 卷，人民出版社 2012 年版，第 181 页。

到首位的一点：在自然界中'没有任何不可调和的对立，没有任何强制规定的分界线和差别'；既然在自然界中有对立和差别，那么它们的固定性和绝对性只是我们加到自然界中去的。"约瑟夫·狄奈-德涅斯在论文中还惊叹最近的自然科学革命多么辉煌地证明了恩格斯的名言"运动是物质的存在形式"，"自然界完全和历史一样，是受辩证的运动规律支配的。"[1]在列宁看来，这些无疑都是极端重要的论断。列宁把现代物理学的一个学派——马赫主义和哲学唯心主义的复活的联系作为研究对象，是因为在最近的自然科学革命面前马赫主义者"在批判唯物主义的形式的幌子下改变唯物主义的实质"[2]。这也是在最近的自然科学革命面前自然科学家中各种不同派别之间的分歧的实质，这是一个与哲学基本路线相关联的问题。

（一）现代物理学的危机及其实质

法国物理学家昂利·彭加勒（1854—1912）在《科学的价值》一书中说，物理学"有发生严重危机的迹象"。"这个危机不只是'伟大的革命者——镭'推翻了能量守恒原理，而且'所有其他的原理也遭到危险'"[3]。例如，拉瓦锡原理或质量守恒原理被物质的电子论推翻了。根据这种理论，原子是由一些带有正电或负电的极微小的粒子组成的，这些粒子叫做电子，它们"侵入我们称之为以太的介质中"。物理学家的实验提供出计算电子的运动速度及其质量（或者电子的质量对它的电荷的比例）的数据。电子的运动速度证明是可以和光速（每秒30万公里）相比较的，例如，它达到光速的三分之一。在这样的条件下，根据首先克服电子本身的惯性，其次克服以太的惯性的必要，必须注意电子的双重质量。第一种质量将是电子的实在的或力学的质量，第二种质量将是"表现以太的惯性的电动力学的质量"。现在，第一种质量证明等于零。电子的全部质量，至少是负电子的全部质量，按其起源来说，完全是电动力学的质量。质量在消失。力学的基础被破坏。牛顿的原理即作用和反作用相等的原理被推翻，等等。彭加勒说，摆在我们面前的是物理学旧原理的"废墟"，是"原理的普遍毁灭"。总之，"怀疑时期"已经到来了。列宁

---

① 转引自《列宁选集》第2卷，人民出版社2012年版，第181—182页。

② 《列宁选集》第2卷，人民出版社2012年版，第182—183页。

③ 转引自《列宁选集》第2卷，人民出版社2012年版，第183页。

指出，我们已经看到作者从这个"怀疑时期"中得出的认识论结论："不是自然界把空间和时间的概念给予＜或强加于＞我们，而是我们把这些概念给予自然界"；"凡不是思想的东西，都是纯粹的无"①。列宁说："这是唯心主义的结论。最基本的原理的被推翻证明（彭加勒的思想过程就是这样）：这些原理不是什么自然界的复写、映象，不是人的意识之外的某种东西的模写，而是人的意识的产物。"彭加勒没有彻底发挥这些结论，是因为"他对这个问题的哲学方面没有多大兴趣"②。

　　列宁还大段地引证了"法国的哲学问题著作家"阿贝尔·莱伊（1873—1940）在《现代物理学家的物理学理论》一书中对于"现代物理学的危机"的实质的认识。莱伊谈到，19世纪下半叶对传统机械论所作的批判破坏了机械论的这个本体论实在性的前提。在这种批判的基础上，确立了对物理学的一种哲学的看法，这种看法在19世纪末几乎成为哲学上的传统的看法。依据这种看法，科学不过是符号的公式，是作记号的方法。由于这些作记号的方法因学派的不同而各异，于是人们很快就作出结论说：被作上记号的东西，只是人为了标记（为了符号化）而事先创造出来的东西。科学成了爱好者的艺术品，成了功利主义者的艺术品。这些看法自然就被普遍解释为对科学的可能性的否定。说科学只能是人造的作用的手段，而不能是任何别的东西，这就是否定真正的科学。所以，传统机械论的破产，确切些说，他所受到的批判，造成了如下的论点：科学也破产了。但是，莱伊不同意这个结论。他认为物理学将"失去一切教育价值"、"物理学所代表的实证科学的精神成为虚伪的危险精神"的观点是错误的，认为物理学的危机只是暂时的，并指出正是19世纪末期的信仰主义者和反理智主义者利用了这种危机。列宁指出："如果莱伊使用正确的哲学的用语，他就一定会这样说：为旧物理学自发地接受的唯物主义认识论被唯心主义的和不可知论的认识论代替了，不管唯心主义者和不可知论者的意愿如何，信仰主义利用了这种代替。"③

　　列宁在对莱伊的实证论作出评价前，列举了莱伊根据现代物理学家的认识论倾向所作的派别划分：唯能论或概念论学派，马赫和杜恒（1861—1916）属

---

① 转引自《列宁选集》第2卷，人民出版社2012年版，第184页。
② 《列宁选集》第2卷，人民出版社2012年版，第184页。
③ 《列宁选集》第2卷，人民出版社2012年版，第188页。

于这一学派；多数物理学家现在继续支持的机械论或新机械论学派，旧物理学家基尔霍夫（1824—1887）、亥姆霍茨（1821—1894）、汤姆生（1824—1907）、麦克斯韦（1831—1879）及现代物理学家拉摩（1857—1942）、洛仑茨（1853—1928）等均属于这一学派；介于这两种学派之间的是批判学派，彭加勒属于这个学派。莱伊分析了两个基本学派，也是两条基本路线的实质。他指出："传统机械论建立了物质世界的体系。"它的物质构造学说所根据的是"质上相同的和同一的元素"，并且这些元素应当被看做是"不变的、不可入的"，等等。物理学家掌握了物质的元素、它们发生作用的原因和方式，以及它们发生作用的实在的规律。"这种对物理学的看法的改变主要在于：抛弃了理论的本体论价值而特别强调物理学的现象论的意义。"概念论的观点从事"纯粹的抽象"，"探求那种尽可能排除物质假说的、纯粹抽象的理论"。"能量的概念已成为新物理学的基础。所以概念论物理学多半可以叫作唯能论物理学"，虽然这个名称对于像马赫这样的概念论物理学的代表是不合适的。列宁对莱伊的上述观点提出批评，指出："莱伊把唯能论和马赫主义混为一谈当然是不完全正确的，同样，硬说新机械论学派尽管同概念论者有着十分深刻的分歧，也会得出对物理学的现象论的看法，这也是不完全正确的。莱伊的'新'术语并没有把问题弄清楚，反而把问题弄模糊了。"[1]最后，列宁对现代物理学的危机的实质作了深刻的概括，指出："现代物理学危机的实质就是：旧定律和基本原理被推翻，意识之外的客观实在被抛弃，这就是说，唯物主义被唯心主义和不可知论代替了。"[2]因此，对最近的自然科学革命的实质和意义的研究是和对哲学唯心主义的批判结合在一起的。

（二）"物质消失了"的谬误与辩证唯物主义的意义

现代物理学家根据最新发现，根据对物质结构的新认识而作出"物质消失了"的结论。但这是一个限于科学领域的结论，而不是一个哲学结论。马赫主义者则的确从这一自然科学革命的事实中"作出根本的哲学结论"。如俄国马赫主义者瓦连廷诺夫写道："'只有在唯物主义中'才能得到确实可靠的论据，这种说法不过是一种虚构，并且是一种荒谬的虚构。"而其实呢？列宁说，瓦

---

① 《列宁选集》第 2 卷，人民出版社 2012 年版，第 189 页。
② 《列宁选集》第 2 卷，人民出版社 2012 年版，第 189 页。

连廷诺夫跟着现代物理学家所说的那种"物质的消失""同哲学唯物主义和唯心主义在认识论上的区分没有关系"①。"唯物主义和唯心主义是按照如何解答我们认识的泉源问题即认识（和一般'心理的东西'）同物理世界的关系问题而区分开来的，至于物质的构造问题即原子和电子问题，那是一个只同这个'物理世界'有关的问题。"②"'物质在消失'这句话的意思是说：至今我们认识物质所达到的那个界限正在消失，我们的知识正在深化；那些从前看来是绝对的、不变的、原本的物质特性（不可入性、惯性、质量等等）正在消失，现在它们显现出是相对的、仅为物质的某些状态所固有的。因为物质的唯一'特性'就是：它是客观实在，它存在于我们的意识之外。哲学唯物主义是同承认这个特性分不开的。"③

所以，物理学的革命挑战的不是辩证唯物主义，而是不懂得辩证法的形而上学唯物主义，是形而上学唯物主义才承认的某些不变的要素、"物的不变的实质"，等等。"但是，辩证唯物主义坚持认为：任何关于物质构造及其特性的科学原理都具有近似的、相对的性质；自然界中没有绝对的界限；运动着的物质会从一种状态转化为在我们看来似乎和它不可调和的另一种状态；等等。"④而新的物理学上的革命事实，它的所谓"新发现"，不是推翻辩证唯物主义，而是"再一次证实了辩证唯物主义"。它反对唯物主义，却找错了对象。一是它否定的不是应该否定的形而上学唯物主义的形而上学性，而是作为它的正确的世界观基础的唯物主义，即承认不依赖于人的意识而存在的客观世界；二是它所反对的辩证唯物主义，却被物理学的革命再一次证实是科学的世界观。列宁指出，新物理学陷入唯心主义的原因，主要在于物理学家不懂得辩证法。"他们反对形而上学（是恩格斯所说的形而上学，不是实证论者即休谟主义者所说的形而上学）的唯物主义，反对它的片面的'机械性'，可是同时把小孩子和水一起从澡盆里泼出去了。他们在否定物质的至今已知的元素和特性的不变性时，竟滑到否定物质，即否定物理世界的客观实在性。他们在否定一些最重要的和基本的规律的绝对性质时，竟滑到否定自然界中的一切客观规律性，宣称自然规律是单纯的约定、'对期待的限制'、'逻辑的必然性'等等。他们在坚

① 《列宁选集》第 2 卷，人民出版社 2012 年版，第 190 页。
② 《列宁选集》第 2 卷，人民出版社 2012 年版，第 191 页。
③ 《列宁选集》第 2 卷，人民出版社 2012 年版，第 191—192 页。
④ 《列宁选集》第 2 卷，人民出版社 2012 年版，第 192 页。

持我们知识的近似的、相对的性质时，竟滑到否定不依赖于认识并为这个认识所近似真实地、相对正确地反映的客体。"①

列宁指出，实际上，新物理学并没有能够否定掉物质的客观存在，它不过是用新的物质与力学发生了直接关系。他以莱伊为例指出，莱伊尽管不承认唯物主义哲学，但也从另一方面证实了认识对象的客观实在性，证实了依靠思维感官得到的任何意识，毫无例外地都是对客观实在的反映和模写，人类的意识一刻也不能脱离外部自然界而独自存在，否则人的思维运动就只能沦落为绝对精神的运动，即哲学唯心主义。列宁还指出，伴随着自然科学的每一次进步，哲学唯心主义都会变换出一个新的品种，哲学唯物主义与哲学唯心主义之间、哲学唯心主义内部新派别与其他旧派别之间必然发生争论与斗争。但是，重要的不是后一种斗争，而是前一种斗争。"重要的不是波格丹诺夫和其他马赫主义者的差别，而是他们的共同点：唯心地解释'经验'和'能量'，否认客观实在"②。

列宁批评了唯心主义哲学家赫尔曼·柯亨（1842—1918）和物理学家亨利希·赫兹（1857—1894），指责他们设想没有物质的运动，宣扬所谓唯能论或动力论观点，以精神代替物质、以思维代替运动，其本质是消解唯物主义。无论是唯能论，还是动力论，都不是新鲜的东西，难以掩盖其唯心主义的本质。列宁还抨击了哈特曼（1842—1906）妄想通过"根本修改关于时间、空间、因果性和自然规律的客观实在性的学说"，把新物理学"时髦"变成"彻底的、完整的哲学唯心主义"的企图③。列宁褒扬唯物主义的自然科学家，譬如德国物理学家路德维希·玻耳兹曼（1844—1906）。他曾不断地反对马赫主义流派的唯能论，坚持宣扬唯物主义的认识论，坚决以"更简单的客观的世界图景"取代"主观的世界图景"④。玻耳兹曼在反对马赫之流的"现象论的"物理学时，肯定地说："那些想以微分方程式来排除原子论的人，是只见树木，不见森林。"微分方程式不过是自然科学的另一种表达方式，它并没有反对原子论，自然界的统一性之所以显示在不同领域的微分方程的"惊人的类似"中，不过是"普遍代换说"以及坚信"普遍代换说"的人们

① 《列宁选集》第 2 卷，人民出版社 2012 年版，第 193 页。

② 《列宁选集》第 2 卷，人民出版社 2012 年版，第 204 页。

③ 《列宁全集》第 18 卷，人民出版社 2017 年版，第 300 页。

④ 《列宁全集》第 18 卷，人民出版社 2017 年版，第 301 页。

的信念在起作用罢了①。

列宁还详细地描述了现代物理学产生两个派别的原因，指出就其各自的自然科学成就来讲，它们之间没有大的区别。列宁列举了埃里希·贝歇尔（1882—1929）的著作《精密自然科学的哲学前提》来说明这一点，指出，在这本书的最后两章，埃里希·贝歇尔很不坏地把旧的、力学的物质理论和世界图景同新的、电的物质理论和世界图景（就是作者所说的"弹性动力学的"自然观和"电动力学的"自然观）作了比较。以电子学说为基础的后一种理论，在认识世界的统一性上前进了一步；这种理论认为，"物质世界的元素是电荷"。"任何纯粹动力学的自然观除了一些运动着的物，什么都不知道，不管这些物是叫做电子或者叫做别的什么；这些物在往后每一瞬间的运动状态是完全合乎规律地由它们在前一瞬间的位置和运动状态决定的。"②但是，毫无疑问，埃里希·贝歇尔这本书的主要缺点是作者对辩证唯物主义完全无知。这应该说是现代物理学家们的通病。

（三）现代物理学的两个派别和法国信仰主义

列宁引用莱伊的著作，对现代物理学的两个基本派别概念论和新机械论进行了区分，指出它们的差别"可以归结为唯心主义认识论和唯物主义认识论的差别"。列宁赞扬实证论者莱伊解决同唯灵论者詹姆斯·华德（1843—1925）、唯心主义者赫·柯亨和爱·哈特曼等人的任务正相反的任务："不是附和新物理学的哲学错误及其唯心主义倾向，而是改正这些错误，证明从新物理学中得出的唯心主义的（以及信仰主义的）结论是不合理的。"③譬如，昂·彭加勒，尽管他是法国新物理学家的代表之一，但他却在科学的物理学领域中贩卖唯心主义的信仰主义，其做法是将人的行动分为两个领域，一个领域交由自然科学，一个领域竟然交付宗教来掌管，实际上，即使在前一领域，"宗教所具有的现实意义并不亚于科学"④。但是，莱伊只是比彻底的唯我论者温和一些，从根本上讲，他仍是一个唯心主义者。列宁以经验这个基本概念为例对莱伊的信仰主义作了分析。列宁说，诚然，按照莱伊的说法，"19

① 《列宁全集》第18卷，人民出版社2017年版，第302—303页。

② 转引自《列宁全集》第18卷，人民出版社2017年版，第304页注释1。

③ 《列宁全集》第18卷，人民出版社2017年版，第307页。

④ 《列宁全集》第18卷，人民出版社2017年版，第305页。

世纪末哲学的主要特征"之一是："越来越精巧、越来越色彩繁多的经验论导致信仰主义，即承认信仰至上，这种经验论曾经一度成为怀疑论用来反对形而上学论断的强大武器。……事实上，如果把经验放在它存在的条件中，放在确定和提炼经验的实验科学中去考察，那么经验就会把我们引向必然性和真理。"列宁揭露说："毫无疑问，整个马赫主义，就这个词的广义来说，无非是通过难以觉察的细微差异歪曲'经验'一词的实在含义！"但莱伊却有区别地对待物理学家们，"非难信仰主义者的歪曲而不非难马赫本人的歪曲"①。莱伊是怎样纠正这种歪曲的呢？我们看他是如何给经验下定义的。他说："按照通常的定义，经验是对客体的认识。在物理科学中，这个定义比在任何其他地方都更适当……经验是我们的智慧所没有支配的东西，是我们的愿望、我们的意志所不能改变的东西，经验是现存的东西，而不是我们所创造的东西。经验是主体面前的（en face du）客体。"②列宁把这看作是"莱伊维护马赫主义的典型例子"③。恩格斯其实已经科学地解决了这个问题，用"羞羞答答的唯物主义者"这个绰号来形容哲学上的最新型的不可知论和现象论的信徒。而"实证论者和狂热的现象论者莱伊，就是这类人里面的佼佼者"。列宁指出，如果经验是"对客体的认识"，如果"经验是主体面前的客体"，如果经验是指"某种外部的东西存在着并且必然存在着"，那么很明显，这就是唯物主义！"莱伊的现象论、他所竭力强调的言论（除了感觉之外什么也没有；客观的东西是具有普遍意义的东西，等等），都是遮羞布，是掩盖唯物主义的空洞词藻"④。

列宁对现代物理学的两个派别距离唯物主义的远近作了比较。在他看来，"新机械论"学派由于"相信物理学理论的实在性"，较之概念论者的唯心主义的成分少一点、唯物主义的成分多一点。列宁批评了莱伊通过为彭加勒的理论的辩解而导致"一方面，不能不承认；另一方面，必须承认"式的逻辑混乱："一方面，虽然彭加勒站在马赫的'概念论'和新机械论的中间，可是他与新机械论之间有一条不可逾越的鸿沟，而马赫和新机械论之间却似乎完全没有任何鸿沟；另一方面，彭加勒和古典物理学是完全一致的，而古典物理学，用莱伊自

己的话来说，是完全坚持'机械论'的观点的。一方面，彭加勒的理论可以作为哲学唯心主义的支柱；另一方面，它和'经验'一词的客观解释是可以相容的。一方面，这些恶劣的信仰主义者通过难于觉察的偏差而歪曲了'经验'一词的含义，抛弃了'经验是客体'这一正确观点；另一方面，经验的客观性只意味着经验是感觉，——这一点不论贝克莱或费希特都是完全同意的！"①列宁指出："莱伊所以陷于混乱，是因为他给自己提出了一个无法解决的任务：'调和'新物理学中的唯物主义学派和唯心主义学派的对立。他企图削弱新机械论学派的唯物主义，把那些认为自己的理论是客体的摄影的物理学家们的观点归之于现象论。他还企图削弱概念论学派的唯心主义，删去了这个学派的信徒的最坚决的言论并用羞羞答答的唯物主义来解释其他言论。"②莱伊声明自己跟唯物主义毫无关系，是极其虚伪、勉强的。

（四）"物理学"唯心主义的实质和意义

在"最近的自然科学革命和哲学唯心主义"一章的最后一节，列宁阐述了"'物理学'唯心主义的实质和意义"问题，在这一节的开始，列宁讲到，从前面所涉及的材料中，我们已经看到，在英国、德国和法国的著作中都提出了关于从最新物理学中得出的认识论结论的问题，并且从各种不同的观点对这一问题展开讨论。在讨论中表现出了各种不同的国际性的思潮，其中就包括马赫主义。前面对各种材料的概述，无疑地表明了马赫主义是和新物理学"有联系"的，问题在于：一方面，马赫主义者散布的关于这一联系的看法"是根本不正确的"；另一方面，马赫主义者们由于不论在哲学上还是在物理学上都盲目地赶时髦，因而"不能够根据自己的马克思主义观点对某些思潮作一个总的概述，并对它们的地位作出评价"③。而关于马赫哲学是"20 世纪自然科学的哲学"、"自然科学的最新哲学"、"最新的自然科学的实证论"等等的一切空泛议论则"充满了双重的虚伪"。因为，第一，马赫主义在思想上只和现代自然科学的一个门类中的一个学派有联系。第二，这也是主要的一点，在马赫主义中，和这个学派有联系的，不是使马赫主义同其他一切唯心主义哲学的流派和体系相区

① 《列宁全集》第 18 卷，人民出版社 2017 年版，第 310—311 页。
② 《列宁全集》第 18 卷，人民出版社 2017 年版，第 311—312 页。
③ 《列宁选集》第 2 卷，人民出版社 2012 年版，第 205 页。

别的东西，而是马赫主义和整个哲学唯心主义共有的东西。这也就是说，哲学唯心主义构成马赫主义这个新物理学的学派的共同点。列宁对这一学派的具体性质又做了进一步的说明，指出："我们所考察的新物理学的这个学派的基本思想，是否认我们通过感觉感知的并为我们的理论所反映的客观实在，或者是怀疑这种实在的存在。在这里，这个学派离开了被公认为在物理学家中间占统治地位的唯物主义（它被不确切地称为实在论、新机械论、物质运动论；物理学家本人一点没有自觉地去发展它），是作为'物理学'唯心主义的学派而离开唯物主义的。"①

列宁指出，现代"物理学"唯心主义和现代物理学危机的联系是公认的。而"现代物理学的危机就在于它不再公开地、断然地、坚定不移地承认它的理论的客观价值"。换句话说，就是"在物理学的客观性问题上的'思想动摇'，就是时髦的'物理学'唯心主义的实质"。②

列宁分析了"物理学"唯心主义产生的原因。第一个原因是随着自然科学的发展数学学科的广泛应用，物质要素的运动规律可以用数学来表达和处理，"使数学家忘记了物质"。"物质在消失"，只剩下一些方程式。"在新的发展阶段上，仿佛是通过新的方式得到了旧的康德主义的观念：理性把规律强加于自然界。"③

产生"物理学"唯心主义的第二个原因，是相对主义的原理，即我们知识材料的相对性原理。"这个原理在旧理论急剧崩溃的时期以特殊力量强使物理学家接受；在不懂得辩证法的情况下，这个原理必然导致唯心主义。"④列宁指出，关于相对主义和辩证法的相互关系问题，对于说明马赫主义的理论厄运，几乎是最重要的问题。例如，莱伊在唯心主义哲学思辨的意义上使用辩证法这个词。因此，虽然他感觉到新物理学在相对主义上失足，可是他仍然绝望地挣扎着，企图把相对主义区分为适度的和过分的。"实际上，关于相对主义问题在理论上唯一正确的提法，是马克思和恩格斯的唯物主义辩证法指出来的，所以不懂得唯物主义辩证法，就必然会从相对主义走到哲学唯心主义。"⑤这意味

---

① 《列宁选集》第 2 卷，人民出版社 2012 年版，第 206 页。
② 《列宁选集》第 2 卷，人民出版社 2012 年版，第 209 页。
③ 《列宁选集》第 2 卷，人民出版社 2012 年版，第 210 页。
④ 《列宁选集》第 2 卷，人民出版社 2012 年版，第 211 页。
⑤ 《列宁选集》第 2 卷，人民出版社 2012 年版，第 211 页。

着相对主义其实就是"物理学"唯心主义的方法论根源。

列宁在谈到新物理学的哲学上的相对主义特征时，再一次谈到真理问题，表达了任何真理都是认识的绝对性与相对性的统一。只承认相对真理，而否认绝对真理，必然导致认识论上的唯心主义。这种唯心主义正是"物理学"唯心主义的认识论原因或表现特征。正如列宁对马赫、彭加勒、杜恒和斯塔洛（1823—1900）的批评，"他们由于不能对相对主义提出正确的表述，便从相对主义滚向唯心主义。"[1]但是，自然科学按其自身发展的规律来说，它的哲学意义和哲学前景不是唯心主义，也不是形而上学唯物主义，而是辩证唯物主义。列宁最后指出："今天的'物理学'唯心主义，正如昨天的'生理学'唯心主义一样，不过是意味着自然科学一个门类里的一个自然科学家学派，由于没有能够直接地和立即地从形而上学的唯物主义上升到辩证唯物主义而滚入了反动的哲学。"对于辩证唯物主义，"现代物理学正在走这一步，而且一定会走这一步，但它不是笔直地而是曲折地，不是自觉地而是自发地走向自然科学的唯一正确的方法和唯一正确的哲学……。现代物理学是在临产中。它正在生产辩证唯物主义。"[2]

六、马克思主义哲学是"一整块钢"

列宁指出，俄国的马赫主义者分为两个阵营，一个是维·切尔诺夫和《俄国财富》杂志的撰稿者，他们不论在哲学或历史方面都是辩证唯物主义的彻底的始终如一的反对者；另一个就是"我们在这里最感兴趣的那一伙马赫主义者"，他们想当马克思主义者并且千方百计地向读者保证："马赫主义跟马克思和恩格斯的历史唯物主义是可以相容的。""但是，这些保证大部分仅仅是保证而已：没有任何一个想当马克思主义者的马赫主义者曾打算稍微系统地去阐述经验批判主义的创始人在社会科学中的真实倾向。"[3] 所以，列宁在《唯物主义和经验批判主义》的最后一章来谈经验批判主义和历史唯物主义的关系，在揭

---

[1]　《列宁选集》第 2 卷，人民出版社 2012 年版，第 213 页。
[2]　《列宁选集》第 2 卷，人民出版社 2012 年版，第 215—216 页。
[3]　《列宁选集》第 2 卷，人民出版社 2012 年版，第 217 页。

露经验批判主义者在社会科学领域中的真实倾向的基础上，阐述了马克思主义哲学是"一块整钢"的思想，阐述了马克思主义哲学的党性原则。

（一）德国经验批判主义者在社会科学中的真实倾向

列宁是通过对阿芬那留斯的学生弗·布莱（1871—1942）对马克思主义的直接攻击来暴露马赫主义在社会科学领域中的真实倾向的。1895 年，当理·阿芬那留斯还在世的时候，在他所主编的《科学的哲学季刊》第 19 卷上登载了他的弟子弗·布莱的文章《政治经济学中的形而上学》。列宁指出，经验批判主义的所有的老师不仅攻击公开的自觉的哲学唯物主义的"形而上学"，而且还攻击自发地站在唯物主义认识论立场上的自然科学的"形而上学"。而这位弟子的不同之处则在于他攻击的是政治经济学中的形而上学。他把攻击的矛头指向政治经济学中的各种极不相同的学派，列宁说："但是我们感到兴趣的仅仅是那些反对马克思和恩格斯学派的经验批判主义论据的性质"[1]。列宁大段地引证了布莱在文章中的论述，称之为"用阿芬那留斯的术语打扮起来的伪学者的无稽之谈"。尽管如此，列宁还是力图从中找出并分析他的不仅攻击政治经济学的"形而上学"，还有攻击哲学唯物主义的"形而上学"的论据。

列宁首先揭露和批判了布莱对马克思的政治经济学研究的攻击。布莱攻击马克思研究政治经济学是先有一个世界观的框框，然后寻找论据，找论据是为了证明自己的世界观的正确。布莱指出，它的文章的目的就是要指出"整个现代政治经济学在说明经济生活现象时使用着形而上学的前提"，亦即"政治经济学的全部现代理论都是建立在形而上学基础上的，它的全部理论是非生物学的，因而是非科学的，对认识是没有任何价值的……。"[2]然后，他就直接攻击马克思的政治经济学研究，说"马克思的理论从一些构造出来的过程中把'经济规律'确定下来，并且这些'规律'是处于依存的生命系列的起首部分，而经济过程则在最终部分…… 经济学家把'经济'变成了一个超验的范畴，他们在这个范畴中发现了他们所想要发现的那些'规律'，即'资本'、'劳动'、'地租'、'工资'、'利润'的'规律'。经济学家把人变成了'资本家'、'工人'

---

① 《列宁全集》第 18 卷，人民出版社 2017 年版，第 329 页。
② 转引自《列宁全集》第 18 卷，人民出版社 2017 年版，第 329 页。

等等柏拉图式的概念。社会主义把'唯利是图'这个特性加给'资本家'，自由主义把'贪得无厌'这个特性加给工人，并且这两个特性可以从'资本的合乎规律的作用'中得到说明。"①

关于作为政治经济学的基础的价值规律概念和理论，布莱认为这是马克思和法国社会主义者从李嘉图（1772—1823）那里发现的。他说："马克思在着手研究《法国社会主义和政治经济学》的时候，就已经具有社会主义的世界观了，而他的认识目的是要给这个世界观提供'理论根据'以'保证'他的起首价值。马克思在李嘉图那里发现了价值规律，但是……法国社会主义者从李嘉图那里得出的结论，并不能满足马克思'保证'他的被导致生活差异状态的 E 价值即'世界观'的要求，因为这些结论已经'因工人遭到掠夺而感到愤怒'等等形式成为他的起首价值的内容的一个组成部分了。"② 布莱引用恩格斯为马克思的《哲学的贫困》德文第一版写的序言中的话来说明"法国社会主义者从李嘉图得出的结论"的最后命运及其理由。他说："这些结论被当做'在经济学的形式上是错误的'结论而被摒弃了，因为它们不过是'把道德运用于政治经济学'而已。'但是，从经济学来看形式上是错误的东西，从世界历史来看却可能是正确的。如果群众的道德意识宣布某一经济事实是不公正的，那么这就证明这一经济事实本身已经过时，另外的经济事实已经出现，由此原来的事实就变得不能忍受和不能维持了。因此，从经济学来看的形式上的谬误背后，可能隐藏着非常真实的经济内容。'"③ 布莱在引用恩格斯的话以后继续写道："在这段引文中，我们在这里感到兴趣的依存序列的中间部分被取出来了……。在'认识'了'对不公正性的道德意识'后面一定隐藏着'经济事实'这一点以后，接着就是最终部分〈Finalabschnitt：马克思的理论是一种陈述，即 E 价值，即经过起首、中间、最终（Initialabschnitt, Medialabschnitt, Finalabschnitt）这三个阶段或三个部分的生活差异〉……即对这个'经济事实'的'认识'。或者换句话说，现在的任务就是在'经济事实'中'重新发现'起首价值，即'世界观'，从而'保证'这个起首价值。不管'被认识的东西'如何出现于最终部分（Finalabschnitt），在依存序列的这种一定的变化中，

---

① 转引自《列宁全集》第 18 卷，人民出版社 2017 年版，第 329—330 页。
② 转引自《列宁全集》第 18 卷，人民出版社 2017 年版，第 330 页。
③ 转引自《列宁全集》第 18 卷，人民出版社 2017 年版，第 330 页。另参见《马克思恩格斯全集》第 21 卷，人民出版社 1965 年版，第 209 页。

已经包含着马克思的形而上学了。作为独立的 E 价值、作为'绝对真理'的'社会主义世界观'是'事后'通过'特殊的'认识论，即通过马克思的经济学体系和唯物主义的历史理论来论证的……"。布莱接着说："在马克思的世界观中，'主观''真理'借助于剩余价值的概念在'经济范畴'的认识论里面找到了它的'客观真理'，对起首价值的保证完成了，形而上学在事后受到了认识的批判。"① 由此可见，这不仅是对恩格斯上述那段话的歪曲，而且更是对马克思政治经济学的本末倒置，他完全把马克思的政治经济学理论当作了纯粹主观的东西。

以下是列宁对布莱这个阿芬那留斯的弟子和同事的以上谬论的所谓论据的分析、批判。这些论据一共有六个。

第一个论据：马克思是"形而上学者"，他不了解认识的"概念批判"，他没有研究一般认识论，而是直接把唯物主义塞到自己的"特殊的认识论"中去。列宁批评道，在这个论据里没有任何东西是属于布莱个人和仅仅是属于布莱个人的，而是来自所有的经验批判主义的创始人和所有的俄国马赫主义者，他们都重复康德主义者、休谟主义者、唯心主义者的老调，非难唯物主义是"形而上学"。

第二个论据：马克思主义和自然科学（生理学）一样，是形而上学的。列宁指出，这个所谓论据如果有过失的话，责任不在于布莱，而在于马赫和阿芬那留斯，因为，正是他们一直把绝大多数自然科学家持有的自发的唯物主义认识论叫作"自然科学的形而上学"，并向它宣战。

第三个论据：马克思主义宣称"个人"是无足轻重的，人是一种"偶然的东西"，它使人服从某种"内在的经济规律"，它不去分析我们所见到的东西，我们所感觉到的东西，等等。列宁指出，这个论据完全是重复经验批判主义的那一套"原则同格"的思想，即重复阿芬那留斯理论中的那一套唯心主义的谬论。布莱的看法完全正确，他认为从马克思和恩格斯那里丝毫找不到这类唯心主义的谬论，而且从这种谬论的角度来看，就必然要把马克思主义从根本上，从它的最基本的哲学前提上完全推翻。

第四个论据：马克思的理论是"非生物学的"，它完全不知道任何"生活差异"以及诸如此类玩弄生物学术语的把戏。列宁评论道，从马赫主义的观点看来，布莱的这个论据是正确的，因为马克思的理论和阿芬那留斯的"生物学

---

① 转引自《列宁全集》第 18 卷，人民出版社 2017 年版，第 331 页。

的"玩意之间的鸿沟的确是一目了然的。我们也将看到，那些想当马克思主义者的俄国马赫主义者事实上是在步布莱的后尘。

第五个论据：马克思的理论有党性和偏颇性，在解决问题时有先入之见。列宁指出："决不是布莱一个人，而是整个经验批判主义，都妄图主张哲学和社会科学的无党性；既不主张社会主义，也不主张自由主义；不去区分哲学上两个根本的不可调和的派别即唯物主义和唯心主义，而力图超乎二者之上。我们曾经在一系列的认识论问题上探讨过马赫主义的这种倾向，所以，当我们在社会学中碰见它的时候，就不应当再感到惊讶了。"①

第六个论据：讥笑"客观"真理。布莱一下子就感觉到了并且是十分公正地感觉到了：马克思的历史唯物主义和全部经济学说都彻底地承认客观真理。布莱正是因为客观真理的思想而把马克思主义"根本"否定，并一下子宣布在马克思主义学说中除了马克思的"主观的"观点以外事实上什么也没有，这样，他就正确地表达了马赫和阿芬那留斯的学说的倾向。

根据以上六个论据，列宁认为，"布莱直接地提出了关于马克思主义的问题"，但也表明"布莱是一面忠实地反映经验批判主义倾向的镜子"②，所以，布莱命运可能不佳，最终可能遭到马赫主义者的屏弃，因为这些包括他的老师阿芬那留斯在内的马赫主义者总是力图掩盖他们的想把马克思和阿芬那留斯结合起来的荒唐的折中主义的企图，因而不需要他的那种露骨的马赫主义。

为了清楚地展示经验批判主义者在社会学方面的观点，列宁又列举了彼得楚尔特的关于这种观点的"以正面的形式"的叙述。因为在这方面布莱只不过是一个学生，而彼得楚尔特则堪称老师。他的叙述"使我们有可能把这些观点和马克思主义加以对照"③。

彼得楚尔特"把趋于稳定的倾向作为自己研究的基础"。他认为，人类的发展本身就是趋向"完善的稳定状态"，"我们的思维和创造的一切目的的最本质的特征，就是稳定性。""同情是对稳定状态的直接需要的表现"，"同情的直接性常常表现在援助的直接性中。为了救人，人们常常不假思索地跳到水里去援助快要淹死的人。"道德是从"道德的稳定状态"的概念中引申出来的。"稳

---

① 《列宁全集》第 18 卷，人民出版社 2017 年版，第 333 页。
② 《列宁全集》第 18 卷，人民出版社 2017 年版，第 333 页。
③ 《列宁全集》第 18 卷，人民出版社 2017 年版，第 334 页。

定状态，就它的概念而言，在自己的任何一个组成部分中都不包含任何变化的条件。"因此，用不着进一步论证就可以断定：这种状态没有给战争以任何可能性。"经济平等和社会平等是从最终稳定的概念中产生的。"这种"稳定状态"不是从宗教而是从"科学"中产生的。不是像社会主义者所想像的将由"多数"去实现这种稳定状态，也不是社会主义者的权利"能够帮助人类"。不是的，只有"自由的发展"才能实现这个理想。列宁说，上述难以言传的蠢话，在经验批判主义的著作中，竟占了几十几百页的篇幅。列宁指出："布莱、彼得楚尔特和马赫在社会学中的漫游，可以归结为市侩的无限愚蠢，他们在'新的''经验批判主义的'体系和术语的掩饰下沾沾自喜地散布陈词滥调。浮夸的言辞、牵强的三段论法、精巧的经院哲学，一句话，无论在认识论上或社会学上，都是一路货色，都是用同样诱人的幌子掩盖着的同样反动的内容。"①

（二）社会存在与社会意识不是同一的

俄国马赫主义者波格丹诺夫企图"按照马克思的基本原理的精神"修正和"发展"马克思的学说，然而最终却按照唯心主义的精神歪曲了唯物主义基本原理，背叛了马克思的学说。他懂得对马克思学说的歪曲要从哪里下手，这就是马克思在《〈政治经济学批判〉序言》中阐明历史唯物主义基本原理的那段著名的话。波格丹诺夫在引证马克思的这段话以后说："历史一元论的旧公式，虽然在基本上还是正确的，可是已经不能完全使我们满意了。"他要修正和"发展"这个理论，于是他得出如下结论："我们已经指出：社会形态属于广泛的类即生物学适应的类。但是，我们并没有因此就确定了社会形态的范围；为了确定这个范围，不仅要确定类，而且要确定种…… 人们在生存斗争中，只有借助于意识才能结合起来，没有意识就没有交往。因此，形形色色的社会生活都是意识—心理的生活…… 社会性和意识性是不可分离的。社会存在和社会意识，按这两个词的确切的含义来说，是同一的。"② 列宁说，"这个结论与马克思主义毫无共同之处"。"社会存在和社会意识不是同一的，这正如一般存在和一般意识不是同一的一样。人们进行交往时，是作为有意识的生物进行的，但

---

① 《列宁全集》第 18 卷，人民出版社 2017 年版，第 336 页。
② 转引自《列宁选集》第 2 卷，人民出版社 2012 年版，第 218 页。

由此决不能得出结论说，社会意识和社会存在是同一的。在一切稍微复杂的社会形态中，特别是在资本主义的社会形态中，人们在交往时并没有意识到这是在形成什么样的社会关系，这些社会关系又是按照什么样的规律发展的，等等。"① 列宁举例说，这就像一个农民在出售谷物时，他就和世界市场上的世界谷物生产者发生"交往"，可是他没有意识到这一点，也没有意识到从交换中形成什么样的社会关系。"社会意识反映社会存在，这就是马克思的学说。反映可能是对被反映者的近似正确的复写，可是如果说它们是同一的，那就荒谬了。意识总是反映存在的，这是整个唯物主义的一般原理。看不到这个原理与社会意识反映社会存在这一历史唯物主义的原理有着直接的和不可分割的联系，这是不可能的。"② 为了证明波格丹诺夫对马克思的学说的修正的唯心主义性质，列宁特别拿他的观点与马赫主义者巴扎罗夫和内在论者舒佩（1836—1913）、舒伯特－索尔登（1852—1935）等的观点做了比较。巴扎罗夫说："感性表象也就是存在于我们之外的现实"。列宁说："这是露骨的唯心主义，是露骨的意识和存在的同一论。"③ 舒佩的公式是："存在就是意识"。舒伯特－索尔登说："任何物质的生产过程，总是它的观察者的一种意识过程……在认识论上，外部生产过程不是第一性的，而主体或诸主体才是第一性的；换句话说，甚至纯粹物质的生产过程也不能引导〈我们〉脱离意识的普遍联系。"据此，列宁得出结论说："'经验一元论者'波格丹诺夫所谓的按照马克思的精神对马克思学说的修正和发展，跟唯心主义者和认识论上的唯我论者舒伯特－索尔登对马克思的驳斥，没有任何本质上的差别。"④

列宁通过人们的物质生产和物质交换的现实生活过程说明了社会存在变化的客观性，从而既坚持和发扬了哲学的一般唯物主义，又通过社会存在决定社会意识的基本原理而说明了历史唯物主义的特殊意义。列宁指出："在经济世界中，每一个生产者都意识到自己给生产技术带来了某种变化，每一个货主都意识到他在用一些产品交换另一些产品，但是这些生产者和货主都没有意识到，他们这样做是在改变着社会存在。"⑤ 这就是说，作为人们活动结果而被改

① 《列宁选集》第 2 卷，人民出版社 2012 年版，第 218 页。
② 《列宁选集》第 2 卷，人民出版社 2012 年版，第 219 页。
③ 《列宁选集》第 2 卷，人民出版社 2012 年版，第 219 页。
④ 《列宁选集》第 2 卷，人民出版社 2012 年版，第 220 页。
⑤ 《列宁选集》第 2 卷，人民出版社 2012 年版，第 219—220 页。

变的社会存在是不以人们的意识为转移的，是客观的，即既是由人们的有意识的活动形成的，又是独立于人们的意识而存在的。这就是社会存在相对于一般存在所具有的特殊性——客观性表现的特殊性。另外，列宁的这个阐述也告诉人们，对被人们有意识的活动改变了的社会存在的认识是需要辩证法的，因为虽然社会存在是现象与本质（和规律）的统一，但是对社会存在的认识还是要通过对这个存在的本质和规律的认识而实现。这就是列宁所讲的下面这段话的意思："资本主义的世界经济中，即使有70个马克思也不能够把握住所有这些错综复杂的变化的总和；至多是发现这些变化的规律，在主要的基本的方面指出这些变化及其历史发展的客观的逻辑。所谓客观的，并不是指有意识的生物的社会（即人的社会）能够不依赖于有意识的生物的存在而存在和发展……而是指社会存在不依赖于人们的社会意识。""你们过日子、经营事业、生儿育女、生产物品、交换产品等等，这些事实形成事件的客观必然的链条、发展的链条，这个链条不依赖于你们的社会意识，永远也不会为社会意识所完全把握。"① 这段话总的意思是对前面讲的内容的重复，但是也有所发挥，这就是关于人们的认识的相对性问题。人们达到的关于社会发展的"客观逻辑"、"客观必然的链条"的认识是不可穷尽的，是不能停留于关于它的一定阶段和程度的认识的。列宁还把关于"从一般的和基本的特征上把握经济演进（社会存在的演进）的这个客观逻辑"的认识看作"人类的最高任务"，并把它与"自己的社会意识以及一切资本主义国家的先进阶级的意识"与"这个客观逻辑"的"适应"联系起来②，实际是提出了一个作为一种特殊的社会意识——无产阶级的历史哲学与无产阶级改变现实的行动的关系问题。

总之，社会存在，无论是既定的还是被人们的有意识的活动改变了的，与人们的社会意识都不是直接同一的，社会存在决定社会意识是二者关系的基本规定，它也是人们现实生活的事实和客观逻辑，动摇它和颠覆它的结果，只能是倒向唯心主义。

（三）马克思主义哲学是辩证的和历史的唯物主义

俄国马赫主义者们对做一个马克思主义者有着良好的愿望。列宁甚至不怀

---

① 《列宁选集》第2卷，人民出版社2012年版，第220—221页。

② 参见《列宁选集》第2卷，人民出版社2012年版，第220—221页。

疑俄国马赫主义的代表波格丹诺夫政治上的马克思主义立场，承认"波格丹诺夫本人是一切反动派、特别是资产阶级反动派的死敌。"① 但是，在哲学上，他却是马克思主义的敌人，一个地地道道的唯心主义者。他的"代换"说与社会存在和社会意识"同一"论成了为这些反动派服务的哲学。波格丹诺夫不仅想当一位马克思主义者，而且还想当一位历史唯物主义者，企图在一般的哲学唯心主义的基础上直达历史唯物主义，而最终结果却仍然是历史的唯心主义者。

为了说明"僵死的哲学唯心主义"怎样抓住了"活的马克思主义者"波格丹诺夫，列宁列举了波格丹诺夫关于唯心主义的社会进步观念的一段论述，这段论述出自他写于 1901 年的《什么是唯心主义？》一文。波格丹诺夫写道："我们得出这样的结论：无论在人们对进步的见解是一致的地方或是不一致的地方，进步观念的基本含义始终只有一个，即意识生活的不断增长的完满与和谐。进步概念的客观内容就是如此…… 如果现在把我们所得出的进步观念在心理学上的表现和以前阐明的生物学上的表现…… 对照一下，我们就不难深信：前者是和后者完全一致的，而且可以从后者中引申出来…… 由于社会生活归根到底就是社会成员的心理生活，所以进步观念的内容在这里也还是生活的完满与和谐的不断增长，只要加上'人们的社会生活'这几个字就行了。当然，社会进步的观念从来没有而且也不可能有任何其他的内容。"② 对于波格丹诺夫的这种关于历史进步的认识，列宁作了如下评价："不用说，在这一套生物学和社会学的玩意中没有丝毫马克思主义。""表明作者完全不懂'什么是唯心主义'和什么是唯物主义"③。

关于"社会选择"，波格丹诺夫是这样看的："社会选择的每一活动，就是与它有关的社会复合的能量的增加或减少。在前一种场合我们看到的是'肯定的选择'，在后一种场合我们看到的是'否定的选择'。"列宁对波格丹诺夫的这段关于"社会选择"的"研究"结论的评价不仅是完全否定的，甚至是愤慨的。列宁指出："像这种难以形容的谬论竟然冒充马克思主义！难道还能想象出比罗列这些在社会科学领域中毫无意义而且也不会有什么意义的生物学和唯能论

---

① 《列宁选集》第 2 卷，人民出版社 2012 年版，第 221 页。
② 转引自《列宁选集》第 2 卷，人民出版社 2012 年版，第 222 页。
③ 《列宁选集》第 2 卷，人民出版社 2012 年版，第 222 页。

的名词更无益、更死板、更繁琐的事情吗？这里没有一点具体的经济研究的影子，也没有一点马克思的方法、辩证方法以及唯物主义世界观的迹象，只有定义的编造，以及把这些定义硬套到马克思主义的现成结论上去的企图。"①对于这种"加在马克思主义上面的社会选择学说"的"空话"，列宁批评道："正如马赫和阿芬那留斯在认识论上并没有发展唯心主义而是在旧的唯心主义的错误上增添一些自命不凡的胡诌瞎说的术语（'要素'、'原则同格'、'嵌入'等等）一样，经验批判主义在社会学上即使最诚挚地同情马克思主义的结论，但还是以自命不凡的空洞浮夸的唯能论的和生物学的词句曲解历史唯物主义。"②

列宁分析了造成现代俄国马赫主义的历史特点的原因，这个原因就是俄国的马赫主义者们的哲学与马克思和恩格斯的哲学形成与发展的不同道路。这种不同道路当然又是受着它们由以出发的哲学前提和所处的哲学环境、它们的理论上的对手的哲学特征影响的。马克思和恩格斯的哲学是从费尔巴哈的哲学出发的。费尔巴哈"下半截是唯物主义者，上半截是唯心主义者"，同时，在马克思和恩格斯的哲学形成和发展初期成为他们的哲学上的斗争对象的毕希纳（1824—1899）、福格特（1817—1895）、摩莱肖特（1822—1893）和杜林等人在一定程度上也是这样。所以，列宁说，在马克思和恩格斯创立自己的哲学的时候，"自然他们所特别注意的是修盖好唯物主义哲学的上层，也就是说，他们所特别注意的不是唯物主义认识论，而是唯物主义历史观。因此，马克思和恩格斯在他们的著作中特别强调的是**辩证**唯物主义，而不是辩证**唯物主义**，特别坚持的是**历史**唯物主义，而不是历史**唯物主义**。"③ 那么，"那些想当马克思主义者的马赫主义者"呢？他们"是在与此完全不同的历史时期接近马克思主义的"。他们遇到了完全不同的哲学环境，受到不同的哲学的影响，因而产生了不同的哲学结果。这个不同的哲学环境就是："这时候资产阶级哲学已经专门从事认识论的研究了，并且片面地歪曲地接受了辩证法的若干组成部分（例如，相对主义），把主要的注意力集中于保护或恢复下半截的唯心主义，而不是集中于保护或恢复上半截的唯心主义。至少，一般实证论特别是马赫主义是

① 《列宁选集》第 2 卷，人民出版社 2012 年版，第 223 页。
② 《列宁选集》第 2 卷，人民出版社 2012 年版，第 225 页。
③ 《列宁选集》第 2 卷，人民出版社 2012 年版，第 225 页。

在更多地从事对认识论的巧妙的伪造，冒充唯物主义，用似乎是唯物主义的术语来掩盖唯心主义，而对历史哲学却注意得比较少"①。从其结果和实际的哲学立场、哲学特征来看，俄国的马赫主义者不但是循着资产阶级哲学和"一般实证论特别是马赫主义"的哲学轨迹前进的，而且也完全接受了资产阶级哲学和他们的老师的哲学思想。他们既没有离开过他们的德国的老师的哲学立场，也没有超越他们的老师的哲学水平。列宁指出，他们是循着另一条道路接近马克思主义的，"他们接受了——有时候与其说是接受了还不如说是背诵了——马克思的经济理论和历史理论，但并没有弄清楚它们的基础，即哲学唯物主义。因此，应当把波格丹诺夫之流叫做颠倒过来的俄国的毕希纳分子和杜林分子"②。就是说，波格丹诺夫之流是历史观上的唯心主义者。"他们想在上半截成为唯物主义者，但他们却不能摆脱下半截的混乱的唯心主义！在波格丹诺夫那里，'上半截'是历史唯物主义，诚然，是庸俗的、被唯心主义严重地糟蹋了的历史唯物主义；'下半截'是唯心主义，是用马克思主义的术语、马克思主义的词句装饰打扮起来的唯心主义。"③

列宁在《唯物主义和经验批判主义》这部著作中所阐释的一个重要思想，就是马克思主义哲学是"一整块钢"思想，也就是马克思主义哲学是一个有机整体的思想。决定马克思主义哲学是"一整块钢"、一个有机整体的基础性因素，就是一般唯物主义，是对一般存在决定一般意识的基本原理的坚持。没有这个基础，也就没有社会存在决定社会意识的观点，即没有历史的唯物主义。但是，马克思主义哲学要成为一个整体，就必须从这个基础出发由一般唯物主义发展为历史唯物主义，由存在决定意识的哲学主张上升到社会存在决定社会意识的哲学主张。只有一般的唯物主义自然观，而没有唯物主义历史观，马克思主义哲学就不能说是完整的。但是，怎样达到历史唯物主义？从马克思主义哲学史的经验看，哲学家们是在如下两条道路之间进行选择的，一条是通过一般唯物主义而达到历史唯物主义，一条是越过一般唯物主义而企图在唯心主义基础上达到历史唯物主义。事实表明，前者是一条成功的道路，也就是马克思和恩格斯开辟的道路；后者是一条不成功的道路，也就是俄国的一些马赫主义

① 《列宁选集》第 2 卷，人民出版社 2012 年版，第 226 页。
② 《列宁选集》第 2 卷，人民出版社 2012 年版，第 226 页。
③ 《列宁选集》第 2 卷，人民出版社 2012 年版，第 226 页。

者曾经选择的道路。波格丹诺夫之流就是企图在自然观的唯心主义，即"下半截"的唯心主义的基础上而达到历史唯物主义的人，结果走进了一条死胡同。俄国的马赫主义者用自己的哲学经历告诉人们，没有表现为自然观作为基础的一般唯物主义，就不可能达到历史的唯物主义。但是，费尔巴哈和新实证论的哲学家、马赫主义者提供了另一种经验，即如果离开辩证法，不仅在历史观上不可能达到唯物主义，甚至在自然观上也不可能达到唯物主义。这就是在一般唯物主义基础上提出了唯物主义与辩证法的结合问题，即马克思主义哲学的辩证唯物主义性质问题。这里应该说明的是，列宁在《唯物主义和经验批判主义》一书中，关于"马克思和恩格斯在他们的著作中特别强调的是**辩证**唯物主义，而不是辩证**唯物主义**，特别坚持的是**历史**唯物主义，而不是历史**唯物主义**"这句话，我们对它不能做机械的理解，即把它理解为马克思主义哲学这个"一整块钢"是由辩证唯物主义和历史唯物主义两个并列的部分构成的，认为马克思主义哲学的"下半截"是辩证唯物主义，"上半截"是历史唯物主义；或者说马克思主义的"下层"是辩证唯物主义，"上层"是历史唯物主义。列宁是在马克思主义哲学如何形成的意义上才这样比喻的，所谓由"下半截"到"上半截"、由"下层"到"上层"，说的就是马克思主义哲学由唯物主义自然观到唯物主义历史观的发展。列宁并没有仅仅把自然观理解为辩证唯物主义的意思，并由此形成马克思主义哲学由辩证唯物主义和历史唯物主义两个部分构成的结论。从马克思主义哲学的形成的逻辑上说，它经历的是一个由唯物主义自然观到唯物主义历史观的过程，决定这个逻辑先后的是关于自然界和人类社会的不同的认识难度的问题，相应的是人的认识能力的发展逻辑的问题，即是从自然观的发展到历史观的发展。而从马克思主义哲学的实际形成过程来说，并没有那样一个先是唯物主义自然观，然后是唯物主义历史观的形成过程，并且先是辩证唯物主义，然后是历史唯物主义的形成的过程。实际情况是，马克思主义哲学的自然观和历史观是同时形成的。在这一点上，马克思和恩格斯并没有重复哲学史发展的道路，更没有重复黑格尔特别是费尔巴哈的道路。马克思和恩格斯正是基于哲学史的经验与教训而没有重复前人走过的道路。因此，在他们那里，辩证唯物主义和历史唯物主义是同时实现的。所以，规定马克思主义哲学是一整块钢的唯物主义，既是辩证的唯物主义，又是历史的唯物主义，是一种唯物主义——辩证的历史的唯物主义。

（四）哲学是有党性的学说

在《唯物主义和经验批判主义》一书的最后部分，列宁谈到了哲学上的党派和党性问题。列宁谈这个问题的开头一句话，实际回答了哲学的党派和党性问题的实质，即"唯物主义和唯心主义的斗争"。列宁说："透过许多新奇的诡辩言词和学究气十足的烦琐语句，我们总是毫无例外地看到，在解决哲学问题上有两条基本路线、两个基本派别。"具体地说，就是"是否把自然界、物质、物理的东西、外部世界看做第一性的东西，而把意识、精神、感觉（用现今流行的术语来说，即经验）、心理的东西等等看做第二性的东西，这是一个实际上仍然把哲学家划分为两大阵营的根本问题。"① 这是对恩格斯在《路德维希·费尔巴哈和德国古典哲学的终结》一书中关于哲学基本问题的第一个方面的思想，结合新的情况、使用一些新的术语所作的一个表述。基本思想没有任何变化，就连"两大阵营"的提法也是来自这部著作的。② 由此可见，列宁在《唯物主义和经验批判主义》一书中所说的哲学上的党派，其实就是以唯物主义和唯心主义为内容的"两大阵营"。具体地说，是一定观点、理论的唯物主义或唯心主义性质所属。列宁指出，在"这些方面"（即根本说来是思维和存在、物质和精神的关系方面）的成千上万的错误和糊涂观念的根源，就在于人们在各种术语、定义、繁琐辞令、诡辩字眼等外衣下，忽略了这两个基本倾向。列宁用马克思和恩格斯哲学思想发展的经验，说明他们是如何认识哲学上的两个基本倾向问题和他们如何始终能够一贯地坚持唯物主义，并同唯心主义进行坚决斗争的。关于马克思的哲学党性思想，列宁举了以下两个例子予以说明：一个例子是，马克思在 1843 年 10 月 3 日（列宁在该著作中所说的 1843 年 10 月 20 日，经核实有误）写给费尔巴哈的信。马克思在这封信里请费尔巴哈为《德法年鉴》杂志写一篇反对谢林的文章，起因是谢林吹牛，妄想包罗和超越一切以往的哲学派别。马克思写道："谢林向法国的浪漫主义者和神秘主义者说：'我把哲学和神学结合起来了！'向法国的唯物主义者说：'我把肉体和观念结合起来了'，向法国的怀疑论者说：'我把独断主义摧毁了'。"③ 列宁

---

① 《列宁选集》第 2 卷，人民出版社 2012 年版，第 227 页。

② 参见《马克思恩格斯选集》第 4 卷，人民出版社 2012 年版，第 231 页。

③ 《马克思恩格斯文集》第 10 卷，人民出版社 2009 年版，第 12 页。

说，马克思在当时就已经看出，不管"怀疑论者"叫作休谟主义者或康德主义者（在 20 世纪，或者叫做马赫主义者），他们都大声叫嚷反对唯物主义的和唯心主义的"独断主义"；他没有被千百种不足道的哲学体系中的任何一个体系所迷惑，而能够经过费尔巴哈直接走上反唯心主义的唯物主义道路。另一个例子是，过了 30 年后写的《资本论》第 1 卷第 2 版的跋。在这个跋中，马克思"同样明确地把他的唯物主义跟黑格尔的唯心主义，即最彻底最发展的唯心主义对立起来，同时轻蔑地抛开孔德的'实证论'，把当时的一些哲学家称为可怜的模仿者，他们自以为消灭了黑格尔，而事实上却是重犯了黑格尔以前的康德和休谟的错误"①。列宁得出结论："最后，如果把马克思在《资本论》和其他著作中的一些哲学言论考察一下，那么你们就会看到一个始终不变的主旨：坚持唯物主义，轻蔑地嘲笑一切模糊问题的伎俩、一切模糊观念和一切向唯心主义的退却。马克思的全部哲学言论，都是以说明这二者的根本对立为中心的"②。

关于恩格斯的哲学党性思想，列宁指出，恩格斯在自己的一切哲学著作中，在一切问题上都简单明白地把唯物主义路线跟唯心主义路线对立起来。不论是在《反杜林论》、《路德维希·费尔巴哈和德国古典哲学的终结》中，还是在《社会主义从空想到科学的发展》中，恩格斯对于"超越"唯物主义和唯心主义的"片面性"而创立新路线的无数煞费苦心的企图，一概表示轻蔑。恩格斯谴责唯物主义者杜林用空洞的字眼来混淆问题的实质，谴责他夸夸其谈，采用向唯心主义让步和转到唯心主义立场上去的论断方法。恩格斯在《反杜林论》的每一节中都是这样提出问题的：不是彻底的唯物主义，就是哲学唯心主义的谎言和糊涂观点。在关于对新哲学的探究方面，恩格斯在 1888 年为《路德维希·费尔巴哈和德国古典哲学的终结》一书写的序言中，提到德国古典哲学在英国和斯堪的纳维亚各国复活的现象，对于当时占统治地位的新康德主义和休谟主义，他除了表示极端的轻蔑之外什么话也没有说。恩格斯没有详细考察德国新康德主义和英国休谟主义的许许多多的小流派，而根本否定它们的背弃唯物主义的基本立场。由此，列宁得出结论："马克思和恩格斯在哲学上自始至终都是有党性的，他们善于发现一切'最新'流派对唯物主义的背弃，对

---

① 《列宁选集》第 2 卷，人民出版社 2012 年版，第 228—229 页。
② 《列宁选集》第 2 卷，人民出版社 2012 年版，第 229 页。

唯心主义和信仰主义的纵容。因此他们对赫胥黎的评价完全是从彻底坚持唯物主义的观点出发的。因此他们责备费尔巴哈没有把唯物主义贯彻到底，责备他因个别唯物主义者犯有错误而拒绝唯物主义，责备他同宗教作斗争是为了革新宗教或创立新宗教，责备他在社会学上不能摆脱唯心主义的空话而成为唯物主义者。"①

列宁高度赞赏工人哲学家约·狄慈根（1828—1888）坚定的和鲜明的唯物主义立场。列宁指出："约·狄慈根由于发表一些欠妥的违背唯物主义的言论而犯了许多错误，可是他从来没有企图在原则上脱离唯物主义而独树'新的'旗帜，在紧要关头他总是毅然决然地声明：我是唯物主义者，我的哲学是唯物主义哲学。"②列宁尤其赞赏狄慈根坚持反对中间党派和"科学的僧侣主义"的鲜明的唯物主义哲学立场。

列宁揭露和批判了马赫、阿芬那留斯及其党派和俄国马克思主义者标榜哲学"无党性"而实际反对唯物主义的唯心主义实质。列宁揭露说，马赫主义者以无党性自夸；如果说他们有什么死对头，那么只有一个，就是唯物主义者。他说："在一切马赫主义者的一切著作中，像一根红线那样贯彻着一种愚蠢奢望：'凌驾'于唯物主义和唯心主义之上，超越它们之间'陈旧的'对立。而事实上这帮人每时每刻都在陷入唯心主义，同唯物主义进行不断的和始终不渝的斗争。"③所以，俄国的马赫主义者企图"调和"马赫主义和马克思主义，就是企图"调和"唯心主义和唯物主义。他们企图发展和补充马克思的学说，结果却总是把马赫主义即唯心主义的东西塞进马克思主义，冒充马克思主义。列宁以俄国马赫主义者卢那察尔斯基对待宗教的态度为例，揭露俄国马赫主义者们是如何"奴颜婢膝地追随反动教授哲学"的。在反对马克思主义的集体著作《论丛》中，卢那察尔斯基谈到了"人类最高潜在力的神化"、"宗教的神化"等等。卢那察尔斯基的这个思想正是迎合马赫主义思潮的。列宁举出彼得楚尔特和马赫对待宗教的态度来说明这一点。彼得楚尔特说："经验批判主义'无论与有神论或无神论都不矛盾'"，马赫说："宗教的见解是私人的事情"，而一切内在论者则宣传露骨的信仰主义。列宁指出："哲学家在这个问题上保守中

---

① 《列宁选集》第 2 卷，人民出版社 2012 年版，第 231 页。
② 《列宁选集》第 2 卷，人民出版社 2012 年版，第 231 页。
③ 《列宁选集》第 2 卷，人民出版社 2012 年版，第 233 页。

立，就是向信仰主义卑躬屈膝，而马赫和阿芬那留斯没有超出而且也不能超出中立态度，这是由他们的认识论的出发点所决定的。"[①]信仰主义是粗糙的唯心主义，唯心主义是精巧的信仰主义。卢那察尔斯基的信仰主义与波格丹诺夫的唯心主义是完全合拍的。所以，列宁说："只有瞎子才看不出，在卢那察尔斯基的'人类最高潜在力的神化'和波格丹诺夫的心理东西对整个物理自然界的'普遍代换'之间有着思想上的血缘关系。这是同一种思想，不过前者主要是用美学观点来表达的，而后者主要是用认识论观点来表达的。"[②]从信仰主义的哲学根源来说，这个"同一种思想"就是唯心主义。因为，"如果不承认那种认为人的意识反映客观实在的外部世界的唯物主义理论，就必然会主张不属于任何人的感觉，不属于任何人的心理，不属于任何人的精神，不属于任何人的意志。"[③]那么，它会是谁的感觉、谁的心理、谁的精神、谁的意志呢？按照信仰主义的理解，它只能是神的，即实际上不存在的想象的主体的。作为《唯物主义和经验批判主义》一书的结论的第四部分，列宁又一次谈到哲学党性问题，这段文字成为马克思主义哲学史上关于哲学党性问题的经典性表达。列宁的回答解释了哲学党性概念的实质。人们会问，这种表现为唯物主义与唯心主义对立的哲学特征，列宁为什么要使用政治性的术语来表达呢？答案就在于它与现实的阶级斗争的联系。它所表达的思想就是：哲学的党性、哲学的党派性，说到底是哲学的阶级性。列宁关于哲学党性问题的这一思想，是对马克思主义哲学的发展，也回答了他在政治流亡中为什么要专门写这样一部哲学著作的原因。列宁的这段阐述值得我们把它完整地摘录下来："在经验批判主义认识论的烦琐语句后面，不能不看到哲学上的党派斗争，这种斗争归根到底表现着现代社会中敌对阶级的倾向和意识形态。最新的哲学像在两千年前一样，也是有党性的。唯物主义和唯心主义按实质来说，是两个斗争着的党派，而这种实质被冒牌学者的新名词或愚蠢的无党性所掩盖。唯心主义不过是信仰主义的一种精巧圆滑的形态，信仰主义全副武装，它拥有庞大的组织，继续不断地影响群众，并利用哲学思想上的最微小的动摇来为自己服务。经验批判主义的客观的、阶级的作用完全是在于替信仰主义者效劳，帮助他们反对一般唯物主义，

---

① 《列宁选集》第 2 卷，人民出版社 2012 年版，第 236 页。
② 《列宁选集》第 2 卷，人民出版社 2012 年版，第 238 页。
③ 《列宁选集》第 2 卷，人民出版社 2012 年版，第 238 页。

特别是反对历史唯物主义。"①

　　《唯物主义和经验批判主义》是一部具有丰富内容和鲜明特点的马克思主义哲学著作，形式上看，它是一部哲学认识论著作，而由于列宁把认识论的基本问题和一般的哲学基本问题统一起来，总是把关于认识论问题的认识提高到一般哲学的高度，因而它实际又是一部超越认识论的界限的关于马克思主义全部哲学理论原理的著作。该部著作以它对马克思主义哲学基本原理的创新发展而确立了其在马克思主义哲学史、马克思主义发展史上的独特地位。这些发展特别以"三个重要的认识论的结论"、物质定义、马克思主义认识论是"能动的革命的反映论"的结论、马克思主义哲学是"一整块钢"和关于辩证唯物主义和历史唯物主义的关系的思想、哲学党性的思想等为鲜明标志。

第二节　丰富和发展唯物辩证法

　　《哲学笔记》是列宁继《唯物主义和经验批判主义》之后又一部重要哲学著作。它不是一部体系完备的著作，而是列宁于1895—1916年哲学研究过程中所读著作的摘要、札记、批语以及其他哲学资料的汇集。构成《哲学笔记》主要部分的是1914—1916年的读书笔记（含摘要、札记、批语和短文）。在将近两年的时间里，列宁阅读了近8000页书，写了8本笔记。列宁那时阅读大量哲学著作、研究哲学问题，特别是辩证法问题的直接原因，是为了更好地掌握唯物辩证法，以便用它来指导对斗争中遇到的重大问题的分析，制定正确的革命斗争战略和策略，特别是同社会沙文主义的斗争。

　　列宁《哲学笔记》的内容，按形式分为三个部分：第一部分收录了列宁在研读马克思、恩格斯、费尔巴哈、黑格尔、拉萨尔（1825—1864）、亚里士多德（公元前384—前322年）和乔·诺埃尔的有关哲学著作时所作的摘要及列宁的两篇短文《黑格尔辩证法（逻辑学）的纲要》和《谈谈辩证法问题》；第

---

① 《列宁选集》第2卷，人民出版社2012年版，第240页。

二部分收录了列宁在 1903—1906 年写的关于哲学和自然科学的各种书籍、论文和书评的短篇札记；第三部分收录了列宁在阅读狄慈根（1828—1888）、普列汉诺夫、弗·米·舒利亚季科夫（1872—1912）、阿·莱伊、阿·德波林（1881—1963）、尤·米·斯切克洛夫（1873—1941）的著作时所写的批注。其中第一部分是最重要的。从内容上说，《哲学笔记》涉及辩证法、历史唯物主义和哲学史等诸多方面，可概括为：1. 唯物辩证法的对象和任务；2. 唯物辩证法的规律和基本范畴；3. 作为马克思主义认识论的逻辑学和辩证法；4. 自然科学中的哲学问题；5. 历史唯物主义问题；6. 作为科学的哲学史。唯物辩证法是《哲学笔记》的核心内容。

列宁的《哲学笔记》发展了马克思主义哲学，更发展了唯物辩证法，是辩证法史上的里程碑式的著作。国际哲学界曾发生关于《哲学笔记》与《唯物主义和经验批判主义》的关系的争论。苏联和我国大部分学者认为，《哲学笔记》既坚持了《唯物主义和经验批判主义》的基本立场和观点，又在辩证法和认识论方面发展了《唯物主义和经验批判主义》的基本观点。一些西方学者则认为，两部著作存在着对立，以《哲学笔记》反观《唯物主义和经验批判主义》，意味着列宁哲学思想的某些基本立场和观点发生了改变。尤其在一些西方"马克思学"、西方"列宁学"的学者看来，《哲学笔记》放弃了唯物主义反映论，修改了哲学党性原则和对唯心主义的态度，改变了对马克思主义的理解，等等。他们制造和鼓吹这种对立，一是为了否定列宁哲学思想发展的完整性和基本立场的一贯性，二是为了进一步制造列宁哲学思想与马克思哲学思想的对立，否定列宁主义是对马克思主义的继承和发扬。①

一、唯物主义的逻辑、辩证法和认识论是"同一个东西"

在《哲学笔记》中，列宁明确提出唯物主义的逻辑、辩证法和认识论是"同一个东西"（以下简称"三者同一"）的原理。这一原理是对马克思主义哲学的重要发展。在载于《哲学笔记》的《黑格尔辩证法（逻辑学）的纲要》中，列宁关于这一原理的明确阐述是："虽说马克思没有遗留下'逻辑'（大写字

---

① 张翼星：《列宁哲学思想的历史命运》，重庆出版社 1992 年版，第 156—160 页。

母的），但他遗留下《资本论》的逻辑，应当充分地利用这种逻辑来解决这一问题。在《资本论》中，唯物主义的逻辑、辩证法和认识论[不必要三个词：它们是同一个东西]都应用于一门科学"①。要正确理解这段话，首先要承认逻辑就是逻辑、辩证法就是辩证法、认识论就是认识论。它们作为构成马克思主义哲学整体的三个不同的部分，具有各自不同的内容，即"特殊的矛盾性"。承认三者的相对独立性，是我们理解和谈论"三者同一"关系的前提。尽管说它们是"同一个东西"，但它们之间的实际关系不可能是没有各自的"自我"、各自的特定的规定性的绝对同一。它们是一定意义下的同一或统一。

对于逻辑、辩证法和认识论"三者同一"关系的理解，首先从列宁关于逻辑同辩证法和认识论的关系的论述开始，因为我们发现列宁似乎着重谈的正是逻辑（学）与辩证法和认识论之间的统一关系。在收载于《哲学笔记》的《黑格尔〈逻辑学〉一书摘要》中，列宁从关于逻辑的本质的理解出发所做的阐释，可以被认为在思想上最接近于上面引证过的那段关于"三者同一"的经典阐述。列宁指出："逻辑不是关于思维的外在形式的学说，而是关于'一切物质的、自然的和精神的事物'的发展规律的学说，即关于世界的全部具体内容的以及对它的认识的发展规律的学说，即对世界的认识的历史的总计、总和、结论。"②可以发现，这段话既包括逻辑是辩证法的内容，又包括逻辑是认识论的内容。首先，列宁关于"逻辑不是关于思维的外在形式的学说"，不能被简单地理解为列宁否认逻辑是关于思维的形式的学说。列宁否认逻辑作为思维形式的外在性，是为了强调逻辑同时是关于"'一切物质的、自然的和精神的事物'的发展规律的学说"，即它是辩证法或关于辩证法的学说。如果连逻辑是关于思维的形式的学说都否定了，那也就没有逻辑了。列宁只是针对那种把逻辑仅仅理解为思维的形式的学说的片面认识才这样讲的。列宁的完整的意思是说，除逻辑是思维的形式的学说外，它还是关于"一切物质的、自然的和精神的事物"的发展规律的学说。就是说逻辑还是辩证法。因为辩证法正是关于自然界、人类社会和思维的一般规律的学说。列宁的这句话中虽然没有直接讲出"社会"，而只提到自然界，但社会这一内容在"一切物质

---

① 《列宁专题文集　论辩证唯物主义和历史唯物主义》，人民出版社 2009 年版，第 145 页。

② 《列宁专题文集　论辩证唯物主义和历史唯物主义》，人民出版社 2009 年版，第 131 页。

的"事物中已经包含了，并且从列宁的重复阐述"即关于世界的全部具体内容的以及对它的认识的发展规律的学说"中，也可看得出无论是作为辩证法运动的主体还是作为认识的对象，所谓"世界的全部具体内容"自然包括人类社会。列宁的这段完整论述还包含"逻辑是认识论"的思想。这一思想既在"关于世界的全部具体内容的以及对它的认识的发展规律的学说"这句重复阐述中，也在"世界的认识的历史的总计、总和、结论"这句重复阐述中。这种重复阐述既是对所要表达的思想的补充，更是对被补充的思想内容的强调。列宁在认识论和认识史的双重意义上，把逻辑与认识论统一起来。逻辑既是认识论，又是认识史（它的总计、总和、结论）。这里列宁表达的是逻辑（学）＝辩证法＝认识论（包含认识史）的思想，同我们在问题一开始就引证过的那段经典阐述在内容的完整性上和思想上是完全一致的。逻辑总是内在地同历史范畴联系在一起，无论是作为它的表现对象的客观世界的历史，还是作为对它的反映的人类的认识史、思想史。所以，在列宁的关于逻辑学与认识论相统一的思想中，总是包含着逻辑学与认识史、思想史相统一的思想。就在我们引述的关于"三者同一"的那段经典阐述的前面，列宁的一段论述就特别表达了逻辑学与认识史、思想史相统一的思想。列宁说："概念（认识）在存在中（在直接的现象中）揭露本质（因果、同一、差别等等的规律）——整个人类认识（全部科学）的一般进程确实如此。自然科学和政治经济学［以及历史］的进程也是如此。所以，黑格尔的辩证法是思想史的概括。从各门科学的历史来更具体地详尽地研究这点，会是一个极有裨益的任务。总的说来，在逻辑中思想史应当和思维规律相吻合。"[①] 在完整内容和意义上，列宁关于"三者同一"的重要阐述还有多处。比如，列宁在谈到逻辑学与认识论的关系时，经分析我们可以发现他并没有把论题局限于逻辑学与认识论的关系，而是一个逻辑学、辩证法和认识论三者关系的内容的全面的阐述。列宁指出："逻辑学是关于认识的学说，它是认识论。认识是人对自然界的反映。但是，这并不是简单的、直接的、完整的反映，而是一系列的抽象过程，即概念、规律等等的构成、形成过程，这些概念和规律等等（思维、科学＝'逻辑观念'）有条件地近似地把握永恒运动着和发展着的自然界的普遍规律性。在这里的确客观上是三项：（1）自然界；（2）人的认识＝人脑（就是同一个自然界

---

① 《列宁专题文集 论辩证唯物主义和历史唯物主义》，人民出版社 2009 年版，第 145 页。

的最高产物）；（3）自然界在人的认识中的反映形式，这种形式就是概念、规律、范畴等等。人不能完全地把握＝反映＝描述整个自然界、它的'直接的总体'，人只能通过创立抽象、概念、规律、科学的世界图景等等永远地接近于这一点。"①直接看，这是阐述逻辑学就是认识论的思想。但是，一触及认识的形式、表达认识的工具，逻辑学就出场了；而一触及认识的过程，则辩证法就出场了。辩证法对于认识过程来说，是内在的。这种辩证法一方面是作为认识对象的"整个自然界"的普遍规律性即客观辩证法，一方面是"通过创立抽象、概念、规律、科学的世界图景等等"，不断地接近于认识对象的主观辩证法。所以，就这段论述的内容而言，它完整地包含了"三者同一"的思想。"三者同一"我们能够作为马克思主义哲学的一个基本原理来理解，还在于这个原理的表现形式的普遍性上。这说的是，即使在列宁的一个极其简短的阐述中，也包含着"三者同一"的思想。例如，列宁说："逻辑的主要内容，并且这些概念（及其关系、过渡、矛盾）是作为客观世界的反映而被表现出来的。事物的辩证法创造观念的辩证法，而不是相反。"②在这段话中，"逻辑的主要内容"是"作为客观世界的反映而被表现出来"，这是把逻辑与认识论统一起来，用对客观世界的认识、反映来解释逻辑。这个反映是逻辑的和辩证的，不仅表现为一系列的概念，而且包含"关系、过渡、矛盾"等等辩证的认识环节，这些概念和环节构成为或表现为作为反映的"观念的辩证法"，而作为反映对象和认识的来源的客观世界本身的性质，列宁没有明确讲，但我们从引述的这句话前面的一句话中可以看出来，这个客观世界是辩证的。这句话就是："真理就是由现象、现实的一切方面的总和以及它们的（相互）关系构成的。"在这里"真理"不是一个认识范畴，它指的就是客观真理、客观世界。在列宁那里客观真理与客观世界往往通用，这特别可以从《唯物主义和经验批判主义》一书中看到。而单从表达形式来看，列宁的以下阐述极好地表现了"三者同一"的思想。列宁说："《逻辑学》第 2 部（《主观逻辑》）第 3 篇（《观念》）的导言（第 5 卷第 236—243 页）以及《哲学全书》中相应的各节（第 213—215 节）几乎就是关于辩证法的最好的阐述。也就在这里，可

---

① 《列宁专题文集 论辩证唯物主义和历史唯物主义》，人民出版社 2009 年版，第 136—137 页。

② 《列宁专题文集 论辩证唯物主义和历史唯物主义》，人民出版社 2009 年版，第 137 页。

以说是极其天才地指明了逻辑和认识论的一致。"①"指明了逻辑和认识论的一致","就是关于辩证法的最好的阐述",仅在形式上就把逻辑、辩证法和认识论统一起来了。

在《哲学笔记》中,列宁还在多处单独谈到逻辑学与认识论、逻辑学与辩证法、辩证法与认识论等的统一,把这些论述综合起来看,可以发现列宁关于逻辑、辩证法和认识论"三者同一"的思想。关于逻辑学和认识论的统一,列宁说,逻辑学"不仅是对思维形式的描述,不仅是对思维现象的自然历史的描述……,而且是和真理的符合"。"按照这种理解,逻辑学是和认识论一致的。"②关于逻辑学与辩证法的统一,列宁指出:"(抽象的)概念的形成及其运用,已经包含着关于世界客观联系的规律性的看法、见解、意识。把因果性从这个联系中分出来,是荒谬的。否定概念的客观性、否定个别和特殊之中的一般的客观性,是不可能的。……即使是最简单的概括,即使是概念(判断、推理等等)的最初的和最简单的形成,已经意味着人在认识世界的日益深刻的客观联系。"③列宁还从如何辩证地认识世界的要求以及思维过程方面,阐释了认识论与辩证法的统一。他说:"物质的抽象,自然规律的抽象,价值的抽象等等,一句话,一切科学的(正确的、郑重的、不是荒唐的)抽象,都更深刻、更正确、更完全地反映自然。从生动的直观到抽象的思维,并从抽象的思维到实践,这就是认识真理、认识客观实在的辩证途径。"④"认识是思维对客体的永远的、无止境的接近。自然界在人的思想中的反映,要理解为不是'僵死的',不是'抽象的',不是没有运动的,不是没有矛盾的,而是处在运动的永恒的过程中,处在矛盾的发生和解决的永恒过程中。"⑤在《谈谈辩证法问题》中,列宁更直接地指出:"辩证法本来是人类的全部认识所固有的","辩证法也就是(黑格尔和)马克思主义的认识论"⑥。

关于唯物主义的逻辑、辩证法和认识论"三者同一"的思想是列宁对马克

---

① 《列宁全集》第 55 卷,人民出版社 2017 年版,第 162 页。
② 《列宁全集》第 55 卷,人民出版社 2017 年版,第 146 页。
③ 《列宁专题文集 论辩证唯物主义和历史唯物主义》,人民出版社 2009 年版,第 136 页。
④ 《列宁专题文集 论辩证唯物主义和历史唯物主义》,人民出版社 2009 年版,第 135 页。
⑤ 《列宁专题文集 论辩证唯物主义和历史唯物主义》,人民出版社 2009 年版,第 137 页
⑥ 《列宁专题文集 论辩证唯物主义和历史唯物主义》,人民出版社 2009 年版,第 150—151 页。

思主义哲学的重要发展，这个发展一方面在于他明确地作出了"三者同一"的结论；另一方面在于他关于这个问题的系统阐释，在于这一原理的内容的完整性和科学性。但是，正如人类认识史、思想史表明的那样，这一原理同马克思主义哲学的其他原理一样，都是在前人思想的基础上发展起来的。关于"三者同一"问题，我们可以在黑格尔和马克思主义哲学创始人那里找到它的思想资源和理论基础。黑格尔虽然没有像列宁那样作出逻辑、辩证法和认识论是"三者同一"的明确结论，但在唯心主义基础上他是承认"三者同一"的。在他看来，逻辑学既是宇宙观或本体论，又是认识论。例如，他说：逻辑学"构成真正的形而上学……"①。这里的"形而上学"就是本体论。他又说，逻辑学中的概念"是'逻各斯'，是存在着的东西的理性"②。黑格尔还认为，人类认识史也是受逻辑规律支配的，所以，"历史上那些哲学系统的次序，与理念里的那些概念规定的逻辑推演的次序是相同的"③。"不仅如此，黑格尔还拿出了一本逻辑学著作，它同时是他的宇宙观和认识论。在《逻辑学》和《哲学全书》中他多次谈到，他的逻辑学研究的不是纯粹形式的主观的范畴，而是有客观内容的客观世界的理念，而逻辑范畴的发展同哲学史是一致的"④。恩格斯虽然也没有明确地谈到过"三者同一"的问题，但他把逻辑学和辩证法看成同一个东西的思想则是明确的。他把辩证法看作关于外部世界（自然界和人类社会）和人类思维的运动的一般规律的科学，认为"这两个系列的规律在本质上是同一的"⑤。

二、对立统一规律是辩证法的实质和核心

作为自然界、人类社会和思维发展的一般规律的科学的唯物辩证法，有其特定的内容和结构，这些内容和结构构成辩证法的体系，或者说是辩证法体系的构成要素、基本要素。这些要素我们通常把它理解为辩证法的规律和

---

① 转引自《列宁全集》第55卷，人民出版社2017年版，第72页。
② ［德］黑格尔：《逻辑学》上卷，杨一之译，商务印书馆1966年版，第17页。
③ ［德］黑格尔：《哲学史讲演录》第1卷，贺麟、王太庆译，商务印书馆1960年版，第34页。
④ 《黄枬森文集》第三卷，中央编译出版社2012年版，第115页。
⑤ 《马克思恩格斯文集》第4卷，人民出版社2009年版，第298页。

范畴的统一。其实范畴的关系也表现着客观世界和思维发展的一定的或某一方面的规律，就此而言，规律是区分为一般规律和基本规律的。那么，哪些规律属于一般规律，哪些规律属于基本规律呢？这个问题从辩证法的体系来说，涉及这个体系的结构，而就这个体系的构成要素来说，涉及这些要素的意义，即一定要素在辩证法体系中的地位和作用。所谓辩证法的核心就是这样一个问题。

黑格尔是辩证法的集大成者，他建构了一个庞大的辩证法体系。出于这个体系的需要，它不能没有一个对其内容、对其全部构成要素起统摄作用的核心。在黑格尔那里，这个核心是否定之否定，即正题、反题、合题三段式。"黑格尔也讲到过矛盾是辩证法的灵魂，是辩证法的精华。但是，黑格尔也明确地讲过否定之否定是他的整个哲学体系的核心。"①关于矛盾，他只把它作为否定之否定过程的一个环节。在黑格尔哲学里，对立统一规律与否定之否定规律是无法分开的。马克思和恩格斯不仅批判黑格尔哲学的唯心主义基础，也改造其内容。恩格斯的贡献在于，在《反杜林论》中把矛盾思想与否定之否定思想区别开来，在《自然辩证法》中提出辩证法的三个基本规律（即质量相互转化规律、对立统一规律和否定之否定规律）的思想。但是，马克思和恩格斯并没有明确讲对立统一规律是辩证法的核心。列宁的贡献在于，他在没有见到恩格斯的《自然辩证法》的情况下，独立地发现了对立统一规律与否定之否定规律之间的区别，创造性地提出对立统一规律是辩证法的核心，确定了对立统一规律在辩证法体系中的地位。②

列宁是在《黑格尔〈逻辑学〉一书摘要》中谈"辩证法的要素"问题中，明确作出对立统一规律是辩证法的核心这一结论的。他说："可以把辩证法简要地规定为关于对立面的统一的学说。这样就会抓住辩证法的核心，可是这需要说明和发挥。"③"核心"是关于事物或思想体系的结构的概念，指构成该体系的一定要素在该体系中的根本性地位。正是在这个意义上，列宁主张"把辩证法简要地规定为关于对立面的统一的学说"。问题的本来的逻辑不是先有这个"规定"，而后才有关于它的作用和地位的认识。而是遵循一个"核心→规

---

① 《黄枬森文集》第一卷，中央编译出版社 2012 年版，第 334 页。

② 参见《黄枬森文集》第一卷，中央编译出版社 2012 年版，第 335 页。

③ 《列宁专题文集　论辩证唯物主义和历史唯物主义》，人民出版社 2012 年版，第 141 页。

定"的逻辑。当这样一种实际的关系在认识上被确定下来并成为一个普遍的认识的时候，就把"核心"与"规定"统一起来了，即当一提到关于辩证法学说的简要的"规定"时，自然就联想到对立统一规律。从以上关于辩证法的这个"简要规定"的表述看，不像是一个关于辩证法体系的结构的说明，而像是一个关于辩证法的本质或整体性质的认识或判断。而关于辩证法，的确又存在这样一个认识问题。这就是关于"辩证法的实质"问题。与列宁关于"核心"的阐述相比较，有更多地方，并且也更早些谈到的正是辩证法的实质问题。

列宁关于"辩证法的实质"的明确阐述，出现在两个地方：一个在《黑格尔〈哲学史讲演录〉一书摘要》中，另一个在《谈谈辩证法问题》中。在《哲学史讲演录》中，黑格尔在谈到埃利亚学派时谈到了辩证法，指出："……我们在这里〈在埃利亚学派中〉发现了辩证法的开端，即概念中的纯思维运动的开端；同时还发现思维与现象或感性存在之间的对立，——自在之物与这个自在之物的为他存在之间的对立；并且在对象的本质中发现它自身所具有的矛盾（本来意义上的辩证法）。"列宁尤其重视黑格尔把"在对象的本质中发现它自身所具有的矛盾"看作"本来意义上的辩证法"的思想，并从中直接引申出关于辩证法的对象的思想："就本来的意义说，辩证法是研究对象的本质自身中的矛盾：不但现象是短暂的、运动的、流逝的、只是被约定的界限所划分的，而且事物的本质也是如此。"[①] 由此可以联系列宁在《黑格尔〈逻辑学〉一书摘要》中关于辩证法的研究对象的一段阐述："辩证法是一种学说，它研究对立面怎样才能够同一，是怎样（怎样成为）同一的——在什么条件下它们是相互转化而同一的，——为什么人的头脑不应该把这些对立面看做僵死的、凝固的东西，而应该看做活生生的、有条件的、活动的、彼此转化的东西。"[②] 这两个地方都是从辩证法的对象的角度阐明什么是辩证法的问题。而对这个问题都是从矛盾，即从对立统一规律的角度作出回答。所以，我们即使不把列宁关于辩证法的对象的认识与他关于辩证法的核心和实质的认识直接等同起来，但至少可以认为"对象"问题是最接近于"实质和核心"问题的。

---

① 《列宁专题文集 论辩证唯物主义和历史唯物主义》，人民出版社 2012 年版，第 142 页。

② 《列宁全集》第 55 卷，人民出版社 2017 年版，第 90 页。

芝诺说："……运动本身是一切存在的东西的辩证法……"。黑格尔对此评论道："芝诺从没有想到要否认作为'感觉确定性'的运动，问题仅仅在于'nach ihrer〈运动的〉Wahrheit—（运动的真实性）。'"列宁对此的评论是："这点可以而且应该倒转过来：问题不在于有没有运动，而在于如何用概念的逻辑来表达它。"① 列宁提出了关于运动、关于客观辩证法的"概念的逻辑"表达问题，实际就是提出了逻辑学意义上的辩证法的实质问题。列宁指出："运动是时间和空间的本质。表达这个本质的基本概念有两个：（无限的）非间断性……和'点截性'（＝非间断性的否定，即间断性）。运动是（时间的和空间的）非间断性与（时间和空间的）间断性的统一。运动是矛盾，是矛盾统一。"②"由此可见，'概念的逻辑'就是对立面的统一的逻辑。"③ 列宁接着指出，就运动的辩证法来说，"如果不把不间断的东西割裂，不使活生生的东西简单化、粗陋化，不加以划分，不使之僵化，那么我们就不能想象、表达、测量、描述运动。思想对运动的描述，总是粗陋化、僵化。不仅思想是这样，而且感觉也是这样；不仅对运动是这样，而且对任何概念也都是这样。"相对于运动的非间断性存在与意义，列宁同时强调了间断性的存在与意义。运动的这种间断性与非间断性的统一所表达的一般意义，列宁认为："这就是辩证法的实质。对立面的统一、同一这个公式正是表现这个实质。"④ 由此可见，列宁在带有他在 1914—1915 年研究哲学问题的"独特总结"意义的《谈谈辩证法问题》一文的一开始，就明确指出"统一物之分为两个部分以及对它的矛盾着的部分的认识……，是辩证法的实质"⑤，决不是偶然的。

为什么要把对立统一规律看作辩证法的实质和核心？原因一定在于这个规律与其他两个辩证法的基本规律相比较而具有的特殊的理论品质。这种品质最基本的是这样两个方面：第一，对立统一规律解释了事物发展的源泉和动力。形而上学总是从事物的外部条件寻找其运动、发展的源泉和动力，与形而上学相对立，唯物辩证法力图从事物内部来理解和寻找其变化、发展的源

① 《列宁全集》第 55 卷，人民出版社 2017 年版，第 216 页。
② 《列宁专题文集 论辩证唯物主义和历史唯物主义》，人民出版社 2012 年版，第 143 页。
③ 《马克思主义哲学史》编写组：《马克思主义哲学史》，高等教育出版社、人民出版社 2020 年版，第 245 页。
④ 《列宁专题文集 论辩证唯物主义和历史唯物主义》，人民出版社 2012 年版，第 143 页。
⑤ 《列宁专题文集 论辩证唯物主义和历史唯物主义》，人民出版社 2012 年版，第 148 页。

泉和动力。第二，对立统一规律是理解质量互变规律、否定之否定规律和辩证法的其他规律的钥匙。任何事物的变化与发展都经历了一个由量变到质变的过程，经历了对事物发展中的一定状态的肯定，和通过对这个肯定状态的否定而实现的发展过程，而事物的再发展又是在对这个否定状态的否定中实现的。这种由肯定到否定，再由否定到否定之否定的过程，构成一定事物的完整的发展过程，任何新事物的产生都经历这样一个辩证过程。而无论是推动客观世界中的变化着的事物实现由量变到质变形式的发展的力量，还是实现由肯定到否定，再由否定到否定之否定形式的发展的力量，都来自事物内部的矛盾运动，亦即对立统一规律的作用。正是在这个意义上，列宁说："发展是对立面的统一（统一物之分为两个互相排斥的对立面以及它们之间的相互关系）"的观点，"才提供理解一切现存事物的'自己运动'的钥匙，才提供理解'飞跃'、'渐进过程的中断'、'向对立面的转化'、旧东西的消灭和新东西的产生的钥匙"[①]。

列宁关于对立统一规律是辩证法的实质和核心的观点，具有重要的理论意义和实践意义。它是对马克思主义哲学的唯物辩证法思想的重要发展。它的直接的理论意义，不仅在于使得人们对对立统一规律本身有了一个正确的认识，而且在于明确了对立统一规律在辩证法体系中的决定性的地位，特别是与辩证法的其他两个基本规律之间的关系，从而一方面使人们对唯物辩证法能够具有更深刻的和科学的认识，一方面也为构建科学的唯物辩证法体系奠定了理论基础。它的实践意义特别在于为革命的无产阶级正确认识正在进行的第一次世界帝国主义战争及其复杂矛盾和确立无产阶级对于这场战争的正确态度和应采取的正确的战略和策略，提供科学的世界观和方法论的指导，并且指导革命无产阶级及其政党正确开展同工人阶级内部以社会沙文主义为代表的机会主义思潮的斗争。

三、认识的辩证法

我们在前面关于列宁的唯物主义逻辑、辩证法和认识论三者同一的思想的

---

① 《列宁专题文集 论辩证唯物主义和历史唯物主义》，人民出版社 2012 年版，第 149 页。

阐述中,已经部分地涉及认识的辩证法问题。但由于这种阐述只限于在一般的或整体的意义上阐述认识论与辩证法之间的关系,所以关于认识论的全部内容并未展开分析和做内容广泛的说明,特别是对作为认识的辩证法问题的重点内容即认识过程的辩证法没有做更多的说明。我们知道,黑格尔虽然没有明确地作出逻辑学、辩证法和认识论"三者同一"的结论,但他是有这一思想的,因而也是把这一思想及其精神贯彻到他自己的哲学思想的表达和对于科学史、思想史和哲学史上的各种思想、流派和各个哲学家的评价中的。比如,他的主要著作《逻辑学》谈的是逻辑学,但也是辩证法,也是认识论。所以,关于认识的辩证法,无论在关于逻辑问题的阐述中,还是在关于辩证法的阐述中,都一般性地包括在其中了。所以,这就决定我们关于黑格尔认识论思想的研究或理解的方法,必须是通过他的逻辑学和辩证法的研究的。我们从《哲学笔记》中也能发现列宁关于黑格尔哲学思想研究和阐释的这一方法。所以,关于列宁在《哲学笔记》中的认识论思想的研究,以及关于他的逻辑学、辩证法思想的研究,都必须适应这一方法、贯彻这一方法,即善于在列宁关于黑格尔逻辑学思想、辩证法思想的评论中把握他的认识论思想。

（一）认识论的唯物主义

就关于逻辑学、辩证法和认识论"三者同一"关系的理解而言,当然不能停留在现象的表面,而要深入到问题的实质,寻找使其达到统一或同一的内在根据。一方面,列宁关于对立面的统一是辩证法的实质和核心的思想,可以为我们提供回答"三者同一"的钥匙,即从对立统一规律的角度理解"三者同一"的基础,从而也突破黑格尔的无论是解释概念的形成与发展还是绝对观念的运动的否定之否定的思维模式的禁锢。"三者同一"的又一哲学基础其实是以往被我们忽略的但又是根本的世界观基础。黑格尔是在唯心主义基础上表现他的"三者同一"思想的,列宁则是在唯物主义基础上谈"三者同一"的,由此也就理解了列宁为什么把"三者同一"表述为"唯物主义的逻辑、辩证法和认识论[不必要三个词:它们是同一个东西]……"①。强调三者的唯物主义的性质,相对于黑格尔的唯心主义基础上的"三者同一"思想,就是强调它的科学世界观基础。由此,我们也就不难理解列宁无论是在一般地谈认识论问题,还是在

① 《列宁专题文集　论辩证唯物主义和历史唯物主义》,人民出版社 2009 年版,第 145 页。

特别谈认识论的辩证法问题时，为什么都特别关注、强调其中的唯物主义与唯心主义问题。

列宁重视黑格尔在《逻辑学》第 2 部"主观逻辑或概念论"的"概念总论"中讲的一段话："……它〈对象〉……在思维中是怎样的，它起先在自在和自为中也就是那样的；它在直观或表象中是怎样的，那它就是现象……"。列宁认为，"黑格尔把康德的唯心主义从主观的提高到客观的和绝对的"，是"从对客观实在的直观到认识"[①]。这是对唯心主义者黑格尔的这段话所表达的思想做了唯物主义的理解呢？还是说黑格尔的这段话本身就包含着唯物主义或者唯物主义的因素呢？这其实都不重要。重要的是，它表明了列宁看问题的那种特有的和一贯的辩证唯物主义的立场和角度。

同样的思想出现在"主观性"这一部分。在黑格尔谈到对康德的二律背反的认识时，列宁有 4 处批注，文字较长的批注是："（抽象的）概念的形成及其运用，已经包含着关于世界客观联系的规律性的看法、见解、意识。把因果性从这个联系中分出来，是荒谬的。否定概念的客观性、否定个别和特殊之中的一般的客观性，是不可能的。黑格尔探讨客观世界的运动在概念的运动中的反映，所以他比康德及其他人深刻得多。……即使是最简单的概括，即使是概念（判断、推理等等）的最初的和最简单的形成，已经意味着人在认识世界的日益深刻的客观联系。在这里必须探求黑格尔逻辑学的真实的含义、意义和作用。要注意这点。"[②] 思维与客观性的关系是黑格尔用自己的语言表达的思维与存在的关系。列宁引述的黑格尔的下面这段话表明黑格尔不仅不自觉地坚持了思维反映存在的观点，而且也是贯彻二者同一的观点的。他指出："在这里思维被认为是纯主观的和形式的活动，而客观的东西则和思维相反，被认为是固定的和自己存在的东西。但是这种二元论不是真理，并且，不问主观性和客观性的来源，就这样简单地接受这两个规定，这种做法是毫无意义的……"。在他看来，主观性其实仅仅是从存在和本质而来的概念的一个发展阶段，——在尔后的发展中，这个主观性"辩证地'突破自己的界限'"并且"通过推理展开为客观性"。列宁对黑格尔在这段论述中所表达的思想十分赞赏，对其评价是："极其深刻和聪明！逻辑规律是客观事物在人

---

① 《列宁全集》第 55 卷，人民出版社 2017 年版，第 140 页。

② 《列宁专题文集　论辩证唯物主义和历史唯物主义》，人民出版社 2009 年版，第 136 页。

的主观意识中的反映。"① 在列宁看来，黑格尔的这段阐述不自觉地表达了认识的唯物主义。

以上是列宁在对黑格尔的一定思想的评价中表现的辩证唯物主义的哲学立场和在这种评价中间接表达的辩证唯物主义认识论观点。列宁也有多处关于这种观点的直接表达。例如，黑格尔在看出了康德在现象和客观真理的关系上表现出的怀疑认识的客观性的倾向后，强调了对于现象的"理解"的意义，指出"……无疑地，应当承认：如果我们不去理解，只停留于单纯的、固定的表象和名称，那么，不论关于自我，不论关于任何东西，甚至关于概念本身，我们都没有丝毫概念。"对此，列宁做了两个批注：一个强调了理解的意义，另一个谈了如何理解。列宁认为，这个理解不但是关于过程的理解（关于认识、具体研究等等），而且"要理解，就必须从经验开始理解、研究，从经验上升到一般。"② 在《黑格尔〈哲学史讲演录〉一书摘要》中，列宁摘录了黑格尔就亚里士多德的知性概念的认识所说的一句话，即"……知性不仅是有意识的思维。在这里包含着关于自然、生命的完整的、真实的、深刻的概念……"。列宁肯定了黑格尔的这句话所表达的思想，并作了一个发挥，指出"理性（知性）、思想、意识，如果撇开自然界，不适应于自然界，就是虚妄。＝唯物主义！"③ 关于对逻辑、对真理的本质的认识，列宁都有直接的唯物主义观点的表达。他明确地把逻辑规律看作"客观事物在人的主观意识中的反映"④，认为作为"逻辑的主要内容"的概念及其关系（＝过渡＝矛盾），"是作为客观世界的反映而被表现出来的"，并且得出"事物的辩证法创造观念的辩证法，而不是相反"的结论⑤。

（二）认识是主观性与客观性的统一

列宁说："存在和本质的差别，概念和客观性的差别，是相对的。"⑥ 这就是说，辩证性既是世界观的内在属性，也是认识论的内在属性。差别的相对

① 《列宁全集》第 55 卷，人民出版社 2017 年版，第 154 页。
② 《列宁专题文集　论辩证唯物主义和历史唯物主义》，人民出版社 2009 年版，第 138 页。
③ 《列宁专题文集　论辩证唯物主义和历史唯物主义》，人民出版社 2009 年版，第 144 页。
④ 《列宁全集》第 55 卷，人民出版社 2017 年版，第 154 页。
⑤ 《列宁专题文集　论辩证唯物主义和历史唯物主义》，人民出版社 2009 年版，第 137 页。
⑥ 《列宁全集》第 55 卷，人民出版社 2017 年版，第 167 页。

性，意味着差别性地存在着的两个方面具有统一性或同一性的趋势与可能。在认识论上，概念与客观性的关系就是主观性与客观性的关系。主观性与客观性的统一构成现实的认识过程以及这一过程的结果，即认识。认识是主观性和客观性的统一。

哲学史的经验表明，一个规律性的现象是，唯心主义的认识论倾向于夸大认识的主观性，而旧唯物主义（不是辩证唯物主义）的认识论倾向于夸大认识的客观性。黑格尔作为一个客观唯心主义者，总的哲学表现是夸大认识的主观性，即夸大绝对观念的作用，这种作用在认识论上就是认为人的认识、概念和精神归根到底是精神的产物，它来自于绝对观念。它从抽象的绝对观念出发，经过自然界和人类社会的中介，而又回归于绝对观念，完成绝对观念的以否定之否定的形式出现的自我运动过程。但是，黑格尔的辩证法思想又使他的唯心主义认识论充满了辩证性。无论是在一般世界观上，还是在认识论上，这种辩证的唯心主义比起形而上学唯物主义来更接近于辩证唯物主义，这特别表现在黑格尔关于认识是主观性和客观性的统一的思想中。列宁以辩证唯物主义的眼光审视黑格尔的认识论，既看到他的认识论的唯心主义的根本性质，又力图像马克思和恩格斯从他的唯心主义大厦内部发现他的辩证法这颗宝贵珍珠一样，发现他的认识论中的可贵的东西。这特别是他的关于认识是主观性和客观性相统一的思想。黑格尔明确认为："……把主观性和客观性当作一种固定的和抽象的对立，是错误的。二者完全是辩证的……"。这段话引起列宁的关注，批注："注意"二字①。列宁实际赞成黑格尔的这一观点。"黑格尔反对康德"。列宁对黑格尔对康德的认识论的主观主义的批判也表示赞同并作了如下概括："康德把认识和客体分割开来，从而把人的认识（它的范畴、因果性等等、等等）的有限的、暂时的、相对的、有条件的性质当做主观主义，而不是当做观念（＝自然界本身）的辩证法。"②列宁认为黑格尔的《哲学全书》第 225 节的内容"非常好"，好就好在"在那里'认识'（'理论的'）和'意志'，'实践活动'被描述为消灭主观性的'片面性'和客观性的'片面性'的两个方面、两个方法、两个手段"③。列宁对黑格尔关于认识、概念是主观性与客观性相统一的辩证思

① 《列宁全集》第 55 卷，人民出版社 2017 年版，第 154 页。

② 《列宁全集》第 55 卷，人民出版社 2017 年版，第 177 页。

③ 《列宁全集》第 55 卷，人民出版社 2017 年版，第 178 页。

想，在他的唯心主义世界观基础之外，没有疑义。黑格尔说："它〈观念〉第一，是简单的真理，是概念和作为一般的东西的客观性的同一……"。"……第二，它是简单概念的自为地存在着的主观性跟与之有区别的客观性的关系；实质上主观性是扬弃这个区分的冲动……"。列宁接受黑格尔的这一思想，对此的批注几乎是把黑格尔的这个阐述重述了一遍。这个批注是："观念（应读做：人的认识）是概念和客观性（'一般的东西'）的符合（一致）。这是第一。""第二，观念是自为地存在着的（＝似乎是独立的）主观性（＝人）对有区别（与观念有区别）的客观性的关系……"。"主观性是消灭这种区分（观念和客体的区分）的冲动。"①

（三）认识过程的辩证法

"辩证法本来是人类的全部认识所固有的"②。认识的辩证法主要表现在认识的过程中。所以，列宁关于认识的辩证法思想主要是他的关于认识过程的辩证法思想。列宁关于认识是一个辩证过程的思想是非常明确的。他说："思想和客体的一致是一个过程：思想（＝人）不应当设想真理是僵死的静止，是暗淡的（灰暗的）、没有冲动、没有运动的简单的图画（形象），就像精灵、数目或抽象的思想那样。"③他说："认识向客体的运动从来只能辩证地进行"④。列宁强调认识形成的过程性，就是强调认识的辩证性，即认识在形成过程中必然带有的辩证性。这个辩证性就认识的过程性而言，表现为主观性与客观性之间差异、对立的相对性，就是认识作为"自然界在人的思想中的反映"，"不是'僵死的'，不是'抽象的'，不是没有运动的，不是没有矛盾的，而是处在运动的永恒过程中，处在矛盾的发生和解决的永恒过程中"⑤。这个辩证性就其结果而言，就是一切认识、结论、真理总是相对的，暂时的和有限的，就是人的思维对客体的接近是一个永远的、无止境的过程。

为什么认识过程，即"认识向客体的运动"总是辩证地进行的呢？列宁结

① 《列宁全集》第55卷，人民出版社2017年版，第164页。
② 《列宁专题文集　论辩证唯物主义和历史唯物主义》，人民出版社2009年版，第150—151页。
③ 《列宁全集》第55卷，人民出版社2017年版，第164页。
④ 《列宁专题文集　论辩证唯物主义和历史唯物主义》，人民出版社2009年版，第144页。
⑤ 《列宁专题文集　论辩证唯物主义和历史唯物主义》，人民出版社2009年版，第137页。

合对黑格尔关于逻辑学、认识论问题的论述的评价和思想研究，科学地回答了这个问题。在《黑格尔〈哲学史讲演录〉一书的摘要》中，列宁考察了黑格尔对亚里士多德的哲学的评价，特别是黑格尔在关于亚里士多德同柏拉图的理念学说的论战中所表达的思想的评价。列宁认为，黑格尔把亚里士多德对柏拉图（公元前 427 年—前 347 年）的"理念"的批判完全弄糟了，亚里士多德同柏拉图的论战当然是两个唯心主义者之间的论战，但比起柏拉图的唯心主义来，亚里士多德的唯心主义"更客观，离得更远，更一般，因而在自然哲学中就往往更＝唯物主义"①。但黑格尔在研究中不仅掩盖了亚里士多德在论战中表现出的唯物主义的优点，而且掩盖了亚里士多德在对唯物主义者留基伯（公元前 5 世纪）和唯心主义者柏拉图的批评中表现出来的折中主义的弱点，目的是为了掩盖他自己的神秘主义。这一切，即亚里士多德与留基伯和柏拉图的理论关系、黑格尔与亚里士多德之间的理论关系，都涉及到一个关于认识过程的辩证性的认识问题。正如列宁对黑格尔的批评："辩证法的拥护者黑格尔不能理解从物质到运动，从物质到意识的辩证的过渡——尤其不能理解后一种过渡。马克思纠正了这个神秘主义者的错误（或弱点？）。"为了强调认识过程的辩证法，列宁对这段阐述做了进一步的发挥，即把过程的辩证法由从物质到运动和从物质到意识的过渡引申到从感觉到思想的过渡，指出："不仅从物质到意识的过渡是辩证的，而且从感觉到思想的过渡等等也是辩证的。"② 这意味着列宁对认识从感性阶段发展到理性阶段的重视。这表现在对黑格尔在关于抽象思维与感性材料的关系上对康德贬低理性的理论的批评的肯定。列宁说，实质上，黑格尔对康德的驳斥是完全正确的。"思维从具体的东西上升到抽象的东西，不是离开——如果它是正确的……——真理，而是接近真理。物质的抽象，自然规律的抽象，价值的抽象等等，一句话，一切科学的（正确的、郑重的、不是荒唐的）抽象，都更深刻、更正确、更完全地反映自然。从生动的直观到抽象的思维，并从抽象的思维到实践，这就是认识真理、认识客观实在的辩证途径。"③

在具体层面上，我们再看看列宁对作为逻辑、认识的形式——思维、概

① 《列宁全集》第 55 卷，人民出版社 2017 年版，第 242 页。
② 《列宁全集》第 55 卷，人民出版社 2017 年版，第 243 页。
③ 《列宁专题文集　论辩证唯物主义和历史唯物主义》，人民出版社 2009 年版，第 135 页。

念、真理的形成的阐述。列宁指出，思维存在的根据在于由思维的性质所决定的思维形成的条件，这就是思维"应当把握住运动着的全部'表象'"，因为"表象不能把握整个运动"①。而概念呢？概念比思维更为具体，它表现事物、对象的本质。它的形成，列宁说："必须是经过琢磨的、整理过的、灵活的、能动的、相对的、相互联系的、在对立中统一的"，因为"这样才能把握世界"。列宁接着说："要继承黑格尔和马克思的事业，就应当辩证地探讨人类思想、科学和技术的历史。"②这种对人类思想、科学和技术的历史的辩证的探讨，既包含着认识的辩证过程，又是这一过程的具体表现或具体阶段。

获得对对象的真理性的认识，从认识世界或解释世界的角度讲，是认识的最高目的。就认识过程的辩证法而言，在真理问题上，它是相对真理到绝对真理的发展问题。而就这一问题的完整意义来说，它还包含对认识是否真理的实践检验过程。如果把认识过程的辩证法聚焦于真理的形成，可以看到这同样是一个辩证过程。列宁赞赏黑格尔在关于概念的辩证法中观念、真理形成的思想，即观念、真理在存在（对象、现象）的"总和中以及它们的相互关系中"形成的思想。列宁在黑格尔关于概念辩证法的阐述的批注中，完全接受了黑格尔的这一观念、真理如何得以形成的思想，并把这一思想简略地概括为"真理只是在它们的总和（zusammen）中以及在它们的关系（Beziehung）中才会实现。"③

对认识的曲折性、辩证性，哲学史上有一个形象的"一串圆圈"的比喻。列宁在《谈谈辩证法问题》中指出，不论是黑格尔，不论是自然科学中现代的"认识论者"、折中主义者、黑格尔主义的敌人保尔·福尔克曼（1856—约1938），"都把认识看做一串圆圈"。列宁对"认识是一串圆圈"做了理论上的阐释，指出它的实质意义在于："人的认识不是直线（也就是说，不是沿着直线进行的），而是无限地近似于一串圆圈、近似于螺旋的曲线。"④在列宁看来，如果不是辩证地理解这个圆圈，即人类整个的认识过程，就极容易把"这一曲线的任何一个片段、碎片、小段都能被变成（被片面地变成）独立的完整的直线，而这条直线能把人们（如果只见树木不见森林的话）引到泥坑里去，引到

① 《列宁专题文集 论辩证唯物主义和历史唯物主义》，人民出版社 2009 年版，第 141 页。
② 《列宁专题文集 论辩证唯物主义和历史唯物主义》，人民出版社 2009 年版，第 134 页。
③ 《列宁全集》第 55 卷，人民出版社 2017 年版，第 166 页。
④ 《列宁专题文集 论辩证唯物主义和历史唯物主义》，人民出版社 2009 年版，第 152 页。

僧侣主义那里去（在那里统治阶级的阶级利益就会把它巩固起来）。"在列宁看来，这种"引到泥坑里去"的危险，就是同"引到僧侣主义那里去"一样引向唯心主义。所以，列宁说："直线性和片面性，死板和僵化，主观主义和主观盲目性就是唯心主义的认识论根源。"提出唯心主义的认识论根源问题和对这一根源的回答，这在哲学史和马克思主义哲学史上还是第一次。说直线性和片面性等是唯心主义的认识论根源，在于哲学唯心主义把"认识的"某一特征、某一方面、某一侧面，片面地、夸大地、过分地"发展（膨胀、扩大）为脱离了物质、脱离了自然的、神化了的绝对"①。而从表现特征来说，它其实也是唯心主义产生的方法论根源。列宁关于唯心主义的认识论根源的思想是对马克思主义哲学的发展。

（四）实践与认识

在《逻辑学》"观念"这一篇，黑格尔谈到"善"的概念，按照黑格尔把"善"作为"对外部现实性的要求"的理解，列宁把它解释为"人的实践"。黑格尔说，"善""这种观念高于前面所考察的认识观念，因为这种观念不仅具有普遍东西的品格，而且具有单纯现实东西的品格……"。列宁汲取了黑格尔的这句话所表达的基本思想，把黑格尔的这段唯心主义式的语言表达改变为辩证唯物主义式的语言表达，提出这样一个著名的马克思主义认识论的论断："实践高于（理论的）认识，因为它不仅具有普遍性的品格，而且还具有直接现实性的品格。"② 所以，列宁主张"必须把认识和实践结合起来"③。

马克思主义哲学作为辩证唯物主义的一个重要特征，是把实践引入认识论。从而不仅与唯心主义的认识论，特别是不可知论划清了界限，也与旧唯物主义的认识论划清了界限。辩证唯物主义的实践观，不仅在理论上解决了认识从哪里来的问题和怎样来的问题，而且解决了判断认识是否真理的标准问题，从而为在认识论上避免陷入唯心主义树起一道屏障。实践是人的自觉的能动性的发挥，是人的主体性的集中的和最高的表现。如果说，一切旧唯物主义都满足于认识反映世界，那么以实践为基础的辩证唯物主义则提出和坚持改变世界

---

① 《列宁专题文集　论辩证唯物主义和历史唯物主义》，人民出版社 2009 年版，第 152 页。
② 《列宁专题文集　论辩证唯物主义和历史唯物主义》，人民出版社 2009 年版，第 139 页。
③ 《列宁专题文集　论辩证唯物主义和历史唯物主义》，人民出版社 2009 年版，第 139 页。

的哲学旨趣和价值目标。这就是列宁提出的"人的意识不仅反映客观世界，并且创造客观世界"。"世界不会满足人，人决心以自己的行动来改变世界。"①

黑格尔力求把人的有目的的活动即实践纳入逻辑范畴，说这种活动是"推理"，说主体（人）在"推理"的逻辑的"式"中起着某一"项"的作用等等。列宁肯定黑格尔的这种努力，说黑格尔所表达的意思，不能被看作是牵强附会的，或者只是游戏。这里有非常深刻的、纯粹唯物主义的内容。黑格尔的这句话要倒过来说，就是"人的实践活动必须亿万次地使人的意识去重复不同的逻辑的式，以便这些式能够获得公理的意义。"列宁还在这段话的旁边加了一个提示性的批注："逻辑的范畴和人的实践"②。由此可以推断，这个发挥实际是列宁借用黑格尔的逻辑学的语言表达必须把实践作为检验一切形式的认识的真理性的标准这样一种思想。黑格尔把"从主观概念和主观目的到客观真理"的逻辑作了这样的表述："目的的运动现在达到了这样一点：外在性的环节不仅被设定在概念中，概念不仅是应有和追求，而且作为具体的总体性是和直接的客观性同一的。"列宁对黑格尔的这段话所表达的思想以"精彩"二字做了简短评价，并按照辩证唯物主义的精神和语言做了如下概括："黑格尔通过人的实践的、合目的性的活动，接近于作为概念和客体相一致的'观念'，接近于作为真理的观念。紧紧接近于下述这点：人以自己的实践证明自己的观念、概念、知识、科学的客观正确性。"③ 从"人的和人类的实践是认识的客观性的验证、标准"④ 和"活动的结果是对主观认识的检验和真实存在着的客观性的标准"⑤ 等阐述看，列宁关于实践标准的思想是十分明确的。

四、辩证法的要素与体系

黑格尔在《逻辑学》最后一章"绝对观念"的开始部分，特别谈了方法问题。列宁读到《逻辑学》的这一部分，对作为绝对观念的"形式的普遍东西"

---

① 《列宁专题文集　论辩证唯物主义和历史唯物主义》，人民出版社 2009 年版，第 138 页。
② 《列宁全集》第 55 卷，人民出版社 2017 年版，第 160 页。
③ 《列宁全集》第 55 卷，人民出版社 2017 年版，第 161 页。
④ 《列宁专题文集　论辩证唯物主义和历史唯物主义》，人民出版社 2009 年版，第 138 页。
⑤ 《列宁全集》第 55 卷，人民出版社 2017 年版，第 188 页。

的方法、作为认识的工具的方法、"绝对的方法"的表现与性质等内容做了摘录。而对黑格尔关于"绝对认识"的方法既是分析的又是综合的一段论述则摘录了它的德文原文，然后又在方框内用俄文重写了这段话。它就是"这个既是分析的又是综合的判断的环节，——由于它〈环节〉，最初的一般性 一般概念 从自身中把自己规定为自己的他物，——应当叫做辩证的环节。"① 列宁对此批注"规定不是明确的!!"然后，又根据此前他对黑格尔的辩证法的理解而对黑格尔在这里表达的观点作了发挥，提出了辩证法的三个要素。

这三个要素是：

（1）来自概念自身的概念的规定应 当从事物的关系和事物的发展去考察 事物本身 ；

（2）事物本身中的矛盾性（自己的他物），一切现象中的矛盾的力量和倾向；

（3）分析和综合的结合。

列宁说："大概这些就是辩证法的要素。"②

第一条是关于辩证法的客观性问题。黑格尔把客观性不是首先看作为客观物质世界的属性，而是看作为客观概念的属性。它由客观概念决定。所以黑格尔讲它是"来自概念自身的概念的规定"。列宁对黑格尔关于客观性的认识进行了唯物主义的改造，指出概念的客观性是客观事物的反映，而不是相反。所以，它也就决定了"从事物的关系和事物的发展去考察事物本身"是辩证法的原则。第二条是关于事物的矛盾性，这种矛盾性是事物自身的属性，是"自己的他物"，矛盾存在于一切事物中。第三条是认识中的辩证法，这一条正是列宁在概括这三条之前在黑格尔的《逻辑学》的"绝对观念"一章集中谈到的方法。列宁非常重视这一方法，除了把它的关键性的内容做了摘录和把它看作"辩证的环节"外，还把它列入最初理解的辩证法的三个要素之中，或者"三个总体概要"③之中。这三条包括了辩证法的基本内容：辩证法的客观性、辩证法的基本原则（对立面的统一）和认识的辩证法。但它毕竟还是比较概括的规定。对此，"列宁进一步加以具体化，把三条发挥成十六条，即有名的辩证法十六

① 转引自《列宁全集》第 55 卷，人民出版社 2017 年版，第 190 页。

② 《列宁全集》第 55 卷，人民出版社 2017 年版，第 190 页。

③ 张一兵：《回到列宁——关于"哲学笔记"的一种后文本学解读》，江苏人民出版社 2008 年版，第 381 页。

要素"①。按照《回到列宁——关于"哲学笔记"的一种后文本学解读》一书的作者张一兵的考察,"十六要素"产生的具体情况是:"写完第一个直接从黑格尔原文的语境中生发出来的总体表述后,列宁突然产生了新的想法,亦即在'也许可以比较详细地把这些要素表述如下'之后写下的那部分内容,从而也才有了所谓'十六要素'的第二层次的思考展开和'表述'(非'体系'建构!)。"②

辩证法的"十六要素"的提出经历了这样一个过程:

在"三个总体概要"的基础上,列宁首先提出了"十六要素"的第一至七条要素。这七条要素是:

(1)考察的客观性(不是实例,不是枝节之论,而是自在之物本身)。

(2)这个事物对其他事物的多种多样的关系的全部总和。

(3)这个事物(或现象)的发展、它自身的运动、它自身的生命。

(4)这个事物中的内在矛盾的倾向(和#方面)。

#

(5)事物(现象等等)是对立面的总和与统一。

(6)这些对立面、矛盾的趋向等等的斗争或展开。

(7)分析和综合的结合,——各个部分的分解和所有这些部分的总和、总计。③

不难看出,这七条要素中第(1)(2)(3)条是对"总体概要"的第(1)条的发挥,中心内容讲的是辩证法的观察的客观性。这种观察的客观性是由观察的对象的客观性决定的,并且是就观察对象的整体而言的,这个对象不是别的,用传统的哲学史的语言来说,就是"自在之物本身"。第(2)条是对作为观察对象的整体的一个阐释,认为这个整体不是混沌的一团,而是由这样或那样的具体的事物构成的,并且是处于联系或关系之中的。观察的客观性就在于抓住事物之间的"关系的全部总和",而不要把它们分割和孤立起来。第(3)条是要求以动态的历史的眼光观察事物,把作为对象的整体当作一个活的有

---

① 《黄枬森文集》第三卷,中央编译出版社 2012 年版,第 30 页。

② 张一兵:《回到列宁——关于"哲学笔记"的一种后文本学解读》,江苏人民出版社 2008 年版,第 381 页。

③ 参见《列宁专题文集 论辩证唯物主义和历史唯物主义》,人民出版社 2012 年版,第 139—140 页。

机体。

第（4）（5）（6）条是对"总体概要"的第（2）条的发挥。中心内容是讲对立面的统一。第（4）条的内容是讲事物的内在的矛盾性，矛盾是事物具有的内在趋势与事实。第（5）条的内容是讲矛盾是事物、现象的对立面的统一，是事物、现象的基本存在形式和存在状态。第（6）条的内容是讲对立面的斗争。这三条构成辩证法的对立统一规律的基本内容。

第（7）条对应的是"总体概要"的第三条，对其做了一个简单的解释。

据张一兵考察，从"十六要素"的影印件看，列宁在第七条的右下端用粗笔画了一个小方框，在这个小方框里，列宁用粗笔重重地写了这样一段著名论断："可以把辩证法简要地规定为关于对立面的统一的学说。这样就会抓住辩证法的核心，可是这需要说明和发挥。"[①] 张一兵指出："请注意，历来的中文译本都出了一个严重的差错，即将这个处于第七条要素之后的方框错移到第十六条要素之后。这种做法的原意是想保持'要素'之间的完整性，可是这么一动，就严重地遮蔽了此处列宁真实的思路。"他注意到，凯德诺夫 [（1903—1985）中文通常译为凯德洛夫] 倒是在他的研究中"复现了文本的原初样态，即将这个方框加在了第七要素与第八要素之间"。张一兵认为，这个小方框里的内容非常重要，列宁在其中对辩证法要素的上述两个层次的说明的核心作了突出阐述，也引出了围绕这个重心的第三层次的"说明和发挥"。"为此，列宁才又写下了新的九条要素（第八到第十六要素）。"[②]

新的九条仍然是对第（1）至（7）条的补充。从中文版《列宁全集》第55卷第192页和193页之间的插页即写有辩证法"十六要素"的手稿的影印件来看，列宁不是在写完第（8）（9）（10）条后接着写第（11）（12）条的，而是先写了第（11）（12）两条后，再回过头来写第（8）（9）（10）三条。中文版《列宁全集》第55卷的编者在注释中指出："在列宁的手稿中，（11）和（12）原来是一条，后来列宁把该条的后半部分单列为（12），两条之间用分号断开。"[③] 就其理论内容看，这两条应该是对第（7）条的进一步说明，因为在列宁关于"十六要素"的第二阶段的表述中，关于认识论的内容并没有展开。

---

① 《列宁专题文集 论辩证唯物主义和历史唯物主义》，人民出版社2012年版，第141页。

② 张一兵：《回到列宁——关于"哲学笔记"的一种后文本学解读》，江苏人民出版社2008年版，第383页。

③ 《列宁全集》第55卷，人民出版社2017年版，第634页注释第96。

这两条的内容是：

（11）人对事物、现象、过程等等的认识深化的无限过程，从现象到本质、从不甚深刻的本质到更深刻的本质；

（12）从并存到因果性以及从联系和相互依存的一个形式到另一个更深刻更一般的形式。

第（11）条讲的是人对外部世界的认识是一个无限发展的过程，是一个从现象到本质、从不甚深刻的本质到更深刻的本质的过程。第（12）条是运用辩证法的范畴说明认识的发展过程，首先是"从并存到因果性"，也就是关于对作为认识对象的事物之间的直观的并存的关系、状态的认识，到发现其因果关系的认识过程。其次是说明因果联系毕竟是事物之间本来的多种多样的联系中的一种，认识不能停留在对一种联系的认识上，而要把握其多种多样的联系，特别是认识其更深刻更一般的联系形式。这也是认识无限发展的表现和要求。

在写完第（11）（12）两条后，列宁一气写完第（8）（9）（10）三条：

×（8）每个事物（现象等等）的关系不仅是多种多样的，并且是一般的、普遍的。每个事物（现象、过程等等）是和其他的每个事物联系着的。

（9）不仅是对立面的统一，而且是每个规定、质、特征、方面、特性向每个他者［向自己的对立面？］的过渡。

（10）揭示新的方面、关系等等的无限过程。

第（8）条是对第（2）条的补充和发挥。第（2）条要素强调事物之间的关系的总体性，即总体联系。第（8）条则着重强调事物之间的客观的本质的和普遍的联系。

第（9）条是对第（5）条的补充和发挥。第（5）条着重强调的是事物本身具有的矛盾性，即任何事物、任何个体都是一个矛盾的统一体，因而都是对立着的两个方面的统一。单个的事物是如此，事物之间的关系也是如此。第（9）条则强调事物的对立面之间的转化，过渡即转化，是事物运动、发展的形式之一。而所谓对立面的转化，既指构成作为矛盾统一体的同一事物的两个对立着的方面之间的关系的转化，如规定、本质、特征、特性的转化，也指两个对立着的事物之间的关系的转化，如性质、地位、作用等的转化。它们都是既定的关系及其状态等向着自己的他者、自己的对立面的转化。

第（10）条是同第（8）（9）两条一起写成的。但第（10）条作为对认识过程的无限性的强调，应该被看作是对第（7）条的补充。这个过程是通过不同的认识形式对客观事物由不知到知、从知之较少到知之较多的过程，同时还是由事物、对象从现象的认识到本质的认识，从第一本质到第二、第三及更深的本质的认识的过程。总的来说，这个过程是无限的，人们的认识不能够停留在一个阶段、一个水平上。

第（8）至第（12）条的五条对第（1）至（7）条做了补充和发挥后，列宁接着又写了四条，"这是列宁考虑辩证法要素的过程的又一个阶段"[①]，是"列宁还想对他已经先后三次展开的辩证法要素再作一点补充"[②]。这四条要素是：

（13）在高级阶段重复低级阶段的某些特征、特性等等，并且

（14）仿佛是向旧东西的复归（否定的否定）。

（15）内容对形式以及形式对内容的斗争。抛弃形式、改造内容。

（16）从量到质和从质到量的过渡。（15和16是9的实例）。[③]

第（13）（14）的内容是否定之否定规律。这本来是一条规律，列宁把它分成了两条，从形式上也可看出，这两条之间连一个标点符号都没有。第（13）条讲的不是第一个否定，而是第二个否定，即否定之否定。所以，它才可能处在"高级阶段"，即一个新的肯定状态。它有所谓"重复低级阶段的某些特征、特性等等"的情况。

由于第（13）条的内容实际已经完成了对否定之否定规律的完整表达，所以，第（14）条实际不是对否定之否定规律的内容的继续说明，而是对这个规律的总体特征的一个说明。

第（15）（16）两条，列宁明确说，它们是第（9）条的"实例"，这是从对立面的双方之间的"过渡"关系的意义上讲的。而就其与对立面的统一的辩证法的规律整体的关系来说，它们其实也是第（4）（5）（6）三条的整体意义的"实例"。此外，岂止是形式与内容的辩证法和质与量的关系的辩证法是第（9）条的"实例"，作为否定之否定规律的内容的第（13）（14）两条也属于第（9）条的"实例"。这同列宁的辩证法是对立统一规律的实质和核心的思想是一致的。

---

① 《黄枬森文集》第三卷，中央编译出版社 2012 年版，第 34 页。

② 张一兵：《回到列宁——关于"哲学笔记"的一种后文本学解读》，江苏人民出版社 2008 年版，第 385 页。

③ 《列宁专题文集　论辩证唯物主义和历史唯物主义》，人民出版社 2012 年版，第 140—141 页。

如果不是直观地按照从第（1）到第（16）条要素的严格顺序来看，而是综合辩证法"十六要素"所包含的内容，这个要素序列的确构成了一个内容比较全面、具有内在联系性的有机整体，即一个辩证法体系的草图。而如果我们把观察的视野放得更宽广一些，把列宁在整个《哲学笔记》中的辩证法思想综合起来看，那就更可以作出这样一个判断。因为，列宁关于辩证法体系的开端、原则（例如唯物主义的逻辑学、辩证法和认识论的"三者同一"）、辩证法的实质和核心、辩证法的范畴等内容都已经有了明确的和较为充分的表达。但是，应该说明的是：第一，基于上述列宁在辩证法研究中提出的包括辩证法十六要素在内的有关辩证法体系的思想表明辩证法体系实际已经初步形成，与列宁在辩证法研究中自觉地建构辩证法的体系，这是两个不同的问题。我们认为，所谓"列宁关于唯物辩证法体系构想"，如果是在前者的意义上，这是成立的；如果是在后者的意义上，则可能是不成立的。没有充分的根据说明，列宁关于哲学史的研究、关于辩证法问题的研究具有构建辩证法体系的自觉意识。第二，不能认为辩证法"十六要素"是一个内容完整的体系，即不能认为它已经终结了人们关于辩证法要素的探索。

五、哲学史的研究方法

《哲学笔记》有丰富的关于哲学史研究方法的论述。坚持唯物主义的哲学立场、把辩证方法贯彻于哲学史研究、把实践观点作为哲学史的研究方法，可以看作是列宁在《哲学笔记》中阐述的关于哲学史研究的基本方法。

（一）坚持唯物主义的哲学立场

任何一位哲学史研究者都有自己的特定的哲学立场，否则他对历史上的任何一位哲学家的哲学观点、哲学思想不能做出正确的判断和评价，无法从中发现可以借鉴的思想和可以汲取的经验、教训，从而也就失去了这一研究的意义。什么是特定的哲学立场？对此哲学界有不同的认识。按照哲学发展的经验，按照马克思主义哲学对于这一经验的认识，它或者是唯物主义，或者是唯心主义。除此之外，没有其他的基本的哲学立场。恩格斯在《路德维希·费尔巴哈和德国古典哲学的终结》一书中通过对"哲学基本问题"，特别是它的第一个方面的阐述回答了这个问题。列宁在《唯物主义和经验批判主义》一书中，从认识论角度也明确地说明了这个问题。他提出了哲学的党性原则的思想，提出了认识论的两条对立的路线，即唯物主义认识路线和唯心主义认识路线的问题。在《哲学笔记》中，列宁坚持了唯物主义的哲学立场。

在《哲学笔记》中，列宁最为关注的哲学史的人物是黑格尔和费尔巴哈，特别是黑格尔。一位是历史上最大的唯心主义者，一位是旧唯物主义的最后一人。在马克思主义以前的哲学中，黑格尔的唯心主义和费尔巴哈的唯物主义是两种对立的哲学的代表，并且马克思和恩格斯的哲学正是经过了从黑格尔式的唯心主义，经过费尔巴哈的唯物主义，达到辩证唯物主义和历史唯物主义的形成与发展过程。所以，列宁把哲学史研究的重点放在这两个人物的思想上是合乎逻辑的。

先看列宁对黑格尔哲学思想的评论。在《逻辑学》第2版序言中，黑格尔有反对康德的"批判哲学"的评语。"批判哲学"把"三项"（我们、思维、事物）之间的关系设想成这样：我们把思维置于事物和我们的"中间"，这个居中者把我们和事物"隔离开来"，"而不是结合起来"。对于这一点，黑格尔说，应当用"简单的评语"来回答："这些好像站在我们思想的彼岸的事物，本身就是思想之物"，"而所谓自在之物只不过是空洞抽象的思想之物"。针对康德处理"我们、思维、事物"之间的关系的思想和黑格尔对此的评论，列宁作了如下两段批注："在我看来，论据的要点如下：（1）在康德那里，认识把自然界和人隔开（分开）；而事实上认识是把二者结合起来；（2）在康德那里，自在之物的'空洞抽象'代替了我们关于事物的知识的日益深入的活生生的进展、运动。""康德的自在之物是空洞抽象，而黑格尔要求的是和实质相符合的抽象：'事物的客观概念构成事物的实质本身'，——按照唯物主义的说法，就是和我们对世界的认识的实际深化相符合的抽象。"① 在列宁看来，康德的"空洞抽象"是离开客观事物的，而黑格尔虽然从事物的本质方面理解事物的客观概念，但是他们关于事物的认识（表现为抽象、概念）都是脱离客观事物的。列宁对康德和黑格尔的唯心主义观点进行唯物主义的改造，从而得出"抽象""就是和我们对世界的认识的实际深化相符合"的结论。列宁把世界理解为客观的。列宁对黑格尔思想所做的评论，坚持唯物主义原则，强调"按照唯物主义的说

① 《列宁全集》第55卷，人民出版社2017年版，第76页。

法"来表达他对研究对象的思想的评价。列宁接着上面的批注，开始了对黑格尔关于思维形式与内容的关系的思想的研究。黑格尔批评把思维形式理解为只是"供使用"的"手段"、理解为"外在形式"，即只是附着于内容而非内容本身的形式的观点。列宁对此的评论是："黑格尔则要求这样的逻辑：其中形式是富有内容的形式，是活生生的实在的内容的形式，是和内容不可分离地联系着的形式。"所以黑格尔注意"一切自然事物和精神事物的思想"，注意"实在性的内容"，表明了黑格尔上述逻辑思想的一定的合理性，即包含唯物主义的思想内容。在这里，列宁以精确的辩证唯物主义的观点和语言对黑格尔的这一思想作了如下改造、概括与发挥，指出："逻辑不是关于思维的外在形式的学说，而是关于'一切物质的、自然的和精神的事物'的发展规律的学说，即关于世界的全部具体内容的以及对它的认识的发展规律的学说，即对世界的认识的历史的总计、总和、结论。"① 这何尝不是一个关于哲学的本质的辩证唯物主义的理解呢？为了不使思维的形式，例如范畴，成为"谬误或诡辩的工具"，而成为真理的工具，黑格尔主张不仅应当对"外在形式"，而且应当对"内容"进行"思维的考察"。在黑格尔看来，"随着这样地把内容引入逻辑的考察"，成为对象的就不是事物，而是事物的实质，事物的概念。黑格尔的表达不够准确，引入逻辑的内容，作为对象不是具体的事物，也不是"事物的实质，事物的概念"。"事物的实质，事物的概念"是逻辑分析的结果，是逻辑的非外在形式。所以，在这里，列宁又一次使问题的议论回到（实际是上升到）唯物主义的高度上来。列宁说："按照唯物主义的说法，不是事物，而是事物运动的规律。"② 列宁在接着以上两篇序言和一篇导言所做的"存在论"部分的摘要和评注中，在对黑格尔关于"科学应当以什么为开端"问题的思想的评论中，更加明确地表达了他研究黑格尔哲学思想的基本方法论原则。他说："我总是竭力用唯物主义观点来阅读黑格尔：黑格尔是倒置过来的唯物主义（恩格斯的说法）——就是说，我大抵抛弃上帝、绝对、纯观念等等。"③ 列宁的"竭力用唯物主义观点来阅读"的原则，实际并不限于对黑格尔哲学思想的研究，而是关于整个哲学史研究的基本原则。

---

① 《列宁专题文集 论辩证唯物主义和历史唯物主义》，人民出版社 2009 年，第 131 页。
② 《列宁全集》第 55 卷，人民出版社 2017 年版，第 78 页。
③ 《列宁全集》第 55 卷，人民出版社 2017 年版，第 86 页。

　　在关于辩证法的研究中，列宁也特别注意区分辩证法的性质及其关系，并坚持客观辩证法决定主观辩证法的观点，批判黑格尔对二者关系的颠倒。在"本质论"的"现象"篇的最后部分，黑格尔谈到内在、外在、开端和转化等等之间的辩证关系。他说了这样一句话："在全部自然界的、科学的和精神的发展中，都可以看到，当某物最初还只是内在的或者还只存在于自己的概念之中时，这个最初者因此就只是直接的、被动的定在；认识到这一点是非常重要的"。列宁指出，这是"黑格尔无意中流露出的辩证法的标准：'在全部自然界的、科学的和精神的发展中'"。这实际是他关于客观辩证法思想的无意表达。列宁对此予以充分肯定，称它为"黑格尔主义的神秘外壳中所包含的深刻真理的内核"①。

　　再看列宁对费尔巴哈哲学思想的评论。列宁对费尔巴哈《宗教本质讲演录》一书作了以下一段摘录："我把自然界理解为一切感性的力量、事物和存在物的总和，人把这些东西当做非人的东西而和自己区别开来……或者说得实际点，不管有神论信仰的超自然的暗示怎样，自然界对人来说就是作为人的生活的基础和对象而直接地感性地表现出来的一切……"。列宁对费尔巴哈的这段话作了这样的评述："可见，自然界 ＝ 超自然的东西以外的一切。费尔巴哈是杰出的，但不深刻。恩格斯更深刻地确定了唯物主义和唯心主义的区别。"②可以看出，列宁正是从唯物主义的哲学立场出发，肯定了费尔巴哈对自然界的理解。这种理解尽管不够深刻，但是基本立场和基本观点是明确的。列宁指出，恩格斯关于唯物主义和唯心主义的确定的区别的思想（实际指恩格斯在《路德维希·费尔巴哈和德国古典哲学的终结》一书中关于"哲学基本问题"的论述），表明了在评价费尔巴哈的哲学思想时恩格斯所持的基本哲学立场。列宁摘录了费尔巴哈的以下这样一段论述："思维把现实中非连续性的东西设定为连续性的东西，把生活中无限的多次性东西设定为同一的一次性东西。对思维和生活（或现实）之间本质的不可磨灭的差别的认识，是思维和生活中的一切智慧的开端。在这里，只有区别才是真正的联系。"对此，列宁作了"关于哲学唯物主义原理的问题"③这样简短的批注，表明列宁从唯物主义立场出发对费尔巴

①　《列宁全集》第 55 卷，人民出版社 2017 年版，第 130 页。

②　《列宁全集》第 55 卷，人民出版社 2017 年版，第 41—42 页。

③　《列宁全集》第 55 卷，人民出版社 2017 年版，第 58 页。

哈关于"思维与生活"的关系的思想的关注与肯定。

(二)把辩证方法贯彻于哲学史研究

列宁说:"要继承黑格尔和马克思的事业,就应当辩证地探讨人类思想、科学和技术的历史。"① 这是列宁关于人类思想史研究和哲学史研究的基本方法论主张。

辩证性是列宁关于人类思想史研究的总的基本的方法论原则。在《哲学笔记》中它具体化为哲学史研究的方法论原则。这个原则有丰富的内容。批判性是这个原则的总特征。这个特征可以用列宁的下面一段话来概括:"辩证法的特征的和本质的东西不是单纯的否定,不是徒然的否定,不是怀疑的否定、动摇、疑惑,——当然,辩证法自身包含着否定的要素,并且这是它的最重要的要素,——不是这些,而是作为联系环节、作为发展环节的否定,它保持着肯定的东西,即没有任何动摇,没有任何折中。"② 列宁在这里不是否定之否定的环节对于事物发展的意义,而是说出了辩证法对于否定的认识,即它是"作为联系环节、作为发展环节的否定"。这就是辩证的否定。辩证否定是批判的一个原则。批判是实现辩证否定的形式,是思想史、哲学史研究的基本方法。

辩证方法对于哲学史研究的意义,取决于哲学史和辩证方法分别具有的性质与特征。

关于思想史的辩证性,列宁指出:"概念(认识)在存在中(在直接的现象中)揭露本质(因果、同一、差别等等规律)——整个人类认识(全部科学)的一般进程确实如此。自然科学和政治经济学〔以及历史〕的进程也是如此。"③ 这是概念、认识形成的过程。总的说这是一个辩证发展过程,是从现象到本质的过程,也是从具体到抽象、从特殊到一般的过程。它是内在于概念、认识、科学和哲学等一切思想形式形成与发展的过程,是本来的思想史过程。人类思想史、哲学史是世世代代的人从存在到思维、从概念到认识、从一般思想到哲学的前后连续的过程的"记录"。所以,所谓思想就是思想史、哲学就是哲学史,是因为它们归根结底是不同形式的观点、观念和思想的运动中的集

① 《列宁专题文集 论辩证唯物主义和历史唯物主义》,人民出版社 2009 年版,第 134 页。
② 《列宁专题文集 论辩证唯物主义和历史唯物主义》,人民出版社 2009 年版,第 141 页。
③ 《列宁专题文集 论辩证唯物主义和历史唯物主义》,人民出版社 2009 年版,第 145 页。

合、总汇，思想史、哲学史只是历史地展开来的具体的观点、观念和思想。在马克思主义哲学形成以前的哲学史中，黑格尔哲学是达到这种认识即对于人类思想史和哲学史的认识的最高形态。所以，列宁才有"黑格尔的辩证法是思想史的概括"①的结论。辩证法被运用于思想史和哲学史，是因为它们本来就是辩证的。所以，实质上说来，辩证的方法在思想史、哲学史研究中的运用其内在根据在于思维的规律。列宁指出，在任何一个命题中，很像在一个"单位"（"细胞"）中一样，都可以（而且应当）发现辩证法一切要素的胚芽，"这就表明辩证法本来是人类的全部认识所固有的"。"辩证法也就是（黑格尔和）马克思主义的认识论"②。当然，应该说明，我们今天运用于思想史、哲学史研究的辩证法不是既定的黑格尔的辩证法，而是它的被唯物主义地改造了的辩证法，即唯物辩证法。

辩证法的实质和核心，列宁把它理解为"统一物之分为两个部分以及对它的矛盾着的部分的认识"③，或者理解为对立面的同一（统一）规律。辩证法作为人的思维的普遍规律，内容是全面的，除对立统一规律外，还有质量互变规律和否定之否定规律，三者统称为辩证法的基本规律。唯物辩证法的这些规律是对客观世界运动发展的规律的反映，也是对人的思维运动发展、对人的认识发展规律的认识。因而，作为客观辩证法的反映的主观辩证法，就是思维的辩证法、认识的辩证法，从而意味着辩证法具有对于人的思维发展史、认识发展史、哲学发展史的理解和解释的功能。列宁谈到了唯物辩证法相对于形而上学唯物主义具有的优越性，即它比起"形而上学的"唯物主义来具有无比丰富的内容。"形而上学的唯物主义的根本缺陷就是不能把辩证法应用于反映论，应用于认识的过程和发展"④。

把辩证法运用于思想史、哲学史的研究的意义在于发现思想、哲学发展的规律，正确地总结人类思维、认识发展的经验，避免唯心主义和形而上学。例如，关于"认识是一个圆圈"的理解就是一个关于认识的辩证法的思想，而如果一个人没有辩证法思想，在哲学史的研究中就不可能具有认识是辩证的自觉意识。还有，如何认识和评价哲学史上的唯心主义？特别是如何对待黑格尔的唯心主义？形而上学唯物主义者把黑格尔当作"死狗"来对待，他们虽然对它

---

① 《列宁专题文集 论辩证唯物主义和历史唯物主义》，人民出版社 2009 年版，第 145 页。
② 《列宁专题文集 论辩证唯物主义和历史唯物主义》，人民出版社 2009 年版，第 151 页。
③ 《列宁专题文集 论辩证唯物主义和历史唯物主义》，人民出版社 2009 年版，第 148 页。
④ 《列宁专题文集 论辩证唯物主义和历史唯物主义》，人民出版社 2009 年版，第 151 页。

做了唯物主义的颠倒，但丢掉了宝贵的东西——辩证法，因而不能彻底战胜唯心主义。列宁从辩证唯物主义立场出发，通过对唯心主义认识论的根源的揭示，达到了对唯心主义，包括黑格尔的唯心主义的本质的认识，从而得出如何正确对待唯心主义的结论，即从粗陋的、简单的、形而上学的唯物主义的观点看来，哲学唯心主义不过是胡说。相反地，从辩证唯物主义的观点看来，哲学唯心主义是把认识的某一特征、某一方面、某一侧面，片面地、夸大地、überschwengliches（过度地，狄慈根用语）发展（膨胀、扩大）为脱离了物质、脱离了自然的、神化了的绝对。"人的认识不是直线（也就是说，不是沿着直线进行的），而是无限地近似于一串圆圈，近似于螺旋的曲线。""直线性和片面性，死板和僵化，主观主义和主观盲目性就是唯心主义的认识论根源。"① 只要能够把认识、人的认识的历史看作一串圆圈，看作近似于螺旋的曲线，我们就获得了一个正确对待、评价人类认识史上、人类思想史上和人类哲学史上的任何一种哲学观点、任何一个人物的哲学思想、任何一个哲学流派的基本的方法论原则。即使对黑格尔的那种绝对的唯心主义，也能够采取既有所否定，又有所肯定的辩证态度。

（三）把实践观点作为哲学史的研究方法

基于实践在认识中的决定性作用，列宁主张"必须把认识和实践结合起来"②。把认识和实践结合起来，就是用实践来解释认识的发生和发展，把实践当作检验认识是否真理的标准。认识来源于实践并通过实践认识真理和检验真理的观点，是马克思主义哲学的基本观点。这个观点正是马克思和恩格斯用辩证的和唯物的观点研究哲学史的结果，是用辩证唯物主义和历史唯物主义改造旧哲学，特别是改造黑格尔唯心主义哲学的结果。列宁深深懂得马克思主义哲学的实践观点的来源与形成，因而学习马克思和恩格斯的经验，在哲学史研究中特别注意把实践观点作为认识与评价哲学史的人物和思想的维度或尺度，当作哲学史研究的一个基本的方法论原则。比如，在《费尔巴哈〈宗教本质讲演录〉一书摘要》中，列宁讲到这些讲演是 1848 年 12 月 1 日至 1849 年 3 月 2 日作的，讲到该书序言注明的日期是 1851 年 1 月 1 日这些事实后，指出："费

---

① 《列宁专题文集　论辩证唯物主义和历史唯物主义》，人民出版社 2009 年版，第 152 页。
② 《列宁专题文集　论辩证唯物主义和历史唯物主义》，人民出版社 2009 年版，第 139 页。

尔巴哈在这段期间（1848—1851 年）已经远远地落后于马克思（《共产党宣言》，1847 年，《新莱茵报》等）和恩格斯（1845 年：《状况》）。"① 费尔巴哈为什么在这一时期落后于马克思呢？基本的原因就是费尔巴哈脱离了 1848 年革命的实践，以至于使他不懂得这个革命，不懂得实践对于认识的意义，从而也就使他永远地滞留于形而上学的唯物主义。马克思和恩格斯辩证唯物主义实践观的确立，很大程度上是受了黑格尔的哲学的启发，也受了费尔巴哈始终不能超越形而上学唯物主义的教训的启示。在《黑格尔〈逻辑学〉一书摘要》中，列宁特别注意到"逻辑的范畴和人的实践"二者之间的关系，谈到黑格尔力求——有时甚至极力和竭尽全力——把人的有目的的活动纳入逻辑的范畴，说这种活动是"推理"，说主体（人）在"推理"的逻辑的"式"中起着某一"项"的作用等等。列宁对黑格尔的这一思想作了如下批注："这不只是牵强附会，不只是游戏。这里有非常深刻的、纯粹唯物主义的内容。要倒过来说：人的实践活动必须亿万次地使人的意识去重复不同的逻辑的式，以便这些式能够获得公理的意义。这点应注意。"② 列宁肯定了黑格尔在这里表达的关于实践对于人的思维和认识发展的决定性意义的思想，并作了唯物主义的发挥，即在唯物主义的基础上强调了实践对于思维、认识发展的意义。列宁在《唯物主义和经验批判主义》和《哲学笔记》等著作中，对于哲学史研究，形成了十分明确的和系统的关于认识的实践的观点，提出了一系列关于实践的科学的明确的结论，如"从生动的直观到抽象的思维，并从抽象的思维到实践，这就是认识真理、认识客观实在的辩证途径。"③"真理是过程。人从主观的观念，经过'实践'（和技术），走向客观真理。"④"人的意识不仅反映客观世界，并且创造客观世界。"⑤

　　人类的一切认识、思想归根结底来源于实践，一部人类思想史、哲学史是人的思想、哲学在实践基础上发生和发展的历史。这就决定了我们对于人类思想史、哲学史的研究必须一步不能离开实践，离开马克思主义实践观的指导。在关于黑格尔哲学的研究中，对其思想的认识和评价，实践观点是一个特别的维度，因而列宁也就能够发现黑格尔的包裹在唯心主义体系之内的实践观点和

① 《列宁全集》第 55 卷，人民出版社 2017 年版，第 53 页。
② 《列宁专题文集　论辩证唯物主义和历史唯物主义》，人民出版社 2009 年版，第 137 页。
③ 《列宁专题文集　论辩证唯物主义和历史唯物主义》，人民出版社 2009 年版，第 135 页和
④ 《列宁全集》第 55 卷，人民出版社 1990 年版，第 170 页。
⑤ 《列宁专题文集　论辩证唯物主义和历史唯物主义》，人民出版社 2009 年版，第 138 页。

认识的实践方法，并对它进行唯物主义的改造。列宁对黑格尔关于实践与认识的关系的观点的如下评价就是一个很好的例子。列宁说："黑格尔通过人的实践的、合目的性的活动，接近于作为概念和客体相一致的'观念'，接近于作为真理的观念。紧紧接近于下述这点：人以自己的实践证明自己的观念、概念、知识、科学的客观正确性。"①

　　列宁还把实践的方法运用于马克思学说史、马克思主义发展史的分期上。他总是以一定时代条件下的无产阶级重大实践或实践上的重大转折，来划分历史时期以及理解和划分思想史的时期。例如，在《马克思学说的历史命运》一文中，列宁首先按照先进资产阶级和无产阶级革命实践把世界历史分为三个主要时期：（1）从1848年革命到巴黎公社（1871年）；（2）从巴黎公社到俄国革命（1905年）；（3）从这次俄国革命至今（即列宁写作纪念马克思逝世30周年的文章时）。然后列宁说："现在我们来考察一下马克思学说在每个时期的命运。"② 这意味着，列宁是按照重大历史实践来理解马克思学说的历史命运的，亦即理解这一伟大思想的历史的。

　　总之，列宁关于唯物辩证法的研究是马克思主义哲学史上的重要"哲学事件"，它同列宁在《唯物主义和经验批判主义》中对马赫主义的批判构成列宁一生中哲学研究的"两大事件"。在这"两大哲学事件"中所产生的理论成果构成列宁哲学思想的基本内容。而以《哲学笔记》为主要文本形式的列宁关于辩证法的研究和辩证法思想，则是列宁哲学思想中的主要的东西和对马克思主义哲学思想发展的主要贡献。

---

① 《列宁全集》第55卷，人民出版社2017年版，第161页。
② 《列宁专题文集　论马克思主义》，人民出版社2009年版，第61页。

第六章　马克思主义基本原理、本质特征和历史命运的科学阐述

马克思主义诞生以来，各种以不正确的态度，如教条主义、修正主义、形式主义、实用主义等对待马克思主义的现象时有发生，针对这些错误态度，马克思主义者进行的斗争从未停止过。在马克思主义发展史上，始终存在着一个"什么是马克思主义，怎样对待马克思主义"的问题。马克思和恩格斯在创立、传播和发展马克思主义过程中，坚决同各种以错误态度对待马克思主义的做法作斗争，强调要以科学的态度认识和对待马克思主义，为后人树立了榜样。新的历史条件下，列宁在同修正主义、机会主义等错误思潮的斗争中，再次提出"什么是马克思主义，怎样对待马克思主义"的问题，阐述了马克思主义的基本原理、本质特征和历史命运，用科学的马克思主义观教育、影响了一代又一代的无产阶级和广大革命群众，教育、影响了一代又一代的马克思主义者和马克思主义理论家，从而影响和推动了马克思主义的发展。列宁提出关于什么是马克思主义和怎样对待马克思主义的马克思主义观问题，有着特殊的时代背景。在这一背景下，如何认识和对待马克思主义的问题，同如何把握时代特征，如何认识新的时代条件下的资本主义，如何认识和对待战争，如何认识国家与革命的关系，以及如何认识时代变化了的条件下的无产阶级及其历史使命等，一起构成马克思主义者面对和迫切需要回答的问题。在第二国际，伯恩施坦、考茨基和普列汉诺夫等对这些问题作了带有修正主义、机会主义性质的回答，显露出其对马克思主义的错误理解和对待马克思主义的错误态度，列宁呼吁要同这种错误认识和对待马克思主义的修正主义和机会主义进行斗争，"由于资产阶级的影响遍及马克思主义运动中的各种各样的'同路人'，使马克思主义的理论基础和基本原理受到了来自

截然相反的各方面的曲解，因此团结一切意识到危机的深重和克服危机的必要性的马克思主义者来共同捍卫马克思主义的理论基础和基本原理，是再重要不过的了。"面对"马克思主义运动中的瓦解"，"弄明白目前必然发生这种瓦解的原因，并且团结起来同这种瓦解进行彻底的斗争，的的确确是马克思主义者的时代任务。"①

列宁研究马克思主义学说体系和历史发展，先后写了《马克思主义和修正主义》、《论马克思主义历史发展中的几个特点》、《马克思学说的历史命运》、《马克思主义的三个来源和三个组成部分》和《卡尔·马克思》等文章，对马克思主义基本原理、本质特征和历史命运作了科学阐述，在此基础上，并结合马克思主义发展史的经验，科学回答了什么是马克思主义和怎样对待马克思主义的问题。

第一节　马克思主义是马克思的观点和学说的体系

列宁对马克思主义的完整、准确的理解，首先体现在他对什么是马克思主义的认识。在《卡尔·马克思（传略和马克思主义概述）》中，列宁对这个问题作了科学回答，阐述了马克思主义是马克思的观点和学说体系的思想。

一、对马克思的观点和学说体系的科学阐释

对什么是马克思主义问题的回答，往往体现在马克思主义的定义中。但是，研究发现，马克思主义创始人马克思和恩格斯未曾给马克思主义下过什么明确定义。而由于马克思曾以"我只知道我自己不是马克思主义者"② 这句名

---

① 《列宁选集》第 2 卷，人民出版社 2012 年版，第 282 页。
② 《马克思恩格斯选集》第 4 卷，人民出版社 2012 年版，第 603 页。

言表达对那些曲解、误解马克思主义做法的不满，而使什么是马克思主义的问题复杂化。当然，恩格斯的以下阐释实际说清了马克思同马克思主义的关系。他说："我不能否认，我和马克思共同工作40年，在这以前和这个期间，我在一定程度上独立地参加了这一理论的创立，特别是对这一理论的阐发。但是，绝大部分基本指导思想（特别是在经济和历史领域内），尤其是对这些指导思想的最后的明确的表述，都是属于马克思的。我所提供的，马克思没有我也能够做到，至多有几个专门的领域除外。……没有马克思，我们的理论远不会是现在这个样子。所以，这个理论用他的名字命名是理所当然的。"① 但是，恩格斯的这段论述并没有直接回答什么是马克思主义的问题。1914年，列宁在为《格拉纳特百科词典》编写的《卡尔·马克思（传略和马克思主义概述）》词条中，指出："马克思主义是马克思的观点和学说的体系。"② 这是对什么是马克思主义问题的明确回答。

列宁写作《卡尔·马克思（传略和马克思主义概述）》并在该词条中对"什么是马克思主义"的问题作出系统、科学的阐述，有着深刻的历史背景。1914年之前，列宁已经写作和发表了一系列阐述和宣传马克思主义思想的文章，如《马克思主义和修正主义》、《论马克思主义历史发展中的几个特点》、《马克思主义的三个来源和三个组成部分》、《马克思主义的历史命运》等。1914年前后，列宁的主要精力放在革命斗争方面，尤其忙于繁重的党务和《真理报》工作。在这种情况下，列宁为什么还要决定写这个马克思的传略和马克思主义的概述呢？表面上看，是受《格拉纳特百科全书》之邀。实际上，这与当时的形势特别是理论斗争的需要有关。一方面，当时有人公开反对在党的中央刊物上刊登哲学文章，旨在将政治立场与作为世界观的哲学观点对立起来，并且党内还存在着像波格丹诺夫、巴扎罗夫等这样的非马克思主义者的布尔什维克党员，因此列宁主张"'布尔什维主义'现在应该成为严格的马克思主义的布尔什维主义"③。这实际提出了布尔什维克的马克思主义政党性质问题，旨在加强和巩固布尔什维克对马克思主义立场、观点和方法的坚持和信奉。另一方面，列宁还面临着来自普列汉诺夫和第二国际那些自诩为马克思主义正统继承者的指责

---

① 《马克思恩格斯选集》第4卷，人民出版社2012年版，第248页"编者注"。
② 《列宁选集》第2卷，人民出版社2012年版，第418页。
③ 《列宁全集》第19卷，人民出版社2017年版，第13页。

和压力，他们不仅批评列宁领导的布尔什维克，还指责列宁和布尔什维克们所理解的马克思主义是比较狭隘、比较粗浅的马克思主义。面临这种形势，列宁非常重视理论斗争，通过写作《卡尔·马克思（传略和马克思主义概述）》阐述马克思的基本观点和学说体系，阐明"什么是马克思主义"的根本问题，以坚定马克思主义者对马克思和恩格斯的世界观的理解和信仰。

在《卡尔·马克思（传略和马克思主义概述）》中，列宁首先简要地介绍了马克思主义创始人、无产阶级革命导师马克思的伟大一生，然后对马克思的学说体系展开论述。列宁认为，"马克思的观点""总起来就构成作为世界各文明国家工人运动的理论和纲领的现代唯物主义和现代科学社会主义。"①从列宁在编写《卡尔·马克思（传略和马克思主义概述）》这一词条时所展现的逻辑和结构来看，列宁认为马克思的学说体系包括四个部分：一是马克思的整个世界观；二是马克思的经济学说；三是科学社会主义理论；四是无产阶级斗争策略。

第一，马克思的整个世界观。列宁从哲学唯物主义、辩证法、唯物主义历史观和阶级斗争理论四个方面理解马克思的整个世界观。列宁认为，从1844—1845年马克思的观点开始形成起，马克思就是一个唯物主义者。一方面，马克思信奉路德维希·费尔巴哈的唯物主义，认为费尔巴哈的划时代的历史作用在于坚决同黑格尔的唯心主义决裂，宣扬了唯物主义；另一方面，马克思认为费尔巴哈的唯物主义仍然是不够彻底和全面的唯物主义，其主要缺点是：（1）没有考虑到科学的最新发展，属于机械的唯物主义；（2）没有彻底和全面地贯彻发展的观点，属于非历史、非辩证的唯物主义；（3）没有把人理解为一切社会关系的总和，对人的本质的理解是抽象的。因此，以费尔巴哈为代表的旧唯物主义者们不理解"革命实践活动"的意义，他们只是在解释世界，而问题在于改变世界。

在哲学唯物主义世界观中，列宁还特别强调马克思主义关于哲学基本问题的认识，即"全部哲学，特别是近代哲学的重大的基本问题，是思维和存在的关系问题。……什么是本原的，是精神，还是自然界？……哲学家依照他们如何回答这个问题而分成了两大阵营。凡是断定精神对自然界说来是本原的，从而归根到底承认某种创世说的人……组成唯心主义阵营。凡是认为自然界是本

---

① 《列宁选集》第2卷，人民出版社2012年版，第418页。

原的，则属于唯物主义的各种学派。"①列宁认为，这一基本问题是判定唯物主义和唯心主义的根本标准。除此之外，在其他任何意义上运用唯心主义和唯物主义这两个哲学概念，都只能造成混乱。在此基础上，马克思还驳斥了在当时非常流行的不可知论、批判主义和实证论等哲学观点，认为这些哲学是对唯心主义的一种"反动的"让步。因此，哲学的基本问题就是"思维和存在、精神和自然界的关系问题"，根据哲学家对此问题的不同回答，哲学分为唯心主义和唯物主义两大阵营；在此基础上还应回答"现实世界能否认识"的问题，对这个问题的不同回答，形成不可知论和可知论两大学派。

在马克思看来，辩证法就是关于外部世界和人类思维运动的一般规律的科学，其基本思想是：世界不是既成事物的集合体，而是过程的集合体，其中各个似乎稳定的事物同它们在我们头脑中的思想映象即概念一样都处在生成和灭亡的不断变化中。恩格斯指出，"这个伟大的基本思想，特别是是从黑格尔以来，已经成了一般人的意识。"②。它是德国古典哲学的最大成就，也是最全面、最深刻、最富有内容的发展学说。马克思接受了黑格尔哲学的这个非常革命的一面，打破了以往的哲学将辩证法仅仅理解为"关于思维及其规律"的形式逻辑的认识，主张包括在认识论之中的辩证法同样"应当历史地观察自己的对象，研究并概括认识的起源和发展，从不知到知的转化。"③马克思和恩格斯进一步发展了辩证法，使得发展、进化等观念几乎完全深入到社会的意识。首先，马克思和恩格斯通过现代自然科学最新成就的检验，证明自然界的一切归根到底是辩证地而不是形而上学地发生的，把黑格尔辩证法转为唯物主义自然观，从而拯救了辩证法；其次，马克思和恩格斯依据黑格尔哲学对辩证法的表述比一般的进化观念要全面得多、丰富得多，如发展是在更高的基础上的重复（"否定的否定"），发展是按照螺旋式进行的，发展是飞跃式的、剧变式的、革命的，发展是渐进过程的中断，发展是量转化为质，发展的内因来自矛盾或冲突，每种现象的一切方面相互依存、相互联系成为统一的、有规律的运动过程，等等。马克思和恩格斯对辩证法的这些新表述体现了辩证法的丰富内容和发展学说的若干特征。

---

① 《马克思恩格斯选集》第 4 卷，人民出版社 2012 年版，第 229—231 页。

② 《马克思恩格斯文集》第 4 卷，人民出版社 2009 年版，第 298 页。

③ 《列宁选集》第 2 卷，人民出版社 2012 年版，第 422 页。

唯物主义历史观也是马克思世界观的重要内容。马克思把哲学唯物主义推广运用于人类社会及其历史，主张用社会存在解释社会意识，形成历史唯物主义。马克思在《〈政治经济学批判〉序言》中对历史唯物主义的基本原理作了完整表述。列宁指出，发现唯物主义历史观，把唯物主义贯彻和推广运用于社会领域，消除了以往历史理论的两个主要缺点：第一，以往的历史理论至多只是考察了人们历史活动的思想动机，而没有研究产生这些动机的原因，没有探索社会关系体系发展的客观规律性，没有把物质生产的发展程度看作这些关系的根源；第二，以往的理论从来忽视人民群众的活动，只有历史唯物主义才第一次使人们能以自然科学的精确性研究群众生活的社会条件以及这些条件的变更。马克思不仅揭示了生产力状况是一切思想和各种不同趋向的根源，还指出了研究极其复杂、充满矛盾而又具有规律的历史过程的途径。因此，在纪念马克思逝世 30 周年的时候，列宁对马克思主义的唯物主义历史观给予了高度评价，认为："马克思加深和发展了哲学唯物主义，而且把它贯彻到底，把它对自然界的认识推广到对人类社会的认识。马克思的历史唯物主义是科学思想中的最大成果。过去在历史观和政治观方面占支配地位的那种混乱和随意性，被一种极其完整严密的科学理论所代替，这种科学理论说明，由于生产力的发展，如何从一种社会生活结构中发展出另一种更高级的结构，例如从农奴制中生长出资本主义。"①

在列宁看来，马克思的世界观还包括阶级斗争理论。阶级斗争是理解阶级社会的钥匙，阶级斗争理论是马克思主义为无产阶级提供的发现人类社会发展规律的指导性线索。由于每个社会的各阶级的地位和生活条件不同，因此只有研究他们的意向的总和，才能科学地确定这些意向的结果。马克思在《共产党宣言》中指出，至今一切社会的历史都是阶级斗争的历史（原始公社的历史除外），阶级斗争是历史发展的推动力。并且，一切阶级斗争都是政治斗争。同样在《共产党宣言中》中，马克思还要求社会科学根据对现代社会中每个阶级的发展条件的分析对每个阶级所处的地位作出客观分析。为了测定历史发展的整个合力，马克思还分析了各种社会关系以及从一个阶级到另一个阶级、从过去到将来的各个过渡阶段。因此，阶级斗争理论是马克思主义世界观的落脚点。

第二，马克思的经济学说，包括价值和剩余价值理论。这是马克思主义学

① 《列宁选集》第 2 卷，人民出版社 2012 年版，第 311 页。

说体系的主要内容，也是"使马克思的理论得到最深刻、最全面、最详尽的证明和运用"①的重要学说，即通过揭示资本主义社会的经济运动规律，研究资本主义社会生产关系的发生、发展和衰落过程。在资本主义社会里，商品生产占统治地位，马克思从分析商品入手，从劳动价值论到剩余价值论，发现了资本剥削劳动的秘密，在研究资本主义经济运动规律中得出资本主义社会必然要转变为社会主义社会的结论。列宁从"价值"、"剩余价值"两个方面阐述马克思的经济学说。

关于"价值"，列宁指出，马克思首先分析了体现在商品中的劳动二重性，"作为价值，一切商品都只是一定量的凝固的劳动时间"。②一切商品的共同的东西，不是某一生产部门的具体劳动，也不是某一种类的劳动，而是抽象的人类劳动。商品价值的大小由社会必要劳动时间决定。接着，马克思进一步分析了价值形式和货币，研究了货币价值形式的起源，交换发展的历史过程——从个别的偶然的交换行为开始，直到一般价值形式，最后到货币价值形式（包括货币的各种职能）。列宁特别指出，这些看似纯粹演绎式的、抽象的叙述，实际上是再现了交换和商品生产发展史的大量实际材料。因此，货币是以商品交换发展到一定高度为前提的，货币职能发展的不同阶段，表示社会生产过程的极不相同的阶段。

关于"剩余价值"，列宁指出，马克思把投入周转的货币的原有价值的增加叫作剩余价值。剩余价值不能从商品流通中产生也不能从加价中产生，它只能从一种商品中产生，这种商品的使用过程同时也是价值的创造过程，这就是人的劳动力，因为它的使用就是劳动，而劳动则创造价值。列宁强调，马克思对资本积累的分析是极其重要和新颖的。"原始积累"在一极造成"自由的"无产者，在另一极造成货币所有者即资本家。列宁引用《资本论》第一卷中马克思对"资本主义积累的历史趋势"的大段论述，说明资本主义的发展趋势，"生产资料的集中和劳动的社会化，达到了同它们的资本主义外壳不能相容的地步。这个外壳就要炸毁了。资本主义私有制的丧钟就要响了。剥夺者就要被剥夺了。"③列宁还强调，马克思对社会总资本的再生产的分析也是极其重要和

---

① 《列宁选集》第 2 卷，人民出版社 2012 年版，第 428 页。
② 《马克思恩格斯文集》第 5 卷，人民出版社 2009 年版，第 53 页。
③ 《马克思恩格斯选集》第 2 卷，人民出版社 2012 年版，第 299 页。

新颖的。"马克思把经济科学推进了一大步,这表现在他是根据普遍的经济现象,根据社会经济的全部总和来分析问题,而不是像庸俗政治经济学或现代的'边际效用论'那样,往往只根据个别偶然现象或竞争的表面现象来分析问题。"①

第三,马克思的科学社会主义理论。这是马克思学说体系的核心,也是马克思整个世界观的结论。资本主义社会向社会主义社会转变是历史的必然,这种历史必然性的物质基础是劳动社会化的迅速发展,这种转变的思想推动者和实际执行者是资本主义本身培养出来的无产阶级,这种转变的形式是无产阶级反对资产阶级的斗争,特别是以夺取政权为目标的政治斗争,即无产阶级专政。在社会主义社会,工业同农业的联系促进新的更高级的两性关系和家庭形式不断形成,这不仅能够提高社会生产,还能促进人的全面发展。列宁还结合《共产党宣言》、《反杜林论》、《家庭、私有制和国家的起源》等著作分析科学社会主义中的民族问题和国家问题,以此为指导预察未来并用实际活动实现未来。社会主义的实现需要工人的联合行动,它将导致阶级和国家的最终消灭,但它们不是被废除的,而是自行消亡。此外,列宁特别关注在社会主义还将继续存在的小农的问题。恩格斯在《法德农民问题》中指出了正确的做法:不用暴力去剥夺小农,而是通过示范和社会帮助把小农的私人生产和私人占有变为合作社的生产和占有。总之,马克思和恩格斯最先指出工人阶级及其要求是现代经济制度的产物,使人类最终摆脱现在所受灾难的只能是组织起来的无产阶级及其阶级斗争,社会主义不是幻想家的臆造而是现代社会生产力发展的最终目标和必然结果。因此,社会主义在马克思和恩格斯这里才真正实现了由空想到科学的转变。

第四,无产阶级斗争策略包括经济斗争策略和政治斗争策略。这是马克思的唯物主义世界观区别于旧唯物主义的重要体现。马克思在从事理论写作的同时,毕生都十分注意无产阶级斗争的策略问题,这在马克思的全部著作特别是1913年出版的四卷本《马克思和恩格斯通信集》中都有充分体现。马克思根据辩证唯物主义世界观确定无产阶级策略的基本任务,"先进阶级只有客观地考虑到某个社会中一切阶级相互关系的全部总和,因而也考虑到该社会发展的客观阶段,考虑到该社会和其他社会之间的相互关系,才能据以制定正确的

① 《列宁选集》第2卷,人民出版社2012年版,第434页。

策略。"① 在每个发展阶段的每一时刻，无产阶级斗争策略都要考虑到人类历史的辩证法，一方面要利用政治消沉时代或龟行发展即所谓"和平"龟行发展的时代来发展先进阶级的意识、力量和战斗力；另一方面要把这种利用工作全部引向无产阶级的"最终目的"，使其在革命时机到来之时有能力完成各项伟大的任务。为此，马克思提出两个基本策略：一是经济斗争策略，这是马克思在《哲学的贫困》中论述无产阶级的经济斗争和经济组织时提出的，是无产阶级在准备力量进行战斗的整个时期内的纲领和策略；二是政治斗争策略，这是马克思在《共产党宣言》中论述无产阶级的政治任务时提出的，"共产党人为工人阶级的最近的目的和利益而斗争，但是他们在当前的运动中同时代表运动的未来。"② 无产阶级在制定政策和策略时，一是要保护和鼓励群众的革命首创精神，适时采取坚决的革命行动，提高无产阶级战斗力，决不能放弃阵地、不战而降；二是在政治停滞和资产阶级所容许的合法性占统治地位的时代也要利用合法斗争的手段以确保革命行动的成功，拒绝"革命空谈"。马克思对革命活动的了解、对斗争策略的重视及对革命意义的正确评价，表明马克思最终克服了旧唯物主义的缺陷，也表明马克思的唯物主义才是充满活力的唯物主义，才是十分彻底的和全面的唯物主义。

列宁坚持把马克思主义当作一个科学的思想体系，从整体角度全面理解马克思主义，对马克思的世界观、经济学说、科学社会主义理论、无产阶级斗争策略等马克思主义的主要方面进行了系统阐释，梳理了马克思主义的主要内容、基本原理和无产阶级斗争的策略原则并论述了它们之间的关系。在关于从结构方面理解马克思主义体系（"马克思的观点和学说体系"）问题中，列宁还是留下了一些值得进一步思考的问题。首先，列宁除了把哲学唯物主义、辩证法和唯物主义历史观看作马克思的"整个世界观"所包含的内容外，值得注意的是，他还把阶级斗争理论纳入哲学或世界观范畴。这是列宁关于马克思的世界观体系理解的独特之处。这一点，在当代学者包括马克思主义者对马克思主义哲学的理解中已经发生了变化，即阶级斗争理论失去了其世界观的地位，而从哲学"降到了"科学社会主义或一般政治学。另外，在列宁关于马克思的完整世界观体系的理解中，认识论在世界观体系中的独立地位不见了，我们从中

---

① 《列宁选集》第 2 卷，人民出版社 2012 年版，第 443 页。
② 《马克思恩格斯选集》第 1 卷，人民出版社 2012 年版，第 434 页。

是否可以窥见列宁关于对世界观的认识与哲学认识的差异？即认识论是哲学，但认识论不是世界观。如果按此严格规定来认识列宁关于马克思的世界观体系的理解，那么又如何理解阶级斗争理论被纳入世界观范畴呢？其次，列宁继承了恩格斯对马克思主义体系的三个组成部分的划分，即哲学、经济学、社会主义，但增加了无产阶级的斗争策略。按照关于策略问题的通常理解，它应该属于马克思主义理论的应用范畴，它同哲学、经济学和科学社会主义不是一个层次。但是列宁为什么要把它"提高到"马克思主义一般理论层次呢？由此我们可以联想到列宁主义的突出的革命性和现实性特征。正是世界历史形势的变化和国际工人运动的发展及其面临的现实任务，而使阶级斗争、无产阶级斗争的策略问题的意义凸显出来。这又是一个马克思主义发展史观的问题。列宁的以下论述可以被看作是这一历史的理论现象的合理解释。列宁指出："俄国近年来发生的急剧变化异常迅速、异常剧烈地改变了形势，改变了迫切地、直接地决定着行动条件，因而也决定着行动任务的社会政治形势"。"因为具体的社会政治形势改变了，迫切的直接行动的任务也有了极大的改变，因此，马克思主义这一活的学说的各个不同方面也就不能不分别提到首要地位。"[①]

二、马克思主义学说体系的基本认识

马克思主义的理论体系问题是马克思主义发展史上的一个重要问题。马克思和恩格斯在创立和传播马克思主义的过程中，通过他们的主要著作，而对马克思主义学说体系的形成作出了重要的和基础性的贡献。马克思和恩格斯共同完成的《共产党宣言》就是"完备的理论和实践的党纲"[②]，不仅阐明了马克思主义的理论主题，也阐述了共产党的理论原则和政治策略。在《反杜林论》和《社会主义从空想到科学的发展》中，恩格斯提出了马克思主义的三个组成部分，即哲学、政治经济学和科学社会主义。其中，恩格斯在《反杜林论》1885年版序言中指出，在《反杜林论》付印之前，他曾把全部原稿念给马克思听。可见，把马克思主义划分为三个部分是马克思了解和同意的，这种做法是马克

---

① 《列宁选集》第 2 卷，人民出版社 2012 年版，第 278、279 页。
② 《马克思恩格斯选集》第 1 卷，人民出版社 2012 年版，第 382 页。

思和恩格斯的共同主张。尽管这种做法有出于与杜林进行论战的需要，也有出于出版和宣传的考虑。但是，作为马克思主义的创始人，马克思和恩格斯对马克思主义学说体系的这种划分具有极高的权威性，对马克思主义学说体系发展产生了深远影响。《反杜林论》和《社会主义从空想到科学的发展》所阐述的马克思主义的"三个组成部分"不仅体现着马克思主义的基本内容和基本精神，也为后人理解马克思主义学说体系提供了重要的、权威的文本根据。

列宁继承了恩格斯关于马克思主义学说体系的思想。在1908年《马克思主义与修正主义》一文中，列宁对马克思主义的学说体系进行了详细阐述。该文是一篇对修正主义进行全面批判的文章，列宁在其中系统地揭露了修正主义在哲学、政治经济学和政治方面对马克思主义基本原理的修正和篡改。列宁在批判修正主义的同时，也对马克思主义的学说体系进行了系统阐释。列宁在《马克思主义与修正主义》中对马克思主义学说体系的阐述与恩格斯在《反对林论》中的阐述，具有极大的相似性。然而，列宁关于马克思主义学说体系的思想，主要体现在1913年3月为纪念马克思逝世30周年而写的《马克思主义的三个来源和三个组成部分》一文中，形成了列宁对马克思主义学说体系的基本认识。

关于马克思主义的理论来源，列宁多次提出马克思主义是对德国古典哲学、英国古典政治经济学和法国空想社会主义的批判继承和发展。在《马克思主义的三个来源和三个组成部分》中，列宁指出，马克思的"学说的产生正是哲学、政治经济学和社会主义极伟大的代表人物的学说的直接继续。""马克思学说是人类在19世纪所创造的优秀成果——德国的哲学、英国的政治经济学和法国的社会主义的当然继承者。"[①] 在1914年《卡尔·马克思（传略和马克思主义概述)》一文中，列宁也提出了相同的观点，把马克思视为德国古典哲学、英国古典政治经济学以及同法国所有革命学说相联系的法国社会主义的继承者和天才的完成者。

第一，马克思用德国古典哲学的成果，特别是费尔巴哈的思想和黑格尔的体系丰富和发展了哲学。一方面，马克思和恩格斯坚决地捍卫了费尔巴哈的唯物主义，认为一切离开这个基础的倾向都是极端错误的，这在恩格斯的《路德维希·费尔巴哈和德国古典哲学的终结》和《反杜林论》等著作中都有明确而详尽的阐述。但是，马克思和恩格斯对于自己的唯物主义的认识并没有停留在

---

① 《列宁选集》第2卷，人民出版社1995年版，第309—310页。

旧唯物主义水平上，而是使唯物主义贯彻到底，由关于自然界的认识的唯物主义发展为关于人类社会的认识的唯物主义，即历史唯物主义，从而加深和发展了唯物主义；另一方面，马克思和恩格斯又继承德国古典哲学，特别是黑尔格哲学中的最大成果——辩证法，即完备、深刻、全面的关于发展的学说，使唯物主义发展成为辩证的唯物主义。历史唯物主义和辩证唯物主义为认识历史和时代问题提供了一种崭新的世界观和方法论原则。

第二，马克思继承了英国古典政治经济学家亚当·斯密和大卫·李嘉图的理论观点，严密论证并彻底发展了他们的理论——劳动价值论。但是，马克思和恩格斯又超越了亚当·斯密和大卫·李嘉图对经济的认识，"凡是资产阶级经济学家看到物与物之间的关系（商品交换商品）的地方，马克思都揭示了人与人之间的关系。"① 例如，商品交换表现着各个生产者之间通过市场发生的联系，货币则把各个生产者的全部经济生活联结成为一个整体，资本意味着人的劳动力变成了商品，为资本家创造剩余价值，这是资本家阶级财富的来源。通过对资本主义生产方式的内在矛盾、运行机制和发展规律的深刻分析，马克思主义彻底揭示了资本主义剥削的秘密和它被社会主义必然代替的历史命运。

第三，马克思继承了法国空想社会主义者的思想。在资本主义社会，所谓自由，实质上只是资本家阶级压迫和剥削无产阶级及广大劳动者的自由，而不是被压迫和被剥削的无产阶级及广大劳动者的自由。空想社会主义批判、谴责、咒骂并幻想消灭这样的社会，"但是空想社会主义没有能够指出真正的出路。它既不会阐明资本主义制度下雇佣奴隶制的本质，又不会发现资本主义发展的规律，也不会找到能够成为新社会的创造者的社会力量"② 。马克思主义的两个伟大的发现——唯物主义历史观和剩余价值学说揭开了资本主义生产的秘密，阐明了由资本主义社会发展为社会主义、共产主义社会的客观规律，实现了人类思想史上的伟大革命，也使社会主义从空想变成了科学。马克思和恩格斯从法国复辟时期的历史学家中得到启示，即阶级斗争是阶级社会发展的基础和动力，但他们超越这些历史学家和一切空想社会主义者，在阶级斗争观点的基础上发现和提出了无产阶级专政学说。这个学说的核心内容是："（1）阶级的存在仅仅同生产发展的一定历史阶段相联系；（2）阶级斗争必然导致无产阶级专政；（3）

---

① 《列宁选集》第 2 卷，人民出版社 2012 年版，第 312 页。
② 《列宁选集》第 2 卷，人民出版社 2012 年版，第 313 页。

这个专政不过是达到消灭一切阶级和进入无阶级社会的过渡……"①。

关于马克思主义的组成部分，列宁在《马克思主义的三个来源和三个组成部分》中认为，马克思主义包括三个部分：（1）"马克思主义的哲学"即"马克思的哲学唯物主义"，包括"马克思的辩证唯物主义"和"马克思的历史唯物主义"；（2）马克思的经济理论，剩余价值学说是其基石；（3）阶级斗争学说。

首先，马克思主义的哲学，就是唯物主义，包括辩证唯物主义和历史唯物主义。马克思的辩证唯物主义认为，尽管人类知识反映着永恒发展的物质，但这种知识却是相对的，马克思的辩证唯物主义不断被自然科学的最新发展，如镭、电子、元素转化等所证实。马克思认为，人的社会认识反映社会的经济制度，而政治设施是经济基础的上层建筑。马克思的历史唯物主义说明了人类社会如何由于生产力的发展从一种社会生活结构中发展出另一种更高级的结构，例如从农奴制中生长出资本主义。这种唯物主义彻底代替了过去在历史观和政治观方面占支配地位的混乱和随意性。马克思的历史唯物主义是完备而严密的科学理论，是科学思想的最大成果，它把伟大的认识工具给了人类，特别是给了工人阶级。

其次，马克思主义的经济理论。马克思主义的经济理论主要体现在《资本论》中，它专门研究资本主义社会的经济制度，剩余价值学说是这一理论的基础。由于经济制度是政治上层建筑借以树立起来的基础，因此马克思特别注意研究经济制度。马克思考察了资本主义的发展过程，从商品经济的最初萌芽，从简单的交换一直到资本主义的高级形式和大生产过程。马克思认为，生产的无政府状态使得资本主义的危机日益加深，也使得资本主义在争夺市场中的斗争日益疯狂，这些进一步导致人民群众的生活日益贫困。资本主义制度在使工人愈来愈依赖资本的同时，也创造着联合劳动的伟大力量，即无产阶级队伍。因此，"资本主义在全世界获得了胜利，但是这一胜利不过是劳动对资本的胜利的前阶。"②一切资本主义国家的发展经验使越来越多的工人看到马克思经济理论的正确性。

最后，马克思的阶级斗争学说。这个学说主张要粉碎资产阶级的反抗，必须在社会中找到一种力量，教育它和组织它去进行斗争，这种力量就是无产阶级斗争力量。无产阶级只有起来斗争，才能推翻资本主义，获得自由和解放。

---

① 《马克思恩格斯文集》第10卷，人民出版社2009年版，第106页。
② 《列宁选集》第2卷，人民出版社2012年版，第313页。

无产阶级正是在斗争中使自己得到教育和锻炼，使自己不可遏止地壮大起来。

除了在结构意义上阐明马克思主义的"三个组成部分"外，列宁还提出马克思主义的"活的灵魂"和"根本的理论基础"概念，从总体层面揭示了马克思主义的本质与特征。在《论马克思主义历史发展中的几个特点》和《马克思和恩格斯通信集》两篇文章中列宁系统阐述了关于马克思主义学说体系的"根本的理论基础"。

在《论马克思主义历史发展中的几个特点》中，列宁指出马克思主义的"活的灵魂"和"根本的理论基础"是"辩证法即关于包罗万象和充满矛盾的历史发展的学说"①。《马克思和恩格斯通信集》是列宁在深入研究德文版四卷本《马克思和恩格斯通信集（1844—1883）》后写的一篇文章的题目。遗憾的是，文章只是开了个头，并没有最终完成。列宁在通信集中指出，读者可以从马克思和恩格斯的这些信件中看到全世界工人运动的历史，特别是非常有价值的工人阶级的政治史。《马克思和恩格斯通信集》所包含的时代，正是工人阶级从资产阶级民主派中分离出来的时代，也是独立工人运动兴起和确定无产阶级政策原则的时代。在通信中，马克思和恩格斯探讨了这个时代工人阶级的政治任务并提出了原则性的政策和策略。但是，列宁研究马克思和恩格斯的通信集的这个时代，却是由于资产阶级的停滞和腐败，特别是工人领袖把注意力集中在日常琐事上以及其他各种原因，使得各国工人运动深受机会主义之害的时代。列宁认为，对这些现象观察得愈深，这部通信集极其丰富的材料的价值就愈大。从通信中可以看出，马克思和恩格斯对无产阶级变革的根本目的有非常深刻的理解，并且从这些目的出发批评了机会主义的做法，异常灵活地规定了无产阶级的政策和任务。列宁在对两个不同时代的无产阶级的境遇和任务作出比较之后，对通信集的理论价值和内容实质作出如下判断："如果我们试图用一个词来表明整个通信集的焦点，即其中所抒发所探讨的错综复杂的思想汇合的中心点，那么这个词就是辩证法。"② 辩证法是马克思和恩格斯的通信集的"焦点"和"思想汇合的中心点"，也是马克思主义的"焦点"和"思想汇合的中心点"。因为马克思和恩格斯在通信集中绝不只是谈他们的哲学，而是在更广泛的意义上谈整个工人运动的发展，谈同机会主义的斗争，谈他们的整个学说。马克思

---

① 《列宁选集》第 2 卷，人民出版社 2012 年版，第 278 页。
② 《列宁专题文集 论马克思主义》，人民出版社 2009 年版，第 75 页。

和恩格斯关于辩证法在他们的学说体系中地位的认识，给列宁留下了极其深刻的印象，并从中得到重要启示，从而形成关于辩证法是马克思主义的"活的灵魂"和"根本的理论基础"的认识。

列宁不仅从对马克思和恩格斯思想的研究中得出辩证法在马克思主义学说体系中的"根本的理论基础"地位的认识，而且也把这一认识贯彻到他领导无产阶级革命的伟大实践和理论活动中去。如果要问列宁的实践和思想的最大特征是什么？对此的回答只有一个：辩证法。既是实践的辩证法，又是理论的辩证法。

三、马克思主义是社会科学的最新成就

"在科学上没有平坦的大道，只有不畏劳苦沿着陡峭山路攀登的人，才有希望达到光辉的顶点。"[①]这是马克思对待科学研究的态度。正是因为不畏劳苦，马克思才在科学研究的征途上创造了一个又一个辉煌：彻底地清算和超越了黑格尔的辩证的唯心主义和费尔巴哈的旧唯物主义，创立了认识世界和改变世界相统一的新唯物主义，实现了哲学的伟大变革；批判继承英国古典政治经济学的基础，通过剩余价值的发现而揭露资本剥削的秘密，写出作为"工人阶级的圣经"的鸿篇巨著——《资本论》，登上了政治经济学研究的高峰。正如恩格斯所说："资本和劳动的关系，是我们全部现代社会体系所围绕旋转的轴心，这种关系在这里第一次得到了科学的说明，而这种说明之透彻和精辟，只有一个德国人才能做得到。欧文、圣西门、傅立叶的著作现在和将来都是有价值的，可是只有一个德国人才能攀登最高点，把现代社会关系的全部领域看得明白而清楚，就像一个观察者站在高山之巅俯视下面的山景一样。"[②]"攀登最高点"的这个人就是马克思。当然，虽然马克思主义以马克思的名字命名，马克思作为"第一提琴手"是当之无愧的，但是无论实现哲学上的伟大变革和在政治经济学研究中取得的伟大成就，还是实现空想社会主义到科学社会主义的发展，都是马克思和恩格斯一道完成的，就马克思主义的创立和发展来说，马克思主义总是

① 《马克思恩格斯文集》第 5 卷，人民出版社 2009 年版，第 24 页。

② 《马克思恩格斯文集》第 3 卷，人民出版社 2009 年版，第 79 页。

同马克思和恩格斯这两个名字相联系。什么"没有恩格斯的马克思主义"和"没有马克思的马克思主义"都是一些"西方马克思学"家的无根据的虚构。

马克思主义的产生和发展与人类文明和科学同行，马克思主义是社会科学的最新成就。德国古典哲学、英国古典政治经济学和法国空想社会主义是人类19世纪创造的优秀成果，马克思学说是这些成果的当然继承者。列宁在强调马克思主义是"社会科学的最新成就"的同时，还多次强调马克思主义对于以往科学和优秀文化成果的继承性。在《又一次消灭社会主义》一文中，列宁指出："由于古典经济学家发现了价值规律和社会划分为阶级这一基本现象，创立了这门科学，由于18世纪的启蒙运动者同前者一起用反封建主义反僧侣主义的斗争进一步丰富了这门科学，由于19世纪初的历史学家和哲学家们（尽管他们抱有反动观点）进一步阐明了阶级斗争的问题，发展了辩证方法，并把它用于或开始用于社会生活，从而把这门科学推向前进，马克思主义正是在这条道路上又向前跨出了几大步，所以它是欧洲整个历史科学、经济科学和哲学科学的最高发展。这是合乎逻辑的结论。"[①] 马克思主义不仅没有抛弃反而吸收和改造了两千多年来人类思想和文化发展中一切有价值的东西，包括资产阶级时代的宝贵成就，因此成为社会科学的最新成就并赢得世界历史性意义。马克思主义产生的意义在于，在既有的科学发展的道路上"向前跨出了几大步"，是在前人达到的科学成就的基础上实现新的发展和跨越。它作为人类以往知识、科学和文化发展的"合乎逻辑的结论"，是说它是行走在人类文明大道上并且是合乎规律地发展的，这个规律就是包括人类一切知识、科学和先进文化在内的人类精神发展的规律。"社会科学的最高成就"是一个在科学发展的规律的意义上理解马克思主义和定义马克思主义的科学命题。列宁遵循这一科学发展的规律，把科学、思想、文化上的历史主义观点贯彻到底，在后来的一系列的著作和文章中强调马克思主义对于历史上的人类知识、科学和优秀文化的继承关系。

马克思主义与人类历史上的一切知识、科学和优秀文化之间是一种积极的继承性关系，马克思主义对于以往一切精神发展成果的继承是自觉的，是由其内在发展需要决定的，这是一方面；另一方面，马克思主义都是在批判中实现对历史上一切知识、科学和优秀传统文化的继承的，而不是简单"拿来"。所以，可以说，凡是人类社会所创造的一切，马克思都又批判地重新加以探讨，

① 《列宁专题文集 论马克思主义》，人民出版社2009年版，第295页。

任何一点也没有忽略过去。凡是人类思想所建树的一切，马克思都放在工人运动中检验过，重新加以探讨、加以批判，从而得出那些被资产阶级狭隘性所限制或被资产阶级偏见束缚住的人所不能得出的结论。马克思主义同历史的和现实的一切人类知识、科学和文化保持一种积极的批判性关系，既在于马克思主义内在发展的需要，又在于马克思主义的内在性质和品质。说到底，以往的知识、科学和文化，除反映自然界的发展规律的自然科学知识外，一般都是反映剥削阶级利益的知识、科学和文化，是剥削阶级的意识形态。马克思主义作为无产阶级的科学和世界观，是专门为无产阶级的利益服务的，从以往的实质说来剥削阶级的意识形态中获取的就只能是对无产阶级发展文化、科学、对社会主义精神文明建设有利的成分。列宁在马克思主义学说与人类文明之间的关系问题上，总是讲两个方面：历史上的知识、科学、文化对于马克思主义产生和发展的意义与马克思主义对于这些知识、科学、文化应该采取的批判的态度。列宁主张马克思主义在历史上的一切精神文化面前必须始终保持自觉。在《马克思主义的三个来源和三个组成部分》中，当谈到马克思主义学说与人类文明之间的关系问题时，列宁就明确表达了这样一种观点：只要是建筑在阶级斗争上的社会是不可能有"公正的"社会科学的。在整个文明世界中，资产阶级科学总是在为雇佣奴隶制做辩护，而马克思主义则对这种奴隶制宣布了无情的战争。因此，马克思学说总是被全部资产阶级科学（官方科学和自由派科学）视为某种"有害的宗派"，引起资产阶级科学的极大的仇视和憎恨。但是，马克思主义始终走在世界文明的大道上，马克思回答了人类先进思想已经提出的种种问题，马克思的学说是对哲学、政治经济学和社会主义等人类优秀成果的直接继承和发展。在《又一次消灭社会主义》中，列宁进一步指出："马克思一方面能够吸收并进一步发展同中世纪封建势力和僧侣势力斗争的'18世纪的精神'，另一方面又能吸收并进一步发展19世纪初那些哲学家和历史学家的经济主义和历史主义（以及辩证法），这就证明马克思主义的深刻性和它的力量，证明把马克思主义看做是科学上最新成就的见解是完全正确的。"[①]

马克思主义就是科学社会主义和共产主义思想。列宁关于科学社会主义和共产主义思想的产生和发展同以往的精神文化关系的论述，丰富了他关于马克思主义是"社会科学的最新成就"的思想。列宁指出："社会主义是无产阶级

① 《列宁专题文集　论马克思主义》，人民出版社2009年版，第295页。

阶级斗争的意识形态，它服从意识形态的发生、发展和巩固的一般条件，就是说，社会主义以人类知识的一切材料为基础，以科学的高度发展为先决条件"。[①] 马克思的学说不仅仅是 19 世纪一位社会主义者的个人著述，而成为全世界千百万无产者的学说，他们已经运用这个学说在同资本主义作斗争。马克思在研究人类社会发展规律中认识到资本主义的发展必然导致共产主义，马克思的学说之所以能够掌握最革命阶级的千百万人的心灵，就是因为马克思依靠人类在资本主义制度下所获得的全部知识的坚固基础，依据对资本主义社会所作的最确切、最缜密和最深刻的研究，借助于充分掌握以往的科学所提供的全部知识而证实了这个结论。因此，马克思的学说、共产主义的科学"是从人类知识的总和中产生出来的"[②]。

恩格斯在马克思墓前的讲话中指出："马克思在他所研究的每一个领域……都有独到的发现，这样的领域是很多的，而且其中任何一个领域他都不是浅尝辄止。""在马克思看来，科学是一种在历史上起推动作用的、革命的力量。任何一门理论科学中的每一个新发现——它的实际应用也许还根本无法预见——都使马克思感到衷心喜悦，而当他看到那种对工业、对一般历史发展立即产生革命性影响的发现的时候，他的喜悦就非同寻常了。"[③] 马克思的逝世，不仅对于无产阶级解放的事业、对于人类进步事业是一个巨大的损失，对于人类科学和社会科学的发展也是一个巨大的损失。

第二节 马克思主义的本质特征

列宁以马克思主义是"马克思的观点和学说的体系"给马克思主义下了一个简短定义，还从不同方面阐释了马克思主义的本质特征。在列宁看来，马克思主

---

① 《列宁全集》第 6 卷，人民出版社 2013 年版，第 351—352 页。

② 《列宁选集》第 4 卷，人民出版社 2012 年版，第 284 页。

③ 《马克思恩格斯选集》第 3 卷，人民出版社 2012 年版，第 1003 页。

义是完备而严密的世界观，它把严格的高度的科学性同革命性结合起来，马克思主义还具有开放性，这些是马克思主义区别于其他理论和意识形态的根本特征。

一、马克思主义是完备而严密的科学世界观

马克思主义是完备而严密的科学世界观，这种整体性是马克思主义的基本特征，也是马克思主义科学性、革命性的基础。马克思和恩格斯始终强调要把马克思主义视为"体系"、"整体"或"总体"。1865 年，马克思致信恩格斯，谈到："不论我的著作有什么缺点，它们却有一个长处，即它们是一个艺术的整体；但是要达到这一点，只有用我的方法，在它们没有完整地摆在我面前时，不拿去付印。用雅科布·格林的方法不可能达到这一点，他的方法一般比较适用于那些没有辩证结构的著作……"①。马克思主义理论既是一个"艺术的整体"，而实现这种整体的方法又是整体性的方法。列宁也非常强调马克思主义学说的整体性，他将马克思主义哲学比作"由一整块钢铸成"的理论体系，认为"决不可去掉任何一个基本前提、任何一个重要部分，不然就会离开客观真理，就会落入资产阶级反动谬论的怀抱"②。马克思主义哲学是一个整体，它的每一个前提、每一个部分都是有机联系在一起的，这是马克思主义区别并最终能够战胜资产阶级思想理论的重要原因。作为完备而严密的科学世界观，马克思主义在理论品质上具有与实践结合为一个"不可分割的整体"的特征，又在理论内容上具有"完备而严密"的特点，这决定了在认识和对待马克思主义时必须坚持整体性原则。

马克思主义作为世界观和方法论的统一体，其完备性和严密性首先体现在马克思主义是理论与实践的统一，既包含革命的理论，又包含革命的政策。1907 年，俄国社会民主党中有一些人从革命内容是资产阶级的这一事实出发，得出如下肤浅的结论：资产阶级是革命的动力，而无产阶级在革命中则担负次要的、附属的任务而不能领导革命，进而指责马克思主义是"伦理的空谈，全是浪漫主义，缺乏现实主义"。针对这些对革命采取怀疑和庸俗态度的"马克

---

① 《马克思恩格斯文集》第 10 卷，人民出版社 2009 年版，第 231 页。
② 《列宁选集》第 2 卷，人民出版社 2012 年版，第 221—222 页。

思主义者"，列宁指出："马克思的学说把阶级斗争的理论和实践结成一个不可分割的整体。"①如果不能把革命理论和革命政策结合起来，马克思主义就会变成布伦坦诺主义、司徒卢威主义和桑巴特主义，马克思关于革命的阶级斗争的学说就会被否定。马克思不仅从事伟大的理论创造，还坚持投身艰辛的革命斗争；不仅研究无产阶级革命斗争的策略问题，还讨论无产阶级革命斗争的技术问题，马克思主义是以实践为基础的理论体系和行动指南的统一。列宁非常强调马克思主义是"行动的指南"这一观点，"马克思和恩格斯多次说过，我们的学说不是教条，而是行动的指南，我想我们应当首先和特别注意这一点。"②1910年，列宁在《论马克思主义历史发展中的几个特点》中指出，马克思和恩格斯关于他们的"学说不是教条，而是行动的指南"，"这个经典性的论点异常鲜明有力地强调了马克思主义的往往被人忽视的那一方面。而忽视那一方面，就会把马克思主义变成一种片面的、畸形的、僵死的东西，就会抽掉马克思主义的活的灵魂，就会破坏它的根本的理论基础——辩证法即关于包罗万象和充满矛盾的历史发展的学说，就会破坏马克思主义同时代的一定实际任务，即可能随着每一次新的历史转变而改变的一定实际任务之间的联系。"③在这里，列宁强调马克思主义是面向实践的。1914年，列宁在《卡尔·马克思》一文中论述"马克思的学说"时特别指出，马克思的观点极其彻底而严整，这是马克思的对手也承认的，这些观点总起来就构成作为世界各文明国家工人运动的理论和纲领的现代唯物主义和现代科学社会主义。马克思主义既是工人运动的理论，也是工人运动的纲领，二者是统一的。在列宁看来，"马克思的学说"主要包括：马克思的世界观（哲学唯物主义、辩证法、唯物主义历史观、阶级斗争）、马克思的经济学说（价值、剩余价值）、社会主义学说和无产阶级阶级斗争策略。从马克思主义的这样一种内容结构中可以看出，马克思既为无产阶级提供了世界观，也为无产阶级制定了方法论；既阐述了无产阶级运动的理论，也指明了无产阶级运动的策略。马克思主义是一个理论与实践相结合的统一体系。然而，马克思主义是"行动的指南"这一点常常容易被人所忽视，因此这一点也特别值得重视。

① 《列宁选集》第1卷，人民出版社2012年版，第703页。
② 《列宁专题文集　论马克思主义》，人民出版社2009年版，第300页。
③ 《列宁选集》第2卷，人民出版社2012年版，第278页。

　　马克思主义是完备而严密的科学世界观，还表现在马克思主义在内容上的丰富性、完备性和严密性，这也是马克思主义的力量所在。列宁十分强调马克思主义是一个内容丰富、逻辑严密的理论整体，以及这种整体性对马克思主义本身的意义。马克思主义之所以具有持久的、无限的力量，来自于它完备而严密的正确理论，这种完备严密性给人们提供了决不同任何迷信、任何反动势力、任何为资产阶级压迫所作的辩护相妥协的完整的世界观。马克思主义是由哲学、经济学和科学社会主义三个部分组成的，但这三个组成部分是紧密联系在一起的有机整体。其中，马克思主义哲学为工人阶级提供了伟大的认识工具，给无产阶级指明了如何摆脱一切精神奴役的出路；马克思的经济学理论阐明了无产阶级在资本主义制度中的真正地位；科学社会主义学说给无产阶级指明了任务和道路。"只有马克思的哲学唯物主义，才给无产阶级指明了如何摆脱一切被压迫阶级至今深受其害的精神奴役的出路。只有马克思的经济理论，才阐明了无产阶级在整个资本主义制度中的真正地位。"① 尽管马克思主义是由三个部分组成的，但这三个部分是一个完备而严密的体系，即哲学是基础，政治经济学是论证，科学社会主义是结论。"马克思的全部理论，就是运用最彻底、最完整、最周密、内容最丰富的发展论去考察现代资本主义。自然，他也就要运用这个理论去考察资本主义的即将到来的崩溃和未来共产主义的未来的发展。"② 马克思主义理论内容的严整与周密是马克思主义能够成为科学并具有革命性力量的重要原因。

　　马克思主义整体性问题是马克思主义发展史上的一个老问题，这既是一个"什么是马克思主义"的问题，也是一个关于如何正确认识和对待马克思主义的问题。正如列宁指出的："马克思主义是非常深刻的和多方面的学说。因此，在那些背弃马克思主义的人提出的'理由'中，随时可以看到引自马克思著作的只言片语（特别是引证得不对头的时候），这是不足为奇的。"③ 在理论和实践中，就存在着这种破坏马克思主义整体性进而背弃甚至反对马克思主义的各种做法：一是对马克思主义的分门别类研究，不自觉地损害了马克思主义整体性。二是刻意制造马克思主义内部的各种对立，如"青年马克思"与"成熟马

---

① 《列宁选集》第 2 卷，人民出版社 2012 年版，第 314 页。
② 《列宁选集》第 3 卷，人民出版社 2012 年版，第 186 页。
③ 《列宁专题文集　论马克思主义》，人民出版社 2009 年版，第 305 页。

克思"的对立、马克思与恩格斯的对立、列宁与马克思和恩格斯的对立等，借以否定马克思主义作为完整世界观的整体性质和发展性质，肢解马克思主义的整体性。三是将马克思主义分割为革命的和建设的两个独立部分，将马克思主义世界观和这一世界观在不同时期、不同条件下的具体运用混为一谈，削弱马克思主义的整体性。四是对马克思主义基本理论观点进行不实、片面或错误的解释，要么将马克思主义的普遍原理与一般方法分离开来；要么从马克思主义科学体系中提取出某些观点并把它片面地加以夸大，使其脱离马克思主义其他原理、失去了马克思主义的根本精神；要么用马克思主义个别结论、个别论断的局限性来否定马克思主义普遍原理的真理性；要么把五花八门的哲学社会学观点嫁接到马克思主义头上，把马克思主义篡改成非马克思主义的东西，从而割裂马克思主义的整体性。这些做法，有的是不自觉的，有的是故意的，有的甚至是带有明显的反对马克思主义意图，这些认识和对待马克思主义的错误态度和方法，不仅破坏了马克思主义的整体性，也对马克思主义的发展产生极为不利的影响和严重危害。马克思主义是一个完备而严整的理论体系，其立场、观点和方法是统一的，其内容、结构和逻辑是严整的。正如恩格斯晚年曾在一封信中指出的："马克思的东西都是互相密切联系着的，任何东西都不能从中单独抽出来。"① 这就给马克思主义的理论研究和实际运用的人们提出了要求，既不能把本属于马克思主义的东西从中抽离出来，也不能把不属于马克思主义的东西塞进马克思主义；既要把整体性作为马克思主义理论的内在规定性，也要把整体性作为认识和对待马克思主义的科学方法。

二、马克思主义坚持把科学性同革命性结合起来

作为社会科学的最新成就，马克思主义对世界各国社会主义者所具有的不可遏止的吸引力，就在于它把严格的和高度的科学性同革命性结合起来。这种结合不仅仅是因为马克思主义的创始人——马克思和恩格斯兼有学者和革命家的品质，而是由马克思主义的本质和使命决定的。所谓马克思主义的科学性，在于马克思主义揭示自然界、人类社会和思维发展的客观规律，并根据对客观

---

① 《马克思恩格斯全集》第 38 卷，人民出版社 1972 年版，第 454 页。

规律的认识去能动地改造世界，第一次把社会学提高到科学的水平，使社会主义从空想变成科学；所谓马克思主义的革命性，在于马克思主义具有彻底的批判精神和鲜明的政治立场，不仅对现存的一切进行无情的批判，而且正确反映无产阶级和广大群众的根本利益。

马克思坚持从可以用经验方法加以确认的现实前提出发，并以实践的和历史的观点观察人类社会的发展，揭示其发展规律，从而奠定了马克思主义科学性的基础。马克思主义是科学的，因此它能够成为革命的。因为只有科学的理论才真正具有革命的性质和革命的功能。革命性寓于科学性之中，但科学理论的革命性的获得与发挥不是自然的过程，而是自觉的过程，即革命者的能动性的发挥的结果。这个过程是同革命阶级的实践联系在一起的。在这个意义上，马克思主义的革命性又是与它的实践性是同一的。

马克思主义的革命性、实践性在理论和实践两种意义上表现为批判性。马克思所说的"对现存的一切进行无情的批判"①，这种批判是双重的，即既是理论的，又是实践的，而尤其是实践的，因为批判的根本目的是改变现实。

马克思主义的批判性和革命性反过来又推动马克思主义不断开辟认识真理的道路，它不主张"树起任何教条主义的旗帜"，而敢于向一切权威挑战，勇于攀登科学的高峰。马克思和恩格斯正是在对黑格尔唯心主义哲学体系、以鲍威尔为代表的"青年黑格尔派"的主观唯心主义、费尔巴哈的旧唯物主义的批判，对资产阶级政治经济学的批判，对巴枯宁主义、蒲鲁东主义、杜林主义、拉萨尔主义以及德国社会民主党内的"青年派"等错误倾向和思潮的斗争中，实现马克思主义的发展，彰显马克思主义的真理力量。

1899 年，列宁为了批判伯恩施坦及其追随者宣扬的马克思主义理论"不完备"论和"过时"论，为《工人报》撰写了《我们的纲领》一文，阐明马克思主义是科学性和革命性相统一的理论。马克思主义不仅揭示了资本主义经济的实质，还说明了资本家是如何通过雇用工人和购买劳动力掩盖对贫苦人民的奴役；不仅阐明了现代资本主义发展的整个过程是怎样创造条件使社会主义社会制度成为可能和必然，还指出了无产阶级通过阶级斗争夺取政权并组织社会主义社会的道路。他说："目前国际社会民主党正处于思想动摇的时期。马克思和恩格斯的学说一向被认为是革命理论的牢固基础，但是，现在到处都有

---

① 《马克思恩格斯文集》第 10 卷，人民出版社 2009 年版，第 7 页。

人说这些学说不完备和过时了。"但是，"我们完全以马克思的理论为依据，因为它第一次把社会主义从空想变成科学，给这个科学奠定了巩固的基础，指出了继续发展和详细研究这个科学所应遵循的道路。"①

1918 年，列宁在马克思恩格斯纪念碑揭幕典礼上的讲话中，再一次指出了马克思主义作为科学理论所具有的巨大意义，说："马克思和恩格斯的具有世界历史意义的伟大成绩，在于他们用科学的分析证明了，资本主义必然崩溃，资本主义必然过渡到不再有人剥削人现象的共产主义。""在于他们向各国无产者指出了无产者的作用、任务和使命就是率先起来同资本进行革命斗争，并在这场斗争中把一切被剥削的劳动者团结在自己的周围"②。马克思主义是革命的理论，通过指导工人阶级的革命实践，推翻旧世界，建立新世界。马克思主义的革命性，还表现为直接为教育和组织现代社会的先进阶级服务，表现为不仅证明现代制度由于经济的发展必然要被新的制度所代替，还指明了无产阶级的历史任务和使命，教会了工人阶级的自我意识，使无产阶级真正成为一个创造新社会的阶级。在列宁看来，"马克思学说具有无限力量，就是因为它正确。它完备而严密，它给人们提供了决不同任何迷信、任何反动势力、任何为资产阶级压迫所作的辩护相妥协的完整的世界观。"③马克思的哲学唯物主义给无产阶级指明了如何摆脱一切被压迫阶级至今深受其害的精神奴役的出路，马克思的经济理论阐明了无产阶级在整个资本主义制度中的真正地位。"没有革命的理论，就不可能有被压迫阶级的即历史上最革命的阶级的世界上最伟大的解放运动。革命理论是不能臆造出来的，它是从世界各国的革命经验和革命思想的总和中生长出来的。这种理论在 19 世纪后半期形成。它叫做马克思主义。"④真正的社会主义者必须研究和运用马克思主义，必须同普列汉诺夫、考茨基等歪曲这种理论的行为进行无情斗争，避免把马克思主义庸俗化，捍卫马克思主义的革命性。

马克思主义的革命性在实践上特别表现为无产阶级在其目标实现中必须坚持的斗争原则与战略。1894 年，列宁在《什么是"人民之友"以及他们如何攻击社会民主党人?》中指出："马克思认为他的理论的全部价值在于这个理论

---

① 《列宁选集》第 1 卷，人民出版社 2012 年版，第 273 页。

② 《列宁选集》第 3 卷，人民出版社 2012 年版，第 574 页。

③ 《列宁选集》第 2 卷，人民出版社 2012 年版，第 309 页。

④ 《列宁专题文集 论马克思主义》，人民出版社 2009 年版，第 298 页。

'按其本质来说，它是批判的和革命的'。后一性质的确完全地和无条件地是马克思主义所固有的，因为这个理论公开认为自己的任务就是揭露现代社会的一切对抗和剥削形式，考察它们的演变，证明它们的暂时性和转变为另一种形式的必然性。因而也就帮助无产阶级尽可能迅速地、尽可能容易地消灭任何剥削。"① 怎样才能"尽可能迅速地、尽可能容易地消灭任何剥削"呢？列宁在对俄国经济派的错误思想的批判中回答了这个问题。1899 年 10 月，列宁在《我们的纲领》中批判伯恩施坦及其追随者时指出，无产阶级的阶级斗争分为经济斗争（反对个别资本家或个别资本家集团，争取改善工人生活状况）和政治斗争（反对政府，争取扩大民权，即争取民主和争取扩大无产阶级的政治权力）。但是，包括主办《工人思想报》的人在内的有些俄国社会民主党人却认为经济斗争更重要，而政治斗争可以推延到比较遥远的将来。这种做法正是资产阶级所一贯使用的手法，他们曾不止一次地试图组织纯经济性的工会来引诱工人离开"政治"，离开社会主义，甚至假仁假义地施与人民小恩小惠以使人民不去考虑自己毫无权利和备受压迫的状况。其实，如果工人阶级不通过政治斗争来争取自由集会、结社、办报纸等权利，那么任何经济斗争都不能给他们带来持久改善，甚至连任何大规模的经济斗争也开展不起来。因此，"一切经济斗争都必然要变成政治斗争"，"社会民主党应该把这两种斗争紧紧地结合成无产阶级统一的阶级斗争"② 。这样才能实现无产阶级夺取政权和组织社会主义社会的目的。

马克思主义的革命性，同时也是科学性，还表现在"革命对于国家的态度"问题上。1917 年，列宁在《国家与革命》的开篇中指出，社会沙文主义者正在忘记、抹杀和歪曲马克思主义学说的革命方面、革命灵魂，当伟大的革命家逝世以后，压迫阶级便"试图把他们变为无害的神像，可以说是把他们偶像化，赋予他们的名字某种荣誉，以便'安慰'和愚弄被压迫阶级，同时却阉割革命学说的内容，磨去它的革命锋芒，把它庸俗化。现在资产阶级和工人运动中的机会主义者在对马克思主义作这种'加工'的事情上正一致起来。他们忘记、抹杀和歪曲这个学说的革命方面，革命灵魂。他们把资产阶级可以接受或者觉得资产阶级可以接受的东西放在第一位来加以颂扬。现在，一切社会沙

---

① 《列宁选集》第 1 卷，人民出版社 2012 年版，第 82—83 页。
② 《列宁选集》第 1 卷，人民出版社 2012 年版，第 276 页。

文主义者都成了'马克思主义者'，这可不是说着玩的！那些德国的资产阶级学者，昨天还是剿灭马克思主义的专家，现在却愈来愈频繁地谈论起'德意志民族的'马克思来了"。[①] 基于此，列宁强调必须恢复真正的马克思的国家学说，捍卫马克思主义的革命性。列宁进一步指出，人们经常认为马克思学说中的主要之点是阶级斗争，但这是不正确的，因为这种观点往往容易导致对马克思主义进行机会主义的歪曲，把马克思主义篡改为资产阶级可以接受的东西。阶级斗争学说不是由马克思而是由资产阶级在马克思以前创立的，一般说来是资产阶级可以接受的。"谁要是仅仅承认阶级斗争，那他还不是马克思主义者，他还可以不超出资产阶级思想和资产阶级政治的范围。把马克思主义局限于阶级斗争学说，就是阉割马克思主义，歪曲马克思主义，把马克思主义变为资产阶级可以接受的东西。只有承认阶级斗争、同时也承认无产阶级专政的人，才是马克思主义者。"[②] 无产阶级专政才是马克思主义革命性的试金石，马克思主义者同平庸的小资产者（以及大资产者）之间的最深刻的区别就在这里，必须用这块试金石来检验是否真正理解和承认马克思主义。在这一点上，包括一切机会主义者、改良主义者和"考茨基主义者"，都否认无产阶级专政，因此也都属于小资产阶级民主派。

"严格的无产阶级世界观只有一个，这就是马克思主义。"[③] 辩证唯物主义和历史唯物主义是人们认识世界和改造世界的最根本的科学世界观和方法论，但它首先属于无产阶级，它始终代表以劳动人民为主体的最广大人民的根本利益。始终把严格的和高度的科学性同革命性结合在一起，这是马克思主义的力量之源。

三、马克思主义是开放的学说

马克思主义是开放的学说，马克思和恩格斯始终把前人思想成果作为自己理论的基础，"每一个时代的哲学作为分工的一个特定的领域，都具有由它的先驱传给它而它便由此出发的特定的思想材料作为前提。"[④] 当人们纷纷批判黑

① 《列宁选集》第 3 卷，人民出版社 2012 年版，第 112 页。
② 《列宁选集》第 3 卷，人民出版社 2012 年版，第 139 页。
③ 《列宁专题文集　论马克思主义》，人民出版社 2009 年版，第 297 页。
④ 《马克思恩格斯选集》第 4 卷，人民出版社 2012 年版，第 612 页。

格尔的辩证法、极力远离黑格尔时，马克思却强调自己不仅欣赏黑格尔还继承
了黑格尔的辩证法，"正当我写《资本论》第一卷时，今天在德国知识界发号施
令的、愤懑的、自负的、平庸的模仿者们，却已高兴地像莱辛时代大胆的莫泽
斯·门德尔松对待斯宾诺莎那样对待黑格尔，即把他当做一条'死狗'了。因此，
我公开承认我是这位大思想家的学生，并且在关于价值理论的一章中，有些地
方我甚至卖弄起黑格尔特有的表达方式。辩证法在黑格尔手中神秘化了，但这
决没有妨碍他第一个全面地有意识地叙述了辩证法的一般运动形式。"[①] 此外，
马克思还强调自己关于价值、货币和资本的理论是对斯密—李嘉图学说的继承
和发展。当然，对黑格尔、斯密、李嘉图等，马克思始终坚持对他们的思想在
批判基础上的继承和在继承基础上的发展。例如，马克思就批判了黑格尔辩证
法的"神秘方面"，批判了空想社会主义的"空谈和幻想"。马克思和恩格斯根
据实践的发展不断研究新情况，勇于纠正已有认识的缺陷，及时修订已有观点，
根据实践的新变化与时俱进地提出新见解，有着"不断进行新的研究而日益扩
大的眼界"[②]。在列宁看来，马克思主义这一无产阶级革命的思想体系之所以具
有强大的生命力，得益于它的开放性。

　　马克思主义是世界文明发展的产物，它批判地继承、吸收了历史和当代人
类思想文化和科学知识宝库中几乎一切有价值的东西，具有面向历史、面向当
代开放的特性。列宁认为，"哲学史和社会科学史都十分清楚地表明：马克思
主义同'宗派主义'毫无相似之处，它绝不是离开世界文明发展大道而产生的
一种故步自封、僵化不变的学说。"[③]马克思主义继承了德国的哲学、英国的政
治经济学和法国的社会主义等人类 19 世纪所创造的优秀成果。然而，这些只
是马克思主义的三个直接来源或基本来源，绝不是其全部来源。应该说，人类
有史以来的各种思想文化，都与马克思主义有着复杂的渊源关系。尽管这些思
想文化不可避免地带有一定的历史局限性，但它们在不同程度上也必然具有一
定的历史合理性，它们都蕴含着某些合理的思想，具有自身的某种价值，也不
同程度地适应和推动了社会发展。对人类社会所创造的一切思想文化，马克思
和恩格斯都用批判的态度加以总结、吸收和发展。在哲学上，马克思和恩格斯

---

① 《马克思恩格斯文集》第 5 卷，人民出版社 2009 年版，第 22 页。

② 《马克思恩格斯文集》第 6 卷，人民出版社 2009 年版，第 4 页。

③ 《列宁选集》第 2 卷，人民出版社 2012 年版，第 309 页。

除了吸收德国古典哲学的思想之外，包括古希腊哲学、近代欧洲唯理论和经验论哲学、"青年黑格尔派"的思想、英国古典政治经济学、法国波旁王朝复辟时期（1815—1830）历史学家的观点以及空想社会主义等所有西方哲学传统中的优秀思想文化成果，都被他们所批判地继承和发展。恩格斯就曾指出："如果说马克思发现了唯物史观，那么梯叶里、米涅、基佐以及 1850 年以前英国所有的历史编纂学家则表明，人们已经在这方面作过努力。"[①] 普列汉诺也认为，马克思在创立历史唯物主义时，曾经利用了"复辟时代的法国历史学家所积累的理论材料"[②]。马克思主义对人类一切文明都持积极的开放、包容的态度，他们从人类一切文明中获得理论启迪、获取思想材料，探讨和回答前人提出而未能解决的问题。

列宁在《青年团的任务》中进一步指出，马克思主义学说，已经不仅仅是 19 世纪一位社会主义者——虽说是天才的社会主义者——的个人著述，而成为全世界千百万无产者的学说；他们已经运用这个学说在同资本主义作斗争。"如果你们要问，为什么马克思的学说能够掌握最革命阶级的千百万人的心灵，那你们只能得到一个回答：这是因为马克思依靠了人类在资本主义制度下所获得的全部知识的坚固基础；马克思研究了人类社会发展的规律，认识到资本主义的发展必然导致共产主义，而主要的是他完全依据对资本主义社会所作的最确切、最缜密和最深刻的研究，借助于充分掌握以往的科学所提供的全部知识而证实了这个结论。凡是人类社会所创造的一切，他都有批判地重新加以探讨，任何一点也没有忽略过去。凡是人类思想所建树的一切，他都放在工人运动中检验过，重新加以探讨，加以批判，从而得出了那些被资产阶级狭隘性所限制或被资产阶级偏见束缚住的人所不能得出的结论。"[③] 马克思主义不仅没有抛弃资产阶级时代最宝贵的成就，相反却吸收和改造了两千多年来人类思想和文化发展中一切有价值的东西，使得马克思主义最终赢得世界历史性的意义。这种对人类文明成果的开放态度，既是马克思和恩格斯的个人品德，也是马克思主义的理论品质。

马克思主义是实践的产物，它随着实际条件的变化和群众实践的发展而向

① 《马克思恩格斯选集》第 4 卷，人民出版社 2012 年版，第 650 页。
② 《普列汉诺夫哲学著作选集》第 3 卷，生活·读书·新知三联书店 1962 年版，第 156 页。
③ 《列宁选集》第 4 卷，人民出版社 2012 年版，第 284—285 页。

前发展，具有面向实践、面向群众开放的特性。马克思和恩格斯反对教条主义，从不束缚、封闭自己的思想，不仅果敢地、及时地、毫不隐讳地承认并修正自己错误的、过时的理论，而且还根据不断变化的新的实践为自己的理论补充新的内容。恩格斯晚年在回顾他和马克思在 1848—1849 年以及《法兰西阶级斗争》中所持的立场时指出，由于无产阶级在革命中的积极作用，特别是巴黎工人的六月起义，他们曾经认为，伟大的决战已经开始，而结局只能是无产阶级的最终胜利。但是，"历史表明我们也曾经错了，暴露出我们当时的看法只是一个幻想。历史走得更远：它不仅打破了我们当时的错误看法，并且还完全改变了无产阶级进行斗争的条件。"① 正是因为马克思和恩格斯坚持根据实践的发展及对失败的深刻分析、反思和总结，才有"两个决不会"这样的思想产生。关于阶级斗争历史起点的思想，恩格斯也做过重要的修正。马克思和恩格斯在第一次发表《共产党宣言》时认为，"至今一切社会的历史都是阶级斗争的历史。"② 30 多年后，马克思和恩格斯在深入研究摩尔根(1818—1881)的《古代社会》中发现此前的表述并不准确，于是在 1882 年恩格斯把以前的表述修正为："新的事实迫使人们对以往的全部历史作一番新的研究，结果发现：以往的全部历史，除原始状态外，都是阶级斗争的历史"③。1888 年，恩格斯在《共产党宣言》英文版中就原来的结论专门加了一个注，并且在恩格斯为该英文版写的序中，对人类历史的起点做了更确切的表述，指出："人类的全部历史（从土地公有的原始氏族社会解体以来）都是阶级斗争的历史"。④ 马克思和恩格斯告诫人们，马克思主义是发展的理论，是行动的指南，而不是必须背得烂熟并机械地加以重复的教条。马克思主义不仅没有自我封闭，也反对他人教条式地对待自己的理论，始终面向不断变化着的现实、不断发展着的实践，在实践中自我批判、修正、完善和发展。

　　1899 年，伯恩施坦等人企图"革新"马克思主义，他们不是向无产阶级宣传斗争的理论，而是向无产阶级宣传如何向资产阶级让步的理论，这引起了普列汉诺夫、列宁以及一些工人代表人物的批判。马克思和恩格斯一再嘱咐后人要不断发展马克思主义的科学，而大喊大叫要"革新"马克思主义理论的伯

① 《马克思恩格斯选集》第 4 卷，人民出版社 2012 年版，第 382 页。
② 《马克思恩格斯选集》第 1 卷，人民出版社 2012 年版，第 400 页。
③ 《马克思恩格斯选集》第 3 卷，人民出版社 2012 年版，第 796 页。
④ 《马克思恩格斯选集》第 1 卷，人民出版社 2012 年版，第 385 页。

恩施坦等人，不但没有对这个理论有任何新的贡献，还借用落后的理论宣传让步的主张。伯恩施坦等人对马克思主义的"批评"在当时看起来很时髦，因此对这些人的批判容易受到百般的责难，甚至会被指责为迫害具有独立见解的"异端分子"。对于这些毫无理由的攻击，列宁认为应该辩证地看待和处理。一方面，必须维护马克思主义的革命理论，反对败坏这个理论的企图；另一方面，对伯恩施坦等人的批判，"决不等于敌视任何批评"，"我们决不把马克思的理论看做某种一成不变的和神圣不可侵犯的东西；恰恰相反，我们深信：它只是给一种科学奠定了基础，社会党人如果不愿落后于实际生活，就应当在各方面把这门科学推向前进。"①1906 年，列宁在《游击战争》中指出，要用马克思主义的观点全面考察当时俄国革命运动中出现的游击战争这一新的斗争形式，马克思主义不把运动限于某一种固定的斗争形式，而是承认各种各样的斗争形式，并且对运动进程中自然而然产生的革命阶级的斗争形式加以概括、组织使其带有自觉性。"马克思主义同任何抽象公式、任何学理主义方法是绝对不相容的"，马克思主义"是向群众的实践学习的，决不奢望用书斋里的'分类学家'臆造的斗争形式来教导群众"②。群众是实践的主体，实践是不断发展的过程，始终面向实践、面向群众的马克思主义必定是与时俱进的开放性理论。

保持对历史开放、对实践开放是马克思主义的基本特征，这是由马克思和恩格斯所开创的优良传统，列宁在理论和实践中进一步继承和发展了马克思主义的开放性传统，为后人科学认识和对待马克思主义树立了榜样。

第三节　马克思主义的历史命运、发展特点和基本经验

列宁将马克思主义的发展作为研究对象，多次专门探讨马克思主义的发展问题，系统阐述了马克思主义的历史命运、发展特点和基本经验，提出马克思

---

① 《列宁选集》第 1 卷，人民出版社 2012 年版，第 274 页。
② 《列宁选集》第 1 卷，人民出版社 2012 年版，第 688、689 页。

主义在世界历史进程中发展、马克思主义在不同历史时期具有不同特点、马克思主义在同错误倾向和思潮的斗争中发展、必须正确对待马克思主义、强调通过研读恩格斯著作理解马克思主义等基本观点，构成马克思主义发展史的重要内容。

一、马克思主义在世界历史进程中发展

马克思和恩格斯始终把他们的理论置于现实运动之中，正如恩格斯所强调的，"为了使社会主义变为科学，就必须首先把它置于现实的基础之上。"[①] 马克思和恩格斯既是杰出的思想家，也是伟大的革命家，马克思主义既存在于工人运动之中又在指导工人运动的历史进程中不断发展。"共产党人的理论原理，决不是以这个或那个世界改革家所发明或发现的思想、原则为根据的。这些原理不过是现存的阶级斗争、我们眼前的历史运动的真实关系的一般表述。"[②] 实践是发展的根本动力，马克思主义必须接受实践检验，并随着世界历史的发展而不断发展。

1913 年 3 月 1 日，为了纪念马克思逝世 30 周年，列宁写作了《马克思学说的历史命运》，回顾和总结了自《共产党宣言》问世以来，马克思主义在同工人运动的结合中广泛传播和不断发展的历程。列宁从世界历史的高度把这个历史过程分为三个主要时期：（1）从 1848 年革命到巴黎公社（1871）；（2）从巴黎公社到俄国革命（1905）；（3）从俄国革命至列宁写作该文时（1913）。通过对不同时期马克思主义的境遇及其发展的分析，揭示了马克思主义在世界历史进程中不断发展的规律，并由此阐明了马克思主义发展的历史命运。

第一个时期（1848—1871）：这是一个"风暴和革命"的时期，马克思学说最初并不占统治地位，但随着革命形势的发展和国际共产主义的兴起和壮大，马克思主义在论争中胜出，绝对地战胜了工人运动中的其他一切意识形态。最开始，占据统治地位的是那些不懂得历史运动的唯物主义原理、与民粹主义相似的社会主义，马克思主义不过是无数社会主义派别或思潮中的一个而

---

① 《马克思恩格斯选集》第 3 卷，人民出版社 2012 年版，第 394 页。
② 《马克思恩格斯选集》第 1 卷，人民出版社 2012 年版，第 413—414 页。

已。但是，1848 年的欧洲革命给这些喧嚣一时、五花八门的社会主义形式以致命的打击，证明"一切关于非阶级的社会主义和非阶级的政治的学说，都是胡说八道。"①1871 年，巴黎公社运动展开了现代社会中两大对立阶级的第一次伟大战斗，在社会主义发展史上进行了打碎资产阶级国家机器、建立无产阶级专政的第一次伟大尝试，最终结束了资产阶级变革的发展过程，马克思以前的社会主义也都已奄奄一息。与此同时，在马克思和恩格斯的亲自领导下，无产阶级第一个国际性组织，也是第一个独立的无产阶级政党——第一国际诞生了，这时的国际工人运动"在一切重大问题方面都站到马克思主义立场上来了"。②

第二个时期（1872—1904）：这一时期同第一个时期的区别是它带有"和平"性质，没有发生革命，但马克思主义依然得到了广泛传播。由于西方的资产阶级革命已经结束，而东方革命的条件尚不成熟，资本主义经济由此得到了较快的发展，这使得无产阶级的斗争转入以积聚力量为主的和平时期。因此，第二个时期是西方为未来革命的时代作"和平"准备的时期，社会主义政党不断形成，并且创办了日报、工会、合作社和教育机构，使得马克思学说获得了完全的胜利，并且广泛传播开来。"马克思主义在理论上的胜利，逼得它的敌人装扮成马克思主义者，历史的辩证法就是如此。"③与此同时，也有一些机会主义者宣扬"社会和平"，主张放弃战斗，背弃阶级斗争，试图在社会主义的机会主义形态下复活。

第三个时期（1905—1913）：极大的世界风暴在新的发源地——亚洲出现，继俄国革命之后，土耳其、波斯、中国相继发生革命。这个时期是处于极大的世界风暴以及它们"反过来影响"欧洲的时代，使得欧洲的"社会和平"像一桶火药，1872—1904 年的"和平"时期已经一去不复返了，物价飞涨和托拉斯的压榨使得欧洲的经济斗争空前尖锐化，政治危机也在迅速成熟。亚洲和欧洲的经验表明，"谁若还说什么非阶级的政治和非阶级的社会主义，谁就只配关在笼子里，和澳洲袋鼠一起供人观赏。"④在这个时期，尽管俄国革命遭到了失败，但是一切资产阶级政党的解体和无产阶级的成熟的过程正在持续地

---

① 《列宁选集》第 2 卷，人民出版社 2012 年版，第 306 页。
② 《列宁选集》第 2 卷，人民出版社 2012 年版，第 2 页。
③ 《列宁选集》第 2 卷，人民出版社 2012 年版，第 307 页。
④ 《列宁选集》第 2 卷，人民出版社 2012 年版，第 308 页。

进行，革命唤起了亚洲的觉醒，马克思主义得到了极大的证明并获得了极大胜利。

"理论的方案需要通过实际经验的大量积累才臻于完善"①。只有在实践的检验和推动中，理论才能不断发展和完善。正是在这个意义上，马克思强调："共产主义对我们来说不是应当确立的状况，不是现实应当与之相适应的理想。我们所称为共产主义的是那种消灭现存状况的现实的运动。这个运动的条件是由现有的前提产生的。"② 列宁根据马克思主义在世界历史和至 1913 年的革命发展中历史命运的考察，揭示了马克思主义总是在历史进程中不断获得发展、在实践的发展中不断得到验证的规律。但是，这种发展和验证并不总是平衡的，在世界历史进程的不同时期由于条件的不同而表现出不同的特点，高潮和低潮交替出现。因此，自马克思主义出现以后，世界历史的这三大时期中的每一个时期，都使它获得了新的证明和新的胜利。据此，列宁认为，即将来临的新的历史时期，也一定会使马克思主义获得更大的胜利。

二、马克思主义在不同历史时期具有不同特点

"历史是不能靠公式来创造的"③。任何理论都必须与实践结合起来，脱离实际的空谈是没有任何意义的。马克思主义的理论不是裁判历史的教义和公式，因此对马克思主义的认识和运用，也不能将其视为一成不变的教条随处套用，而应把它当作我们认识世界和改造世界的行动指南，也就是说，要在充分考虑不同历史时期的不同境遇、不同条件、不同特点的基础上，因时因地，灵活运用。这一点，我们能够从马克思和恩格斯认识、对待《共产党宣言》（以下简称《宣言》）的如下态度和做法中得到深刻启示："不管最近 25 年来的情况发生了多大的变化，这个《宣言》中所阐述的一般原理整个说来直到现在还是完全正确的。"当然，"这些原理的实际运用，正如《宣言》中所说的，随时随地都要以当时的历史条件为转移"。但是，也要看到，"由于最

---

① 《马克思恩格斯文集》第 5 卷，人民出版社 2009 年版，第 437 页。
② 《马克思恩格斯选集》第 1 卷，人民出版社 2012 年版，第 166 页。
③ 《马克思恩格斯选集》第 1 卷，人民出版社 2012 年版，第 244 页。

近 25 年来大工业有了巨大发展而工人阶级的政党组织也跟着发展起来，由于首先有了二月革命的实际经验而后来尤其是有了无产阶级第一次掌握政权达两月之久的巴黎公社的实际经验，所以这个纲领现在有些地方已经过时了。"① 这不仅是我们对待《共产党宣言》应该坚持的科学态度和原则，也是我们对待马克思主义应该坚持的科学态度和原则。一方面，必须始终坚持马克思主义的基本原理；另一方面，对这些原理的运用则必须随时随地都要以当时的历史条件为转移，根据社会实际和历史发展的具体特点开展活动，而不能生搬硬套。

在不同历史时期，马克思主义及其具体运动都具有不同特点，在运用马克思主义的时候，必须充分考虑不同历史时期的不同特点，这是辩证唯物主义的基本要求。列宁在《论马克思主义历史发展中的几个特点》中专门论述了马克思主义在不同历史时期体现出的不同特点。尽管俄国经济和俄国社会各个阶级间的根本对比关系没有改变，"但是在这一时期，因为具体的社会政治形势改变了，迫切的直接行动的任务也有了极大的改变，因此，马克思主义这一活的学说的各个不同方面也就不能不分别提到首要地位。"列宁进一步指出："正因为马克思主义不是死的教条，不是什么一成不变的学说，而是活的行动指南，所以它就不能不反映社会生活条件的异常剧烈的变化。"② 由于实践的发展，任务的改变，马克思主义在不同历史时期显示出不同的特点，这时在运用马克思主义时应因时因地突出马克思学说中的某些方面，这是对待马克思主义必须首先考虑的因素。1911 年，列宁在《我们的取消派》中指出，既然马克思主义具有丰富多彩的思想内容，那么在俄国也同在其他国家一样，不同的历史时期时而特别突出马克思主义的这一方面，时而特别突出马克思主义的那一方面。在德国，1848 年以前，特别突出的是马克思主义哲学的形成；在 1848 年，是马克思主义的政治思想；在 50 年代和 60 年代，是马克思的经济学说。在俄国，在革命以前，特别突出的是马克思的经济学说在实际中的运用；在革命时期，是马克思主义的政治；在革命以后，是马克思主义的哲学。"这并不是说，在任何时候可以忽视马克思主义的某一方面；这只是说，把注意力主要放在这一方面或那一方面，并不取决于主观愿望，而取决于总的历史条件。"③ 这种做法

---

① 《马克思恩格斯选集》第 1 卷，人民出版社 2012 年版，第 376、377 页。
② 《列宁选集》第 2 卷，人民出版社 2012 年版，第 279、281 页。
③ 《列宁专题文集　论马克思主义》，人民出版社 2009 年版，第 299 页。

显示出列宁在实际运用理论中的灵活性，这是符合马克思主义的基本特征的，也是科学认识和对待马克思主义的基本要求。

理论观点如此，斗争形式和策略更是如此。1906 年，列宁撰写《游击战争》一文，用马克思主义的观点全面考察当时俄国革命运动中出现的游击战争这一新的斗争形式，指出马克思主义要求我们一定要历史地来考察斗争形式的问题，脱离历史的具体环境来谈这个问题，就是不懂得辩证唯物主义的起码常识。列宁指出，在经济演进的各个不同时期，由于政治、民族文化、风俗习惯等条件各不相同，也就有各种不同的斗争形式提到首位，成为主要的斗争形式，而各种次要的附带的斗争形式，也就随之发生变化。不详细考察某个运动在它的某一发展阶段的具体环境，要想对一定的斗争手段问题作肯定或否定的回答，就等于完全抛弃马克思主义的立脚点。在《论工人运动的形式》中，列宁认为马克思主义的策略还在于把各种不同的斗争方法结合起来，巧妙地从一种方法过渡到另一种方法。不分析具体情况而僵化地死守某些斗争形式和策略，决不是真正的马克思主义。1914 年，列宁在《论民族自决权》中指出："在分析任何一个社会问题时，马克思主义理论的绝对要求，就是要把问题提到一定的历史范围之内；此外，如果谈到某一国家（例如，谈到这个国家的民族纲领），那就要估计到在同一历史时代这个国家不同于其他各国的具体特点。"①将理论的运用与不同的时期、具体的条件结合起来考虑，用历史的方法分析问题和解决问题，这才是马克思主义的方法。

在社会主义运动的历史上，由于德国和英美两国的资本主义处于不同的发展阶段，资产阶级在这些国家全部政治生活中的统治形式也各不相同，因此马克思和恩格斯在谈到这些国家的社会主义运动时也是不一样的。英美工人运动的基本特点是，无产阶级完全受资产阶级政治的支配，还没有比较重大的全国性的民主任务。社会主义者在选举中丝毫不受工人群众欢迎，一小撮社会主义者由于宗派主义立场而脱离无产阶级。因此，马克思和恩格斯在谈到英美社会主义运动时，特别尖锐地批评它脱离了工人运动，责备他们把马克思主义看成"教条而不是行动的指南"，责备他们不善于适应在他们周围发生的、理论上虽然很弱但生命力很旺盛、气势很磅礴的群众性工人运动。而对于德国社会主义运动，马克思和恩格斯则强调要谨防工人政党中的"右翼"

① 《列宁选集》第 2 卷，人民出版社 2012 年版，第 375 页。

向社会民主党中的机会主义无情地开战。列宁在谈到马克思和恩格斯针对不同国家的工人运动处在不同的历史发展阶段而具体地决定无产阶级的战斗任务时，指出："从科学的角度看，我们在这里可以看到唯物主义辩证法的典范，看到善于针对不同的政治经济条件的具体特点把问题的不同重点和不同方面提到首位加以强调的本领。从工人政党实际的政策和策略的角度看，我们在这里可以看到《共产党宣言》的作者针对不同国家的民族工人运动所处的不同阶段给战斗的无产阶级确定任务的典范。"① 马克思和恩格斯根据不同情况选择不同策略的思想和方法是运用唯物主义辩证法的典范，从俄国的革命运动和社会主义建设中，我们可以看出列宁十分重视并非常善于运用这种思想和方法。

1915 年，结合俄国革命的性质与动力问题，列宁指出："马克思的方法首先是考虑具体时间、具体环境里的历史过程的客观内容，以便首先了解，哪一个阶级的运动是这个具体环境里可能出现的进步的主要动力。"② 十月革命胜利后，为了帮助各国共产党正确对待俄国的经验和理论，列宁再次强调灵活运用马克思主义原则的重要意义。他特别提醒："共产主义者的任务，像在任何时候一样，也是要善于针对各阶级和各政党相互关系的特点，针对共产主义客观发展的特点来运用共产主义普遍的和基本的原则；要看到这种特点每个国家各不相同，应该善于弄清、找到和揣摩出这种特点"③。无产阶级政党在确定斗争任务和活动方式的时候必须严格遵循马克思主义的原则，对每个历史关头的阶级对比关系和具体特点作出经得起客观检验的最确切的分析，根据确切肯定的客观事实来确定自己的任务和活动方式。真正的马克思主义者，必须把马克思主义基本原理同具体实际、具体环境相结合，善于把握实际变化的特点，抓住特定时代的主要矛盾和时代特征，及时调整自己的政策和策略。

正确的理论必须结合具体情况并根据实际条件加以阐明和发挥，对具体条件进行具体分析，在实践中灵活运用马克思主义。马克思主义在不同历史时期具有不同特点，对马克思主义的认识和运用必须紧密结合具体历史条件和历史

---

① 《列宁选集》第 1 卷，人民出版社 2017 年版，第 710 页。

② 《列宁全集》第 26 卷，人民出版社 2017 年版，第 140—141 页。

③ 《列宁选集》第 4 卷，人民出版社 2012 年版，第 197—198 页。

特点。恩格斯在给俄国革命流亡者查苏利奇的信中指出："……马克思的历史理论是任何坚定不移和始终一贯的革命策略的基本条件；为了找到这种策略，需要的只是把这一理论应用于本国的经济条件和政治条件。""但是，要做到这一点，就必须了解这些条件"①。恩格斯提出了对待马克思主义的基本要求，要把马克思主义的一般原理与不同历史时期、不同历史条件、不同具体国情联系起来，在不断变化的实践中推动马克思主义发展。1920 年，列宁针对《共产主义》杂志的错误倾向发表评论，指责欧洲共产主义运动出现了严重的"左派"幼稚病，即纯粹从口头上空谈马克思主义，提出的策略是臆想出来的，对十分明确的历史情况不做具体分析，不去努力抓住最本质的东西，列宁认为这是一种不容忽视的缺点和病症。对此，列宁指出，"马克思主义的活的灵魂：对具体情况作具体分析。"②

三、马克思主义在同错误倾向和思潮的斗争中发展

在创立和发展马克思主义的过程中，马克思和恩格斯经常不得不面对来自各方面的思潮对马克思主义的污蔑、攻击和歪曲。正如恩格斯指出的那样，"马克思是当代最遭嫉恨和最受诬蔑的人。各国政府——无论专制政府或共和政府，都驱逐他；资产者——无论保守派或极端民主派，都竞相诽谤他，诅咒他。他对这一切毫不在意，把它们当做蛛丝一样轻轻拂去，只是在万不得已时才给以回敬。现在他逝世了，在整个欧洲和美洲，从西伯利亚矿井到加利福尼亚，千百万革命战友无不对他表示尊敬、爱戴和悼念，而我可以大胆地说：他可能有过许多敌人，但未必有一个私敌。"③尽管马克思经常不太理会来自敌人的恶意攻击和谩骂，但为了捍卫马克思主义的真理性、纯洁性，特别是端正人们对马克思主义的认识，推动国际工人运动的健康发展，对于那些攻击工人运动、污蔑共产主义、歪曲马克思主义的错误倾向和思潮，马克思和恩格斯还是坚决与之进行彻底的斗争，在同错误思潮的斗争中坚持马克思主义，推动马克

---

① 《马克思恩格斯选集》第 4 卷，人民出版社 2012 年版，第 574 页。
② 《列宁选集》第 4 卷，人民出版社 2012 年版，第 213 页。
③ 《马克思恩格斯选集》第 3 卷，人民出版社 2012 年版，第 1003—1004 页。

思主义不断向前发展。

马克思主义所遭到的污蔑、诋毁和攻击，首先来自资产阶级。1859 年 12 月，德国的卡尔·福格特（1817—1895）受法国第二帝国皇帝路易·波拿巴（1778—1846）的重金收买而出版了名为《我对〈总汇报〉的诉讼》的小册子，恶意攻击共产主义者同盟为专干出轨之事的、火药味十足的"硫磺帮"，同时还对马克思主义理论进行肆意歪曲和污蔑。马克思认为这是资产阶级庸俗民主派及俄国—波拿巴主义恶棍对全党的打击，必须予以回击。1860 年 2—11 月，马克思一边研究和写作《资本论》，一边撰写和出版《福格特先生》一书，揭露福格特（1817—1895）假民主主义的嘴脸，阐明了共产主义者同盟的组织制度、指导思想和奋斗目标，说明马克思主义来自实践、服务实践的理论本质及其代表无产阶级利益的根本立场，有力驳斥了福格特对共产主义者同盟的卑鄙攻击，捍卫了马克思主义的原则立场和精神实质。马克思认为，同福格特的斗争"对于党在历史上的声誉和它在德国的未来地位具有决定性意义"。① 恩格斯也认为《福格特先生》是马克思所写的最好的论战性著作。资产阶级对马克思主义的攻击自然不能放过《资本论》这部全面展现马克思主义理论精华的著作，他们最早企图通过"沉默的阴谋"来抵制《资本论》，但当这种阴谋被打破后，柏林大学讲师欧根·杜林就第一个站出来写文章对《资本论》进行歪曲性评论，此后还有德国庸俗资产阶级经济学家阿道夫·瓦格纳（1835—1917）以及德国的"讲坛社会主义—国家社会主义"学派等从不同方面对马克思的《资本论》进行肆无忌惮的攻击，甚至污蔑马克思的经济理论"剽窃"了资产阶级经济学思想。杜林在后来宣称自己改信社会主义，但要对社会主义理论进行全面革新，并掀起了一场从哲学、政治经济学和社会主义理论等各方面对马克思主义的全方位攻击。对于这些污蔑和攻击，马克思和恩格斯都进行了彻底的批判和回击，特别是 1878 年恩格斯出版的著作《反杜林论》，从多方面对杜林展开批判，既批判了杜林的先验论和形而上学观点，也批判了杜林的庸俗政治经济学和假社会主义理论。这次反对杜林的斗争，不仅捍卫了马克思主义，还发展了马克思主义，大大扩大了马克思主义在工人阶级中的影响和指导作用。正如恩格斯所讲："消极的批判成了积极的批判；论战转变成对马克思和我所主张的辩证方法和共产主义世界观的比较连贯的阐述，而这一阐述包括了相当多的

---

① 《马克思恩格斯全集》第 30 卷，人民出版社 1975 年版，第 449 页。

领域。"①

　　除了应对资产阶级学者对马克思主义的攻击，马克思和恩格斯还高度重视各国工人运动中的错误倾向和思潮的传播及其对工人运动的影响，一方面对这些错误思潮进行严厉的批判；另一方面还致力于对这些思潮的代表人物进行批评教育，帮助他们回到正确的思想路线上来。例如，同魏特林（1808—1871）空想平均主义的斗争，促进了科学社会主义的传播，推动了世界上第一个共产党组织——共产主义者同盟的创立；对以莫泽斯·赫斯（1812—1875）等为代表的"真正的社会主义"思潮的批判，指明了它的"反动的社会主义"的性质，清除了它对德国工人运动的错误影响；在《哲学的贫困》、《论住宅问题》等著作中对蒲鲁东主义的批判，清除了唯心主义历史观、无政府主义、社会改良方案等错误思想对国际工人运动的危害；对拉萨尔主义的批判，揭露了其小资产阶级社会主义的实质，极大增强了德国工人政党的理论素养和战斗性；对英国工联主义的批判，纠正了其社会改良和阶级调和的错误；对于巴枯宁无政府主义，马克思和恩格斯进行了深刻的批判和坚决的斗争，特别是恩格斯写作了最具讨伐性的战斗檄文——《论权威》，彻底粉碎了巴枯宁无政府主义的危害；此外，恩格斯还同福尔马尔（1850—1922）右倾机会主义进行了坚决斗争。

　　列宁认为，"马克思和恩格斯的学说是从费尔巴哈那里产生出来的，是在与庸才们的斗争中发展起来的"②。马克思主义既要直面敌对势力和错误思潮的攻击，也要在同错误思潮的斗争中实现自身发展。这是马克思主义发展的基本规律。列宁在《国家与革命》中特别强调了这一问题："马克思的学说在今天的遭遇，正如历史上被压迫阶级在解放斗争中的革命思想家和领袖的学说常有的遭遇一样。"③当伟大的革命家在世时，压迫阶级总是不断迫害他们，以最恶毒的敌意、最疯狂的仇恨、最放肆的造谣和诽谤对待他们的学说；当这些伟大的革命家逝世后，压迫阶级又试图阉割他们的革命学说的内容，磨去它的革命锋芒，把它庸俗化，在资产阶级和工人运动中的机会主义者和社会沙文主义者就是这样做的。马克思主义总是面临着敌对势力的威胁，例如马克思的国家学

---

① 《马克思恩格斯选集》第3卷，人民出版社2012年版，第383页。
② 《列宁选集》第2卷，人民出版社2012年版，第225页。
③ 《列宁选集》第3卷，人民出版社2012年版，第112页。

说就遭到小资产阶级思想家和考茨基主义者的歪曲。这时，马克思主义者必须站出来同各种诽谤、篡改、歪曲马克思主义学说的错误思潮和倾向做坚决的斗争。正因为如此，列宁才决定写作《国家与革命》，批判机会主义和修正主义对马克思主义国家学说和无产阶级专政理论的歪曲，坚决同国家问题上的机会主义和修正主义偏见作斗争，通过同错误思潮和思想的斗争，系统阐述了马克思主义国家学说、无产阶级革命和无产阶级专政理论，捍卫和发展了历史唯物主义和科学社会主义的基本理论。

1905 年，列宁在《小资产阶级社会主义和无产阶级社会主义》中指出，30 年前的德国，占优势的学说不是马克思主义，而是那些介于小资产阶级社会主义和无产阶级社会主义之间的过渡的、混合的、折中的见解。而在罗马语国家，如法国、西班牙、比利时，在先进工人中最流行的学说是蒲鲁东主义、布朗基主义、无政府主义，这些学说所反映的显然是小资产者的观点而不是无产者的观点。当时，马克思主义在德国还没有取得统治地位。但是，当前在欧洲的各种社会主义学说中，马克思主义已经取得了完全的统治。然而，"以马克思主义学说为基础的无产阶级社会主义的这个完全的统治，并不是一下子就巩固起来的，而只是在同各种落后的学说如小资产阶级社会主义、无政府主义等等作了长期斗争以后，才巩固起来的。"[1] 在俄国也是如此，由于俄国落后的缘故，各种落后的社会主义学说根深蒂固。列宁认为，25 年的全部俄国革命思想史，就是马克思主义同小资产阶级民粹派社会主义作斗争的历史。1913 年，列宁在《马克思学说的历史命运》一文中说明了自《共产党宣言》问世以来马克思主义在同各种反动势力和错误思潮的斗争中广泛传播和不断发展的历程，指出："马克思主义在理论上的胜利，逼得它的敌人装扮成马克思主义者，历史的辩证法就是如此。"[2] 修正主义就是这样的思潮，同这类错误倾向和思潮作坚决的斗争，尤为必要和重要，难度也更大，但这是马克思主义发展的重要特点，也是必经过程，已经成为马克思主义发展的基本规律。列宁在 1908 年所写的《马克思主义和修正主义》一文中彻底地全面地揭示了马克思主义发展的这一规律。

在《马克思主义和修正主义》中，列宁通过回顾马克思主义创立 60 年的

---

① 《列宁选集》第 1 卷，人民出版社 2012 年版，第 653 页。
② 《列宁选集》第 2 卷，人民出版社 2012 年版，第 307 页。

战斗历程，揭示了"马克思主义在其生命的途程中每走一步都得经过战斗"的规律。列宁首先分析了马克思主义在发展中必然要经过战斗的原因和结果。和"几何公理要是触犯了人们的利益，那也一定会遭到反驳"的道理一样，马克思主义由于代表先进阶级的利益而触犯了掌控现有制度的资产阶级利益，因而受到资产阶级的无端和无理的攻击。由于马克思主义直接代表着无产阶级的立场和利益，为教育和组织现代社会的这一先进阶级所服务，不仅指出了无产阶级的历史使命和阶级任务，还证明了资本主义制度由于经济的发展必然要被新的社会制度所代替的历史发展趋势，不仅为无产阶级的解放斗争指出了正确道路，还为人类的未来发展指明了方向。因此，"这一学说在其生命的途程中每走一步都得经过战斗，也就不足为奇了。"[1]一些官方教授按官方意图讲授资产阶级的科学和哲学，他们对马克思主义连听都不愿听，就宣布马克思主义已经被驳倒，已经被消灭；还有一些学者要么借驳斥社会主义来猎取名利，要么死抱住各种陈腐"体系"，都同样卖力地攻击马克思。但是，"马克思主义的发展、马克思主义思想在工人阶级中的传播和扎根，必然使资产阶级对马克思主义的这种攻击更加频繁，更加剧烈，而马克思主义每次被官方的科学'消灭'之后，却愈加巩固，愈加坚强，愈加生气勃勃了。"[2]这在马克思主义发展史上已然成为一种规律性现象，马克思主义在发展中同错误倾向和思潮做斗争，这种斗争反过来又促使马克思主义本身的发展，其结果就是马克思主义更加坚强、更富有生命力。

列宁在充分揭露了与马克思主义对立的各种错误倾向和思潮的本质以及它们是如何反对和攻击马克思主义的之后，又进一步阐释了马克思主义是如何在同这些错误倾向和思潮的斗争中不断发展起来并最终巩固了自己的地位的。列宁将马克思主义同错误倾向和思潮的斗争过程划分为以下两个阶段：

第一个阶段是从 19 世纪 40 年代开始的大约 50 年时间，主要斗争对象是"比较完整的、同马克思主义相敌对的学说"，包括"青年黑格尔派"、蒲鲁东主义、巴枯宁主义、杜林唯心主义等。在这一时期的最开始，即使是在那些同工人阶级的斗争有联系而且主要在无产阶级中间流传的学说中，马克思主义也是没有地位的。马克思主义的地位是在从 19 世纪 40 年代起的半个世纪中通过

---

① 《列宁选集》第 2 卷，人民出版社 2012 年版，第 1 页。
② 《列宁选集》第 2 卷，人民出版社 2012 年版，第 1 页。

同那些与它根本敌对的理论进行斗争而获得的。在 40 年代前 5 年，马克思和恩格斯清算了站在哲学唯心主义立场上的激进"青年黑格尔派"；40 年代末，在经济学说方面进行了反对蒲鲁东主义的斗争；50 年代完成了这个斗争，批判了在狂风暴雨的 1848 年显露过头角的党派和学说；60 年代，斗争从一般的理论方面转移到更接近于直接工人运动的方面：从国际中清除巴枯宁主义；70 年代初在德国批判的是名噪一时的蒲鲁东主义者米尔柏格（1847—1907）；70 年代末则是实证论者杜林。经过长达半个世纪的批判和斗争，马克思主义已经绝对地战胜了工人运动中的其他一切思想体系，逐步确立起主导地位并成为工人运动的指导思想。这次斗争的胜利，使马克思主义最终成为工人政党制定纲领和策略的理论基础（包括蒲鲁东主义传统保持最久的罗马语各国），国际工人运动组织重新恢复起来，定期举行的国际代表大会的基本立场也是马克思主义的。

第二阶段是从 19 世纪 90 年代起的大约 50 年时间，主要对象是"马克思主义内部的一个反马克思主义派别"，即修正主义。这个派别因前正统的马克思主义者伯恩施坦而得名。在对马克思学说的修正中，伯恩施坦叫嚣得最厉害，最完整地表达了对马克思学说的各方面的修正。列宁曾经在《我们的纲领》中指出过修正主义的实质，即"他们并没有把马克思和恩格斯嘱咐我们加以发展的科学推进一步；他们并没有教给无产阶级任何新的斗争方法；他们只是向后退，借用一些落后理论的片言只语，不是向无产阶级宣传斗争的理论，而是宣传让步的理论，宣传对无产阶级的死敌、对无休止地寻找新花招来迫害社会党人的政府和资产阶级政党实行让步的理论"①。在《马克思主义和修正主义》中，列宁具体论述了修正主义如何从各个方面"修正"马克思主义以及马克思主义者是如何反对修正主义的。在哲学方面，修正主义跟随新康德主义，鄙视辩证法，制造唯物主义早已被"驳倒"的论调。普列汉诺夫从彻底的辩证唯物主义观点批判了修正主义。在政治经济学方面，修正主义竭力用"经济发展的新材料"来影响公众，由于阶级矛盾有减弱和缓和的趋势，危机比较微弱了，资本主义"崩溃论"也是站不住脚的。正如当年恩格斯同杜林论战一样，这一次的马克思主义者也同修正主义进行了斗争，人们用事实和数据分析修正主义的论据，指出他们不能将事实与资本主义制度联系起来，一贯粉饰现代小

---

① 《列宁选集》第 1 卷，人民出版社 2012 年版，第 274 页。

生产，号召农民接受资产阶级的观点，而不是推动他们接受革命无产者的观点。这次论战使得国际共产主义运动的理论思想获得颇有成效的飞跃。在"危机论"和"崩溃论"方面，修正主义者以几年的工业高涨和繁荣为由企图改造马克思学说。马克思主义者认为，各个危机的形式、次序和情景是改变了，但是危机仍然是资本主义制度的不可避免的组成部分。此外，修正主义还从价值理论、政治方面企图"修正"马克思主义。总之，修正主义者的反对意见是一个相当严密的观点体系，即大家早已知道的自由派资产阶级的观点体系。列宁指出，修正主义之所以在资本主义社会不可避免，这是因为在任何资本主义国家里，在无产阶级身旁总是有广泛的小资产者阶层，即小业主阶层。资本主义过去是从小生产中产生的，现在也还在不断地从小生产中产生出来。列宁在揭示修正主义的实质的基础上，指出："19 世纪末革命马克思主义对修正主义的思想斗争，只是不顾小市民的种种动摇和弱点而向着本阶级事业的完全胜利迈进的无产阶级所进行的伟大革命战斗的序幕。"[①] 只有在不断的斗争中，工人运动才能不断向前发展，马克思主义才更有生命力。

　　基于对修正主义的全面批判，列宁强调马克思主义者必须承担起与错误思想作坚决斗争的责任，捍卫马克思主义真理。共产党人不仅应当领导工人的经济斗争，而且应当领导无产阶级的政治斗争。政治斗争的一个重要方面就是"时刻不忘我们的最终目的，随时进行宣传，保卫无产阶级的思想体系——科学社会主义学说，也就是马克思主义——不被歪曲，并使之继续发展。"[②] 马克思主义者必须牢记同"批评马克思主义"作斗争的任务，坚决同一切资产阶级思想体系作斗争。

　　捍卫马克思主义基本原理是革命马克思主义者面对的迫切任务。但是捍卫马克思主义基本原理的前提则是准确地向最广大群众阐明马克思主义基本原理。列宁指出："马克思主义的理论，我们的整个世界观以及我党的全部纲领和策略的'原则基础'现在被提到党的整个生活的首要地位，这不是偶然的，而是必然的。在革命遭到挫折之后，社会的所有阶级和最广大的人民群众对整个世界观(直到宗教问题和哲学问题，直到我们的马克思主义全部学说的原则)的深刻基础都发生了兴趣，这不是偶然的，而是必然的。被革命卷入由策略问

---

① 《列宁选集》第 2 卷，人民出版社 2012 年版，第 9 页。
② 《列宁专题文集　论马克思主义》，人民出版社 2009 年版，第 303 页。

题引起的尖锐斗争中来的群众，在缺乏公开言论的时代，提出了对一般理论知识的要求，这也不是偶然的，而是必然的。应当重新对这些群众阐明马克思主义的基本原理：捍卫马克思主义理论的任务又提到日程上来了。"① 列宁进一步指出，在停滞时期必然会提到重要地位的理论工作，也同样要求我们团结一致地捍卫社会主义，捍卫马克思主义这个唯一科学的社会主义，在资产阶级反革命派动员一切力量与革命的社会民主党的思想作斗争的时候更应如此。在《论马克思主义历史发展中的几个特点》中，列宁也提出了团结起来共同捍卫马克思主义的理论基础和基本原理的任务。社会生活条件的异常剧烈的变化，引起思想领域的深刻的瓦解、混乱和各种各样的动摇。一方面，资产阶级的刊物炮制了比过去多得多的荒谬言论，而且散布得也更加广泛；另一方面，由于资产阶级的影响遍及马克思主义运动中的各种各样的"同路人"，使马克思主义的理论基础和基本原理受到了来自截然相反的各方面的曲解。在这种条件下，马克思主义运动中的瓦解是特别危险的，也造成了马克思主义运动的极端严重的内部危机。但是，对这种危机所引起的问题避而不谈是不行的。企图用空谈来回避这些问题，是最有害的、最无原则的。因此，"团结一切意识到危机的深重和克服危机的必要性的马克思主义者来共同捍卫马克思主义的理论基础和基本原理，是再重要不过的了。""为捍卫马克思主义基础而进行坚决顽强的斗争，又成为当前的迫切任务了。"②

总之，当马克思主义以其真理性获得广大人民群众的认同和支持并成为群众同资产阶级及一切落后社会势力和社会现象进行斗争的武器之后，它就会受到来自各方面的反动思潮的反对和冲击。马克思主义必须坚决地与之进行战斗，回击它们对马克思主义的攻击，划清它们与马克思主义的界限，捍卫马克思主义的基本理论，使马克思主义更好发挥对工人解放运动的指导作用。

四、必须正确对待马克思主义

在马克思主义发展史上，存在着一种非常典型、影响广泛、危害至深的对

---

① 《列宁专题文集　论马克思主义》，人民出版社 2009 年版，第 304—305 页。
② 《列宁选集》第 2 卷，人民出版社 2012 年版，第 282、281 页。

待马克思主义的错误态度，这就是教条主义。教条主义的主要特点是割裂理论与实践、主观与客观的之间的关系，将马克思主义视为亘古不变的绝对真理而加以固守，把马克思主义当作可以解决一切问题的万应灵药而到处套用。马克思始终坚决反对教条主义，以至于马克思以"我只知道我自己不是马克思主义者"① 来表达对这些态度的不满。马克思和恩格斯反对人们把他们的理论当作教条，希望人们把他们的理论当作方法和行动指南。马克思于 1843 年致信阿尔诺德·卢格（1802—1880），指出："我不主张我们树起任何教条主义的旗帜，而是相反。我们应当设法帮助教条主义者认清他们自己的原理。"② 恩格斯认为："马克思的整个世界观不是教义，而是方法。它提供的不是现成的教条，而是进一步研究的出发点和供这种研究使用的方法。"③ 但在实践中，仍然有很多人不理解马克思和恩格斯所讲的道理，以各种方式曲解和歪曲马克思主义，对马克思主义造成很大的伤害。1882 年 11 月，恩格斯在致伯恩施坦的信中说："……您屡次硬说'马克思主义'在法国威信扫地，所根据的无非就是马隆的陈词滥调。诚然，法国的所谓'马克思主义'完全是一种特殊的产物，以致有一次马克思对拉法格说：'有一点可以肯定，我不是马克思主义者'。"④ 对于在理论和实践上把马克思主义教条化的做法，马克思和恩格斯都是坚决地反对、严厉地批评，及时帮助人们认清教条主义的危害及其本质，教育引导人们把马克思主义当作方法和行动的指南，由此形成了马克思和恩格斯对待自己理论的科学态度。

根据马克思主义发展史的经验，列宁坚定地认为，要正确地对待马克思主义，首先要反对教条主义地对待马克思主义。列宁反对将马克思主义生搬硬套，批评以教条主义对待马克思主义的态度，多次谈到教条主义的危害，强调不能教条主义地对待马克思主义，应该完整准确地理解马克思主义，把马克思主义当作"行动的指南"。在《俄国资本主义的发展》中，他指出："只有不可救药的书呆子，才会单靠引证马克思关于另一历史时代的某一论述，来解决当前发生的独特而复杂的问题。"⑤ 1909 年，在致伊·伊·斯克沃尔佐夫—斯捷潘

---

① 《马克思恩格斯选集》第 4 卷，人民出版社 2012 年版，第 603 页。

② 《马克思恩格斯文集》第 10 卷，人民出版社 2009 年版，第 7 页。

③ 《马克思恩格斯选集》第 4 卷，人民出版社 2012 年版，第 664 页。

④ 《马克思恩格斯文集》第 10 卷，人民出版社 2009 年版，第 487 页。

⑤ 《列宁选集》第 1 卷，人民出版社 2012 年版，第 162 页。

诺夫（1870—1928）的信中，列宁指出：“马克思主义中的俄国机会主义即现代孟什维主义的特点，就在于它用教条主义态度把马克思主义的字句简单化、庸俗化并加以歪曲，背叛马克思主义的精神（工人事业派和司徒卢威主义也曾是如此）。”① 在反对以机械的和教条主义的态度对待马克思主义的同时，列宁主张要完整准确地理解马克思主义。

正确地对待马克思主义，要求我们必须完整准确地理解和把握马克思主义的基本原理和全部精神，不能断章取义、只言片语地理解马克思主义的个别观点。1884 年，针对法国工人党的政论家加布里埃尔·杰维尔（1854—1940）在其《卡尔·马克思的〈资本论〉》一书中的教条主义倾向，恩格斯批评指出：“他逐字逐句地复述马克思的概括性的原理，而对这些原理的前提却只是一笔带过。结果把这些原理的意思往往给歪曲了，……其实在原著中由于前面作了阐述，这些原理具有非常明确的界限，在杰维尔的著作中却带有绝对普遍的，因而是不正确的意义。”② 在恩格斯看来，杰维尔的主要错误在于片面地、教条主义地理解和对待马克思主义，把马克思认为只在一定条件下起作用的一些原理解释成绝对的原理，一旦杰维尔删去这些条件，这些原理就不正确了。同样的，列宁在《致伊·费·阿尔曼德》的信中针对阿尔曼德（1874—1920）只抓住《共产党宣言》中“工人没有祖国”这句话就否认民族战争的错误做法，明确指出这是“片面性和形式主义”的。

那么，如何全面准确地把握马克思主义的完整体系呢？列宁给出的明确答案是：“马克思主义的全部精神，它的整个体系，要求人们对每一个原理都要（α）历史地，（β）都要同其他原理联系起来，（γ）都要同具体的历史经验联系起来加以考察。”③ 马克思主义的全部精神和整个体系，要求人们对待马克思主义基本原理的正确方法只能是把马克思主义当作一个整体，历史地、辩证地理解和运用马克思主义，而不能只抓住马克思和恩格斯的片言只语而不去完整准确地理解他们的思想。对此，列宁曾提出过警示：“马克思主义是非常深刻的和多方面的学说。因此，在那些背弃马克思主义的人提出的‘理由’中，随时可以看到引自马克思著作的只言片语（特别是引证得不对头的时候），这

---

① 《列宁全集》第 45 卷，人民出版社 2017 年版，第 284—285 页。

② 《马克思恩格斯全集》第 36 卷，人民出版社 1975 年版，第 83—84 页。

③ 《列宁选集》第 2 卷，人民出版社 2012 年版，第 785 页。

是不足为奇的。"① 在《国家与革命》中，列宁还以实际行动展示了什么才是对待马克思主义的正确态度。他在谈到资产阶级和工人运动中的机会主义者对马克思主义的歪曲时指出："在对马克思主义的种种歪曲空前流行的时候，我们的任务首先就是要恢复真正的马克思的国家学说。为此，必须大段大段地引证马克思和恩格斯本人的著作。当然，大段的引证会使文章冗长，并且丝毫无助于通俗化。但是没有这样的引证是绝对不行的。马克思和恩格斯著作中所有谈到国家问题的地方，至少一切有决定意义的地方，一定要尽可能完整地加以引证，使读者能够独立地了解科学社会主义创始人的全部观点以及这些观点的发展，同时也是为了确凿地证明并清楚地揭示现在占统治地位的'考茨基主义'对这些观点的歪曲。"② 列宁不仅强调也在实际行动中切实做到了完整准确地理解马克思主义的观点，而不是引用只言片语，断章取义。

正确地对待马克思主义，必须以尊重和研究事实为基础，把马克思主义当作"行动的指南"。也就是说，不能把"马克思主义"只是当作一种标签胡乱贴到各种事物上，而是要考虑马克思主义所处的具体历史条件和面对的对象的具体性。19 世纪 90 年代，德国社会民主党内出现过一个"青年派"，他们打着唯物论的幌子，却把唯物史观变成僵硬的公式，还到处宣称他们的认识同马克思主义是一致的。对此，恩格斯批评指出："在理论方面，我在这家报纸上看到了（一般来说在'反对派'的所有其他报刊上也是这样）被歪曲得面目全非的'马克思主义'，其特点是：第一，对他们宣称要加以维护的那个世界观完全理解错了；第二，对于在每一特定时刻起决定作用的历史事实一无所知；第三，明显地表现出德国著作家所特具的无限优越感。"③ 恩格斯指出，马克思曾经在谈到 19 世纪 70 年代末在一些法国人中间广泛传播的"马克思主义"时也预见到会有这样的学生，当时马克思以"我只知道我不是'马克思主义者'"来否定这种做法，恩格斯再一次借用这句话来嘲讽"青年派"的做法。1890 年，恩格斯专门给"青年派"的保尔·恩斯特(1866—1933) 写信点出了他们的问题，"至于您用唯物主义方法处理问题的尝试，我首先必须说明：如果不把唯物主义方法当做研究历史的指南，而把它当做现成的公式，按照它来剪裁各种历史

---

① 《列宁专题文集　论马克思主义》，人民出版社 2009 年版，第 305 页。
② 《列宁选集》第 3 卷，人民出版社 2012 年版，第 112—113 页。
③ 《马克思恩格斯选集》第 4 卷，人民出版社 2012 年版，第 280 页。

事实，那它就会转变为自己的对立物。"①1917 年，列宁在《论策略书》中遵循马克思和恩格斯对待他们的理论的正确态度，也专门批评了那种把马克思主义理论当成"公式"去背诵和简单重复而不去研究生动现实的做法，指出理论只能指出基本的、一般的东西，只能大体上概括实际生活中的复杂情况，马克思主义者必须考虑生动的实际生活，必须考虑现实的确切事实，而不应当抱着昨天的理论不放。列宁指出："马克思和恩格斯总是说，'我们的学说不是教条，而是行动的指南'，他们公正地讥笑了背诵和简单重复'公式'的做法，因为公式至多只能指出一般的任务，而这样的任务必然随着历史过程中每个特殊阶段的具体的经济和政治情况而有所改变。"② 理论是"行动的指南"，而不是束之高阁的欣赏品，列宁还曾借用普罗克鲁斯提斯（Procrustes，神话人物）这一典故形象地说明他反对以机械的态度对待马克思主义。"假使我们把复杂的、迫切的、迅速发展着的实际革命任务放在狭隘理解的'理论'的普罗克鲁斯提斯床上，而不把理论看做首先是、主要是行动的指南，那就大错特错了。"③

列宁研究马克思和恩格斯的著作是为了从马克思主义中寻找认识和解决俄国现实问题的钥匙，但列宁始终坚持以辩证的态度研究、认识和运用马克思主义基本原理。列宁在《我们的纲领》中指出，对于俄国社会党人来说，尤其需要独立地探讨马克思的理论，因为它所提供的只是总的指导原理，而这些原理的应用，具体地说，在英国不同于法国，在法国不同于德国，在德国又不同于俄国。因此，必须将普遍性的理论与具体的实践环境相结合，灵活地运用马克思主义理论。相反，一些教条主义者根本不研究实际，不顾具体条件的不同，不了解社会实践的变化，而只是一味空谈马克思主义。对此，列宁毫不客气地批评："重复那些背得烂熟、但并不理解、也没有经过思考的'口号'，结果就使得空谈盛行，这种空谈实际上完全是非马克思主义的小资产阶级思潮"④，这些教条主义者的做法，根本不研究社会的实际和变化的实践，而是把马克思主义当作公式，最终对马克思主义进行修正主义的改变。1918 年，列宁在《关于无产阶级对小资产阶级民主派的态度的报告》中进一步指出，马克思和恩格

---

① 《马克思恩格斯选集》第 4 卷，人民出版社 2012 年版，第 595 页。
② 《列宁选集》第 3 卷，人民出版社 2012 年版，第 24 页。
③ 《列宁全集》第 29 卷，人民出版社 2017 年版，第 43 页。
④ 《列宁选集》第 2 卷，人民出版社 2012 年版，第 281—282 页。

斯的学说不是需要我们死背硬记的教条，而应该把它当作行动的指南。这样做，只是改变策略，不是背弃学说，决不能叫作机会主义。"马克思主义的原则决不在于背诵词句的多少，不在于必须永远遵守'正统的'公式，而在于促进广泛的工人运动，促进群众的组织和主动性。"[①]马克思主义不是教条，因此不应以背诵马克思主义为目的，马克思主义的价值体现在指导和推动工人运动中，这是由马克思主义的本质所决定的。

那么，如何将马克思主义当作行动的指南呢？将马克思主义当作行动的指南，首先，要坚持实践对理论的决定性作用，"马克思说的'一步实际运动比一打纲领更重要'这句话，显得尤其正确了，——在对富人和骗子切实进行惩治、限制，对他们充分实行计算和监督的每一步，都比一打冠冕堂皇的关于社会主义的议论更重要。要知道，'我的朋友，理论是灰色的，而生活之树是常青的'"。[②]承认马克思主义是行动的指南，就应该以马克思主义为指导解决现实问题，充分发挥马克思主义改造世界的功能，将理论变为实践，以实践赋予理论以活力，在实践中检验和修正理论。其次，列宁还特别强调，在运用马克思主义的过程中要坚持以事实为依据。马克思主义是以事实为依据的，对马克思主义的应用也必须以事实为前提，而不能以所谓的可能性为前提。1916年2月29日，发表在《伯尔尼国际社会党委员会公报》第3号上的德国国际派提纲第5条断言，在帝国主义时代不可能再有民族战争。对此，列宁在《致尼·达·基克纳泽（1885—1951）》的信中指出，马克思主义是以事实，而不是以可能性为依据的。马克思主义者只能以经过严格证明和确凿证明的事实作为自己的政策的前提。围绕着同样的问题，列宁在《致伊·费·阿尔曼德》的信中进一步指出，否认帝国主义战争转化为民族战争的"可能性"是可笑的。世界上什么事情都是"可能的"，但是目前它还没有转化。马克思主义的政策是以现实的东西而不是以可能的东西为依据。一种现象转化为另一种现象是可能的，所以我们的策略不是一成不变的。列宁强调要听现实的东西，而不是可能的东西。在《什么是"人民之友"以及他们如何攻击社会民主党人？》中，列宁指出："马克思主义者从马克思的理论中，无疑地只是借用了宝贵的方法，没有这种方法，就不能阐明社会关系，所以他们在评判自己对社会关系的估计

---

①　《列宁专题文集　论马克思主义》，人民出版社2009年版，第299—300页。

②　《列宁选集》第3卷，人民出版社2012年版，第381页。

时，完全不是以抽象公式之类的胡说为标准，而是以这种估计是否正确和是否同现实相符合为标准的。"① 事实是政策的基础，任何政策必须以经得起严格的客观检验的事实作为根据。研究事实、弄懂情况，是运用马克思主义的关键，也是把马克思主义当作行动指南的前提。因此，所有马克思主义者都应竭尽全力对种种事实进行科学研究，为科学制定政策提供基础，这是马克思主义的基本原则。

教条主义对马克思主义的理论发展和社会主义的实践运动都是极为有害的，这在历史上的社会主义革命建设中是有教训的。在马克思主义发展史上，马克思恩格斯和列宁都旗帜鲜明地反对把马克思主义当作教义，主张马克思主义所提供的只是科学的方法；反对把马克思主义当作教条而固守，主张把马克思主义当作行动的指南。这种对待马克思主义的态度和方法是科学的，也是宝贵的。

五、强调通过研读恩格斯著作理解马克思主义

马克思和恩格斯是亲密的伙伴，他们拥有共同的志向，为了共同的事业在理论研究和革命实践中密切合作，在见解和思想上高度一致，共同创立了马克思主义。马克思和恩格斯合作完成和发表了《神圣家族》、《德意志意识形态》和《共产党宣言》等伟大的著作，马克思协助恩格斯写作《反杜林论》并承担了其中一章的写作，恩格斯在写作《家庭、私有制和国家的起源》的过程中也充分利用了马克思写的《摩尔根〈古代社会〉一书摘要》的材料，特别是恩格斯承担了马克思《资本论》第一卷的第三版、第四版和第二、三卷的编辑出版工作。此外，恩格斯还为马克思的《政治经济学批判》写了《卡尔·马克思〈政治经济学批判〉》的书评，为马克思《1848年至1850年的法兰西阶级斗争》写了导言，马克思也为恩格斯《社会主义从空想到科学的发展》1880年法文版撰写了前言。恩格斯与马克思的合作如此之密切，他们的思想交融如此之充分，恩格斯对于马克思主义的创立做出的贡献如此之大，以至于考茨基在一篇悼念恩格斯的悼文中写到："恩格斯的逝世使我们感到的悲痛，远远超过马克

---

① 《列宁选集》第1卷，人民出版社2012年版，第60页。

思，因为我们觉得，恩格斯逝世后，马克思才完全逝世了。"① 马克思和恩格斯始终是联系在一起的，他们是马克思主义的共同创始人，尽管恩格斯曾十分自谦地认为自己只是"第二小提琴手"。

1895 年 8 月 5 日，恩格斯在伦敦逝世。列宁为悼念恩格斯的逝世专门写作了一篇文章，概述了恩格斯的光辉一生，高度评价了恩格斯的崇高品质，赞颂了恩格斯和马克思的伟大友谊。马克思和恩格斯一起为无产阶级解放事业坚忍不拔地斗争。在列宁看来，自从命运使马克思和恩格斯相遇之后，这两位朋友的毕生工作就成了他们共同的事业，即实现无产阶级和全人类的彻底解放，因此恩格斯的名字和生平也是每个工人都应该知道的，因为马克思和恩格斯共同教会了工人阶级自我认识和自我意识，用科学代替了幻想。列宁认为，在马克思逝世之后，恩格斯就是整个文明世界中最卓越的学者和现代无产阶级的导师。列宁十分强调马克思和恩格斯在理论创造上的相互影响，认为他们的思想是不可分离的，从 1870 年恩格斯移居伦敦直到 1883 年马克思逝世为止，"他们两人始终过着充满紧张工作的共同精神生活。"② 马克思和恩格斯一起创立了马克思主义理论。

《共产党宣言》既是马克思主义正式诞生的标志，也是社会主义从空想走向科学的标志。《共产党宣言》全面阐述了马克思主义的基本理论，也是对马克思的学说的"完整的、系统的、至今仍然是最好的阐述"③。马克思和恩格斯是《共产党宣言》的共同作者，两人的思想在《宣言》中是不可分割的统一整体。在《马克思和恩格斯通信集》中，列宁在论及恩格斯同马克思关于《共产党宣言》草稿的通信时说："恩格斯这封具有历史意义的信谈到这部著作的最初详细提纲……这封信清楚地表明，把马克思和恩格斯两个人的名字作为现代社会主义奠基人的名字并列在一起是很公正的。"④ 尽管列宁在 1914 年《卡尔·马克思》中认为，马克思主义是马克思的观点和学说的体系。但是，作为马克思最亲密的同志和合作者，恩格斯无疑也是这个体系的创立者。马克思和恩格斯在哲学及其研究上相互影响，在经济学说及其创作上相互帮助，他们还共同创立了科

---

① ［俄］考茨基：《悼念恩格斯》，选自中央编译局译《智慧的明灯》，人民出版社 1983 年版，第 132 页。

② 《列宁选集》第 1 卷，人民出版社 2012 年版，第 94 页。

③ 《列宁选集》第 2 卷，人民出版社 2012 年版，第 305 页。

④ 《列宁专题文集　论马克思主义》，人民出版社 2009 年版，第 80 页。

学社会主义。因此，恩格斯与马克思主义是内在地联系在一起的，以至于列宁认为："要了解弗里德里希·恩格斯对无产阶级有什么贡献，就必须清楚地了解马克思的学说和活动对现代工人运动发展的意义。"①马克思和恩格斯所共同提出的关于无产阶级及其运动的学说，现在已为正在争取自己解放的全体无产阶级所领会。

恩格斯与马克思的合作及其在思想上的相互影响，恩格斯自己也有很多论述。关于《反杜林论》，恩格斯在1885年版序言中说："本书所阐述的世界观，绝大部分是由马克思确立和阐发的，而只有极小的部分是属于我的，所以，我的这种阐述不可能在他不了解的情况下进行，这在我们相互之间是不言而喻的。在付印之前，我曾把全部原稿念给他听，而且经济学那一编的第十章（《〈批判史〉论述》）就是马克思写的，只是由于外部的原因，我才不得不很遗憾地把它稍加缩短。在各种专业上互相帮助，这早就成了我们的习惯。"②关于《家庭、私有制和国家的起源》，恩格斯在1884年第一版序言指出："以下各章，在某种程度上是实现遗愿。不是别人，正是卡尔·马克思曾打算联系他的——在某种限度内我可以说是我们两人的——唯物主义的历史研究所得出的结论来阐述摩尔根的研究成果，并且只是这样来阐明这些成果的全部意义。……我这本书，只能稍稍补偿我的亡友未能完成的工作。不过，我手中有他写在摩尔根一书的详细摘要中的批语，这些批语我在本书中有关的地方就加以引用。"③可见，在重要问题上马克思和恩格斯的观点是一致的，在理论创作上马克思和恩格斯有着完美的合作关系。

恩格斯参与了《资本论》创作的全过程，特别是以求实、严谨和精益求精的精神完成《资本论》第二、三卷的整理、编辑和出版工作，正如列宁指出的："的确，这两卷《资本论》是马克思和恩格斯两人的著作。"④恩格斯深知只有自己最能理解马克思经济学的内容和实质，也只有自己最熟悉马克思的写作风格、最能够辨识马克思草稿中的字迹和缩写的人。恩格斯甚至担心一旦自己离开人世，马克思的手稿就会成为看不懂的天书，任何其他人看这些手稿都会猜测多于真懂。因此恩格斯承担起整理马克思遗稿的艰难事业，并且坚持以"使

① 《列宁选集》第1卷，人民出版社2012年版，第88页。
② 《马克思恩格斯选集》第3卷，人民出版社2012年版，第383—384页。
③ 《马克思恩格斯选集》第4卷，人民出版社2012年版，第12—13页。
④ 《列宁选集》第1卷，人民出版社2012年版，第95页。

本书既成为一部连贯的、尽可能完整的著作，又成为一部只是作者的而不是编者的著作"① 为原则进行整理。针对德国经济学家威纳尔·桑巴特（1863—1941）建议恩格斯根据第三卷挑出马克思经济体系中的基本原理精心加工成完备的理论形式，恩格斯否定了这一提议，认为："按马克思的文字整理马克思的手稿，就是尽了我的职责，虽然这可能要逼着读者更多地进行独立思考。"②因此，恩格斯对《资本论》第二卷和第三卷的整理是完全符合马克思的本意的，恩格斯为此付出了极大的努力和精力。列宁引述奥地利社会民主党人阿德勒（1852—1918）的话来说明马克思和恩格斯在理论创造上的相互影响，"恩格斯出版《资本论》第 2 和第 3 卷，就是替他的天才朋友建立了一座庄严宏伟的纪念碑，无意中也把自己的名字不可磨灭地铭刻在上面了。"③《资本论》这部马克思主义的重要著作，是马克思的独立著作，也是马克思和恩格斯的共同著作。

马克思主义是由马克思和恩格斯共同创立的，所以在理解马克思主义的时候，必须将恩格斯的著作和马克思的著作联系起来，通过研读恩格斯著作理解马克思主义，而不能把他们的思想割裂甚至对立起来。例如，在国家和国家消亡的问题上，有人认为马克思和恩格斯的看法有很大差别，但列宁认为"马克思和恩格斯之间仿佛存在差别，是因为他们研究的题目不同，要解决的任务不同。"实际上，他们的看法"是完全一致的"④。列宁在《卡尔·马克思》一文的最后列出了相当详细的大量论述马克思的书目之后，特别指出："要正确评价马克思的观点，无疑必须熟悉他最亲密的同志和合作者弗里德里希·恩格斯的著作。不研读恩格斯的全部著作，就不可能理解马克思主义，也不可能完整地阐述马克思主义。"⑤马克思和恩格斯是马克思主义的共同创立者，恩格斯的著作是马克思主义的重要组成部分，只有通过研读恩格斯著作才能准确理解马克思主义，也只有将恩格斯的思想和马克思的思想视为一个整体才是对马克思主义的完整准确的理解。

列宁强调"通过研读恩格斯著作理解马克思主义"，其实质是一个怎样认

---

① 《马克思恩格斯文集》第 6 卷，人民出版社 2009 年版，第 3 页。
② 《马克思恩格斯选集》第 4 卷，人民出版社 2012 年版，第 665 页。
③ 《列宁选集》第 1 卷，人民出版社 2012 年版，第 95 页。
④ 《列宁选集》第 3 卷，人民出版社 2012 年版，第 186 页。
⑤ 《列宁专题文集　论马克思主义》，人民出版社 2009 年版，第 50 页。

识和对待马克思主义的问题，也是一个马克思主义观的问题。这个问题，直接涉及怎样理解马克思与恩格斯的关系。与这个问题有关的现象其实很早就已经出现了，恩格斯自己也曾关注和谈到过这种现象。1883 年 4 月 23 日，恩格斯在致爱德华·伯恩施坦的信中指出："1844 年以来，关于凶恶的恩格斯诱骗善良的马克思的小品文，多得不胜枚举，它们与另一类关于阿利曼—马克思把奥尔穆兹德—恩格斯诱离正路的小品文交替出现。现在，巴黎的先生们终于要睁开眼睛了。"[①] 在这里，已经显露出把马克思与恩格斯对立起来的端倪。在马克思和恩格斯逝世后，越来越多的人提出马克思与恩格斯的关系问题，但大多是质疑他们的关系，把马克思和恩格斯对立起来，尤其是认为他们在理论上是根本对立的，如德国的威·桑巴特、保尔·巴尔特（1858—1922）、M. 朗格（1828—1875）和捷克的托·马萨里克（1850—1937）、意大利的 B. 克罗齐（1866—1952）等，甚至伯恩施坦也曾断言："在某些领域里，恩格斯并非马克思的确切解释者。"[②] 这种声音在"西方马克思主义"者中间也十分流行，特别是随着《1844 年经济学哲学手稿》的发表，以及由此形成的"马克思学"这种文化和学术现象的出现，其影响越来越大，如法国"马克思学"家吕贝尔（1905—1996）指出："马克思主义不是马克思思想方式的原生产物，而是恩格斯心里构造出来的。"[③] 美国"马克思学"家诺曼·莱文（1931— ）在《辩证法内部对话》、《马克思恩格斯思想中的人类学》、《马克思主义和恩格斯主义：两种不同的历史观》、《可悲的骗局：马克思反对恩格斯》等论著中系统论证了马克思与恩格斯的对立关系，将恩格斯视为马克思主义的"第一个修正主义者"，并提出了作为马克思主义对立面的"恩格斯主义"概念。当代英国"马克思学"家特雷尔·卡弗（1946— ）在《马克思与恩格斯：学术思想关系》中认为，尽管恩格斯自谦是"第二小提琴手"，但其实是马克思主义真正的"第一小提琴手"。在此，卡弗意在强调恩格斯对马克思本人思想的误解和背离，其实质依然是马克思恩格斯"对立论"。列宁着重强调"通过研读恩格斯著作理解马克思主义"，不仅揭示了恩格斯在马克思主义发展史上的重要地位，更阐明了马克思与恩格斯在思想上的高度一致性，特别是指出了研读恩格斯著作

---

① 《马克思恩格斯全集》第 36 卷，人民出版社 1975 年版，第 14 页。

② [德]伯恩施坦：《一幅修正主义的社会主义的画面》，柏林狄茨出版社 1960 年版，第 58 页。

③ [英] 约瑟夫·奥玛莱、凯兹·阿格津编：《吕贝尔论卡尔·马克思：五篇文章》，剑桥出版社 1981 年版，第 17 页。

对于我们完整地理解马克思主义和科学地对待马克思主义的重要意义，那就是通过对马克思恩格斯著作、文本、文献的全面考察和系统研究，形成在马克思与恩格斯关系问题上的有根有据的"统一论"，进而形成一种科学的马克思主义观。

第七章　帝国主义理论的形成

19世纪80—90年代以前还没有帝国主义理论。尽管历史上曾有过以奴隶制为基础、实行殖民政策和帝国主义的罗马帝国，但这与资本主义发展最高阶段的帝国主义在经济的社会形态上有着根本区别。在第一次工业革命中率先崛起的英国从19世纪中叶起就具备了帝国主义的两大特点：拥有广大的殖民地；在世界市场上占垄断地位[1]。到了19世纪70年代，随着第二次工业革命的迅速推进，英国的世界工厂地位受到挑战，德国和美国开始迅速赶超英法两个老牌资本主义国家。一方面是生产和资本加速集中；另一方面是各资本主义国家为输出资本和占领海外地盘而展开的斗争日趋激烈，资本主义进入了由自由竞争阶段向垄断阶段的过渡。自美西战争（1898）和英布战争（1899—1902）之后，新旧两大陆出版的经济学和政治学著作越来越多地使用"帝国主义"这个概念[2]。在这样的历史条件下，各种专门研究现代帝国主义的理论和著作应运而生。

马克思主义帝国主义理论是由列宁创立的。列宁帝国主义论的创立，既离不开他对19世纪末、20世纪初资本主义时代发展新现象的直接研究，也离不开他对其他学者帝国主义研究的分析研究。其中，列宁重视并一定程度上肯定了霍布森的帝国主义理论和希法亭的金融资本理论，"实质上，近年来关于帝国主义问题的论述……恐怕都没有超出这两位作者所阐述的，确切些说，所总结的那些思想的范围……"[3]；批判了考茨基的"超帝国主义论"，指出"考茨

---

① 参见《列宁专题文集　论资本主义》，人民出版社2009年版，第192页。

② 参见《列宁专题文集　论资本主义》，人民出版社2009年版，第106页。

③ 《列宁专题文集　论资本主义》，人民出版社2009年版，第106页。

基的'理论'的客观即真正的社会意义只有一个，就是拿资本主义制度下可能达到永久和平的希望，对群众进行最反动的安慰，其方法就是使人们不去注意现代的尖锐矛盾和尖锐问题，而去注意某种所谓新的将来的'超帝国主义'的虚假前途"①。

第一节　霍布森、希法亭与列宁关于帝国主义的理论

在这一时期的各种帝国主义理论中，霍布森、希法亭和列宁的帝国主义理论具有代表性。列宁重视霍布森的帝国主义理论，他对帝国主义的定义、对帝国主义的经济、政治特征的说明和对帝国主义寄生性的描述列宁都有所肯定，但也批评了他的"资产阶级社会改良主义和和平主义"立场。希法亭是"奥地利马克思主义"者，也是列宁重视的 20 世纪初最具影响的马克思主义经济学家。《金融资本》是他的帝国主义理论的代表性。在这本书中，他试图用马克思主义的观点和方法分析资本主义从自由竞争向垄断过渡中产生的金融资本这一新现象。列宁肯定他对这一现象"作了一个极有价值的理论分析"。

一、霍布森与列宁的帝国主义理论

霍布森（1858—1940），英国政治思想家，经济学家，资产阶级社会改良主义与和平主义者。他于 1902 年出版的《帝国主义》，是历史上第一部系统地研究现代帝国主义的著作。在书中，他将帝国主义经济和政治结合起来研究，指出帝国主义形成的原因在于经济而非政治和军事。列宁于 1904 年翻译过霍布森的《帝国主义》，并在《关于帝国主义的笔记》中作了详细的分析和摘录；在《帝国主义是资本主义的最高阶段》中，列宁引用了霍布森书中的许多事实

---

① 《列宁专题文集　论资本主义》，人民出版社 2009 年版，第 204 页。

材料，既肯定了霍布森对帝国主义经济、政治特征的说明和对帝国主义寄生性的描述，也批判了他小资产阶级改良主义的结论和暗中维护帝国主义的企图。

霍布森把帝国主义看作是资本主义国家所推行的一种有意识的对外扩张政策。认为区别于古代和中世纪帝国的"把国家联合起来"，近代帝国主义作为一种政策被若干资本主义国家争相采用，并形成了"互相竞争的帝国"[①]。他具体分析道："新帝国主义和旧帝国主义的不同，首先是以对政治扩张和商业利益怀有同样贪欲的互相竞争的帝国的理论与实践，代替了独个的日益发展的帝国的野心；其次是金融势力或投资势力对商业势力所占有的优势"[②]。

霍布森力求探讨帝国主义产生的根源。他首先分析了垄断和资本输出现象，认为生产过剩是一种长期现象，在自由竞争时期，各企业为了生存而展开激烈的价格竞争，优胜劣汰，势必会形成一个迅速的合并过程，大量财富集中于少数工业巨头手中。垄断组织形成，并产生了限制产量以防止生产过剩的倾向，不能转化为新资本的收入被储蓄起来，长期找不到有利的国内投资，这样，资本自然要涌向国外寻求出路。而为了打开已有封锁或限制的国外市场，争夺和获取殖民地、半殖民地和其他资本主义国家的"势力范围"就成了国家政策中迫切而有意识的要求。这便是推行帝国主义政策的直接动机："虽然骄傲、威望和好斗等各种现实而有利的动机，和比较利他地自称是文明的使命结合在一起被表明为帝国主义扩张的原因，但主导的直接动机却是各个帝国主义国家出口阶级和金融阶级对市场和有利投资的需求"[③]。但是，霍布森并不认为这些是帝国主义产生的根源，他认为其根源在于财富的分配不当，"一般收入的分配使工人阶级所占的份额太少，雇佣阶级和占有阶级所占的份额太多，储蓄过度正是由后者所造成的"[④]。

霍布森并没有全然为当时的帝国主义政策唱赞歌。他分析了这些政策对英国经济、政治、教育和政党的种种不利影响，认为帝国主义扩张并非必要，解决的办法在于改革现有的不合理分配制度，提高国民的消费能力，即"为我们的商品和过剩资本而寻求市场，在军备、战争、冒险和蛮横的外交上消耗我们的天然资源，这并非事物的本性……收入的分配如果能使国内各个阶级把他们

---

① [英] 霍布森：《帝国主义》，上海人民出版社 1960 年版，第 5 页。
② [英] 霍布森：《帝国主义》，上海人民出版社 1960 年版，第 241—242 页。
③ [英] 霍布森：《帝国主义》，上海人民出版社 1960 年版，第 1 页。
④ [英] 霍布森：《帝国主义》，上海人民出版社 1960 年版，第 3 页。

的需要变成对商品的有效需求，就不会有生产过剩，不会有资本和劳动的使用不足，也不会有争夺国外市场的必要"①。对于帝国主义的前途，霍布森认为各帝国主义国家应采取和平的"联合帝国"方式，以基督教为纽带，组织起联合的国际事业，将整个西方资本主义置于一种活跃的有利生存的时代。

列宁不仅引用了《帝国主义》一书中的部分具体数据，还对霍布森帝国主义论中一些颇有价值的观点予以认可，列宁评价道："这位英国经济学家丝毫不想以马克思主义者自居，但是他在1902年的著作中却给帝国主义下了一个深刻得多的定义，对帝国主义的矛盾作了深刻得多的揭露"②。第一，霍布森比较正确地估计到了现代帝国主义的两个具体的历史特点："（1）几个帝国主义互相竞争；（2）金融家比商人占优势。"③第二，霍布森揭露了帝国主义的寄生性："（1）'经济寄生性'；（2）用附属国的人民编成军队。"④列宁在《帝国主义是资本主义的最高阶段》第八部分"资本主义的寄生性和腐朽"中大量引用了霍布森的分析和数据。

同时，列宁也明确指出，霍布森对帝国主义的批判所采取的根本立场是资产阶级社会改良主义和和平主义的。比如，他坚决否定帝国主义的"不可避免性"，认为在资本主义制度下可以通过改革收入分配，提高居民消费能力的方式解决问题。比如，他寄希望于帝国主义国家内部和彼此间关系的改良，却看不到那些反对帝国主义特别是反对机会主义的革命力量。

二、希法亭与列宁的帝国主义理论

希法亭（1877—1941），20世纪初最有影响的马克思主义经济学家，"奥地利马克思主义"理论家，奥地利社会民主党、德国社会民主党和第二国际领袖之一。在1914年第一次世界大战爆发之前，希法亭被公认为是正统的马克思主义者，1904年他第一个发表论文驳斥庞巴维克对马克思科学劳动价值论的攻击，也是第一位批判资产阶级"边际效用论"的马克思主义经济学家。

---

① ［英］霍布森：《帝国主义》，上海人民出版社1960年版，第70页。
② 《列宁选集》第2卷，人民出版社2012年版，第707页。
③ 《列宁专题文集　论资本主义》，人民出版社2009年版，第179页。
④ 《列宁专题文集　论资本主义》，人民出版社2009年版，第188页。

1910 年他最负盛名的《金融资本》一书出版，希法亭试图用马克思主义的观点和方法科学地分析资本主义从自由竞争向垄断过渡中产生的新现象——金融资本，他有关帝国主义的论述几乎全部集中于此书。列宁对关于帝国主义文献的研究自然离不开希法亭的《金融资本》，他评价道："虽然作者在货币理论问题上有错误，并且书中有某种把马克思主义同机会主义调和起来的倾向，但是这本书对'资本主义发展的最新阶段'（希法亭这本书的副标题）作了一个极有价值的理论分析。"[①]

希法亭在《金融资本》一书中，通过对金融资本产生和运动规律的分析，明确指出，金融资本作为资本表现的最高和最抽象的形态，已经取代产业资本成为决定其他形式资本的主要资本形式，即金融资本占据统治地位，这标志着资本主义发展进入到一个新的阶段，这一点从《金融资本》一书的副标题"资本主义最新发展的研究"上就可以看出。希法亭通过对"货币和信用"、"资本的动员"、"虚拟资本"、"金融资本和对自由竞争的限制"、"金融资本和危机"以及"论金融资本的经济政策"的分析，发现与之前资本主义发展阶段相比，资本主义发展新阶段呈现出如下特点：第一，产业资本和银行资本的融合，再加上垄断的作用，金融资本得以形成，金融资本和金融寡头占据统治地位。第二，金融资本的形成在很大程度上限制了自由竞争，利润平均化遇到障碍，但却并未消除竞争，垄断与竞争并存。第三，金融资本的形成使经济危机的特点和性质发生了变化，但并未消除危机，只是使危机得到了一定程度的缓解。第四，金融资本形成后国家的对内对外经济政策发生了变化，在对外政策方面，保护关税取代了自由贸易，卡特尔关税取代了培育性关税，资本输出政策和帝国主义政策成为必然，帝国主义思想体系形成；在对内政策方面，从短时间来看，金融资本导致一切资产阶级阶层联合起来，并与无产阶级相对抗，但从长时间看，则所有的力量都与无产阶级联合起来。第五，金融资本的发展为社会主义的实现创造了经济上和政治上的前提，其发展趋势必然是社会主义。

希法亭写作《金融资本》一书时，虽然受流通决定论的影响较深，但在客观认真的研究中，他越来越感到单纯从流通过程的变化，尚不足以完全说明金融资本的产生。因此在对股份资本、银行资本进行分析之后，他便转而研究了

---

① 《列宁专题文集　论资本主义》，人民出版社 2009 年版，第 106 页。

产业资本的变化，研究了产业资本中垄断的形成，指出垄断是促使金融资本形成的最深层次的原因。希法亭在分析垄断现象时出现了一些问题，例如没有从生产的集中这一根本的原因阐明垄断的产生，没有把垄断理解为帝国主义的经济实质，对金融资本所下的定义比较片面，忽视了垄断必然引起的腐朽趋势等等，但对垄断现象的关注和分析足以说明他触及了资本主义经济发展最新现象的本质特征。希法亭对垄断组织的研究不是从生产的集中入手，而是从利润率下降规律及对妨碍利润率平均化的诸因素的克服来说明垄断组织形成的必然性。他指出，随着资本主义的发展，随着资本有机构成的提高，利润率呈下降趋势，与此同时利润的平均化过程也受到了阻碍。解决上述问题的最好方法是联合制，联合制的出现有效地克服了利润率下降的趋势。但联合企业并不等于垄断企业，只有当联合起来的企业足以控制该部门的生产从而可以控制市场和价格的时候，垄断才得以形成。随着垄断的形成，垄断组织也就随之形成。希法亭在论述了垄断组织演变时，指出卡特尔和托拉斯是两种最主要的垄断组织。垄断和垄断组织的产生，有效地克服了垄断企业利润率下降的趋势，在一定程度上促进了技术进步，进一步改变了商业资本和银行资本在资本主义经济体系中的地位，加速了金融资本的形成，并在金融资本形成后对竞争和经济危机产生了重要的影响。

希法亭在对金融资本形成以及影响的理论分析结束之后，转而研究金融资本的形成对国内外经济政策的影响。因此，在《金融资本》一书前言中希法亭指出："理论部分以此而告结束。但是，因为试图从理论上把握这种发展同时对社会阶级划分发生巨大影响，所以在最后一篇对资产阶级社会中各大阶级的政策的主要影响加以探索，看来是适当的。"①

希法亭对金融资本的对外经济政策的分析实际上也就是对资本主义发展新阶段对外经济关系的探讨。金融资本的对外政策主要有保护关税政策、资本输出政策和帝国主义政策。当金融资本形成并占据统治地位后，保护关税政策发生了转变，由培育性关税转变为卡特尔关税，从抑制外国产业占领国内市场的手段变成了国内产业占领外国市场的手段。但卡特尔关税也存在一定的消极影响和局限性，这使得资本输出成为必要。资本输出主要包括借贷资本输出和产

---

① ［德］鲁道夫·希法亭：《金融资本——资本主义最新发展的研究》，福民等译，商务印书馆1994年版，第2—3页。

业资本输出，但不管哪种输出形式，都对资本主义的生产关系和生产力产生了极大的影响。

希法亭指出，为了扩大经济区，各金融资本家纷纷采取资本输出政策。但这还远远不够，资本输出仅仅是从经济上瓜分世界。而且资本输出会导致发达的资本主义国家和落后地区的国家政权之间的日益尖锐的冲突，会导致发达资本主义国家之间的对立和冲突。为了能够持久和稳定地瓜分世界，还必须借助于政治、军事手段，而这必然导致国家采取帝国主义政策。

（一）帝国主义政策的必然性

希法亭指出，帝国主义政策的必然性可以从两个方面去考察。第一，资本输出会导致发达的资本主义国家和落后地区的国家政权之间的日益尖锐的冲突，促使金融资本家采取帝国主义政策，把适合于资本主义的法律关系强加于这些地区，而不管是保护还是毁灭迄今为止的政权。由于资本输出使得新开辟的国外市场不再仅仅是销售地点，而且也是投资场所，这必然带来资本输出国政治态度上的变化。因为单纯的贸易只是限于经济关系，并不使这些国家的社会关系和政治关系的基础长期受到影响，只要国家权力存在并能在相当程度上维持秩序，直接的统治并不重要。但是，随着资本输出占据优势，有更大得多的利害关系发生了。例如，"在外国修铁路、获取土地、建港口、创办和经营矿业等等的风险，比单纯的商品买卖的风险要大得多"①。再如，"在新开发的国家自身内，被输入的资本主义加剧了对抗，激起了民族意识日渐苏醒的人民对入侵者的越来越顽强的抵抗，这种抵抗可以很容易地达到对外国资本采取危险性的措施"②。第二，由于争取新开投资场所的竞争所导致的发达资本主义国家之间的对立和冲突，也促使金融资本家采取帝国主义政策。希法亭指出，可供开辟的新市场的范围是有限的，各个发达的资本主义国家为了尽可能通过资本输出扩大自身的经济区，必然会展开激烈的竞争，各个国家的利益相互间发生直接的敌对冲突，这种冲突由于金融资本的经济政策而得到加强。为了避免这一切的发生，竞争的激烈性唤起消除竞争的努力。如果把世界市场的一部分

---

① ［德］鲁道夫·希法亭：《金融资本——资本主义最新发展的研究》，福民等译，商务印书馆1994年版，第369页。

② ［德］鲁道夫·希法亭：《金融资本——资本主义最新发展的研究》，福民等译，商务印书馆1994年版，第369页。

纳入国内市场，即通过殖民政策把外国的一些地区合并过来，就能最简单地做到这一点。在这里，为了追逐那些尚未开发的地区，为了海外殖民地，欧洲国家部署了国家的武装力量。

因此，一切在外国有利益关系的资本家，呼吁建立一个强大的国家政权，凭借它的权威保护自己即使是在世界最遥远的角落的利益；呼吁举起到处可见的战争旗帜，从而到处竖起商业的旗帜。于是资本输出促使采取帝国主义政策。

（二）帝国主义思想体系的形成

通过上面的分析可以看出，金融资本的对外政策主要有三个目的：一是建立尽可能大的经济区，二是通过保护关税壁垒排除外国竞争，三是把这一经济区变成民族垄断联盟的开发区。而这些目的只有借助国家才能更好实现。因此，希法亭在此分析了金融资本与国家的关系。

希法亭指出，由于经济区越大，国家权力越大，其民族资本在世界市场上的地位就越有利。因此，金融资本成为利用一切手段加强国家权力的理念的承担者。"欧洲国家现在部署了国家的武装力量。这不是为了吞并已经高度发展的资本主义国家，……。重要的毋宁说首先是为了那些尚未被开发的地区，而这些地区的开发恰恰对最强大的资本家集团具有重要意义；也就是说，主要是为了海外殖民地"[1]。金融资本越发展，金融资本为民族资本而把世界市场的一部分垄断化的努力加强，这种斗争也就越激烈。而垄断进程越是向前发展，为争取世界市场的剩余部分所做的斗争也就越残酷。例如，德国资本主义的发展和它的经济区比较小的部分之间的矛盾大大增强，这种情况必然大大加剧德国同英国及其卫星国之间的对立，最后诉诸暴力解决。

如果国家的政治力量在世界市场上成为金融资本的一种竞争手段，那么这就意味着资产阶级同国家的关系的彻底变化，这种思想体系与自由主义的思想体系完全对立。自由主义纯粹是否定国家调节的，但金融资本所希望的却不是自由，而是统治。为了达到这种目的，维持和加强自己的优势，它需要国家通过关税政策和税收政策保证其国内市场，并有助于它征服国外市场；它需要政治上强大的国家，使自己的金融利益延伸到国外，甚至把整个世界变成自己金

---

[1] ［德］鲁道夫·希法亭：《金融资本——资本主义最新发展的研究》，福民等译，商务印书馆1994年版，第377页。

融资本的投资场所；它需要政治上强大的国家，以便能够推行扩张政策，并吞并新殖民地等等。因此，没有任何限制的强权政治成了金融资本主义的要求。

同时，对扩张政策的要求也使资产阶级的整个世界观彻底变革，它不再是和平的和人道的，代替人道理念的是国家强大的理想，即寡头统治的理想代替了民主平等的理想，帝国主义思想体系形成了。希法亭在此指出："金融资本……不相信资本主义利益的和谐，而是清楚地知道，竞争日益成为政治的权力斗争"①。"现在作为理想表现出来的是，保证自己的民族对世界的支配……垄断的经济上的优越性，反映在别的民族必须归附于自己民族的优越地位上"②。寡头统治的理想代替了民主平等的思想。"帝国主义思想体系便产生了，它是对旧的自由主义理想的否定。它嘲笑后者的天真。在武器优势是最终主宰的资本主义斗争世界里，相信利益的和谐是多么可笑的幻想！在只有权力才能决定人们命运的地方，期待永久和平的王国，进行国际法的说教，又是多么可笑的幻想。……永恒的正义是一个美梦，而用道德是不可能在国内建立起铁路来的。如果我们想期待竞争的幡然醒悟，那我们怎样能征服世界呢？"③

第二节　批判考茨基的"超帝国主义论"

19 世纪末 20 世纪初，亚洲、非洲和拉丁美洲的殖民地半殖民地已被列强瓜分完毕。与此同时，各资本主义国家发展的不平衡愈加明显，经济、金融、军事的实力对比开始变化，并与已有的"势力范围"划分秩序不相对等。为了

---

① ［德］鲁道夫·希法亭：《金融资本——资本主义最新发展的研究》，福民等译，商务印书馆 1994 年版，第 386 页。

② ［德］鲁道夫·希法亭：《金融资本——资本主义最新发展的研究》，福民等译，商务印书馆 1994 年版，第 386 页。

③ ［德］鲁道夫·希法亭：《金融资本——资本主义最新发展的研究》，福民等译，商务印书馆 1994 年版，第 387 页。

重新瓜分世界和争夺全球霸权，1914 年 8 月，第一次世界大战爆发。这使得垄断资本主义的内外部矛盾极度激化，无产阶级革命的条件也几近成熟，如何认识帝国主义和帝国主义战争，如何选择未来的道路等问题成了人们关注的焦点。继对伯恩施坦修正主义的批判之后，第二国际内部发生了新一轮关于帝国主义具体理论的争论。首先是考茨基于 1914 年 9 月和 1915 年 2 月分别出版了《帝国主义》小册子和《民族国家、帝国主义国家和国家联盟》一文，指出应将帝国主义看作现代资本主义扩张政策的一种形式予以批判；其后，库诺（1862—1936）于 1915 年出版了《党破产了吗?》的小册子，批评了当时德国社会民主党内流行的各种对资本主义新阶段的看法，其中就包括对考茨基的观点，同时为自己所支持的帝国主义和帝国主义战争进行辩护；同年 4 月，考茨基发表了《两本论述重新学习的书》反驳库诺，库诺写了《幻想崇拜》进行回应，接着在 5 月，考茨基又发表了《再论我们的幻想》回复库诺，重申自己的理论。在辩论过程中，考茨基的错误观点充分展开，形成了一套完整的"超帝国主义论"。列宁在其 1916 年 7 月完成的《帝国主义是资本主义的最高阶段》中对此进行了重点批判；同一时期，布哈林在其《帝国主义与世界经济》中也对考茨基进行了批判。

一、考茨基的"超帝国主义论"

考茨基（1854—1938），德国社会民主党和第二国际的领袖和主要理论家。1881 年他在马克思和恩格斯的影响下转向马克思主义，并从 19 世纪 80 年代至 20 世纪初撰写过一些宣传和解释马克思主义的著作，比如《卡尔·马克思的经济学说》（1887）、《土地问题》（1899）等。1910 年后，他逐渐转向机会主义，成为中派领袖。在第一次世界大战时，他提出了"超帝国主义论"，打着中派旗号支持帝国主义战争。[①] 列宁在《帝国主义是资本主义的最高阶段》中特别批判了"考茨基主义"这一国际思潮，指出"这种意见在理论上是十分荒谬的，在实践上则是一种诡辩，是用欺骗的手段为最恶劣的机会主义

---

① 参见《列宁专题文集 论资本主义》，人民出版社 2009 年版，第 348 页。

辩护"①。

1909 年，考茨基最后一次表现为马克思主义者（即写作《取得政权的道路》），但也正是这以后，考茨基转变为改良主义者。随着第一次世界大战和十月革命前的帝国主义矛盾的激化，考茨基随后堕落为机会主义者，成为第二国际的中派领袖。列宁曾深刻地指出："'中派'是一些被腐朽的合法性侵蚀了的、被议会制度的环境等等败坏了的守旧派，是习惯于待遇优厚的职位和'安稳的'工作的官吏。从历史上和经济上来讲，他们并不代表一个特殊的阶层，而只是代表工人运动从过去的阶段即从 1871—1914 年的阶段向新阶段的过渡"②。这一时期，考茨基的经济观点最突出地表现在他的帝国主义和"超帝国主义"理论中。这些错误的理论，集中体现在第一次世界大战爆发前后发表的《帝国主义》、《两本重新学习的书》、《再论我们的幻想》及《帝国主义战争》等著作中。在这些著作中，考茨基明确表示反对把帝国主义看作是资本主义的继续，反对把帝国主义等同于现代资本主义，主张帝国主义只是一种旨在吞并和征服落后农业国的工业发达资本主义国家的特殊政策。

考茨基同罗莎·卢森堡一样，也是从社会资本再生产问题入手来论证自己的帝国主义理论的。他认为，按照马克思的关于社会资本再生产理论，为了使社会生产能够顺利进行，就必须使生产生产资料的部门同生产消费资料的部门，即第 Ⅰ 部类和第 Ⅱ 部类之间保持适当比例。这个原理无疑是对的，但为了加深对资本主义内部比例关系和对资本主义生产与消费如何一再达到平衡的规律性的认识，就必须根据产品的物质特征对资本主义的生产做进一步的区分，即除了生产资料和生活资料的区分之外，还需要加上工业和农业的区分。因此，要使社会再生产过程顺利进行，工农业之间保持适当比例是十分必要的，而"农业（林业包括在内）永远是全过程的出发点和基础"③。这种比例在简单商品生产条件下的实现是不困难的，但在资本主义条件下，工农业的比例却有经常被突破的危险。这是由于工业中的资本积累比农业中的资本积累快得多。资本越积累，农业越落后于工业，而工业的发展，工人人口的增多要求更多的粮食和原料。情况的发展对工业越来越不利。只有当为工业服务的农业地区不

---

① 《列宁专题文集　论资本主义》，人民出版社 2009 年版，第 162 页。
② 《列宁全集》第 29 卷，人民出版社 2017 年版，第 169 页。
③ ［德］卡尔·考茨基：《帝国主义》，史集译，生活·读书·新知三联书店 1964 年版，第 5 页。

断扩大的时候，工业中的资本积累才能毫无阻碍地进行下去，资本主义才能得到自由的发展。因此，考茨基提出了帝国主义的定义："帝国主义是高度发展的工业资本主义的产物，帝国主义是每个工业资本主义民族力图征服和吞并愈来愈多的农业区域，而不管那里居住的是什么民族"①。考茨基的定义把帝国主义归结为民族问题，在政治上只归结为"力图兼并"，没有说明帝国主义政治方面各种矛盾的总的情况；在经济上没有看到资本主义垄断代替了自由竞争，占统治地位的不是工业资本而是金融资本；把帝国主义国家的压迫和民族国家的关系，理解为工业资本兼并农业区域，而没有认识到"帝国主义的特点恰好不只是力图兼并农业区域，甚至还力图兼并工业极发达的区域"②。

考茨基从其错误的帝国主义概念出发，论述了"超帝国主义"理论。他认为，"从纯粹经济的观点看来，资本主义不是不可能再经历一个新的阶段，也就是把卡特尔政策应用到对外政策上的超帝国主义阶段"③。所谓"超帝国主义"阶段，是指一种建立在资本主义基础上的没有战争的和平新世界。所谓"超帝国主义"政策，就是各帝国主义强国联合起来共同剥削全世界的政策将会代替各帝国主义国家互相争霸的政策。考茨基认为，在第一次世界大战之后，各民族争取独立的斗争日益高涨的情况下，帝国主义政策已经不能继续存在下去了，其出路在于各帝国主义国家的联合，在于"超帝国主义"政策。他认为，就如大企业、大银行和亿万富翁的疯狂竞争，使吞并了小财阀的那些大财阀产生了卡特尔思想一样，帝国主义列强在世界大战中也能够产生其中最强大的国家的联合，这一联合将结束军备竞赛。考茨基认为，第一次世界大战就可能导致"超帝国主义"的产生，因为战争越持久，它越是使一些参战国精疲力竭并且对武装冲突的迅速重演感到畏缩，世界也就越接近"超帝国主义"。

二、库诺对考茨基的"超帝国主义论"的批判

库诺是德国社会民主党的理论家、历史学家、社会学家和民族志学家。他

---

① [德] 卡尔·考茨基：《帝国主义》，史集译，生活·读书·新知三联书店1964年版，第17—18页。

② 《列宁全集》第27卷，人民出版社2017年版，第403页。

③ [德]卡尔·考茨基：《帝国主义》，史集译，生活·读书·新知三联书店1964年版，第18页。

也是德国社会民主党右派，狂热的社会帝国主义者。1915 年他发表了题为《党破产了吗?》的小册子，集中阐发他赞美帝国主义和公开替帝国主义辩护的荒谬理论。第一次世界大战爆发前，他基本和考茨基为首的中派理论家保持一致。第一次世界大战后，基于对国际形势和未来社会发展走向的不同看法，他转到了社会沙文主义立场。在 1915 年出版的《党破产了吗?》一书中，库诺力图从帝国主义是资本主义发展的一个阶段的观点出发，去论证德国社会民主党支持侵略战争是正当的，且不能由此认为党已"破产"。列宁称库诺为"帝国主义和兼并政策的辩护士"，并批评道：他认为"帝国主义是现代资本主义；资本主义的发展是不可避免的和进步的，所以帝国主义也是进步的，所以必须跪在帝国主义面前歌功颂德！"①

库诺认为，法国人兼并马达加斯加和得寸进尺地进入北非，英国人征服布尔人国家，德国租借胶州湾，美国人同西班牙人的殖民战争，表明已经发展壮大起来的金融资本日益迫切地追求新的有利的投资市场。新的金融资本时代带着狂暴的战斗叫嚣来到了。目前这一时代的突出特点是殖民扩张意图，因而这一时代又被称为帝国主义时期。随着这一时代到来的必将是更加广泛、更加强烈的利益冲突。库诺反对考茨基等中派把帝国主义仅仅看成是金融资本情愿采取的一种政策，反对他们认为资本主义除了通过走总会招致战争危险的殖民主义扩张的道路以外，还可以设想资本主义通过另一条道路来扩充资本主义政治经济实力。库诺认为，新的帝国主义发展阶段同过去那些发展阶段，例如同大的机械工业形成阶段一样，也是一个从资本主义内部生长起来的新的以金融资本统治为特点的发展阶段。凡是资本主义的发展达到很高程度的地方，这些现象都会发生。这个阶段不过是前进了的、加强了的资本主义。在这一阶段起主要作用的已经不是工业资本，而是已经当权的金融资本。帝国主义又是显示社会主义的一个准备阶段，它使最重要的生产部门日益落入巨大的资本联合的手中，使生产经营同生产资料所有制脱离，使技术上互相关联的企业联合起来进行协作，使大资本对中小资本的剥夺过程加速，资本更加集中，从而为社会主义经济方式的实现创造出某些组织上的先决条件。因此，应当将帝国主义理解为资本主义的一个受经济历史条件制约的发展阶段，是一种社会历史的必然性。

库诺针对考茨基所谓的帝国主义以外还可以设想资本主义发展的另一条道

---

① 《列宁专题文集 论资本主义》，人民出版社 2009 年版，179 页。

路的观点，指出人们需要探讨的问题，完全不是在别的情况下也许可能发生什么事物，以及人们是否可以设想发展会不会朝另一个方向进行。这里需要探讨的，仅仅是现存的事物。也就是说，是那些由历史上既定的前提所产生的并且在现实中已经产生的那些事物，那些在发展中得到贯彻的事物。凡是在发展序列中已经存在和获得了生命的事物，就是历史的必然的事物。个别人是否对这种发展作另外的设想，是否喜欢它，是否符合他的道德观念，是否会招致战争的危险，同这种发展的历史制约性和必然性都没有关系。库诺认为，那些认为可以为资本主义发展设想出另外一条道路的人，通常都有一种误解，即把夺取殖民地、输出资本、寻求殖民地市场等等，看作是帝国主义的最主要的东西，并进而把扩张政策同帝国主义新经济阶段简单地等同起来。但事实上，殖民地的扩张固然是新的经济时代的一个重要组成部分，却绝不是最主要的东西。资本主义新阶段的典型的特征是，金融资本在使绝大部分大工业和大商业从属于自己以后，在资本主义最发达的国度里便逐渐取得了统治地位。或者确切地说，成了资本主义生存的决定性因素，而且日益要求国家考虑它的特殊利益。对殖民地投资市场的强烈要求和向那里的资本输出，只是金融资本各种活动方式中的一种。这种方式在今天之所以特别突出，是因为欧洲目前的政治状况和力量对比，使这种方式成为一个获取高额利润的最好方式，为资本的增殖提供了最美好的远景。但是，这绝不排除金融资本今后也会以同样的方式要求进一步同化它毗邻的国家的边境地区。

库诺承认帝国主义是资本主义发展的一个新阶段，一个必然阶段；承认帝国主义的主要经济特征是金融资本的统治，毫无疑问，这都是对的。但是，他并没有从此作出革命的结论，而是把这种对客观必然性的承认，变成一种宿命论来为帝国主义辩护。列宁认为库诺代表的是一种公开露骨的社会沙文主义，他为帝国主义辩护是极其笨拙而无耻的，因此无产阶级很容易识破他的反动本质。

三、列宁对考茨基的"超帝国主义论"的批判

列宁把考茨基的"超帝国主义论"称作最精密最巧妙的科学性和国际性伪装起来的一种社会沙文主义理论。列宁给予"超帝国主义论"以毁灭性的批判，揭露了它的反动含义。"超帝国主义论"的主要错误在于考茨基强调从"纯

经济观点"出发来看待含义，而他所谓的"纯经济观点"是脱离实际的纯抽象的分析，以此来掩盖帝国主义的矛盾。正如列宁所指出的，如果把所谓的"纯经济观点"看作是"纯抽象"概念，那么资本主义的发展趋势是走向垄断组织进而是走向全世界的垄断组织，走向一个世界托拉斯，这是不容争辩的、同时又是毫无内容的"超等废话"。因为这一抽象的推论脱离了20世纪初期的那种激烈动荡的国际环境。考茨基抓住的只是一种资本国际化的趋势，但是把它绝对化了，同时忽视了这一过程的另一方面——垄断资本主义矛盾的尖锐化。考茨基的理论，"不是暴露资本主义最新阶段最根本的矛盾的深刻性，而是掩饰、缓和这些矛盾；这样一来，就不是马克思主义，而是资产阶级改良主义"①。因此，由于"考茨基把马克思主义中能为自由主义者，能为资产阶级接受的东西（对中世纪制度的批评，资本主义特别是资本主义民主在历史上的进步作用）拿来，而把马克思主义中不能为资产阶级接受的东西（无产阶级为消灭资产阶级而对它采用的革命暴力）抛掉、抹杀和隐瞒起来。正因为这样，不管考茨基的主观信念怎样，他的客观地位必然使他成为资产阶级的奴才"②。

第三节 《帝国主义是资本主义的最高阶段》

列宁的帝国主义理论是在自由竞争资本主义向垄断竞争资本主义过渡时期产生的。19世纪末20世纪初，霍布森、考茨基等人对帝国主义问题进行了一系列的研究，但他们基本都把帝国主义看作资本主义国家的对外侵略扩张、进行殖民统治的政策，他们没有将经济、金融领域出现的垄断现象与帝国主义密切联系。1914年第一次世界大战爆发后，列宁为适应革命斗争需要，开始集中力量研究帝国主义问题。1917年他的著作以《帝国主义是资本主义的最新阶段（通俗的论述）》为名在彼得格勒出版，在书中列宁阐明了其写作宗旨，

---

① 《列宁专题文集 论资本主义》，人民出版社2009年版，第179页。
② 《列宁专题文集 论资本主义》，人民出版社2009年版，第238页。

即"能有助于理解帝国主义的经济实质这个基本经济问题，不研究这个问题，就根本不会懂得如何去认识现在的战争和现在的政治"①；1920 年 7 月列宁为此书的法文版的德文版写了序言，强调了帝国主义与战争、与无产阶级革命的关系，并宣布"帝国主义是无产阶级社会革命的前夜"②；1935 年此书首次以《帝国主义是资本主义的最高阶段（通俗的论述）》（简称《帝国主义论》）为书名刊印于《列宁全集》俄文第二、三版第 19 卷。

一、帝国主义是垄断的资本主义

列宁在《帝国主义论》的前六章中详细地论述和分析了帝国主义的基本经济特征。

第一个经济特征是"生产集中产生垄断，则是现阶段资本主义发展的一般的和基本的规律"③。列宁运用德国、美国、英国等发达资本主义国家的大量材料，论证了马克思在《资本论》中提出的观点，即自由竞争会引起生产集中，生产集中发展到一定阶段则会引起垄断。列宁指出，在 19 世纪 60 年代和 70 年代，自由竞争发展到顶点，垄断组织开始萌芽；到 19 世纪 70 年代国际性的工业萧条开始后，资本家开始大力组织卡特尔来利用行情，但此时的卡特尔处于不稳定阶段；到 19 世纪末的工业高涨和 1900—1903 年的危机后，因其企业规模大、技术装备优良，卡特尔成为全部经济生活的基础之一，资本主义转化为帝国主义。

"竞争转化为垄断，生产的社会化有了巨大的进展"④，列宁认为这种帝国主义阶段的资本主义最接近全面的生产社会化，资本主义社会进入了一种新的社会秩序，但在这种秩序中，生产资料的占有依然是私人的，是少数人的私有财产，因此垄断并没有消除竞争，反而加剧了卡特尔与"局外企业"之间的竞争。通过剥夺原料、利用工会协议剥夺劳动力、剥夺运输和销路、有计划地压低市场价格，垄断者将不屈服于垄断和摆布的企业扼杀。因此当资本主义发展

---

① 《列宁专题文集　论资本主义》，人民出版社 2009 年版，第 99 页。
② 《列宁专题文集　论资本主义》，人民出版社 2009 年版，第 105 页。
③ 《列宁专题文集　论资本主义》，人民出版社 2009 年版，第 111 页。
④ 《列宁专题文集　论资本主义》，人民出版社 2009 年版，第 115 页。

到这一阶段后，商品生产的"占统治地位"被破坏了，由掌握金融垄断组织的资本家取得了对工业生产的统治关系，而列宁认为由此产生的强制，正是"资本主义发展的最新阶段"的典型现象①。

第二个经济特征是"从一般资本统治到金融资本统治"②。列宁在《帝国主义论》第二章中列举大量材料表明，随着银行之间的竞争，"小银行被大银行排挤"③，到 1909 年年底，柏林 9 家大银行及其附属银行，控制着德国银行资本的 83%；1910 年英国有 4 家银行的分行数目在 400 个以上，而法国大银行里昂信贷银行的账户数目在 1912 年增加至 633539 个④，"附属银行"成为资本主义集中的重要特点之一。通过分级银行体系的依附作用，极少数垄断者利用银行的联系，通过往来账及其他金融业务，将分散的资本家逐渐被整合成一个集体的资本家，"首先确切地了解各个资本家的业务状况，然后加以监督，用扩大或减少、便利或阻难信贷的办法来影响他们，以至最后完全决定他们的命运"⑤。

一方面是资本在大银行的加速集中、统治巨头数量的减少；另一方面是资本主义经济社会化。由同一些银行资本巨头控制的储金局和邮政机构将更多地区和居民群众纳入自己势力范围，也将银行保护的工业家的辛迪加联系了起来，缩小了经济规律的作用范围，扩大了通过银行进行有意识的调节的范围，实现了由极少数有组织的垄断者对大众的掠夺。列宁指出，这种"银行业发展的最新成就还是垄断"⑥。除了资本上的联系，工商业企业还同时与银行及政府部门进行"人事结合"，进一步巩固了大银行的垄断地位。

在第二章中，列宁并没有明确提出"金融资本"，他在第三章中说明了金融资本统治的建立和形成。首先列宁批评了希法亭对金融资本的定义。希法亭认为金融资本就是由银行支配而由工业家运用的资本。他将通过这种途径"转化为产业资本的银行资本，即货币形式的资本，称为金融资本"⑦。列宁认为，

① 《列宁专题文集　论资本主义》，人民出版社 2009 年版，第 118 页。
② 《列宁专题文集　论资本主义》，人民出版社 2009 年版，第 135 页。
③ 《列宁专题文集　论资本主义》，人民出版社 2009 年版，第 121 页。
④ 《列宁专题文集　论资本主义》，人民出版社 2009 年版，第 125 页。
⑤ 《列宁专题文集　论资本主义》，人民出版社 2009 年版，第 125 页。
⑥ 《列宁专题文集　论资本主义》，人民出版社 2009 年版，第 130 页。
⑦ [德] 鲁道夫·希法亭：《金融资本——资本主义最新发展的研究》，福民等译，商务印书馆 2009 年版，第 252 页。

希法亭的这种定义没有指出金融资本最重要的因素之一，即"生产和资本的集中发展到了会导致而且已经导致垄断的高度"①。他认为，"生产的集中；从集中生长起来的垄断；银行和工业日益融合或者说长合在一起，——这就是金融资本产生的历史和这一概念的内容。"②而这种由少数人享有实际垄断权的金融资本，由于创办企业、发行有价债券、办理公债等获得愈来愈多的利润，巩固了金融寡头的统治。金融资本在经济领域，主要依靠"参与制"，通过总公司（母亲公司）控制子公司（女儿公司、孙女公司），交错运营，以较少的资本控制超过自身数倍的资本，继而控制整个国民经济；当获得经济上的主导权后，金融寡头又进一步控制政府的对内对外政策，将统治扩展到全世界：至 1910 年，美德英法四国共有 4790 亿法郎，约占全世界金融资本的 80%③，这即是帝国主义的第三个特征：资本输出。

对于自由竞争时期的旧资本主义来说，典型的是商品输出，而对于垄断占统治地位的最新资本主义时期来说，资本输出更具有重要意义。19 世纪末，由于商品生产的发展，众多国家成为设立关税保护的独立资本主义国家，少数先进的国家中积累了大量的"过剩资本"，这部分资本不可能用于改善国内人民的生活水平，而是输出到利润空间更高的落后国家，由于商品流通已将落后国家卷入世界资本主义的流通范围，因此这为资本流通提供了可能性，即英国主要对美洲殖民地输出，法国以借贷资本对欧洲，尤其对俄罗斯输出，德国则平均分布在美欧两洲。无论是采取直接投资、创办企业还是采取借贷资本的形式，金融资本都通过垄断组织"'联系'来订立有利的契约，以代替开放的市场上的竞争"④，如法国规定必须将部分贷款用来购买债权国的军用品、轮船等商品，巴西修筑铁路所用资本和建筑材料多为法、比、英、德提供，德国的克虏伯，法国的施奈德，英国的阿姆斯特朗等公司都是利用资本输出鼓励商品输出的典型。高额的资本输出给金融资本家带来高额利润，增加了食利阶层人数的同时，也造成了输入国的劳动人民受到本国和国际资本的双重剥削和压迫。

金融资本的国际输出使得金融寡头的国外联系、殖民地联系和势力范围得

① 《列宁专题文集　论资本主义》，人民出版社 2009 年版，第 136 页。
② 《列宁专题文集　论资本主义》，人民出版社 2009 年版，第 136 页。
③ 《列宁专题文集　论资本主义》，人民出版社 2009 年版，第 149 页。
④ 《列宁专题文集　论资本主义》，人民出版社 2009 年版，第 153 页。

到急剧扩张，形成了帝国主义的第四个特征——瓜分世界的资本家国际垄断同盟的形成，即国际卡特尔组织。列宁认为这是一个比过去高得多的"超级垄断"阶段。最先形成国际卡特尔的是电力工业。1900 年前后，美国的通用电气公司（Ggeneral Electric Co）和德国的电气总公司（A.E.G）在商品周转额、职员人数、纯利等方面展开了激烈竞争，使得世界上所有的电力公司都对其有所依赖；直到 1907 年，美德两国的托拉斯制定了瓜分世界的协定，消除了竞争，各自独占部分国家的电力工业领域。当国际卡特尔组织中成员的实力对比由于发展不平衡、战争等发生变化的时候，托拉斯会重新瓜分世界。列宁以石油、航运、铁轨制造、锌业、火药制造业等大量材料为例说明了虽然国际垄断同盟的出现使斗争形式发生了一定的变化，但是只要阶级存在，斗争的实质和阶级内容——瓜分世界——就不会改变。

　　帝国主义的第五个基本特征是"世界瓜分完毕"[①]。这一特征与第四个特征紧密联系，"我们是处在一个同'资本主义发展的最新阶段'即金融资本密切联系的世界殖民政策的特殊时代"[②]，"是同瓜分世界的斗争的尖锐化联系着的"时代[③]。首先，为了争夺原料产地，在 19 世纪和 20 世纪之交，美、德、日、法、英、俄六国进行了大规模的殖民地扩张，霸占原料来源；其次，殖民地又成为最有利的商品市场和投资场所，更容易用垄断的手段排除竞争者，以获取高额利润；再者，金融寡头瓜分世界而引起的国际斗争，造成了许多过渡的国家的依附形式，即各种形式的附属国，政治上的表面独立，而财政、外交上隶属帝国主义。列宁同时指出，19 世纪末的"帝国主义"瓜分世界建立起的帝国力量的对比，是与建立这些帝国的民族在欧洲所占的地位不相称的，殖民实力和占有尚未查明的财富的希望会反过来影响欧洲各国的力量对比，甚至会改变欧洲本身的政治局面。

　　资本主义基本矛盾的发展，导致了竞争为垄断所代替，促进了生产社会化的过程，但因为生产资料的私人所有，使得资本主义矛盾更加尖锐；由工业部门形成的垄断加剧了危机的破坏作用，同时加强了集中和垄断的趋势，随后由工业资本向银行资本垄断扩展，并发展为二者的结合即金融资本的垄断。金融

---

① 《列宁专题文集 论资本主义》，人民出版社 2009 年版，第 164 页。
② 《列宁专题文集 论资本主义》，人民出版社 2009 年版，第 164 页。
③ 《列宁专题文集 论资本主义》，人民出版社 2009 年版，第 165 页。

资本的统治，是资本主义的最高阶段，此时资本占有和资本在生产中的应用分离达到极大程度；金融资本的国际输出，形成了国际垄断组织；经济上的割据又进一步导致殖民地的扩张，造成瓜分世界的狂热。因此，列宁在《帝国主义是资本主义的最高阶段》的前六章利用大量的历史材料分析论证了其观点，即"帝国主义最深厚的经济基础就是垄断"[①]，"帝国主义是资本主义的垄断阶段"[②]。

二、帝国主义是资本主义的最高阶段

列宁在《帝国主义论》的前六章指出帝国主义的基本经济特征，在第七章进一步揭示了帝国主义的实质，即"帝国主义是作为一般资本主义基本特性的发展和直接继续而生长起来的。但是，只有在资本主义发展到一定的、很高的阶段，资本主义的某些基本特性开始转化成自己的对立面，从资本主义到更高级的社会经济结构的过渡时代的特点已经全面形成和暴露出来的时候，资本主义才变成了资本帝国主义。"[③]

列宁指出："帝国主义是发展到垄断组织和金融资本的统治已经确立、资本输出具有突出意义、国际托拉斯开始瓜分世界、一些最大的资本主义国家已把世界全部领土瓜分完毕这一阶段的资本主义。"[④]因此，帝国主义不仅具有一般的资本主义经济特征的内涵，而且具有其特殊的历史地位的内涵，这与考茨基的帝国主义定义显然不同。考茨基认为，帝国主义不是一个经济阶段或时期，而是一种政策，即"金融资本'比较爱好的'政策"[⑤]，与现代资本主义是不同的东西，"帝国主义是高度发达的工业资本主义的产物。帝国主义就是每个工业资本主义民族力图吞并或征服愈来愈多的农业区域，而不管那里居住的是什么民族。"[⑥]列宁认为，考茨基的定义是要不得的，它不仅是错误的和非

---

① 《列宁专题文集　论资本主义》，人民出版社2009年版，第185页。
② 《列宁专题文集　论资本主义》，人民出版社2009年版，第175页。
③ 《列宁专题文集　论资本主义》，人民出版社2009年版，第175页。
④ 《列宁专题文集　论资本主义》，人民出版社2009年版，第176页。
⑤ 《列宁专题文集　论资本主义》，人民出版社2009年版，第177页。
⑥ ［德］卡尔·考茨基：《帝国主义》，史集译，生活·读书·新知三联书店1964年版，第2页。

马克思主义的，而且还成了全面背离马克思主义理论和马克思主义实践的那一整套观点的基础。首先，这一定义的错误在于把帝国主义的政治同它的经济割裂开了，把兼并解释为金融资本"比较爱好的"政策，并且拿同一金融资本继承者的另一种似乎可能有的资产阶级政策和它对立。照这样说来，经济上的垄断是可以同政治上的非垄断、非暴力、非掠夺的行动方式相容。照这样说来，瓜分世界领土也是可以同非帝国主义的政策相容的。"这样一来，就不是暴露资本主义最新阶段最根本的矛盾的深刻性，而是掩饰、缓和这些矛盾；这样一来，就不是马克思主义，而是资产阶级改良主义。"①

其次，帝国主义的特点不是工业资本而是金融资本，如法国正是在其工业资本削弱的情况下，迅速发展起金融资本的。这一定义也涉及考茨基的另一理论——"超帝国主义"。在这一理论中，考茨基从经济的观点出发，认为资本主义可以发展到下一个新的阶段，即把卡特尔政策应用到对外政策上的"超帝国主义"的阶段。列宁认为，考茨基的这一理论实际是在为金融资本辩护，认为金融资本的统治是在削弱经济内部的不平衡和矛盾，认为由卡特尔组织实行统一的管理后，可以减少内部竞争带来的种种问题。对于这一点，列宁利用理·卡尔韦尔在《世界经济导论》中对世界 5 个主要经济区域的经济材料的归纳发现，在中欧区、不列颠区和美洲区的资本主义高度发达，相对应地德国、英国和美国是统治着世界的国家。它们相互间的帝国主义竞争和斗争是非常尖锐的，因为德国的地区很小，殖民地又少，而"中欧区"的形成还有待于将来，现时它正在殊死的斗争中逐渐产生。目前整个欧洲的特征是政治上分散。相反，在不列颠区和美洲区，政治上却高度集中，但是它们之间又有极大的差别：前者有广大的殖民地，后者的殖民地却十分少。因此对南美洲的争夺就愈来愈尖锐。即使在资本主义不发达的俄国区和东亚区，美日等国的争夺斗争愈来愈激烈。因此列宁指出，考茨基的"和平的"超帝国主义恰恰表明作为它的胚胎的国际卡特尔正是瓜分世界和重新瓜分世界、由和平瓜分转为非和平瓜分、再由非和平瓜分转为和平瓜分的一个例子。金融资本和托拉斯不是削弱而是加强了世界经济各个部分在发展速度上的差异，其结果只能是依靠实力解决矛盾、瓜分世界②。

① 《列宁专题文集 论资本主义》，人民出版社 2009 年版，第 179 页。
② 参见《列宁专题文集 论资本主义》，人民出版社 2009 年版，第 182—183 页。

再次，帝国主义不仅仅力图兼并农业区域，在世界被瓜分完毕后，它们也试图占领工业极为发达的区域，而这种争夺，不仅仅是为了壮大自己，更是为了削弱国际竞争中的对方势力，这种势力的碰撞作为竞争的结果就是帝国主义各国之间的战争。因为"在资本主义基础上，要消除生产力发展和资本积累同金融资本对殖民地和'势力范围'的瓜分这两者之间不相适应的状况，除了用战争以外，还能有什么其他办法呢？"[①]列宁研究发现，在帝国主义发展的二十多年间（1890—1913），铁路发展最快的是殖民地和英美两国，尽管英国依靠殖民地将铁路网增加了 10 万公里，是德国的 3 倍之多，但这一时期德国生产力的发展，尤其是煤炭和钢铁业的发展则是英国无法比拟的，在 1892 年德国生铁产量是英国的 72%，到 1912 年，这一比例变为 195%。

考茨基关于帝国主义的理论是在第一次世界大战之前（1914）形成，而在第一次世界大战爆发后才公开的，此时第二国际的左、中、右三派已彻底决裂，所以他的定义受到了包括奥托·鲍威尔、拉姆塞·麦克唐纳、阿尔伯·托马等人的批判，列宁写作《帝国主义是资本主义的最高阶段》的目的之一就是反驳考茨基和其他"前马克思主义者"的帝国主义理论。那么列宁对帝国主义的内涵到底是如何认识的呢？对帝国主义的不同内涵，列宁并不否认。在《帝国主义是资本主义的最高阶段》中他就指出："殖民政策和帝国主义在资本主义最新阶段以前，甚至在资本主义以前就已经有了。以奴隶制为基础的罗马就推行过殖民政策，实行过帝国主义"[②]；"在俄国占优势的还是军事封建帝国主义"[③]。但同时，列宁也指出，不能空泛地谈帝国主义而忘记或忽视社会经济形态的根本区别，这也是他要就帝国主义定义问题进行争论的原因，所以他在《帝国主义和社会主义运动中的分裂》中给予帝国主义一个较为确切的和完备的定义，即"帝国主义是资本主义的特殊历史阶段。这个特点分三个方面：（1）帝国主义是垄断的资本主义；（2）帝国主义是寄生的或腐朽的资本主义；（3）帝国主义是垂死的资本主义"[④]。

从这个定义中，可以得出如下结论：第一，列宁界定的"帝国主义"是以对资本主义经济形态的认识为前提的，列宁把帝国主义看作是作为一种特殊社

---

① 《列宁专题文集　论资本主义》，人民出版社 2009 年版，第 185 页。
② 《列宁专题文集　论资本主义》，人民出版社 2009 年版，第 169 页。
③ 《列宁选集》第 2 卷，人民出版社 2012 年版，第 517 页。
④ 《列宁选集》第 2 卷，人民出版社 2012 年版，第 704 页。

会经济形态的资本主义演进过程中的一个"历史阶段";第二,列宁界定的"帝国主义"的实质是"垄断",这一点,列宁在《帝国主义是资本主义的最高阶段》的第一章就反复强调和说明过。但需要注意的是,与大卫·麦克纳里在《认识帝国主义:新老统治》中对列宁的质疑不同的是,列宁虽然在强调帝国主义夺取殖民地、瓜分世界,但这只是其作为"垄断制"的表现之一,它还有以金融剥削为形式的垄断方式;第三,列宁界定的帝国主义不仅是资本主义的一个特殊阶段,更是其最高阶段,而且这个阶段是在 20 世纪才达到的。因为帝国主义的寄生性、腐朽性,形成食利国和高利贷国的趋势愈加显著,国内的资产阶级愈发依靠资本输出和利息为生,所以此时从资本主义中成长起来的帝国主义已经是资本主义的垂死状态;这种垂死的资本主义不可避免地将要被消灭,但在消灭的过程中,帝国主义一方面加剧着生产社会化与生产资料私人占有之间的资本主义的基本矛盾,另一方面又促进着生产力的发展,而一种社会制度在它所容纳的全部生产力没有得到充分发展之前是不会灭亡的,因此在这一过程中,帝国主义依然可能创造"惊人迅速的"发展,"它可能在腐烂状态中保持一个比较长的时期"[1]。所以列宁提出帝国主义是资本主义的最高阶段,是向"更高级的社会经济结构的过渡"。

三、帝国主义是无产阶级革命的前夜

写作《帝国主义是资本主义的最高阶段》时,为了避免反动的沙皇政府的书报检查,列宁没有明确指出帝国主义的过渡方向,而是采取伊索寓言的方式,后来在秘密发行的刊物《社会民主党人文集》中刊载的一篇文章《帝国主义和社会主义运动中的分裂》中,列宁就明确地指出了"帝国主义是垂死的资本主义,向社会主义过渡的资本主义"[2]。需要注意的是,列宁关于帝国主义是腐朽的资本主义的结论,是列宁针对特定时间和局部空间内的现象得到的认识。第一次世界大战后,东欧、中欧各国社会生产和人民生活遭受极大破坏,阶级矛盾十分突出,革命已到一触即发的状态,在这种情况下,列宁提出的帝

---

[1] 《列宁选集》第 2 卷,人民出版社 2012 年版,第 687 页。
[2] 《列宁选集》第 2 卷,人民出版社 2012 年版,第 706 页。

国主义是垂死的资本主义这一观点显然是能极大地鼓舞群众斗志的，但又不可避免地具有一定的相对性。因为很多发达资本主义国家在第二次世界大战后由于科学技术革命的推动和国家垄断资本主义的发展，经济和人民生活得到了极大的改善，且当前种种迹象表明，这种发展还会持续一段时间。但是不能由此否认，列宁关于帝国主义必将向社会主义过渡的观点是错误的，因为二战后确有一些欧洲和亚洲国家走上了社会主义道路。实际上，列宁得到的这一认识既是基于其对当时国内外资本主义发展状况的观察，也是基于他对社会主义和无产阶级的重新认识。

在《论欧洲联邦口号》发表之前，在第二国际的马克思主义者中普遍存在一种看法，即无产阶级的社会主义革命不可能在一国范围内成功，只有在全世界同时进行革命，无产阶级才能取得胜利，甚至列宁本人在 1905 年革命前后都坚持这种观点，因此为了俄国和全世界无产阶级社会主义革命的胜利，列宁和布尔什维克党把争取建立"欧洲联邦"纳入自己的行动纲领 ①。他在《革命社会民主党在欧洲大战中的任务》、《战争和俄国社会民主党》等文章中都提出要建立欧洲共和国联邦。这个口号显然是以各国人民推翻各自国家的君主专制政权为条件的，因此是革命的、政治的，但又是与社会主义革命只能在全世界同时胜利的错误理论相联系的。

1915 年年初，列宁在研究了帝国主义的经济根源和本质后，重新研究了无产阶级革命胜利的途径和革命战略问题，随后对"欧洲联邦"口号加以否定，这一否定主要是从经济角度作出的。他认为，"从帝国主义的经济条件来看，即从'先进的'和'文明的'殖民大国的输出资本和瓜分世界这一点来看，欧洲联邦在资本主义制度下不是无法实现的，便是反动的。"② 当时欧洲四大国英、法、俄、德共仅有 2.5 亿—3 亿人口以及近 700 万平方公里的土地，而它们占据的殖民地却有 5 亿人口和 6460 万平方公里，此时中国、土耳其和波斯也正遭受这四个国家的分割；其次，英、法、德在国外的资本输出达 700 亿卢布，每年最少可获得 30 亿卢布的"正当"收益。此时的帝国主义发展到最高程度，少数几个国家对全球近 10 亿人进行了掠夺，在这种制度下，除了实力以外，不可能根据别的基础和原则进行瓜分；为了保卫已经获得的殖民地，"不

---

① 参见马健行：《帝国主义理论形成史》，中国社会科学出版社 1993 年版，第 338 页。
② 《列宁专题文集 论社会主义》，人民出版社 2009 年版，第 2 页。

让它们被日本和美国夺走","资本家之间和大国之间缔结暂时的协定是可能的"[1];但是因为协议只是共同镇压欧洲社会主义运动,因此这种协议也只能是暂时的。正是基于这一认识,列宁提出"世界联邦"。这是"同社会主义相联系的、各民族实行联合并共享自由的国家形式",但这种口号不能是一个独立的口号,否则容易"造成一种曲解,以为社会主义不可能在一个国家内获得胜利"[2]。此时列宁已经认识到,由于资本主义国家中经济和政治发展的不平衡,"社会主义可能首先在少数甚至在单独一个资本主义国家内获得胜利"[3],随后在《无产阶级革命的军事纲领》中指出由于这种不平衡,"社会主义不可能在所有国家内同时获得胜利"[4]。那么,如何获得这种胜利?列宁认为,"在这些国家中发动反对资本家的起义,必要时甚至用武力去反对各剥削阶级及其国家"[5],这一发动者,显然只能是被压迫阶级——无产阶级。

在1914年刚被奥地利当局释放而到瑞士的列宁,把社会主义革命首先胜利的希望寄托在西欧发达资本主义国家的无产阶级身上,认为此时的俄国革命只能是民主革命,充当"序幕"作用,要与西欧的社会主义运动互相配合、互相促进。显然此时的列宁还没有意识到社会主义革命可能首先会在俄国胜利。直到1917年二月革命取得胜利、形成资产阶级临时政府和苏维埃政权并存的情况后,列宁提出了要使资产阶级民主革命迅速过渡到社会主义革命、以适应急剧发展的形势。

列宁的这一观点受到加米涅夫、李可夫等人的反对,他们认为既然要有步骤地推翻资本主义,那么只能由工人来实现,在俄国这样甚至连农奴制都没有消灭的环境和时机中是不可能迈向社会主义的。当时俄国的主要工业部门几乎都被垄断组织所控制,如"金属销售公司"控制全俄铁产量的83%,"车厢销售公司"控制全俄车厢产量的97%,"煤炭销售公司"控制当时国内75%以上的产量。到一战之前,俄国共有150个垄断联合组织,四大银行集中了所有银行资本的52%;同时在俄国资本主义形成过程中,依然保存着大量封建农奴残余,其中的贵族土地所有制以及与之相联系的小商品经济

---

① 《列宁专题文集　论社会主义》,人民出版社2009年版,第3页。
② 《列宁专题文集　论社会主义》,人民出版社2009年版,第4页。
③ 《列宁专题文集　论社会主义》,人民出版社2009年版,第4页。
④ 《列宁专题文集　论社会主义》,人民出版社2009年版,第8页。
⑤ 《列宁专题文集　论社会主义》,人民出版社2009年版,第4页。

和农业经济严重阻碍着资本主义的发展，这也造成了地区和民族间的发展极不平衡；而且俄帝国主义还严重依附于外国资本，采矿、冶金、五金加工等工业部门资本一大半属于外国资本家。在这种复杂的背景下，虽然俄国具备了社会主义革命的物质前提，但是其在经济、政治、文化上要落后于西欧帝国主义国家。为此反对派们要求列宁立即停止过渡到社会主义的方针，但列宁拒绝了反对派的这个要求。事实证明列宁的主张是正确的，反对派的主张则是不正确的。列宁当然看到无产阶级在俄国属于较少数部分这一事实，但是，他也看到因大多数无产阶级集中在纺织、冶金、矿山等行业，分布在彼得格勒、莫斯科、乌拉尔等大城市①，因此大大促进了无产阶级革命化过程中的组织力这一事实；他还看到，由于这些工人劳动时间长、工资低，受机会主义思想影响较少，所以有更加坚定的革命性。而就农民阶级来说，二月革命后，因为依然没有解决土地所有制问题，就有了把所有劳动农民争取到社会主义革命方面的可能性，将俄国农民争取土地的斗争、俄国人民尤其是被掠夺的少数民族反对沙皇专制制度的斗争同无产阶级争取社会主义的斗争结合起来，实现"'农民战争'同工人运动的联合"②，有了极大的可能；布尔什维克党重视在军队中的工作，也将广大士兵争取到了无产阶级一方（据统计，在十月革命中仅彼得格勒地区就争取了 30 万水兵和卫戍部队）。在客观条件具备、国内外形势有利，以及在正确的理论、战略和布尔什维克党的领导下，农民、工人、被压迫民族团结一起，去争得社会主义革命的胜利，就不只是革命阶级的良好愿望，而是一种必然，一种现实的可能性。在十月革命前夜，列宁在《大难临头，出路何在？》中明确指出帝国主义战争的前景就是社会主义革命，他说："这不仅因为战争带来的灾难促成了无产阶级的起义（如果社会主义在经济上尚未成熟，任何起义也创造不出社会主义来），而且因为国家垄断资本主义是社会主义的最充分的物质准备，是社会主义的前阶，是历史阶梯上的一级，在这一级和叫做社会主义的那一级之间，没有任何中间级。"③1920 年，在为《帝国主义是资本主义的最高阶段》法文版和德文版写的序言中，正是因为有了十月革命胜利的经验，才使列宁再次肯定

---

① 夏景才：《试论十月社会主义革命的前提和特点》，《东北师大学报》1984 年第 3 期。
② 《列宁选集》第 4 卷，人民出版社 2012 年版，第 777 页。
③ 《列宁专题文集　论资本主义》，人民出版社 2009 年版，第 235 页。

地说："帝国主义是无产阶级社会革命的前夜。从 1917 年起，这已经在全世界范围内得到了证实。"①

四、列宁的帝国主义理论的意义

列宁的《帝国主义是资本主义的最高阶段》一书发表距今已有 100 余年，作为一种重要的历史理论和政治文化现象，一直引起国内外学术界和思想界的广泛争论。尤其是在第二次世界大战后，世界社会主义的兴起和资本主义的命运，使列宁的帝国主义理论的意义和历史价值更加引人关注。

（一）理论意义

19 世纪末，是帝国主义理论的原创时期。理论界主要围绕霍布森的"帝国主义理论"、希法亭的"金融资本"理论、卢森堡的"资本积累"理论和考茨基的"超帝国主义"理论展开。而在列宁的"帝国主义论"提出后，马克思主义与现实主义、自由主义，乃至"新马克思主义"之间的理论交锋，就都围绕列宁的"帝国主义论"展开。但是，争论则更加使人们看到列宁的关于帝国主义理论的巨大价值。概括起来，有以下两个主要方面：

第一，科学划分经济发展阶段。列宁根据大量经济材料，提出垄断代替自由竞争、资本主义已进入垄断阶段也是最高阶段的新理论，是对马克思的《资本论》关于资本主义理论的进一步的运用和发展，是对资本主义经济不同发展阶段的科学认识与划分。列宁还指出垄断是帝国主义的本质属性，指出资本主义由一般垄断、金融寡头垄断发展到国家垄断和国际垄断的必然性，从而正确地分析了当时的一系列经济问题，对当代资本主义的认识依然具有重要指导意义。列宁的帝国主义理论的科学性及其价值远远超越了同期古典帝国主义理论对经济世界的分析。

第二，以本质与特征的互动性考量，建立帝国主义理论逻辑链②。资本主义向垄断转变过程引起世界范围内资源配置和国际权力系统的巨变。面对这一

---

① 《列宁专题文集 论资本主义》，人民出版社 2009 年版，第 105 页。
② 参见姜安：《列宁"帝国主义论"：历史争论与当代评价》，《中国社会科学》2014 年第 4 期。

变化，霍布森认为帝国主义的政治特征和倾向是殖民政策，卢森堡强调帝国主义是资本积累的世界竞争阶段的最后阶段，希法亭认为这一过程的主要特征是金融巨头的独裁统治。可以说上述概括都是关于帝国主义时代特征的具有一定真理性的判断，但是这些理论家都没有形成一个关于帝国主义的认识的体系。完成这一工作的是列宁。列宁归纳了帝国主义的五个特征，即生产集中产生垄断、一般的银行资本逐渐变为金融资本统治、开始向国外进行资本输出、形成国际垄断组织同盟、国家卡特尔瓜分世界完毕，并指出这个五个特征共同组成一个有机体，一个帝国主义整体特征的有机整合。列宁以生产方式为研究出发点，考察帝国主义的全球运动，在这个意义上，他的帝国主义理论超越了同期的其他人的理论水平。

（二）历史价值

"一切划时代的体系的真正的内容都是由于产生这些体系的那个时期的需要而形成起来的。"[①]马克思主义经典作家理论创作的最终目的是为寻求无产阶级和劳动人民解放的现实道路。列宁的《帝国主义是资本主义的最高阶段》是在错综复杂的国际环境下，以马克思主义为指导，解决人类社会面临的紧迫问题的著作，不仅具有问题意识，而且具有强烈的现实针对性。马克思本人以及与列宁同时代的马克思主义者都认为社会主义革命只能在所有资本主义国家同时爆发才能取得胜利，只有列宁意识到帝国主义战争削弱了一些帝国主义国家的实力，某一个国家的无产阶级有可能首先突破帝国主义链条中的薄弱环节，进行革命并取得胜利。十月革命的胜利证实了列宁的理论和他的判断的正确性。

在《帝国主义是资本主义最高阶段》出版一百年后的今天，尽管国际环境和时代主题已经发生了很大变化，但是从人类历史发展的视野出发，对当代资本主义演变的历史作客观的深入的分析的话，那么就会发现列宁关于帝国主义的论断并没有过时，仍具有其强烈的现实性。

20世纪上半叶的帝国主义侵略战争，是赤裸裸的殖民扩张，展示了金融资本的残暴本性。第二次世界大战后，虽然没有再发生大规模战争，却为金融资本统治世界打造了新的扩张模式。人们普遍认识到，垄断已经发展到了一个

---

① 《马克思恩格斯全集》第3卷，人民出版社1960年版，第544页。

新的阶段，即一方面由私人垄断发展到国家垄断，垄断组织同国家政权进一步结合，另一方面介入和干预国际政治，凭借强大的经济实力影响各类各级选举和政府的组建，使各级官员成为垄断组织的代言人，国家机关直接为垄断组织，尤其是大型跨国公司服务，甚至不惜牺牲本国多数选民和其他国家人民的利益，如近期美国对叙利亚的战争。跨国公司所掌握的技术和资源在经济全球化时代又将更多国家和地区卷入帝国主义的影响范围，一旦发达资本主义国家出现金融危机，将波及全球，对新兴经济体造成极大伤害。除了经济、金融领域，西方还利用"新自由主义"、"华盛顿共识"、"人道主义干预"、"颜色革命"①等意识形态工具对社会主义国家进行和平演变②，暴露出帝国主义在文化和政治方面的垄断本质。

发达资本主义国家在世界市场和政治领域的如此强势表现，以及人们生活水平较社会主义国家的相对富裕，同时苏联剧变、世界社会主义遭受曲折，也让人对列宁的帝国主义论产生新的看法，帝国主义是否"垂而不死、腐而不朽?"

首先，列宁的帝国主义论始终在强调资本主义国家中劳动社会化与生产资料私有制之间的矛盾是其基本矛盾，在当前阶段，我们常用"资本主义"代替"帝国主义"。资本主义在矛盾中发展，不可避免地要经历周期性的经济危机和金融危机，激化社会矛盾；而社会主义的奋斗目标是建立生产资料的公有制，解放和发展生产力。当资本主义出现危机后，必然会推动工人运动及其他社会进步运动的发展，导致社会主义革命的爆发，十月革命、欧亚革命高潮的出现，都说明了这一点，只不过革命的具体形态在不同历史时期有不同的表现；而且资本主义本身也会自我调节，寻找在矛盾中继续生存和发展的办法，因此双方博弈的过程将是一个长期的过程。

其次，既然帝国主义是资本主义的一个阶段，垄断作为其主要特征，当发展到国家垄断后，只要这一特征不发生变化，与之相联系的"垂死状态"也不会改变。但是"垂死状态"并不等同于帝国主义很快会走向灭亡，被社会主义所代替。列宁的这一论断只是表明：一方面，垄断资本主义的下一历史阶段必然是社会主义，而实现社会主义的物质条件已经具备，从资本主义向社会主义

---

① 颜色革命，指 20 世纪末期开始的一系列发生在中亚、东欧独联体国家的以颜色命名，以和平和非暴力方式进行的政权变更运动，参与者们标榜拥护民主与普世价值。

② 朱炳元：《列宁〈帝国主义论〉：方法论、核心意蕴与当代价值》，《毛泽东邓小平理论研究》2016 年第 6 期。

过渡的时代已经开始；另一方面，国家垄断同其他任何垄断一样，必然会阻碍生产力的发展，而生产力的发展必然要最终打破现有生产关系的束缚。所以说，列宁的帝国主义理论并没有过时。

第四节 布哈林的帝国主义理论

19 世纪末 20 世纪初，随着资本主义自由竞争的发展，资本主义经济关系逐渐发生着深刻变化，自由资本主义进入到帝国主义阶段。1914 年爆发的第一次世界大战，就是各帝国主义国家之间进行的掠夺战争。马克思主义者试图对世界的新变化作出科学的理解和解释。在这一过程中，布哈林（1888—1938）撰写了以《世界经济和帝国主义》为代表的一系列著作，对帝国主义和世界经济进行深入的探讨。1915 年秋完成，1918 年发表的《世界经济和帝国主义》被认为是一部划时代的作品。列宁对本书也给予了高度评价。列宁在为布哈林的这一著作写的序言中，指出："布哈林这本书的科学意义特别在于：他考察了世界经济中有关帝国主义的基本事实，他把帝国主义看成一个整体，看成极其发达的资本主义的一定的发展阶段。"①

一、帝国主义形成的根源和实质

与其他经济学家以单个资本主义国家为主体剖析它们对外扩张的原因，从而揭示帝国主义产生的根源、实质不同，布哈林实际上是把世界资本主义作为一个完整的经济体系，在世界范围内对其加以剖析，以便从世界经济的内在矛盾去寻找形成帝国主义的原因和揭示它的本质。这一分析同卢森堡在《社会改

---

① 引自〔苏〕布哈林：《世界经济和帝国主义》，蒯兆德译，中国社会科学出版社 1983 年版，第Ⅱ页。

良还是社会革命?》一书中提出的"资本主义世界经济的国际性和资产阶级国家的民族性之间的矛盾"问题的思路与方法极为相似。

布哈林认为，由于机械化大生产发展的结果，资本生产社会化的程度日益提高，资本日益带有国际性质。同时，资本民族化的过程也在加深。这两种矛盾倾向的统一就是帝国主义。布哈林指出，资本主义经济关系的国际化首先表现在国际分工和国际交换的发展上。生产是社会生活的物质基础。在现代社会这种物质财富的生产采取了发达的资本主义商品生产的形式。社会分工是这种生产存在的一个基本前提。有各种不同形式的社会分工：一国之内各企业之间的分工，大生产部门（如工业和农业）之间的分工，以及在总的世界资本主义经济体系之内的代表各国民经济的国家之间的分工。最后的这种超出"国民经济"疆界的分工叫国际分工。国际分工的存在有两个前提：一是各"国民经济"生产机体存在的自然环境不同，这是自然条件的前提；二是由各国文化程度不同、经济结构不同、生产力发展水平不同决定的社会条件不同。从这一角度讲，在各个国家内部存在的"城乡的分离"与对立，今天在世界范围内表现出来了。有的国家，如工业国，实际上整个国家变成了城市；而整个农业国、农业地区则变成了世界乡村。在这里，国际分工同整个社会生活中的两个最大生产部门之间的分工是一致的。国际分工的表现是国际交换。由于分工，整个世界的社会劳动划分在各民族国家中，各国的劳动通过国际范围的交换而成为全世界社会劳动的一部分。由于分工和交换而形成的国家之间的相互依赖关系决不是偶然的，它是社会继续发展的必要条件，是受一定规律支配的社会经济过程。在世界市场上，商品的价格是按世界价格进行的。由于国际交换，各民族国家生产同一种商品所需要的不同的社会必要劳动量转化为全世界范围内的社会必要劳动量，从而形成世界市场上价格波动的基础。在世界商品市场形成的同时，也形成了货币资本的世界市场。其表现就是利息和贴现率在国际上的均等化。所以，"世界经济是全世界范围的生产关系和与之相适应的交换关系的体系。"[①]世界经济的形成是资本主义生产社会化程度提高的必然结果，是国际经济联系日益发展的必然结果。国际经济联系的发展主要表现在两个方面：一种是国际联系在范围上的扩大，越来越伸展到过去从未卷入资本主义生活漩涡的地区，这是世界经济在广度上的发展；另一种是向纵深发展，即各国之间的

---

① ［苏］布哈林：《世界经济和帝国主义》，蒯兆德译，中国社会科学出版社 1983 年版，第 8 页。

交换越来越频繁，形成了一个日益紧密的网络。在现实中这两个方面是齐头并进的，广度上的发展主要是列强实行兼并政策的结果，向纵深发展主要是由生产的发展所促成的。

布哈林认为，资本主义经济关系的国际化不仅表现在各国经济结合的扩大和加深，而且还表现在产生了资本主义发展历史中的新的经济组织，即国际垄断组织。布哈林指出，现代资本主义世界经济的一个最基本的特征就是"结构上的高度的无政府状态"，"世界经济的这种无政府状态的结构表现在两个事实上：一方面是世界性工业危机，另方面是战争"①。

资产阶级经济学家认为，以垄断代替自由竞争，从而消灭了竞争，就能消灭经济危机。其实，这是大错特错了。布哈林指出，现代的国民经济是世界经济的一部分，它通过交换同其他国家发生着紧密的联系。因此，即使在"国民经济"内完全消灭了自由竞争，但由于各"国民经济"实体之间的关系仍然是无政府的、混乱的，因而危机也必然会继续存在。战争问题也是这样，"在资本主义社会里，战争不过是在资本家的竞争扩大到世界经济领域时，资本家进行竞争的方法之一。"②战争是在自发地发展着的世界市场的盲目规律支配下进行生产的这样一种社会的内在规律，而不可能是自觉地调节其生产和分配过程的社会的规律。资本主义世界经济的结构尽管在总体上是无政府状态的，但是其组织形式却有了很大发展，出现了许多巨大的垄断组织，如国际辛迪加、卡特尔、托拉斯等。这是在世界范围内在资本主义所允许的最大限度内对资本主义私有制的扬弃。布哈林列举了大量的国际垄断组织，指出在这些规模巨大的工业垄断组织背后，都有银行团的支持，从而形成了金融资本。布哈林利用了希法亭关于金融资本的定义，并指出："金融资本是最富于渗透性而无孔不入的资本形态。这种形态的资本，像自然界害怕真空一样，它不管什么地方，不管是'热带''亚热带'或'南北极'地方，只要有充分的利润流出，它就涌去填补一切'真空'。"③

---

① ［苏］布哈林：《世界经济和帝国主义》，蒯兆德译，中国社会科学出版社 1983 年版，第 33 页。

② ［苏］布哈林：《世界经济和帝国主义》，蒯兆德译，中国社会科学出版社 1983 年版，第 34 页。

③ ［苏］布哈林：《世界经济和帝国主义》，蒯兆德译，中国社会科学出版社 1983 年版，第 38 页。

从一般的商品经济开始，到国际辛迪加、托拉斯的形成为止的全部发展过程，也就是社会经济生产国际化的过程，是使地理上相互隔离的经济彼此接近的过程，是资本主义关系均等化的过程，也就是财产所有权集中于全世界资本家阶级手中以及世界资产阶级同世界无产阶级之间的阶级差别日益扩大的过程。

资本主义经济的国际化和各资本主义国家经济联系的日益密切，并不意味着各民族国家之间的矛盾的缓和，也并不意味着协调发展和平共处时代的到来。相反，这种国际化恰恰加剧了各"民族"资产阶级集团之间的利害冲突，矛盾更加尖锐了。国际商品交换关系的扩展不仅无助于各交换集团之间的团结与谐调，而且会使竞争日益白热化并最终变成生死搏斗。资本输出方面也是如此。争夺投资场所的斗争，也需要兵戎相见，唯此才能分出胜负。造成这种状况的原因是，在资本国家化的同时，资本家利益民族化趋向也在发展。"这个过程最明显地表现出在世界经济领域里资本主义竞争的无政府状态。它造成最剧烈的震荡和最深重的灾难，造成人类精力的极大浪费，因而也最强有力地提出了建立社会生活的新形式问题。"[1]

布哈林认为，如果我们把"国民经济"放在世界范围内，作为世界经济的一部分来考察，就会发现，在资本关系国际化的同时，资本在各国疆界之内的联系也更加频繁了。这种变化首先表现在资本家垄断组织，如卡特尔、辛迪加、托拉斯、银行辛迪加的形成和非常迅速的扩展上。这一过程在国际范围内进展得十分强烈，在"国民经济"范围内，这个过程更强烈得不可比拟。"资本家垄断组织的形成过程，是资本积聚与集中过程的逻辑的和历史的延续。"[2]在资本主义产生之初，手工业之间的竞争造成了小商品生产者的分化，使生产资料积累在资本家阶级的手中，成为他们的垄断占有物。同样的，资本家阶级内部的自由竞争也正在愈益受到限制，受到垄断整个"国民"市场的巨大经济的形成的限制，这进一步加速了资本积聚和集中，形成了垄断资本。我们绝不能把这种巨大的经济看作"非正常的"或"人为的"现象，认为它们是由于国家在例如关税、运输费、奖励金、补贴或政府订货等方面采取援助措施而产生

---

[1] [苏] 布哈林:《世界经济和帝国主义》，蒯兆德译，中国社会科学出版社 1983 年版，第41 页。

[2] [苏] 布哈林:《世界经济和帝国主义》，蒯兆德译，中国社会科学出版社 1983 年版，第43 页。

的。以上措施的确大大加速了垄断化的过程，但是它们在过去和现在都不是产生垄断的主要条件。"而真正的必要条件则是发展到一定程度的生产集中。所以，一般地说，生产力愈发达，垄断组织的力量就愈强。在这方面，股份公司起了特别重要的作用，因为它大大促进了对生产的投资，从而建立起规模空前的巨大企业。"[①] 布哈林吸取了希法亭的意见，指出垄断组织的建立可以是实行横向的联合，也可以是纵向的联合。所谓横向联合是指同一生产部门内部生产相同产品的企业的联合，纵向联合则是把原料生产和制成品生产、制成品生产和半制成品生产的各企业联合起来。资本和生产的纵向积聚和集中，把先前分在不同企业的劳动联合在一个企业里，所以是社会分工的收缩；另一方面它又促进了新企业内部的分工。从整个社会范围看，这全部过程趋于使整个"国民经济"成为所有各生产部门间有组织联系的一个同一的联合企业。

　　布哈林指出，在工业企业趋于集中的同时，同样的过程也在另一方面迅速地进行着：银行资本向工业渗透，从而资本转变为金融资本。金融资本通过各种形式的信贷，通过掌握股票与债券，以及通过直接创立企业，银行资本起着工业组织者的作用。这种全国性的联合生产组织愈来愈巩固，愈来愈强大。一方面是工业的集中，另一方面是银行的集中，后者逐渐发展到极大规模。同银行与工业部门间的这种特有的经济联系相适应的，是双方高级管理部门特殊的结合形式。实际上，工业家的代表们在管理银行，而银行家的代表们也在管理工业。这些拥有大量财富的金融资本家，还往往以各种形式（其中主要是信贷关系）同国家的公用事业建立极其密切的联系。这样就形成了一个高度组织化的体系，它的一部分——卡特尔、银行、国家企业的利益越来越紧密地结合了起来。随着资本主义集中的发展，这一结合的进程越来越快。卡特尔与联合企业的形成，立即在给以它们财务支持的银行间造成共同的利害关系。银行也注意制止它们给以财务支持的企业间的竞争。同样，银行间达成的一切协议，也有助于使各工业集团结合起来。国家企业对大规模的金融—工业组织的依赖愈益加深，而反过来也一样。"于是各个领域的集中过程与组织过程相互促进，产生了一个极强有力的趋向，使整个国民经济成为一个在金融富豪与资本主义国家监护下的巨大的联合企业，这个联合企业垄断了全国市场，并且为更高

[①]　[苏] 布哈林：《世界经济和帝国主义》，蒯兆德译，中国社会科学出版社 1983 年版，第44 页。

的、非资本主义的有组织的生产准备了前提。"①

金融资本渗透进世界经济的每个孔隙，同时造成了一个强有力的趋势：使国民经济有机体与外界隔绝，以经济上自给自足作为加强各自资本家集团垄断地位的手段。于是，与经济的国际化与资本的国际化同时发展的，还有一个资本的"民族化"的过程。布哈林认为这一过程具有最重大的后果。"这个资本'民族化'的过程，就是说，在国家疆界范围里建立同质的、相互间尖锐对立的经济有机体的过程，也是由于世界经济中三大方面——商品销售市场、原料市场与投资范围——发生的变化所促成的。"②据此，布哈林对世界资本的再生产条件的变化进行了剖析。

同在少数几个强国内部形成的有组织的经济体系相对应，在世界的大多数地方存在着以半农业和农业为特征的不发达国家。这些国家便成为列强争夺的对象，因为在各强国国民经济组织化的过程中都具有一种超出国家范围的趋向。这是由资本主义社会结构造成的一个必然结果。资本主义生产的目的就是获取数量越来越大的利润，而利润总量是与商品销售总量成正比的。商品的销售量大，还可以降低生产成本，这又可以增强商品的竞争力，扩大市场，获取超额利润。在世界市场上，这种超额利润是商品的社会价值（即世界范围的市场价值）同个别价值（在这里是指各国内部的市场价值）之间的差额。这种超额利润由于垄断组织的存在会带有某种固定性。正是比较低的利润率趋使商品和资本远离"祖国"，去追求更高的利润率。这个过程在世界经济的各个组成部分都在同时进行着，并因而使各"国民经济"的资本家作为竞争者发生冲突。生产力的膨胀越强而有力，对外贸易的发展越蓬勃越迅速，竞争就越激烈。这种冲突最终由"实力"对比来解决，也就是武力解决。所以争夺市场的竞争必然引起资本的"民族集团"之间的冲突。生产力的巨大增长和自由市场的极度缩小，金融资本实行的保护关税政策，实现商品价值方面的重重困难，所有这一切造成了这样一种局势，最后只有凭借军事技术来解决。

布哈林还指出，列强的争夺不仅限于销售阶段，即不仅局限在争夺销售市场，对原料市场的争夺也是它们争斗的一个重要内容。这一点是由资本主义生

---

① ［苏］布哈林：《世界经济和帝国主义》，蒯兆德译，中国社会科学出版社1983年版，第51页。

② ［苏］布哈林：《世界经济和帝国主义》，蒯兆德译，中国社会科学出版社1983年版，第57页。

产发展过程中所造成的各个部门之间不均衡状态引起的。工业的飞速发展同为工业提供原料的农业的相对停滞便是一个最突出的矛盾。工业的发展需要日益增多的原料，如木材、畜产品、纺织原料等。但所有这一切的生产都不能同工业并驾齐驱地向前发展。这就造成了在国际范围内农产品价格高昂的不利状况。特别是进入 20 世纪更是如此。造成这种状况的根本原因是资本主义的土地所有制，即土地占有的垄断以及由此产生的绝对地租的存在。布哈林认为，造成这种状况还同农业生产的某些特点有关。农业与制造业的差异在于：当工业品价格上涨时，通常一定会立即引起需求的缩减，而在农产品领域，需求确实比较稳定，这是因为农产品多数是人们的生活必需品。因此，在这里资本主义积累规律表现得不如工业那样明显。垄断组织很不发达，生产远远落后于工业。随着世界资本主义生产力的提高，大大地改变了工业生产同农业生产之间的比例关系。农业原料供应紧张，农产品价格普遍上涨，这又直接造成了工业利润率的下降和更加迫切地要求扩大原料市场。因此，列强争夺原料市场的斗争也同争夺销售市场一样，日益激烈起来。这一矛盾最终也将由战争来解决。

布哈林认为资本在民族化过程中的对外扩张趋势的第三个表现，就是由于资本输出的发展而使列强争夺投资场所的斗争加剧。一个国家的资本输出，是以该国资本的生产过剩、亦即资本的积累过剩为前提的。从资本家的观点来看，如果增加了资本而一无所获，就是资本的绝对生产过剩或资本过剩。不过，就资本输出来说，并不需要等到这种资本过剩的地步，如果国外能够获得更高的利润率，资本输出就会发生。因此，在资本主义发展的几乎全部历史中，我们都可以看到资本输出，这是很容易理解的。"然而，只是在近几十年中，资本输出才具有空前的特殊重大的意义。这种国际经济联系所特具的重要性已如此增大，以致在一定程度上我们甚至可以说，它是各国之间经济联系的一种新形式。"① 这种情况的出现是由于：第一，巨大的生产规模和技术的进步极大地提高了劳动生产力；交通的改善加速和资本的周转，使资本积累空前增大。可是，各种垄断组织限制了某些部门新的投资，而无垄断组织的生产部门又利润低微，投资越来越无利可图，所有这一切都驱使资本越出国家疆界。第二，高关税的普遍存在，严重地阻碍了商品输出，输出资本正是绕过关税壁

---

① 　[苏] 布哈林：《世界经济和帝国主义》，蒯兆德译，中国社会科学出版社 1983 年版，第 71 页。

垒，占领他国市场的有效方法。另外，输出资本还往往有其他方面的许多好处。如通过贷款，债权国往往可以强迫债务国必须购买债权国的商品；债权国在债务国获得修建铁路港口建设和矿山、森林开发等特权。私人资本输出，或工业企业及银行输出资本，也会促使本国的商品输出，因为在国外建立企业本身会产生一定的需求，所以资本的输出也为本国工业的发展创立了某些机会。

资本输出更加剧了列强之间的矛盾，夺取投资机会的斗争，争夺特许权的斗争总是要以强大的军事力量为后盾的。受列强金融资本家控制的政府或"国家"，通常是屈服于军事力量最强大的一方。如果被剥削国家的军事十分软弱，那么资本的渗透很快便会变为"占领"或瓜分，这往往又要引起列强争夺投资范围的冲突。资本输出是金融资本集团实现其经济政策最便利的方法，它能最便捷、最迅速地征服新领土。因此，各国竞争的尖锐化在这里表现得最为明显，并必然会导致用火和剑来解决问题。在布哈林看来，帝国主义是商品生产特别是资本主义商品生产发展的必然结果，是资本主义基本矛盾，即社会化大生产同生产资料资本主义私有制之间的矛盾发展的必然结果。在帝国主义条件下这一矛盾已经发展为高度国际化的社会化大生产同局限于"民族国家"范围内的生产资料私有制之间的矛盾。争夺销售市场、争夺原料产地、争夺投资范围，正是金融资本所采取的资本主义范围内解决这一矛盾的三项基本措施。金融资本所采取的三项基本措施或者说金融资本施行征服政策的三个根源，"实质上不过是同一现象——生产力的增长与生产组织的'民族的'局限性之间的冲突——的三个方面"[①]。金融资本的这种政策就是帝国主义。

二、帝国主义发展的历史趋势

列宁在给布哈林《世界经济和帝国主义》所写的序言中指出："布哈林这本书所论述的问题的重要性和紧迫性，是用不着特别解释的。在研究现代资本主义形式变化的这一经济科学的领域中，帝国主义问题不但是最重要的问题之

[①] [苏] 布哈林:《世界经济和帝国主义》，蒯兆德译，中国社会科学出版社 1983 年版，第78 页。

一，简直可以说是最重要的问题。"① 通过对世界经济性质和资本主义经济关系变化的分析，布哈林指出帝国主义是资本主义竞争的扩大规模的再生产，并指出了帝国主义世界经济发展的历史趋势。

布哈林认为，帝国主义时代是金融资本统治的一个特定的历史时代，一个特定的历史阶段，它不是突然出现的事物，"实际上，金融资本主义是工业资本主义时期的历史继续，就像工业资本主义是商业资本主义阶段的继续一样。"② 正因为如此，资本主义发展进程中不断扩大再生产的那些资本主义的基本矛盾，现在发展到了极其尖锐的程度。表现在竞争上的资本主义无政府状态的结构，情况也是一样。资本主义社会的无政府状态的表现是：社会经济不是一个由统一意志指导的、有组织的集合体，而是一个通过交换而互相联系起来的经济体系。在这个体系里，各自从事生产，自己承担风险，根本不能或多或少地适应社会需求量及其他单个经济的生产。这就引起各个经济单位彼此间的斗争，引起资本主义的竞争战。竞争的形式有多种多样，帝国主义的政策就是竞争战的形式之一。

布哈林指出，我们说到帝国主义时，主要是把帝国主义看作金融资本的政策。但是，也可以说帝国主义是一种意识形态。帝国主义政策是在历史发展到一定阶段才出现的，因此，发展到这个阶段就必然产生统治阶级的政策和意识形态。布哈林批驳了两种流行的关于帝国主义的理论：一种是把现代征服政策看作是种族斗争；第二种是把一般的征服政策作为帝国主义的定义。对于第一种，布哈林深刻指出，领导征服斗争的不是种族，而是一定的资产阶级集团构成的国家组织，列强之所以组成这一或那一集团，不是决定于种族的某种共同任务，而是决定于资本家在一定时期内的共同目标。这一理论是为资本家阶级辩护的理论，是荒谬的，它忽视了现代社会的根本特征，即阶级结构。对于第二种，布哈林嘲讽道，"从这个观点看，马其顿国王亚历山大与西班牙征服者、迦太基与伊凡三世、古代罗马与现代美国、拿破仑与兴登堡都可以相提并论，当作帝国主义了。"③ 布哈林指出，统治阶级的一切政策（"纯"政策、军事政策、

① ［苏］布哈林：《世界经济和帝国主义》，蒯兆德译，中国社会科学出版社 1983 年版，第 I 页。
② ［苏］布哈林：《世界经济和帝国主义》，蒯兆德译，中国社会科学出版社 1983 年版，第 89 页。
③ ［苏］布哈林：《世界经济和帝国主义》，蒯兆德译，中国社会科学出版社 1983 年版，第 86 页。

经济政策），都有特定的职能。在一定的生产制度基础上产生的政策，其职能就是促进该种生产关系的简单再生产或扩大再生产。封建统治者的政策，就是要加强和扩大封建的生产关系；商业资本的政策，就是要扩大商业资本的统治范围；金融资本的政策，就是要在更大的范围里再生产金融资本的生产基础。

布哈林认为，要认识帝国主义这样一个特定的发展阶段，就必须理解它的全部的特殊性，理解它特有的发展趋向和具体特点，而这些特殊性、发展趋向和具体特点是其他发展阶段所不具有的。任何历史学家或经济学家，如果把现代资本主义的结构即现代资本主义生产关系与以前发生过征服性战争的各种形态的生产关系同等看待的话，那么，他们对现代世界经济的发展将毫无理解。我们应该找出能够说明我们时代特点的特殊因素，并且加以分析。这是马克思的方法，也是马克思主义在分析帝国主义时必须遵循的方法。布哈林指出，我们不能满足于给政策下这样的定义，说它是"征服的"政策、"扩张的"政策、"暴力的"政策等。我们必须分析这个政策所产生的基础以及由这个政策所扩大的基础。"我们已经给帝国主义下了定义，认为它是金融资本的政策。这就揭示了这个政策的职能：它支撑金融资本的结构；它使全世界服从于金融资本的统治；它以金融资本的生产关系代替古老的前资本主义生产关系和旧的资本主义的生产关系。正像金融资本主义（我们不应把金融资本与货币资本混为一谈，因为金融资本的特征在于它既是银行资本，同时也是工业资本）是一个历史上限定的时期，即仅限于近几十年一样，作为金融资本的政策的帝国主义也是一个特定的历史范畴。"[1]帝国主义是一种征服政策，但并非任何征服政策都是帝国主义。金融资本是不可能施行其他政策的，所以我们说帝国主义是金融资本的政策时，它的征服性是不言而喻的。只有用"金融资本的征服政策"这个定义才能把帝国主义作为一定的历史实体来确定其特征。

布哈林还将国家和帝国主义结合起来考察。他指出，国家是统治者的无所不包的组织，在帝国主义以前的时代，国家实际上仅仅是一个组织。那时社会生活的一个特别重要的领域即经济领域，完全处于无政府状态。企业是个体的，资本家单独从事"劳动"，而且只和自己的工人打交道，国家只给资本家保证"剥削权利"的一般条件——这就是过去那种经济的典型情景。现在的情

---

① ［苏］布哈林：《世界经济和帝国主义》，蒯兆德译，中国社会科学出版社 1983 年版，第88 页。

况不同了，个体的资本家已经成为联合起来的资本家，中间等级迅速消失和大资本的胜利进展，已经造成了经济生活的一些新形式，这些形式是作为阶级生活的特殊形式出现的。托拉斯、辛迪加等等企业主同盟的建立，以及这些同盟通过联合企业和大银行而施行的相互联系，完全改变了旧的形式。如果资本的个体所有制是帝国主义以前时代的特征，那么，"在组织上互相联合起来的资本家的集体所有制，就是现时金融资本主义经济的特征"①。这个过程不仅可以在经济领域中看到，它还遍及于阶级生活的一切领域，因此，国家已经从最初的统治阶级的单一组织，发展为当代"怪物"——帝国主义强盗国家。

布哈林认为，说帝国主义是资本主义一般发展趋势的继续，首先是说它是资本集中趋向的继续，是资本集中过程中的一种特殊形式。所谓资本的积聚是指剩余价值的资本化，资本的集中则是许多单个资本合并成新的、更庞大的资本。这两个过程相互影响：资本的积聚加速大企业对小企业的吞并；资本的集中扩大了企业规模，从而又会促进资本的积聚。资本集中在向前发展，集中的形式也在发生变化。在企业的单个人占有制的情况下，竞争的各方都是单个的资本家。在这个阶段，所谓"国民经济"和"世界经济"只不过是通过商品流通联结起来的较小的经济单位的总和。集中的过程则是小资本家被大资本家所吞并，是个人占有制的扩展。随着大企业的发展，竞争的广泛性在缩小，竞争者的数目在减少，但由于少数大企业将空前未有的大量商品投入流通，竞争的激烈程度增强，并最终导致垄断的形成。这是集中发展的第一个阶段。从前是许许多多个人企业的竞争，现在则成了少数几个巨大的资本家集团之间的竞争，这种竞争由于双方实力的强大而变得异常顽强，最终必将导致整个生产部门竞争的停止。但是这时不同生产部门之间为瓜分剩余价值而进行的斗争更激烈了。生产制成品的辛迪加反对生产原料的辛迪加，生产原料的辛迪加反对生产制成品的辛迪加，工业中的垄断同盟与银行辛迪加最后统一了全部国民生产。资本的集中和竞争进入第三个阶段，这就是国家资本主义托拉斯之间在世界范围内的竞争，这是竞争达到最高的、最后的发展状态。进入资本家把一国内部的竞争减少到最低限度的状态，目的是为了向国外扩张，在世界市场上展开前所未有的更大规模的竞争。于是集中过程也进入一个新的更高的阶段，小资本被大资本吞并，脆弱的托拉斯被大托拉斯吞并，甚至大托拉斯被更大的托

---

① 《布哈林文选》下册，人民出版社1983年版，第247页。

拉斯吞并，拿这些同整个国家被吞并，被强迫脱离其经济中心而包括在战胜国的经济体制之内比较起来，不仅退居其后，而且就像是轻易的儿戏。"帝国主义兼并不过是资本主义普遍的资本集中趋向的一种特殊情况罢了，或者说，不过是与国家资本主义托拉斯间的竞争相适应的最大范围的资本集中的一种特殊情况罢了。这个战斗的舞台，就是世界经济。这个战斗的经济和政治极限，就是一个世界性托拉斯，一个服从于战胜的、同化了其他一切的金融资本的统一的世界性国家——这是以前时代甚至最容易头脑发热的人也没有梦想过的理想。"①

布哈林在考察了资本主义竞争形式的发展变化后，进一步考察了竞争手段的变化。个人企业之间的竞争，通常是以降低价格为手段。当个人企业的竞争被托拉斯之间的竞争代替的时候，竞争的方法也发生了变化。国内市场上的低廉的价格消失了，代之以高昂的价格，以便推进在世界市场上的竞争。这就是说，世界市场上的低价竞争是以国内市场上的高价为代价的。为了取得世界市场上竞争的胜利，国家政权的重要性增加了，关税率和运费率都成了竞争的手段。最后，当竞争发展到最高阶段——国家资本主义托拉斯之间的竞争的时候，利用国家政权以及与之有联系的各种可能性，开始起很大作用。国家机器从来都是统治阶级掌握的工具，在世界市场上它则是它们的"保护者"。但是，它从来没有像在金融资本和帝国主义时代具有如此重大的意义。随着国家资本主义托拉斯的形成，竞争几乎完全移向国外，国家机器成为在国外竞争的工具。首先是国家政权，它必须大大加强，而且世界舞台上的竞争愈紧张就愈加经常地诉诸国家政权的武力威胁，帝国主义时代就这样开始了，加强军备便成了各国家资本主义托拉斯之间的竞争的最重要的方法。正像不是价格低落引起竞争一样，资本主义国家之间的战争也不是由军备引起的。战争的原因和动力不在于军备的存在。相反，是经济冲突的不可避免性决定了战争的存在，引起了各国的军备竞赛。可见金融资本的统治意味着帝国主义和军国主义。这就是说军国主义和金融资本一样，都是一种典型的历史现象。"强权"是现代资产阶级的理想。

随着国家政权的重要性的增长，它的内部结构也发生了变化。现在国家比

---

① [苏] 布哈林：《世界经济和帝国主义》，蒯兆德译，中国社会科学出版社 1983 年版，第 93 页。

以往任何时候越发成为"资产阶级的管理委员会"。国家机器不仅一般地体现统治阶级的利益，而且体现统治阶级集体地表达出的意愿。国家机器面对的不再是统治阶级的分散成员，而是它们的组织。于是，政府实际上变成了企业家的组织的代表们所选出的"委员会"，而且成为国家资本主义托拉斯发展的最高司令部。"作为国家资本主义托拉斯的最大股东，现代国家也是国家资本主义托拉斯发展的最高的、囊括一切的组织形式。因此它拥有惊人的巨大权力。"① 在金融资本集团日益强大的同时，国家对经济生产的干预也大大加强了。这表现在以下各点：首先是国家预算的增加。国家的支出在第一次世界大战过程中，一般要占整个国家各阶层人民支出的1/5。毫无疑问这是由于军国主义和战争造成的。不仅如此，国家干预的更深刻的表现还在于直接干预生产的过程，这就是国有企业的发展。在许多国家，土地，森林等很大一部分本来就是属于国家所有，随着资本主义的发展又建立起国有的铁路、邮政等，无疑增加了国家对经济的干预能力。其次，通过参股的形式建立了与私人资本家合营的企业，"这样一来，国家和企业的经济组织就成了同一个生产单位的共有者"②。再次，表现在国家对贸易，特别是对外贸易实行垄断；第四，国家对私人企业生产过程实行管制，对分配（包括生产资料和生活资料在内）方面的管理；第五，国家组织信贷；国家组织消费。"这一切都意味着国家组织对经济生活的吞食"③，"国民经济"日益成为"国家经济"，成为"国家资本主义托拉斯"。布哈林认为，在国家垄断的这种发展中，中央银行成为整个国家资本主义托拉斯的"黄金首脑"。在事态的这种发展中，整个资产阶级一反常态，对国家的干预采取了比较容忍的态度。这是由于国家政权同金融资本的领导集团之间的关系日益密切。国家与私人垄断企业在国家资本主义托拉斯的形式下结成了一个统一体，它们的利益日趋一致。另外，世界市场上的激烈竞争需要资本的最大限度的集中，也需要国家权力的支持。现代的国家政权不过是拥有巨大权力的企业家的公司，这个政权的领袖甚至同时也就是金融资本办公室里的领导人。

---

① ［苏］布哈林：《世界经济和帝国主义》，蒯兆德译，中国社会科学出版社1983年版，第101页。

② ［苏］布哈林：《论帝国主义国家理论》，《国际共运史研究资料》第10期，人民出版社1983年版，第222页。

③ 《布哈林文选》下册，人民出版社1983年版，第248页。

布哈林在考察帝国主义发展的历史趋势时，正确地指出了国家垄断资本主义的产生和发展，但是布哈林并不认为国家资本主义托拉斯会和平长入社会主义。他反复强调，决不能把工业的组织化和国家经济活动的扩大，认为是国家社会主义的发展。"摆在我们面前的，是国家资本主义托拉斯结构内加速集中的过程，这个国家资本主义已经发展到最高形式，它不是国家社会主义，而是国家资本主义。"①这是因为，在国家资本主义托拉斯的发展过程中，并没有出现新的生产结构，也就是说，决不是各阶级的相互关系有了改变。恰恰相反，我们所看到的，是一个阶级——这个阶级拥有空前数量的生产资料——的权势的扩大。资本主义生产方式是在商品交换的一般结构的范围内，以资本家阶级掌握生产资料的垄断权为基础的。至于国家政权是不是这种垄断的直接表现，或者这种垄断是不是"私有地"组织起来的，这并没有什么原则上的区别。不论在哪一种情况下，都仍然保留着商品经济（首先是世界市场），而且更为重要的是，都保留着无产阶级与资产阶级之间的阶级关系，这同社会主义是毫无共同点的。因此，在资本主义保持其基础的限度内，"未来是属于接近于国家资本主义的经济形态"②。战争极度加速了国家资本主义托拉斯的进一步发展，这点又反映在国家资本主义托拉斯之间遍及全世界的斗争中。资本主义关系的新形式反映在各个社会集团的处境中，国民生产中愈来愈大的部分归于资产阶级及其政府的手里，工人阶级的处境不仅相对地恶化了，而且绝对地恶化了，阶级对抗不可避免地尖锐起来。资本主义发展过程中的固有矛盾，在帝国主义时期，达到了千钧一发的程度。"现时规模的生产力迫切要求建立新的生产关系。资本主义的外壳必不可免地要迸裂。"③

---

① ［苏］布哈林：《世界经济和帝国主义》，蒯兆德译，中国社会科学出版社 1983 年版，第126页。

② ［苏］布哈林：《世界经济和帝国主义》，蒯兆德译，中国社会科学出版社 1983 年版，第126页。

③ ［苏］布哈林：《世界经济和帝国主义》，蒯兆德译，中国社会科学出版社 1983 年版，第137页。

第八章 对社会主义革命理论的创新发展

　　这是第一次大战爆发时期。战争在给世界人们带来深重灾难的同时，也造成了革命的形势。社会主义革命这一历史性的重大主题提到了世界无产阶级面前，提到了马克思主义面前。以列宁为代表的革命马克思主义者面对的任务是，在同以考茨基为代表的第二国际（1889—1914）领袖的社会沙文主义的斗争中，科学地阐释了这场战争的本质和根源，它是决定马克思主义如何对待这场战争的基础；探索世界革命力量变帝国主义战争为国内战争的可能及现实途径；探索落后国家和民族革命发生的条件与道路；阐释无产阶级革命正确对待国家的态度；等等。在关于这些问题的探索中，列宁提出了一系列新的思想、观点和结论，创造性地发展了马克思主义的社会革命理论。在这些新思想、新观点、新结论中，突出的是帝国主义是现代战争的根源的结论、变帝国主义战争为国内战争的思想、通过革命结束战争的思想、帝国主义条件下世界经济政治发展不平衡规律的发现、"一国或多国革命首先胜利"的论断、一切革命的根本问题是国家政权问题的结论、苏维埃是"一种新的、更民主的国家类型"的观点、在与社会主义改造的联系中理解彻底的民主与社会主义一致的思想，等等。马克思主义理论的这些方面的发展是在同各种形式的机会主义的斗争中实现的，并且提供了通过"运用新的范畴思考问题"① 实现理论创新的实际经验。

---

① 《列宁选集》第3卷，人民出版社2012年版，第93页。

第一节 帝国主义是现代战争的根源

1914 年 8 月 1 日（公历），第一次世界大战以德国对俄国的正式宣战而爆发。这是一场什么性质的战争？它的根源是什么？对这场战争无产阶级及其政党应该采取什么态度？它的后果是什么？它与无产阶级社会主义革命有什么联系？一系列关于战争的根本理论问题和实践问题摆在了世界无产阶级及其政党面前。但是，对于这场战争性质的认识以及由此决定的对于战争的态度和策略，各国无产阶级政党和每一个国家内的革命党人之间则存在着意见分歧。多数交战国的社会党人打着"保卫祖国"的旗号支持本国参战，赞成本国政府给战争以军事拨款。这些党的领袖甚至参加了战时资产阶级内阁。而以考茨基、普列汉诺夫、王德威尔得等为代表的第二国际（1889—1914）领袖、著名理论家陷入社会沙文主义和机会主义泥潭，用各种非马克思主义、反马克思主义的理论毒害广大工人和群众。这是在国际重大历史事件面前工人国际陷入的最大危机。列宁是对目前发生的战争的性质和趋势、对战争中无产阶级应该坚持的正确路线和策略有清醒认识的少有的领袖和政治家之一。他在带领俄国布尔什维克党和国际马克思主义者同社会沙文主义和机会主义的斗争中，阐释了马克思主义在战争与革命问题上的一系列科学原理，捍卫和发展了马克思主义。

一、列宁论现代战争的性质与根源

战争一经爆发，列宁就以极其敏锐的政治洞察力在一系列文章、著作和演说中揭露正在发生的这场战争的性质，阐明工人阶级及其政党对于战争的正确态度。列宁明确指出："这场欧洲的和世界的大战，具有十分明显的资产阶级、帝国主义、王朝战争的性质"①，"当前的战争是帝国主义战争，这就是这场战

---

① 《列宁全集》第 26 卷，人民出版社 2017 年版，第 1 页。

争的基本性质。"① 所谓帝国主义战争，当然主要不是指它是发生在帝国主义时代的战争，而是指它是帝国主义阵营内部两大集团（德奥帝国集团与英法俄帝国集团）之间的战争，是各帝国主义国家竞相瓜分世界的战争。"强占别国领土，征服其他国家；打垮竞争的国家并掠夺其财富；转移劳动群众对俄、德、英等国国内政治危机的注意力；分裂工人，用民族主义愚弄工人，消灭他们的先锋队，以削弱无产阶级的革命运动——这就是当前这场战争唯一真实的内容、作用和意义。"② 而从战争表现出的野蛮性和落后性看，列宁甚至把这场战争看作是"奴隶主为巩固奴隶制而进行的战争"③。

帝国主义战争，本质上是资产阶级战争。无论是战争的发动者，还是战争的受益者，都是资产阶级。所以，确认正在发生的战争是资产阶级战争，是关于这场战争的性质的一个根本认识。因为战争的性质归根结底是它的阶级性质。经验表明，正是这一性质决定了战争的正义性与非正义性。但是，对于正在发生的这场战争来说，仅仅停留在它是资产阶级性质的战争的认识上，还是不够的，因为它没有表明作为帝国主义战争的这场战争的特殊性。帝国主义战争是一场地地道道的逆历史潮流而动的战争，是一场在人类历史上没有任何进步意义的战争。但是在资产阶级战争史上并不是所有的战争或所有时期的战争都具有这样的性质。列宁特别谈到 18 世纪末和整个 19 世纪的各次战争，认为这些战争按其性质来说都是民族战争，它们伴随并且促进了民族国家的建立。而民族国家则是资本主义发展的一个必经阶段。它作为上升时期的资产阶级战争，意义在于标志着封建制度的崩溃，反映了新的资产阶级社会同封建社会的斗争。争取民族自决、民族独立、语言自由和人民代议制的斗争，目的就是为了建立民族国家，建立这个在资本主义的一定阶段上发展生产力所必需的基础。他说，从法国大革命起直到意大利的和普鲁士的多次战争，其性质无不如此。但是，帝国主义战争则是另一回事。所有欧洲国家都已经达到同等的资本主义发展阶段，它们都已经提供了资本主义所能提供的一切。资本主义在本国范围内已经容纳不下，所以，现在便来争夺地球上剩下的最后一些未被占领的地盘。"如果说 18 世纪和 19 世纪的民族战争曾标志着资本主义的开始，那

---

① 《列宁全集》第 26 卷，人民出版社 2017 年版，第 34 页。
② 《列宁选集》第 2 卷，人民出版社 2012 年版，第 403 页。
③ 《列宁选集》第 2 卷，人民出版社 2012 年版，第 514 页。

么帝国主义战争则表明资本主义的终结"。① 由此可见，由民族战争到帝国主义战争的转化，是资产阶级战争的性质的转化，是战争由进步到落后、反动的转化。

列宁认为，关于这场战争的性质的认识的重要性，在于它"是马克思主义者解决自己对战争的态度问题的必要前提"。一些参战国的社会党人和第二国际（1889—1914）的领袖们在战争面前陷入沙文主义，认识上的原因就在于他们没有弄清楚这场战争的性质。列宁指出了这一点并提出了弄清战争的性质的方法。这就是：首先"必须判明这次战争的客观条件和具体环境是怎样的"。"必须把这次战争和产生它的历史环境联系起来"②。"客观条件和具体环境"、"历史环境"，其实是一个东西，即它们都是资本主义发展为帝国主义的事实。列宁指出："不理解这场战争是帝国主义战争，不能用历史观点观察这场战争的社会党人，就根本不会懂得这场战争。"③列宁运用历史的观点和方法，不仅在民族战争与帝国主义战争的比较中揭示了这场战争的帝国主义性质，而且通过现代史的考察揭示这场战争的性质。列宁指出，帝国主义，作为美洲和欧洲然后是亚洲的资本主义的最高阶段，截至 1898 年—1914 年这一时期已完全完成。美西战争（1898）、英布战争（1899—1902）、日俄战争（1904—1905）以及欧洲 1900 年的经济危机，"这就是世界历史新时代的主要历史里程碑"④。列宁揭露了资本主义的现代史就是帝国主义史，而帝国主义史就是战争史这样一个规律与事实，并从中看到正在发生的战争的帝国主义性质。从以上论述看，列宁并没有直接谈到 1914 年爆发的这场战争，但是他谈到了这场战争得以发生而且必然发生的条件：欧洲 1900 年的经济危机。这表明，列宁说明问题的方式是把所要说明的事实、事件放到使之得以发生的历史环境中，放到在该环境下发生的事实、事件的历史的联系中。自 1898 年以来世界进入了帝国主义，1914 年爆发的这场战争正是这样一种历史条件发生作用的结果，并且是这个环境下的一系列战争演变的结果，它是发生在人们眼前的战争，然而正如以往历次发生的战争一样，它不会是最后一场这种性质的战争。

与战争性质问题相联系的是战争根源问题，二者都是战争观的根本问题。

---

① 《列宁全集》第 26 卷，人民出版社 2017 年版，第 35 页。
② 《列宁全集》第 26 卷，人民出版社 2017 年版，第 33 页。
③ 《列宁全集》第 26 卷，人民出版社 2017 年版，第 37 页。
④ 《列宁选集》第 2 卷，人民出版社 2012 年版，第 705 页。

在战争发生的问题上，列宁坚持唯物史观的一般观点，认为"战争并不是偶然现象，也不是基督教牧师（他们在宣扬爱国主义、博爱与和平方面并不比机会主义者差）所认为的'罪恶'，而是资本主义的一个不可避免的阶段，它与和平一样，也是资本主义生活的一种合乎规律的形式。"① 在这里，列宁指出了认识战争这一特殊社会现象的一般方向和方法，即把它放到社会发展的规律中来认识。而由于这个规律总是表现在现实社会生活的总体过程中，所以就有必要考察构成该过程和推动社会发展的"全部条件"。列宁在 1914 年 9 月 28 日在瑞士洛桑所作的《就格·瓦·普列汉诺夫的报告〈论社会党人对战争的态度〉所作的发言》中，对普列汉诺夫批评的在这场战争问题上的理论对手的观点表示赞赏。他说："在他的对手看来，目前的战争根本不是以这次或那次进攻为转移的偶然现象，它是由资产阶级社会发展的全部条件酿成的。"② 这是列宁关于战争发生的原因的考察的社会视角。关于这种考察，列宁还有一个更广大的视角，即时代。列宁把现代帝国主义战争的发生，看作是两个大国集团的帝国主义政治的继续，而这种政治"是由帝国主义时代各种关系的总和所产生和培育的"③。列宁关于战争发生的原因的考察，并没有停留于关于条件的全面性和总体性上，而是更重视对决定战争发生的主要条件和基本关系的考察和认识，即着眼于从政治和经济的方面认识战争的发生，从而真正达到关于战争发生的根源的科学认识。

首先是政治方面。因为战争是政治的继续，战争本身就是政治。列宁是带着"怎样找出战争的'真正实质'"的意图来谈战争的发生的。列宁根据战争的政治实质，主张研究战前的政治，研究正在导致和已经导致战争发生的政治。他说："如果政治是帝国主义的政治，就是说，它保护金融资本的利益，掠夺和压迫殖民地以及别人的国家，那么由这种政治产生的战争便是帝国主义战争。如果政治是民族解放的政治，就是说，它反映了反对民族压迫的群众运动，那么由这种政治产生的战争便是民族解放战争。"④ 从列宁的这一论述可以看出，利益是列宁认识战争的性质或"真正实质"的基本视角，战争对金融资本的利益的保护和同时对被压迫民族和国家的利益的侵害，使战争具有了帝国主义这

① 《列宁全集》第 26 卷，人民出版社 2017 年版，第 44 页。
② 《列宁全集》第 26 卷，人民出版社 2017 年版，第 21 页。
③ 《列宁选集》第 2 卷，人民出版社 2012 年版，第 723 页。
④ 《列宁选集》第 2 卷，人民出版社 2012 年版，第 737—738 页。

一特殊的政治性质和政治意义。但是，利益在其意义上或形式上可以表现为政治和经济的，而说到底则是经济的。战争是通过对一定主体的经济利益的实现而表现出其政治意义。所以，战争发生的根源归根结底还是在经济方面。

列宁把正在发生的这场帝国主义战争看作是"各国的政府和资产阶级政党准备了几十年的欧洲大战"，指出使之最终得以爆发的条件有三个：军备的扩张、在各先进国家资本主义发展的最新阶段即帝国主义阶段争夺市场斗争的极端尖锐化、最落后的各东欧君主国的王朝利益①。他还说："当前这场战争是帝国主义性质的战争。这次战争是由这样的时代条件造成的：这时资本主义发展到了最高阶段；这时不仅商品输出，而且资本输出也已经具有最重要的意义；这时生产的卡特尔化和经济生活的国际化达到了相当大的规模；这时殖民政策导致了几乎整个地球的瓜分；——这时世界资本主义生产力的发展已经越出了民族国家划分这种狭隘范围；——这时实现社会主义的客观条件已经完全成熟。"② 列宁说："战争是由半个世纪以来全世界资本的发展、全世界资本的千丝万缕的联系造成的。"③帝国主义时代的资本的发展是通过占有殖民地、追求垄断、抢夺投资场所和原料输出地等实现的，而它的实现则又是随着资本的发展愈来愈需要战争为其打通道路。所以，战争的逻辑是资本的逻辑。

二、在对帝国主义战争的认识和态度上与第二国际机会主义的分歧

还在第一次世界大战爆发前，国际社会党就接连召开三次代表大会，每次会议的议题都包括战争问题，特别是巴塞尔代表会议，更是一次关于战争问题的专项会议。1907 年 8 月 18 日—24 日在德国的斯图加特召开国际社会党代表大会（第二国际第七次代表大会），会议通过的决议明确了各国工人阶级及其在议会中的代表在战争爆发情况下的责任，即竭尽全力利用战争引起的经济和政治危机唤醒各阶层人民的政治觉悟和加速推翻资产阶级的统治。1910 年 8 月 28 日—9 月 3 日，在丹麦的哥本哈根召开的国际社会党代表大会（第二国

---

① 《列宁选集》第 2 卷，人民出版社 2012 年版，第 403 页。

② 《列宁全集》第 26 卷，人民出版社 2017 年版，第 164 页。

③ 《列宁选集》第 3 卷，人民出版社 2012 年版，第 47 页。

际第八次代表大会），议题之一是反对军国主义与战争问题，会议通过的决议重申了斯图加特代表大会的决议。1912 年 11 月 24 日—25 日在瑞士的巴塞尔再次召开国际社会党代表大会，这是在巴尔干战争爆发、第一次世界大战危险日益迫近的形势下召开的一次非常代表大会。会议只讨论一个问题，即反对军国主义与战争威胁。会议通过了题为《国际局势和反对战争的统一行动》的决议，即著名的巴塞尔宣言。宣言揭露了正在酝酿的帝国主义战争的侵略目的，号召世界工人积极展开反对帝国主义战争的斗争，并建议社会党人在帝国主义战争爆发时，要利用战争造成的经济和政治危机来进行社会主义革命。

巴塞尔代表大会结束不到两年，第一次世界大战爆发。在战争面前，各国社会党人表现出对于战争的不同认识和态度。严重的情况是，欧洲多数正式的社会民主党对战争采取了社会沙文主义立场。一些主要欧洲国家的社会党的领袖和第二国际的领袖甚至直接参加了资产阶级政府。战争伊始，就有一种背叛《巴塞尔宣言》精神的社会沙文主义气氛弥漫在国际社会，毒害着战争发生国家的人民。以列宁、卡尔·李卜克内西（1871—1919）等为代表的革命马克思主义者同第二国际机会主义者、社会沙文主义者进行了坚决斗争。第二国际也由于在战争面前表现的机会主义、社会沙文主义而走向破产。

社会沙文主义肯定在这场帝国主义战争中的"保卫祖国"的思想，为社会党人在这场战争中同本国资产阶级和政府实行联合做辩护，拒绝宣传和支持无产阶级反对本国的资产阶级的革命行动。它的基本思想政治内容同机会主义的基本原则是完全一致的。社会沙文主义"是机会主义在 1914—1915 年的战争环境中的产物"[1]，"是登峰造极的机会主义"[2]。这种机会主义，尤以考茨基对这场战争的认识和态度具有代表性。在《战争时期的社会民主党》（1914 年 10 月 2 日《新时代》杂志第 1 期）一文中，考茨基说："现在的实际问题是：是本国获胜还是失败。"对于在各交战国的政党之间是否可以就反战行动达成协议的问题，考茨基做了否定性回答，说什么"这种事情还从来没有在实践中试验过。我们是一向对这种可能性提出异议的……。"他还说，两个敌对国家的社会党人——法国社会党人与德国社会党人之间的分歧因他们都保卫祖国而"不是原则性的分歧"。"各国社会民主党人都有同等的权利或者说同等的义务来保

---

[1] 《列宁选集》第 2 卷，人民出版社 2012 年版，第 489 页。
[2] 《列宁全集》第 27 卷，人民出版社 2017 年版，第 107 页。

卫祖国，任何一个民族都不应当责备另一个民族这样做"。短短几句话，暴露了他对待这场战争的社会沙文主义立场。

认识上的社会沙文主义表现在行动上，就是欧洲各社会党的议会党团投票赞成本国给予战争以军事拨款和他们的领袖纷纷参加资产阶级政府。1914 年 8 月 4 日，德国社会民主党党团在帝国国会中同资产阶级和容克的代表一起投票赞成 50 亿马克的军事拨款。胡·哈阿兹（1863—1919）代表整个社会民主党党团发表宣言，声称："我们现在面临着战争这一铁的事实。我们正遭受敌人入侵的威胁。我们现在不应当是为赞成战争或者反对战争投票，而应当是解决为保卫国家所必需的拨款问题。"宣言最后说，社会民主党有义务"投票赞成所需拨款"。比利时社会党人的机会主义领袖们还在战争爆发前就采取了社会沙文主义立场。1914 年 8 月 2 日，比利时工人党总委员会会议讨论了战争威胁问题，通过了关于放弃街头游行示威的决议，并责成社会党人议员在议会中投票赞成军事拨款。8 月 3 日，比利时工人党领导人发表了号召人民支持战争的呼吁书。比利时工人党领袖、第二国际社会党国际局主席埃·王德威尔得参加了比利时政府，任司法部长。法国社会党领袖也采取了同样的立场。8 月 2 日，过去曾要求以总罢工回答资产阶级发动战争的法国社会党领导人爱·瓦扬（1840—1915）在巴黎召开的动员大会上发表讲话，宣称一旦战争爆发，"社会党人将对祖国、对共和国和革命尽自己的义务"。8 月 4 日，社会党人在议会中一致投票赞成军事拨款，赞成禁止罢工、集会和实行军事书报检查制度。社会党人茹尔·盖得（1845—1922）、马·桑巴（1862—1922）于 8 月底、阿·托马（1878—1932）稍后不久相继参加了法国帝国主义政府（国防内阁），盖得任不管部部长，桑巴任公共工程部部长，托马任国务秘书（后任军需部部长）。在政府各部和城市自治机关中，社会党人和工会领导人也积极帮助资产阶级进行战争。

列宁站在革命马克思主义立场上，呼吁各国社会民主党人要在各种不同场合利用不同形式宣传这次世界战争的帝国主义性质和国际工人组织对其应采取的态度，特别是要揭露并反对国际社会民主党内的社会沙文主义。

对战争的正确态度，来源于对战争的正确认识。这种认识，就正在发生的这次战争来说，首先是对它的性质的认识，其次是关于战争发生的条件、它与时代的联系、它的表现特征等的认识。它们构成列宁的科学战争观的基本内容。

首先，列宁指出了包括正在发生的这次战争在内的一切战争的客观性。"战争并不是偶然现象，也不是基督教牧师（他们在宣扬爱国主义、博爱与和平方面并不比机会主义者差）所认为的'罪恶'，而是资本主义的一个不可避免的阶段，它与和平一样，也是资本主义生活的一种合乎规律的形式。"① 当前的战争是民族之间的战争，但是，"根据这个事实不应该得出结论说，必须顺应'民众的'沙文主义潮流，应该得出的结论是，使各民族分裂的那些阶级矛盾在战时，在战争中，在战争的条件下还继续存在并将表现出来。"② 在列宁看来，关于战争的阶级性质不仅是理解战争发生的客观根据，而且是决定社会党人对于战争，特别是正在发生的这次世界战争采取何种态度的根据。一些社会党人在这场战争面前之所以采取沙文主义立场，其思想政治基础正是用阶级合作代替了阶级斗争。列宁说："维护阶级合作，背弃社会主义革命的思想和革命的斗争方法，迎合资产阶级民族主义，忘记了民族或祖国的疆界的历史暂时性，盲目崇拜资产阶级所容许的合法性，由于害怕脱离'广大群众'（应读做：小资产阶级）而放弃阶级观点和阶级斗争——这些无疑就是机会主义的思想基础。而第二国际大多数领袖当前的沙文主义、爱国主义情绪，正是在这种土壤上面生长起来的。"③

其次，列宁指出战争并不总是带来消极结果。战争可能引起革命。列宁把正在发生的这场战争看作是帝国主义时代的产物，是各帝国主义国家为争夺领土，实现资本扩张和扩大自己的势力范围而发生的战争，是强盗之间的战争，因而战争本身无正义和进步可言。但是，由于战争总是一定时期一定国家之间、地区之间、民族之间、阶级之间，总之是不同利益集团之间矛盾冲突的结果，因而，战争意味着"最严重的历史性的危机"。所谓战争是政治的继续，是政治的极端表现形式，不能被认为是关于社会的和阶级的矛盾的政治解决形式的危机，而是社会本身的危机，是社会的政治危机。只是这种危机最终还是采取了战争这种特殊的解决方式。所以，就战争的性质而言，一般不是看战争的结果，而是看战争的起因，也就是人们为什么而战，为谁的利益而战。所以，战争的性质一开始就是与战争的主体即它的阶级性质联系在一起的。正在发生的这一次战争，之所以没有任何进步意义可言，就因为它是帝国主义之

---

① 《列宁全集》第 26 卷，人民出版社 2017 年版，第 44 页。
② 《列宁全集》第 26 卷，人民出版社 2017 年版，第 44—45 页。
③ 《列宁全集》第 26 卷，人民出版社 2017 年版，第 40 页。

间的战争，它只是在表面上采取了民族战争的形式，其实交战双方是两个不同的资产阶级利益集团。它们同是过了时的腐朽没落的阶级。但是，这并不意味着这种由危机产生的战争和表现为危机的战争、这种反动的落后阶级的战争，其结果是完全消极的。消极的战争会带来不自觉的积极的结果，这就是："战争也同任何危机一样，使潜伏于深处的矛盾尖锐化和表面化，它扯掉一切虚伪的外衣，抛弃一切俗套，破坏一切腐朽的或者说已经完全腐败的权威。"正是在这个意义上，列宁认为这场欧洲大战"意味着新时代的开始"①。这里实际涉及自阶级社会产生以来构成人类历史生活重要内容的另一重大问题，即革命问题。革命是新制度代替旧制度、新的社会形态代替旧的社会形态的重大历史转折，它因而成为历史进入新时代的象征。正是基于革命与战争的这种内在联系，"巴塞尔宣言重申斯图加特决议的主张，认为战争一旦爆发，社会党人就应当利用战争造成的'经济和政治危机'来'加速资本主义的崩溃'，也就是利用战争给各国政府造成的困难和群众的愤慨来进行社会主义革命。"②

第三，"对于战争，在不同的时期应该持不同的态度"。针对在世界大战面前各国社会民主党表现出来的社会沙文主义，列宁谈到用历史的观点认识战争和对待战争的问题。他反对不顾时代变化、历史环境和阶级关系的变化来认识战争，不能区分不同时代发生的不同性质的战争，尤其反对把帝国主义时代与资产阶级民主民族运动时代混淆起来，进而把两个不同时代的战争混淆起来。他认为，社会沙文主义的思想基础就是由时代的混淆而引起不同性质的战争的混淆。要弄清正在发生的这次战争的性质和明确社会党人对待战争的态度，就必须坚持关于战争认识的正确方法，即历史主义方法。他说："弄清战争的性质，是马克思主义者解决自己对战争的态度问题的必要前提。而要弄清战争的性质，首先必须判明这次战争的客观条件和具体环境是怎样的。必须把这次战争和产生它的历史环境联系起来，只有这样才能确定对它的态度。否则就会对问题作出不是唯物主义的，而是折中主义的解释。"③当前的战争是帝国主义战争，对于这次战争必须采取坚决反对和根本拒绝的态度。不能因为它也表现为民族战争的形式，而把对待资产阶级民主民族运动时代的战争的态度照搬过

---

① 《列宁全集》第26卷，人民出版社2017年版，第105页。
② 《列宁选集》第2卷，人民出版社2012年版，第518页。
③ 《列宁全集》第26卷，人民出版社2017年版，第33页。

来。"根据历史环境、阶级关系等情况，对于战争，在不同的时期应当持不同的态度"①，是马克思主义认识战争和对待战争的基本的和科学的方法论。

三、通过革命结束战争

这次世界性的帝国主义大战是一场没有任何进步意义的历史事件，它带给人类的只有痛苦、灾难和历史的倒退。所以，战争爆发不久，参战国的群众和被压迫国家和民族的人民就表达了强烈的和平愿望，渴望战争早日结束。作为对群众愿望的合理反应，国际社会党人把和平问题当作"目前亟待解决的纲领问题"②。列宁通过一系列著作表达了社会党人在和平问题上的正确立场和观点。

列宁反对一般地谈论和平，即离开实现和平的条件问题谈论和平、宣传和平。但是，对于发动战争的资产阶级政府和殖民地国家和民族的人民来说，对和平条件是有不同理解的。前者总是"提出对'自己的'民族有利的帝国主义的（即掠夺性的、压迫其他民族的）和平条件"，后者则提出民族自由问题。但是，民族自由如何获得呢？它可能是压迫者、殖民者赐予的吗？当然不是。它是被压迫民族、殖民地人民通过斗争争得的。"斗争"只是个一般性的表达，它的实质与前景则是革命。列宁指出："民族自由的要求如果不是用来掩盖某些个别国家的帝国主义和民族主义的一句假话，那么这个要求就应当普遍适用于一切民族和一切殖民地。而没有一切先进国家的一系列革命，这个要求显然是毫无内容的。不仅如此，没有社会主义革命的胜利，这个要求也是不可能实现的"③。社会党人开展斗争必须利用群众渴望和平的愿望，并且向他们说明："没有一系列的革命，他们所期待于和平的那些好处都是不可能得到的。"④ 他还说，社会党人不能听任伪善的饶舌者用可能实现民主的和平的空话和诺言去欺骗人民，而应当向群众说明，"如果不进行一系列革命，不在各个国家进行反对自己的政府的革命斗争，任何一点儿民主的和平都是不可能的"⑤。在这

---

① 《列宁全集》第 26 卷，人民出版社 2017 年版，第 33 页。
② 《列宁全集》第 26 卷，人民出版社 2017 年版，第 313 页。
③ 《列宁全集》第 26 卷，人民出版社 2017 年版，第 315 页。
④ 《列宁全集》第 26 卷，人民出版社 2017 年版，第 316 页。
⑤ 《列宁全集》第 26 卷，人民出版社 2017 年版，第 317 页。

里，列宁提出一个关于战争与和平问题上的马克思主义基本原理，即通过革命结束战争的原理。

以革命结束战争这一结论、原理是列宁从战争与资产阶级的社会关系的联系中提出的。战争，作为政治的继续，作为阶级斗争的特殊形式，归根结底表现的是一定社会的现实的社会关系，一定社会的阶级关系。这一马克思主义战争观决定了无产阶级革命政党对待战争的态度。在著名的《社会主义与战争》这本小册子中，列宁谈到社会党人同资产阶级和平主义者（和平的拥护者和鼓吹者）和无政府主义者在对战争的态度问题上的"原则的区别"。他说："我们和资产阶级和平主义者不同的是，我们懂得战争和国内阶级斗争有必然的联系，懂得不消灭阶级，不建立社会主义，就不可能消灭战争，再就是我们完全承认国内战争即被压迫阶级反对压迫阶级……的战争是合理的、进步的和必要的。"[1] 帝国主义时代，帝国主义国家之间的战争是以"资产阶级的社会关系"为基础的战争。帝国主义国家对弱小民族和国家发动的侵略战争和这些民族、国家反抗侵略的战争，它们的解放战争，都是以这些民族和国家的一定的阶级关系为基础的。那种在民族解放战争中发生的，特别是在这个战争基础上发展起来的以社会主义革命为内容的"国内战争"，归根结底是以无产阶级和资产阶级两个基本阶级之间的斗争为基础的。这一事实正是列宁否定那种以为在不触动资产阶级的社会关系基础条件下而能够实现和平的幻想的客观根据。列宁指出："在现存的即资产阶级的社会关系的基础没有被触动的情况下，帝国主义战争只能导致帝国主义的和平"[2]。所谓"帝国主义的和平"，不是指帝国主义国家之间的和平，而是指保持"现今的资产阶级政府的条件下"的和平。列宁说，这种"和平"只能巩固、扩大和加强金融资本对弱小民族和国家的压迫。金融资本不但在这场战争以前而且在战争进行中有了特别巨大的增长。两个大国集团的资产阶级和政府无论在战前或在战争期间所推行的政治，其客观内容都导致阶级压迫、民族奴役和政治反动的加强。"因此，在保存资产阶级社会制度的条件下，不管战争结局如何，结束这场战争的和平都只会使群众的经济政治地位的这种恶化固定下来。"[3] 所以，"'抽象地'宣传和平，即不考虑各交战国

---

[1] 《列宁选集》第 2 卷，人民出版社 2012 年版，第 510 页。

[2] 《列宁全集》第 27 卷，人民出版社 2017 年版，第 294 页。

[3] 《列宁全集》第 27 卷，人民出版社 2017 年版，第 294、297 页。

现有政府的真实阶级本质，尤其是帝国主义本质，那就是蒙蔽工人"①。

战争在进行了两个整年之后，国际间出现了俄国和德国正在举行单独媾和的谈判的传闻。但是不管这个传闻有多么广泛和提出了什么证据，德俄两国政府对此都采取了否定的态度，驻伯尔尼的俄国大使馆还出来正式辟谣。列宁对此是不怀疑的。这里有个对事件真实性的判断的方法问题。列宁说："为了弄清单独媾和问题，我们不应当从关于目前瑞士发生的、实际上无法验证的事情的传闻和消息出发，而应当从最近几十年来确凿的政治事实出发。"②在列宁看来，正是这种历史的"政治事实"才是决定事件发生与否的客观根据。实际上，不仅大战过程中具体事件发生的可能性存在于这种"政治事实"中，而且大战本身发生的可能性也存在于这种"政治事实"中。列宁说："引起这场战争的是各大国之间的帝国主义关系"。它表现为两个方面，一是各大国为瓜分赃物、由谁并吞哪些殖民地和小国的斗争，二是在这场战争中居于首位的"两种冲突"，即英德之间的冲突和德俄之间的冲突。"两种冲突都是由这些国家战前几十年中的全部政治准备好了的。"列宁用较大篇幅详尽考察了三个国家之间的关系（这种关系也同时把一系列相关大国和小国的关系也牵扯进来）的演变，列宁发现，同引起战争的原因归根结底在于大国之间的利益关系一样，促使交战国达成和约的条件归根结底也在于双方对各自实力和利益的精心计算。列宁承认帝国主义和约是结束帝国主义战争的可能的形式，但是在帝国主义制度存在的条件下，和约对于结束战争只具有暂时的意义，因而在帝国主义条件下所谓和平也只能是暂时的、表面的，永久和平的到来同帝国主义的灭亡是同一个过程。正如列宁所说："不管这场战争的结局怎样，实际将证明有一些人说得对：摆脱这场战争的唯一的社会主义的出路，只能是无产阶级进行争取社会主义的国内战争。"③

列宁关于通过革命结束战争的思想还包含以下丰富内容：

第一，革命是一种行动，并且要求社会党人要把结束战争，实现各国人民之间的和平的理想同"立即直接鼓吹革命行动"结合起来。④

第二，革命不是一次性的，而是一个系列。列宁指出，以为不经过"多次

---

① 《列宁选集》第 2 卷，人民出版社 2012 年版，第 778 页。
② 《列宁全集》第 28 卷，人民出版社 2017 年版，第 192 页。
③ 《列宁全集》第 28 卷，人民出版社 2017 年版，第 200 页。
④ 《列宁全集》第 26 卷，人民出版社 2017 年版，第 316 页。

革命"和平就能实现，这是资产阶级诡辩家对工人的欺骗。他说："结束战争应当是而且必将是一系列国家革命的结果，即由新的阶级夺取国家政权的结果。"①

第三，革命的性质是社会主义，革命的前途是建立无产阶级的革命专政和社会主义制度。在列宁的通过革命结束战争的思想中，革命这个概念的内涵对于不同的参战国家来说，是不一样的。对于俄国这样的总的来说还是封建专制国家来说，革命包括民主主义革命和社会主义革命两重含义，但这两重含义的革命却不应被理解为并列的各自独立的两个内容，而是服从于同一个过程和目标的两个前后相继的阶段。列宁在以下关于俄国如何通过革命而结束战争的论述中表达了这一思想。他指出："1917 年二、三月的俄国革命，是变帝国主义战争为国内战争的开端。这次革命迈出了停止战争的第一步。但是只有迈出第二步，即把国家政权转到无产阶级手中，才能保证停止战争。这将是在全世界'突破战线'——突破资本利益的战线的开始；无产阶级只有突破这条战线，才能使人类摆脱战争的惨祸，给人类带来持久和平的幸福。"② 列宁的意思是，单靠前一革命是不能彻底结束战争的，甚至是不能结束战争的，而必须使革命向前发展，也就是由资产阶级革命发展为社会主义革命。没有社会主义革命，所谓结束战争就只能是一句空话。通过社会主义革命而结束战争，无论是对于被压迫民族和国家、对于殖民地国家来说，还是对于一切先进的资本主义国家来说，是一个普遍适应的真理。而社会主义革命就是全部国家政权转到真正能够消灭资本压迫的无产者和半无产者阶级手里，就是实现社会主义制度。

第二节　战争与经济政治不平衡条件下的革命问题

世界历史的演进把革命与战争联系在一起。列宁研究了正在发生的这场战

---

① 《列宁全集》第 29 卷，人民出版社 2017 年版，第 453—454 页。

② 《列宁全集》第 29 卷，人民出版社 2017 年版，第 160 页。

争条件下革命发生的可能性。战争客观上造成的革命形势，为变帝国主义战争
为国内战争提供了客观基础。国内战争的实质是无产阶级反对资产阶级统治的
社会主义革命，但帝国主义体系和由此决定的世界革命的总体性又把落后国家
的民族民主革命纳入社会主义革命过程中来，由此列宁把俄国的民主革命看作
是世界社会主义革命的序幕和阶梯。列宁把关于战争条件下革命问题的探索扩
展到帝国主义时代资本主义经济政治运动的一般背景下，发现世界经济政治发
展不平衡规律，并根据这一规律作出社会主义革命已经失去在一切国家同时胜
利的可能而"将首先在一个或者几个国家内获得胜利"的结论，创造性地发展
了马克思主义社会革命理论。列宁根据这个规律和二月革命后俄国国内形势的
发展提出俄国社会主义革命可能首先发生和首先胜利的科学预见。

一、战争造成革命的形势

1914 年 8 月，各国政府和资产阶级政党准备了几十年的欧洲大战终于爆
发。大战在给世界人民，特别是交战国家的人民带来巨大灾难的同时，也造
成了革命的形势。列宁曾经谈到造成这场战争的"时代条件"，认为它同战争
一起又构成革命可能发生的条件。这个条件是：资本主义发展到了最高阶段；
不仅商品输出，而且资本输出也已经具有了最重要的意义；生产的卡特尔化和
经济生活的国际化达到了相当大的规模；殖民政策导致了几乎整个地球的被瓜
分；世界资本主义生产力的发展已经越出了民族国家划分这种狭隘范围。最
后，还有"实现社会主义的客观条件已经完全成熟"[①]。战争发生的"时代条件"
和革命发生的条件具有一致性，它们都是帝国主义国家内社会矛盾激化的结
果。但是，战争与革命毕竟是相互联系的两种不同性质和类型的历史事件，特
别是革命是一种进步阶级发动和直接推动历史进步的历史事件，它的发生需要
有比战争发生更充分的性质不同的历史条件。战争发生学和革命发生学是相互
联系的但又可以区分开来的两种不同的历史学说。在这里，列宁虽然把实现社
会主义革命的条件的成熟纳入到战争发生的"历史条件"中来，但是不能把它
理解为列宁把它看作引发战争的原因，而应把它看作战争发生的一个特殊的历

---

① 《列宁全集》第 26 卷，人民出版社 2017 年版，第 164 页。

史背景。列宁的意图只是为了说明革命与战争具有一种内在的联系，革命可能伴随战争而发生。当战争成为一种现实的时候，革命与战争之间的联系就是可能的，战争不仅成为革命发生的一般环境，还是革命发生的推进剂。"革命潜伏在战争中"。所谓"战争引起革命"，其含义就在于战争造成了革命形势。

战争中的革命形势问题是特殊历史条件下革命发生和发展的问题，它构成了马克思主义革命理论的特定主题和重要内容。列宁重视战争中的革命形势问题，即帝国主义战争中的社会主义革命问题。其客观原因在于战争对于人类社会生活特别是参战国的社会生活、群众情绪和革命群众运动的实际影响。列宁从革命形势的表现特征来理解革命形势的本质。根据历史经验特别是俄国经验，列宁认为革命形势有三个"主要特征"：（1）统治阶级已经不可能照旧不变地维持自己的统治；"上层"的这种或那种危机，统治阶级在政治上的危机，给被压迫阶级的不满和愤慨的迸发造成突破口。要使革命到来，单是"下层不愿"照旧生活下去通常是不够的，还需要"上层不能"照旧生活下去。（2）被压迫阶级的贫困和苦难超乎寻常地加剧。（3）由于上述原因，群众积极性大大提高，这些群众在"和平"时期忍气吞声地受人掠夺，而在风暴时期，无论整个危机的环境，还是"上层"本身，都促使他们投身于独立的历史性行动。这三个"主要特征"是使革命得以发生的"不以各个集团和政党的意志、而且也不以各个阶级的意志为转移的客观变化"。他说："这些客观变化的总和就叫做革命形势。"① 在革命形势与革命发生的关系上，列宁主张，没有革命形势，就不可能发生革命，革命形势是革命发生的客观前提。战争造成了革命形势，因而战争可能引发革命。坚持革命形势决定革命发生的观点就是坚持战争与革命关系上的唯物主义。

但是，马克思主义在战争与革命关系问题上的唯物主义，是辩证的历史的唯物主义。一方面，它不把"战争引起革命"看作是绝对的，不把战争看作是革命形势形成和革命发生的唯一的决定性条件；另一方面，它认为并不是任何战争都能引起革命，并不是有了革命形势革命就一定能够发生。关于第一个方面，列宁用历史事实做了说明。这个事实就是，在这场帝国主义战争发生前，在先进的资本主义国家和从西欧和美国的形势看，社会主义革命的条件即革命形势就已经形成。他说："帝国主义是资本主义发展的最高阶段。在各先

---

① 《列宁选集》第 2 卷，人民出版社 2012 年版，第 461 页。

进国家里，资本的发展超出了民族国家的范围，用垄断代替了竞争，从而创造了能够实现社会主义的一切客观前提。因此，在西欧和美国，无产阶级推翻资本主义政府、剥夺资产阶级的革命斗争已经提上日程。"①"至于西欧社会主义革命的客观条件已经完全成熟，这是无须我们在这里加以证明的；早在大战以前，各先进国家的一切有影响的社会党人就承认了这一点"②，甚至"转到资产阶级方面去了的社会主义运动的一切领袖"在战前也反复说过这样一个真理："现代资本主义社会，特别是在各先进国家内，过渡到社会主义的条件已经完全成熟了。"③ 在这里，革命发生的条件的成熟和战争爆发的条件的形成可以说是同时的，二者并未形成因果关系。但是，当战争已经成为事实，革命与战争相遇，毫无疑问，战争就成为革命可以借助的力量，战争实际也成为了这种力量。"战争造成革命形势"，即革命因战争而获得更加充分的发展条件，战争激化了已经发生的社会矛盾和反对资产阶级统治的革命运动，从而使已经获得和逐渐成熟起来的革命条件日益成为触发革命爆发的现实力量。这是"战争造成革命形势"的基本含义。

关于第二个方面，列宁同样用历史经验做了说明。他指出这样的事实：革命形势在 1905 年的俄国，在西欧各个革命时代都曾经有过；这种形势在 19 世纪 60 年代的德国，在 1850—1861 年和 1879—1880 年的俄国也曾经有过，当时却没有发生革命。这是为什么呢？"因为不是任何革命形势都会产生革命，只有在上述客观变化再加上主观变化的形势下才会产生革命，即必须再加上革命阶级能够发动足以摧毁（或打垮）旧政府的强大的革命群众运动"④。革命群众运动发展不足是革命的主观条件发展不足的表现。"客观变化"与"主观变化"的统一是革命的一般规律。如果没有客观基础，革命就不可能发生；但是，如果只有客观基础，而没有主观条件或者主观条件发展不充分，革命照样不会发生。在目前这场战争中，革命形势的存在是一个不争事实，问题只在于革命的主观方面，在于革命发动不足。这使列宁在一系列著作和讲话中所谈的问题主要不是怎样发展革命，而是怎样利用战争日益被激发起来的群众革命情绪向群众革命运动发展。列宁指出，当前战争中的革命形势是否能够长久地持续下

① 《列宁选集》第 2 卷，人民出版社 2012 年版，第 561 页。
② 《列宁全集》第 27 卷，人民出版社 2017 年版，第 97 页。
③ 《列宁全集》第 28 卷，人民出版社 2017 年版，第 260 页。
④ 《列宁选集》第 2 卷，人民出版社 2012 年版，第 461 页。

去，它会尖锐到什么程度？它是否会引起革命？这些我们都不知道，而且谁也不可能知道。只有先进阶级——无产阶级革命情绪的发展及其向革命行动转变的经验才能告诉我们。这里根本谈不上什么"幻想"，也谈不上什么幻想被推翻的问题，因为，任何一个社会党人在任何地方和任何时候都没有保证过，正是目前这次（而不是下一次）战争，正是现在的（而不是明天的）革命形势将产生革命。"这里所谈的是一切社会党人的不可推诿的和最基本的任务，即向群众揭示革命形势的存在，说明革命形势的广度和深度，唤起无产阶级的革命意识和革命决心，帮助无产阶级转向革命行动，并建立适应革命形势需要的、进行这方面工作的组织。"①

二、变帝国主义战争为国内战争

"战时的革命就是国内战争"②。"变帝国主义战争为国内战争"是战争爆发后列宁提出的国际无产阶级在大战中坚持的行动策略和战斗口号。关于"变帝国主义战争为国内战争"的思想已经写入国际社会党人斯图加特、哥本哈根和巴塞尔代表大会的决议，"巴塞尔宣言"把这个思想最初表达为，战争一旦爆发，社会党人就应当利用战争造成的"经济和政治危机"来"加速资本主义的崩溃"，也就是利用战争给各国政府造成的困难和群众的愤慨来进行社会主义革命。战争爆发后，在为俄国社会民主工党中央委员会起草的"第一个表明布尔什维克党对待已爆发的帝国主义世界大战的态度的正式宣言"——《战争和俄国社会民主党》中，列宁第一次把这个思想、主张概括为"变当前的帝国主义战争为国内战争"，并指出它"是唯一正确的无产阶级口号"③。

"变帝国主义战争为国内战争"的提出不是社会党人主观臆想的结果，而是当前战争灾难的所有客观条件产生的必然结果。列宁指出，正像革命是无法"制造"的一样，"变帝国主义战争为国内战争"这种转变也是无法"制造"的，"它是从帝国主义战争的一系列各种各样的现象、方面、特征、属性和后果中发展

① 《列宁选集》第2卷，人民出版社2012年版，第463—464页。
② 《列宁全集》第26卷，人民出版社2017年版，第298页。
③ 《列宁选集》第2卷，人民出版社2012年版，第409页。

起来的。"①"变帝国主义战争为国内战争"的客观性，决定它能够成为工人阶级适应新时期各种条件的真正的革命策略。

"变帝国主义战争为国内战争"虽然具有客观必然性，但转变不是自发的，而是革命阶级实际斗争的结果；它也不是一个可以仅仅停留于口头的激进主义口号，而是一个阶级的实际的行动。列宁告诫他的战友和国际社会党人，既然战争已经成为事实，那么，不管这种转变在某一时刻会遇到多大困难，社会党人也决不放弃在这方面进行经常不断的、坚定不移的、始终不渝的准备工作。只有沿着这条道路，无产阶级才能摆脱依附"沙文主义资产阶级"的地位，才能以不同的形式比较迅速地迈出坚定的步伐，走向各民族的真正自由，走向社会主义。② 在这个意义上，"变帝国主义战争为国内战争"成为一个被无产阶级及其政党适时提出的战斗号令。它的内容是：这场帝国主义战争正在开创一个社会革命的纪元。现时代的一切客观条件正在把无产阶级的群众革命斗争提到日程上来。社会党人的责任就是，在不放弃工人阶级的任何一种合法的斗争手段的同时，使它们服从于这项最迫切最重要的任务，提高工人的革命觉悟，使他们在国际的革命斗争中团结起来，支持和推进一切革命行动，力求把各国之间的这场帝国主义战争变为被压迫阶级剥夺资本家阶级的战争，变为无产阶级夺取政权、实现社会主义的战争。适时地提出"变帝国主义战争为国内战争"是列宁在战争与革命关系问题上的一个重要思想。而这个转变任务无论是以口号的形式提出，还是以纲领的形式提出，最终都要落实到行动上。列宁主张，当着事变的实际进程把革命在1914—1916年间提上了日程，并从战争中发展起来的时候，就应当以革命阶级的名义"宣布"这一点，即大胆地彻底地指出它的纲领：争取实现社会主义，而在战争时代，没有反对反动透顶的、罪恶的、使人民遭受无法形容的灾难的资产阶级的国内战争，这是不可能的。应当周密考虑出系统的、彻底的、实际的、不论革命危机以何种速度发展都是绝对可行的，适合于日益成熟的革命形势的行动。

什么是国内战争？国内战争这个概念是马克思和恩格斯早在《共产党宣言》中就已经提出和使用过的。在制定在这次帝国主义战争中的革命策略的时候，国际社会民主党人继承了这个概念。马克思和恩格斯指出："如果不就内

① 《列宁全集》第 26 卷，人民出版社 2017 年版，第 300 页。
② 《列宁选集》第 2 卷，人民出版社 2012 年版，第 409—410 页。

容而就形式来说，无产阶级反对资产阶级的斗争首先是一国范围内的斗争。每一个国家的无产阶级当然首先应该打倒本国的资产阶级。""在叙述无产阶级发展的最一般的阶段的时候，我们循序探讨了现存社会内部或多或少隐藏着的国内战争，直到这个战争爆发为公开的革命，无产阶级用暴力推翻资产阶级而建立自己的统治。"①国内战争，马克思和恩格斯在这里指的不是一般意义的战争，而是包括战争这一特殊形式在内的国内阶级斗争，这种斗争的内容虽然是无产阶级反对资产阶级的斗争，但还没有发展为无产阶级革命的高度。它是无产阶级革命爆发前的可能具有一般战争形式或可能不具有这种形式的无产阶级反对资产阶级的阶级斗争。而由帝国主义战争转变而来的国内战争所指则不仅是战争，而且是革命，即具有直接行动意义的社会主义革命。这种革命以推翻资产阶级的统治，无产阶级夺取政权为直接目的。列宁对国内战争做了明确阐释，指出在"当前这个时代"的国内战争，"是无产阶级拿起武器反对资产阶级，在先进资本主义国家剥夺资本家阶级，在俄国实行民主革命（建立民主共和国，实行八小时工作制、没收地主土地），在一般落后的君主国建立共和国，等等"②。国内战争就是"被压迫者反对压迫者并争取社会主义"③。列宁批评机会主义者否定阶级斗争及其在一定时机转变为国内战争的必然性，而鼓吹阶级合作的行为。

这一时期提出国内战争问题的意义在于诉诸无产阶级革命，更在于诉诸革命的直接的行动。1915 年 3 月，俄国社会民主党在瑞士召开的国外支部代表会议上提出的"变当前的帝国主义战争为国内战争"应当采取的行动步骤是：（1）无条件拒绝投票赞成军事拨款，退出资产阶级内阁；（2）同"国内和平"政策彻底决裂；（3）在政府和资产阶级实行戒严、取消宪法规定的自由的一切地方建立秘密组织；（4）支持各交战国士兵在所有的战壕内和整个战场上举行联欢；（5）支持无产阶级的各种群众性的革命行动④。不要以为俄国社会民主党提出的这个决议只是为了适应俄国的国内环境和任务，它实际是一个国际性的革命行动策略。一年后，在《论尤尼乌斯的小册子》中，列宁重申并强调了决议中提到的上述步骤，并认为"所有这些步骤的顺利实现，必然会导致国内

① 《马克思恩格斯选集》第 1 卷，人民出版社 2012 年版，第 412 页。
② 《列宁全集》第 26 卷，人民出版社 2017 年版，第 165 页。
③ 《列宁全集》第 29 卷，人民出版社 2017 年版，第 92 页。
④ 《列宁全集》第 26 卷，人民出版社 2017 年版，第 166 页。

战争。"①关于行动步骤的意义，应该说明的是，如果把国内战争作为战争转变的结果，那么这些步骤还不具有直接革命的意义，就是说，这些步骤的实施还不具有革命行动的意义，它只是实现革命的必要准备。但是，如果把"变帝国主义战争为国内战争"看作一个过程，那么，就不能不承认这些步骤的实施就具有了国内战争的性质。它就是国内战争。它就是革命。

　　列宁总是以世界无产阶级革命的视野谈论战争中的革命问题，谈论由帝国主义战争向国内战争的转化。而关于战时俄国革命的性质和意义，列宁也总是把它放到世界无产阶级革命的总体来认识，把它看作世界无产阶级革命的一部分，尽管俄国革命就其性质来说还不是无产阶级革命，因为"俄国是一个最落后的国家，在这里不可能直接发生社会主义革命"②。俄国必须首先完成的是资产阶级民主主义革命。列宁特别阐明了俄国革命与先进的资本主义国家的社会主义革命的关系，探索俄国的资产阶级民主革命运动同西欧的社会主义运动是否可能相互配合、相互促进。列宁肯定了两种革命之间的相互配合和相互促进，不仅指出帝国主义战争把俄国的革命危机，即在资产阶级民主革命基础上发生的危机，同西欧日益增长的无产阶级社会主义革命的危机非常紧密地联系起来了，"以致这个或那个国家的革命任务根本不可能单独解决"，而且指出了这种联系的实质，即"俄国资产阶级民主革命现在已不单是西欧社会主义革命的序幕，而且是它的一个不可分割的组成部分了"③。列宁在这里表达了一种总体性的无产阶级革命观。按照这种革命观，虽然"变帝国主义战争为国内战争"的实质在于实现先进资本主义国家的社会主义革命，但是它也适应于落后的俄国，俄国革命同样具有国内战争的性质和意义。只是由于帝国主义时代条件和俄国国内社会矛盾的性质，决定了俄国革命的特殊性，即一方面，在历时性上，它必然要经历两个阶段，即第一阶段的资产阶级民主主义革命和第二阶段的社会主义革命。国内社会矛盾的发展使它的革命不得不经历民主革命的阶段，世界历史条件则使它又不能不进入世界社会主义革命进程中来。正如列宁所说："俄国工人在争取到共和国以后，一定会同各国工人联合起来，勇敢地带领全人类走向社会主义"④。另一方面，在同时性上，使俄国革命具有"按其

① 《列宁选集》第 2 卷，人民出版社 2012 年版，第 701 页。
② 《列宁全集》第 26 卷，人民出版社 2017 年版，第 299 页。
③ 《列宁全集》第 27 卷，人民出版社 2017 年版，第 32 页。
④ 《列宁全集》第 29 卷，人民出版社 2017 年版，第 83 页。

社会内容来说是资产阶级民主革命，按其斗争形式来说却是无产阶级革命"的特点。俄国革命同时也是无产阶级革命，不仅仅是因为无产阶级是运动的领导力量和先锋队，而且还因为无产阶级特有的斗争手段即罢工，是发动群众的主要方法，是种种具有决定意义的事件波浪式前进中的最突出的现象。同时，俄国无产阶级之所以成为全世界革命无产阶级的先锋，列宁说，并不是由于俄国无产阶级的特殊的素质，而只是由于特殊的历史条件①。

三、社会主义将首先在一个或者几个国家内获得胜利

战争条件下的社会主义革命问题是马克思主义社会革命理论的一个特殊问题，是特殊历史条件下的社会主义革命问题。但是，列宁并没有把对这一问题的研究限制在战争条件下，而是把它放到了更广阔的范围内和更一般的历史条件下，提出帝国主义条件下的社会革命问题。列宁还把战争条件下的革命发生学研究向帝国主义条件下革命成功学研究深化，探索帝国主义条件下社会主义革命胜利问题。列宁是在回答"欧洲联邦"是否可能的问题时首先谈到这一问题的，提出了世界经济和政治发展不平衡是帝国主义时代资本主义的一个绝对规律和该条件下"一国或多国革命首先胜利"的论断，创造性地发展了马克思主义社会革命理论。

列宁是把经济和政治发展不平衡作为帝国主义时代资本主义发展过程中的表现规律并且是一个"绝对规律"来看的。列宁的这一认识准确地反映了帝国主义时代资本主义运动的现实。他指出，经济和政治不平衡的根源在于资本主义社会商品生产和竞争规律，在于生产资料的私有制和生产的无政府状态。所以，经济和政治发展不平衡是资本主义社会的固有现象，不只是资本主义的帝国主义时代的现象。所谓经济和政治发展不平衡是帝国主义时代资本主义发展的"绝对规律"，是指这个现象发展到了极端的程度，它不仅是普遍的，而且就表现来说是激烈的，就结果来说是严重的。马克思和恩格斯曾经谈到过自由资本主义条件下的经济发展不平衡现象，指出在资本主义时代竞争是必然的，由竞争带来的企业之间、生产部门之间、各资本主义国家之间的发展的不平衡

---

① 《列宁全集》第29卷，人民出版社2017年版，第90页。

也是必然的。在激烈的竞争中，一些企业兴旺发达，另一些企业破产倒闭，这是资本主义自由竞争条件下每日每时重复发生的事情。经济危机的发生，资本的积聚，特别是新技术的应用，加剧了这种不平衡。但是，总的讲，在自由资本主义时代，不平衡的发展相对较慢。不平衡矛盾的凸显是在资本主义由竞争发展到垄断以后，并且伴随经济不平衡而来的政治不平衡也空前剧烈起来，以致经济与政治一体的不平衡成为垄断资本主义时代的一种基本社会现象，同时也是给资本主义带来重大冲击和破坏的现象。列宁在《论欧洲联邦口号》一文中借对这个口号的评论而集中谈到这个现象。列宁指出，资本已经变成国际的和垄断的资本。世界已经被少数几个依靠大规模掠夺和压迫其他民族而强盛起来的大国瓜分完毕。欧洲四个大国英、法、俄、德，共有 25000 万—30000 万人口和将近 700 万平方公里土地，而它们所占领的殖民地却有近 5 亿人口和6460 万平方公里土地，即差不多占全球面积的一半。此外还有亚洲三个国家，即中国、土耳其、波斯，现在正遭到日、俄、英、法这四个强盗国家的分割。亚洲这三个可以称之为半殖民地（其实它们现在十分之九已经是殖民地）的国家，共有人口 36000 万，土地 1450 万平方公里（也就是说差不多等于全欧洲面积的一倍半）。其次，英、法、德三国在国外的投资不下 700 亿卢布。保证从这笔相当可观的款项上每年能够得到 30 亿卢布以上的"正当"收益的，是百万富翁们的全国委员会即所谓政府。这些委员会拥有陆军和海军，把"亿万富翁"的子弟"安置"在殖民地和半殖民地充当总督、领事、大使、各种官员、牧师和其他吸血虫。列宁说，在资本主义发展到最高程度的时候，少数几个大国对地球上将近 10 亿人口的掠夺，就是这样组织的。在资本主义制度下，也只能这样组织。那么，这是一种什么样的经济不平衡呢？是世界性的经济不平衡，即以英、法、俄、德等大国为代表的经济发展与包括殖民地和半殖民地国家在内的世界绝大多数落后国家经济发展之间的不平衡，另外，还有一种不平衡，就是各帝国主义大国之间的不平衡。这种不平衡往往表现为后起的发展较快的资本主义国家与发展相对较慢的老牌资本主义国家之间的不平衡。列宁谈到，1871 年以后，德国实力的增强要比英、法快两三倍；日本要比俄国快十来倍。

在《论欧洲联邦口号》中，列宁谈的只是帝国主义时代资本主义经济发展的不平衡，而几乎没有谈到政治发展不平衡，但这不影响列宁得出一个关于帝国主义条件下资本主义经济和政治不平衡的完整结论，其根据不仅在于帝国主义条件下资本主义政治不平衡是客观的，还在于经济与政治之间的本来的关系，这种关系就是任何政治都是一定的经济的反映，经济决定政治，经济的不平衡决定政治的不平衡。而战争的发生就是这一关系的实际反映，是摆在欧洲人民和世界人民面前的事实。经济的不平衡和由它导致的工业中的危机总是伴随着战争这一政治现象。战争是直接的政治实力的较量，是以政治形式表现出来的经济实力的较量。

在欧洲联邦的合理性和可能性的评价上，方法论上，列宁做了两个区分：一是把政治上的"欧洲联邦"口号的合理性与欧洲联邦的现实性区分开来；二是把欧洲资本家之间和大国之间缔结暂时的协议（在这个意义上说，建立欧洲联邦）的可能性与同民主的事业和社会主义事业相联系的欧洲联邦的非可能性区分开来。关于第一个区分，列宁指出，如果说同以革命推翻欧洲三国（德、奥、俄）最反动的君主制度（以俄国君主制度为首）联系起来提出的共和国的欧洲联邦这一口号是无懈可击的。但是，"从帝国主义的经济条件来看，即从'先进的'和'文明的'殖民大国的输出资本和瓜分世界这一点来看，欧洲联邦在资本主义制度下不是无法实现的，便是反动的。"[①] 关于第二个区分，列宁指出，资本家之间和大国之间缔结暂时的协定是可能的。在这个意义上，建立欧洲联邦，作为欧洲资本家之间的协定，也是可能的。但是这要看协定的内容，协定的可能性只在共同镇压欧洲社会主义运动，共同保卫已经抢得的殖民地，不让它们被后来发展起来的日本和美国夺走这一点上才能成立。日本和美国这两个国家对于当前这种瓜分殖民地的状况感到极端委屈，而它们近半个世纪以来实力增强之快，远非落后的、君主制的、已经开始老朽的欧洲所能比拟。与美国相比，欧洲整个说来意味着经济上的停滞。在现代经济基础上，即在资本主义制度下，建立欧洲联邦就等于把反动势力组织起来去阻碍美国的更为迅速的发展。这就是说，在后起的处于强势的日本和美国这两个新强盗国家面前，代表欧洲落后的资本主义势力的欧洲联邦是难以建立并维持下去的。还有，就历史发展的大的趋势来说，面对"民主事业和社会主义事业仅仅同欧洲相联系的时代，已经一去不复返了"的现实，欧洲联邦是完全不可能的。

列宁指出，欧洲联邦不能解决资本主义制度下的经济和政治不平衡问题，

---

① 《列宁选集》第 2 卷，人民出版社 2012 年版，第 552 页。

世界联邦的口号也未必是一个具有现实性的正确口号。在共产主义的彻底胜利使一切国家包括民主国家完全消失以前，世界联邦（而不是欧洲联邦）是同社会主义相联系的、各民族实行联合并共享自由的国家形式。由此可见，世界联邦是和社会主义交融在一起的，在现在条件下，提出用世界联邦去解决资本主义的经济和政治不平衡，不如直接提出通过社会主义去解决这种不平衡。这是其一；其二，世界联邦口号会造成一种曲解，以为社会主义不可能在一个国家内获得胜利，并且会使人曲解这样的国家和其余一切国家之间的关系。在列宁看来，"经济和政治发展的不平衡是资本主义的绝对规律。由此就应得出结论：社会主义可能首先在少数甚至在单独一个资本主义国家内获得胜利。"①

　　首先，资本主义国家之间的经济和政治发展不平衡必然引起各资本主义国家之间的斗争，这种斗争的极端形式就是战争。战争被交战双方当作解决矛盾和不平衡的手段，而实际上资本主义国家之间的这种矛盾和不平衡是不能靠战争来解决的，或者说是战争所不能解决的。战争的实际作用是怎样的呢？它可能使交战的某一方力量得到加强，使另一方被削弱，但在总体上则使资本主义的力量得到削弱，并进一步加剧原有的资本主义国家之间的矛盾和不平衡；其次，新技术的应用、新殖民地的开辟、资本的迅速增值与扩张和先进的管理方式的运用等，使一些后起的资本主义国家跳跃式地超过老牌资本主义国家，成为资本主义体系中的新的统治力量。这种重复上演的竞争中的垄断和垄断中的竞争，使一些国家在资本主义体系中的地位不断发生变化，总有国家不断被排挤出强大的、垄断的国家行列，衰落为资本主义体系或帝国主义链条中的"薄弱环节"。"薄弱环节"是资本主义竞争的必然结果，既是旧的不平衡的结果，又是新的不平衡的表现。在战争条件下，帝国主义链条中的"薄弱环节"的出现，除了一定国家原来的发展基础外，主要由于这些国家或者主动或者被动地经历了战争的消耗，由于被先进的特别是借助战争而迅速强大起来的国家的掠夺，由于这两种外部原因而导致的这些国家的经济和政治危机乃至总体的社会危机。总体的社会危机对于无产阶级来说，对于被压迫民族和殖民地来说，就是革命的形势。哪里危机最严重，哪里就最容易爆发革命。这就是革命首先在"薄弱环节"胜利的基本原因。"链条的

① 《列宁选集》第 2 卷，人民出版社 2012 年版，第 554 页。

强度决定于最弱一环的强度"①，当着某一国家或一些国家现实地成为链条中的"最弱的一环"的时候，这个链条断裂的危险就存在了。而断裂的现实性就是革命胜利的现实性。

一年以后，列宁分别在《论面目全非的马克思主义和"帝国主义经济主义"》和《无产阶级革命的军事纲领》等文章中重申并发挥了《论欧洲联邦口号》中的"一国或多国革命首先胜利"的思想。在《论面目全非的马克思主义和"帝国主义经济主义"》中，列宁阐述了"社会变革不可能是所有国家的无产阶级的统一行动"的思想，并且指出这一思想其实是来自恩格斯。恩格斯在给考茨基的信中曾经指出，幻想什么"所有国家的无产者的统一行动"，就是把社会主义推迟到希腊的卡连德日，也就是使它"永无实现之日"②。这也就是说，无产阶级不能一下子战胜资产阶级。尽管不发达的和被压迫的民族可以利用1915—1916年的这场战争——它同社会革命比较起来不过是帝国主义资产阶级的一次小小的危机——来发动起义，更会利用各先进国家的国内战争这种大危机来发动起义。在列宁看来，如果有实现社会主义的无产阶级的"统一行动"，那也仅限于"少数达到资本主义发展阶段的国家的无产者"，而不是所有国家的无产者。在社会革命的发生和胜利问题上，列宁的总的思想是，既不要指望什么各个国家的无产阶级的和各被压迫民族的"统一行动"，也不要指望什么革命能够"一下子"完成。社会革命是整整一个时代。列宁指出："社会革命的发生只能是指一个时代，其间既有各先进国家无产阶级同资产阶级的国内战争，又有不发达的、落后的和被压迫的民族所掀起的一系列民主的、革命的运动，其中包括民族解放运动。"③列宁用"时代"这个概念表达了他关于社会革命是一个总体的思想。这个革命既是结构的整体（由于历史的原因而使先进国家的无产阶级革命和不发达国家和被压迫民族的资产阶级革命成为一个总体），又是过程的总体（两类革命在时间或过程上联结在一起）。列宁接着说明了革命不能"一下子"战胜资产阶级的原因，在于资本主义发展的不平衡，即除了高度发达的资本主义民族，还有许多在经济上不那么发达和完全不发达的民族。在《无产阶级革命的军事纲领》中，列宁把在《论欧洲联邦口号》和《论

---

① 《列宁全集》第30卷，人民出版社2017年版，第169页。
② 《列宁选集》第2卷，人民出版社2012年版，第765页。
③ 《列宁选集》第2卷，人民出版社2012年版，第767页。

面目全非的马克思主义和"帝国主义经济主义"》中所表达的思想做了更完整的和明确的表述，这就是："资本主义的发展在各个国家是极不平衡的。而且在商品生产下也只能是这样。由此得出一个必然的结论：社会主义不能在所有国家内同时获得胜利。它将首先在一个或者几个国家内获得胜利，而其余的国家在一段时间内将仍然是资产阶级的或资产阶级以前的国家。"① 在这里，列宁对以上两文中的思想所做的发挥主要在于以下三点：第一，把资本主义国家间的经济和政治不平衡概括为各个国家中的"资本主义的发展"的不平衡，也就是把经济和政治层面的不平衡"上升为"资本主义国家间的社会结构的整体的不平衡；第二，明确说明了不平衡不只是帝国主义时代的资本主义的表现，而是"在商品社会生产下"即整个资本主义生产过程的表现。这就意味着只有从根本上改变资本主义的生产方式，即通过社会主义革命才能够彻底消除这种不平衡；第三，明确否定了社会主义在所有国家内同时获得胜利的可能。基于"历史是世界历史"的事实，马克思和恩格斯曾经认为，共产主义革命不可能在单独一个国家内发生，而是将在一切文明国家同时发生。"共产主义只有作为占统治地位的各民族'一下子'同时发生的行动，在经验上才是可能的。"② 在《共产主义原理》中，恩格斯指出，由于大工业建立了世界市场，把全球各国的人民，尤其是各文明国家的人民，彼此紧紧地联系起来，致使每一国家的人民都受着另一国家的事变的影响。此外，大工业使所有文明国家发展得不相上下，以致无论在什么地方，资产阶级和无产阶级都成了社会上两个起决定作用的阶级，它们之间的斗争成了我们这一时代的主要斗争。"因此，共产主义革命将不是仅仅一个国家的革命，而是将在一切文明国家里，至少在英国、美国、法国、德国同时发生的革命"③。列宁根据帝国主义时代资本主义经济和政治发展不平衡事实，提出社会主义革命不可能同时在一切国家胜利，而"将首先在一个或者几个国家内获得胜利"的论断，是对马克思主义社会革命理论的创造性发展。

---

① 《列宁选集》第 2 卷，人民出版社 2012 年版，第 722 页。
② 《马克思恩格斯选集》第 1 卷，人民出版社 2012 年版，第 166 页。
③ 《马克思恩格斯选集》第 1 卷，人民出版社 2012 年版，第 306 页。

四、特殊的历史条件决定俄国革命可能首先发生

列宁提出了帝国主义时代经济和政治发展不平衡条件下社会主义革命"将首先在一个或者几个国家内获得胜利"的论断，但究竟哪一个国家或哪些国家可能成为帝国主义链条上的薄弱环节而革命可能首先胜利的问题，列宁并没有进行集中的研究和作出明确的回答。列宁当时还没有明确提出落后国家可能成为链条上的薄弱环节的思想，俄国1917年二月革命胜利前列宁谈的还是它的民主革命问题，转变发生在二月革命胜利以后。二月革命后，列宁不但有了俄国革命可以发生由资产阶级民主革命向社会主义革命转变的思想，而且有了俄国社会主义革命可能首先开始的思想。当然，"一国革命首先胜利"与一国革命首先开始还是有差别的。革命胜利是一个完整过程，而开始只是它的一个必要环节。在十月社会主义革命胜利前，关于俄国革命列宁所谈的总是它是否能够或已经首先开始的问题，而较少在全面的意义上谈它的首先胜利问题。十月革命后，在实践上和理论上这个问题尤其是一个无产阶级政权即苏维埃是否能够保持下去的问题，列宁对此曾作过专门阐述。

列宁在1917年3月7日写的第一封《远方来信》中，明确宣布世界帝国主义大战引起的第一次革命已经爆发，指出这第一次革命想必不会是最后一次革命。他号召俄国工人阶级要为革命第二阶段的胜利作好准备。这第二阶段的革命指的就是无产阶级反对资产阶级的社会主义革命。而在一个多月后的《危机的教训》一文中，列宁则明确指出社会主义革命"在俄国的进度已经超过其他国家"①。在1917年4月召开的俄国社会民主工党（布）第七次全国代表会议的开幕词和在会上所作的"关于目前形势的报告的总结发言"中，列宁都表达了俄国的社会主义革命已经走在了其他国家前面的思想。他说，在19世纪马克思和恩格斯观察了各国的无产阶级运动，研究了社会革命的可能的前途，根据一定国家在革命中分别扮演的角色将与他们各自的民族历史特点大体相适应、相符合的可能，预见革命将由"法国工人开始，德国工人完成"。按照马克思和恩格斯的思路和历史演变的客观事实，列宁得出结论："现在，开始革

---

① 《列宁全集》第29卷，人民出版社2017年版，第327页。

命的巨大光荣落到了俄国无产阶级的头上"①。

关于俄国革命先于其他国家开始的原因，列宁有多方面的说明，但这些说明是比较分散的，不完整和不系统的。一般性的原因是世界共同经历和面对的重大问题，特别是战争对世界历史进程的影响。1917 年 3 月中旬，列宁在由瑞士返回俄国前夕，写了一封《给瑞士工人的告别信》，信中谈到"俄国无产阶级十分荣幸的是，帝国主义战争在客观上必然引起的一系列革命由它来开始"②。在到达俄国后的 4 月 24 日，列宁在俄国社会民主工党（布）第七次全国代表会议上作"关于目前形势的报告"。报告指出，尤其是在 20 世纪，资本主义已经大大向前发展了，战争做了 25 年来没有做到的事情。工业国家化不仅在德国而且在英国也得到发展。一般垄断转变为国家垄断。客观情况表明，战争加速了资本主义的发展，从资本主义向帝国主义发展，从垄断向国家化发展。"这一切使社会主义革命临近了，并为社会主义革命创造了客观条件。可见，战争的进程加速了社会主义革命的到来"③。这种加速不仅发生在先进资本主义国家，也发生在资本主义基础薄弱的俄国。

这一时期，列宁谈的比较多的还是推动俄国革命首先发生的条件，这些条件列宁谈的虽然不够集中，但是主要的方面还是谈到了。这些条件概括起来有以下方面：

第一，"特别的历史条件"。列宁承认社会主义革命可能首先在俄国发生，在一定时期成为全世界革命无产阶级的先锋，其理由并不是由于俄国无产阶级有什么特殊的素养，而在于"特殊的历史条件"。列宁对这个"特殊的历史条件"在此并未作过多说明，但从以下论述可以了解它的部分内容。列宁指出："俄国是一个农民国家，是欧洲最落后的国家之一。在这个国家里，社会主义不可能立刻直接取得胜利。但是，在贵族地主的大量土地没有触动的情况下，在有 1905 年经验的基础上，俄国这个国家的农民性质能够使俄国资产阶级民主革命具有巨大的规模，并使我国革命变成全世界社会主义革命的序幕，变成进到全世界社会主义革命的一级阶梯。"④"农民国家"、"国家的农民性质"、"欧洲最落后的国家之一"都可以被理解为同其他欧洲国家相比俄国具有的"特殊

---

① 《列宁全集》第 29 卷，人民出版社 2017 年版，第 339 页。
② 《列宁全集》第 29 卷，人民出版社 2017 年版，第 90 页。
③ 《列宁全集》第 29 卷，人民出版社 2017 年版，第 353 页。
④ 《列宁全集》第 29 卷，人民出版社 2017 年版，第 90 页。

的历史条件"。十月革命胜利后，列宁再一次谈到这个话题时，在俄国资本主义的落后之外，又谈到它的软弱和"特别逼人的军事战略形势"①；谈到这种落后带来的居民对政治表现的特别冷淡的传统②。

第二，资产阶级民主革命的传统和经验。首先是由于有了使资产阶级俄国从沙皇制度下、从地主的土地和政权下获得解放的现实运动，这个运动可以被俄国无产阶级利用来与欧洲各国的无产者联合起来完成社会主义革命。而这个运动的集中表现则是俄国的 1905 年革命。列宁说，正是俄国的无组织现象和无产阶级的最革命这一特点决定了革命危机的最先爆发。而无产阶级成为最革命的阶级"并不是因为它有什么特殊的品质，而是因为有'1905 年'的富于活力的传统"③。

第三，工兵代表苏维埃这种特殊形式的无产阶级国家的存在。列宁指出，俄国革命最主要的特点，是在资产阶级革命胜利后最初几天内形成的两个政权并存的局面。所谓两个政权并存，就是说有两个政府同时存在：一个是主要的、真正的、实际的、掌握全部政权机关的资产阶级政府；另一个是补充的、附加的、"监督性的"政府，即彼得格勒工兵代表苏维埃，它没有掌握国家政权机关，但是它直接依靠显然是绝大多数的人民，依靠武装的工人和士兵。"两个政权并存的局面的阶级根源和它的阶级意义在于：1917 年 3 月的俄国革命不仅推翻了整个沙皇君主制，不仅把全部政权交给了资产阶级，而且已经到达无产阶级和农民的革命民主专政。"④ 这种无产阶级和农民的革命民主专政就是工兵代表苏维埃。它和资产阶级的国家形式完全不同，它是社会主义革命必须运用的政权组织，它的建立标志着俄国向社会主义过渡迈出了第一步。十月社会主义革命胜利后，即 1918 年 3 月，列宁在俄共（布）第七次（紧急）代表大会上所作的中央委员会政治报告中，在说明十月革命胜利的原因时特别提到了苏维埃政权的决定性意义，指出有过 1905 年伟大经验的俄国革命，如果不是早在 1917 年 2 月间就建立了苏维埃，那么无产阶级在 10 月间无论如何也不可能夺得政权，因为当时要取得成功完全取决于有千百万群众参加的运动是否具有现成的组织形式。苏维埃就是这种现成形式，正因为如此，在政治方面我们

① 《列宁全集》第 35 卷，人民出版社 2017 年版，第 137 页。
② 《列宁全集》第 34 卷，人民出版社 2017 年版，第 12 页。
③ 《列宁选集》第 3 卷，人民出版社 2012 年版，第 5 页。
④ 《列宁选集》第 3 卷，人民出版社 2012 年版，第 40 页。

才会有后来取得的那些辉煌成就，即全国胜利进军；因为新的政权已经准备好了，我们只须颁布一些法令把苏维埃政权从它在革命最初几个月间所处的胚胎状态变成在俄罗斯国家内奠定下来的法定形式，即变成俄罗斯苏维埃共和国。这个共和国是一下子就诞生了的，它的诞生这样容易，就是因为在1917年2月甚至在任何一个政党都还没有来得及宣布苏维埃的口号以前，群众就已经建立了苏维埃①。十月革命前苏维埃这种特殊形式的无产阶级政权的存在，是社会主义革命在俄国首先取得胜利的政治保证，也是俄国无产阶级在革命中创造的独特经验。

第四，俄国无产阶级有农民和国际无产阶级这两个同盟者。俄国在社会主义革命胜利前，在阶级构成上，是一个农民占大多数，无产阶级占少数的国家。因此，在无产阶级领导实现资产阶级民主革命和社会主义革命的过程中，团结农民这个多数，建立无产阶级和农民的同盟，具有决定性意义。列宁反复强调，俄国无产阶级的人数较少，革命仅仅依靠无产阶级是不能够完成的，工人阶级需要农民作为它的革命同盟军。二月革命后，列宁提出无产阶级应该利用新制度下的相对自由，通过工人代表苏维埃，用最大的努力来启发和组织广大农民，把成立农民苏维埃、农业工人苏维埃，作为自己最重要的任务之一。俄国无产阶级的第二个同盟者是一切交战国和其他国家的无产阶级。目前，他们在颇大程度上受着战争的压制，而代表他们说话的往往是那些同俄国的普列汉诺夫等一样转到资产阶级方面去的欧洲社会沙文主义者。可是随着帝国主义战争一个月一个月地进行，无产阶级已经逐渐摆脱他们的影响，而俄国革命又必然会大大加速这一过程。列宁指出："拥有这两个同盟者的无产阶级，利用目前过渡时期的特点，就能够而且一定能够首先争得民主共和国，争得农民对地主的彻底胜利，以取代古契柯夫—米留可夫的半君主制，然后再争得唯一能给备受战争折磨的各族人民以和平、面包和自由的社会主义。"②

第五，采取了一些向社会主义过渡的实际步骤。俄国在资产阶级革命胜利后采取了一系列向社会主义过渡的步骤，这些步骤奠定了后来取得的社会主义革命胜利的基础。工人监督是俄国革命向社会主义过渡的一种实际步骤。它是指无产阶级和贫苦农民对最重要产品的生产和分配的监督。列宁非常重视工人

---

① 参见《列宁选集》第3卷，人民出版社2012年版，第437页。

② 《列宁选集》第3卷，人民出版社2012年版，第12页。

监督对于俄国社会主义革命胜利的意义，把它看作是"社会主义的开端"①，看作是"任何一个社会主义工人政府必须实行的第一个基本步骤"②。十月革命前，总的说，工人监督是混乱的、分散的、手工业式的和不彻底的。它的发展是在十月革命以后，是工人对于工业的全面管理。从工人监督到工人管理的过渡推动了俄国革命向社会主义的过渡。普遍劳动义务制是另一种向社会主义过渡的步骤。十月革命前，由工兵农代表苏维埃实行、调节、指导的普遍劳动义务制，虽然还不是社会主义，但是已经不是资本主义了。列宁把它看作"走向社会主义的一个巨大步骤"③。

对处于一定发展阶段上的事物的本质的认识总是产生于该事物的这一阶段的发展过程完成之后。1919 年 4 月，列宁在《第三国际及其在历史上的地位》一文中，又一次回到"一国革命首先胜利"话题上来。他谈到，他反复表达的一个观点是："与各先进国家相比，俄国人开始伟大的无产阶级革命是比较容易的，但是把它继续到获得最终胜利，即完全组织起社会主义社会，就比较困难了"。列宁接着阐发了在俄国开始革命比较容易的原因。这些原因中有的列宁虽然在十月革命前也谈到过，但现在所谈内容的角度和深度都有显著的变化。这些原因是：第一，沙皇君主国在政治上的非常落后（就 20 世纪的欧洲来说）使得群众的革命冲击力量异常强大。这实际是指被压迫群众对于沙皇专制统治的巨大反抗力量。第二，俄国的落后使得无产阶级反对资产阶级的革命与农民反对地主的革命独特地结合了起来。这指的是俄国的无产阶级革命与资产阶级民主革命的结合，也是民族解放与无产阶级阶级解放的结合，在战争条件下就是民族战争向无产阶级革命战争的转变。这种转变构成了 20 世纪落后民族、国家，特别是被压迫国家和殖民地国家革命的主要趋势与特征。列宁说，俄国 1917 年 10 月就是这样开始革命的，不然，革命就不会那样容易取得胜利。实际上，布尔什维克从 1905 年初起，就坚持无产阶级和农民的革命民主专政思想。第三，1905 年革命的基础与经验。这个革命使工农群众受到了政治教育，既使他们的先锋队了解了西欧社会主义运动的"最新成就"，又使他们自己懂得了革命行动的意义。列宁说，没有 1905 年的"总演习"，1917

---

① 《列宁全集》第 33 卷，人民出版社 2017 年版，第 61 页。

② 《列宁全集》第 35 卷，人民出版社 2017 年版，第 138 页。

③ 《列宁选集》第 3 卷，人民出版社 2012 年版，第 267 页。

年的二月资产阶级革命和十月无产阶级革命都是不可能的。第四，俄国的地理
条件使它比其他国家更能长久地对抗资本主义先进国家的军事优势。这种地理
条件主要指俄国幅员辽阔和交通不便，不利于国内的和国外的反动军队对革命
的军事镇压。第五，无产阶级同农民的特殊关系便利了从资产阶级革命过渡到
社会主义革命，便利了城市无产阶级去影响农村半无产阶级的贫苦劳动阶层。
这就是工农联盟对于革命的意义。第六，苏维埃政权是俄国的"巴黎公社"，
它为俄国革命的胜利提供了政治保证。列宁指出，这种特殊的无产阶级革命组
织形式在深刻而迅速尖锐化的革命形势下之所以得以产生，条件在于无产阶级
和广大被压迫群众的罢工斗争的长期锻炼和欧洲群众性工人运动的经验[①]。上
述列宁系统阐释的俄国社会主义革命所谓更容易开始的原因，在更广泛的意义
上，就是决定俄国革命首先发生和首先胜利的基本条件。列宁得出的关于俄国
革命首先发生的条件或原因的上述结论，是对俄国革命经验的科学总结，并为
革命胜利后的经验证实。

第三节　《国家与革命》对马克思主义国家和革命理论的发展

　　第一次世界大战的爆发，加剧了无产阶级反对资产阶级的斗争在国际范围
内的展开，并同时推动了帝国主义战争向各交战国的国内战争的转变，造成了
国际范围的社会主义革命的形势。在俄国，1917 年 2 月爆发了第二次资产阶
级革命。列宁把这次革命看作是"帝国主义战争引起的无产阶级社会主义革命
的链条中的一个环节"[②]。革命胜利后，虽然出现两个政权并存的局面，但掌握
权力的实际是资产阶级。俄军在战场上的失败和资产阶级临时政府的无能，进
一步激化了本已存在并日益严重的国内矛盾，使社会危机不断加深，也使无产

①　参见《列宁选集》第 3 卷，人民出版社 2012 年版，第 794 页。
②　《列宁选集》第 3 卷，人民出版社 2012 年版，第 110 页。

阶级革命的时机日趋成熟。这就在理论和实践上把无产阶级革命如何对待国家的问题提上日程。列宁说，这个问题"不仅具有政治实践的意义，而且具有最迫切的意义"①。为此，列宁在写完《帝国主义是资本主义的最高阶段》和放下专门的哲学问题特别是辩证法问题研究后，于1916年秋冬转而研究国家与革命问题，完成了《国家与革命》一书。

一、列宁研究国家问题的起因和《国家与革命》一书的基本内容

《国家与革命》是列宁写于十月社会主义革命前夕的一部重要的马克思主义著作。该书的主题是无产阶级革命对于国家的态度。国家问题，亦即政权问题，是无产阶级革命的根本问题。马克思和恩格斯在总结无产阶级革命经验的基础上创立了马克思主义国家学说。但是，恰恰是这个学说成为被资产阶级和小资产阶级思想家、无政府主义者和机会主义者搞得十分混乱的问题。特别是第二国际机会主义领袖伯恩施坦、考茨基等人对马克思主义国家学说的歪曲和篡改，在国际社会主义运动中造成了更加直接的和恶劣的影响。为了肃清这种影响，结合不断变化的世界形势和革命进程科学阐释马克思主义国家学说，列宁从1916年秋天开始潜心研究国家问题，阅读了大量的马克思和恩格斯关于国家问题的文献，做了题为"马克思主义论国家"的笔记，并在此基础上于1917年9月完成了《国家与革命》一书。

列宁在《国家与革命》"第一版序言"中谈到的导致"国家问题，现在无论在理论方面或在政治实践方面，都具有特别重大的意义"②的根据，可以被理解为列宁对《国家与革命》写作背景的说明。这个说明有三个方面：第一，国家问题的凸显。帝国主义战争大大加速和加剧了垄断资本主义变为国家垄断资本主义的进程。国家垄断资本主义是私人资本与资产阶级国家的结合，一方面是垄断资本披上了国家这个铠甲，得到国家的保护；另一方面是资产阶级国家直接参与社会资本的再生产过程，成为总的垄断资本家。第二，革命的发展。旷日持久的战争造成的空前惨祸和灾难，使群众生活痛苦不堪，使他们更

---

① 《列宁选集》第3卷，人民出版社2012年版，第110页。

② 《列宁选集》第3卷，人民出版社2012年版，第109页。

加愤慨，从而使社会主义革命成为可选择的唯一前途。战争推动了国际无产阶级革命的发展。这个革命对国家问题的态度，具有了实际意义。第三，国家问题上的机会主义偏见。在几十年较为和平的发展中积聚起来的机会主义成分，造成了在世界各个正式的社会党内占统治地位的社会沙文主义流派。社会沙文主义的特点在于在大多数大国早就在剥削和奴役很多弱小民族的事实面前，不仅对于"自己"民族的资产阶级的利益，而且正是对于"自己"的国家的利益，采取卑躬屈膝的迎合态度。帝国主义战争正是为了瓜分和重新瓜分这种赃物而进行的战争。但是，社会沙文主义的恶棍们却用"保卫祖国"、"保卫共和国和革命"等等词句来掩盖他们维护"自己"资产阶级强盗利益的行为！列宁说："如果不同'国家'问题上的机会主义偏见作斗争，使劳动群众摆脱资产阶级影响、特别是摆脱帝国主义资产阶级影响的斗争就无法进行。"[1] 另外，促使列宁在1916—1917年专心致志地研究马克思和恩格斯关于国家问题的理论的一个特殊原因，是他对布哈林在马克思主义者如何对待国家问题上的观点的不满。列宁批评布哈林极其危险地混淆了马克思主义与无政府主义[2]。

由此，列宁给《国家与革命》规定的任务是：首先，考察马克思和恩格斯的国家学说，特别是要详细指出这个学说被人忘记或遭到机会主义歪曲的那些方面。其次，专门分析歪曲这个学说的主要代表人物，即在这次战争中如此可悲地遭到破产的第二国际（1889—1914年）的最著名领袖卡尔·考茨基。最后，给1905年革命，特别是1917年资产阶级革命的经验，作一个总结。这个"最后"的任务列宁实际并未完成。在该书"第一版跋"中，列宁说明了没有完成这个"总结"的理由在于1917年十月革命前夜的政治危机使他不得不把精力投入到实际的革命行动中去。他说："做出'革命的经验'是会比论述'革命的经验'更愉快、更有益的。"[3]

应该说明的是，列宁在《国家与革命》一书中提出的"国家与革命"理论，不是关于国家问题和关于革命问题的各自独立存在的两个理论，而是一个理论，即一个统一的关于革命与国家的关系的理论，一个实质说来革命对于国家的态度问题的理论。它包括三个方面的内容：一是无产阶级专政的必要性；二

---

① 《列宁选集》第 3 卷，人民出版社 2012 年版，第 110 页。
② 参见 [英] 尼尔·哈丁：《列宁主义》，南京大学出版社 2014 年版，第 161—162、163 页。
③ 《列宁选集》第 3 卷，人民出版社 2012 年版，第 221 页。

是关于打碎旧的国家机器；三是国家消亡问题。第一个方面的内容，列宁通过对国家的起源、本质和职能的阐释而作了回答，特别是通过对马克思主义的阶级斗争学说与无产阶级专政理论的关系的说明而作了回答。在这个问题上，列宁的明确结论是：从资产阶级统治向无产阶级统治过渡的时期必须有国家，必须以无产阶级国家来代替资产阶级国家。那么，究竟应当怎样（从历史的观点来看）以无产阶级国家来代替资产阶级国家呢？这就是第二个方面所要回答的问题。列宁通过对马克思和恩格斯关于1848—1851年欧洲资产阶级革命和巴黎公社经验的考察对此作了着重说明，指出马克思和恩格斯在《共产党宣言》中，国家问题还提得非常抽象。而在《路易·波拿巴的雾月十八日》中，问题则提得具体了，并且作出了非常明确、实际而具体的结论：过去一切革命都是使国家机器更加完善，而这个机器是必须打碎，必须摧毁的。列宁把这一结论看作是"马克思主义国家学说中主要的基本的东西"[①]。马克思主义历来用历史的观点看待国家，既看到国家是阶级矛盾不可调和的产物，又看到国家会随着阶级的消灭而被废除；既承认在由资本主义到共产主义的过渡时期无产阶级专政的必要性，又看到无产阶级国家同资产阶级国家的本质区别。这个区别就在于无产阶级国家是正在走向消亡的国家。无产阶级需要国家只是暂时的。无产阶级对待国家的这一认识和态度，同无政府主义者、同"现代社会民主党人"有原则性的分歧。在马克思主义者看来，国家的消亡同国家政权的夺得和建立一样，是一个革命的过程。在这个问题上，无政府主义者是不革命的。"现代社会民主党人"用庸俗的市侩的方式看待其与无政府主义者的分歧。列宁指出，恩格斯就不是这样谈问题，他着重指出，所有的社会主义者都承认国家的消亡是社会主义革命的结果。机会主义者关于国家"自行消亡"的流行观点则意味着否定革命。而作为实现国家消亡的革命是什么呢？是利用政权的力量"对社会进行的国家的即纯政治的改造"、"国家的社会主义改造"[②]。而这一改造要显示出其全部意义和作用，就必须同正在实行或正在准备实行的"剥夺剥夺者"的行动联系起来，也就是同变生产资料的私有制为公有制的革命联系起来。

针对考茨基、普列汉诺夫等在国家与革命问题上对马克思主义国家学说的歪曲，列宁虽然把他的研究看作是对真正的马克思的国家学说的恢复，但实际

---

① 《列宁选集》第3卷，人民出版社2012年版，第134页。
② 《列宁选集》第3卷，人民出版社2012年版，第149页。

发展了马克思主义国家学说。

《国家与革命》共分 7 章，另加结束语。但实际完成 6 章。在第 1 章中，列宁根据马克思主义关于国家问题的基本观点，说明了国家的本质、国家的机构和职能、国家的消亡等。针对资产阶级思想家和社会主义运动中的机会主义者对马克思主义的诽谤和歪曲，列宁指出，在这种情况下，"我们的任务首先就是要恢复真正的马克思的国家学说"①。他首先引证了恩格斯在《家庭、私有制和国家的起源》一书中关于国家的历史作用和意义的论述，并把这一论述的基本思想概括为"国家是阶级矛盾不可调和的产物和表现"②。列宁从国家存在与行为的经济根源的角度揭示国家的本质，得出"国家是剥削被压迫阶级的工具"的明确结论，并对恩格斯关于民主共和国和普选制是资产阶级统治的工具的思想作了发挥，批判社会民主党在宣传鼓动中对这一思想的歪曲。列宁根据恩格斯关于暴力革命的思想同国家"自行消亡"论是一个严密的整体的思想，指出马克思和恩格斯关于暴力革命不可避免的学说是针对资产阶级国家而言的。资产阶级国家由无产阶级国家（无产阶级专政）代替，不能通过"自行消亡"，只能通过暴力革命。

在第 2 章至第 4 章中，列宁按照历史顺序叙述了 1847 年至 1894 年马克思和恩格斯关于国家的观点的发展。他首先引证和比较了马克思在 1848 年革命前夜写成的《哲学的贫困》和《共产党宣言》两部著作中关于国家问题的言论，指出从《共产党宣言》中关于"国家即组织成为统治阶级的无产阶级"的论断可以看出，马克思和恩格斯在这里已经有了无产阶级专政思想。列宁认为马克思在《路易·波拿巴的雾月十八日》中关于 1848—1851 年的革命经验的总结，发展了《共产党宣言》中关于国家问题的学说，提出了必须打碎、必须摧毁旧的国家机器的思想，而在《法兰西内战》中则更明确地提出了要用公社代替打碎了的资产阶级国家机器的思想。列宁还把是否承认无产阶级专政看作检验是否真正理解和承认马克思主义的试金石，是判断真假马克思主义者的标准。他说："谁要是仅仅承认阶级斗争，那他还不是马克思主义者，他还可以不超出资产阶级思想和资产阶级政治的范围。把马克思主义局限于阶级斗争学说，就是阉割马克思主义，歪曲马克思主义，把马克思主义变为资产阶级可以接受

① 《列宁选集》第 3 卷，人民出版社 2012 年版，第 113 页。
② 《列宁选集》第 3 卷，人民出版社 2012 年版，第 114 页。

的东西。只有承认阶级斗争，同时也承认无产阶级专政的人，才是马克思主义者。"① 列宁在关于马克思和恩格斯提出的"用什么东西来代替被打碎的国家机器"问题的考察中，揭示了公社具有的与资产阶级民主相比较而言的彻底性，揭示了它对于防止国家和国家机关由社会公仆变成社会主人具有的意义。

在探讨国家消亡问题的第 5 章中，列宁根据马克思在《哥达纲领批判》中的论述，进一步发挥了共产主义社会的两个阶段的学说，批判了把社会主义看成一种僵死的、凝固的、一成不变的存在的资产阶级观念；阐述了专政和民主的关系，民主在从资本主义向共产主义过渡时所发生的根本变化；列宁在阐述马克思主义国家学说的各章中对考茨基等机会主义者的歪曲作了有力的批判，最后又专辟一章（第 6 章）揭露第二国际机会主义者把马克思主义庸俗化、否认无产阶级专政和实行露骨的机会主义的行径。在这一章中，列宁集中批判了考茨基"盲目崇拜"国家、"迷信"官僚制度，把无产阶级政治斗争局限于议会等错误观点，揭露他的行为是"口头上承认革命而实际上背弃革命"。

在《国家与革命》第一版序言中，列宁提到该书的最后一项任务是给俄国 1905 年革命，特别是 1917 年革命的经验，作一个总结。这就是第 7 章的内容。但是，这一章列宁只列出一个提纲，没有最终完成，其原因列宁在该书第一版跋中作了解释。按计划本书还有一个结束语（列宁在提纲中又称之为第 8 章）。由于同样的原因，结束语也没有完成，但列宁在提纲中说明了它的内容是阐述修改社会民主党纲领的必要性。②

二、深入系统地阐释无产阶级专政学说

在《国家与革命》中，列宁在系统考察和阐释马克思和恩格斯关于国家问题的思想中，着重系统地阐述了无产阶级专政思想。

首先，根据恩格斯在《家庭、私有制和国家的起源》中关于国家问题的论述，阐述阶级斗争必然导致无产阶级专政的思想。列宁指出："阶级斗争学说经马克思运用到国家和社会主义革命问题上，必然导致承认无产阶级的政治统治，

---

① 《列宁选集》第 3 卷，人民出版社 2012 年版，第 139 页。
② 参见《列宁全集》第 31 卷，人民出版社 2017 年版，第 231 页。

无产阶级的专政，即不与任何人分掌而直接依靠群众武装力量的政权。"①列宁反对离开无产阶级专政谈论阶级斗争，认为把马克思主义局限于阶级斗争学说，就是阉割马克思主义，歪曲马克思主义，把马克思主义变为资产阶级可以接受的东西。只有承认阶级斗争、同时也承认无产阶级专政的人，才是马克思主义者。列宁还从资本主义社会过渡到社会主义社会必须经过无产阶级专政的角度论证了无产阶级专政的必然性。他指出，在向社会主义的过渡时期中，无产阶级专政的重要任务之一就是镇压资产阶级的反抗，不建立无产阶级的专政，对资产阶级反抗社会主义的镇压和巩固无产阶级的政治统治就是一句空话。他还说："向前发展，即向共产主义发展，必须经过无产阶级专政，不可能走别的道路，因为再没有其他人也没有其他道路能够粉碎剥削者资本家的反抗。"②列宁还从无产阶级专政领导经济的职能的角度，谈到无产阶级专政的必要性，指出无产阶级需要国家政权，为的是"领导广大民众即农民、小资产阶级和半无产者来'调整'社会主义经济"③。关于无产阶级专政领导社会主义经济的思想，列宁在十月革命后在关于苏维埃政权的任务问题的阐述中有更加集中和充分的论述。第二，深刻阐述了无产阶级专政的性质及其阶级基础。列宁指出，无产阶级专政就是无产阶级不与任何人分掌而直接依靠群众武装力量的政权。因为无产阶级是唯一彻底革命的阶级，只有它才能够推翻资产阶级的统治，只有它由于在大生产中的经济作用，才能成为一切被剥削劳动群众的领袖。他还指出，无产阶级在历史上的革命作用的最高表现是无产阶级实行专政，无产阶级实行政治统治。列宁还论证了无产阶级对国家的领导、政治统治是通过它的先锋队——无产阶级的革命政党来实现的，指出党是无产阶级专政的领导力量，无产阶级的先锋队应该成为"能够夺取政权并引导全体人民走向社会主义，指导并组织新制度，成为所有被剥削劳动者在不要资产阶级并反对资产阶级而建设自己社会生活的事业中的导师、领导者和领袖"④。

在《国家与革命》一书完成前的《无产阶级在我国革命中的任务》一文中，列宁具体谈到了"过渡时期"国家的性质，指出："这种国家并不是指通常的资产阶级议会制民主共和国那样的国家，而是指 1871 年巴黎公社以及 1905 年

① 《列宁选集》第 3 卷，人民出版社 2012 年版，第 131 页。
② 《列宁选集》第 3 卷，人民出版社 2012 年版，第 190 页。
③ 《列宁选集》第 3 卷，人民出版社 2012 年版，第 131 页。
④ 《列宁选集》第 3 卷，人民出版社 2012 年版，第 131—132 页。

和 1917 年工人代表苏维埃那样的国家"①。它是"诞生中的新国家",已经不是原来意义上的国家,因为在俄国许多地方,这种武装队伍就是群众自己,就是全体人民,而不是那些居于人民之上、脱离人民、拥有特权、实际上从不撤换的人。这样,列宁就以新的思想揭示了无产阶级专政的本质和历史使命。他阐明无产阶级专政是工人阶级对自己的同盟者——农民等小资产阶级劳动群众实行国家领导,其目的是镇压剥削阶级的反抗和建立社会主义社会。第三,列宁还根据马克思和恩格斯关于无产阶级专政的阶级基础的思想,并结合巴黎公社的经验和俄国两次民主革命的经验,提出了无产阶级专政的工农联盟基础的思想。在《国家与革命》中,列宁谈道,1871 年,欧洲大陆上任何一个国家的无产阶级都没有占人民的多数。当时只有把无产阶级和农民包括进来,才能成为真正的多数。而在这些农民等小资产阶级占人口大多数的资本主义国家里,"大多数农民是受政府压迫而渴望推翻这个政府、渴望有一个'廉价'政府的"②,因此,"打碎"国家机器是工人和农民双方的利益所要求的,这个要求使他们联合起来,在他们面前提出了铲除"寄生物"、用一种新东西来代替的共同任务。这就是贫苦农民和无产阶级结成阶级联盟的客观基础。如果没有这个联盟,民主就不稳固,社会主义改造就没有可能。列宁还谈到巴黎公社曾为自己开辟过实现工农联盟的道路,但由于种种原因,没有成功。由此可以看出,在这本书中,列宁实际上已经创造性地提出了无产阶级领导下的无产阶级和农民、城市小资产阶级的特种形式的阶级联盟的思想。俄国的苏维埃政权就是这样一种无产阶级专政的新形式。

三、暴力革命思想同国家"自行消亡"论"联成一个严密的整体"

关于无产阶级革命理论,列宁在《国家与革命》中的贡献在于,他把革命的根本意义、"革命的首要的基本的标志"③概括为国家政权从一个阶级转到另一个阶级的手里,提出"一切革命的根本问题是国家政权问题"的观点④。列

---

① 《列宁选集》第 3 卷,人民出版社 2012 年版,第 65 页。
② 《列宁选集》第 3 卷,人民出版社 2012 年版,第 149 页。
③ 《列宁选集》第 3 卷,人民出版社 2012 年版,第 25 页。
④ 《列宁选集》第 3 卷,人民出版社 2012 年版,第 19 页。

宁联系政权问题来谈革命问题，提出政权的性质决定革命的性质。具体地说，在俄国，就是只有把全部政权掌握在苏维埃手里，革命才能成为真正人民的、真正民主的革命。无产阶级如果不能够独立地掌握国家政权，革命也不可能胜利。但是，无产阶级获得政权的道路是什么呢？列宁在无产阶级国家代替资产阶级国家和无产阶级国家的消亡两个不同的过程中，阐明了国家"自行消亡"与暴力革命的意义问题。

列宁指出，恩格斯在《反杜林论》中关于国家"自行消亡"的话是非常著名的，并且受到机会主义的歪曲。列宁为了完整地和准确地说明恩格斯的这一思想，在《国家与革命》中大段地引证了恩格斯的这一论述，尔后指出，我们可以大胆地说，在恩格斯这一段思想极其丰富的论述中，只有马克思提出的与无政府主义关于"废除"国家的学说不同的一点，即国家是"自行消亡"的这一点，被现代社会党当作社会主义思想真正接受下来了。列宁指出："这样来削剪马克思主义，无异是把马克思主义变成机会主义，因为这样来'解释'，就只会留下一个模糊的观念，似乎变化就是缓慢的、平稳的、逐渐的，似乎没有飞跃和风暴，没有革命。对国家'自行消亡'的普遍的、流行的、大众化的（如果能这样说的话）理解，无疑意味着回避革命，甚至是否定革命。"① 就对"国家消亡"的理解，列宁进一步指出，这样的"解释"是对马克思主义最粗暴的、仅仅有利于资产阶级的歪曲，所以产生这种歪曲，从理论上说，是由于忘记了上面完整地摘引的恩格斯的"总结性"论述中就已经指出的那些极重要的情况和想法。列宁从五个方面展开对恩格斯在这段话中所表达的思想的理解，实际是说出了马克思主义者对国家"自行消亡"的正确理解。

第一，列宁指出，恩格斯在这段论述中一开始就说，无产阶级将取得国家政权，"这样一来也消灭了作为国家的国家"。这是什么意思呢？列宁说，人们是"照例不"思索的，通常不是完全忽略这一点，就是认为这是恩格斯的一种"黑格尔主义的毛病"。其实这句话扼要地表明了最伟大的一次无产阶级革命的经验，即1871年巴黎公社的经验：以无产阶级革命来消灭资产阶级国家。按恩格斯的看法，资产阶级国家是不能"自行消亡"的，而是由无产阶级在革命中来"消灭"它。在这个革命以后，自行消亡的是无产阶级的国家或半国家。

第二，国家是"特殊的镇压力量"。列宁说，从恩格斯的这个出色的极其

① 《列宁选集》第3卷，人民出版社2012年版，第123页。

深刻的定义中可以得出这样的结论：资产阶级对无产阶级，即一小撮富人对千百万劳动者的"特殊的镇压力量"，应该由无产阶级对资产阶级的"特殊的镇压力量"（无产阶级专政）来代替。这就是"消灭作为国家的国家"。这就是以社会的名义占有生产资料的"行动"。"显然，以一种（无产阶级的）'特殊力量'来代替另一种（资产阶级的）'特殊力量'，这样一种更替是决不能通过'自行消亡'来实现的。"①

第三，列宁明确指出，恩格斯所说的"自行消亡"，甚至更突出更鲜明地说的"自行停止"，是十分明确而肯定地指"国家以整个社会的名义占有生产资料"以后即社会主义革命以后的时期。他说，我们大家都知道，这时"国家"的政治形式是最完全的民主。但是那些无耻地歪曲马克思主义的机会主义者，却没有一个人想到恩格斯在这里所说的就是民主的"自行停止"和"自行消亡"。乍看起来，这似乎是很奇怪的。但是，只有那些没有想到民主也是国家、因而在国家消失时民主也会消失的人，才会觉得这是"不可理解的"。"资产阶级的国家只有革命才能'消灭'。国家本身，就是说最完全的民主，只能'自行消亡'。"②列宁在这里所说的国家指的是上面提到的"无产阶级的国家或半国家"。

第四，列宁指出，恩格斯在提出"国家自行消亡"这个著名的原理以后，立刻就具体地说明这个原理是既反对机会主义者又反对无政府主义者的。而且恩格斯放在首位的，是从"国家自行消亡"这个原理中得出的反对机会主义者的结论。

第五，列宁指出，在恩格斯的论述中，不但有关于国家自行消亡的论述，而且有关于暴力革命意义的论述。列宁根据马克思和恩格斯关于暴力革命和国家消亡问题的论述，得出结论："无产阶级国家代替资产阶级国家，非通过暴力革命不可。无产阶级国家的消灭，即任何国家的消灭，只能通过'自行消亡'。"③列宁批判现代社会民主党对马克思主义关于暴力革命思想的轻视，并揭露其方法论特征是用折中主义代替辩证法。列宁捍卫马克思主义的无产阶级暴力革命学说，既把无产阶级专政的建立或实现同暴力革命联系起来，又把暴力革命思想同"国家消亡"论紧紧联系在一起，把它们看作本来"是联成一个

---

① 《列宁选集》第 3 卷，人民出版社 2012 年版，第 124 页。

② 《列宁选集》第 3 卷，人民出版社 2012 年版，第 125 页。

③ 《列宁选集》第 3 卷，人民出版社 2012 年版，第 128 页。

严密的整体的"①。

四、国家消亡的可能与基础

《国家与革命》第五章的标题是"国家消亡的经济基础",但是列宁在这一章谈到的国家消亡的基础的内容却十分广泛,并不限于经济方面。

列宁一开始就指出,马克思的《哥达纲领批判》对国家消亡问题"作了最详尽的说明",表明马克思是从共产主义发展的角度来谈国家消亡的,也就是说,国家消亡问题在马克思那里就是共产主义发展问题。

在列宁看来,马克思从共产主义发展的角度探索国家消亡问题,是以唯物辩证法的发展论为一般方法论基础的。他说:"马克思的全部理论,就是运用最彻底、最完整、最周密、内容最丰富的发展论去考察现代资本主义。自然,他也就要运用这个理论去考察资本主义的即将到来的崩溃和未来共产主义的未来的发展。"② 列宁从辩证的发展论理解"未来共产主义的未来发展",指出:"共产主义是从资本主义中产生出来的,它是历史地从资本主义中发展出来的,它是资本主义所产生的那种社会力量发生作用的结果"③。

从列宁关于向共产主义过渡条件下"形态改变了的民主"(即"人民这个大多数享有民主,对人民的剥削者、压迫者实行强力镇压,即把他们排斥于民主之外"④)和"提供真正完全的民主"的共产主义社会的提法中,可以发现列宁对国家消亡的政治基础的认识;他还谈到国家消亡的社会基础,即阶级的消灭。列宁说,只有在共产主义社会中,当资本家的反抗已经彻底粉碎,当资本家已经消失,当阶级已经不存在(即社会各个成员在同社会生产资料的关系上已经没有差别)的时候,——只有在那个时候,真正完全的、真正没有任何例外的民主才有可能,才会实现。也只有在那个时候,民主才开始消亡,道理很简单,"人们既然摆脱了资本主义奴隶制,摆脱了资本主义剥削制所造成的无数残暴、野蛮、荒谬和丑恶的现象,也就会逐渐习惯于遵守多少世纪以来人们

---

① 《列宁选集》第 3 卷,人民出版社 2012 年版,第 126 页。
② 《列宁选集》第 3 卷,人民出版社 2012 年版,第 186 页。
③ 《列宁选集》第 3 卷,人民出版社 2012 年版,第 186—187 页。
④ 《列宁选集》第 3 卷,人民出版社 2012 年版,第 191 页。

就知道的、千百年来在一切行为守则上反复谈到的、起码的公共生活规则，而不需要暴力，不需要强制，不需要服从，不需要所谓国家这种实行强制的特殊机构。"① 由此看来，民主的消亡与国家的消亡是同一的。

列宁谈到国家消亡的经济基础。但是，对于经济基础的内涵列宁理解的却十分广泛。概括地说，他认为这个基础就是共产主义的高度发展。它具体表现为：现代社会不平等的最重要的根源之一——脑力劳动和体力劳动对立的消失；在剥夺资本家以后、在现代社会已经达到的技术水平的基础上，人类社会的生产力的蓬勃发展；所有的人都参加国家管理。列宁甚至把在一些最先进的资本主义国家中已经做到的人人都识字，千百万工人已经在邮局、铁路、大工厂、大商业企业、银行业等等巨大的、复杂的、社会化的机构里"受了训练并养成了遵守纪律的习惯"看作所有人都参加国家管理的"经济前提"。原因是当所有的人都学会了管理，都来实际地独立地管理社会生产，对寄生虫、老爷、骗子等等"资本主义传统的保持者"独立地进行计算和监督的时候，逃避转折中全民的计算和监督就必然会成为极难得逞的、极罕见的例外，可能还会受到极迅速极严厉的惩罚，以致人们对于人类一切公共生活的简单的基本规则就会很快从必须遵守而变成习惯于遵守了。"到那个时候，从共产主义社会的第一阶段过渡到它的高级阶段的大门就会敞开，国家也就随之完全消亡。"②

五、国家与民主的关系

列宁在《国家与革命》第四章专门谈到"恩格斯论民主的消除"问题，谈到"社会民主主义者"这个名称问题，认为它是不科学的。然而，他又指出，党的名称问题远不及革命无产阶级对待国家的态度问题重要。他批评人们通常在谈论国家问题时，老是犯恩格斯所告诫的那个错误，即"老是忘记国家的消灭也就是民主的消灭，国家的消亡也就是民主的消亡"③。民主和国家是统一

---

① 《列宁选集》第 3 卷，人民出版社 2012 年版，第 191 页。
② 《列宁选集》第 3 卷，人民出版社 2012 年版，第 203 页。
③ 《列宁选集》第 3 卷，人民出版社 2012 年版，第 184 页。

的。统一表现为无产阶级专政是"真正民主的国家"，即由无产阶级和贫苦农民构成的人口的大多数对于少数资产阶级的专政。列宁在《国家与革命》中重申"真正民主的国家"就是工兵代表苏维埃。关于苏维埃是无产阶级的国家形式的思想在《国家与革命》以前的著作中已经形成并有充分的论述。在《国家与革命》中谈到的恩格斯对"社会民主党"这个名称的态度，在此前的《无产阶级在我国革命中的任务》中列宁就已经谈道，指出："民主这个词用于共产党，不仅仅在科学上不正确。这个词在目前，在 1917 年 3 月以后，已成为遮住革命人民眼睛的眼罩，妨碍他们自由、大胆、自动地建设新的东西——工农等等代表苏维埃，即'国家'的唯一政权，一切国家'消亡'的前驱。"① 在《在全俄工兵代表苏维埃第一次代表大会上的讲话》中，列宁还谈到苏维埃的"国家类型"的意义，认为它是任何一个通常类型的资产阶级议会制国家所没有的机构，而且是不可能与资产阶级政府并存的机构。"这是一种新的、更民主的国家类型"②。在 1917 年 7 月，即在写作《国家与革命》之前完成的《论口号》一文中，列宁关于苏维埃是新的国家形式的思想已经得到明确表达，指出："苏维埃按其阶级成分来说，是工农运动的机关，是工农专政的现成形式。"③ 这可能是列宁在《国家与革命》中关于苏维埃问题着墨不多的原因。值得注意的是，列宁在关于"民主的国家"的理解中，把民主与少数服从多数的原则区分开来，认为二者不是一个东西。"民主就是承认少数服从多数的国家，即一个阶级对另一个阶级、一部分居民对另一部分居民使用有系统的暴力的组织。"④ 列宁强调民主的国家意义。

列宁通过"民主的形态的改变"概念说明了无产阶级民主同资产阶级民主之间的本质区别。资本主义社会里的民主是一种残缺不全的、贫乏的和虚伪的民主，是只供富人、只供少数人享受的民主。无产阶级专政，将第一次提供人民享受的、大多数人享受的民主，同时对少数人即剥削者实行必要的镇压。

列宁还从恩格斯关于巴黎公社教训的总结中得出彻底的民主与社会主义一致的结论。这种一致同社会主义改造相联系，表现为种种形式的具体的民主制度，诸如国家机关的职能变为非常简单的监督和计算的手续和民族自决权的制

---

① 《列宁选集》第 3 卷，人民出版社 2012 年版，第 65—66 页。
② 《列宁选集》第 3 卷，人民出版社 2012 年版，第 75 页。
③ 《列宁选集》第 3 卷，人民出版社 2012 年版，第 87 页。
④ 《列宁选集》第 3 卷，人民出版社 2012 年版，第 184 页。

度，等等；表现为对真正民主的形式、民主制度的探索和实行。而在民主制度的认识上，列宁对资产阶级民主共和制作了批判性分析，揭露了它的本质，指出在资本主义社会里，在它最顺利发展的条件下，比较完全的民主制度就是民主共和制。但是这种民主制度始终受到资本主义剥削制度狭窄框子的限制，因此它实质上始终是少数人的即只是有产阶级的、只是富人的民主制度。

六、《国家与革命》在思想史上的地位与意义

《国家与革命》的发表，在俄国和国际产生了广泛的深刻的影响，各国的政治家、理论家作出了不同反应。俄国布尔什维克内部的最初反应以布哈林、季诺维也夫（1883—1936）和斯大林（1878—1953）最具代表性。布哈林强调该书对于马克思主义国家学说的两个方面的贡献：一是恢复了马克思的有关国家（包括在社会主义革命时期）作用的学说；二是制定了关于苏维埃政权是无产阶级专政形式的学说。他认为关于怎样对待国家政权这样一个"中心问题"、"一切问题的总问题"在《国家与革命》中得到了"总的论述"①。季诺维也夫强调无产阶级专政的苏维埃形式的发现的意义，指出"巴黎公社是第一个具有世界历史意义的阶段。苏维埃是第二个具有世界历史意义的阶段。马克思的名字最好地体现了第一阶段；列宁的名字体现了第二阶段"②。斯大林认为列宁在其著作中得以充分发挥的无产阶级专政理论等是"加进马克思主义总宝库的、因而自然和列宁的名字分不开的那些特别的和新的贡献"，是"研究列宁主义所必需的基本出发点"③。斯大林高度重视和评价列宁的"苏维埃政权是无产阶级专政的国家形式"的思想，认为"苏维埃共和国就是那个找了很久而终于找到了的政治形式"，"巴黎公社是这种形式的萌芽。苏维埃政权是这种形式的发展和完成。"④

《国家与革命》发表后，苏联理论界就无产阶级专政的历史界限、社会主

① 《布哈林文选》上，人民出版社 1981 年版，第 187 页。
② ［苏］格·季诺维也夫：《列宁主义——列宁主义研究导论》，东方出版社 1989 年版，第156 页。
③ 《斯大林选集》上卷，人民出版社 1979 年版，第 184 页。
④ 《斯大林选集》上卷，人民出版社 1979 年版，第 222、225 页。

义国家的实质、任务和发展前景等问题集中进行了研究。[1] 有观点认为，在社会主义制度下国家就应当消亡，现在似乎已经进入收缩和削弱国家机关的时期；有观点认为，根据列宁的"只有共产主义才能够完全不需要国家"的观点，在苏联无产阶级专政非但不应该削弱和消灭，反而应该巩固和加强。他们认为，国家消亡是一个长期的过程，它取决于共产主义高级阶段发展的速度，因而进行关于国家消亡的期限和形式的繁琐讨论是危险的。

《国家与革命》的发表也引起了广泛的国际反应。早期的反应主要发生在工人运动内部。消极方面的反应来自工人运动内部的机会主义，尤以第二国际（1889—1914）的领袖考茨基为代表。他在 1918 年和 1919 年发表的《无产阶级专政》和《恐怖主义和共产主义》两部小册子中反驳列宁在《国家与革命》中对他的批评，散布他在国家问题上的机会主义观点。他歪曲马克思的无产阶级专政思想，说马克思在 1875 年提出的关于资本主义与共产主义革命之间"有一个政治上的过渡时期，这个时期的国家只能是无产阶级的革命专政"的思想，从字面上看并没有说某个单独的执政者或专政的政党必然要接管政权。他反对布尔什维克通过暴力革命夺取政权的行动，说这是"把向来是一个阶级的战斗组织的苏维埃变成了国家组织"，污蔑苏维埃"从一开始就是无产阶级内的一党专政"[2]。他还抹杀资产阶级民主的阶级内容，鼓吹"纯粹民主"，说"社会主义作为解放无产阶级的手段，没有民主是不可设想的。"但是，"没有社会主义的民主确实是可能的。甚至于纯粹民主在没有社会主义的情况下都是可以设想的"[3]。第二国际的另一位理论家亨利希·库诺(1862—1936) 在他发表的两卷本的《马克思的历史、社会和国家学说——马克思的社会学的基本要点》（1920—1921）中，在批判马克思的国家观的同时，也批判了列宁的国家观。他在把列宁在《国家与革命》中关于国家问题的论述同马克思和恩格斯的相关论述作了比较后，得出马克思和恩格斯所说的"无产阶级专政"和布尔什维克意义上的苏维埃"毫无共同之处"的结论，认为"苏维埃专政根本不是俄国整

---

[1]　参见［苏］维·尼·科洛斯科夫：《苏联马克思列宁主义哲学史纲要》（三十年代），求实出版社 1985 年版，第 118 页。

[2]　中共中央马克思恩格斯列宁斯大林著作编译局资料室编：《考茨基言论》，生活·读书·新知三联书店 1973 年版，第 281 页。

[3]　中共中央马克思恩格斯列宁斯大林著作编译局资料室编：《考茨基言论》，生活·读书·新知三联书店 1973 年版，第 260、261 页。

个无产阶级的统治，而仅仅是无产阶级政党的少数或者是某些领导人的集团的专制统治"①，污蔑列宁在《国家与革命》中坚持的"工人阶级应当打碎、摧毁'现成的国家机器'，而不只是简单地夺取这个机器"的观点，是"陷入他的国家砸碎论而不能自拔"，"完全是一种篡改"②。

第二次世界大战结束以后，在西方国家，无论是马克思主义理论家，还是资产阶级理论家和左翼学者，都重视对《国家与革命》的研究。同以往研究相比，这一时期的研究视野和主题大大扩展了，并注意到从方法论和学科角度对著作内容的理解，注意到它的思想史地位。有学者提出《国家与革命》有一个"中心思想"③，它就是马克思和恩格斯根据巴黎公社经验确立的原则，即无产阶级不能简单地掌握现成的国家机器，并运用它来达到自己的目的，而应当彻底打碎它，用新的机器代替它。有学者充分肯定《国家与革命》在马克思主义发展史上的地位，认为它"成功地恢复了马克思对现代代议制国家的批评的基本点"，认为自马克思以来所有的马克思主义文献，都远未能像《国家与革命》那样对议会进行严肃的批评，没有什么能像列宁的阐述那样自始至终受一种深刻的民主精神的激励。④ 还有学者把《国家与革命》看作在一定程度上"是列宁革命思想的总结"⑤。一些"列宁学家"制造列宁思想中的"分裂"，认为列宁在国家与革命问题上存在着一个"思想裂痕"。这种"裂痕"或者表现在《国家与革命》中的思想与该著作以前的思想之间，或者表现在《国家与革命》中的思想与该著作以后的思想之间。"绝大多数评论家赞同，1917—1918 年关于国家与革命的著作是列宁与其早期理论决裂的一种标志。"⑥"决裂论者"还提

① [德] 亨利希·库诺：《马克思的历史、社会和国家学说——马克思的社会学的基本要点》（第一卷），商务印书馆 1988 年版，第 360 页。
② [德] 亨利希·库诺：《马克思的历史、社会和国家学说——马克思的社会学的基本要点》（第一卷），商务印书馆 1988 年版，第 364 页。
③ [美] 凯文·安德森：《列宁、黑格尔和西方马克思主义：一种批判性研究》，南京大学出版社 2012 年版，第 212 页。
④ 参见 [意] L·科莱蒂：《列宁的〈国家与革命〉》，载张翼星编著：《列宁哲学思想的历史命运》，重庆出版社 1992 年版，第 484—485 页。
⑤ [美] 凯文·安德森：《列宁、黑格尔和西方马克思主义：一种批判性研究》，南京大学出版社 2012 年版，第 199 页。
⑥ [美] 凯文·安德森：《列宁、黑格尔和西方马克思主义：一种批判性研究》，南京大学出版社 2012 年版，第 196 页。

出导致"决裂"的方法论基础是列宁在研究中获得并运用到国家问题中去的黑格尔主义，认为列宁通过黑格尔研究使自己的哲学发生一个根本性变化，即实现了由一种具有"科学唯物主义"倾向的哲学而转向一种主体性的哲学。这种转变使列宁"把争论的焦点放在群众自主活动这一新概念上，放在革命和新社会应该具有的新景象上"①。有学者认为造成"思想上的裂痕"的原因在于"自1917 年以后所发生的事件与列宁的理论前提几乎是不相符合的"，这可归结为"政治上的经验主义在他的理论中占了上风"，从而使他关于国家集中领导经济、关于工人和农民的监督的设想，"表现出一种令人吃惊的幼稚"②。有学者认为列宁在《国家与革命》中"鼓吹"的通过工人委员会和苏维埃的直接民主，缺乏带有监督、制衡和完备的政党组织这样一套政治制度的理论，"会导致'一种政治学的缺位'"，而它又"会导致极权主义"③。

我国学者承认，《国家与革命》是最完整、最集中论述国家问题的马克思主义理论著作，在指导俄国十月社会主义革命和苏维埃政权建设中发挥了重要作用，对中国革命和中国社会主义建设也产生过重要影响。今天，它对于正在进行的社会主义革命、建设和改革的实践仍有重要指导意义。但是，学者们也认识到，对待这部一百年前的著作，必须采取历史主义态度。应该根据今天变化了的实际发展这部著作中关于国家问题的基本原理和理论观点，也要历史地看待对于这部著作的以往的研究，一方面反思我们自己的和他人的研究，看对某个基本原理、观点的理解和阐发有无遗漏和误解；另一方面结合新的变化了的实际对这部著作得以阐发的基本原理的意义给予新的发掘、发现、理解与阐发。我们的研究还要贯彻现实主义原则，开辟新的国家问题的研究领域，如对蕴含在《国家与革命》中的对于我们今天的法治建设、民主政治建设、治国理政具有启发和指导意义的理论内容开展有针对性的研究，在服务于现实的过程中展示《国家与革命》的不朽生命力。目前，国内理论界关于《国家与革命》研究的重要动态有以下方面：第一，开辟新的研究视域和发现新的解读模式，

---

① ［美］凯文·安德森：《列宁、黑格尔和西方马克思主义：一种批判性研究》，南京大学出版社 2012 年版，第 205 页。

② ［法］亨利·列菲弗尔：《论国家——从黑格尔到斯大林和毛泽东》，重庆出版社 1988 年版，第 205、199、201 页。

③ 参见［美］凯文·安德森：《列宁、黑格尔和西方马克思主义：一种批判性研究》，南京大学出版社 2012 年版，第 197—198 页。

这种视域与模式既不是纯粹哲学的，也不是纯粹政治学的，而是二者的有机结合——政治哲学的；第二，完善我国的国家治理是当前的一项重要的实践任务和理论任务。从这个任务出发开展对《国家与革命》的系统研究，就是努力发现和发掘其内含的关于国家治理的可汲取的理论资源；第三，与深化政治体制改革更加紧密地结合起来，根据《国家与革命》阐释的马克思主义国家理论，在以往经验的反思中，探索我国政治体制改革的主题、方法和路径。

第九章　马克思主义在日本和中国的初期传播

19世纪中叶，尚处于自由资本主义阶段的西方列强，在资本贪婪本性的驱策下，凭借着强大的综合国力和军事实力、通过武装侵略和军事威吓等手段，逼迫奉行"闭关锁国"政策的中国与日本先后打开国门。东亚地区逐渐沦为西方资本主义国家的原料产地和商品市场，被动地进入世界舞台。在民族危机不断加深的情况下，中国与日本的统治阶级为得自保而被迫求变，都进行了自上而下的社会改革。清朝政府推行洋务运动，进行戊戌变法，却以失败而告终；明治政府进行明治维新，全面革故西化，最终取得胜利。19世纪末到20世纪初，西方主要发达资本主义国家进入帝国主义阶段。它们积极推行与"金融资本密切联系的世界殖民政策"①，在加强掠夺生产原料、扩大商品输出的同时大肆投资设厂、开展金融信贷，日益加紧对殖民地半殖民地国家的强取豪夺。迅速走上资本主义现代化道路的日本也不甘落后，积极向周边地区进行殖民扩张；而内外交困、自救不力的清王朝则回天乏术、轰然崩塌，孙中山领导的辛亥革命建立了亚洲第一个资产阶级民主共和国中华民国。

在这一风云变幻的半个多世纪之中，东亚地区的社会经济结构发生了剧烈而深刻的变化。首先，帝国主义的资本输出、官僚资本主义的形成和民族资本主义的发展，猛烈地冲击了东亚地区自给自足的封建经济和人身依附关系。其次，雇佣工人的涌现及其在大城市、通商口岸的集聚，使无产阶级日益成为一股不容小觑的社会力量，改变了当地的阶级结构；外国势力、封建官僚、民族资本家与工人阶级之间既相互依赖又相互冲突，使得社会矛盾日趋多样化与复杂化。再次，统治阶级的维新改革、学习西方、文明开化政策，为西方先进文化涌入东

---

① 《列宁选集》第2卷，人民出版社2012年版，第640页。

方、移风易俗，创造了便利条件；在这种条件下，一大批开眼看世界的现代知识分子迅速成长起来，并成为东亚地区社会变革的引领者。最后，资产阶级运动的兴起与资产阶级国家的建立为本国资本主义的发展进一步提供了政治保障。

正是在这一历史背景下，马克思主义分别于 19 世纪 70 年代和 90 年代传入日本与中国。马克思主义由欧美传入日本，而日本则是中国马克思主义初期传播的中转国和主渠道。资产阶级的先进分子是马克思主义的第一批引介者，随后出现了一批信仰马克思主义的社会主义者。他们一方面通过翻译、介绍和撰写关于马克思主义学说和工人阶级运动的文章和著作来宣传社会主义，另一方面通过成立社会主义的小组、党派和机构来引导本国的工人阶级运动，为马克思主义在日本和中国的初期传播做出了不可磨灭的贡献。但是在这一时期，无论是资产阶级先进分子还是早期的社会主义者，都没有充分理解和把握马克思主义的真正理论，不仅存在着各式各样的混淆、偏差与误解，而且他们的学术观点和理论立场也时常改易、不断变动，缺乏稳定性。正如恩格斯所指出的："不成熟的理论，是同不成熟的资本主义生产状况、不成熟的阶级状况相适应的。"[①]东亚地区落后的资本主义发展状况与尚处于自发运动状态的工人阶级状况，不足以支撑东方社会的仁人志士对马克思主义形成准确而深入的把握，并同本国实际结合起来。只是到了俄国十月社会主义革命以后，随着马克思列宁主义影响的加深、国内外资本主义弊病的凸显、民族解放运动和工人阶级运动的发展，一些知识分子才真正成长为马克思主义者，并逐步开启马克思主义在东方的传播与无产阶级革命的新纪元。本章集中阐述俄国十月社会主义革命之前马克思主义在日本和中国的初期传播状况。

第一节　马克思主义在日本的初期传播

马克思主义在日本的初期传播发轫于 19 世纪 70 年代前后。日本通过明治

---

① 《马克思恩格斯选集》第 3 卷，人民出版社 2012 年版，第 645 页。

维新运动和对外殖民扩张，从一个封建落后的封闭小国变成强盛极权的现代强国，这既为马克思主义在日本的初期传播创造了有利的条件，又为马克思主义在日本的苦难命运埋下了现实的种子。马克思主义最初是由维护天皇统治的启蒙思想家、官僚学者和传教人士传入日本的。随着社会主义学说的大量引介和工人运动的曲折发展，出现了一批信仰社会主义、关心工人状况、反对侵略战争并试图推翻日本极权统治的社会主义学者及活动家。他们之间的思想观点各具特色，政治主张不尽相同。其中片山潜（1859—1933）、幸德秋水（1877—1911）和堺利彦（1870—1933）等人是推进马克思主义在日本初期传播的杰出代表。

一、马克思主义在日本传播的开启

（一）马克思主义在日本初期传播的历史背景

19 世纪中叶，欧美列强的魔爪开始伸向日本。1853 年，美国东印度舰队总司令马修·佩里将军（1794—1858）率领四艘战舰来到江户湾口，以武力逼迫日本打开国门。翌年，日本被迫与美国签订《日美亲善条约》，随后英国、俄国、荷兰等列强也纷纷与日本缔结类似条约。在日本实行了两百余年的闭关锁国政策土崩瓦解。在严重的民族危机和阶级矛盾的威胁下，作为统治阶级的德川幕府也日益不得民心，变得岌岌可危。1868 年，以明治天皇为核心的倒幕运动取得决定性胜利，在日本延续了近七百年的幕府统治宣告解体。明治政府建立起君主立宪政体，提出"富国强兵"、"殖产兴业"和"文明开化"三大口号，自上而下地进行了大刀阔斧的维新改革，迅速走上了资本主义发展道路。伴随着资本主义经济的发展，日本政府积极推行对外扩张政策，先后在日清战争（甲午中日战争）、日俄战争和日德战争（第一次世界大战）中击败中国、俄国和德国，成为与欧美列强平起平坐的帝国主义国家。

明治维新是一场旨在挽救日本民族危亡，巩固统治阶级政权的改良运动，它保留了大量的封建残余，其"本质并不是资产阶级革命"，但是改革的全面性、深刻性和持续性，则使日本社会发生了翻天覆地的变化，"基本上变成了资产阶级国家"[①]。在政治方面，奉还版籍、废藩置县、改革官制、取消身份等

---

① ［日］依田憙家：《近代日本的历史问题》，雷慧英译，上海远东出版社 2004 年版，第 111 页。

级制度，建立起藩阀政治并最终转变为政党政治，进一步加强了中央集权。在经济方面，改革地税、允许土地买卖；引进西方技术，大力发展纺织、矿产、交通、军工等近代工业。在文化生活方面，翻译西方典籍，进行思想启蒙，大力发展新式教育，积极向西方生活方式靠拢。在军事外交方面，改革征兵制度、发展新式军队；积极推行侵略扩张政策，调整与西方列强间的不对等关系，扩大日本在东亚地区的势力范围。

明治维新运动及日本资本主义的发展，为马克思主义在日本的初步传播创造了客观条件。首先，政治经济改革使大量的农民和武士破产，不得不流浪到城市或矿山去寻找工作，转变为工人阶级。其次，工人阶级承受着残酷的资本剥削，工作强度大、时间长、条件恶劣、工资收入低微并且缺少最基本的政治权利。与此同时，名目繁多的捐税和频繁发生的通货膨胀使工人阶级的收入水平和生活质量不断降低。工人阶级为了自身生存必须联合起来进行斗争，这就产生了对先进的无产阶级革命理论的迫切需求。最后，文明开化政策的推进和新式知识分子的成长，使马克思主义夹杂在各种西方思潮中被引入到日本本土并逐步掌握了第一批信众。

（二）马克思主义在日本初期传播的基本情况

马克思主义在日本的传播最早可以追溯到 1870 年前后。截至俄国十月革命前，马克思主义在日本的初期传播大致经历了三个时期：黎明时期（1870—1897）、高潮时期（1897—1908）和严冬时期（1908—1917）。

1. 马克思主义在日本初期传播的黎明时期

随着明治维新的开启和深入，日本的思想界空前活跃起来，马克思主义夹杂在西方各种思潮之中被逐渐介绍到日本本土。"在日本，社会主义思潮首先是由维护天皇专制的明治维新的启蒙思想家，官僚学者和传教人士传入国内的。"[①]1870 年，加藤弘之（1836—1916）在《真政大意》中第一次从反对的立场介绍社会主义和共产主义，认为这两种制度大同小异，严酷难忍，"是对社会治安最为有害的制度"[②]。与此同时，西周（1829—1897）在其私塾育英学社讲授《百学连环》的过程中，也提及"社会之学"（Socialism）、"通有

---

① 赵行大：《马克思主义在日本的传播及其特点》，《日本问题研究》1995 年第 2 期。

② ［日］丝屋寿雄：《日本社会主义运动思想史》，法政大学出版局 1979 年版，第 21 页。

之说"（Communism），并在创作于 1878—1879 年的《社会党的学说》中进一步介绍了欧洲空想社会主义的各个流派。1881 年，日本的基督教领袖小崎弘道（1856—1938）在基督教会创办的《六合杂志》第 7 号上发表了《近世社会党的起因》一文，从宗教的立场上批判了马克思恩格斯和德国社会民主党，"这是马克思恩格斯的名字第一次出现在日本"。1882 年，中江兆民（1847—1901）主持创刊《政理丛谈》，刊载了《近世社会党的沿革》、《社会党的主义》等文章，成为介绍社会主义思想的一个重要阵地。1893 年，德富苏峰（1863—1957）创办的《国民之友》杂志刊行了《现时之社会主义》一书，系统介绍了西方社会主义流派，在其中的第四章用较长篇幅介绍了马克思的《资本论》，该书被誉为"日本空前的第一本社会主义入门书"。

　　伴随着马克思主义的引介，日本的社会主义运动也进入了萌芽状态。1872 年，高岛煤矿爆发了日本工人阶级的第一次罢工。1881 年，东京泥瓦匠工人成立了日本第一个具有手工业联合会性质的工会——泥瓦匠联合会。随着日本工人运动的发展和工会组织的建立，1882 年，在樽井藤吉（1850—1922）等人的领导下，日本成立了第一个社会主义组织——东洋社会党，该党以道德为准则、以平等为主义、以社会公众的最大福利为目的，明确标榜为社会主义的政党，"通常被看作日本社会主义运动的先驱"①。

　　2. 马克思主义在日本初期传播的高潮时期

　　日清战争和日俄战争的胜利，使日本资本主义的发展进入了一个崭新阶段。一方面，对外战争本身刺激了日本国内工业尤其是重工业的发展；另一方面，高额的战争赔款和广阔的领土兼并，为日本的经济发展提供了资金支持、原料产地和商品市场。"中日甲午战争使日本轻工业基本上完成了机械化，日俄战争又使重工业实现了机械化。"② 与此同时，马克思主义在日本的传播和日本的工人运动也进入了一个崭新的阶段。正如片山潜所言："在日本，近代的工人运动，可以说是从 1897 年的夏天，中日甲午战争之后才开始的。"③

① ［日］片山潜:《关于马克思主义在日本的诞生与发展问题》，中央编译局国际共运史研究室:《国际共运史研究资料》第 12 辑，人民出版社 1984 年版。
② ［日］坂本太郎:《日本史概说》，汪向荣等译，商务印书馆 1992 年版，第 478—479 页。
③ ［日］片山潜:《日本的工人运动》，王雨译，生活·读书·新知三联书店 1959 年版，第 239 页。

　　1897 年，片山潜、高野房太郎（1868—1904）、泽田半之助（1868—1934）、城常太郎（1863—1904）等人组建了劳动组合（工会）期成会，在各行各业中促进工会的组建和发展以争取并保障工人阶级的权益。同年年底，在劳动组合期成会的领导下，铁工会员成立了铁工工会并创办《劳动世界》杂志，并于 1899 年初开始增设"社会主义和国际社会主义"专栏，专门探讨社会主义的种种问题。铁工工会是日本最早的现代工人的工会，《劳动世界》则是日本最早的工人杂志。1898 年，片山潜、村井知至（1861—1944）、安部矶雄（1865—1949）、幸德秋水、河上清（1873—1949）等人组建了社会主义研究会，研讨西欧北美的社会主义运动及各种社会主义思想流派，举办社会主义思想史方面的专题讲座和公开的宣传演讲。1900 年年初，社会主义研究会改名为社会主义协会，并在此基础上成立了日本第一个社会主义的政党——日本社会民主党。虽然社会民主党完全拒绝武力，宣称利用"文明的手段——政治机构"来"打破贵贱贫富的悬隔，增进全体人民的福祉"①，但是在创设当日就被日本当局勒令解散。1903 年，幸德秋水和堺利彦组建平民社，创办《平民新闻》周刊，进行反战宣传和社会主义宣传，引起了巨大的反响，并最终于 1905 年年初被日本当局以"紊乱朝宪、改变政体"的罪责加以查禁，平民社也随后被迫解散。1906 年年初，西川光次郎(1876—1940)和樋口传创立了以促进普选权为目的的日本平民党，堺利彦和深尾韶（1880—1963）创立了以实行社会主义为目的的日本社会党。两党随后合并为新的日本社会党，并在党章中宣布"本党在国法的范围以内主张社会主义"②。日本社会党把杂志《光》作为自己的机关报，并出版了理论杂志《社会主义研究》。

　　在这一时期，日本马克思主义者翻译和介绍了许多马克思主义的重要文献和基本观点。1899 年，福井准造（1871—1937）的《近世社会主义》一书的第二部分，详细地介绍了马克思的生平、《共产党宣言》和《资本论》的写作过程及主要内容。1903 年，片山潜出版了《我的社会主义》，幸德秋水出版了《社会主义神髓》，它们与堺利彦、森近运平（1881—1911）于 1907 年

---

① ［日］片山潜：《日本的工人运动》，王雨译，生活·读书·新知三联书店 1959 年版，第251—252 页。

② ［日］片山潜：《日本的工人运动》，王雨译，生活·读书·新知三联书店 1959 年版，第278 页。

合著的《社会主义纲要》一起，系统地介绍了马克思主义的社会历史观和政治经济学观点，被誉为明治时代社会主义思想的三大名著。1904 年，堺利彦与幸德秋水在《平民新闻》发表了二人合译的《共产党宣言》。该版以 1883 年英文版为底版，但没有翻译第三章"社会主义的和共产主义的文献"。1906 年，堺利彦又独自译出第三章，与原译文一起刊载在《社会主义研究》创刊号上，这是第一个《共产党宣言》的日文全译本，也是马克思主义在日本传播的真正开端。在《社会主义研究》第四期上，堺利彦和幸德秋水以《科学的社会主义》为题，翻译并发表了恩格斯的《社会主义从空想到科学的发展》一文。

随着社会主义组织的建立和马克思主义的传播，日本的工人阶级力量不断发展壮大，社会主义运动此起彼伏。其中比较著名的有：1898 年的日本铁路公司工人大罢工，1901 年的日本工人联欢大会，1903 年的反战集会，1906 年的大阪炮兵工厂工人大罢工、东京市民反对电车票价上涨的斗争，1907 年的足尾铜山矿工暴动、幌内煤矿工人暴动和别子铜山矿工暴动，等等。与此同时，日本的社会主义者积极加强与第二国际各兄弟党派的联系。1891 年，酒井雄三郎（1860—1900）以新闻记者的身份参加了第二国际在布鲁塞尔召开的第二次代表大会，并对会议的情况作了报道，成为参加第二国际会议的第一个日本人。1904 年，日俄战争爆发之后，日本《平民新闻》发表《致俄国社会党书》，指出："日本的军国主义和国家主义……是全世界社会主义者的共同敌人"①，要求彼此携手合作，共同反对帝国主义。俄国社会民主工党在其机关报《火星报》上刊发回信，予以积极回应。同年八月，在荷兰阿姆斯特丹召开的第二国际第六次代表大会上，被选为大会副主席的日本代表片山潜与俄国社会民主工党代表普列汉诺夫紧紧握手，表达了共同反对日俄战争和专制政府的决心。

1906 年夏，刚刚组建不久的日本社会党出现了分裂。旅居美国的幸德秋水归国之后，在社会党的会议上发表了题为"世界革命运动的潮流"的演说，批评党内改良主义者的议会斗争策略，主张进行"总同盟罢工"的直接行动策略。大杉荣（1885—1923）支持幸德秋水的主张。田添铁二（1875—1908）则猛烈抨击直接行动策略，认为议会斗争"是最有效而且是工人阶级

---

① ［日］服部之总主编：《工人运动史话》，长风译，工人出版社 1958 年版，第 13—14 页。

自觉的正当途径"。出于对日本实情的考虑，片山潜在很大程度上站在田添铁二一边。在 1907 年召开的日本社会党第二次代表大会上，两派关于斗争策略问题的争论达到了白热化的程度。堺利彦则提出了直接行动策略与议会斗争策略并用的折中方案，以调和两派之间的矛盾。大会表决的结果显示，堺利彦的提案获得了最高的 28 票，幸德秋水的提案紧随其后获得了 22 票，而田添铁二的提案仅仅获得了可怜的 2 票。大会决定把党章第一条"本党在国法的范围以内主张社会主义"改为更为激进的"本党以实行社会主义为目的"。在第二次代表大会召开后不久，日本当局就以"妨害秩序安宁"为借口查禁了日本社会党，但是两派之间的斗争并未停息。幸德秋水等人创立了金曜会，以《大阪平民新闻》为阵地，片山潜、田添铁二等人创立了马克思主义同志会，以《社会新闻》为阵地，双方展开了持续的争论和相互的批判。

3. 马克思主义在日本初期传播的严冬时期

日俄战争期间和之后，日本国内爆发了严重的经济危机，日本工人阶级罢工斗争不断高涨，加剧了日本统治阶级的恐慌。日本当局开始有预谋地疯狂镇压本国的社会主义运动。1908 年 6 月，日本的社会主义者在东京神田锦辉馆召开欢迎山口孤剑（1883—1920）出狱的大会。会后，金曜会的同志高唱革命歌曲，高举写有"无政府共产主义"红底白字的赤旗，从会场走上街头，遭到了警察的攻击和逮捕。最终有 14 名同志被判处有期徒刑，金曜会被迫解散，史称"赤旗事件"。1910 年，日本政府以"谋杀天皇"、"暴力革命"、"颠覆国家"等莫须有的罪名，逮捕了数百名社会主义者和无政府主义者，企图一举镇压日本的社会主义运动。1911 年，在秘密审查之后，幸德秋水、森近运平等 12 名同志被处以绞刑，另外 12 名同志被判处无期徒刑，史称"大逆事件"。在统治阶级的疯狂镇压下，日本的社会主义运动受到了严重的打击，由此进入了"严冬时代"。幸存的社会主义者或者放弃了社会主义，或者变节投诚，或者隐居起来，或者移居海外。鼓吹"劳动与资本调和"的改良主义思想重新大行其道。缺乏理论指导的工人阶级罢工运动在数量和规模上都大打折扣。1912 年，在大资本家的支持下，铃木文治（1885—1946）创建了友爱会，将工人阶级运动的范围限定在和平的经济斗争和文化教育之上，"用切实的方法，以求得改善工人的地位"①。友爱会获得了飞速的发展，截至 1916 年 9 月已经吸纳了两万

---

① ［日］服部之总主编：《工人运动史话》，长风译，工人出版社 1958 年版，第 42 页。

余名会员。

"严冬时代"的日本社会主义运动并非一片死寂的景象。堺利彦、大杉荣和荒畑寒村（1887—1981）等人在 1910 年创办了书商协会卖文社，随后又出版了小型杂志《近代思想》和《丝瓜花》，举办工团主义研究会和社会主义茶话会，以联系全国各地的社会主义者，宣传社会主义尤其是无政府工团主义思想。片山潜则创立了庶民协会和工人俱乐部，深入工人群众之中，进行社会主义宣传。从 1909 年开始，安部矶雄翻译的《资本论》也在由片山潜所主编的《社会新闻》上进行连载。1911 年年末到 1912 年年初，在片山潜的组织和领导下，日本的六千余名电车工人组建了自己的工会，举行了大罢工并取得了最终的胜利，实现了自己的经济诉求。第一次世界大战期间，日本的经济获得了空前的发展，进入了垄断资本主义阶段，日本的社会主义运动开始复苏。1915年，堺利彦和高畠素之（1886—1928）一起创办了《新社会》月刊，明确站在马克思主义的立场之上，号召社会主义者"无须深辩战术上的分歧和战略上的差异，唯确信求大同以相共谋即可"①。日本工人阶级的罢工运动也开始逐步增多起来。

二、片山潜对马克思主义的传播

片山潜是日本著名的马克思主义理论家、日本无产阶级运动的先驱、日本共产党的创始人和领导人。他出生在日本冈山县一个贫苦的农民家庭，早年修习汉学，深受《左传》影响，是一名"热心的勤王家"。1884 年冬，片山潜远赴美国，通过半工半读的方式先后就读于玛丽维尔大学、格林内尔大学、安德沃神学院和耶鲁大学等多所高校，广泛涉猎文学、神学、历史学、古典学和社会学等专业。在此期间，他潜心研究社会问题，皈依了基督教并且接受了斐迪南·拉萨尔的思想，成为一名基督教社会主义者和拉萨尔主义者。1896 年年初，片山潜学成归国，开始投身于宣传社会主义和领导工人运动的事业之中，希望运用合法斗争的改良主义办法来改造日本社会、谋

① 近代日本思想史研究会：《近代日本思想史》第三卷，那庚辰译，商务印书馆 1992 年版，第 4 页。

求工人阶级的解放。1897年，片山潜参与创建了日本最早的现代工会组织铁工工会，并任该组织的机关刊物《劳动世界》的主笔，宣传"劳工神圣，团结就是力量"的思想。1898年，片山潜组织和领导了日本铁路公司工人大罢工并取得了重大胜利，罢工工人的经济诉求基本上都得到了满足。随后，片山潜先后领导创建了社会主义研究会（1898）、社会主义协会（1900）和日本社会民主党（1901）。1903年，片山潜结集出版了日本早期社会主义的重要著作《我的社会主义》一书，系统批判了资本主义制度的罪恶，论证了社会主义制度的优越性，探讨了无产阶级的历史使命以及从资本主义向社会主义转化的问题。1904年，片山潜出席在荷兰阿姆斯特丹举行的第二国际第六次大会，并当选为大会副主席。1906年他参与创立日本社会党，当选为该党评议员，因奉行温和的议会斗争策略而与幸德秋水的直接行动派决裂。1911年除夕，片山潜成功组织并领导了震惊全日本的东京电车工人大罢工，并因此被捕入狱九个月。1914年，片山潜流亡美国，继续从事革命活动和马克思主义著作的翻译、研究工作，并在俄国十月革命之后逐步成长为一名彻底的马克思列宁主义者。1920年前后，片山潜参加美国、墨西哥及加拿大等国的共产党的组建工作，担任美国共产党中央委员会委员、共产国际美洲局委员长等职，并第一次将列宁的《国家与革命》一书翻译成日文出版。1921年，片山潜移居苏联，参加共产国际工作，被选为共产国际执行委员会委员。1922年，他领导创建了日本共产党，并同党内存在的左倾宗派主义和右倾取消主义做了坚决的斗争。1931年日本侵占中国东北后，他号召和领导日本人民反对日本帝国主义的侵略战争。1932年在阿姆斯特丹召开的世界反战大会上，他再次号召国际反战组织支持中国革命。1933年，他因败血症病逝于莫斯科，安葬于克里姆林宫的红墙下。片山潜的主要著作有：《日本的劳工运动》（1901，与西川光次郎合著）、《我的社会主义》（1903）、《在宪法范围内主张社会主义》（1907）、《社会主义鄙见》（1907）、《自然的结局》（1907）、《日本的工人运动》（1918）、《片山潜自传》（1922）、《日本无产阶级反对日本帝国主义》（1931）。后出版《片山潜著作集》三卷。我们在此主要介绍片山潜在1917年十月革命之前的思想。

（一）对资本主义的批判

片山潜从劳动入手阐释资本主义的生产方式。他认为劳动创造资本和财富，但是在资本主义制度下，劳动者没有生产资料和生产手段，他们只能受雇于资本家，接受他们的盘剥从而"取得衣食住的条件"。劳动者所创造的资本与财富，原本应属于劳动者所有，但是却不得不把它们让与资本家，这是"劳动者丧失权利的开始"。资本家不劳而获、横行霸道、无恶不作、毫无仁义道德可言，像水蛭一样无情地吮吸着工人的鲜血，所以随着产业的发展和剥削强度的增大，劳动者将越来越贫穷，处境将越来越艰难。

片山潜将资本主义的发展历史划分为两个阶段："自由竞争"阶段和"独占的托拉斯"阶段。在"自由竞争"阶段，片山潜认为，资本家紧紧围绕着自身利益，盲目地开展竞争活动，它虽然在某些时段带来了技术进步、经济发展和价格下降，但是它势必会导致盲目的、不道德的恶性竞争，在经济领域"将无政府主义付诸实行"，其结果必然会破坏经济生产和社会稳定。"自由竞争的终点是托拉斯。"[1] 在"独占的托拉斯"阶段，片山潜指出，由于托拉斯垄断了天下的产业，"既握着世界的钱包，又拿着粮仓的钥匙"，所以它不再有竞争对手和前进的动力。因此，"托拉斯是进步之敌，发明创造的反对者"。这种资本主义是没有前途和希望的，它是"资本家历史的最后一页"。而且时至今日，资本主义的"独占的托拉斯"阶段已经走完，它的命脉断绝已经成为行尸走肉，"资本主义制度阻碍人类的前进，违反社会产业的前进，它已走向死胡同了"。社会变革在所难免，根据社会进化的顺序，"资本主义的极端就会向社会主义前进"，这是不可逆转的必然结果。

日本的殖民扩张内生于日本资本主义的发展。片山潜始终旗帜鲜明地反对日本的对外扩张政策，批判日清战争、日俄战争，他在多个场合指出日本已经蜕变成东方的普鲁士，变成了大逆不道的军国主义国家。他指出，日本的殖民扩张只会给统治阶级带来利益，工人阶级得不到任何好处，他们所得到的仅仅是"把尸骨曝晒在朝鲜、满洲的野地而已"[2]。他反复引证恩格斯的名言来忠告日本民众，"压迫其他民族的民族是不能获得解放的"[3]，号召全世界民众联合起来共同打倒日本的军国主义。

---

① 肖立辉、芦钰雯：《片山潜》，中国工人出版社 2015 年版，第 91 页。
② 肖立辉、芦钰雯：《片山潜》，中国工人出版社 2015 年版，第 48 页。
③ 《马克思恩格斯选集》第 3 卷，人民出版社 2012 年版，第 292 页。

（二）对社会主义的认知

片山潜认为，社会主义是资本主义之蛹孕育的"完美的花蝶"，是对资本主义的全面超越。首先，在经济生产方面，社会主义生产建立在生产资料的公有原则之上，它不谋求私利，而是"谋求产业工人的利益，进而社会的普遍利益"。社会主义的生产是和平的、理性的、轻松愉悦的、统筹规划的，它"发挥共同一致的精神，以友爱做交际的手段，以信义为原则，极为和平极为愉快地发展产业"[①]，不存在资本主义社会的盲目生产和恶性竞争状况。其次，在产品分配方面，社会主义产品不存在被资本家无偿占有的情况，它按照"各尽所能、按劳分配"的原则进行分配，"对生产尽力多者分配所得多"，"公众的共同劳动成果在公众中进行分配，个人劳动成果理所当然是个人收入"[②]。最后，在价值观念方面，社会主义的价值观念是对资本主义社会的个人主义、自由主义理想的超越与完成。它是普遍的"人类主义"，代表着全人类的利益，包含"十九世纪理想之自由民权"，它将利用人类社会的无限知识和生产能力，"排除一切障碍，使人人遂其圆满的发达进步"[③]。

既然社会主义是优于资本主义的更高级的社会形态，那么就必须坚持社会主义理论并谋求社会主义社会的实现。片山潜此时虽然没有完全理解和掌握马克思主义在这个问题上的基本观点和理论内涵，但是对社会主义和马克思主义则给予了高度认可。他认为，只有社会主义才能实现全社会的利益，"唯有马克思主义才是我们应该信仰和实践的真理"[④]。

（三）对革命策略的抉择

片山潜对革命策略的选择存在着一个逐渐激进化和革命化的过程。他起初深受拉萨尔主义的影响，幻想通过工会纯粹的经济活动来实现社会主义。首先，要尽力避免同资本家的直接冲突，而是通过"和平协商"的方式实现"劳工和资本家的'真正和谐'"。其次，通过建立和普及生产合作社和消费合作社，使工人阶级逐渐完全掌握全部的生产过程和流通过程，届时资产阶级就会灭

---

① 肖立辉、芦钰雯：《片山潜》，中国工人出版社 2015 年版，第 93 页。

② 肖立辉、芦钰雯：《片山潜》，中国工人出版社 2015 年版，第 93 页。

③ ［日］岸本英太郎编：《片山潜、田添铁二集》，青木书店 1955 年版，第 20 页。

④ 肖立辉、芦钰雯：《片山潜》，中国工人出版社 2015 年版，第 38 页。

亡，无产阶级就能够实现所有的权利①。随着对资本主义社会发展认知的加深，片山潜随后放弃了他之前的主张，提出要通过参与议会的方式进行政治斗争，指出"以社会主义为目标的运动次序，首先劳工获取参政权的条件下，向国会输送劳工代表，根据议会的立法，改善劳动条件，推进劳资关系的规范，进而通过生产手段的公有化，实现产品的公正分配"②。

1900 年后，随着日本《治安警察法》的颁布，日本工人运动环境的急剧恶化，片山潜在无产阶级革命道路问题上的思想发生了一个根本性的转变，即不再将合法的经济斗争和议会斗争作为无产阶级运动的根本方案，而是主张将工人阶级组织起来发动社会革命，以打破资本主义制度，"把现在资本家和地主所占有的生产资料收为国民共有，即废除劳动资料（土地资本及机械等）的私有制度代之以共有制度"③，从而实现社会主义。他旗帜鲜明地指出，资本主义虽然行将就木，但是资本家必将做垂死挣扎，他们掌握着政府、军队等所有的权力机关，用以捍卫自己的利益。因此资本家及其豢养的奴才们与人类中占大多数的劳动者之间势必造成激烈的矛盾，从而引发社会革命。社会革命的领导阶级是"工人阶级的新政党"，"多数国民要取得政权，必先组织多数国民的政党；欲取得选举权，必先组织政党；欲打破资本家党的压迫和资本家政府的恶政，必先组织平民党。我们主张组织新政党，是为了真正实行民权，彻底清除阶级政治、富豪政治之弊"④。社会革命的主体是工人阶级，他们是资本主义社会存在和发展的基础，他们为资本家提供一切而自己却一无所有，他们只有推翻资产阶级统治才能获得解放。社会革命的核心问题是夺取社会统治权，"社会革命的焦点在于：工人力图夺取政权，而资本家拒绝交出政权。把社会主义视为信条、视为生命的工人阶级，要夺取政权，就必须把国家一切行政机关掌握在自己的手中。可以说，夺得了国家机关，也就夺取了天下。"⑤片山潜

① ［日］大田英昭：《20 世纪初期马克思主义在日本的传播与社会民主主义——以片山潜为中心》，《外国问题研究》2016 年第 1 期。
② 转引自［日］大田英昭：《20 世纪初期马克思主义在日本的传播与社会民主主义——以片山潜为中心》，《外国问题研究》2016 年第 1 期。
③ 《片山潜著作集》第 2 卷，日本河山书屋诗社 1960 年版，第 73 页。
④ 《片山潜著作集》第 2 卷，日本河山书屋诗社 1960 年版，第 143 页。
⑤ ［日］片山潜：《关于马克思主义在日本的诞生与发展问题》，中央编译局国际共运史研究室：《国际共运史研究资料》，人民出版社 1984 年版，第 223 页。

此时虽然已经认识到无产阶级的暴力革命是社会革命的根本手段，但是在日本极端高压的政治统治下，出于积蓄无产阶级力量、呵护社会主义运动的目的，他还是努力将无产阶级社会革命限制在合法斗争的范围内，并因此与幸德秋水、堺利彦分道扬镳。他强调，日本的无产阶级力量还相当弱小，必须团结隐忍、脚踏实地、稳步推进。不顾客观情况的直接行动只会将工人阶级暴露在日本统治集团面前，招致残酷的镇压和打击。在当前条件下，只有遵守国法，通过议会斗争来谋求普选权，才能最有成效地完成社会主义的宣传工作和工人阶级的组织工作。工人阶级应该紧密地联合起来，"社会革命应当依仗同盟罢工（特别是政治性的）去实现。"①

三、幸德秋水对马克思主义的传播

幸德秋水是日本著名的社会主义理论家、活动家和无政府主义者。他生于日本高知县的一个经营药材和酿酒生意的商人家庭。自幼聪明好学，早年接受了汉学教育，好读儒家经典。中学肄业后开始参加自由民权运动，并于1888年拜著名的自由党左派理论家中江兆民（1847—1901）为师，深受其唯物主义哲学思想的影响，将自由、平等、博爱视作"人生在世所由的三大要义"，成为一名资产阶级民主主义者。随后幸德秋水开启了自己的新闻记者生涯，先后参加了自由新闻社（1893—1895）、广岛新闻社（1895）、中央新闻社（1895—1898）和万朝报社（1898—1903）。在万朝报社任职期间，幸德秋水开始接触到社会主义思想，并通过对社会主义的系统研究，逐步转变为一名社会主义者。在这一时期他先后参与组织和创立了社会主义研究会（1898）、社会主义协会（1900）和社会民主党（1901）。日俄战争时期，幸德秋水与堺利彦毅然离开转向主战路线的《万朝报》，创立平民社并创办《平民新闻》周刊，积极投身于反帝反战斗争和社会主义研究宣传之中。1903年，幸德秋水发表了日本早期社会主义的重要著作《社会主义神髓》一书，他运用马克思主义的基本观点，分析了自产业革命以来资本主义制度的得失成败，指出造成贫富两极

---

① ［日］片山潜：《关于马克思主义在日本的诞生与发展问题》，中央编译局国际共运史研究室：《国际共运史研究资料》，人民出版社1984年版，第223—224页。

分化的根源是生产资料的私人占有，主张通过议会斗争来埋葬资本主义制度。1904 年，幸德秋水与堺利彦合译了《共产党宣言》第一个日译本并刊发在《平民新闻》创刊周年纪念号之上。随后因刊发社论《告小学教师》，以违反新闻条例的罪名被判处五个月监禁。狱中的幸德秋水深受克鲁泡特金（1842—1921）的著作的影响，并逐渐转变为无政府主义者，"以马克思的社会主义者入狱，以无政府主义者出来"①。1905 年 6 月，幸德秋水前往美国并与无政府主义者阿尔伯特·约翰逊（1885—1927）等人建立亲密的友谊。归国之后，幸德秋水猛烈批判党内的议会斗争策略，号召工人阶级采取直接行动来实现社会主义的目标，这直接造成了日本社会党的分裂并最终为日本政府取缔。幸德秋水随后领导创立了金曜会，以《大阪平民新闻》为阵地，继续捍卫直接行动策略，并与克鲁泡特金取得了直接的联系，继续加强对无政府主义的研究和宣传。1910 年，为了彻底消灭日本的社会主义有生力量，日本的统治阶级一手炮制了"大逆事件"。幸德秋水被诬陷为首犯并于 1911 年处以绞刑。其主要著作有：《二十世纪的怪物：帝国主义》（1901）、《广长舌》（1902）、《社会主义神髓》（1903）、《社会主义与宗教》（1903）、《世界革命运动的潮流》（1906）、《我的思想转变》（1907）、《自由思想》（1909）、《基督何许人也：基督抹杀论》（1911）等。后出版《幸德秋水全集》十一卷。

（一）对资本主义的批判

幸德秋水首先高度肯定了产业革命所塑造的资本主义近代文明。蒸汽机的发明和普及，带来了工业生产的机器化和交通运输的现代化，给人类社会增加了千百倍的物质财富，造就了"华美、光辉灿烂"的近代文明，世界的生产力在百余年间"至少平均提高了十余倍"②。但是，产业革命只给少数阶级积聚了财富，并没有给"世界人类的大多数"带来富足。他们生活在水深火热之中，穷困潦倒、饥寒交迫、辗转沟壑、濒于死亡，为了存活，他们甚至不得不去做强盗娼妓，走上违法犯罪的道路。幸德秋水认为这种情况的出现，追根溯源是由于生产资料私有制造成的，"多数人类的饥寒，是由于财富的分配不公。财

---

① 朱庭光主编：《外国历史名人传·近代部分》（下册），中国社会科学出版社 1982 年版，第406 页。

② ［日］幸德秋水：《社会主义神髓》，马采译，商务印书馆 1963 年版，第 4 页。

富的分配不公，是由于生产物不归生产者所有。生产物不归生产者所有，是由于被少数地主、资本家阶级所掠夺。其所以被地主、资本家所掠夺，是由于土地、资本和一切生产资料根本掌握在地主、资本家的手里"①。

幸德秋水根据马克思和恩格斯的指示，立足于"每一历史时代主要的经济生产方式和交换方式以及必然由此产生的社会结构"②，阐明了人类社会从原始社会，经过奴隶社会和封建社会，向资本主义社会发展的历程。他指出，资本主义社会与传统社会不同，它存在着一个巨大的矛盾，即"现代的劳动是共同的，现在的生产是社会的，没有任何一件东西可以说是个人的生产品"，然而，"这种生产品却不被生产者所共有，依然为个人所占有，为所谓地主、资本家个人所占有"③。地主和资本家为了最大限度地榨取剩余价值，必然会盲目地展开自由竞争和恶性竞争，"造成经济界的无政府状态"④。这一方面会带来企业间的优胜劣汰、弱肉强食、破产兼并；另一方面会造成大批工人的失业，"像垃圾一般被抛出工厂"，成为"产业后备军"。生产的集中和工人的贫穷最终造成了产品的大量积聚和人民的"购买力不足"⑤，即生产的相对过剩，诱发了经济危机，促成了工人阶级的不满和反抗。资本家会采取各种方法来缓和生产的盲目性和矛盾的尖锐性，例如，组织股份公司和实行同业联合，甚至建立托拉斯组织来垄断世界各国的产业，进行最后的挣扎。幸德秋水认为托拉斯组织并不能挽救资本主义，"只要托拉斯还掌握在资本家的手里，就不但不能彻底解决现今的矛盾冲突，反而要使现今的矛盾冲突进一步恶化"⑥。他断言：在当今时代，资本主义的矛盾已经达到了顶点，资本主义制度即将走向覆灭，"资本家个人占有制已无力支配生产力；同时，生产力本身也以其无比强大的威力，将彻底消灭今日社会制度的矛盾，摆脱私有资本的桎梏，要求实际承认其社会的性质"⑦。

---

① [日]幸德秋水：《社会主义神髓》，马采译，商务印书馆1963年版，第11页。
② 《马克思恩格斯选集》第1卷，人民出版社2012年版，第385页。
③ [日]幸德秋水：《社会主义神髓》，马采译，商务印书馆1963年版，第17页。
④ [日]幸德秋水：《社会主义神髓》，马采译，商务印书馆1963年版，第18页。
⑤ [日]幸德秋水：《二十世纪的怪物：帝国主义》，赵必振译，上海梁溪图书馆1925年版，第135页。
⑥ [日]幸德秋水：《社会主义神髓》，马采译，商务印书馆1963年版，第21页。
⑦ [日]幸德秋水：《社会主义神髓》，马采译，商务印书馆1963年版，第22页。

幸德秋水从理论上对帝国主义进行了系统的研究。幸德秋水把帝国主义界定为：建设大帝国，扩张领属版图。它的出现具有深刻的经济根源，即资本主义国家内部由于自由竞争和企业兼并，造成了"资本之饶多与生产之过剩"的局面，国内市场的饱和迫使资本家不得不"为生产力寻求出路"，推行帝国主义，进行殖民扩张和资本输出①。帝国主义以"所谓爱国心为经，所谓军国主义为纬"，它们是帝国主义的两翼。统治阶级通过蛊惑民众的爱国心、激发他们的利己主义和虚荣浮夸的心理，来获取民众对帝国主义的支持；通过积极扩充军备、悍然发动战争，来侵犯他国、实现殖民扩张。帝国主义战争的操控者是垄断资产阶级，是"放债者、银行家"，他们凌驾于天皇和政府之上②，所以战争只为"少数军人"赢得了功名、为"投机商人"带来了利益③，但是却给整个国家与民族带来无尽的苦难：国家财政耗竭、社会满目疮痍、经济萎靡不振、士兵牺牲千万、小吏献纳贮蓄、工人失业破产、佃民涸血刳骨，如是等等。所以，帝国主义是罪恶万端的，不自量力的日本帝国主义者是"愚不可及"的。幸德秋水指出，帝国主义不会永存，"其结果不至于堕落与毁灭而不止也"④，它必将为科学的社会主义制度所终结。他号召全世界的社会主义者联合起来，运用和平的言论手段，抗击帝国主义。

幸德秋水还专门研究了宗教问题尤其是基督教问题，借以批判日本专制王权。幸德秋水认为，阶级分化和阶级压迫造成的"现世生活的痛苦与贫穷"，是宗教产生的社会历史根源。宗教作为"不得已的慰藉的手段"，起着安慰民众和欺骗民众的双重作用。基督及其传记都是虚假的，"基督的实体只不过是太阳神的改名换姓，十字架只不过是生殖器标记的遗迹"。⑤ 基督教虽然具有重要的"古代的神话价值"，但是在现代社会已不再具有积极的价值，它"早已成为过去的东西，无生命的东西，死骸，枯骨"⑥，阻碍进步、有害世道，因此就必须"揭开它的假面，剥去它的伪装，暴露出它的真相实体，把它从世界

---

① 参见［日］幸德秋水：《社会主义神髓》，马采译，商务印书馆1963年版，第20页。

② ［日］幸德秋水：《战争与和平的决定者》，《平民新闻》1904年2月7日。

③ 参见［日］幸德秋水：《社会主义神髓》，马采译，商务印书馆1963年版，第39页。

④ ［日］幸德秋水：《二十世纪的怪物：帝国主义》，赵必振译，上海梁溪图书馆1925年版，第76页。

⑤ ［日］幸德秋水：《基督何许人也：基督抹杀论》，马采译，商务印书馆1982年版，第101页。

⑥ ［日］幸德秋水：《基督何许人也：基督抹杀论》，马采译，商务印书馆1982年版，第102页。

历史上抹杀掉"①。消灭宗教就是要"除去现在生活的痛苦与贫乏",就是实现社会主义,社会主义不需要宗教,它自身就具备提供理想观念和精神慰藉的职能。

(二)对社会主义的认知

幸德秋水认为,"社会主义的目的在于谋求人民的和平、进步和幸福",它代表着全人类的利益诉求,希望"全体人民得到平等的地位"②。近世的社会主义具有三个理论源泉:第一个是黑格尔的哲学,社会主义从其中源发出来;第二个是达尔文的进化论,社会主义从其中发展起来;第三个是马克思的经济唯物论,社会主义在这里达到完成。③

幸德秋水主要从经济和政治两个层面来理解社会主义。首先,在经济层面,幸德秋水援引美国社会学教授理查德·伊利(1854—1943)的《社会主义与社会改革》一书的观点,指出社会主义有以下基本原则:其一,"物质生产资料即土地和资本归公有"并且"为公共利益服务"④;其二,"生产的公营",通过公选代表的方式经营生产并且"对整个社会负责"⑤;其三,"实行收入的社会分配",分配务必公平,要"把按需分配作为最高理想"⑥;其四,"社会收入的大部分归个人私有",即将大部分消费资料(不包括生产资料)提供给个人进行消费⑦。在社会主义社会中依然存在着竞争,但是这种竞争不是资本主义社会中的那种围绕着"衣食"领域的、邪恶卑鄙的自由竞争,而是围绕着"智德"领域的、高尚公正的竞争。通过践行以上基本原则,在经济生产与消费上就会出现理想王国:"资本家就可以消灭,工人就可以摆脱工资的桎梏,每人为社会提供力所能及的劳动,社会为每人生产必要的衣食。有分配而无商业。有计划而无投机。有协作而无争斗。"⑧其次,在政治层面,社会主义就是人民当家作主,"国家是全体人民的国家,政治是全体人民的政治",

---

① [日] 幸德秋水:《基督何许人也:基督抹杀论》,马采译,商务印书馆 1982 年版,第 103 页。
② [日] 幸德秋水:《社会主义神髓》,马采译,商务印书馆 1963 年版,第 56 页。
③ 参见张陟遥:《播火者的使命:幸德秋水的社会主义思想及其对中国的影响》,社会科学文献出版社 2013 年版,第 54 页。
④ [日] 幸德秋水:《社会主义神髓》,马采译,商务印书馆 1963 年版,第 23—24 页。
⑤ [日] 幸德秋水:《社会主义神髓》,马采译,商务印书馆 1963 年版,第 25 页。
⑥ [日] 幸德秋水:《社会主义神髓》,马采译,商务印书馆 1963 年版,第 27—28 页。
⑦ 参见 [日] 幸德秋水:《社会主义神髓》,马采译,商务印书馆 1963 年版,第 29 页。
⑧ [日] 幸德秋水:《社会主义神髓》,马采译,商务印书馆 1963 年版,第 31 页。

它一方面是"民主主义，是人民自治"，另一方面是"和平主义"①。民主主义、人民自治，能够"从政治上提高多数人共同均等的幸福"②；和平主义能够消灭军备和战争，实现"天下一家"的和谐世界。因此，实现社会主义的方法也需要从经济和政治两个层面入手。在经济层面，就是要消灭私有制，要"把一切生产资料从地主、资本家手中剥夺过来，移交给社会人民公有"。其次在政治层面，就是要推翻资产阶级政权，"消灭地主、资本家这个不劳而获的阶级"。幸德秋水认为这是"近代社会主义"亦即"科学的社会主义"的"根本精神"。

幸德秋水起初认为社会主义同君主制度并不存在本质的矛盾，并一直试图将日本的天皇制与社会主义调和起来。他宣称：如果天皇能爱民如子、施行仁政，那么他就会"采取民主主义"；如果他"采取民主主义"，那么他就必然实行社会主义；如果他实行社会主义，那么他就会"受到人民的欢迎，歌颂他的德政"。这是一个良性循环，关键在于君主的德行修养。这样的君主制度"与社会主义完全一致，并无任何矛盾"③。随着幸德秋水的入狱，他急剧地转向无政府主义，开始对社会主义颇有微词，并不再对日本的天皇制度和高压统治抱有信心。他认为无政府主义优于社会主义，无政府主义比社会主义更为彻底之处在于：无政府主义要颠覆一切政府而社会主义却还保留它。"政府之为物，由历史上证之，有功于人民者甚少，不过以暴力加于人民而已"，社会主义的政府如果运行不善，就很可能成为"一大资本家"④。他隐晦地表示，日本的天皇制度如果不关注和保障民众的生存与自由，就没有存在的必要与价值。但是，幸德秋水从未直白地否定王权，直至生命的尽头还坚持认为"只要不妨碍他人的自由，皇室尽可以自由地享受其尊荣和幸福，理应不受任何束缚"⑤。

（三）对革命策略的抉择

幸德秋水对革命策略的选择同样分为早期和晚期两个阶段。他起初从

---

① ［日］幸德秋水：《社会主义神髓》，马采译，商务印书馆1963年版，第38—39页。
② ［日］幸德秋水：《社会主义神髓》，马采译，商务印书馆1963年版，第49页。
③ ［日］幸德秋水：《社会主义神髓》，马采译，商务印书馆1963年版，第57—58页。
④ 王元：《幸德秋水的社会主义思想以及对中国的影响》，《日本问题研究》2015年第5期。
⑤ ［日］幸德秋水：《基督何许人也：基督抹煞论》，马采译，商务印书馆1982年版，第119页。

达尔文进化论的角度来理解社会与革命。他认为，"社会的状态经常代谢不已，犹如生物的组织进化不已一般……进化代谢的连续，同时又是革命的连续"①。社会是自然而然的进化，革命是自然而然的发生，革命既不能制造，也无法避开，"革命的发生，人力无可如何，革命的消逝，人力也无可如何"。人们虽然无法左右革命，但并不意味着对革命毫无影响，他们可以因势利导推动革命的顺利进行。幸德秋水肯定革命家和革命党的作用，认为革命家和革命党应该着力"考察社会的组织状态，因其进化的大势而加以利导，以便实现和平的革命"②。在这一时期，他坚决反对无政府主义的暗杀与暴力行径，强调社会主义者的武器"只是言论的自由、团结的力量、参政的权利"③，也就是说，社会主义者需要紧密团结起来，采取合法手段进行"道理之战"和"言论之争"，广泛地参政议政从而获得议会中的多数票。通过这种办法，"社会主义大革命将能堂堂正正地、和平而有序地埋葬资本主义制度"④。因此，他呼吁那些"热爱人类和平，尊重人类幸福，渴望人类进步的志士仁人"，希望他们能够通过和平合法的宣传手段来推动革命的开展与实现。⑤

1905 年以后，幸德秋水转向无政府主义，开始批判议会斗争策略，并将无政府主义所倡导的个人恐怖手段加以改造，提出了直接行动策略。首先，他批评议会斗争，认为议会斗争不是工人阶级的直接斗争，而是工人选举代表进行的间接斗争，它是毫无用处的，"三天的运动比议会的二十年的呼喊更为有效"⑥，因此，"议会政策是无论如何也不能实现社会革命的"，而那些害怕牺牲、主张议会政策的人都是软弱的改良主义者。其次，他否定暴力暗杀行动，认为无政府主义者都是和平与自由的爱好者，"所以出暗杀者毋宁是极少数"⑦；无产阶级革命不是为所欲为，如无必要就不要搞暴力革命，这样"只能破坏财产，损害人命，多付出无益的牺牲，是对革命不利的"⑧。幸德秋水所坚持的直接行

---

① [日] 幸德秋水：《社会主义神髓》，马采译，商务印书馆 1963 年版，第 41—42 页。
② [日] 幸德秋水：《社会主义神髓》，马采译，商务印书馆 1963 年版，第 42 页。
③ [日] 幸德秋水：《社会主义神髓》，马采译，商务印书馆 1963 年版，第 44 页。
④ [日] 幸德秋水：《社会主义神髓》，马采译，商务印书馆 1963 年版，第 45 页。
⑤ [日] 幸德秋水：《社会主义神髓》，马采译，商务印书馆 1963 年版，第 47 页。
⑥ 《幸德秋水全集》第 9 卷，明治文献出版社 1972 年版，第 97 页。
⑦ [日] 幸德秋水：《基督何许人也：基督抹煞论》，马采译，商务印书馆 1982 年版，第 117 页。
⑧ [日] 幸德秋水：《基督何许人也：基督抹煞论》，马采译，商务印书馆 1982 年版，第 122—123 页。

动策略，就是要求工人阶级"团结一致"、"直接行动"、"举行总同盟罢工"①。所谓团结一致，就是要求工人阶级为了全体的利益携手联合起来；所谓直接行动，就是抛弃通过代表和议员参加议会进行谈判的间接方法，而依靠工人自己直接地去行动；所谓举行总同盟罢工，就是通过工人阶级全体的罢工使企业或社会的生产和流通部门停止运转、陷入瘫痪，从而迫使资本家和政府妥协并满足工人阶级的要求。幸德秋水认为，直接行动策略是实现社会主义的唯一方法，除此而外别无他途。

四、堺利彦对马克思主义的传播

堺利彦是日本著名的马克思主义理论家、翻译家和活动家，是日本"社会主义运动之父"。他出生在日本福冈县的一个下级士族家庭，自幼接受良好的教育，深受孔孟儒学和法国自由民权学说的熏陶。中学肄业之后，堺利彦开始接触新闻报纸行业，并最终加入《万朝报》社，成为一名报社记者和专栏作家。这一时期的他鼓吹用社会改良的方法来移风易俗，变革日本的社会现实。1901 年，堺利彦与内村鉴三（1861—1930）、幸德秋水、黑岩泪香（1862—1920）等人共同发起以追求社会正义为宗旨的理想团，旨在"团结多数力量致力于善事美事"，此后堺利彦逐渐突破资产阶级改良主义的阈限并逐步向社会主义靠拢。日俄战争期间，堺利彦与幸德秋水一道坚定地站在反战立场上。1903 年，他们在《万朝报》社变节投诚之后毅然决然地宣布退社，随后发起成立平民社并创办《平民新闻》周刊，继续开展反战活动并大力进行社会主义的宣传。1904 年，堺利彦与幸德秋水合译了《共产党宣言》（缺少"第三章"）并刊发在《平民新闻》创刊周年纪念号上。1906 年，堺利彦参与创建日本社会党，在愈演愈烈的社会主义运动策略之争中保持中间立场。同年，堺利彦补译了《共产党宣言》，并将完整的日译本刊发在《社会主义研究》杂志创刊号上。1907 年，堺利彦与森近运平合著出版了日本早期社会主义的重要著作《社会主义纲要》一书，对社会主义的基本理论以及欧洲社会主义的运动现状进行了系统的介绍。1908 年，堺利彦因"赤旗

---

① 《幸德秋水全集》第 9 卷，明治文献出版社 1972 年版，第 101 页。

事件"被捕入狱两年，出狱后与大杉荣等人创立卖文社、创办《新社会》月刊，在"严冬时代"继续从事马克思主义的研究和宣传工作。1922年，堺利彦参与创建日本共产党并当选为第一任委员长，次年因"第一次共产党事件"被牵连检举，再次被捕入狱。堺利彦出狱后同意解散日本共产党，蜕变成为社会民主主义者，先后参加无产大众党、日本大众党。"九一八"事变后，堺利彦出任全国大众党反战委员会委员长，坚决反对日本帝国主义侵略中国东北。堺利彦于1933年病逝。他一生著述颇丰，主要有：《社会主义与无政府主义》(1904、1906)、《我对基督教的态度》(1906)、《社会主义纲要》(1907，与森近运平合著)、《社会党运动的方针》(1907)、《宗教及哲学的物质基础》(1916)、《道德的动物起源及其变迁》(1916)、《马克思学说和达尔文学说》(1918)、《唯物史观概要》(1919)、《马克思传，附恩格斯传》(1920，与山川均合编)，后出版《堺利彦全集》六卷。我们在此主要介绍堺利彦在1917年俄国十月革命之前的思想。

（一）对资本主义的批判

堺利彦从道德问题入手分析和批判资本主义社会。他认为道德起源于自然界。动物具有两种本能，其一是利己心，其二是道德心（亦称仁义心、义务感、良心）。利己心是"自我本能"，是食欲、性欲，致力于自我保存和后代繁衍；道德心是"社会本能"，是对社会和群体的热爱，致力于维护整个社会的正常运作。利己心和道德心"同根"，它们在本质上是一样的，都是动物的本能，也是人类的本能。社会的发展同样可以用这两种本能的变迁加以解释。堺利彦指出，由于技术进步，资本主义社会分化为两大阶级："一方出现大富豪的一群，一方出现无产劳动者的大集团。"[1] 他们都丧失了道德心而被利己心所操控。大富豪们为了满足"自我保存欲和爱护子孙之心"，为了最大限度地追求经济利益，他们控制了整个国家，使国家成为"大富豪谋利之机关"[2]。对内盘剥无产劳动者，致使他们不仅工作条件恶劣、强度巨大，而且收入微薄、生活极端贫困，甚至成为工业污染的直接受害者。对外进行殖民扩张，实施"霸道"政策，"在友好的名义下，行欺诈、哄骗、嫉妒、

---

① 转引自《朱谦之文集》第9卷，福建教育出版社2002年版，第235页。
② 《堺利彦全集》第3卷，法律文化社1970年版，第230页。

猜忌诸恶德，在和平的名义下，施恐吓、威胁、窃取、豪夺等暴行"。既给周边国家带来了灾难；也使本国的无产劳动者进一步承受严苛的赋税重担，甚至被迫当兵入伍，献出生命，付出高额的生命财产代价。无产劳动者"为保存自己的本能和对于子孙的爱所驱使"，也对资本家和大富豪们丧失了道德心，而与他们敌对和抗争，并获得自身解放、"为出现光辉灿烂的未来幸福而努力"①。总而言之，在堺利彦看来，资本主义社会是利己心全面压制道德心的社会，资本主义社会内部的阶级斗争和对外的殖民扩张都大大地损害了道德。

与幸德秋水一样，堺利彦专门研究了宗教问题。他自称秉持"唯物主义的泛神论的立场"，以"唯物的一元论"来解释宗教问题②。他认为宗教起源于人们的无知，这既包括在科学层面上对自然与社会的无知，也包括在道德层面上对"善恶根源"的无知。他把宗教的发展历程分为四个阶段：首先是自然崇拜，其次是精神崇拜，然后是抽象物崇拜，最后是无崇拜。随着生产关系的变革，宗教会随之不断前进。资本主义社会现在处于第三个阶段即抽象物崇拜之上，到了社会主义社会宗教思想将丧失其社会根基，"甚至小孩子的头脑中也不会想起"。堺利彦主张对宗教保持开放包容的心态，认为每个人都有自己的宗教，甚至"无神论、唯物主义也可认为是一种宗教"；基督教、佛教和儒教是相互交织的，它们之间没法断然区分，可以相互调和、共存共荣。宗教信仰与社会主义也不存在根本性的冲突，无论是基督教徒、佛教徒、儒教徒，还是无神论者、唯物主义者，只要他们相信社会主义，都算社会主义者。

（二）对社会主义的认知

在堺利彦看来，社会主义有三个主要特点：其一，社会主义消灭生产资料私有制，它废除资本和经济竞争，将生产和分配都收归共有。其二，社会主义只存在道德上的竞争和人与人之间的"相互扶持"，不存在对内压迫和对外战争，是自由、平等与和平的社会。其三，社会主义以普通人的幸福为目的，在社会主义社会中，人们可以各尽所能，都可以获得幸福。

---

① 转引自《朱谦之文集》第 9 卷，福建教育出版社 2002 年版，第 235 页。
② 参见《堺利彦全集》第 4 卷，法律文化社 1970 年版，第 126—128 页。

堺利彦认为上述三个特点并不是社会主义所独有的，国家社会主义、无政府主义和个人主义在某些层面上都与社会主义相互雷同并且相互补充。他指出："我最公平地比较各种思想，认为国家社会主义、社会主义、无政府主义、个人主义这四者之间有自然的连续，故社会主义一方面可说是国家社会主义，亦可说是无政府主义。……我认为，革命可以由社会主义和无政府主义的调和来实现，在革命后的新社会，会更进一步实现社会主义和个人主义的融合。"① 首先，国家社会主义强调国家对生产和分配的统一和集中，这与社会主义的本质要求相同，所以在这种意义上，社会主义就是国家社会主义。其次，无政府主义强调个体的权利与自由，批判政府对个体的控制，这同样与社会主义的本质要求相同，所以在这种意义上，社会主义就是无政府主义。最后，个人主义强调个人的利益与诉求，这也是社会主义本质的一部分，所以在这种意义上，社会主义与个人主义也并不矛盾，而应当相互结合。堺利彦希望社会主义者与国家社会主义者、无政府主义者、个人主义者之间，不要相互丑化和肆意歪曲，而应当相互补充、相互协调起来，它们之间并不存在无法逾越的矛盾和鸿沟。

（三）对革命策略的抉择

对于日本统治阶级的对内压迫和对外扩张，堺利彦起初幻想通过唤醒统治阶级的觉悟来实现团结，消弭战争；后来则希望通过直接行动与议会斗争并重的方法，进行无产阶级革命。在日俄战争全面爆发之前，堺利彦站在儒家立场上，批判日本统治阶级在"以德服人的王道"与"以力服人的霸道"之间选择了后者。日本是一个小国，"不可无小国之觉悟"，不应该对外扩张、参与帝国主义之间的争霸；而应该专注于保护自己，施行仁政和王道，"凿斯池也，筑斯城也，与民守之"②。堺利彦劝诫日本的统治阶级，欧美的帝国主义才是东洋诸国的真正敌人。日本应该本着"四海之内，皆兄弟也"的原则，与东洋诸国相互扶持、团结一心，"共唱人种同胞之大义"，与欧美帝国主义国家"平等处理世界事务"③。

---

① 《堺利彦全集》第 3 卷，法律文化社 1970 年版，第 214—215 页。
② 《堺利彦全集》第 1 卷，法律文化社 1970 年版，第 281 页。
③ 《堺利彦全集》第 1 卷，法律文化社 1970 年版，第 311 页。

日俄战争后，堺利彦放弃了通过儒家理论改造日本统治阶级的想法。当时围绕着革命策略问题，日本社会党分裂为直接行动派和议会斗争派。堺利彦为了调和二者之间的矛盾，避免社会党的分裂，在日本社会党第二次代表大会上提出了直接行动与议会斗争并用的斗争策略。他指出："今后社会主义运动的大方针是：一方面采取议会政策，另一方面，劳动阶级团结起来，议会斗争和一般社会斗争相呼应，开展平民阶级的统一运动。"① 首先，他认为无政府主义和议会斗争符合当今社会主义运动的趋势和潮流。欧洲当时的社会主义运动就包含着这两个方面：法、意、德等国无政府主义的勃兴和英、奥、芬等国议会政策的成功。既然无政府主义政策和议会政策都是有效的，日本社会党完全可以把直接行动与议会斗争结合起来。其次，把直接行动与议会斗争并用，并不意味着它们不存在主次之分，现阶段的核心任务是：从事工人团结、训练与教育工作，因此需要尽量避免与日本当局出现直接的对抗，而主要应当采用和平合法的方式。堺利彦的这个妥协性的方案虽然在大会上得以通过，但是并未真正说服直接行动派和议会斗争派，未能挽救日本社会党分裂的命运。而且由于堺利彦的摇摆不定，他在提出并用策略不久便与主张直接行动策略的幸德秋水再次走到了一起。

马克思主义在日本的初期传播呈现如下特征：第一，它始终是在与日本工人运动的结合中传播马克思主义的，日本工人反对资本家的政治运动和日本先进知识分子寻求改造日本社会的强烈愿望，是在日本传播马克思主义的动力。这种在工人运动发展中传播马克思主义的方式本身就是马克思主义的。第二，马克思主义在日本的传播在相当大的程度上是通过对社会主义的认识和传播实现的，并且这种对马克思主义、社会主义的认识又是贯穿在对资本主义、帝国主义、社会革命的道路和策略、革命家和革命政党的作用等问题的认识中的，因此，这种关于马克思主义、社会主义的认识具有一定的深刻性和突出的现实性。第三，日本的马克思主义者对马克思主义的传播不限于对马克思和恩格斯著作的译介，还在于对具体理论问题和现实问题的认识中，直接运用了他们的理论、观点。所以，日本的马克思主义传播和研究尽管在发展的程度和阶段上是初期的，但是已经把马克思主义的基本理论和观点运用到对具体的理论和实际问题的认识中了，贯彻到实际运动中了。第四，马克思主义在日本的初期传

---

① ［日］堺利彦：《社会党运动的方针》，《平民新闻》第 21 号明治四十年 2 月 10 日。

播的方式总的来说是"夹杂"在来自西方的各种各样的社会主义的或激进的思潮中的，所以，日本的马克思主义者往往是戴着某种非科学的社会主义流派的有色眼镜来看马克思主义的，因而使得这一时期日本马克思主义者对马克思主义基本理论的认识表现为准确性、科学性不足，进而造成对实际运动的性质的认识、对运动的态度和策略选择上的某种程度的摇摆。第五，19世纪末和20世纪初，世界革命的重心发生了重大转移，即由西欧转移到欧亚大陆之交的俄国，1905年俄国发生了资产阶级革命，1917年发生的二月革命结束了沙皇专制统治，随后爆发了震惊世界和改变世界历史进程的俄国十月社会主义革命。但是，这一时期马克思主义在日本的传播中，日本马克思主义者的眼光似乎还没有从西欧转移到俄国来，对俄国革命的发展、对俄国马克思主义的发展，特别是对列宁主义关注不够，个别有影响的马克思主义者甚至对十月革命持否定态度，这可能是在20世纪日本马克思主义发展缓慢的重要原因之一。

第二节　马克思主义在中国的初期传播

马克思主义在中国的初期传播兴起于19世纪末20世纪初。迅速走向独立富强的日本是马克思主义传入中国的中转国和主渠道。在十月革命之前，饱受殖民侵略且积贫积弱的中国尚不具备传播马克思主义的客观条件，译介马克思主义的主体主要是资产阶级的学者和活动家。受限于资产阶级的阶级立场和政治诉求，马克思主义的初期传播并未与中国孱弱的无产阶级结合起来。因此，其深度广度、信度效度都落后于同时期的日本。随着中国封建帝制的完结和社会面貌的变迁，代表不同资产阶级阶层利益的学者和活动家，其对待马克思主义的态度和观点也有所不同。资产阶级维新派、资产阶级革命派和无政府主义者，是马克思主义在中国初期传播的主要派别。

一、马克思主义在中国传播的开启

（一）马克思主义在中国初期传播的历史背景

19 世纪 40 年代，资本主义列强把清帝国摆到殖民扩张的砧板之上。1840 年，英国以虎门销烟为借口，派海军少将乔治·义律（1784—1863）统率舰船四十余艘封锁广州海面，第一次鸦片战争爆发。1842 年，中国战败并签署《南京条约》，同意英国提出的割地、赔款、五口通商和关税协商等多项不平等要求。此后毫不餍足的资本主义列强先后发动了第二次鸦片战争（1856—1860）、中法战争（1883—1885）、甲午中日战争（1894—1895）和八国联军侵华战争（1900—1901），强迫软弱无能的清政府相继签署了《北京条约》、《天津条约》、《中法新约》、《马关条约》和《辛丑条约》等一系列愈加严苛的不平等条约，中国彻底地沦为半殖民地半封建社会。资本主义列强瓜分豆剖下的清帝国，为了延续自身的专制王权和满足资本主义列强的要求，其统治更加残暴、赋税更加沉重、剥削更加严酷，致使广大被统治阶级愈发生灵涂炭、流离失所、民不聊生。资本主义列强的殖民扩张与清王朝的腐朽统治，使"帝国主义和中华民族的矛盾，封建主义和人民大众的矛盾"成为近代中国社会的主要矛盾。① 为了挽救民族危亡、推翻封建帝制，中国社会各主要阶级纷纷登上了历史舞台：农民阶级的太平天国运动（1851—1964）和义和团运动（1899—1900）、开明地主阶级的洋务自救运动（1861—1895）、资产阶级的戊戌变法（1898）和辛亥革命（1911—1912）。以孙中山为代表的资产阶级革命派领导的辛亥革命，最终推翻了清王朝的统治，结束了中国长达两千余年的君主专制制度，通过了《中华民国临时约法》，建立起亚洲第一个民主共和政体的资产阶级国家。但是革命果实随即被大地主大买办阶级的代表袁世凯（1859—1916）所窃取，他倒行逆施、复辟称帝、建立中华帝国。袁世凯闹剧在举国反对声中草草收场之后，中国社会陷入到北洋军阀割据混战的局面之中。

中国各主要阶级的轮番上阵，虽然最后都以失败告终，没有彻底改变中国半殖民地半封建社会的性质，但是依然给中国社会带来了全面而深刻的变化。

---

① 《毛泽东选集》第 2 卷，人民出版社 1991 年版，第 631 页。

在经济方面，中国自给自足的自然经济受到了严重的冲击，资本主义经济获得了一定的发展。首先，资本主义列强通过抢占通商口岸、划分势力范围，进行原料掠夺、商品输出和资本输出。它们在沿海乃至内陆兴建了大批的工厂，从最初的交通运输业，尤其是船舶运输业（如香港黄埔船坞公司、上海祥生船厂，等等），逐步拓展到各种轻工业，尤其是原料加工业（如制茶、缫丝、制糖、造纸、肥皂、玻璃、制药，等等）。19 世纪末，帝国主义列强开始大范围地涉足中国的采矿、铁路、航运等重工业，并且通过开设银行（如英国的汇丰银行、法国的法兰西银行、德国的德华银行、美国的花旗银行、俄国的华俄道胜银行、日本的横滨正金银行，等等），向清政府放贷，垄断了中国的金融与财政。其次，开明地主阶级打着"自强"和"求富"的旗号开展洋务运动，学习西方先进技术，兴建了一批官办企业和官督商办企业，重点发展军事、造船和纺织等工业。其中比较具有代表性的地方大员有李鸿章（1823—1901）和张之洞（1837—1909）。李鸿章先后主持创办了上海洋炮局（1862）、金陵机器局（1865）、江南制造总局（1865）、轮船招商局（1872）和开平矿务局（1877）。张之洞先后主持创办了湖北枪炮厂（1890）、湖北织布局（1890）、汉阳铁厂（1891）、湖北缫丝局（1894）、湖北制纱局（1897）和湖北制麻局（1898）。洋务运动虽然最终失败了，但是为中国近代工业的发展和民族资本主义的产生奠定了基础。最后，甲午中日战争之后中国的民族资本主义经济同样获得了初步的发展，由于处于帝国主义和官僚资本主义的夹缝之中，中国的民族资本主义企业主要集中在轻工业上，包括棉纺织业（如张謇的大生纺织集团公司）、面粉业（如荣氏兄弟的福新面粉厂）、卷烟业（如简氏兄弟的南洋兄弟烟草公司）等等。

在政治方面，中国的君主专制制度在内外交困中最终解体，民主共和的观念开始深入人心。清王朝对外遭受着资本主义列强的不断侵略，对内面临着农民阶级和资产阶级革命运动的持续冲击，其军事力量及其对中国版图的控制能力被大大削弱。八国联军侵华之后，清政府实施新政，通过了仿行立宪、改革官制、编练新军、倡导商业、改革教育等各项措施，对中国的现代化进程产生了积极的影响，但是由于不够彻底和高效，最终未能挽救清王朝垮台的命运。1911 年，随着武昌起义的爆发和胜利，全国十五个省纷纷宣布独立。清帝溥仪（1906—1967）被迫宣布退位，统治中国长达两千余年之久的专制王权制度最终瓦解。1912 年，中华民国临时政府在南京成立，孙中山（1866—1925）被推举为临时大总统，颁布《中华民国临时约法》，规定中国实行三权分立的资产阶级共和制。袁世凯随后窃取了革命果实并于 1915 年年底复辟帝制，但是民主共和的政治观念已经深入人心，中国的政治现代化进程已经容不下这种逆历史潮流而动的行径。孙中山随后领导了护国运动，南方各省纷纷独立护国讨袁，袁世凯在军队节节退败的情况下不得不撤销帝制，最终忧愤而死。

　　在文化方面，中国开始开眼看世界，西学东渐的潮流势不可挡。资本主义列强的殖民扩张，既打破了满清帝国闭关锁国的政策，也使得统治阶级从天朝上国的迷梦中惊醒。首先，随着西方官员、商人和传教士的涌入，西方的宗教教义、科学技术和制度文化通过办学、传教、书刊等载体，大量传入中国并对中国近代知识分子的出现和成长发挥了重要作用。其次，中国社会的统治阶级和士大夫阶层，开始主动学习西方，从器物层面的学习深入到制度层面的学习最终进入到文化层面的学习。以林则徐（1785—1850）、魏源（1794—1857）为代表的地主阶级抵抗派，是中国开眼看世界的第一批知识分子。随后以曾国藩（1811—1872）、李鸿章、张之洞为代表的地主阶级洋务派，以严复（1854—1921）、康有为（1858—1927）、梁启超（1873—1929）为代表的资产阶级改良派，以孙中山、章太炎（1869—1936）、朱执信（1885—1920）为代表的资产阶级革命派，愈加全面和深入地介绍西方先进的政治理念与科学文化知识。与此同时，随着清末新政的实施和中华民国的建立，科举制度为新式学堂所取代，官方开始有计划地派遣留学生到西方发达国家和日本留学，中国近代新式知识分子开始成长壮大起来。1915 年，新文化运动爆发，陈独秀（1879—1942）、胡适（1891—1962）、鲁迅（1881—1936）、李大钊（1889—1927）等人，通过提倡民主反对专制、提倡科学反对迷信、提倡新道德反对旧道德、提倡新文学反对旧文学，对中国的传统文化和封建礼教进行了彻底的批判与清算，使自由主义、"三民主义"和共产主义成为近代中国的三大主要思潮，促进了中华民族尤其是青年知识分子在文化层面上的空前解放和真正觉醒。

　　半殖民地半封建社会的中国在经济、政治和文化领域的变迁，为马克思主义在中国的初期传播创造了条件。首先，资本主义经济在中国的发展，"造成了在帝国主义直接经营的企业中、在官僚资本的企业中、在民族资产阶级的企业中做工的中国的无产阶级"①。他们主要集中在沿海沿江的通商口岸，集中在由外国资本和官僚资本创办的大型企业中。中国的产业工人阶级的数量，在甲

---

① 《毛泽东选集》第 4 卷，人民出版社 1991 年版，第 1484—1485 页。

午中日战争时期已经有 10 万人，到了辛亥革命时期跃升到 60 万人，而在第一次世界大战时期更是增长到 200 万人。其次，中国的无产阶级大都由破产的农民转化而来，他们遭受着外国资本、官僚资本和民族资本的重重压迫和残酷剥削，工作条件和生存条件异常恶劣，具有改变现状、谋求权益的强烈愿望和现实行动。从 1905 年到 1912 年，中国工人举行了 60 多次罢工；从 1912 年到 1919 年，罢工数量翻了一番，多达 130 多次。再次，随着中国社会的开眼看世界、创办新式学堂、派遣留学生，一大批新式知识分子成长起来，他们在译介和研究西方各种政治社会思潮、寻求救国救民真理的时候，有意无意地涉及马克思主义。中国新式知识分子的出现为马克思主义在中国的传播创造了必要条件。

（二）马克思主义在中国初期传播的基本概况

从 19 世纪 70 年代开始，国际工人运动和社会主义学说开始零星地传入中国。1871 年巴黎公社革命爆发，因天津教案赴法赔礼的清政府官员完颜崇厚（1826—1893）、张德彝（1847—1918）目睹了这场革命，并将他们在巴黎的见闻记于日记之中，张德彝写成的《随使法国记（三述奇）》对巴黎公社革命做了具体生动的记载。旅欧的王韬（1828—1897）也与他人合作译撰了大批报道，发表在香港的《华字日报》、《中外新报》等报刊上。1873 年，王韬将这些报道汇编成《普法战记》14 卷，交与中华印务总局正式出版。他站在统治阶级的立场上，认为巴黎人民起义的原因，"皆由自主二字害之也"。这是中国人第一次了解到西方资本主义社会的阶级矛盾与国际工人运动状况。1873 年，江南制造总局翻译馆开始编译《西国近世汇编》，介绍 1873 年至 1899 年西方各国大事，其中某些报道涉及了社会主义和国际工人阶级运动状况，它第一次在中国把社会主义译述为"欧罗巴大同主义"、"贫富适均"、"创为贫富均材之说"，把共产主义译述为"康密尼党"、"康密尼人"。1878—1879 年，时任德国公使的李凤苞（1834—1887）撰写《使德日记》一卷，主要记载了使德时期的外交活动，德国的社会风貌、政治、文化与科技。在日记中也记述了德国工人运动状况，他将共产主义音译为"廓密尼士"，将社会民主党音译为"莎舍尔德玛噶里"，宣称"'莎舍尔德玛噶里'，各国皆有之"。1899 年，英国浸礼会传教士李提摩太（1845—1919）节译了英国学者本杰明·基德（1858—1916）的《社会演化》一书的前四章，由蔡尔康（1851—1921）撰文、以《大同学》为名，连载于上海广学会的机关刊物《万国公报》上，该文第一次用中文介绍了马克思及其学说。基德认为马克思致力于安民，是百工领袖："其以百工领袖著名者，英人马克思也。"①"有讲求安民新学之一派，为德国之马客偲，主于资本者也。"② 他还概述了马克思的革命思想："纠股办事之人，其权笼罩五洲，实过于君相之范围一国。吾侪若不早为之所，任其蔓延日广，诚恐遍地球之财币，必将尽入其手。然万一到此时势，当即系富家权尽之时，何也？穷黎既至其时，实已无计复之，不得不出其自有之权，用以安民而救世。"③ 随后李提摩太将《社会演化》一书十章全部译出，并由广学会校刊出版单行本，在本书的第八章中，第一次用中文提及了恩格斯及其主张："德国讲求养民学者，有名人焉。一曰马克思。一曰恩格思。"④"恩格思有言，贫民联合以制富人，是人之能自别禽兽，而不任箕弄也。"⑤

19 世纪末 20 世纪初，一方面由于日本从落后的蕞尔小国迅速实现现代化并且先后打败中国与俄国，成为东方唯一可以与西方帝国主义国家平起平坐的国家；另一方面由于前往日本求学便利：路途近、费用低、时间短、中日文字互通性好，大批中国留学生赴日留学。从 1897—1905 年间，中国的赴日留学生迎来第一个高潮，日本"各学校共有中国学生一千三百余人，其中学文科者一千一百余人，学武科者二百余人"⑥。他们还成立了各种不同的团体，"1910年以前，各种留日学生团体有近三十个"。另外，因戊戌变法失败而逃亡的资产阶级维新派和因广州起义失败而逃亡的资产阶级革命派，也大都前往日本避难。在这一时期，日本的马克思主义传播与社会主义运动声势正隆，渴望寻求新知、救国救民的中国留学生和资产阶级领导人自然而然地会接触和了解马克

---

① 高军等编：《五四运动前马克思主义在中国的介绍与传播》，湖南人民出版社 1986 年版，第 24 页。

② 高军等编：《五四运动前马克思主义在中国的介绍与传播》，湖南人民出版社 1986 年版，第 27 页。

③ 高军等编：《五四运动前马克思主义在中国的介绍与传播》，湖南人民出版社 1986 年版，第 24 页。

④ 高军等编：《五四运动前马克思主义在中国的介绍与传播》，湖南人民出版社 1986 年版，第 33 页。

⑤ 高军等编：《五四运动前马克思主义在中国的介绍与传播》，湖南人民出版社 1986 年版，第 34 页。

⑥ 陈学恂、田正平：《中国近代教育史资料汇编·留学教育》，上海教育出版社 1991 年版，第 363 页。

思主义与工人阶级运动。正是在这种背景下，日本成为中国知识界最初引进马克思主义学说的中转国和主渠道。日本以社会主义为题或者较多涉及社会主义内容的著述被大量翻译成中文，其中比较有代表性的著作包括：有贺长雄的《近世政治史》（1900—1901）、幸德秋水的《帝国主义》（1902、1912）、《广长舌》（1902、1912）、《社会主义神髓》（1903、1906、1907）、村井知至《社会主义》（1902、1903）、福井准造（1871—1937）的《近世社会主义》（1903）、久松义典（1855—1905）的《近世社会主义评论》译述本（1903）、西川光次郎（1876—1940）的《社会党》（1903）、矢野龙溪（1851—1931）的《新社会》（1903），等等。除了翻译日文的社会主义著作，中国的留学生和学者还大量承袭了日本学者用汉字翻译的马克思主义的经典概念，例如"社会主义"、"共产主义"、"无政府主义"、"社会党"、"共产党"、"辩证法"、"形而上学"、"唯物主义"、"唯心主义"等术语都是由日本学者首次创制和使用而为中国学者直接引入的。此外，部分中国留学生和前往日本避难的中国资产阶级领导人还与日本的社会主义代表人物建立起密切的联系。日本的片山潜、幸德秋水和堺利彦等人一直非常同情中国人民，关心中国革命。中国的张继（1882—1947）、章太炎、孙中山、刘师培（1884—1919）、江亢虎（1883—1954）等人与幸德秋水、堺利彦都有过直接的往来，并且或多或少地接受了他们的无政府主义思想。

随着对日本社会主义著作的译介和研究，中国学术界对马克思主义的理解在广度和深度上都有所扩大。1901年，译书汇编社在其期刊《译书汇编》中刊载了有贺长雄的《近世政治史》的中译文，第一次向国人介绍了第一国际，并且介绍了马克思的社会主义学说，文章指出："一千八百六十二年，各国工人之首领均会集于伦敦，名曰'万国工人总会'。""麦克司自为参事会长，总理全会。""西国学者悯贫富之不等，而为雇工者往往受资本家之压制，遂有倡均贫富、制恒产之说，谓之社会主义。"1902年，上海广智书局出版了村井知至的《社会主义》中译文，该书较为系统地介绍了马克思主义的经济学说，书中指出：由于私有资本制度的存在，劳动者不能获得其劳动的全部价值，"其余利益莫不为资本家之垄断"；社会主义是"私有资本制度之反对"；"贫富之所以悬隔，实基于私有资本。固必废革此制度，而为共有资本之制度"[①]。1903

① 高军等编：《五四运动前马克思主义在中国的介绍与传播》，湖南人民出版社1986年版，第52—53页。

年，上海广智书局出版了福井准造的《近世社会主义》中译文，本书在中国第一次较为系统地介绍了社会主义思想发展史和各国社会主义运动状况。该书将马克思译作"加陆·马陆科斯"，把恩格斯译作"野契陆斯"。在"加陆·马陆科斯及其主义"一章中，称赞马克思为"一代之伟人"、"一大经济学者"，"为社会主义定立确固不拔之学说"；称赞恩格斯为马克思"有力之同志"，"与马陆科斯相亲善，终始同其难苦"。该书详细介绍了马克思的劳动价值论和剩余价值学说，高度评价了马克思和恩格斯的《资本论》和《共产党宣言》，认为《资本论》是"一代之大著述，为新社会主义者发明不二之真理，为研究服膺之经典"；《共产党宣言》是"一大雄篇"。该书还摘引了《共产党宣言》的最后一段话："同盟者望无隐蔽其意见与目的，宣布吾人之公言，以贯彻吾人之目的，惟向现社会之组织，而加一大改革，去治者之阶级，因此共产的革命而自警。然吾人之劳动者，于脱其束缚之外，不敢别有他望，不过结合全世界之劳动者，而成一新社会。"① 这大约是《共产党宣言》在中国最早的一段译文。1905—1908年，同盟会的得力干将廖仲恺（1877—1925）对亨利·乔治（1839—1897）的《进步与贫乏》、威廉·布利斯（1856—1926）的《社会主义手册》、久津见蕨村（1860—1925）的《欧美之无政府主义》和烟山专太郎（1877—1954）的《近世无政府主义》等社会主义著作进行了系统的节译并将八篇译文全部刊发在《民报》上，向国人集中介绍了社会主义、无政府主义和虚无主义的学说、历史、派别和运动。1906年同盟会的另外一位代表人物宋教仁（1882—1913）编译了大杉荣（1885—1923）的《万国社会党大会略史》，刊发在《民报》第5期上，系统地向国人介绍了第一国际的简要历史和第二国际历次代表大会的基本概况，并且更为精确地翻译了《共产党宣言》的最后一段话："吾人之目的，一依颠覆现时一切之社会组织而达者，须使权力阶级战栗恐惧于共产的革命之前，盖平民所决者惟铁锁耳，而所得者则全世界也。""万国劳动者其团结！"② 中国的无政府主义者和中国社会党人也开始在自己的刊物上译介无政府主义和马克思主义。1908年，社会主义讲习会的机关报《天义报》在第15卷上刊载了恩格斯所写的"《共产党宣言》1888年英文版序言"，在第16—19卷合刊上又刊载了《共产党宣言》第一章的部分译文和《家庭、私有制和国家的起源》

第二章的部分译文，并予以高度的评价。1912 年，中国社会党绍兴支部在其机关刊物《新世界》上，以《理想社会主义和实行社会主义》为题，首次用中文连载了恩格斯的《社会主义从空想到科学的发展》。《新世界》的主编王缁尘（？—1941）还发表了《社会主义大家马儿克之学说》一文，系统介绍并高度赞扬了马克思本人和《共产党宣言》：马克思"不啻全世界之造时势者"，《共产党宣言》"不啻二十世纪社会革命之引导线，大同太平新世界之原动力"①。

在俄国十月革命前，一方面由于中国的资本主义经济尚处于初步发展阶段，工人阶级尚未形成独立的政治力量，中国还不具备马克思主义传播成熟的经济条件和阶级基础。另一方面由于中国近代知识分子，从各种不同的阶级立场出发，来看待和理解马克思主义和工人阶级运动。此外，作为中国马克思主义传播的中转国和主渠道，日本的马克思主义研究虽然达到了一定的水准，但是依旧不够充分并且存在着严重缺陷，并对中国学界理解和研究马克思主义带来了消极影响。上述三个方面共同造成了中国近代知识分子对马克思主义的理解和介绍是零星的、初步的、片面的。不仅在深度和广度上落后于日本，而且没有出现真正的社会主义者，没有同无产阶级运动产生实质性的关联。即便在辛亥革命爆发、中华民国建立后，这种情况也未得到明显改观。因此，俄国十月革命前是马克思主义在中国初步介绍的阶段。在这一阶段，接触和介绍马克思主义的中国近代知识分子主要包括三个派别：资产阶级维新派、资产阶级革命派和无政府主义者。这三大派别从各自的立场出发，围绕什么是社会主义、在当下中国能否实行社会主义以及实行什么样的社会主义等三个方面的问题，展开了激烈的争论。

二、资产阶级维新派对马克思主义的传播

资产阶级维新派是中国接触和研究社会主义的第一批知识分子群体。为了给维新变法寻找法理依据、提供具体方案，康有为、严复、梁启超、谭嗣同（1865—1898）等人在反思和重释中国传统的同时，积极译介和学习西方的

---

① 林代昭、潘国华：《马克思主义在中国：从影响的传入到传播》（上），清华大学出版社1983 年版，第 313 页。

思想文化和社会制度。在这一过程中，他们阅读了社会主义的零星作品，触碰到社会主义的部分观点。他们对社会主义普遍地给予了高度的评价，并且拿中国传统元典中所描绘的大同世界与之相比附。十月革命前，在资产阶级维新派代表人物当中，涉及社会主义思想的文章和著作主要包括：康有为的著作《大同书》(1884—1902)，严复的著作《原强修订稿》(1895—1896)、文章《民约平议》(1914)和译作《天演论》(1895—1898)、《法意》(1902—1906)，梁启超的文章《论强权》(1899)、《进化论革命者颉德之说》(1902)、《干涉与放任》(1902)、《二十世纪之巨灵：托辣斯》(1903)、《中国之社会主义》(1904)、《开明专制论》(1906)、《杂答某报》(1906)、《驳孙文革命中关于社会革命论者》(1906)、《〈社会主义论〉序》(1907)和著作《新大陆游记》(1904)，谭嗣同的著作《仁学》(1896—1897)，等等。其中，梁启超对社会主义的研究和理解最为全面和深入。

康有为在《大同书》中，从农业、工业和商业三个方面对资本主义近代文明进行了深入的剖析。他首先充分肯定了资本主义给人类社会带来的巨大变化："农耕皆用机器化料。若工事之精，制造之奇，汽球登天，铁轨缩地，无线之电渡海，比之中古有若新世界矣。商运之大，轮舶纷驰，物品交通，遍于五洲，皆创数千年未有之异境。"① 但康有为指出这些只是表象，只是"世界之外观"，由于私有财产与恶性竞争的存在，资本主义近代文明同样造成了自身无法补救的"民生独人之困苦，公德之缺乏"②。在农业领域，存在着地主阶级和农民阶级的对立。地主阶级不亲自耕种，而是将土地租赁给农民，收取高额地租，或者任其荒芜；农民阶级胼手胝足、夜以继日地劳作，但是依旧穷困潦倒、饥寒交迫。在私有制条件下，近代社会虽然"机器日出精奇，人民更加才智，政法更有精密"，但是仍然无法实现"生民之皆安乐，农人之得均养"。在工业领域，存在着资本家与工人阶级的对立。资本家掌握生产资料，他们凭借着银行、铁路、船舶和电线等现代资本网络和交通网络，将工厂开到世界各地，雇佣了"为亿为兆而不止"的工人阶级。通过剥削和压榨他们，资本家积累了大量的资产，变得富可敌国，并且带动了国与国之间的争斗。工人阶级遭受资本家的控制与抑勒，并且因为机器的大范围使用而不

---

① 《康有为全集》第七集，中国人民大学出版社 2007 年版，第 153 页。
② 《康有为全集》第七集，中国人民大学出版社 2007 年版，第 153 页。

断地失业，劳苦贫穷、无所谋食。康有为认为这是工人阶级运动兴起和社会主义学说兴盛的根本原因，他将社会主义概括为"人群之说"和"均产之说"，并且断言工人阶级运动与社会主义学说将会成为今后百年的主题："近年工人联党之争，挟制业主，腾跃于欧美，今不过萌蘖耳，后此必愈甚。又工党之结联，乃至若美国之逐我华工，恐或酿铁血之祸，其争不在强弱之国而在贫富之群矣。从此百年，全地注目者必在于此。故近者人群之说益昌，均产之说益盛，乃为后此第一大论题也。"① 在商业领域，存在着资本家与资本家之间的对立。自达尔文主义出现以来，竞争之义被视为至理，优胜劣汰被当作天则，资本家之间展开了殊死搏斗，"高才并出，骋用心计，穿金刻石，巧诈并生"。这种恶性竞争会使失败者落入贫穷、生计既失、忧患并起、家破人亡，会让整个社会相互倾轧、道德败坏，"在富者则骄，在贫者则谄。骄极则颐指气使，谄极则凭淫吮痈，盖无所不至矣"②。康有为把资本主义近代文明所造成的工人阶级、农民阶级的贫苦，以及整个社会的道德败坏，归咎于资本主义社会的私有制度。如果不消灭私有制度就无法在农业领域实现"共产之说"，无法在工业领域平息"工人联党之争"，无法在商业领域消弭"竞争"。因此，他提出自己的大同社会理想，并给出实现大同社会的道路和方法，即"必去人之私产"，"凡农工商之业，必归之公"③。

严复同样对资本主义近代文明给予了高度肯定，认为西方资本主义社会"强且富"。但是他又强调西方资本主义社会并非"至治极盛"的太平盛世。严复指出，工业革命以来，西方资本主义社会出现了严重的垄断现象，进而造成了巨大的贫富差距，"垄断既兴，则民贫富贵贱之相悬滋益远矣"④，"富者一人以操之金钱以兆计，有时至千万亿，而贫者日暮之饔飧有不能以自主"⑤。严复认为，西方资本主义社会无法消除的贫富差距造成了社会主义学说的流行和社会主义政党的兴起，"均贫富之党兴，毁君臣之议起"⑥，"持社会主义者

① 《康有为全集》第七集，中国人民大学出版社 2007 年版，第 154 页。
② 《康有为全集》第七集，中国人民大学出版社 2007 年版，第 155 页。
③ 《康有为全集》第七集，中国人民大学出版社 2007 年版，第 156 页。
④ 《严复集》第 1 卷，中华书局出版社 1986 年版，第 24 页。
⑤ 孟德斯鸠：《论法的精神》，严复译，上海三联书店 2009 年版，第 254 页。
⑥ 《严复集》第 1 卷，中华书局出版社 1986 年版，第 24 页。

众矣"①。在《天演论》一书中，严复将赫胥黎（1825—1895）描绘蜂群的一句话进行意译，借此阐发他对社会主义的理解。赫胥黎书中的原话为："在蜂群社会中实现了'各尽所能、按需分配'这种共产主义格言的理想。"严复将其意译为："夫蜂之为群也，审而观之，乃真有合于古井田经国之规，而为近世以均富言治者之极则也。以均富言治者曰：'财之不均，乱之本也。一群之民，宜通力而合作，然必事各视其所胜，养各给其所欲，平均齐一，无有分殊。为上者职在察贰廉空，使各得分愿，而莫或并兼焉，则太平见矣此其道蜂道也。'"②社会主义当如蜂群一般，在生产方面通力协作、各尽所能，在消费方面平均分配、无有分殊。权威和领袖应当保障这种生产和分配的有效进行。严复认为中国传统文化中包含着丰富的社会主义思想：因为井田制强调土地国有，所以"今之持社会主义，即古之求均国田者也"③；因为墨子强调兼爱非攻，所以"至于墨道，则社会主义"④；因为孔子强调"患不均"、"均无贫"，所以孔子"为民主平等之法言"；因为王安石悲悯乡闾，希望通过济时之术使他们安于畎亩，所以"荆公胸中社会主义甚富"⑤；如是等等。即便如此，严复强调当今的社会主义像古代的井田制一样，是"不可行之制"。至于西方社会主义者提出的"领土国有"和没收"资本之家产"的两项主张，在中国更不具有现实可能性，"悬之勿论可耳"⑥。

梁启超把马克思视作"社会主义之泰斗"、"社会主义之鼻祖"，认为马克思的社会主义是当今德国"最占势力之二大思想"之一。⑦社会主义是"近百年来世界之特产物"，梁启超把它概括为两点：生产资料公有制和劳动价值论——"括其最要之义，不过曰土地归公、资本归公，专心劳力为百物价值之源泉"⑧。因此，社会主义需要通过干涉和行动来使人们整合起来，从而保障社会主义社会的正常运行，"社会主义者，其外形若纯主放任，其内质则实主

---

① 《严复集》第4卷，中华书局出版社1986年版，第1023页。

② 赫胥黎：《天演论》，严复译，贵州教育出版社2014年版，第50页。

③ 《严复集》第4卷，中华书局出版社1986年版，第1023页。

④ 《严复集》第4卷，中华书局出版社1986年版，第1126页。

⑤ 《严复集》第4卷，中华书局出版社1986年版，第1157页。

⑥ 《严复集》第2卷，中华书局出版社1986年版，第339页。

⑦ 《梁启超全集》第四集，中国人民大学出版社2018年版，第7页。

⑧ 林代昭、潘国华：《马克思主义在中国：从影响的传入到传播》（上），清华大学出版社1983年版，第115页。

干涉者也。将合人群使如一机器然，有总机以纽结而旋掣之，而于不等中求平等。"梁启超认为，资本主义放任自流的自由竞争是造成社会主义革命必然出现的主要原因。自由竞争的无政府状态造成了大资本家的垄断，"小资本家力不克任，相次倒闭，弱肉强食，兼并盛行，于是生计界秩序破坏，劳力者往往忽失糊口之路，势亦不得不乞怜于彼之能堪剧争之大资本家，故大资本家从而垄断焉。庸率任意克减，而劳力者病，物品复趋粗恶，而消费者病，原料任其独占，而生产亦病。此近世贫富两级之人，所以日日冲突，而社会问题所由起也"①。由于多数的贫者、弱者为少数的富者、强者所压迫，贫富悬殊极为巨大，因此劳力者反抗资本家的"资生革命"不可避免，而作为解决资本主义弊病的"社会主义之万不可以已"②。梁启超坚信社会主义会成为"将来世界最高尚美妙之主义"，"社会主义，其必将磅礴于 20 世纪……20 世纪为干涉主义全胜时代也。"③和资产阶级维新派其他代表人物一样，梁启超认为社会主义是"吾中国固夙有之"，"中国古代井田制度，正与近世社会主义同一立脚点"，孔孟所倡导的"均无贫，和无寡"、"有恒产者有恒心"、王莽新政实施的"分田劫假"，都是社会主义思想最精要的代表。梁启超虽然赞成社会主义革命，但是认为中国目前并不具备实施社会主义革命的条件，需要分步进行、循序渐进，所以他明确反对立刻在中国实施社会主义革命，并对以孙中山为首的资产阶级革命派进行了猛烈的批判。梁启超指出："社会主义学说，其属于改良主义者，吾固绝对表同情；其关于革命主义，则吾亦未始不赞美之，而谓其必不可行，即行亦在千数百年之后。"在当前条件下通过暴力实施社会主义革命是错误的，"大抵极端之社会主义，微特今日之中国不可行，即欧美亦不可行，行之其流弊将不可胜言"④。以孙中山为代表的资产阶级革命派"博下等社会之同情"，通过发动"赌徒、光棍、大盗、小偷、乞丐、流氓、狱囚"的力量进行革命，不仅会一事无成而且会荼毒一方。资产阶级革命派利用野蛮的暴力"杀四万万人之半，夺其田而有之"，这种行径与地主及资本家毫无区别。因此

① 《梁启超全集》第四集，中国人民大学出版社 2018 年版，第 247 页。
② 林代昭、潘国华：《马克思主义在中国：从影响的传入到传播》（上），清华大学出版社 1983 年版，第 117 页。
③ 姜义华：《社会主义学说在中国的初期传播》，复旦大学出版社 1984 年版，第 48 页。
④ 林代昭、潘国华：《马克思主义在中国：从影响的传入到传播》（上），清华大学出版社 1983 年版，第 119 页。

梁启超大声疾呼："敢有言以社会革命（即土地国有制）与他种革命同时并行者，其人即黄帝之逆子，中国之罪人也，虽与四万万人共诛之可也。"[1]他主张现阶段的中国应该参照国家社会主义的精神，进行社会改良、实施开明君主立宪制度，认为通过这种办法同样可以达到社会主义的目的。

谭嗣同把西书《百年一觉》所描绘的社会主义乌托邦比作"《礼运》大同之象"，认为实现社会主义和大同社会的关键在于消灭国家，"地球之治也，以有天下而无国也。……人人能自由，是必为无国之民。无国则畛域化，战争息，猜忌绝，权谋弃，彼我亡，平等出，且虽有天下，若无天下矣。君主废，则贵贱平；公理明，则贫富均。千里万里，一家一人。视其家，逆旅也；视其人，同胞也。父无所用其慈，子无所用其孝，兄弟忘其友恭，夫妇忘其倡随"[2]。在消灭国家之后，就会实现平等、自由、均富、友爱的太平盛世与社会主义。

此外，资产阶级改良主义者邓实（1877—1951）于1903年发表《论社会主义》一文，同样对社会主义进行了系统的研究。他认为，社会主义的目的在于建立生产资料公有制，实现人人平等、国国平等，即"打破今日资本家与劳动者之阶级，举社会皆变为共和资本、共和营业，以造成一切平等之世界"。实现社会主义的手段在于"变少数之国家为多数之国家，变海陆军人之国家为工农商人之国家，变贵族专制之社会为平民自治之社会，变资本家横暴之社会为劳动者共有之社会，而后以正义博爱之心而压其偏僻爱国之心也，以科学的和平主义而亡其野蛮的军国主义也"。即消灭资本家、贵族专制，消灭偏僻的军国思想与战争；实施多数人执政、平民自治共享，发展工农商业，倡导正义、博爱与和平。与梁启超一样，邓实同样认为，社会主义虽好，是"极盛之世"，但是它目前"极不切于中国之主义也"，"吾国今日之所急者，亦惟国家主义而已"[3]。

三、资产阶级革命派对马克思主义的传播

为了完善"三民主义"纲领，预防中国出现资本主义弊病，实现并稳固资

---

[1] 《梁启超全集》第五集，中国人民大学出版社2018年版，第351页。
[2] 《谭嗣同全集》，中华书局1981年版，第367页。
[3] 姜义华：《社会主义学说在中国的初期传播》，复旦大学出版社1984年版，第66页。

产阶级共和国，资产阶级革命派积极主动地加入到对社会主义的传播之中。孙中山、马君武（1881—1940）、朱执信、宋教仁、胡汉民（1879—1936）、戴季陶（1891—1949）等同盟会和国民党的主要成员，以其机关刊物《民报》为主要理论阵地，对社会主义进行了比资产阶级维新派更为全面和深入的研究及介绍。在辛亥革命胜利和中华民国建立之后，资产阶级革命派依靠他们所获取的政治权力和社会影响力，把马克思主义的研究和传播推到了一个崭新的高度，并对中国的思想界产生了一定的影响，引发了广泛的争论。他们把孙中山的"三民主义"纲领中的民生主义等同于社会主义，主张中国现阶段应当通过暴力革命推翻清王朝统治，实施国家社会主义和集产社会主义。俄国十月革命之前，资产阶级革命派中研究和宣传马克思主义的代表人物为孙中山和朱执信，涉及社会主义思想的谈话、文章、书信和著作主要包括：孙中山的《复某友人函》（1903）、《访问国际社会党执行局的谈话报道》（1905）、《〈民报〉发刊词》（1905）、《与江亢虎的谈话》（1911）、《在南京同盟会会员饯别会的演说》（1912）、《在上海南京路同盟会机关的演说》（1912）、《在上海中华实业联合会欢迎会的演说》（1912）、《在上海中国社会党的演说》（1912）、《致国际社会党执行局函》（1915），马君武的《社会主义与进化论比较》（1903）、《社会主义之鼻祖德麻司摩儿之华严界观》（1903）、《社会党巨子加菩提〈意加尼亚旅行〉》（1903）、《圣西门之生活及其学说（佛礼儿之学说附）》（1903），朱执信的《德意志社会革命家小传（列传）》（1906）、《论社会革命当与政治革命并行》（1906）、《就论理学驳新民丛报论革命之谬》（1906）、《土地国有与财政》（1907），宋教仁的译文《万国社会党大会略史》（1906，译自大杉荣的《万国社会党大会略史》）、《一千九百〇五年露国之革命》（1906年，译自日本东京《日日新闻》）、文章《社会主义商榷》（1911），胡汉民的《〈民报〉之六大主义》（1906）、《斥〈新民丛报〉之谬妄》（1906）、《告非难民生主义者——驳〈新民丛报〉第十四号〈社会主义论〉》（1907），戴季陶的《近世之国民活动》（1910）、《社会主义之大活动》（1910）、《社会主义论》（1910）、《社会党之风云》（1911），等等。

孙中山在 1895 年广州起义失败之后，先后流亡美国、英国、加拿大和日本诸国。在此期间，他既考察了西方先进资本主义国家的政治文化制度，又看到了西方存在的大资本家垄断政治大权、操纵国计民生及其造成的贫富悬殊、民不聊生、经济危机和工人暴动等严重的社会问题。为了防止这些社会问题出现在未来的中国，他开始主动关注、认真研究西方社会主义思潮，用以充实、完善其"三民主义"纲领中的民生主义，并把它作为克服垄断资本主义社会病症的救世良药。因此在梁启超看来，孙中山是中国倡导社会主义的第一人，"提倡社会主义，以他为最先"①。首先，孙中山高度认可社会主义并积极推进社会主义的研究和实现。他以社会主义者自居，把社会主义视作"极思不能须臾忘者"。1905年，孙中山在布鲁塞尔专门拜访第二国际书记处，与第二国际执行局主席王德威尔得和书记胡斯曼（1871—1968）进行会谈，声明中国同盟会是中国的社会主义者，同盟会的纲领是社会主义的，并且要求加入第二国际。1911年，孙中山在上海会见中国社会党上海本部部长江亢虎，宣称："余实完全社会主义家也"②，还专门委托江亢虎及中国社会党代为翻译和鼓吹他从欧美带来的最新出版的社会主义名著，包括《地税原论》、《社会主义概论》、《社会主义发达史》、《社会主义之理论与实行》，等等。1915年，在《致国际社会党执行局函》中，孙中山更是强调"中国是可以实现社会主义的国家，这个国度应该用来作为社会主义政府的典范"，并且希望国际社会党执行局能够提供各方面的帮助，以求"把中国建成全世界第一个社会主义国家"③。其次，孙中山希望凭借实行社会主义来消除未来中国可能出现的贫富差距以及随之带来的无产阶级革命。孙中山对西方发达资本主义国家激赏不已，他认为英美"最富强"、法国"最文明"，英国的君主立宪政体和法美的民主共和政体"是极美的"。但是发达资本主义国家由于没能及时实行社会革命，造成了严重的贫富差距：垄断资本家富可敌国，劳动阶级穷困潦倒，"地主益垄断其地权，资本家益垄断其利权，而多数之工人虽尽其劳动之能力，反不能生存于社会"④。这就必然会造成无产阶级的不满和社会主义运动的兴起，从而严重威胁着资产阶级的现实统治。西方发达资本主义国家由于早先没有及时处理这个问题，现在只能深陷其中、深受其害，"正在吃这个苦"。孙中山强调，我们应当认真反思和总结西方发达资本主义国家的教训，利用自身优势，通过实行社会主义消除资产阶级对劳动阶级的残酷剥削，从而做到防患于未然："欧美社会之祸，伏之数十年，及今而后发见之，又不能使之遽去；吾国治民生主义者，发达最先，睹其

---

① 《梁启超全集》第十二集，中国人民大学出版社2018年版，第338—339页。
② 《孙中山全集》第1卷，中华书局1981年版，第579—580页。
③ 《孙中山集外集补编》，上海人民出版社1994年版，第185页。
④ 《孙中山全集》第2卷，中华书局1982年版，第517页。

祸害于未萌，诚可举政治革命、社会革命毕其功于一役。"①孙中山坚信在中国实行社会主义就可以凭借和平手段解决贫富差距问题，避免"激烈派实行均产主义，而肇攘夺变乱之祸"。最后，孙中山将社会主义理解为民生主义，认为在中国应当实行国家社会主义。民生主义是孙中山提出用以发展资本主义经济、实现中国富强的指导纲领，它包含"平均地权"和"节制资本"两大部分。"平均地权"即土地公有，通过核实地价、涨价归公，国家利用财税收入来改善国计民生、为民谋福利；"节制资本"即资本共有，通过将资本、企业、机器收归国有，避免私人垄断及其对工人的残酷剥削，来消除贫富差距和工人运动。孙中山强调："民生主义，非以社会主义行之，不能完全"，"实行民生主义，而以社会主义为归宿"②。他把社会主义划分为两派：集产社会主义和共产社会主义，其中集产社会主义包括国家社会主义，共产社会主义包括无政府主义。"所谓集产云者，凡生利各事业，若土地、铁路、邮政、电气、矿产、森林皆为国有。共产云者，即人在社会之中，各尽其能，各取所需……不相妨害，不相竞争，郅治之极，政府遂处于无为之地位，而归于消灭之一途。"③孙中山认为，相较而言，共产主义优于集产主义，是"社会主义之上乘"，但是共产主义的实行需要极高的国民道德作为前提条件，属于"道德知识完美之后"的遥远未来，而中国现在根本不具备这一先决条件。因此，孙中山主张在中国实行集产社会主义（国家社会主义），"民生主义者，即国家社会主义者也"④。它需要在两个层面上着力：第一，在经济层面上，实行土地国有、资本国有，大兴实业、发展生产；第二，在道德层面上，避免物竞争存，实现相匡相助，倡导社会主义之真精髓，"主张博爱、平等、自由"⑤。"实行社会主义之日，即我民幼有所教，老有所养，分业操作，各得其所。我中华民国之国家，一变而为社会主义之国家矣。"⑥

　　马君武对社会主义的研究和宣传集中于 1903 年前后，是年他脱离康梁的资产阶级维新派，转而追随孙中山成为资产阶级革命派的一员。马君武对社会

---

① 《孙中山全集》第 1 卷，中华书局 1981 年版，第 288—289 页。

② 《孙中山全集》第 2 卷，中华书局 1982 年版，第 340 页。

③ 《孙中山全集》第 2 卷，中华书局 1982 年版，第 508 页。

④ 《孙中山全集》第 2 卷，中华书局 1982 年版，第 339 页。

⑤ 《孙中山全集》第 2 卷，中华书局 1982 年版，第 510 页。

⑥ 《孙中山全集》第 2 卷，中华书局 1982 年版，第 522 页。

主义的宣传主要集中在如下两个方面：其一，专门研究和介绍了空想社会主义
的代表人物及其学说；其二，通过对比社会主义与达尔文进化论来突出和彰显
社会主义的地位与价值。首先，马君武花费大量笔墨分别研究和介绍了空想社
会主义者托马斯·莫尔（1478—1535）、艾蒂安·卡贝（1788—1856）、圣西门
（1760—1825）、傅立叶（1772—1837）等人的生平和思想。他称赞莫尔为"共
产主义之开辟大祖师"①。他高度赞扬社会主义，把卡贝称为"和平之社会革
命家"，把巴贝夫（1760—1797）的思想概括为"革命的社会主义"，认为"社
会主义者，改造社会之新模范也。社会党人者，改造社会之新匠人也"②。他
把圣西门学说的精髓总结为"社会之归旨，在合人群之能力，以开拓地球"。
他推崇傅立叶学说，认为其有助于改善国民生计："读佛礼儿之书者，必知专
制政府之罪恶，而地方及个人之自由，不可不发达。"③ 其次，马君武系统分
析和比较了社会主义和达尔文主义。他认为社会主义和达尔文主义都坚持唯
物论，但它们在社会进步问题上存在着差别：达尔文主义者奉竞争为圭臬，
认为竞争是社会进步之鞭；而社会主义者则主张通过"人群改良其社会组织"，
实现道德、智识、物质、生计等领域的全面进步。马君武认为达尔文主义与
社会主义不存在根本性的对立，社会主义优于达尔文主义，可以"广其界而
补其偏"，从而完善达尔文主义。他认为社会主义发源于圣西门、傅立叶，中
兴于路易·勃朗（1811—1882）、蒲鲁东（1809—1865），极盛于拉萨尔、马克
思。关于马克思，马君武介绍："马克司者，以唯物论解历史学之人也。马
氏尝谓：阶级斗争为历史之钥。"④ 人类社会是发达不息的有机体，它先后经历
了奴隶社会（"家奴"）、封建社会（"农仆"）和资本主义社会（"雇工"），必将
会向社会主义迈进。社会主义主张"举社会皆变为共和资本、共和营业"，"合
大群以谋公利"⑤，实现社会主义就能够使人类"长久昌盛，百战百胜，享福无
穷"⑥。鉴于社会主义如此重要，马君武号召国人积极研究社会主义："社会主

①　《马君武集》，华中师范大学出版社 2011 年版，第 114 页。
②　《马君武集》，华中师范大学出版社 2011 年版，第 151 页。
③　《马君武集》，华中师范大学出版社 2011 年版，第 163 页。
④　《马君武集》，华中师范大学出版社 2011 年版，第 86 页。
⑤　《马君武集》，华中师范大学出版社 2011 年版，第 88 页。
⑥　《马君武集》，华中师范大学出版社 2011 年版，第 91 页。

义诚今世一大问题。最新之公理，皆在其内，不可不研究也。"①并且还开列了包括《英国工人阶级状况》、《哲学的贫困》、《共产党宣言》、《政治经济学批判》和《资本论》在内的一批阅读书目，以作国人研究社会主义问题的参考资料。

朱执信被毛泽东誉为"马克思主义在中国的传播的拓荒者"②，是国民党先于共产党"讲马克思主义"的明证。③他于1905年留日期间加入中国同盟会，担任评议部议员兼书记，1906年归国便投入革命的宣传与组织工作之中。十月革命前，他对社会主义的研究和传播主要集中在1906—1907年间，其主要观点和理论贡献包括如下两个方面：首先，朱执信在《德意志社会革命家小传（列传）》中集中介绍了马克思（附带恩格斯）和拉萨尔的生平与思想。他把马克思译作马尔克，把恩格斯译作非力特力嫣及尔。称赞马克思是第一个"能言其（指资本主义）毒害之所由来，与谋所以去之之道何自"④的学者。他集中阐释了马克思的阶级斗争理论和剩余价值理论，并且翻译了《共产党宣言》和《资本论》中的几处重要言论和段落，尤其是详细译介了《共产党宣言》中关于变革生产方式的十大措施。朱执信并不完全赞同马克思的观点，他认为马克思在资本来源问题上存在着夸大其词的地方，时至今日更是站不住脚，"夫资本固非一切为从掠夺得，积蓄之事，往往亦自劳动"⑤。由此可见，朱执信对马克思剩余价值理论的理解还是有所偏颇的，他把资本的原始积累和存款储蓄混为一谈，把资本家与劳动者混为一谈。在这篇文章的后半部分，朱执信详细介绍了拉萨尔的生平事迹以及他的"铁的工资规律"和希望劳动者通过议会斗争掌握国家权力进而推行工人生产互助的国家帮助理论。在朱执信看来，虽然拉萨尔的理论没有马克思的理论那样系统和完善，但是他"鼓吹实行之功力之多"⑥，抵死以求社会之进步，在践行社会主义方面是排在马克思之上的。其次，朱执信批判了资产阶级改良派否定社会革命的观点，认为中国需要把政治革命和社会革命双举并行。朱执信指出政治革命和社会革命是不同的，政治革命是夺取政权的革命，它以推翻统治阶级为目的。"政治革命之主体为平民，其客体为政

① 《马君武集》，华中师范大学出版社2011年版，第92页。
② 《中共党史文摘年刊》，浙江人民出版社1984年版，第78页。
③ 《毛泽东文集》第3卷，人民出版社1996年版，第290页。
④ 《朱执信集》上卷，中华书局1979年版，第11页。
⑤ 《朱执信集》上卷，中华书局1979年版，第17—18页。
⑥ 《朱执信集》上卷，中华书局1979年版，第32页。

府"①；统治阶级的人数稀少而革命阶级的人数众多，因此相对而言比较容易实现。社会革命是变革"社会经济组织"的革命，它以遏制贫富差距、造福民众为目的。"社会革命之主体为细民，其客体为豪右"②；有权者和有财者会勾结起来，共同对抗贫苦的细民阶级、维护自身的利益，因此社会革命比政治革命更难以实现。针对资产阶级改良派反对在当今中国实施社会革命的言论，朱执信指出社会革命不仅是必然的，而且在中国是必要的。言其是必然的，是因为"社会革命之原因在社会经济组织之不完全"，社会经济组织的内在缺陷势必会造成放任竞争、资本跋扈、财富垄断和贫富悬隔，"既有此放任竞争，绝对承认私有财产制之制度，必生贫富悬隔之结果"③，在这种情况下就必然会造成下层民众的反抗从而引发社会革命，西方主要发达资本主义国家现在都饱受社会革命的侵扰和危害。言其在中国是必要的，是因为一方面如果资产阶级可以率先主导实行社会革命就可以防患于未然，直接解决贫富差距的问题，从而避免由细民主导的社会革命在未来爆发、危害社会稳定，走上西方发达资本主义国家的老路。另一方面，中国存在着速行社会革命的条件：其一，中国资本主义尚未充分发展，中国社会还没有出现贫富差距极化的情况；其二，中国历来具有通过社会改革进行社会革命的传统和经验。因此，朱执信竭力主张，在中国应当同时推进政治革命和社会革命。实施政治革命就是要用暴力推翻清王朝的统治；实施社会革命就是要践行"三民主义"中的民生主义，而民生主义就是社会主义，"社会主义本译民生主义"④，社会主义的目的就是要谋求"社会全体之幸福"⑤。像孙中山一样，朱执信希望通过社会革命实现国家社会主义，实行土地国有、铁道国有，防止垄断和控制竞争，从而将国有资产的收益用于社会发展，使社会财富惠及大多数民众，避免将来再次爆发革命的风险。

宋教仁于 1905 年留日期间帮助孙中山建立中国同盟会，并任同盟会司法部检事长和《民报》编辑，此后开始接触和研究社会主义理论。其关于社会主义的观点和理论贡献主要包括如下四个方面：第一，通过编译日本大杉荣的《万国社会党大会略史》，第一次用中文向国人介绍了国际共产主义运动中的第

---

① 《朱执信集》上卷，中华书局 1979 年版，第 60 页。
② 《朱执信集》上卷，中华书局 1979 年版，第 60 页。
③ 《朱执信集》上卷，中华书局 1979 年版，第 63 页。
④ 《朱执信集》上卷，中华书局 1979 年版，第 46 页。
⑤ 《朱执信集》上卷，中华书局 1979 年版，第 44 页。

一国际和第二国际，它们的简要历史和历次代表大会的基本概况，阐明了阶级对立与斗争的阵势以及马克思主义理论学说的意义。第二，论证了无产阶级革命发生的必然性以及胜利的可能性。宋教仁指出由于"社会组织之弊"①，当前世界形成了两大直接对立的阶级："独占生产机关"的"掠夺阶级"（即"富绅"）和"以劳力而被其役使"的"被掠夺阶级"（即"平民"），二者贫富悬隔，苦乐不均，"一若陟天堂，一若居地狱"②，因而必然会导致反抗与革命。虽然富绅势力强大，有政府、军队、警察、学人、僧侣为之服务和援助，但是平民更加为数众多，"平民幸而蚁集，幸而得多数，是即至优强之势力也"③，因而有可能取得最终的胜利。第三，划分了社会主义的四大派别并提出了实行社会主义的标准。宋教仁认为社会主义包括四大派别：其一，无治主义（即无政府主义）；其二，共产主义；其三，社会民主主义；其四，国家社会主义（即社会改良主义、讲坛社会主义）。无治主义和共产主义主张否定并推翻现世的国家与组织，因而是"真正之社会主义"；社会民主主义和国家社会主义则是通过保留国家和政治权力来改良国家和社会组织，因而只能称为改良主义或"社会的政策"，不是真正的社会主义。宋教仁进一步指出在某个特定的国家实行社会主义，既要考察理论本身，又要考察特定国家的现实状况，"不可不精审其主义自身之性质与作用，并斟酌其客体事物之现状，以推定其将来所受之结果，夫如是乃可以坐言而起行"④。第四，宋教仁反对在中国实行无治主义和社会主义，认为它们与中国的实际状况不相符合，如果强行实施就会"画虎不成，反至类狗"，产生不堪设想的恶果。他倾向于在暴力推翻清王朝统治之后实行国家社会主义，即实行孙中山的民生主义，但是他并不认为民生主义是真正的社会主义，民生主义也并不像孙中山所说的那样可以解决一切问题。

胡汉民于 1905 年在日本结识孙中山，加入中国同盟会，担任《民报》主编职务，并成为孙中山的主要助手。在孙中山的授意和影响下，胡汉民开始与以康梁为首的维新派展开论战，捍卫"三民主义"尤其是民生主义，并因此论及社会主义。在这一时期胡汉民在宣传社会主义上的贡献主要包括如下两个方

① 《宋教仁集》上册，中华书局 1981 年版，第 287 页。
② 《宋教仁集》上册，中华书局 1981 年版，第 40 页。
③ 《宋教仁集》上册，中华书局 1981 年版，第 41 页。
④ 《宋教仁集》上册，中华书局 1981 年版，第 291 页。

面：第一，反驳梁启超对革命派民生主义的非难。胡汉民认为梁启超除了在思维方法上存在绝对主义和前后矛盾的问题之外，其理论观点上的根本谬误在于"不识经济学与社会主义为何物"。他指出梁启超在经济学方面存在着八大错误，即"以土地为末，以资本为本"，"以生产为难，以分配为易"，"奖励资本家为政策"，"以排斥外资为政策"，"不知物价之由来"，"不知物价贵贱之真相"，"不知地租与地税之分别"，"不知个人的经济与社会的经济之分别"。在社会主义方面，他分别驳斥了梁启超认为当下中国经济组织优于西欧而无须进行社会主义革命的观点，当下中国的任务是扶持资本家以抵御外资入侵不必进行社会主义革命的观点，以及真正的社会主义要废除"一切生产机关之私有权"因而在当下中国不能进行社会主义的观点。第二，主张在中国实行国家社会主义。胡汉民认为，社会主义的目的是平等和博爱，它包括国产主义和共产主义两种类型。共产主义是社会主义的最高阶段，是一个完全进入了自由、平等、博爱的世界，在当下中国尚不能实施。国产主义则要求将土地和大资本（包括铁路、邮政、电气、矿产、森林等）收归国有，"土地国有，则国家为惟一之地主，而以地代之收入，即同时得为大资本家，因而举一切自然独占之事业而经营之"①。至于其他的小企业和小资本则允许它们自由经营和自由竞争，他认为这符合马克思和恩格斯的理论主张。胡汉民指出在这种制度下就能够"消患未然"，不至于产生贫富悬殊和社会不公的现象，就能够造福全体国民。

相较于同盟会和国民党的其他主要成员，戴季陶接触社会主义的时间比较晚，他对社会主义的理解也相对肤浅。戴季陶于1911年加入同盟会，并在此前后开始研究社会主义。在俄国十月革命前，戴季陶关于社会主义的观点主要包括如下三个方面：第一，他探讨了社会主义的内涵并给予了高度的评价。戴季陶认为，社会主义"即所谓财产共有，废除阶级，人人平等是也"②，社会主义以社会为根据，是"极端之大同主义"，是"人类之福音，除魔之天使也，社会幸福之大则也，世界和平之始基也"③。第二，他揭示了社会主义产生的根本原因。戴季陶指出，中央集权、资本集中和垄断盛行，造成了"社会阶级之不平"，引发了"社会之祸，人民之苦"："富者贵者乃高车驷马，锦衣

---

① 张枬、王忍之编：《辛亥革命前十年间时论选集》第二卷下册，生活·读书·新知三联书店1963年版，第694页。

② 《戴季陶集》，华中师范大学出版社1990年版，第76页。

③ 《戴季陶集》，华中师范大学出版社1990年版，第171页。

轻袭，制平民之死命以为威，竭平民之力以自奉，彼农者工者带月披星，洒血汗，竭精力，而所得者乃皆以供少数人之私欲焉。"[1] 统治阶级的骄奢淫逸与下层民众的生灵涂炭，这种巨大的贫富差距使得社会主义思想必然会萌生出来，因而那种妄图禁止社会主义进入中国的企图也是愚蠢至极的。第三，他反对在中国实行社会主义。戴季陶认为，社会主义的主张与中国当时的地位情形不能相合，不仅无益于社会生产的发展，而且还会造成社会形势的动荡，因此"万不能提倡此旨"[2]。戴季陶强调在当下的中国，一方面需要振兴实业、发展资本主义以救亡图存，另一方面需要保护处于弱势地位的劳工利益。因此，必须从国家与社会两方面入手，依靠国家制定法律政策以协调资本家与劳工之间的关系，依靠社会来联合职工同盟和提倡慈善事业，只有这样才能既促进中国资本主义的发展又保障广大劳工阶级的利益，二者并行不悖，相得益彰。

四、无政府主义者对马克思主义的传播

20世纪初，国外的无政府主义思潮因其理论的激进性、极端性而俘获了大批留学日本和西欧的中国留学生，并在中国的小资产阶级知识分子当中迅速流传开来。由于无政府主义和马克思主义存在着某种程度的相似性和关联性，中国的无政府主义者在宣传无政府主义的时候，也同时译介了马克思主义的大量著作和理论。俄国十月革命前，中国的无政府主义主要包括如下三个派别：第一个是社会主义讲习会派，代表人物为留学日本的刘师培（1884—1919）、何震（1886—?）和张继（1882—1947）等人。他们受日本无政府主义的影响，于1907年在东京成立了社会主义讲习会，并以《天义报》和《衡报》为阵地，宣传无政府主义；第二个是《新世纪》派，其代表人物为留学法国的吴稚晖（1865—1953）、张静江（1877—1950）和李石曾（1881—1973）等人。他们受法国无政府主义的影响，于1906年在巴黎成立了世界社并于次年创办《新世纪》周刊等刊物，宣扬无政府主义；第三个是师复主义派，其代表人物为刘师复（1884—1915）。他于1912年成立了晦鸣学舍和心社，并于1914年

---

① 《戴季陶集》，华中师范大学出版社1990年版，第170页。
② 《戴季陶集》，华中师范大学出版社1990年版，第76页。

成立了中国无政府共产党，创刊《晦鸣录》（后改名为《民声》），宣传无政府主义。中国的无政府主义者都向往自由平等，强调绝对自由，反对国家政府，批判马克思主义的国家学说，批判资产阶级维新派和革命派对国家的强调。但是他们在什么是真正的无政府主义以及如何实现无政府主义等问题上存在着差别与争论。十月革命前，在中国的无政府主义者中涉及社会主义的文章和著作主要包括：张继编译的《无政府主义》（1903），刘师培的文章《论激烈的好处》（1904）、《废兵废财论》（1907）、《人类均力说》（1907）、《欧洲社会主义与无政府主义异同考》（1907）、《无政府主义之平等观》（1907）、《论种族革命与无政府革命之得失》（与何震合著，1907）、《论新政为病民之根》（1907）、《〈共产党宣言〉序》（1908）、《衡报》发刊词（1908），吴稚晖的文章《与友人书论新世纪》（1907）、《无政府主义可以坚决革命党之责任心》（1908）、《无政府主义以教育为革命说》（1908），李石曾的文章《祖宗革命》（1907）、《革命》（1907）、《三纲革命》（1907）、《社会主义》（1907）、《进化与革命》（1907）、《无政府说》（1908），刘师复的文章《无政府共产主义释名》（1914）、《孙逸仙江亢虎之社会主义》（1914）、《论社会党》（1914）、《无政府共产主义同志社宣言书》（1914）、《无政府共产党之目的与手段》（1914）、《答悟尘》（1914），等等。

社会主义讲习会派诞生于日本东京，其核心人物是刘师培，此派虽以社会主义为名，并对马克思主义的传播作出了贡献，但其宗旨却是宣扬和实行无政府主义。第一，刘师培梳理了欧洲社会主义的理论渊源、主要派别、历史分期与核心主张，并对马克思主义的经典文献给予了高度评价。他认为，欧洲社会主义起始于古希腊的柏拉图，后经过中世纪的基督教、近代欧洲的移民扩张的传播，于18世纪末开始兴盛起来。欧洲社会主义因其立说根据的不同，可以划分为"以宗教为根据者"、"以哲学为根据者"和"以科学为根据者"，其中建立在科学基础上的社会主义代表人物包括马克思和拉萨尔两人[①]。他把欧洲社会主义的发展历史划分为五个时期："准备时代"（法兰西革命—1817）、"形成时代"（1818—1848）、"休止时代"（1849—1863）、"万国者同盟时代"（1864—1880）和"社会民主主义运动时代"。社会主义"以易私有为公有"为最终目的，它主张通过阶级斗争，把所有的生产机关收归公有，实行共同经营，进行

---

① 姜义华：《社会主义学说在中国的初期传播》，复旦大学出版社1984年版，第426—427页。

平均分配。刘师培称赞《共产党宣言》的核心主张为"不易之说"，人们如果想了解欧洲资本主义的发展史，以及人类社会因阶级斗争持续变更的历史，都不能不读《共产党宣言》。第二，刘师培站在无政府主义立场上对社会主义进行了批评。他认为社会主义虽然是改造世界的一种强力手段，但是由于它没有消灭国家和政府，反而将财产的支配权由资本家转交给国家和政府，扩张了它们的权力。因此，社会主义并没有带来平等、独立和自由，"昔者为个人奴隶者今且为国家奴隶"。马克思的共产主义学说同样存在这个问题。保留并加强国家和政府，这既是"马氏学说之弊"①，也是"社会主义所由劣于无政府主义"的地方。② 第三，刘师培极力鼓吹无政府主义，构想绝对平等主义的乌托邦。首先，他认为无政府主义的核心是平等，人生而平等，平等是自由和独立的基础。社会历史的发展造成了人与人之间的不平等，无政府主义就是要"实行人类天然的平等，消灭人为的不平等，颠覆一切统治之机关，破除一切阶级社会及分业社会，合全世界之民为一大群，以谋人类完全之幸福"③。其次，他号召消灭政府、资本和国家。政府、资本和国家的出现，加剧并巩固了当今世界的不平等现象，"以上凌下，政府之弊也。以富制贫，资本私有之弊也。以强凌弱，国家之弊也。惟其有政府，故仅利政府，不遑利及人民；惟其资本私有，故仅利一人，而不遑利及公众；惟其有国家，故仅利一国，而不遑利及世界"④。在这三者之中，政府为"万恶所归"，因为"保护资本家者政府也，代表国家者亦政府也"⑤。刘师培指出，欲想消灭政府、资本和国家，就必须消灭它们所依附的力量，即士兵和财产，"恃兵以迫人，恃财以役人"，只有废兵废财才能消灭一切奴役人的权力。最后，在消灭政府、资本和国家之外，刘师培还主张必须消灭帝国主义、破除国界和种界，实现男女的绝对平等，建立权利平等、义务相均的完美社会，在这个世界当中，老幼进栖息所、老人抚养幼儿，成人不分职业、均力劳作，人人平等，食宿相同。第四，刘师培在如何实现无政府主义的具体道路方面变幻不定，前后矛盾。他一方面主张要采取激烈的手段，发动群众通过无所顾忌的破坏行动、直接罢工乃至暗杀行动来推行无

① 《中国近代思想家文库·刘师培卷》，中国人民大学出版社 2015 年版，第 391 页。
② 《中国近代思想家文库·刘师培卷》，中国人民大学出版社 2015 年版，第 355 页。
③ 《中国近代思想家文库·刘师培卷》，中国人民大学出版社 2015 年版，第 355 页。
④ 《中国近代思想家文库·刘师培卷》，中国人民大学出版社 2015 年版，第 354 页。
⑤ 《中国近代思想家文库·刘师培卷》，中国人民大学出版社 2015 年版，第 354 页。

政府主义。刘师培尤其注重农民革命的作用，认为"中国农民果革命，则无政府革命成矣，故欲行无政府革命，必自农民革命始"①，而农民革命的主要手段就是"抗税"和"劫谷"②。另一方面，刘师培通过研究中国传统社会，认为中国虽为专制政体，但具有源远流长的无政府主义传统，"实则与无政府略同"，"中国现今之政俗，最与无政府相近"。由于实行无政府主义并非一朝一夕的事情，而新政只能破坏中国传统所固有的与无政府相类似的状态，所以还不如保留传统、与清王朝合作，促其从接近无政府的状态走向完全的无政府，"若于政府尚存之日，则维新不如守旧，立宪不如专制"③。就这样，立志消灭一切权力的刘师培，却充满天真地与当时中国的权力中心清王朝走到了一起。

与社会主义讲习会派同时期出现的无政府主义派别是《新世纪》派，它诞生于法国巴黎，核心人物为吴稚晖和李石曾等人。《新世纪》派深受欧洲无政府主义和进化论的双重影响，其代表人物又与孙中山为首的资产阶级革命派保持着密切的联系，并先后加入同盟会，因此他们与社会主义讲习会派在无政府主义观点上既有相同之处，又在某些方面存在着显著的差别。第一，像社会主义讲习会派一样，《新世纪》派译介了大量无政府主义代表人物的基本观点和各国社会党、无政府党的主要活动。第二，《新世纪》派将无政府主义与社会主义、无政府共产主义相等同，积极鼓吹无政府主义。在他们看来，无政府主义是一种为全人类谋利益的至公无私主义，"无自私自利，专凭公道真理，以图社会之进化。无国界，无种界，无人我界，以冀大同；无贫富，无尊卑，无贵贱，以冀平等；无政府，无法律，无纲常，以冀自由。其求幸福也，全世界之幸福，而非限于一国一种族也"④。而无政府共产主义社会是一个说着共同语言"万国新语"，"同作同食，无主无权，无仇无怨，各取所需，各尽所能"的大同极乐世界⑤。因此，无政府主义首先要消灭政府，因为"政府之恶，为万

① 《中国近代思想家文库·刘师培卷》，中国人民大学出版社 2015 年版，第 405 页。

② 《中国近代思想家文库·刘师培卷》，中国人民大学出版社 2015 年版，第 407 页。

③ 李妙根编：《刘师培文选》，上海远东出版社 2011 年版，第 201 页。

④ 林代昭、潘国华：《马克思主义在中国：从影响的传入到传播》（上），清华大学出版社 1983 年版，第 254 页。

⑤ 张枏、王忍之编：《辛亥革命前十年间时论选集》第二卷（下册），生活·读书·新知三联书店 1963 年版，第 997 页。

恶之源"①，其次还要消灭国家、军备、法律、财产、宗教、家庭、婚姻、汉语等一切有碍于无政府共产主义社会建立的所有因素。第三，《新世纪》派运用进化论的观点论证无政府主义实现的必然性，并且受孙中山"三民主义"的影响而将无政府主义的实现划分为两个阶段。李石曾指出：革命就是进化，"革命即革去阻进化者也，故革命即亦求进化而已"②，进化是自然界与人类社会的公理，它无穷无尽，所以革命同样无穷无尽。革命分为两个阶段：第一个阶段是"改良支那之革命"，又叫国民革命，属于政治革命的范畴，即孙中山的共和革命，其目的在于实现民族主义和民权主义，建立资产阶级共和国；第二个阶段是无政府革命，又叫世界革命，属于社会革命的范畴，即消灭一切强权、制限、阶级和私产，实现人道、自由、平等、共产的无政府主义世界大同。"有政府的革命"和"无政府的革命"实行时"固无冲突"，资产阶级共和革命是过渡时代的革命，是实现无政府主义革命的一个必经阶段。现阶段最适合中国国情的是孙中山的"三民主义"，但它必将导向最理想的社会形态无政府主义，"政治革命为权舆，社会革命为究竟"③。第四，《新世纪》派提出了以教育为核心的无政府主义革命方法体系。为了早日实现无政府主义，《新世纪》派不拒斥使用一切有效的方法。吴稚晖指出，无政府主义的革命方法主要有两类：第一类是"书报演说"、宣传教育，它可以"感化人心"；第二类是强硬手段，即发起运动、诉诸暴力，它可以"诛人道之贼"④。在所有方法之中，《新世纪》派尤其注重以"书报演说"为核心宣传教育方法，他们甚至将教育与革命等同起来。无政府主义教育"以公道、真理为正鹄"，公道、真理除了包含智识"即如实验科学等等"之外，还包括道德，"即如共同、博爱、平等、自由等等"⑤。无政府主义教育就是要推进智识教育和道德教育，而核心在于进行道德教育，提高人民的公德心。在吴稚晖看来，革命就是以教育为革命，"革命者，不过

① 张枬、王忍之编：《辛亥革命前十年间时论选集》第三卷，生活·读书·新知三联书店1977年版，第137页。
② 张枬、王忍之编：《辛亥革命前十年间时论选集》第二卷（下册），生活·读书·新知三联书店1977年版，第1041页。
③ 张枬、王忍之编：《辛亥革命前十年间时论选集》第二卷（下册），生活·读书·新知三联书店1977年版，第998页。
④ 《中国近代思想家文库·吴稚晖卷》，中国人民大学出版社2015年版，第6页。
⑤ 张枬、王忍之编：《辛亥革命前十年间时论选集》第二卷（下册），生活·读书·新知三联书店1977年版，第174页。

教育普及以后，人人抛弃其旧习惯，而改易一新生活，乃为必生之效果"①。李石曾则指出，教育为积极的办法，革命为消极的办法，二者都以无政府为目的，"所主张者同为平等、自由与博爱，而所排除者同为强权、压制与私利"。因此，教育和革命缺一不可、密不可分，"教育而不革命，则所教育者，总无新象；革命而无教育，则所革命者，总无良果"②。

社会主义讲习会派和《新世纪》派都诞生于海外并主要在海外活动，师复主义派的出现使得中国无政府主义的传播中心由海外转移到了内地。师复主义派的核心人物是刘师复。他们与之前的两派相比，理论立场更为坚决和彻底，这一方面表现在他们高举巴枯宁的无政府工团主义和克鲁泡特金的无政府共产主义，毫不妥协退让；另一方面表现在他们将理论与行动结合起来，成立暗杀团进行暗杀活动。第一，刘师复将社会主义区分为"集产社会主义"和"共产社会主义"，认为只有"共产社会主义"才是真正的社会主义。在刘师复看来，社会主义就是反对私有财产，把"生产机关（土地、器械等）及其产物（衣、食、房屋等）归之社会共有"③。社会主义可以分为两种：第一种是"集产社会主义"，它将生产机关划归社会共有，而将其生产之物由国家或社会按照不同的方法分配给私人。在这种社会主义下依旧存在着私有制和不平等，因而"集产社会主义"不是真正的社会主义，或者说是"不完全之社会主义"④。"共产社会主义"将生产机关及其所生产之物全部划归社会共有，人人自由平等、各尽所能、各取所需，因此"共产社会主义"才是真正的社会主义，是完全的社会主义，是无政府主义。第二，刘师复将自由视作无政府共产主义的核心要义，把劳动和互助作为无政府共产主义的两座基石，指出无政府共产主义必须保障个人与社会的绝对自由，必须团结互助、人人劳动。在无政府主义社会中，生产要件为社会共有，并由生产家自由取用；人人从事劳动生产，劳动结果归社会共有，并由全体人民自由取用；自由组织各种公会，用以引导人民的生产活动，工作时长在 2—4 小时之间，其余时间自由研究科学和艺术；成立学校，采用万国公语，供儿童和少年学习和接受教育；成立公共养老院，供

---

① 《中国近代思想家文库·吴稚晖卷》，中国人民大学出版社 2015 年版，第 52—53 页。
② 张枬、王忍之编：《辛亥革命前十年间时论选集》第三卷，生活·读书·新知三联书店 1977 年版，第 175 页。
③ 《中国近代思想家文库·师复卷》，中国人民大学出版社 2015 年版，第 74 页。
④ 《中国近代思想家文库·师复卷》，中国人民大学出版社 2015 年版，第 75 页。

老年和病患者进行修养和接受治疗。为了确保无政府主义社会的实现和顺利运行，必须废除私有财产、政府机构、法律条规、宗教信条和婚姻制度。①第三，刘师复批评当时国内两种最具影响力的社会主义即孙中山的社会主义和江亢虎的社会主义，认为它们都是社会政策而非社会主义。在刘师复看来，孙中山的专征地税、集产社会主义的主张，其结果是保全国家和私有制，而非消灭国家和私有制；至于江亢虎所主张的教育平等、营业自由、财产独立、遗产归公和专征地税的主张更是如此，甚或会加剧私有制、扩大贫富差距。因此他们的社会主义，都不能算是真正的社会主义，充其量只是一种社会政策。而马克思主义同样只是"集产社会主义"的一种，也不是真正的社会主义。第四，刘师复提出了践行无政府共产主义的方式方法。首先，用报章书册演说学校等手段向平民宣传无政府共产主义，让他们知晓无政府共产主义的主旨精神和光明前途。其次，使用"抵抗"（包括抗税、抗兵役、罢工、罢市等）和"扰动"（包括暗杀、暴动等）的方式来反抗强权和激起风潮。再次，发动"平民大革命"，一方面推翻国内的统治阶级和资本家，改造国内社会，另一方面促发世界大革命，实现全世界的大联合。②

马克思主义在中国的传播，其特征有许多与日本相近或相似的方面。例如，这种传播都有国内经济社会发展的一定的客观基础；传播内容主要集中在社会主义理论方面，可以说，两个国家的知识分子最初都是首先通过对社会主义的认识而不是通过哲学和政治经济学而达到对马克思主义的认识的；由于科学社会主义是同空想社会主义、无政府主义、虚无主义、达尔文主义等形形色色的社会思潮一起传入日本和中国，这些思潮大大地干扰了这些国人对马克思主义的正确理解；马克思主义传播的主体都是一批能够放眼看世界和具有革命倾向的知识分子，他们希望通过传播马克思主义来推动日本和中国的社会进步，但囿于历史和主体的局限性，他们却不能发现特别是依靠革命的现实力量。他们或者寄希望于不触碰社会的统治根基的改良活动，或者寄希望于"仁人志士"等杰出人物的革命活动，而与以工人农民为主体的广大下层民众相脱离。特别是就这一时期的中国的马克思主义传播者来说，由于他们的世界观和政治立场至多是资产阶级的，而不是马克思主义的和站在最广大劳苦群众一边

---

① 《中国近代思想家文库·师复卷》，中国人民大学出版社2015年版，第160—161页。

② 参见《中国近代思想家文库·师复卷》，中国人民大学出版社2015年版，第161页。

的，所以他们对马克思主义的传播不是自觉的，更谈不上是科学的。他们是在对各种社会主义思潮的认识中，零星地而不是系统地、表面地而不是深刻地、模糊地而不是科学地达到对马克思主义的认识，因而这种水平的马克思主义的传播，对于中国社会的进步，特别是工农大众的解放，对于实现这种解放的实际的运动，意义极为有限，甚至可以说没有发生联系。对于中国来说，转变发生在俄国十月社会主义革命胜利以后。十月革命一声炮响，给中国送来了马克思列宁主义，正是这种马克思主义的传入，开启了马克思主义在中国传播的新阶段。新阶段的标志在于：中国无产阶级的代表——中国共产党成为马克思主义在中国传播与接受的主体；马克思主义传播的主要途径由日本而转到俄国，并逐渐开辟了更广阔的传播途径；马克思列宁主义一经传入中国就成为中国革命和中国共产党活动的根本指导思想，并与中国革命的具体实践紧密地结合起来，开辟了马克思主义中国化的崭新道路和伟大征程。

参考文献

马克思：《〈黑格尔法哲学批判〉导言》，《马克思恩格斯文集》第 1 卷，人民出版社 2009 年版。

马克思：《关于费尔巴哈的提纲》，《马克思恩格斯文集》第 1 卷，人民出版社 2009 年版。

马克思、恩格斯：《德意志意识形态》，《马克思恩格斯文集》第 1 卷，人民出版社 2009 年版。

马克思：《哲学的贫困》，《马克思恩格斯文集》第 1 卷，人民出版社 2009 年版。

马克思、恩格斯：《共产党宣言》，《马克思恩格斯文集》第 2 卷，人民出版社 2009 年版。

马克思：《〈政治经济学批判〉序言》，《马克思恩格斯文集》第 2 卷，人民出版社 2009 年版。

马克思：《资本论》第 1 卷，《马克思恩格斯文集》第 5 卷，人民出版社 2009 年版。

马克思：《政治经济学批判（1857—1858 年手稿）》（摘选），《马克思恩格斯文集》第 8 卷，人民出版社 2009 年版。

马克思：《政治经济学批判（1861—1863 年手稿）》（摘选），《马克思恩格斯文集》第 8 卷，人民出版社 2009 年版。

恩格斯：《流亡者文献》，《马克思恩格斯文集》第 3 卷，人民出版社 2009 年版。

马克思：《哥达纲领批判》，《马克思恩格斯文集》第 3 卷，人民出版社 2009 年版。

恩格斯：《反杜林论》，《马克思恩格斯文集》第 9 卷，人民出版社 2009 年版。

马克思：《给〈祖国纪事〉杂志编辑部的信》，《马克思恩格斯文集》第 3 卷，人民出版社 2009 年版。

恩格斯：《社会主义从空想到科学的发展》，《马克思恩格斯文集》第 3 卷，人民出版社 2009 年版。

马克思：《给维·伊·查苏利奇的复信》，《马克思恩格斯文集》第 3 卷，人民出版社 2009 年版。

恩格斯：《自然辩证法》（节选），《马克思恩格斯文集》第 9 卷，人民出版社 2009 年版。

恩格斯：《路德维希·费尔巴哈和德国古典哲学的终结》，《马克思恩格斯文集》第 4 卷，人民出版社 2009 年版。

恩格斯：《论俄国的社会问题》跋，《马克思恩格斯文集》第 4 卷，人民出版社 2009 年版。

恩格斯：《卡尔·马克思〈1848 年至 1850 年的法兰西阶级斗争〉一书导言》，《马克思恩格斯文集》第 4 卷，人民出版社 2009 年版。

《恩格斯致约瑟夫·魏德迈（1852 年 6 月 19 日）》，《马克思恩格斯文集》第 10 卷，人民出版社 2009 年版。

《恩格斯致彼得·拉普罗维奇·拉普罗夫（1875 年 11 月 12—17 日）》，《马克思恩格斯文集》第 10 卷，人民出版社 2009 年版。

《马克思致马克西姆·马克西莫维奇·柯瓦列夫斯基（1879 年 4 月）》，《马克思恩格斯文集》第 10 卷，人民出版社 2009 年版。

《马克思致尼古拉·弗兰策维奇·丹尼尔逊（1879 年 4 月 10 日）》，《马克思恩格斯文集》第 10 卷，人民出版社 2009 年版。

《恩格斯致维拉·伊万诺夫娜·查苏利奇（1885 年 4 月 23 日）》，《马克思恩格斯文集》第 10 卷，人民出版社 2009 年版。

《恩格斯致尼古拉·弗兰策维奇·丹尼尔逊（1892 年 6 月 18 日）》，《马克思恩格斯文集》第 10 卷，人民出版社 2009 年版。

《恩格斯致尼古拉·弗兰策维奇·丹尼尔逊（1893 年 4 月 24 日）》，《马克思恩格斯文集》第 10 卷，人民出版社 2009 年版。

列宁：《什么是"人民之友"以及他们如何攻击社会民主党人？》（节选），《列宁专题文集　论辩证唯物主义和历史唯物主义》，人民出版社 2009 年版。

列宁：《俄国社会民主党的任务》，《列宁专题文集　论无产阶级政党》，人民出版社 2009 年版。

列宁：《俄国资本主义的发展》（节选），《列宁专题文集　论资本主义》，人民出版社 2009 年版。

列宁：《我们的纲领》，《列宁选集》第 1 卷，人民出版社 2012 年版。

列宁：《无政府主义和社会主义》，《列宁选集》第 1 卷，人民出版社 2012 年版。

列宁：《怎么办？》，《列宁专题文集　论无产阶级政党》，人民出版社 2009 年版。

列宁：《进一步，退两步》（节选），《列宁专题文集　论无产阶级政党》，人民出版社 2009 年版。

列宁:《社会民主党在民主革命中的两种策略》(节选),《列宁专题文集 论无产阶级政党》,人民出版社 2009 年版。

列宁:《社会民主党对农民运动的态度》,《列宁选集》第 1 卷,人民出版社 2012 年版。

列宁:《〈约·菲·贝克尔、约·狄慈根、弗·恩格斯、卡·马克思等致弗·阿·左尔格等书信集〉俄译本序言》,《列宁专题文集 论马克思主义》,人民出版社 2009 年版。

列宁:《马克思主义和修正主义》,《列宁专题文集 论马克思主义》,人民出版社 2009 年版。

列宁:《唯物主义和经验批判主义》,《列宁专题文集 论辩证唯物主义和历史唯物主义》,人民出版社 2009 年版。

列宁《哲学笔记》,《列宁全集》第 55 卷,人民出版社 2017 年版。

列宁:《论马克思主义历史发展中的几个特点》,《列宁专题文集 论马克思主义》,人民出版社 2009 年版。

列宁:《纪念赫尔岑》,《列宁专题文集 论辩证唯物主义和历史唯物主义》,人民出版社 2009 年版。

列宁:《马克思学说的历史命运》,《列宁专题文集 论马克思主义》,人民出版社 2009 年版。

列宁:《马克思主义的三个来源和三个组成部分》,《列宁专题文集 论马克思主义》,人民出版社 2009 年版。

列宁:《致伊·费·阿尔曼德》,《列宁专题文集 论马克思主义》,人民出版社 2009 年版。

列宁:《社会主义和宗教》,《列宁专题文集 论辩证唯物主义和历史唯物主义》,人民出版社 2009 年版。

列宁:《马克思主义和改良主义》,《列宁选集》第 2 卷,人民出版社 2012 年版。

列宁:《关于民族问题的批评意见》,《列宁选集》第 2 卷,人民出版社 2012 年版。

列宁:《论民族自决权》(节选),《列宁选集》第 2 卷,人民出版社 2012 年版。

列宁:《战争和俄国社会民主党》,《列宁选集》第 2 卷,人民出版社 2012 年版。

列宁:《第二国际的破产》(节选),《列宁专题文集 论辩证唯物主义和历史唯物主义》,人民出版社 2009 年版。

列宁:《社会主义与战争》,《列宁选集》第 2 卷,人民出版社 2012 年版。

列宁:《论欧洲联邦口号》,《列宁专题文集 论社会主义》,人民出版社 2009 年版。

列宁:《社会主义革命和民族自决权》,《列宁选集》第 2 卷,人民出版社 2012 年版。

列宁:《帝国主义是资本主义的最高阶段》,《列宁专题文集 论资本主义》,人民出版社 2009 年版。

列宁:《无产阶级革命的军事纲领》,《列宁专题文集 论社会主义》,人民出版社 2009 年版。

列宁:《论尤尼乌斯的小册子》,《列宁专题文集 论辩证唯物主义和历史唯物主义》,人民出版社 2009 年版。

列宁:《论面目全非的马克思主义和"帝国主义经济主义"》,《列宁选集》第 2 卷,人民出版社 2012 年版。

列宁:《远方来信》,《列宁选集》第 3 卷,人民出版社 2012 年版。

列宁:《论策略书》,《列宁选集》第 3 卷,人民出版社 2012 年版。

列宁:《国家与革命》,《列宁专题文集 论马克思主义》,人民出版社 2009 年版。

列宁:《大难临头,出路何在?》,《列宁专题文集 论资本主义》,人民出版社 2009 年版。

列宁:《布尔什维克能保住政权吗?》(节选),《列宁专题文集 论社会主义》,人民出版社 2009 年版。

列宁:《论国家》,《列宁专题文集 论辩证唯物主义和历史唯物主义》,人民出版社 2009 年版。

列宁:《论战斗唯物主义的意义》,《列宁专题文集 论辩证唯物主义和历史唯物主义》,人民出版社 2009 年版。

列宁:《无产阶级在我国革命中的任务》,《列宁选集》第 3 卷,人民出版社 2012 年版。

列宁:《论我国革命》,《列宁选集》第 4 卷,人民出版社 2012 年版。

斯大林:《略论党内意见分歧》,《斯大林选集》上卷,人民出版社 1979 年版。

斯大林:《马克思主义和民族问题》,《斯大林选集》上卷,人民出版社 1979 年版。

斯大林:《列宁是俄国共产党的组织者和领袖》,《斯大林选集》上卷,人民出版社 1979 年版。

斯大林:《论列宁》,《斯大林选集》上卷,人民出版社 1979 年版。

斯大林:《论列宁主义基础》,《斯大林选集》上卷,人民出版社 1979 年版。

斯大林:《论列宁主义的几个问题》,《斯大林选集》上卷,人民出版社 1979 年版。

斯大林:《论辩证唯物主义和历史唯物主义》,《斯大林选集》下卷,人民出版社 1979 年版。

毛泽东:《反对本本主义》,《毛泽东选集》第 1 卷,人民出版社 1991 年版。

毛泽东:《实践论》,《毛泽东选集》第 1 卷,人民出版社 1991 年版。

毛泽东:《矛盾论》,《毛泽东选集》第 1 卷,人民出版社 1991 年版。

［德］黑格尔：《逻辑学》（上下卷），杨一之译，商务印书馆 1977 年版。

［德］黑格尔：《精神现象学》（上卷），贺麟、王玖兴译，商务印书馆 1979 年版。

［德］黑格尔：《小逻辑》，贺麟译，商务印书馆 1980 年版。

［德］路德维希·费尔巴哈：《费尔巴哈哲学著作选集》，荣震华、李金山等译，商务印书馆 1984 年版。

北京大学哲学系外国哲学史教研室编译：《十八世纪末——十九世纪初德国哲学》，商务印书馆 1975 年版。

［德］恩斯特·马赫：《认识和谬误》，洪佩郁译，北京联合出版公司 2014 年版。

《卢森堡文选》上卷，人民出版社 1984 年版，

《卢森堡文选》下卷，人民出版社 1990 年版。

郑异凡编：《托洛茨基读本》，中央编译出版社 2008 年版。

《布哈林文选》（上、中、下），人民出版社 1981、1983 年版。

［英］霍布森：《帝国主义》，上海人民出版社 1960 年版。

［奥］希法亭：《金融资本》，商务印书馆 2009 年版。

［德］考茨基：《帝国主义》，生活·读书·新知三联书店 1964 年版。

［德］亨利希·库诺：《马克思的历史、社会和国家学说》第一、二卷，袁志英译，商务印书馆 1988 年版。

［俄］П.Б.司徒卢威：《俄国经济发展问题的评述》，李商谦等译，商务印书馆 1992 年版。

［俄］娜·康·克鲁普斯卡娅：《列宁回忆录》，哲夫译，人民出版社 1960 年版。

［美］路易斯·费希尔：《列宁》，彭卓吾译，国际文化出版公司 2010 年版。

［英］尼尔·哈丁：《列宁主义》，张传平译，南京大学出版社 2014 年版。

［美］埃德蒙·威尔逊：《到芬兰车站》，刘森尧译，广西师范大学出版社 2014 年版。

［美］罗伯特·文森特·丹尼尔斯：《革命的良心——苏联党内的反对派》，高德平译，北京出版社 1985 年版。

［美］凯文·安德森：《列宁、黑格尔和西方马克思主义：一种批判性研究》，张传平译，南京大学出版社 2012 年版。

［俄］米·约夫楚克、伊·库尔巴托娃：《普列汉诺夫传》，宋洪训等译，生活·读书·新知三联书店 1980 年版。

［英］汤姆·博托莫尔：《马克思主义思想辞典》，陈叔平、王瑾等译，河南人民出版社 1994 年版。

［德］沃尔夫冈·弗里茨·豪格：《马克思主义历史考证大辞典》第一卷，俞可平等编译，商务印书馆 2018 年版。

［英］G.D.H.柯尔：《社会主义史》第四卷上册，商务印书馆 1990 年版。

［美］卡尔·兰道尔：《欧洲社会主义思想与运动史》上卷，第一、二册，商务印书馆 1994 年版。

［南斯拉夫］普雷德腊格·弗兰尼茨基：《马克思主义史》第 I、II 卷，李嘉恩、韩宗翙等译，人民出版社 1992 年版。

［波兰］莱泽克·科拉科夫斯基：《马克思主义的主要流派》第二卷，马翎等译，黑龙江大学出版社 2015 年版。

［英］戴维·麦克莱伦：《马克思以后的马克思主义》，李智译，中国人民大学出版社 2008 年版。

［南非］达里尔·格雷泽、［英］戴维·M.沃克尔：《20 世纪的马克思主义——全球导论》，江苏人民出版社 2011 年版。

中国人民大学马列主义发展史研究所：《列宁思想史》，上海人民出版社 1988 年版。

黄枬森、庄福龄、林利主编：《马克思主义哲学史》第四卷，北京出版社 1994 年版。

马健行主编：《马克思主义史》第二卷，人民出版社 1995 年版。

《马克思主义哲学史》编写组：《马克思主义哲学史》，高等教育出版社、人民出版社 2012 年版。

［俄］列·阿·列文：《马克思恩格斯著作的发表和出版》，生活·读书·新知三联书店 1976 年版。

黄枬森主编：《〈哲学笔记〉注释》，北京大学出版社 1981 年版。

《黄枬森文集》第一、三、四卷，中央编译出版社 2011、2012 年版。

王东：《辩证法科学体系的"列宁构想"》，中国社会科学出版社 1989 年版。

张一兵：《回到列宁——关于"哲学笔记"的一种后文本学解读》，凤凰出版传媒集团、江苏人民出版社 2008 年版。

俞良早：《关于列宁学说的论争》，中共中央党校出版社 2006 年版。

［苏］联共（布）中央特设委员会编：《联共（布）党史简明教程》，中央编译局译，人民出版社 1975 年版。

［苏］波斯别洛夫主编：《苏联共产党历史》（第一卷），彭卓吾等译，上海人民出版社 1983 年版。

［苏］波斯别洛夫主编：《苏联共产党历史》（第二卷），彭卓吾等译，上海人民出版社 1987 年版。

中共中央党校党建教研室编：《苏联共产党章程汇编》，求是出版社 1982 年版。

中共中央党校经典著作选编组：《列宁论党的建设问题》，中共中央党校出版社 1993 年版。

中共陕西省委党校党建教研室编：《马克思主义政党学说史略》，中央党校出版社 1987 年版。

孙祚成等主编：《马克思主义政党学说要籍概述》，吉林大学出版社 1992 年版。

赵云献、杨杰：《马克思主义政党学说史略》，甘肃人民出版社 1985 年版。

魏泽焕主编：《马克思主义党的学说及其发展》，广东人民出版社 2001 年版。

［英］W.C.丹皮尔：《科学史及其与哲学和宗教的关系》，李珩译，商务印书馆 1987 年版。

［美］I.伯纳德·科恩：《科学革命史》，杨爱华等译，军事科学出版社 1992 年版。

［俄］凯德洛夫：《列宁与科学革命》，军事科学技术出版社 1987 年版。

［俄］Л．Ф．伊利切夫：《论唯物辩证法的世界观职能》，今人译，《哲学译丛》1983 年第 3 期。

［俄］Э．В．伊里因科夫：《〈列宁的辩证法和实证主义的形而上学〉一书结束语》，柳树滋译，《哲学译丛》1983 年第 3 期。

［俄］Э．В．伊里因科夫：《辩证法和世界观》，李树柏译，《哲学译丛》1983 年第 3 期。

［俄］В．С．斯焦平：《今日俄罗斯哲学：现在的问题和对过去的评价》，安启念、蔡永宁译，《哲学译丛》1999 年第 1 期。

［日］《片山潜著作集》（全 3 卷），片山潜生诞百年纪念会，1959—1960 年版。

［日］《幸德秋水全集》（全 11 卷），明治文献出版社 1968—1972 年版。

［日］《堺利彦全集》（全 6 卷），法律文化社 1970—1971 年版。

［日］岸本英太郎编·解说：《片山潜·田添铁二集》，青木书店 1955 年版。

［日］岸本英太郎编·解说：《森近运平·堺利彦集》，青木书店 1955 年版。

［日］依田憙家：《近代日本的历史问题》，雷慧英译，上海远东出版社 2004 年版。

［日］丝屋寿雄：《日本社会主义运动思想史》，法政大学出版局 1979 年版。

［日］片山潜：《关于马克思主义在日本的诞生与发展问题》，中央编译局国际共运史研究室：《国际共运史研究资料》（第 12 辑），人民出版社 1984 年版。

［日］片山潜：《日本的工人运动》，王雨译，生活·读书·新知三联书店 1959 年版。

［日］服部之总主编：《工人运动史话》，长风译，工人出版社 1958 年版。

［日］近代日本思想史研究会：《近代日本思想史》（第三卷），那庚辰译，商务印书馆 1992 年版。

［日］幸德秋水：《社会主义神髓》，马采译，商务印书馆 1963 年版。

［日］幸德秋水：《二十世纪的怪物：帝国主义》，赵必振译，上海梁溪图书馆 1925 年版。

［日］幸德秋水：《狱中致三律师的申辩书》，幸德秋水：《基督何许人也：基督抹杀论》，马采译，商务印书馆 1982 年版。

［日］《日本唯物主义史》，载《朱谦之文集》（第 9 卷），福建教育出版社 2002 年版。

［日］《堺利彦全集》第 1 卷，法律文化社 1970 年版。

［日］《堺利彦全集》第 3 卷，法律文化社 1970 年版。

［日］《堺利彦全集》第 4 卷，法律文化社 1970 年版。

张阁林、刘玉萼：《马克思主义在日本的传播及其特点》，本书编辑组：《纪念马克思论文集》，中国人民大学科学社会主义系 1983 年版。

张陟遥：《播火者的使命：幸德秋水的社会主义思想及其对中国的影响》，社会科学文献出版社 2013 年版。

王元：《幸德秋水的社会主义思想以及对中国的影响》，《日本问题研究》2015 年第 5 期。

赵行大：《马克思主义在日本的传播及其特点》，《日本问题研究》1995 年第 2 期。

《宋教仁集》（上册），中华书局 1981 年版。

康有为：《大同书》，上海古籍出版社 2014 年版。

《严复集》第 1 卷，中华书局出版社 1986 年版。

《严复集》第 2 卷，中华书局出版社 1986 年版。

《严复集》第 4 卷，中华书局出版社 1986 年版。

［英］赫胥黎：《天演论》，严复译，贵州教育出版社 2014 年版。

谭嗣同：《谭嗣同全集》，中华书局 1981 年版。

《孙中山全集》第 1 卷，中华书局 1981 年版。

《孙中山全集》第 2 卷，中华书局 1982 年版。

《孙中山集外集补编》，上海人民出版社 1994 年版。

梁启超：《中国近百年学术史》，东方出版社 1996 年版。

《马君武集》，华中师范大学出版社 2011 年版。

《朱执信集》（上卷），中华书局 1979 年版。

《戴季陶集》，华中师范大学出版社 1990 年版。

《中国近代思想家文库·刘师培卷》，中国人民大学出版社 2015 年版。

李妙根编：《刘师培文选》，上海远东出版社 2011 年版。

《中国近代思想家文库·吴稚晖卷》，中国人民大学出版社 2015 年版。

张枬、王忍之编：《辛亥革命前十年间时论选集》（第三卷），生活·读书·新知三联书店 1977 年版。

田晓青主编：《民国思潮读本》（第一卷），作家出版社 2013 年版。

高军等编：《五四运动前马克思主义在中国的介绍与传播》，湖南人民出版社 1986 年版。

陈学恂、田正平：《中国近代教育史资料汇编·留学教育》，上海教育出版社 1991 年版。

姜义华编：《社会主义学说在中国的初期传播》，复旦大学出版社 1994 年版。

林代昭、潘国华；《马克思主义在中国：从影响的传入到传播》（上），清华大学出版社 1983 年版。

Acton, H. B. The Illusion of the Epoch: Marxism-Leninism as a philosophical Creed .Boston: Beacon Press, 1957.

Changbre, Henri. From Karl Marx to Mao Tse Tung: A Systematic Survey of Marxism-Leninism. New York: P.J. Kennedy & Sons,1963.

Zawadsky, John Paul, The Sources of Dialectical Matreialism: Hegel, Marx, Engels, and Lenin. Harvard University, 1963–1964.

Ozingo, james, The Relevance of Marx and Lenin to the Soviet Transition to Communism.Michigan State University, 1968.

Croce, Benedetto. Essays on Marx and Russia. New York: Frederick Ungar Publishing Co., 1966.

Eastman, Max. Marx, Lenin and the Science of Revolution.Westport, Conn.: Hyperion Press, 1973.

Moor, Stanley. Marx and Lenin as Historical Materialists. Philosophy & Public Affairs （1974）: 171-94.

大　事　记[*]

1870 年

4 月 10 日　列宁诞生于伏尔加河畔的辛比斯克（今乌里扬诺夫斯克）。

1887 年

3 月 1 日　列宁的哥哥亚历山大·伊里奇·乌里扬诺夫因企图刺杀亚历山大三世而被沙皇政府处以死刑。

列宁中学毕业后，进入喀山大学法律系学习，并参加青年学生运动和马克思主义小组活动。

12 月 4 日　列宁因参加反对学校学监的学生运动而被捕。

12 月 5 日　列宁被喀山大学开除。

12 月 7 日　列宁被警察机关放逐到喀山省的科库什基诺。

1888 年

9 月　当局批准列宁全家在喀山居住。列宁在这里度过了 7 个月的时光。列宁在喀山积极参加了马克思主义小组活动。

---

* 本卷大事记主要采用俄历，凡公历时间均有标注。

1889 年

5 月 3 日　　列宁移居萨马拉。这期间他开始研究法学。

1892 年

1 月 14 日　　列宁获准以校外考生的身份参加法学副博士考试。考试合格后，他得到一张文凭，使他有权从事法律实践，但规定他只能当助理律师。

1893 年

春　　列宁开始写文章批判民粹主义。写了《农民生活中的新的经济变动》和《论所谓市场问题》等长文。

8 月 31 日　　列宁到达彼得堡。在这里他同后来成为他妻子和革命伴侣的娜捷施达·康斯坦丁诺夫娜·克鲁普斯卡娅和一起参加革命活动的亚·尼·波特列索夫、瓦·瓦·斯塔尔科夫、格·马·克尔日札诺夫斯基、彼得·司徒卢威等相识。

1894 年

7 月　　列宁的《什么是"人民之友"以及他们如何攻击社会民主党人?》在彼得堡、莫斯科、哥尔克等地分编出版。

1895 年

4 月 24—25 日　　列宁离开彼得堡，由莫斯科启程出国。5 月—7 月在瑞士、巴黎和柏林会见了俄国的一些马克思主义者。

夏　　列宁在瑞士同普列汉诺夫、阿克雪里罗得和查苏利奇初次见面。

5 月和 9 月 7 日　　列宁研究马克思和恩格斯的《神圣家庭》。
之间

12 月 8 日夜　　列宁在彼得堡被沙皇宪兵逮捕。在狱中开始写《俄国资本主义的发展》。

1896 年

不早于 3 月　列宁的《弗里德里希·恩格斯》一文发表。

1897 年

初　列宁在彼得堡拘留所被拘禁一年，然后被判处流放西伯利亚，流放期为 3 年，被指定居住在一个叫作舒申斯克的村子。

1898 年

2 月 24 日　列宁在给母亲的信中说："我今天收到从莫斯科和西伯利亚各地寄来的大批信件，因此整天像过节一样地兴高采烈。"他还从国外收到许多信件和国外定期出版的一些书刊。他同俄国和欧洲的马克思主义领袖们互相通信。此外他还写一些文章在俄文杂志上发表。列宁继续写《俄国资本主义的发展》。

5 月 7 日　娜捷施达·康斯坦丁诺夫娜·克鲁普斯卡娅同列宁的母亲一起抵达克拉斯诺亚尔斯克，然后到舒申斯克村列宁的住处。1896 年 8 月 2 日克鲁普斯卡娅被捕，被判在北方的乌法流放 3 年。她以列宁"未婚妻"的名义要求调到列宁居住的舒申斯克的申请获得批准。

7 月 10 日　列宁同娜捷施达·康斯坦丁诺夫娜·克鲁普斯卡娅在舒申斯克村结婚。

1899 年

3 月 24 和 31 日　列宁的《俄国资本主义的发展》第一版在彼得堡出版。
之间

1900 年

12 月 11 日　俄国社会民主工党的机关报——《火星报》创刊号问世。创刊号上登有列宁写的《对华战争》一文。

1901 年

2 月	列宁的流放生活结束，要求回到彼得堡的请求遭到拒绝。不久，列宁领到出国护照，再次到达欧洲，同普列汉诺夫和在德国、瑞士的俄国马克思主义者商谈出版一份俄文定期刊物。
5 月 18 日（公历）	片山潜、村井知至、安部矶雄、幸德秋水、河上清等人成立了日本第一个社会主义的政党——日本社会民主党。

1902 年

5 月初	列宁的《怎么办?》一书在斯图加特出版。

1903 年

7 月 30 日—8 月 10 日	俄国社会民主工党先后在布鲁塞尔和伦敦举行第二次代表大会。共有代表 43 人。会上，在讨论党章第一条时发生意见分歧，在选举党的领导机关时更发生激烈争论。表决结果是，列宁一派获得多数票，马尔托夫一派只得到少数人的支持。此时起，这种多数派和少数派就分别被称为"布尔什维克"和"孟什维克"。

1904 年

8 月	布尔什维克"22 人会议"在日内瓦举行。
12 月 22 日	列宁离开《火星报》后，由他创办的布尔什维克的定期刊物（周报）《前进报》创刊号在日内瓦出版。

1905 年

1 月 9 日	"流血的星期日"。这一天，有几千名彼得堡的工人唱着"上帝呵，保佑沙皇"和祈祷文，手里拿着圣经和沙皇的相片，在东正教的牧师格奥尔吉·加邦带领下来到冬官前面的广场，遭到军队和警察的屠杀。这也意味着 1905 革命开始了。
1 月 20 日	基辅大学、华沙大学、哈尔科夫大学和喀山大学被关闭。

2月4日	社会革命党人伊·普·卡利亚耶夫刺杀了莫斯科总督谢尔盖·亚历山德罗维奇大公。
4月12日—4月27日	俄国社会民主工党在伦敦举行第三次代表大会。参加会议的全是布尔什维克。列宁号召在党内两派之间实行彻底的分裂。在日内瓦，孟什维克大致同时也召开了会议。
6月14日	"塔夫利达公爵波将金号"装甲舰的全体船员在敖德萨举行暴动，夺取了军舰。
8月23日	通过美国总统西奥多·罗斯福的调停，日俄缔约双方在朴茨茅斯（美国）会晤，缔结了和约。
9月13日	俄国第一个苏维埃——彼得堡工人代表苏维埃建立。
10月17日	俄国沙皇尼古拉二世颁布"十月宣言"，确立杜马作为立法机关。
10月27日	布尔什维克的日报《新生活报》创刊号在彼得堡出版。
11月8日	列宁离开瑞士，途经斯德哥尔摩和赫尔辛基回到彼得堡。
11月27日	党中央在彼得堡高尔基的住宅召开会议，列宁出席了会议。会上讨论了准备武装起义的问题。
12月6—17日	莫斯科举行总罢工和起义。
12月12—17日	俄国社会民主工党在芬兰的塔墨尔福斯举行第一次（全俄）代表会议。

1906 年

3月15日（公历）	由堺利彦和幸德秋水共同翻译的《共产党宣言》第一个日文全译本刊发在《社会主义研究》的创刊号上，标志着马克思主义在日本传播的真正开端。
3月	第一届杜马选举（4月27日成立立宪会议，7月8日被解散）。
4月10日—25日	俄国社会民主工党在塔墨尔福斯举行第四次代表会议。
11月3—7日	俄国社会民主工党在塔墨尔福斯举行第二次（全俄）代表会议。

1907 年

2月20日	第二届杜马召开。

| 5月13日—6月1日 | 俄国社会民主工党在伦敦举行第五次代表会议。列宁在会议报告中谈到俄国革命的性质，提出了无产阶级和农民的革命民主专政思想。鉴于新的中央委员会成分不一，中央的领导不可靠，在代表大会结束时，布尔什维克在自己的会议上成立了以列宁为首的布尔什维克的中央。 |

7月21—23日　　　俄国社会民主工党在科特卡（芬兰）举行第三次（全俄）代表会议。

11月5—12日　　　俄国社会民主工党在赫尔辛基举行第四次（全俄）代表会议。

1908 年

4月　　　　　经高尔基多次邀请，列宁终于来到意大利的卡普里。这里居住着波格丹诺夫、巴扎罗夫、卢那察尔斯基等"想当马克思主义者"的马赫主义者。列宁虽然表示他来这里并不是与他们来谈哲学和宗教问题的，但面对这些人用马赫哲学向马克思哲学发起挑战，列宁不得不又研究起哲学。

6月22日（公历）　日本政府逮捕14名高唱革命歌曲，高举写有"无政府共产"红底白字赤旗的社会主义者，金曜会被迫解散，史称"赤旗事件"。

1909 年

1月3日—9日　　　俄国社会民主工党在巴黎举行第五次（全俄）代表会议。

4月下旬　　　　列宁的《唯物主义和经验批判主义》一书由莫斯科环节出版社出版。作者署名弗拉·伊林。

6月21—23日　　　"无产者报"编辑部在巴黎举行扩大会议，布尔什维克党团开始分裂，"取消派"和"召回派"被开除。

1910 年

1月15日—2月5日　俄国社会民主工党在巴黎举行中央全会。此会为布尔什维克和孟什维克之间的合作作了最后尝试。

5月下旬（公历）　日本政府以莫须有的罪名，逮捕了数百名社会主义者和无政府主义者，企图一举镇压日本的社会主义运动。并于次年判处包括幸德秋水、森近运平在内的12名社会主义者绞刑，判处另外12名同志无期徒刑，史称"大逆事件"，日本的社会主义运动由此进入了"严冬时代"。

1911 年

10 月 10 日（公历）	以孙中山为首的辛亥革命推翻了清王朝的封建集权统治，建立起亚洲第一个资产阶级共和国，推动了马克思主义在中国的译介与传播。
11 月 5 日（公历）	江亢虎在"社会主义研究会"的基础上组建中国社会党，声称要在"不妨害国家存立范围内主张纯粹社会主义"，这是中国第一个公开宣布自己为社会主义的政党。
11 月 20 日	列宁在巴黎出席了保尔·拉法格和劳拉·拉法格这两位法国社会主义者的葬礼，并发表演讲。

1912 年

1 月 5—17 日	俄国社会民主工党在布拉格召开布尔什维克的代表会议，会议宣布自己是俄国社会民主工党的唯一代表，并选出了新的党中央。

1913 年

2 月 8 日	拟订出版纪念马克思逝世 30 周年小册子或文集的计划，并致函《真理报》编辑部，指示在马克思逝世 30 周年的时候出版专刊，并登一张马克思的大幅照片。

1914 年

7 月	俄国社会主义者"统一"代表会议在布鲁塞尔召开。
8 月 1 日（公历）	德国向俄国宣战，社会主义政党之间开始分裂。
8 月 4 日（公历）	德国国会中的社会党人声明："在危急时刻，我们不能让祖国处于无防御的状态。"于是他们中的多数投票赞成政府的军事拨款。

1915 年

2 月 14 日—19 日	俄国社会民主工党流亡者小组代表会议在伯尔尼举行。

| 8月23日 | 列宁发表《论欧洲联邦口号》一文，宣布这个口号是不正确的，应予取消。 |
| 9月18—21日（公历） | 反战的社会主义者代表会议在齐美尔瓦尔得（瑞士）举行。 |

1916年

| 11月1—6日 | 列宁写《帝国主义是资本主义的最高阶段》一书。 |

1917年（公历）

1月22日	彼得堡5万工人罢工游行，纪念1905年1月"流血的星期日"。列宁在苏黎世的社会民主党青年党员会议上发表演说，称"我们这些老年人"也许看不到未来社会主义革命的决战了。
3月10日	彼得堡罢工规模扩大。晚上，尼古拉二世从大本营发出电报，要求结束首都的动乱。
3月11日	部队开枪镇压示威者，造成人员伤亡。
3月12日	士兵起义开始。国家杜马临时委员会成立。
3月13日	出席第一次苏维埃代表会议的布尔什维克代表会议举行。
3月14日	彼得堡苏维埃发布一号命令。
3月15日	临时政府成立。尼古拉二世在普斯科夫签署退位诏书，并代表其子阿列克谢让位于米哈伊尔大公。
3月21日	尼古拉二世在莫吉廖夫大本营被逮捕。
4月9日	列宁等俄国侨民启程回国。临时政府公布《临时政府关于战争目的的声明》。
4月16日晚上11点10分	列宁乘火车抵达彼得堡芬兰车站。
4月17日	列宁作关于革命无产阶级的任务的报告，报告提纲被称为《四月提纲》。
5月3日	布尔什维克开始组建赤卫队。
5月6日	颁布成立工厂委员会的法令。

5月7—9日	布尔什维克召开第七次全国代表大会。
5月14日	苏维埃与临时政府谈判后决定派自己的代表进入联合政府。
5月18日	第一届联合政府成立。
6月16日—7月7日	第一届全俄工兵苏维埃代表大会在彼得堡举行。
7月16—17日	"七月事件"。发生彼得格勒工人、士兵和喀琅施塔得水兵反对临时政府的起义。
8月8—16日	布尔什维克党举行第六次代表大会。托洛茨基等被接受加入布尔什维克党。
9月18日	莫斯科苏维埃改组,布尔什维克在组成中占了多数。
9月25—27日	列宁连续写信坚决要求布尔什维克立即开始准备武装起义,夺取政权。
10月8日	布尔什维克掌握彼得堡苏维埃的领导权,托洛茨基当选为彼得堡苏维埃主席。
10月20日	列宁秘密回到彼得堡。
10月29日	布尔什维克中央扩大会议在激烈争论之后通过列宁提出的关于武装起义的决议案。
11月7日	(俄历10月25日)除冬宫外,布尔什维克控制了几乎整个首都。在下午举行的彼得堡苏维埃会议上,军事革命委员会宣布临时政府已被推翻。晚上,全俄苏维埃第二次代表大会开幕。
11月8日（凌晨2点）	起义部队占领冬宫。全俄苏维埃第二次代表大会通过和平法令、土地法令和组织新政权的法令。人民委员会成立。列宁当选为人民委员会主席。
12月22日	与德国停火。苏维埃俄国与德奥在布列斯特—里托夫斯克举行和平谈判。

索　引

主题索引

人名索引

A

B

后　记

　　本卷所含主要内容是列宁主义的形成和发展。列宁主义的形成，开启了马克思主义发展的第二个阶段。马克思主义发展的第一个阶段是马克思和恩格斯亲历的马克思主义创立和发展时期。这两个阶段的交汇点，从时间上说，正好是 19 世纪末 20 世纪初。从历史发展来看，它正是资本主义发展为帝国主义的时期。帝国主义及其发动的战争造成了无产阶级革命的历史条件，俄国十月社会主义革命的胜利既是这一时期客观历史发展的结果，也是马克思主义发展到新的阶段的结果。列宁主义正是适应历史重大转变和无产阶级实践在新时期的发展的需要而产生的。列宁主义是帝国主义和无产阶级革命时代的马克思主义。

　　列宁主义的形成是马克思主义的重大发展，是历史的科学理论发展的伟大成果。由此也决定了本卷所承担的马克思主义发展史的研究和书写任务的重要意义。对此，本卷作者具有自觉的认识。

　　本卷充分吸收了国内外马克思主义发展史研究的有益成果和研究经验。《马克思主义发展史》（十卷本）组编单位已出版的《马克思主义史》（四卷本）、《列宁思想史》、《马克思主义发展史》、《简明马克思主义史》、《20 世纪马克思主义发展史》等构成本卷编写的深厚理论基础和经验基础。我们在制定本卷的编写大纲时，还参阅了国际和国内有重要影响的一批马克思主义发展史著作。

　　本卷编写分工如下：

　　卷首语：梁树发

　　第一章：梁树发、张党伟

　　第二章：孙海洋

第三章：陈昕

第四章：隋秀英

第五章：梁树发、顾伟伟、高惠芳

第六章：黄刚

第七章：张旭

第八章：梁树发

第九章：李德阳

梁树发负责全书的修改、定稿。

本卷参考文献、大事记、主题索引和人名索引在各章作者提供的资料基础上由梁树发修改、整理完成。中国人民大学马克思主义学院马克思主义哲学专业的博士研究生周虹、惠成刚协助梁树发完成了部分主题索引和人名索引的信息采集、整理工作。本卷英文目录由孙海洋根据中文目录翻译。

感谢中国人民大学领导、中国人民大学马克思主义学院领导，以及人民出版社领导给予《马克思主义发展史》（十卷本）编写、出版的关心与支持！

感谢人民出版社马列编辑一部毕于慧编审对本书编辑工作的指导，感谢责任编辑高华梓为本书的编辑、出版付出的辛劳！

梁树发

2019 年 9 月 10 日

编　后　语

马克思主义是不断发展的开放的理论，始终站在时代前沿，引领时代发展。总结自马克思主义诞生以来的发展史，是全部马克思主义理论研究者的一件大事，更是一件难事。中国人民大学作为我国马克思主义教学与研究高地，始终重视这项工作。从1996年《马克思主义史》（四卷本）出版，历经了27年的光阴，在新时代的呼唤下，这部《马克思主义发展史》（十卷本）终于呈现在各位读者面前。这是一部由中国人民大学组织编写、以推进马克思主义中国化时代化为主旨的巨著，具有科研启动时间早、参研人数多、设计体量大、理论难度高、持续时间长等显著特点。这部书得到了中央有关部门和领导同志的高度重视，先后入选国家出版基金项目和国家出版"十三五"规划项目，受到来自中共中央党校、中国社会科学院、北京大学、中央民族大学等高校和研究机构同人的鼎力相助，更有中国人民大学党委和人民出版社的全力支持。在一路关注和支持下，人大人践行着人民大学的优良传统和红色基因，以高度的理论使命感为指引，以扎实的马克思主义理论功底为支柱，敢于担当、求真务实、团结协作，以"一马当先"精神完成了这部鸿篇巨著。

以责任担当精神书写理论创新的辉煌篇章。时代是思想之母，实践是理论之源，理论之树常青是源于其始终随着实践的变化而发展。人大人想要承担起"十卷本"的编写重任，也一定能够承担起这项历史重任。自学校诞生之日起，一代代人大人紧扣时代脉搏，根据时代变化和实践发展，不断深化认识，不断总结经验，不断推动理论创新和实践创新的良性互动，用思想之力量发社会之先声。我们在2014年作出编写这部书的决定绝不是一个偶然，而是历史的必然。党的十八大召开，标志着中国特色社会主义进入新时代。一年多之后，编写这套丛书作为重大科研课题正式获批立项。这一年多的时间虽然短暂，但新时代的精神已经鲜明彰显。此后，一些新理念新思想新战略不断涌现，其中所蕴含着的一些重大而崭新的理论问题已深刻展现出来，我国的社会生活也在发生着深刻变化。特别是党的十九大明确提出习近平新时代中国特色社会主义思想，实现了马克思主义中国化新的飞跃，更加充分证明开展《马克思主义发展史》（十卷本）的编写工作是一项非常正确的决定。这是中国人民大学及其马克思主义理论学者对时代精神强力召唤的真诚回应，是所肩负的崇高历史责任的自觉担当。

以求真务实精神描绘人大学派的精神底色。习近平总书记曾寄语哲学社会科学工作者，要"自觉以回答中国之问、世界之问、人民之问、时代之问为学术己任"。人大人始终以"立学为民、治学报国"为学术追求，以实事求是、求真务实的精神直面"世界怎么了"、"人类向何处去"的时代之题，创作出了一大批经世济民、历久弥新的学术成果。《马克思主义发展史》（十卷本）便是这样一部回应时代需要和现实国情的学术巨著。一方面，习近平新时代中国特色社会主义思想是马克思主义中国化时代化的原创性成果，是马克思主义发展史上又一里程碑式的重大发展。为了推进理论的体系化、学理化，本书在编写过程中坚持"两个结合"，坚守好马克思主义魂脉和中华优秀传统文化根脉，新设专章，从学科角度重点研究阐释我们党提出的新理念新论断中的原理性理论成果，把握相互的内在联系，不断深化对党的理论创新的规律性认识。另一方面，将马克思主义发展史与党的百年历史、党的二十大接轨，充分彰显马克思主义在当代中国的理论进展和思想伟力，系统阐释马克思主义中国化理论在哲学、政治经济学和科学社会主义等相关学科的最新成果，呈现马克思主义理论在中华大地上的勃勃生机。

以团结协作精神汇聚著书立言的磅礴力量。时光荏苒，一瞬九载春秋，这个过程虽然"道阻且长"，但人大人"行则将至"。我们常说，讲团结就是讲政治，服从集体、凝心聚力；讲协作就是讲效率，术业专攻、高效落实。自课题立项之日起，时任中国人民大学党委书记、本书编委会主任靳诺教授就高度关注并全力支持本书的编写工作；年逾八旬的庄福龄教授首倡编写十卷本《马克思主义发展史》，亲自主持本书的筹划和编写大纲的制定，病榻上仍心系本书编写直至逝世；杨瑞森教授临危受命"挑起大梁"，特别是在第十卷的编撰中，亲自召集一批知名专家发挥专长、打磨书稿；更有一大批中青年马克思主义理论学者参与到本书的编写工作之中。中国人民大学党委作为团结协作的"领头羊"，统筹各方面工作，不忘著书立说的初心使命；各位总主编、各卷主编及作者服从安排、相互协作、尽心竭力、数易其稿，才使如此鸿篇巨著得以优质、高效地产出。正是一代代人大人讲团结、重协作，汇聚成了人才荟萃、名家云集的中国人民大学马克思主义理论教学与研究高地，凝结成了《马克思主义发展史》（十卷本）这部心血之作。特别需要提到的是，人民出版社高度重视、全力支持本书出版工作，毕于慧编审全程参与本书的编写、出版等工作，为这套十卷本的高效优质出版提供了重要保证。

本书的编写工作即将告一段落，我们力求将马克思主义发展至今的历程、观点、人物、事件等完整地呈现于此书。这部书立足中国特色社会主义新时代，整合近年来最新的马克思恩格斯著作手稿、马克思主义理论最新研究观点，以整体性的视野详述马克思主义170余年来形成、发展和在新的实践中不断深化的历史过程。这既是几代人大人的心血之作，也期待能够成为马克思主义发展史研究的扛鼎之作。新征程上，人大人将以坚持党的领导为根本统领，以传承红色基因为文化血脉，以扎根中国大地为发展根基，以加快建设中国特色、世界一流的社会主义大学为目标使命，继续发扬"一马当先"精神，充分发挥中国人民大学马克思主义理论研究底蕴深厚的优势，始终担当起人大马理学派应有的历史使命，踔厉奋发，笃行不怠，为不断推动当代中国马克思主义和二十一世纪马克思主义发展作出应有的贡献！

本书编委会

2023 年 10 月

项目统筹：毕于慧

责任编辑：高华梓　毕于慧

封面设计：石笑梦

版式设计：周方亚

责任校对：张红霞

图书在版编目（CIP）数据

马克思主义发展史.第五卷，十月革命前列宁主义的形成与发展（19世纪末—
　　1917）/梁树发 主编.— 北京：人民出版社，2020.12（2025.7重印）

ISBN 978 - 7 - 01 - 021762 - 8

I.①马…　II.①梁…　III.①马克思主义 – 历史　IV.① A81

中国版本图书馆 CIP 数据核字（2019）第 293450 号

马克思主义发展史（第五卷）

MAKESI ZHUYI FAZHANSHI (DIWUJUAN)

——十月革命前列宁主义的形成与发展（19世纪末—1917）

梁树发　主编　张　旭　副主编

人民出版社 出版发行

（100706　北京市东城区隆福寺街 99 号）

北京中科印刷有限公司印刷　新华书店经销

2020 年 12 月第 1 版　2025 年 7 月北京第 4 次印刷

开本：710 毫米 ×1000 毫米 1/16　印张：38.25

字数：645 千字

ISBN 978 - 7 - 01 - 021762 - 8　定价：172.00 元

邮购地址 100706　北京市东城区隆福寺街 99 号

人民东方图书销售中心　电话（010）65250042　65289539